*le Temps retrouvé*

# MÉMOIRES
## DE LA
# BARONNE
# D'OBERKIRCH

SUR LA COUR DE LOUIS XVI
ET LA SOCIÉTÉ FRANÇAISE
AVANT 1789

*Édition présentée et annotée
par Suzanne Burkard*

MERCURE DE FRANCE

# PRÉFACE

Henriette-Louise de Waldner de Freundstein naquit en 1754, dans le château paternel de Schweighouse en Haute-Alsace. Elle était fille de François-Louis, baron et plus tard comte de Waldner, chef du régiment de Bouillon, commandeur de l'ordre de Saint-Jean, chevalier du Mérite militaire, et de Wilhelmine de Berckheim de Ribeauvillé. Elle appartenait ainsi, comme elle se plaît à le souligner, à deux des plus anciennes familles nobles d'Alsace qui depuis les traités de Westphalie n'avaient cessé de fournir au roi de France des officiers de grand mérite.

Elle perdit sa mère de bonne heure. Son père ne se remaria pas et la confia à une tante qui lui donna une solide formation religieuse et morale. Il ne fut point question pour cette jeune luthérienne d'une éducation dans un couvent et c'est à la maison qu'elle acquit une culture littéraire et artistique tout à fait supérieure à celle que recevaient alors les jeunes filles de son monde. Il est vrai qu'un touriste anglais voyageant à travers la France du XVIII$^e$ siècle, a remarqué à propos de l'Alsace que « l'érudition des jeunes personnes y est moins négligée que dans beaucoup d'endroits... Presque toutes possèdent le talent de la peinture et de la musique ; un goût décidé pour la littérature les met à portée d'en raisonner avec pertinence et rend leur conversation agréable ».

La jeune Henriette est un parfait exemple de cette éducation harmonieuse. Elle manie les pinceaux avec assez de talent pour réussir le portrait de ses intimes, elle touche assez bien du clavecin pour déchiffrer avec plaisir toutes les partitions musicales à la mode. Son goût pour la littérature est bien décidé ; à côté du français et de l'allemand qu'elle possède dès l'enfance, elle a étudié le latin et l'italien suffisamment pour pouvoir, dans la même journée, recevoir d'une amie quatre lettres différentes dans les quatre langues ! L'anglais ne lui est pas étranger non plus. Toute jeune enfin, elle excelle dans l'art de la conversation qui est le plaisir le plus délicat et le plus apprécié d'une société qui pense toujours, depuis La Bruyère, qu'entre gens bien nés le silence est insupportable et « pire que les discours inutiles ».

Mais il faut insister un peu sur le caractère bilingue de sa culture : elle grandit dans cette Alsace du XVIII$^e$ siècle qui s'ouvre de plus en plus à l'influence française. En même temps, par ses alliances de famille et surtout ses séjours fréquents à la petite cour de Montbéliard où régnait une branche de la famille de Wurtemberg, elle est toute pénétrée de culture allemande. Que ce soit en Alsace française où la population use d'un dialecte germanique et où les pasteurs prêchent en allemand, ou à Montbéliard où, au contraire, des princes allemands règnent sur une population de langue et de mœurs françaises, elle est parfaitement à l'aise dans les deux langues qu'elle parle avec une égale pureté et sans accent. Elle incarne ainsi avec une harmonie tout à fait rare cette « double culture » dont on peut regretter qu'elle ait de moins en moins de représentants dans l'Alsace d'aujourd'hui. Pouvoir apprécier, comme elle, Goethe et Wieland, en juger avec autant de pertinence que de Beaumarchais et Rousseau, briller avec le même charme à Strasbourg et à Montbéliard que plus tard à Paris et à Versailles sont les marques d'un esprit raffiné et cultivé qui eut sans doute d'autres exemples au XVIIIe siècle, mais peu de cette qualité.

Attirée par les deux courants, sensible à leur richesse, à ce que l'un et l'autre avaient de meilleur, elle n'a jamais songé à les opposer l'un à l'autre. L'idée qu'il pouvait y avoir antagonisme l'effleure à peine et, en fait, il n'y en avait guère alors entre les petits États allemands dont les princes aimaient à s'exprimer en français et la puissante monarchie voisine. Son cœur d'ailleurs, ses préférences vont toujours à la France. C'est en français que le plus souvent elle écrit à ses proches et à ses amis, qu'elle rédigera son journal et plus tard ses mémoires, dans une langue fluide, claire, sans un seul germanisme, qui fait que dans une anthologie de la littérature alsacienne française, elle occupe une place de choix. Et quand viendront les années terribles de la Révolution, quand s'effondrera un monde qu'elle a aimé de toutes ses fibres, alors même que sa vie et celle des siens sont en danger, elle refusera d'émigrer en cette Allemagne si proche, où elle compte tant d'amis qui lui offrent un asile, et de quitter la France, se souvenant des jours heureux de sa jeunesse provinciale et de ses merveilleux séjours à Paris. Car elle avait vraiment connu cette fameuse douceur de vivre d'avant la Révolution dont jouissaient sans aucune mauvaise conscience les privilégiés du rang et de la fortune.

L'intérêt premier des Mémoires réside d'abord dans l'évocation et le tableau fidèles qu'ils offrent de la vie provinciale dans une région à statut très particulier : l'Alsace et c'est là peut-être leur aspect le plus original pour des lecteurs français.

L'enfance d'Henriette de Waldner avait été une enfance sérieuse ; ce n'est qu'à quinze ans que son père la présente à la cour de Montbéliard et qu'elle devient l'amie de la princesse Dorothée pour laquelle elle va avoir un attachement très vif et durable. Que ce soit à Schweighouse ou à Montbéliard où la cour était patriar-

cale et vertueuse, la vie était simple et charmante. Elle
n'était pas oisive ; on se levait de bonne heure et même
très tôt pour se livrer à des travaux d'aiguilles, à la
lecture, à l'étude d'un ou plusieurs instruments de
musique ; on montait à cheval, on jardinait aussi.
L'amour des jardins est alors très répandu : à Étupes,
les princes de Wurtemberg ne se contentaient pas de
commander de belles perspectives, des fabriques, une
laiterie, ils participaient eux-mêmes aux plantations et
revenaient fourbus le soir à Montbéliard après avoir
bêché durement. Les jeunes filles s'occupaient des
fleurs et des fruits avec compétence.

On voisinait beaucoup, on se rendait visite dès le
matin, on échangeait les nouvelles et les gazettes, on
se communiquait les dernières folies de la mode. Et
puis on écrivait de longues lettres aux absents qui, à
leur tour, répondaient longuement. La correspondance
occupait ainsi une partie des journées et quand la
solitude ou l'ennui se faisait sentir, on pouvait toujours
rédiger son journal ou entreprendre ses mémoires. Les
voyages étaient un événement qui méritait d'être fixé
dans ces journaux de voyage si nombreux au XVIIIe siècle.

Pour Henriette de Waldner, les relations de voisinage
avec Montbéliard devinrent la grande affaire de sa vie
avec les séjours à Strasbourg. Elle se rendait chaque
hiver avec son père dans la capitale de la province.
Cette ville tient dans la France du XVIIIe siècle une place
à part. On sait combien la diversité était de règle sous
l'Ancien Régime. L'Alsace, plus qu'une autre province,
avait conservé bien de ses institutions anciennes qui
ne portaient pas ombrage à l'absolutisme royal et Strasbourg, ville libre royale depuis 1681, avait sauvegardé
ses vieilles traditions municipales. La population, qui
avait conservé certaines coutumes et coiffures particulières, subissait l'attrait de la civilisation française
qui s'était déjà imposée à l'élite, y compris la bourgeoisie luthérienne longtemps rétive. La culture romane

et la culture germanique se pénétraient en toute liberté et s'il y avait un théâtre populaire où l'on jouait en allemand, le théâtre français sur le Broglie était le meilleur des théâtres de province, après celui de Lyon.

La ville qui n'a rien perdu de son caractère cosmopolite connaît, après l'éclipse du XVIIe siècle, un éclat exceptionnel. La vieille université attire plus que jamais les étudiants de toutes les nationalités et le brillant foyer de civilisation ne cesse de s'embellir de magnifiques hôtels qui s'élèvent à côté des pittoresques quartiers médiévaux, eux-mêmes menacés un moment par des projets d'urbanisme.

La noblesse alsacienne a ses hôtels particuliers où elle reçoit dans les mêmes réunions nombreuses et élégantes les représentants du roi et ces princes allemands, possessionnés en Alsace, devenus bien souvent officiers français. Henriette de Waldner est de toutes les réceptions. Elle participe, à l'âge de seize ans, aux fêtes données en l'honneur du passage à Strasbourg de la petite dauphine Marie-Antoinette, venue en France épouser le successeur de Louis XV et elle partage l'enthousiasme de la foule pour sa future souveraine.

Elle compte en ville de nombreux amis qui n'appartiennent pas forcément à la noblesse et chez lesquels la société est plus mélangée et par là même plus amusante. Il semble que ce soit dans le salon littéraire de Louise Koenig qu'elle revit Goethe, déjà rencontré à Montbéliard. Goethe était venu de Francfort à Strasbourg pour suivre des cours à l'université et améliorer son français. Il ne cache point l'admiration que lui inspire la jeune aristocrate cultivée qui avait lu « plus de vingt fois » son *Goetz* ; quelques lettres furent par la suite échangées.

Sa naissance ouvrait à cette protestante les salons de l'évêché où le cardinal de Rohan, qui voit en elle « une des trois femmes les plus charmantes de conversation » qu'il connût, lui présente un personnage mystérieux

dont il venait de s'enticher et qui allait faire beaucoup
parler de lui, Cagliostro. Au même moment, elle entre
en correspondance avec un pasteur de Zurich, à vrai
dire célèbre déjà, lui aussi : Lavater.

Au milieu de toute cette effervescence mondaine et
intellectuelle, on entreprit, selon l'usage, de la marier.
Elle avait vingt-deux ans, il était temps. Elle se résigna
vite à épouser le candidat de son père et de ses oncles :
Charles Siegfried, baron d'Oberkirch, ancien officier,
qui devait devenir plus tard stettmeistre de la ville de
Strasbourg où ses ancêtres avaient souvent rempli les
mêmes hautes fonctions. Il avait quarante ans et si sa
réputation d'élégance et de courage militaire était bien
établie, sa culture était légère et il n'avait jamais réussi
à se débarrasser complètement de son accent, ce qui
devait quelque peu agacer la jeune Henriette. Exemple
typique d'une de ces alliances entre Alsacienne du Sud
et Alsacien du Nord où l'on discerne, parfois encore
perceptibles de nos jours, deux courants : celui du
sud de la province plus ouvert à l'influence et à la langue françaises, du fait peut-être du voisinage avec la
Franche-Comté, et celui du nord, plus pénétré de
culture germanique et plus lent d'esprit. Enfin, pour
Henriette de Waldner, le rang primait tout et le baron
d'Oberkirch ne devait pas être sans charme dans son
uniforme où brillait la croix du Mérite militaire. Les
incertitudes premières furent vite refoulées. Sans doute
la baronne d'Oberkirch n'eut-elle, pour reprendre l'expression d'une de ses contemporaines « ni tempérament
ni roman », ou du moins a-t-elle réussi à nous le faire
croire à travers ses mémoires. Nous devinons cependant qu'avant l'heure des fiançailles, elle avait rêvé
d'une union d'une autre qualité, fondée sur la communauté des goûts et l'amour partagé. Nous savons aussi,
par certaines correspondances, qu'elle avait inspiré au
poète allemand Lenz, venu à Strasbourg comme précepteur de deux jeunes gentilshommes, une passion

sans espoir et que le malheureux avait osé lui écrire pour la supplier de ne pas épouser un homme « ordinaire et froid » et qui n'était « pas digne d'elle ». Lenz n'est pas nommé dans les Mémoires : indifférence de grande dame ou silence révélateur d'un cœur qui a été touché ?

La voilà baronne d'Oberkirch et bientôt mère d'une fille, Marie, qu'elle va aimer passionnément et élever avec le plus grand soin, d'autant plus que le baron, qui espérait un héritier, s'est montré très désappointé de cette naissance. Les époux vivent en plus ou moins bonne intelligence dans leur hôtel de Strasbourg, rue de la Nuée-Bleue, aujourd'hui disparu, qu'ils ne quittent que pour des séjours campagnards dans les terres d'Oberkirch ou le château paternel de Schweighouse, d'où la baronne se rend régulièrement à Montbéliard, reçue toujours comme la fille de la maison par les princes de Wurtemberg. Elle partage leurs émotions et leur fierté quand est rendu officiel le mariage de l'« amie de cœur », la princesse Dorothée, avec le comte du Nord, le fils de la Grande Catherine, impératrice de toutes les Russies.

Cette illustre alliance signifiait pour les deux amies de jeunesse une séparation qui semblait devoir être définitive. Il s'établit dès lors une correspondance qui avait commencé dès l'enfance, que rien ne devait jamais suspendre et dont les Mémoires offrent de nombreux extraits. Sans doute la vanité de la baronne d'Oberkirch trouve-t-elle quelque satisfaction dans cette amitié avec l'épouse du tsarévitch et y a-t-il parfois, dans l'expression de cet attachement, un peu d'exagération ou de ridicule naïveté. Mais il faut faire la part de la sensibilité de l'époque, songer aux épanchements de *La Nouvelle Héloïse* et reconnaître surtout la profondeur et la sincérité de liens qui ne se dénouèrent jamais.

Quand en 1782 on annonça un voyage semi-officiel en France du comte et de la comtesse du Nord, madame d'Oberkirch n'hésita pas à se porter à la rencontre de son amie. La maladie ayant fait manquer un premier rendez-vous en Allemagne, le voyage à Paris fut décidé. Alors commence pour la baronne d'Oberkirch une nouvelle vie. Désormais son existence toute provinciale va se trouver illuminée par ses séjours à Paris et à Versailles dont un journal détaillé et plus tard les Mémoires vont nous donner le récit fidèle et complet.

Madame d'Oberkirch fit trois voyages à Paris et le plus célèbre est évidemment le premier, puisque, à la suite de sa princière amie qui la prit comme dame d'honneur, elle participa à toutes les fêtes données en l'honneur du comte et de la comtesse du Nord et les accompagna ensuite à travers la Bretagne, la Normandie, la Flandre, la Hollande et les électorats.

La France était en pleine gloire. Les hontes de la guerre de Sept Ans étaient bien effacées par la part victorieuse que la monarchie avait prise dans la lutte des États d'Amérique contre l'Angleterre, et si, dans une société vieillie, certains esprits hardis rêvaient de réformes, personne ne prévoyait une révolution. À Versailles, Marie-Antoinette régnait dans tout l'éclat de sa beauté ; mais Paris avait repris une place prépondérante grâce à ses écrivains et ses philosophes, ses artistes et ses artisans.

C'est cette France triomphante et ce Paris brillant, capitale incontestée de toute l'Europe que la baronne d'Oberkirch découvre avec enchantement. Les Mémoires montrent bien cette suprématie de Paris et le déclin relatif de Versailles que les grands seigneurs abandonnent de plus en plus pour habiter leurs nouveaux hôtels du faubourg Saint-Germain, suivant l'exemple des Orléans qui, depuis la Régence, n'avaient plus quitté le Palais-Royal. Le baron et la baronne d'Oberkirch s'étaient aussi logés à Paris, comme les princes russes qui de plus disposaient à Versailles d'un appartement au rez-de-chaussée, sur le parterre de l'Orangerie.

Cependant, il fallait bien se montrer à la cour et madame d'Oberkirch, comme tant d'autres courtisans, de ministres et d'ambassadeurs, allait faire souvent ce trajet de Paris à Versailles, si fatigant avec la complication des toilettes imposées par l'étiquette et la mode, qui rendait les voyages en carrosse bien inconfortables. Nous avons des descriptions minutieuses de ces coiffures extravagantes, élaborées par les modistes en renom. L'importance donnée à ces frivolités dans les Mémoires est d'ailleurs la source de bien des renseignements précieux pour les historiens du costume.

Quelle place aussi donnée à toutes les questions de protocole et d'étiquette ! C'est avec une émotion tremblante que notre baronne approche le couple royal auquel elle ne sera présentée officiellement qu'au second voyage, en 1784. Si Louis XVI, timide et passionné de serrurerie, l'étonne et la scandalise un peu, elle est heureuse du moindre mot que lui adresse la reine de France et le consigne avec dévotion dans son journal. Plus tard, elle sera très fière de voir sa fille Marie danser, à un bal d'enfants, avec le duc d'Enghien. Qui songerait à lui reprocher ces petits snobismes ?

Nous connaissons avec les princes du Nord et leur amie le tourbillon de fêtes et de distractions que la générosité royale réservait aux visiteurs illustres, même quand ils désiraient l'incognito. La capitale leur était présentée selon un rite immuable et le séjour à Paris du comte et de la comtesse du Nord en 1782 se déroule à peu près comme celui de leur ancêtre Pierre le Grand en 1720, ou celui de leurs contemporains l'empereur Joseph II et Gustave III de Suède. On ne leur fait grâce d'aucun monument, d'aucune église. Ils visitent les hôpitaux, les prisons, les Invalides, l'Académie, le Parlement, la manufacture de Sèvres, les Gobelins, les promenades nouvelles des Champs-Élysées, les jardins des Tuileries et du Palais-Royal, etc. Et comme leur curiosité est réelle et leur esprit sérieux, ils complètent ces réceptions officielles par des visites privées aux monuments et aux institutions qui les ont le plus intéressés.

Aux fêtes de Paris, les plus belles du siècle, s'ajoutent les réceptions des princes du sang qui rivalisent de faste et de raffinement en l'honneur des altesses impériales qu'ils accueillent chez eux : à Sceaux, à Bagatelle, à Chantilly surtout, où le prince de Condé avait organisé, entre autres, un spectacle de comédie, une chasse aux flambeaux, un feu d'artifice, et logea pour la nuit « cent cinquante personnes et un domestique trois fois aussi nombreux au moins ».

De retour à Paris, s'il reste quelques loisirs et quelques forces à madame d'Oberkirch, elle court les magasins et fait des emplettes chez les ébénistes, les joailliers et les couturières à la mode. Elle visite aussi les « folies » des riches financiers et les luxueuses installations d'actrices ou même de courtisanes célèbres qui, selon l'usage du temps, laissent entrer librement chez eux les curieux. On pénètre aussi sans difficulté chez certains grands seigneurs, comme le duc d'Orléans, et la baronne ne s'en prive pas.

Le soir, il y a théâtre ou bal, bal masqué de l'Opéra ou bal paré chez la reine. L'énumération de tous les spectacles auxquels assistent à Paris les visiteurs princiers est stupéfiante et ces spectacles se répétaient à Versailles où la Comédie-Française, la Comédie-Italienne et même l'Opéra, se déplaçaient régulièrement, à jour fixe, pour distraire la famille royale et la Cour.

À côté de ces représentations de gala, madame d'Oberkirch ne dédaigne pas les spectacles plus populaires et amusants, dans les foires et dans ces petites salles qui annoncent déjà les théâtres du boulevard. Mais elle préférera toujours le beau chant et la grande musique — celle de Gluck surtout —, le théâtre et la danse classiques.

Aussi curieuse des gens et des choses de l'esprit que de la vie de cour, elle est partout à l'aise dans les salons parisiens, avide de voir les personnages connus et les écrivains. Elle a beau se dire une « pecque provinciale », elle sait bien qu'elle tient parfaitement sa place dans ces réunions brillantes et spirituelles où elle rencontre des partenaires dignes d'elle, comme l'éblouissant causeur que fut le prince de Ligne dont la formation bilingue peut si bien être comparée à la sienne.

Ses jugements, souvent rapides, peuvent être superficiels, mais ils sont presque toujours justes. Si elle se laisse prendre au charme un peu mièvre des bergeries de Florian, son goût et son bon sens innés reculent devant les excès d'un Rousseau qu'elle traite de cuistre, et même de « prince des cuistres ». L'esprit de Genève d'ailleurs n'a point ses sympathies et elle est impitoyable pour les Necker qui en étaient un produit. Elle se moque de la naïveté et de la vanité du ministre et fait ressortir, presque avec cruauté, le côté petit-bourgeois et bas-bleu de son épouse. Elle n'est pas plus indulgente pour la future madame de Staël que pour l'insupportable madame de Genlis.

Voltaire, dont le sourire ironique s'était éteint en 1778, avait alors un peu cessé de plaire et n'était plus tout à fait à la mode, mais madame d'Oberkirch, qui connaît à fond son œuvre théâtrale, ne peut s'empêcher de l'admirer et de citer ses mots d'esprit.

Ses préférences n'en vont pas moins et iront toujours à Beaumarchais. Elle passe tout à ce « vaurien », elle, si stricte sur l'honnêteté, parce qu'elle est totalement séduite par cette verve, cette gaieté, ces accents parfois pathétiques et ces traits cinglants que Voltaire, avec tout son esprit, n'avait jamais trouvés. Elle assiste avec enthousiasme, chez le comte et la comtesse du Nord, à la lecture du *Mariage de Figaro*, encore interdit, qu'elle

préfère au *Barbier de Séville*, et plus tard, à la Comédie-
Française, aux premières représentations combien hou-
leuses. Mais elle est assez lucide pour comprendre les
risques que prennent les grands seigneurs qui s'amu-
sent « à leurs dépens » en applaudissant cette comédie
subversive. Toutes ses observations prouvent que la
baronne d'Oberkirch a su parfaitement reconnaître
combien le théâtre au XVIIIᵉ siècle, plus que le livre et
avant la presse, a été le formateur de l'opinion.

Après ce premier séjour, madame d'Oberkirch revint
deux fois encore à Paris, « ce lieu où les absents reviennent toujours », a-t-elle écrit et, aurait-elle pu ajouter,
reprenant le mot de madame de Staël qu'elle n'aimait
pas pourtant, « où l'on peut le mieux, grâce à la conversation, se passer de bonheur ». À deux reprises donc,
en 1784 et en 1786, avec plus de fantaisie et de liberté,
elle retrouve la capitale, ses monuments, ses théâtres,
ses salons et aussi les derniers faits divers et les scandales du jour : les ascensions de ballon, les grandes
banqueroutes, l'affaire du Collier.

À Versailles, Marie-Antoinette l'accueille toujours
avec la même bienveillance, en souvenir de son amitié
avec la grande-duchesse de Russie. Celle-ci ne voyage
plus, car à Saint-Pétersbourg les naissances se succè-
dent chez la future impératrice qui écrit cependant toujours fidèlement à son amie d'enfance.

Madame d'Oberkirch est maintenant intime à Paris
avec une autre grande dame, une princesse du sang, la
duchesse de Bourbon qui vit séparée de son mari, sans
être à l'abri des médisances ou des calomnies. Au
contact de cette nouvelle amie, curieuse de tout comme
elle, mais avec plus de prétentions intellectuelles et
qu'elle appelle l'« amie d'esprit », la baronne d'Oberkirch va affirmer sa propre personnalité en donnant,
par exemple, libre cours à certaines recherches.

Elle n'avait jamais oublié sa formation luthérienne
de stricte observance et cette protestante a toujours

porté très haut son drapeau, même quand il y fallait quelque courage dans une société qui n'avait pas encore reconnu la liberté de conscience. Grandie dans une province où le roi de France n'avait à peu près pas touché aux choses religieuses, elle devait souhaiter dès sa jeunesse puis saluer avec enthousiasme en 1786, l'Édit de Tolérance qui étendait ce régime de liberté à tout le royaume.

Quant à sa position personnelle, elle passa peu à peu du conformisme de ses jeunes années à une tolérance de plus en plus grande, se contentant d'une religion très simplifiée qui, pour le fond, n'était pas très différente d'un déisme sentimental. C'était là une tendance presque générale au XVIIIᵉ siècle dans le protestantisme français et même allemand, quand ce dernier n'était pas tombé dans le piétisme. C'est Rousseau qui, à son insu, a imprégné sa sensibilité religieuse qui relève moins de l'intelligence que du cœur, et fait passer facilement sur les insuffisances et les lacunes dogmatiques. Peut-être qualifierait-on, de nos jours, madame d'Oberkirch de « moraliste », ce qui est devenu péjoratif. Cette protestante qui avait fait inconsciemment bon accueil à la religion naturelle, a été en effet d'une honnêteté foncière et exigeante, indulgente aux faiblesses d'autrui, surtout celles des grands, mais sévère pour elle-même. Jamais elle n'a pensé que la supériorité de l'esprit et de la naissance pouvait la mettre au-dessus de la morale courante : « Malgré mes séjours à Paris et à Versailles, écrit-elle, je ne pus jamais me défendre de ma pruderie provinciale et l'on m'a parfois accusée d'être gourmée parce que je n'étais pas libre comme les autres. » Et si elle n'a pas été, semble-t-il, une épouse heureuse, elle a toujours été irréprochable, donnant la première place dans sa vie à l'éducation de sa fille unique et à l'amitié.

S'il n'y a pas trace en elle de mysticisme, il existe en revanche, chez la baronne d'Oberkirch, un goût du

mystère et un penchant pour les sciences occultes qui
est bien de son temps. Elle était trop avide de toutes
les nouveautés de l'esprit et de la mode pour ne pas
être passionnée par certains aspects de la pensée du
XVIII<sup>e</sup> siècle, et elle a reconnu elle-même, en s'en blâ-
mant un peu, son attirance pour le surnaturel et sa
curiosité de l'au-delà. À Strasbourg, Cagliostro lui a
inspiré une méfiance insurmontable ; elle subit cependant la fascination du mage, s'étonne de sa science du
passé et rapporte avec crainte certaines de ses prédictions. À la même époque, elle s'enthousiasme pour
Lavater, ce prophète d'une pseudo-science, la physiognomonie, qui fondait la connaissance de l'homme sur
l'étude des traits du visage. Elle correspond avec lui
et ne lui refuse pas son portrait pour figurer dans les
*Fragments physiognomoniques*, ouvrage célèbre qui sera
lu et traduit dans toute l'Europe.

À Paris, en compagnie de la duchesse de Bourbon,
elle donne à plein dans des séances de somnambulisme
où elle est tour à tour spectatrice et actrice. Le baquet
de Mesmer et le système du magnétiseur n'ont point
de secrets pour elle ; elle connaît bien aussi les doctrines des illuministes Martinez-Pasqualis et Saint-Martin.

Les récits les plus fantastiques la trouvent toujours
attentive et fascinée ; elle les rapporte avec complaisance et gravité, remarquant d'ailleurs que l'amour du
merveilleux est incroyable dans le siècle incrédule où
elle vit et que « si les mémoires en offrent de nombreuses traces, c'est qu'ils sont la représentation fidèle de
cette époque ». Elle reprendra ses expériences à Strasbourg jusqu'à la veille de la Révolution, notamment
avec le marquis de Puységur, adepte fervent de Cagliostro et de Mesmer.

Elle n'a pas rencontré en personne madame de Krudener et a peut-être ainsi échappé au charme de celle-
ci qu'elle analyse avec beaucoup de finesse et d'indépendance d'esprit. Swedenborg et ses disciples, qu'elle

traite de rêveurs et d'utopistes, ne l'ont pas davantage séduite. Mais elle n'ignore rien de ces mouvements philosophiques ou religieux qui allaient s'épanouir au siècle suivant, au sein même du romantisme. Madame d'Oberkirch est ainsi un témoin de son temps et souvent un juge plus perspicace que bien des historiens.

L'histoire d'ailleurs, avec la littérature, a été sa grande passion ; évidemment l'histoire à la manière de son temps qui est, pour cette aristocrate, avant tout l'histoire des hauts faits des aïeux et la généalogie des grandes familles et aussi pour cette fille, sœur, nièce et épouse d'officiers et fière de l'être, l'exposé exact et complet des états de service de nombreux officiers.

Mais en véritable historienne, elle aime aller aux sources, consulter les vieilles chroniques et il est rare de la trouver en défaut quand elle parle de la noblesse, des traditions et des privilèges de l'Alsace, cette étonnante mosaïque de petites seigneuries venues du Saint-Empire, se transformant peu à peu en une province française que seule la Révolution allait vraiment unifier. C'est avec précision qu'elle présente l'histoire d'une ville et ses institutions ou les principaux points d'un traité.

Par ses voyages et ses relations personnelles, son information s'étend aux petites cours d'Allemagne et surtout à l'histoire de la famille de Wurtemberg-Montbéliard sur laquelle elle est intarissable.

Tout cela dénote un esprit sérieux qui tranche avec la frivolité ou la légèreté de certaines pages. Car elle n'hésite jamais à raconter pour son plaisir et celui de ses lecteurs une de ces anecdotes qu'elle regarde « comme le complément de l'histoire » et qui sont souvent « plus véridiques et plus significatives que de longues pages ». Elle ne résiste pas davantage devant un récit pittoresque ou extravagant comme celui du bourreau de Colmar, ni devant un mot historique qui peut-être n'a jamais été prononcé mais qui est cependant

bien dans la vérité de l'histoire. Écrivant plusieurs
années après les événements ou les conversations
qu'elle rapporte, elle croit sans doute les avoir vraiment
tous vécus et toutes entendues et elle peut oublier qu'elle
n'avait été parfois qu'un témoin de seconde main ou
que certains détails complémentaires ne lui sont parvenus qu'après l'événement. L'authenticité absolue est
bien délicate à saisir, l'impartialité historique difficile
à atteindre. Le genre si subjectif et tout spontané des
mémoires ne saurait y prétendre et une querelle sur ce
point est inutile.

C'est en 1789, en Alsace, où elle demeura jusqu'à sa
mort en 1803, soit à Strasbourg, soit dans sa propriété
de Stotzheim, que madame d'Oberkirch commença à
rédiger ses Mémoires. C'est aussi la date limite qu'ils ne
dépasseront pas. Pour cette femme de trente-cinq ans
qui se penche ainsi sur son passé, la vie s'est terminée
avec l'Ancien Régime agonisant. Nous ne saurons rien
par elle de la Révolution en Alsace, ni des épreuves personnelles qu'elle dut affronter : séparations, ruines,
mort tragique de tant d'êtres qu'elle avait aimés ou
approchés ; pour elle-même, une arrestation puis une
incarcération qui aurait pu mal finir, sans l'interven-
tion de sa fille qui parvint à attendrir le représentant
Foussedoire et obtint sa libération.

La mésentente entre les époux, latente depuis longtemps, s'était aggravée au point que madame d'Oberkirch envisagea un divorce que la Révolution aurait
rendu possible mais que la mort du mari, en 1797, rendit inutile.

Comme mère, elle connut les satisfactions les plus
hautes : Marie d'Oberkirch, élevée avec le plus grand
soin, eut toutes les grâces de l'esprit et du cœur, sans
parler de celles du visage. Elle fit un mariage qui
combla à la fois les vœux de sa mère et les siens, en
épousant Louis de Bernard de Montbrison, distingué

et cultivé, qui devait devenir, sous l'Empire, recteur de l'université de Strasbourg.

Leur fils fut le premier éditeur des Mémoires de sa grand-mère ; il avoue lui-même avoir pris quelques libertés avec le texte de son aïeule, en y faisant de petites coupures.

On a vu déjà qu'il ne fallait, de toute façon, pas demander à un ouvrage de ce genre plus de vérité historique qu'il ne peut en offrir. De nombreux récits ou détails transmis par la baronne d'Oberkirch sont cependant confirmés par d'autres documents contemporains et il reste que cette double chronique alsacienne et parisienne donne une image si vivante et si vraie d'un milieu bien précis et bien décrit par un auteur qui en faisait partie, qu'il n'est pas possible de tracer un tableau de la société française à la veille de la Révolution sans y avoir recours.

Les Mémoires révèlent en même temps un écrivain français plein de talent et d'esprit, une grande dame possédant parfaitement la manière de tout dire et qui fut aussi, ce qui ne gâte rien, une honnête femme.

## LE TEXTE

La baronne d'Oberkirch a écrit ses Mémoires en 1789, en se servant d'un journal tenu pendant son voyage avec le comte et la comtesse du Nord, de mai à septembre 1782, puis pendant ses deux autres séjours à Paris, en mai et juin 1784, et de janvier à avril 1786. Ce sont ces pages écrites au jour le jour qu'on peut accepter avec la plus grande certitude d'authenticité. Elle y ajoute certains morceaux rédigés antérieurement comme l'histoire du bourreau de Colmar ou la partie de loto à Étupes, de nombreuses lettres, et enfin tous ses souvenirs.

Les Mémoires ont été présentés pour la première fois au public français en 1853, par le petit-fils de madame d'Oberkirch, le comte de Montbrison, qui les dédie respectueusement à Sa Majesté Nicolas I$^{er}$, empereur de toutes les Russies. Réédités plusieurs fois au cours du XIX$^e$ siècle, ils sont devenus rares et sont recherchés par les bibliophiles.

Mais il existe, parue avant l'édition française, une version anglaise, éditée à Londres en 1852, chez Colburn. Le cas est fréquent au XIX$^e$ siècle de mémoires étrangers présentés en traduction en Angleterre où il existait un public friand de ce genre d'ouvrages, alors même qu'ils n'avaient pas encore été publiés dans la langue de l'auteur.

L'édition française suit de peu l'édition anglaise. Elle en diffère cependant sur plusieurs points. Il a paru intéressant de confronter les deux textes et il ressort d'une comparaison attentive que le texte anglais, malgré quelques défaillances, mérite plus de crédit que le texte français dans lequel l'éditeur n'a pas hésité à supprimer des passages qui lui paraissaient faire longueur ou à en résumer d'autres pour la même raison. Il est dommage qu'il n'ait pas retenu, par exemple, certains développements sur l'éducation d'Henriette de Waldner, ses fiançailles et notamment son entrevue avec le baron d'Oberkirch à Schweighouse, si révélatrice du peu d'affinités réelles entre les futurs époux, la correspondance avec Lavater, etc.

L'éditeur anglais est donc plus complet, tout en omettant aussi parfois des explications historiques qui lui paraissent sans doute sans intérêt pour ses lecteurs. Très ignorant des choses d'Alsace, il écorche souvent les noms propres dont l'orthographe devient plus que fantaisiste, mais ces fautes mêmes montrent avec évidence qu'elles sont dues à la trop rapide lecture d'un manuscrit mal déchiffré.

On explique moins facilement l'erreur grossière commise par cet éditeur dans la rédaction du titre des Mémoires qu'il attribue à la baronne d'Oberkirch, « comtesse de Montbrison ».

Il reste qu'il a visiblement travaillé sur le manuscrit que détenait le comte de Montbrison. Qu'est devenu ce manuscrit ? L'historien Christian Pfister posait déjà la question en 1926.

Il semble bien qu'il soit définitivement perdu du fait des guerres. Que ce soit en 1914, en Belgique où vivaient des descendants directs des Montbrison, ou en juillet 1940, en Alsace où le domaine d'Oberkirch, à la sortie de la pittoresque petite ville d'Obernai, fut systématiquement pillé et saccagé par les Allemands, rien n'a été sauvé. À Oberkirch, archives, sceaux, alsatiques brûlèrent pendant plusieurs jours dans la cour du château.

Disparue aussi la correspondance avec madame d'Oberkirch de Dorothée de Wurtemberg devenue l'impératrice Marie Feodorovna. En effet, elle avait été remise avant 1914 par un descendant de la mémorialiste, M. de Hell, qui était diplomate, à la famille impériale de Russie qui désirait faire la lumière sur les causes et les circonstances de l'assassinat de Paul I$^{er}$, l'époux de Dorothée, que les Mémoires dans l'édition de 1853, dont on connaît l'illustre dédicataire, parent de toutes les vertus. En fait, Paul I$^{er}$ semble être devenu, avec les années, un despote sanguinaire et certaines allusions de la mémorialiste elle-même laissent entendre que bien des lettres de l'impériale amie étaient restées confidentielles. Les documents remis à la veille de la guerre à la cour de Russie ne furent jamais rendus et ont dû disparaître dans la grande tourmente révolutionnaire. En tout cas, nous n'avons pu obtenir aucun renseignement sur eux à Leningrad.

En l'absence du manuscrit original perdu, il faut donc s'en tenir aux éditions de 1852 et de 1853. La présente édition a eu pour but de réunir en un seul texte tout ce que contiennent les éditions anglaise et française et, par conséquent, d'être aussi exhaustive que possible. Les extraits du texte anglais sont présentés entre crochets, afin de bien séparer les passages traduits de la rédaction française d'un écrivain dont on a depuis longtemps reconnu les qualités d'élégance et de vivacité.

Quelques notes sont de la mémorialiste elle-même ou du premier éditeur.

SUZANNE BURKARD

# MÉMOIRES

## INTRODUCTION DE L'AUTEUR

Les pages que l'on va lire ne sont pas des mémoires, ce sont plutôt des souvenirs ; je n'eus jamais la prétention d'être un bel esprit ni d'occuper la renommée. J'écris pour me rappeler les principaux événements de ma vie. Ils sont intéressants surtout pour moi, ils le seront sûrement pour ma fille ; je ne sais ce que d'autres pourront en penser. Je parle peu de ce qui me concerne, mais assez pour me faire connaître et pour prouver que j'ai vu ce que je raconte. Mes pensées et mes réflexions n'appartiennent qu'à moi, je n'en dois compte à personne ; elles me sont chères parce qu'elles me sont propres, et ce serait en diminuer la valeur que de les divulguer. Ceci n'est donc qu'un cadre renfermant plus de faits que d'impressions, mais qui me les représente et me les fera retrouver dans ma vieillesse.

J'écris en 1789, à l'âge de trente-cinq ans. J'avais en 82 tenu un journal exact et détaillé de mes voyages avec madame la comtesse du Nord, à Paris et de là en Bretagne, Normandie, Picardie, Flandre, Hollande et les électorats.

Il en fut de même en 84 et 86, lors des deux séjours que je fis à Paris, où m'attiraient surtout les bontés dont S. A. S. madame la duchesse de Bourbon voulait bien m'honorer. Je réunis ces journaux et ces notes pour faire le récit des trente-cinq premières années de ma vie. J'y parle de ceux que j'ai connus, des faits dont j'ai été témoin, des personnages marquants de ce siècle, que j'ai fréquentés de près ou de loin, par moi ou par les miens. J'y joins quelques-unes des lettres qui m'ont été écrites par S. A. I. madame la grande-duchesse Marie Feodorovna ; cette auguste princesse, malgré son éloignement, me conserve ces sentiments affectueux et sincères qui naissent presque avec nous. Mon respectueux dévouement pour sa personne est un des plus doux sentiments de mon cœur. Ces mémoires pouvant être lus après moi par des indifférents, je me fais un scrupule d'y intercaler la partie tout à fait confidentielle de notre correspondance. Je ne puis cependant résister au désir de faire connaître à ma fille, à ses enfants, si elle en a jamais, cette belle âme, ce cœur si tendre, cette imagination si élevée et si pure, que l'éclat des grandeurs n'a pu altérer un seul instant, et qui se peignent malgré elle dans cette correspondance.

La description de quelques-uns de nos châteaux ruinés d'Alsace m'amène tout naturellement à parler des familles dont ils portent les noms. Ces manoirs ont été le théâtre de guerres sans fin à l'époque de la féodalité, et en restent la vivante image. Ils rappellent ces temps dont la gloire fait oublier la barbarie. « Avant le temps de Charlemagne (dit un vieil auteur), l'Alsace n'était habitée que par de la noblesse, ce qui se remarque encore par la quantité de châteaux dont cette province est remplie, tant sur les montagnes qui la bordent que dans la plaine. »

Je serai peut-être obligée de raconter des choses que mon éducation et mes principes condamnent, mais qui peignent l'époque où nous vivons. J'éviterai cependant les détails et les commérages qu'un grand talent de style fait quelquefois passer, pour rapporter plutôt des faits plus ou moins sérieux, et j'aurai au moins le mérite d'une rigoureuse exactitude. L'histoire se compose aussi de ces détails ; ils peignent l'époque, et malgré moi ils se trouveront sous ma plume. Ne faut-il pas donner aux tableaux la couleur qui leur est propre ?

Maintenant j'ai prévenu mes lecteurs, si j'en ai, de ce qui les attend dans ces feuilles sans conséquence, et je me hâte de commencer, ayant toujours détesté les préfaces.

## CHAPITRE PREMIER

Je suis née le 5 juin 1754 au château de Schweig-house[1], en haute Alsace.

Je suis fille de François-Louis baron de Waldner-Freundstein (depuis comte après son frère) et d'une Berckheim, de la branche de Ribeauvillé.

Mes grands-parents n'existaient plus quand je vins au monde, si ce n'est la mère de ma mère. Elle était une Berckheim de la branche de Jebsheim, et elle épousa son cousin Philippe-Frédéric baron de Berckheim-Ribeauvillé. Ma mère réunit ainsi en elle le sang des deux branches de cette maison, une des plus illustres de la province.

Mon grand-père avait épousé une Wurmser de la branche de Vendenheim-Sundhouse, morte à Mulhouse en 1743 ; son mari y était mort dès 1735.

Je fus baptisée, le 7 juin 1754, à l'église paroissiale de Mulhouse, dans la sainte foi évangélique ; on me donna les noms de Henriette-Louise. [Mes parrains furent Louis-Anstatt de Waldner et Christian-Louis de Berckheim, mon oncle maternel ; mes marraines la comtesse de Waldner née de Vologer, femme de mon oncle Dagobert, plus tard lieutenant-général de

l'armée royale, et Ève de Wurmser, cousine germaine
de mon père.]

La ville de Mulhouse[2], alliée des Suisses, était une
cité importante, dans laquelle les Waldner jouissaient
de tout temps du droit de bourgeoisie honoraire. Cette
prérogative donne le droit de servir dans les troupes
helvétiques, où les Waldner ont un régiment. On a
grand soin pour le conserver de faire baptiser tous les
garçons de notre famille à Mulhouse [dont les honorables citoyens étaient très flattés de cette marque de
politesse. Leur territoire est entouré de terres françaises. Le gouvernement se compose de vingt-huit membres de l'aristocratie et de trois bourgmestres, chacun
gouvernant à son tour. Le domaine de Mulhouse ne
dépasse pas beaucoup les murailles de la ville. Les habitants sont protestants].

Il y eut, m'a-t-on dit, de fort belles fêtes à mon baptême ; on me traita comme un héritier. Plût au ciel
que je le fusse ! Au milieu des grands bouleversements
qui se préparent et ne s'annoncent que trop clairement,
je pourrais espérer d'être utile à mon pays, aux souverains qui m'ont comblée de bontés, à la cause de ma
caste et de mes pères. Je ne suis point de ceux qui
voient dans un nouvel ordre de choses un avenir de
bonheur ; je crois au contraire à la perte de la monarchie, si elle s'engage dans cette voie dangereuse, et l'horizon me paraît gros de tempêtes. Puissé-je me tromper !

Mon père, le baron de Waldner, chef de sa famille,
servit d'abord comme capitaine, puis comme major
dans Royal-Cavalerie. Il devint après colonel à la suite
du régiment de Wurtemberg, enfin colonel-commandant
du régiment de Bouillon, depuis le 27 février 1757
jusqu'au 1er mai 1760, époque à laquelle il s'est retiré
avec la croix du Mérite militaire[3] (qui se donne aux
officiers protestants au lieu de la croix de Saint-Louis,
et qui ne diffère de celle-ci que par la couleur du
ruban). Il était aussi commandeur de l'ordre évangé-

lique de Saint-Jean de Jérusalem[4], et président de la noblesse immédiate au cercle de Souabe, canton de l'Ortenau[5].

Je n'ai jamais connu ma mère, et mon plus ancien souvenir est celui du fourreau noir que je portais à trois ou quatre ans. J'avais cet âge quand elle mourut. Pauvre mère ! Je l'ai souvent regrettée. À mon entrée dans le monde ses conseils m'eussent été bien utiles, et depuis que j'ai une fille je sens combien m'eût aimée ma mère. Mariée en 1751, elle mourut à Baldenheim en 1757, dans la force de sa jeunesse, dans l'éclat de ses belles années. Elle ne laissa que deux fils et moi. L'aîné de mes frères nous fut enlevé très-jeune aussi ; il ne me reste maintenant, en 1789, que le cadet, Godefroy, sur qui repose l'espoir de la famille.

[Mon père eut trois frères dont l'un, lieutenant-colonel du régiment de Waldner, mourut à Paris en 1764. Je n'en ai qu'un faible souvenir.] Des frères de mon père, ceux que j'affectionnais le plus étaient Christian-Frédéric-Dagobert comte de Waldner, lieutenant général et colonel-propriétaire du régiment de Waldner-suisse, et Louis Anstatt, baron de Waldner, mon parrain, chevalier, et plus tard commandeur de l'Ordre teutonique, qui a été jusqu'en 1767 colonel du régiment de Bouillon. Il remplaça mon père dans ce poste, et le quitta pour devenir colonel de Royal-suédois, régiment allemand ; on l'appelle ordinairement le Commandeur. Sa commanderie est Burow en Saxe. Mon père et moi avons été le voir à sa garnison de Montmédy en juin 1766. Qu'il était beau ce régiment de Bouillon ! quelle discipline admirable ! quelle tenue ! quelle valeur brillante ! Mon père en était enthousiasmé, et ma petite imagination s'en frappa. Les soldats et les bas officiers adoraient leur ancien colonel. On me rendait des respects infinis, et je me croyais un personnage devant ces vieilles moustaches qui me saluaient militairement. Combien mon oncle me

paraissait magnifique avec cet habit blanc à revers
noirs, ornés de huit agréments d'argent (je les ai comp-
tés ; c'est bien d'une petite fille !) ; le collet est aussi
garni d'un galon d'argent à crépines. J'avais douze ans
à cette époque, et je le vois encore. Ce qui me frappa
plus que tout, ainsi que je l'ai dit, ce fut l'affection des
plus vieux officiers pour mon père ; ils s'en occupaient
comme d'une femme aimée. M. le prince de Bouillon,
propriétaire du régiment, n'eût pas reçu un accueil plus
distingué.

Un souvenir de mon enfance, relatif à mon oncle le
comte de Waldner, se rapporte à son nom de Dagobert. Nous ne pouvions nous en taire, et la malheureuse
chanson nous revenait sans cesse à l'esprit, *avec toutes
ses conséquences*, aussitôt qu'on parlait de lui. Mon
petit frère Godefroy en faisait des rires infinis qui nous
firent gronder tous deux, car je les partageais. Ce nom,
bizarre surtout en France, est du reste assez commun
en Alsace.

On sait que le roi Dagobert, le maître de saint Éloi,
celui qui répondait avec tant de philosophie aux remontrances de son ministre, Dagobert à la meute indocile
enfin, a longtemps habité Rouffach et Obernai. Les seigneurs maîtres de ce pays reçurent souvent ce nom au
baptême, et c'est sans doute en souvenir de ce prince
que le nom de Dagobert est resté en honneur dans nos
familles. [Une tradition familiale dont je ne puis garantir l'authenticité explique l'origine de ce prénom étrange
dans notre maison : le roi Dagobert, pendant son séjour
à Rouffach, aurait été parrain d'un des anciens seigneurs de Waldner. Pour perpétuer le souvenir de cette
distinction, le nom de Dagobert a été fréquemment
inscrit dans notre arbre généalogique.] Quoi qu'il en
soit, si Dieu m'eût donné un fils, je n'aurais pas osé l'appeler de ce prénom royal, j'aurais craint de faire mettre ses sœurs au pain sec, ainsi qu'on m'y condamna

plus d'une fois en mémoire du grand roi de la première race.

Mes parents habitaient d'ordinaire Schweighouse,
fief dont les Waldner avaient été investis en 1572, à
l'extinction d'une famille qui en portait le nom. Il est
situé sur la route de Colmar à Belfort, au midi, à une
lieue de Cernay, et à une lieue et demie au sud-est de
Thann [près d'un petit affluent de la Doller, rivière qui
vient des Vosges, passe à Masevaux et se jette dans
l'Ill, près de Mulhouse].

Schweighouse est un grand bâtiment carré renfermant une vaste cour, et flanqué du côté du nord d'une
tour à clocher mauresque. Il est entouré d'un large
fossé plein d'eaux vives alimentées par un ruisseau et
séparé d'un joli étang par des jardins fort bien entre-
tenus. On entre par un pont d'architecture ancienne,
précédé de communs assez considérables entourant la
première cour.

À l'ouest le terrain s'élève en amphithéâtre derrière
des charmilles et de beaux ombrages. De là on aperçoit
toute la chaîne des Vosges, les ruines qui les surmon-
tent, les clochers des villages et des abbayes dans la
vallée ; c'est un spectacle magique. Des collines boisées
s'élèvent en immenses gradins. Les différents feuillages
se distinguent et forment un rideau de verdure magnifique. Ô mon cher pays d'Alsace ! rien n'a pu vous effacer de mon cœur, rien n'est comparable à la splendeur
de votre nature. Je conçois les enthousiasmes pour une
telle patrie ; on doit en être fier, elle donne tout à ses
enfants.

Je parlerai plus loin du château de Freundstein, dont
nous portons le nom, et qui a été détruit depuis deux
siècles et demi dans la guerre des rustauds ou paysans[6].
[Je préfère Schweighouse à tout autre lieu au monde.
J'ai passé là les beaux jours de mon enfance. Comme
nous y avons été heureux, mes frères et moi ! Que de
bons conseils nous y reçûmes ! Combien de nobles et

excellents exemples nous y furent proposés ! Mes frères
apprirent à tout sacrifier à l'honneur et au devoir et
moi, je fus invitée à imiter ma mère. Nous vivions là
dans la solitude et le calme, recevant la visite de nos
parents et de nos amis, priant le Seigneur et pratiquant
sa sainte religion, écoutant la Parole et la gardant dans
nos cœurs.

Chaque soir, nous nous rassemblions autour de notre
père qui s'efforçait de compenser par son extrême tendresse la disparition de notre mère. Nous suivions avec
attention ses conversations avec nos oncles ou le pieux
ministre qui venaient souvent nous voir. Il nous
racontait les grands événements de l'histoire, les hauts
faits de nos ancêtres et de ce peuple d'Alsace qui ne s'est
jamais courbé devant l'étranger et n'a jamais admis de
maître. Quels géants étaient ces chevaliers vivant dans
leurs nids d'aigle et ne descendant de leurs montagnes
que pour défendre ou — trop souvent, hélas ! — oppri-
mer l'innocent. J'adorais ces récits légendaires ; je ne
m'en lassais pas et j'en rapporterai plus d'un dans ces
mémoires que je me propose d'écrire.]

Après la mort de ma mère, mon père se trouva fort
empêché pour mon éducation. [L'idée de me mettre
dans un couvent ne lui vint pas un instant à l'esprit.
Nous tenions ces maisons en détestation. J'étais alors
beaucoup plus intolérante qu'aujourd'hui où le commerce du monde a amolli ma bigoterie, et j'ai appris à
tolérer ce que je ne peux empêcher. En ce temps-là, ma
ferveur exagérée — j'emprunte cette expression à la
dévotion catholique, n'en trouvant guère de meilleure —,
ne m'aurait permis aucune concession. Je suivais strictement l'esprit et la lettre de la loi. Mon père m'encourageait dans cette voie.] Il pria ma marraine, madame
Ève de Wurmser, de vouloir bien se charger de remplacer ma mère, elle accepta.

Je me souviens encore de son installation au château,
de l'appartement qu'on lui donna, et de la jolie petite

chambre qui me fut destinée auprès d'elle. La chambre et le petit salon qu'avait habités ma mère restaient fermés depuis sa mort ; mon père ne voulut pas qu'on y plaçât ma marraine ; son cœur saignait encore de cette plaie. Madame de Wurmser me fit donner une éducation sérieuse ; c'était une femme d'un esprit supérieur et d'une raison puissante ; elle m'apprit la science de la vie, elle m'apprit à ne rien lui demander de plus que ce qu'elle peut offrir, à repousser les espérances insensées et les rêves hors de la vérité. [Elle avait connu dans sa jeunesse de cruelles épreuves et cela l'avait rendue grave, presque triste. Sa compagnie mit une sourdine à ma gaieté naturelle et je devins bientôt réservée et sérieuse d'une manière édifiante, me lançant avec audace dans les discussions théologiques. Madame de Wurmser me les interdit rapidement et avec raison car je serais devenue une « controversiste ». Je provoquais les sujets de discussions et trop souvent mes propos s'accompagnaient d'une désagréable animosité. Je plongeais dans des abîmes de spéculations et de problèmes compliqués, oubliant souvent, dans ce labyrinthe, mon point de départ ; je serais devenue une fanatique ou une insensée. Mais ma sage et vigilante marraine me prêcha la tolérance ; elle réussit à m'en inculquer les principes et je suis devenue indulgente aux croyances religieuses d'autrui, pourvu qu'on n'attaque pas les miennes.]

Je garde une reconnaissance éternelle à ma marraine. C'est à elle que je dois le peu que je vaux. Nous restions souvent seules à Schweighouse lorsque mon père le quittait pour des voyages d'affaires ou de plaisir ; les journées me semblaient des minutes dans ces entretiens ; mon goût me portait surtout vers les études historiques, je voulais tout savoir, tout apprendre, tout retenir. Ma prodigieuse mémoire, surtout pour les dates, m'aidait et me rendait les difficultés faciles. Je pouvais réciter, sans me tromper une fois, des pages entières ; je me donnais avec passion à la science chronologique.

Une de mes études favorites, et cela se conçoit de reste, était les chroniques de notre province. Je crois d'ailleurs cette étude salutaire. Lorsqu'on est bien convaincu de l'illustration de ses pères, on rougirait de faire moins qu'eux, on sent en soi un noble désir de les imiter et de s'élever à leur hauteur. *Noblesse oblige :* jamais adage ne fut plus vrai que celui-ci.

Le savant Schoepflin[7], Hertzog, Iselin, et d'autres généalogistes, nous font remonter au temps de Louis le Débonnaire et à un de ses généraux, nommé Waldner, qui se signala en 814 dans la guerre qu'il fit à Hartwin, maire du Palais, accusé de péculat. Les chartes du XIIIe siècle mentionnent les Waldner comme des seigneurs d'une illustration déjà fort ancienne alors. Ils soutinrent pendant sept ans la guerre contre la ville de Zurich, qui s'était emparée de Jean de Habsbourg, leur suzerain, et qui le tenait en détention. Ils enfermèrent en représailles dans leur château de Freundstein tous les *Zuriquois* qu'ils firent prisonniers, jusqu'à la délivrance de Jean de Habsbourg. Ce dernier leur dut ainsi sa liberté et sa vie. Quelque temps après ils armèrent contre Strasbourg, contre Soultz, Rouffach, Isenbourg, etc. ; en un mot, ils ont joué un rôle fort important dans l'histoire d'Alsace ; ils y ont possédé de nombreux fiefs, que nous retrouverons en parcourant les ruines de nos montagnes.

À l'origine de l'ordre de Saint-Jean de Jérusalem, les Waldner leur fournirent des chevaliers, et l'un d'eux, Christophe de Waldner, fut tué à Rhodes en 1523, après des prodiges de valeur, en défendant cette ville contre Soliman. Peu de temps avant, Jean de Waldner était chancelier de l'Empire à la diète de Worms en 1497.

Ma mère, ainsi qu'on le sait, était une Berckheim de la branche de Ribeauvillé. Elle avait deux frères ; le plus jeune était mon parrain ; officier supérieur au régiment de Royal-Deux-Ponts, marié à une Rathsamhausen d'Ehenweyer, il fut pour moi un second père. L'autre, son aîné de six ans, qu'on appelait Berckheim de Lœrrach, était conseiller de la régence de Baden. Il avait épousé une Glaubitz, dont le nom a une origine assez remarquable.

Les Glaubitz, anciens barons de Silésie, qui se sont perpétués en Pologne, et dont un agnat se fixa sur les bords du Rhin, sortent d'un vaillant chevalier enrôlé dans la seconde croisade. Il combattit en face de l'armée chrétienne un Sarrasin renommé par sa force et son courage, il le vainquit aux applaudissements de tous, et même des infidèles. En lui enfonçant son épée dans la gorge, il s'écria :

— *Glaub itzt* (crois maintenant).

Marie-Octavie-Louise de Glaubitz, sœur de ma tante, épousa un Berckheim de la branche aînée, ce qui unit plus étroitement encore cette maison de Berckheim, dont la bonté est l'héritage successif. Ils sont adorés de leurs vassaux, et leurs terres, particulièrement celle de Schoppenwihr, entre Colmar et Sélestat où ils font leur résidence, sont le paradis terrestre, disent les paysans et les tenanciers.

Je me suis peut-être étendue trop longuement sur ma famille, et je ne m'en repens pas. J'ai d'abord voulu qu'on sût parfaitement de quelle souche je suis sortie, c'est un acquit de conscience, et puis ces détails m'ont été agréables à retracer. J'ai la faiblesse, si c'en est une, de priser ce que les héros d'aujourd'hui appellent des niaiseries, [et je demande pour mon futur gendre — si la Providence veut m'en envoyer un, dans ce chaos où nous vivons et qui semble devoir engloutir tout ordre social — je demande seulement pour mon gendre une haute naissance, car il y a remède à tout, sauf au manque de naissance].

Grâce donc pour cette digression, à laquelle je voudrais mettre trêve, s'il ne me fallait, avant d'aller plus loin dans l'histoire de ma vie, raconter aussi l'origine de mon intimité avec la race illustre de Montbéliard-Wurtemberg[8]. Le voisinage la commença d'abord. Nous n'étions qu'à neuf lieues de Leurs Altesses sérénissimes ; de tout temps les Waldner avaient fait partie de leur cour, mon père m'y conduisit. Je fus accablée de bontés dans cette résidence [dès ma première visite] ; la princesse Dorothée, maintenant grande-duchesse de Russie, m'honora de son affection, et son illustre mère, S. A. R. madame la duchesse de Wurtemberg, princesse de Montbéliard, eut pour moi une indulgence et un intérêt presque maternels.

Montbéliard est la capitale d'un comté, relevant autrefois de l'empire d'Allemagne, mais n'appartenant à aucun cercle. Placé entre la principauté de Porrentruy (qui forme l'évêché de Bâle), le Sundgau, la Lorraine et la Franche-Comté, il garda néanmoins son indépendance. L'État se compose du comté de Montbéliard proprement dit et de sept ou neuf seigneuries. La première maison régnante, celle des comtes de Montbéliard proprement dits, s'éteignit vers 1162. Celle de Montfaucon lui succéda, puis celle de Châlons ; le comté revint ensuite aux Montfaucon dont la race s'éteignit en 1394 dans les mâles. L'héritière épousa Éberhard, comte de Wurtemberg, dont la famille devint ducale cent ans après, et lui apporta en dot le comté de Montbéliard. Ce comté resta longtemps l'apanage des lignes cadettes qui s'éteignirent successivement. Il retourna ensuite aux Wurtemberg-Stuttgart aînés et régnants, qui furent ainsi ducs de Wurtemberg-Montbéliard et par abréviation ducs ou princes de Montbéliard. Je ne sais pourquoi la mode a pris d'écrire Wurtemberg, ce n'est point l'ancienne orthographe.

Au commencement de ce siècle, en 1723, le prince Léopold Éberhard n'ayant pas laissé d'héritiers habiles à succéder, le duc régnant de Wurtemberg-Stuttgart, Éberhard-Louis, en fut investi par l'empereur. Il vint s'y établir ; après lui, ni son cousin Charles-Alexandre, qui lui succéda en 1733, ni aucun prince de cette maison ne suivit cet exemple si profitable à la principauté.

Mais, en 1769, le duc Frédéric-Eugène de Wurtemberg, troisième fils du duc Charles-Alexandre et frère du duc régnant Charles-Eugène, arriva à Montbéliard avec sa famille. Marié depuis quinze ans, et lorsqu'il était encore officier général au service de Prusse, il avait plusieurs enfants de la princesse Sophie-Dorothée, fille du margrave de Brandebourg-Schwedt, nièce du grand Frédéric.

Ce fut une bénédiction du ciel pour ce petit pays délaissé jusque-là. La bienfaisance inépuisable de ses princes, leur sollicitude pour leurs sujets si accoutumés aux misères, répandirent bientôt la richesse et l'abondance autour d'eux. Ce comté indépendant depuis sept siècles et demi, réuni au Wurtemberg, prit enfin le rang que son importance lui assignait. On traitait ses princes d'Altesses sérénissimes par concession de l'empereur Léopold Ier ; auparavant on les nommait simplement *Votre Grâce*. Les habitants, tous de la religion réformée[9], adoraient l'auguste famille à laquelle ils devaient tant de bonheur. Ce fut sous ces auspices et dans ces circonstances que je fus présentée pour la première fois à leur cour.

## CHAPITRE II

Mon père venait de faire un voyage à Paris ; il avait été parfaitement accueilli à la cour. Il eut l'honneur d'être présenté à S. M. Louis XV, le 23 septembre 1769, et après avoir fait ses preuves[10], il monta dans les carrosses, suivit le roi à la chasse, et fut même une fois invité à Choisy, ce qui n'était pas une petite distinction,

Louis XV n'y admettant que ses particuliers. Mon père
n'était pourtant ni de caractère ni de mœurs à plaire
au monarque, entièrement livré à ses maîtresses pour
le malheur de la France. Peut-être le trouva-t-on trop
sévère, trop grave pour ces joyeuses parties ; quoi qu'il
en soit, il ne fut plus désigné. Il emporta pour son frère
le commandeur la promesse d'être bientôt brigadier,
promesse qui se réalisa, car il fit partie de la promotion
du 3 janvier 1770. Mon oncle avait été également présenté à Versailles, le 22 mars 1755, quatorze ans auparavant. Ma mère mourut trop jeune pour pouvoir faire
son voyage de présentation, et ma grand-mère n'aimait
que la retraite. Plus tard, je devais à mon tour, comme
on le verra, jouir de cette prérogative ; en attendant, je
fis à Montbéliard mon apprentissage de *courtisan*,
chez des princes bien aisés à flatter, car jamais, même
dans une chaumière, on ne vit un intérieur plus vertueux.

Mon père arrivait de Paris presque au même moment
où le prince Frédéric-Eugène se fixait à Montbéliard.
Il s'empressa d'aller avec madame de Wurmser faire la
cour à Son Altesse sérénissime. Il reçut du prince et de
Son Altesse royale sa femme l'accueil le plus bienveillant et le plus distingué. Mon grand-père, le baron
de Waldner, avait rendu des services importants au
duc Léopold-Éberhard, lors des discussions de celui-ci
avec l'Empire pour la succession de la principauté. Le
duc Léopold-Éberhard, ainsi que je le raconterai en
son lieu, eut une vie pleine d'accidents romanesques et
dans laquelle l'amour joua un rôle trop important. Il
pria M. de Waldner de soutenir ses intérêts auprès de
l'empereur et du régent de France en 1720 et 1723 ;
malgré le zèle qu'il y mit, mon grand-père échoua : la
cause était mauvaise ou du moins difficile à soutenir.
L'accueil du duc Eugène fut d'autant plus généreux
que, si mon aïeul eût réussi, le comté de Montbéliard
ne fût point retourné à la branche régnante de Wurtem-

berg-Stuttgart. Tout ce qui regarde ce duc Léopold-Éberhard sera une des pages les plus curieuses de ces Mémoires. Je donnerai, sur cette existence étrange, des détails inconnus, parfaitement authentiques, puisque le baron de Waldner les apprit tous d'original. Ce fut une sorte de Sardanapale ou de Louis XIV au petit pied : il a laissé une réputation impérissable dans ce pays, où de semblables désordres étaient inconnus, et le seront de nouveau dans l'avenir, s'il plaît à Dieu.

Mon père avait été colonel à la suite du régiment de Wurtemberg appartenant au duc Louis-Eugène, frère du prince Frédéric-Eugène[11]. Ce régiment fut incorporé dans Royal-Allemand, ce qui fit passer mon père à celui de Bouillon. Le prince l'entretint longtemps de cette circonstance et le combla de bontés. S. A. R. madame la duchesse ne se montra pas moins gracieuse envers lui et envers ma marraine.

— Je sais que vous avez une fille charmante, monsieur de Waldner, il faut nous l'amener bien vite ; je veux que mes enfants la connaissent, dit-elle ; ils ne sauraient accueillir de meilleurs *amis*, et par toutes les raisons du monde je désire leur en faire beaucoup. D'ici à très-peu de jours, je vous attends ainsi que la comtesse Henriette.

On m'appelait ainsi, parce que j'étais d'un chapitre protestant d'Allemagne dont les chanoinesses portent ce titre[12].

On ne pouvait résister à une semblable invitation. Mon père revint enchanté, il m'annonça cette bonne fortune : c'en était une véritable pour moi. Je me trouvais très-heureuse à Schweighouse, mais mes quinze ans se faisaient entendre ; j'aspirais à voir le monde, à rencontrer surtout des compagnes de mon âge, avec lesquelles je pusse rire quelquefois et causer souvent. J'étais grande, on me trouvait l'air distingué, mon visage était bien, malgré une santé qui a toujours été délicate ; d'ailleurs la plus raisonnable des jeunes filles

a mille idées, mille vagues désirs qui l'emportent au-
delà des murailles d'un château. Le petit oiseau étend
ses ailes et cherche à voler, la jeune fille cherche à voir,
à apprendre. Je ne vous parle pas du bonheur des toilettes nouvelles. J'avais quitté les fourreaux, on m'avait
donné des robes, et peut-être pour me rendre à la cour
de Montbéliard, m'accorderait-on un habit et un
panier. Jugez quelle joie !

La famille dans laquelle j'allais avoir l'honneur d'être
admise se composait d'abord du duc Frédéric-Eugène
de Wurtemberg, prince de Montbéliard, âgé alors de
trente-sept ans ; il avait hérité de l'esprit de sa mère,
princesse de la Tour et Taxis, dont toute l'Europe connut
en son temps le charme et la grâce. Le caractère gai,
plein de vivacité, de pétulance même de cette princesse,
ses passions ardentes occupèrent la chronique des
cours d'Allemagne. On lui prêta bien des faiblesses,
j'ignore si elle motiva cette opinion ; ce que je sais, c'est
qu'elle avait à un souverain degré le don de plaire, c'est
qu'elle fut la plus charmante, la plus séduisante des
femmes. On le lui a répété de toutes parts ; si elle l'a
cru, c'est un secret entre Dieu et elle.

Le prince Eugène fut d'abord destiné par son père,
le duc Charles-Alexandre, à l'état ecclésiastique ; il
reçut même à dix-huit ans la tonsure et un canonicat
à Constance ; mais il en sortit bientôt pour entrer au
service de Frédéric II de Prusse, et fit sous ses ordres
la guerre de Sept ans. Il se couvrit de gloire ; le héros
le remarqua. La duchesse sa mère, qui ne laissait rien
échapper, en profita pour négocier à Berlin le mariage
de ce prince, son troisième fils, avec la princesse
Frédérique-Dorothée-Sophie, fille du margrave de
Brandebourg-Schwedt et de la princesse Dorothée de
Prusse, sœur du roi. Ainsi qu'il devait arriver, ils s'aimè-
rent dès qu'ils se connurent ; jamais union ne fut mieux
assortie et plus heureuse. Madame la princesse de

Montbéliard était une femme accomplie, dont la vertu couronnait toutes les grâces.

Lorsque j'eus l'honneur de lui être présentée, elle avait trente-trois ans, elle était mère de cinq fils et de trois filles.

L'aîné, le prince *Frédéric*-Guillaume, nommé ainsi en souvenir de son aïeul maternel, né en Poméranie, où le régiment de son père tenait garnison, naquit la même année que moi et avait quinze ans.

Son frère, le prince Louis, avait treize ans. Le prince Eugène, le troisième, en avait onze. Le quatrième était le prince Guillaume, âgé de huit ans, et le cinquième, le prince Ferdinand, n'en avait que six.

Des trois filles, l'aînée, ma chère princesse Dorothée, à dix ans à peine, était presque aussi grande que moi, qui l'étais beaucoup. Elle annonçait ce qu'elle a tenu, un naturel charmant, un cœur parfait, une beauté merveilleuse. Bien qu'elle ait la vue basse, ses yeux étaient magnifiques, et leur expression adorable semblait un reflet de son âme.

La princesse Frédérique, sa sœur, âgée de quatre ans, épousa plus tard le coadjuteur de Lubeck et mourut en 1785, dans sa vingtième année, comme on le verra.

Enfin, la dernière de toutes, la princesse Élisabeth, avait deux ans ; elle devint grande-duchesse de Toscane en 1788.

Tous ces princes étaient élevés dans la religion luthérienne, conformément à la volonté du roi de Prusse, bien que le prince de Montbéliard fût catholique et eût quitté le service de ce prince pour entrer comme général de cavalerie au cercle de Souabe.

Le jour fixé pour ma première visite, je me levai dès l'aube ; je ne tenais pas en place dans mon impatience de partir, après avoir revêtu un joli habit de gros[13] de Tours rose, broché de petites fleurs naturelles, qu'on m'avait fait venir de Strasbourg, tout garni d'une chicorée de rubans à fil argenté. On le posa sur un demi-

panier et sur une jupe de pékin[14] blanc de l'Inde, uni et
à tablier. On me mit une rose dans les cheveux, avec
une petite aigrette de perles qui venait de ma mère,
laquelle la tenait de la sienne. [J'ai toujours eu un
attachement superstitieux pour ce bijou, y voyant une
sorte de talisman porte-bonheur et c'est pourquoi je
n'ai jamais manqué de le porter dans les grandes circonstances de ma vie, entre autres le jour de mon
mariage.] Je me tins droite comme un piquet de
Schweighouse à Montbéliard, dans la crainte de gâter
ma toilette : on me recommanda de ne point oublier
mes révérences, de ne parler à personne sans être interrogée, de me montrer respectueuse envers les jeunes
princesses et retenue avec les jeunes princes. Ce furent
jusqu'à notre arrivée des répétitions de formules et
d'étiquettes auxquelles nos hôtes royaux ne tenaient
guère, mais que nous ne pouvions oublier. Enfin nous
aperçûmes Montbéliard ! Encore deux mots sur ce château avant de raconter mon entrée. J'aime à poser les
cadres d'abord, les tableaux sont plus complets ainsi.

Le château de Montbéliard ne date que de 1751, ou
du moins le grand pavillon d'habitation, le reste étant
bien plus ancien. Il a remplacé un grand et fort manoir
en façon de citadelle, bâti sur un rocher escarpé dominant la ville, ce qui le rendait en quelque sorte imprena-
ble ; cette forteresse fut démantelée en partie en 1677,
par ordre de Louis XIV. Le château était composé de
deux parties séparées par l'église de Saint-Mainbœuf,
située dans la même enceinte. La plus ancienne s'appelait le *vieil châtel* ou le *châtel derrière* ; l'autre, le *châtel
neuf* ou le *châtel devant*, à cause de sa position relativement à l'église. Il y avait autour, assurait-on, des
cèdres du Liban rapportés de la terre sainte par un
comte de Montbéliard, en 1400 et tant.

Le baron de Gemmingen, gouverneur de la principauté vers le milieu du siècle, fit construire le bâtiment
qu'on voit aujourd'hui. La cour est ornée de tilleuls et

de marronniers qui donnent un frais ombrage. Les appartements, spacieux et élevés, sont, ou étaient à cette époque, assez simplement meublés. Les magnificences du duc Éberhard n'existaient plus. La suite de Leurs Altesses était suffisamment logée, sans luxe, mais à l'aise. Elles veillaient à ce que tout fût heureux autour d'elles ; aussi les bénissait-on à l'envi. Le cœur me battit bien fort lorsque notre carrosse tourna dans la cour d'honneur, lorsque nous descendîmes auprès du perron, et qu'un chambellan de la princesse vint nous y recevoir. Mon père me glissa quelques mots d'encouragement ; je me les rappelle toujours :

— Vous êtes fort bien, ma fille ; n'ayez pas peur.

Nous entrâmes, nous saluâmes le duc et la duchesse. Je n'y voyais pas, j'étais extrêmement intimidée. La voix de la duchesse me rassura comme par enchantement. Elle me dit les choses les plus flatteuses et les mieux senties, elle me permit de lui baiser la main, et sur-le-champ, appelant la princesse Dorothée, elle me présenta à elle, elle-même et sans vouloir souffrir d'intermédiaire.

— Ma fille, lui dit-elle, voici une jeune dame que je vous donne pour amie. Soyez aussi sage et aussi studieuse qu'elle, et efforcez-vous de lui témoigner le plaisir que nous avons à la recevoir, afin qu'elle revienne souvent.

La jeune princesse me sauta au cou pour toute réponse, sans plus de cérémonie, ce qui embarrassa mon père et fit beaucoup rire Leurs Altesses.

— Nous ne sommes pas ici à Versailles, monsieur le baron, ajouta le prince, et votre fille peut fort bien embrasser la mienne sans que j'y trouve à redire.

À dater de ce jour, je fus aussi à mon aise dans cette royale famille que si j'y eusse vécu toute ma vie. Celle qui doit plus tard monter sur le trône des czars, celle qui doit être la maîtresse de la moitié de l'Europe, me traita comme sa sœur, comme son égale. Elle me

prodigua tout ce que l'affection et la confiance ont de
plus tendre, et me permit de l'aimer autant que j'étais
aimée d'elle. Dès cette première visite, quand nous
songeâmes à nous retirer, le prince déclara à mon père
qu'on avait préparé notre appartement et que nous pas-
serions quelques jours au château, ainsi que madame
de Wurmser. Je vous assure que je ne me fis pas prier.

J'avais emmené avec moi ma femme de chambre,
mademoiselle Schneider, qui ne m'a jamais quittée
depuis. Elle fut d'abord ma berceuse, puis ma bonne,
puis un second moi-même dans ma maison, depuis que
j'en ai une. Elle avait alors trente-cinq ans. Elle se lia
d'une intimité assez singulière avec la femme de charge
du château, madame Hendel. La drôle de femme que
cette madame Hendel ! Quels joyeux rires elle nous
causa aux jeunes princesses et à moi ! Nous ne l'appe-
lions que madame de Pompadour, non pas qu'elle méri-
tât une comparaison dont nous ne comprenions pas la
portée, mais à cause de l'étalage de sa parure, de la
pompe et de la majesté de sa démarche. Elle portait des
robes de gourgouran[15] violet avec des rubans couleur
de feu ; tout cela faisait un bruit, un *frou-frou* qui s'entendait dans tous les corridors dès qu'elle sortait de sa
chambre. Elle se croyait la première dame de l'Europe
après la princesse. Elle ne parlait d'elle qu'en disant :
*On* a fait cela, *on* a été à tel endroit ; le *je* lui paraissait vulgaire et indigne de sa place. Elle ne se doutait
guère qu'elle imitât ainsi M. de Turenne, et je ne sais
vraiment pas si elle en eût été flattée, car c'était pour
elle un petit compagnon qu'un vicomte, fût-il La Tour
d'Auvergne-Bouillon, ou n'importe quoi. Lorsque la
princesse Dorothée épousa le Tzarowitz, nous crûmes
qu'elle en crèverait d'orgueil. Elle radotait de la puissance et des *vastes* États de sa bien-aimée maîtresse, et
il fallait l'entendre prononcer ce mot *vaste* en ouvrant
la bouche dans toute sa dimension verticale.

Le gouverneur des jeunes princes était le baron de Maucler, militaire distingué, homme d'une grande instruction et d'un esprit charmant. Toute la famille en raffolait ; il était traité en ami. Je fus bientôt au mieux avec cet aimable *pédagogue*, ainsi que le nommait en riant le prince de Montbéliard. Sa femme, née baronne Lefort, est de Genève et descend du compagnon du czar Pierre le Grand. Il était déjà en relation avec cette famille, et ma princesse interrogeait souvent M. de Maucler sur Pierre I$^{er}$ et sur la Russie. Dans nos entretiens confidentiels elle me parlait de ce pays avec une curiosité ardente, presque prophétique. Elle devinait son avenir peut-être.

Quelques années après, lorsque M. le prince de Montbéliard envoya ses trois fils aînés à Lausanne pour terminer leurs études, M. de Maucler les y accompagna. Il eut pour eux tous les soins imaginables, et ceux-ci l'aimaient d'un attachement filial. Nous le retrouverons souvent.

Depuis cette année 1769, je devins la commensale presque habituelle du château de Montbéliard. J'y restais tout le temps des absences de mon père, et souvent même avec lui. La princesse était grosse et assez souffrante. Elle sortait peu. Je lui faisais la lecture en français et en allemand ; elle me reprenait lorsque je prononçais mal, ou lorsque je me servais dans la conversation d'une locution vicieuse. Sur les derniers mois de sa grossesse, elle demanda à mon père de me garder encore [, « pour s'amuser », disait-elle, et elle m'appelait sa lectrice]. Elle avait pour moi des bontés vraiment maternelles et me montrait à faire un merveilleux point de trye, dont elle brodait des fauteuils avec un art sans pareil.

1770. Le 3 mai de cette année fut une grande fête à Montbéliard : S. A. R. mit au monde un prince auquel on donna les noms de *Charles*-Frédéric-Henri. C'était son sixième fils. Toute la ville fut illuminée, et les corps des métiers vinrent à leur tour féliciter leurs maîtres. Je mangeai tant de dragées que j'en fus malade deux jours, ce dont la princesse Dorothée se moqua bien fort, attendu qu'elle en avait mangé plus que moi et que cela ne l'empêcha pas d'en manger encore une semaine durant sans en être incommodée. Madame Hendel en eut pour sa part six douzaines de boîtes qu'elle laissa se gâter plutôt que d'en *prodiguer* une seule aux gens du château.

Dès le commencement de cette année aussi, le prince exécuta un projet auquel il tenait beaucoup, celui de se construire une résidence d'été à Étupes[16], joli village sur la route de Bâle, à deux lieues de Montbéliard. Il s'en occupa avec tant de persévérance et de suite, qu'à la fin de novembre il était terminé. Cher château d'Étupes ! le plus doux de mes souvenirs ! combien il me paraît vide aujourd'hui sans ma chère princesse ! combien il était délicieux alors ! La richesse y rivalisait avec l'élégance ; ses jardins rappelaient la plus riante campagne. Le 18 décembre 1770, le duc régnant de Wurtemberg, Charles-Eugène, y vint avec son frère ; mon père et moi, nous nous y trouvions. C'était une belle figure historique que ce prince Charles-Eugène. Lors de sa naissance, en 1728, on était loin de prévoir qu'il arriverait au trône de Wurtemberg ; et cependant, franchissant tous les degrés qui l'en séparaient, il se trouva en 1737, à l'âge de neuf ans, chef de la maison ducale. Placé sous la tutelle de sa mère et des ducs de Wurtemberg-Neustadt et de Wurtemberg-Oels, ses plus proches agnats, le duc mineur fut conduit à la cour du grand Frédéric. L'intelligence et la capacité qu'il montra de bonne heure firent abréger sa minorité. Lorsqu'il eut seize ans, l'empereur Charles VI lui accorda une dispense pour qu'il pût gouverner lui-même les duchés de Wurtemberg et de Montbéliard. Il s'entoura d'une cour brillante, où la princesse sa mère appela les plaisirs de toutes sortes. Le trésor de l'État

se trouva bientôt la proie des favoris et des favorites :
les bals, les concerts, les spectacles, les chasses splen-
dides, employèrent tous les moments du jeune souverain, dont les débuts avaient promis tant de gloire. Il
s'enivra de son pouvoir et de sa jeunesse, il s'entoura
de toutes les séductions, il courtisa toutes les femmes,
en adora plusieurs et en *aima* une qui, plus tard, restée
son Égérie, devait le rappeler à de plus nobles sentiments. Cette cour de Stuttgart devint la plus brillante
de l'Allemagne, le luxe monta d'une manière effrayante,
le duc dépensa follement des millions. Il en résulta des
remontrances de la part des États du duché, qui arrêtèrent un peu les dilapidations, sans les faire cesser
entièrement. Le prince se roidit même contre ses observations, qu'il traita d'*irrespectueuses*, et voulut continuer le même train de vie. L'amie dont j'ai parlé lui
ouvrit alors les yeux sur ses égarements. Elle lui représenta ce qu'il était, ce qu'il aurait pu être ; elle lui
démontra ce qu'il n'avait jamais voulu voir, le résultat
terrible de ses extravagances, elle le menaça de l'abandonner s'il repoussait ces avertissements, et l'amena
enfin par la conviction, par des réflexions sérieuses, à
reconnaître ses torts et à les réparer. À l'époque où je
le vis à Étupes et à Montbéliard, il avait quarante-
deux ans, et c'était encore un des plus beaux princes de
l'Europe. L'expérience avait mûri son esprit, il s'était
réconcilié avec les États, et il ne songeait qu'à reconqué-
rir l'affection de ses sujets, à faire prospérer l'agriculture, à développer les autres sources de la richesse
publique. Marié depuis longtemps à une princesse de
Brandebourg-Bayreuth, fille de Frédérique-Sophie de
Prusse, l'aînée des sœurs du grand Frédéric, il n'en avait
point d'enfants, et le trône devait après lui passer à son
frère puîné, le prince Louis-Eugène.

Le mariage de Charles-Eugène avait été négocié par
sa mère [la charmante princesse de La Tour et Taxis
dont j'ai déjà parlé. Le mariage fut arrangé dès l'arrivée

de son fils à Berlin et il fut décidé que les fiancés auraient la possibilité d'annuler ou de remplir le contrat. Ils furent satisfaits des arrangements pris pour eux, tout en n'éprouvant que de l'amitié l'un pour l'autre]. Sa femme et lui n'eurent jamais l'un pour l'autre que de l'amitié, tout l'amour du duc appartenait à une autre. Si quelque chose pouvait faire excuser une pareille conduite, le mérite extraordinaire de cette dame y eût réussi. Sa beauté était le moindre de ses avantages, elle aimait le prince avec un dévouement et un désintéressement sans pareils. Nous retrouverons cette comtesse de Hohenheim, car c'est ainsi qu'on la nommait, et nous la verrons plus tard légitimer son amour par un mariage.

Le prince Louis-Eugène, qui doit succéder à son frère, est lieutenant général au service de France et chevalier des ordres du roi. Il a fait d'une manière distinguée, avec les troupes de Louis XV, la guerre de Marie-Thérèse contre la Prusse, et habite ordinairement Paris. Ce prince est gai et aimable, il a le tort de faire des calembours et des jeux de mots, ce que M. de Voltaire appelait l'esprit de ceux qui n'en ont pas. Il est aussi un peu poète, tourne fort joliment les vers et les lit surtout d'une manière fort remarquable.

Les trois frères, ainsi qu'on l'a vu, ont le nom d'Eugène. Le duc Charles-Alexandre, leur père, professait une telle admiration pour le prince Eugène de Savoie qu'il le voulut ainsi ; cependant le dernier seul est appelé Eugène. Ils sont catholiques, leur père ayant embrassé cette religion sans rien changer cependant à la constitution de son duché, qui était et resta protestant. J'admire beaucoup cette retenue. La liberté de conscience ne peut être attaquée impunément. Louis XIV lui-même a obscurci sa gloire par la révocation de l'édit de Nantes. Aussi, de toutes les femmes tristement célèbres, celle que j'ai toujours eue le plus en antipathie est madame de Maintenon, malgré le mariage qui légitima ses fautes. Elle appela sur le vieux lion les malédictions d'une partie de son peuple, elle déchira la France par des guerres intestines, et dota l'étranger de ses richesses et de son industrie.

Gloire au bon et vertueux monarque qui, par édit de 87[17], vient d'accorder aux protestants la jouissance des droits des autres citoyens et de reconnaître pour toute la France la validité des actes qui en font des maris et des chefs de famille. Puisse leur reconnaissance envers le roi en faire aussi toujours des sujets loyaux, dévoués et fidèles !

## CHAPITRE III

1770. Avant de parler en détail de cette visite du duc régnant de Wurtemberg à Montbéliard, il me vient à l'idée que j'ai oublié [de mentionner à sa vraie place] une excursion fort intéressante que je fis cette année-là. Madame la dauphine, aujourd'hui Marie-Antoinette, passa à Strasbourg[18], et mon père m'y conduisit pour avoir l'honneur de la saluer. Oh ! je vivrais cent ans que je n'oublierais pas cette journée, ces fêtes, ces cris de joie poussés par un peuple ivre de bonheur à l'aspect de sa souveraine. Madame de Wurmser était avec nous, et LL. AA. de Montbéliard devaient s'y trouver également ; mais, d'une part, la santé de la princesse les en empêcha, et d'une autre, les étiquettes de la cour de France sont si sévères et si hautaines à l'égard des princes étrangers, qu'ils s'en éloignent lorsqu'ils ne sont pas absolument forcés de s'y rendre. On ne leur reconnaît point de rang, ils ne peuvent voir le roi et la reine que dans leurs cabinets, et ne mangent jamais avec eux ; tout au plus si les princes les admettent à

leur table, et encore ne leur donnent-ils jamais la main.
Aussi tous ceux qui ont visité Versailles ont-ils gardé
l'incognito et pris un nom supposé, pour ne pas être
confondus avec la foule des courtisans, ainsi que cela
leur serait arrivé. Au moins, avec l'incognito, ils s'en
tenaient aux réceptions particulières, où on ne leur
disputait pas leur rang. On a vu de la sorte, même des
parents de la reine (je ne parle pas de l'empereur, il est
hors de cause). Quoi qu'il en soit, la cour de Montbéliard voulut éviter des tracasseries et se fit excuser.

L'entrée de la princesse fut magnifique. On habilla
trois compagnies de jeunes enfants de douze à quinze
ans en cent-suisses, et on les rangea sur le passage de
Son Altesse royale, pendant que dix-huit bergers et
autant de bergères du même âge lui offraient des corbeilles de fleurs. Rien n'était plus galant que cet accou-
trement-là, et je ne suis pas bien sûre de ne pas l'avoir
regretté pour moi. Vingt-quatre jeunes filles de quinze
à vingt ans, des familles les plus distinguées de la bourgeoisie, habillées d'étoffes superbes et suivant les différentes modes allemandes de Strasbourg, se présentèrent
pour répandre des fleurs sur les pas de la princesse,
qui les accueillit comme l'aurait fait Flore elle-même.
Les petits cent-suisses eurent la permission de monter
la garde dans la cour de l'évêché pendant le séjour qu'y
fit madame la dauphine. Cela s'était pratiqué ainsi lors
du voyage du roi Louis XV[19], avant sa maladie, à Metz ;
le programme des fêtes était le même, sauf les devises
de circonstance. Des personnes qui y avaient assisté
me racontèrent l'effet produit par le feu d'artifice,
j'éprouvai des émotions semblables. Rien n'était beau
comme ces figures mythologiques, ces chevaux, ces
chars, ces dieux marins, ces armes, ces écussons en-
flammés, au milieu de la rivière d'Ill les réfléchissant
mille fois. Cela ressemblait à la fin du monde ; on ne
savait plus où l'on en était. Pendant ce temps on distribuait des vivres au peuple. J'ai vu de mes yeux un bœuf

rôtir tout entier, les fontaines de vin couler et le pain se fouler aux pieds sans que les plus pauvres se donnassent la peine de le ramasser.

Le soir, la ville entière fut illuminée ; la cathédrale, depuis la croix jusqu'aux fondements, n'était qu'une flamme : chaque ornement ressortait scintillant comme une constellation d'étoiles. Les différents corps de métiers obtinrent la permission de montrer leur adresse dans des jeux relatifs à leur profession : madame la dauphine distribua les prix et les accompagna de ces charmantes paroles dont sur le trône elle n'a point oublié le secret.

J'eus l'honneur de lui être présentée, ainsi que plusieurs autres jeunes filles de qualité. Elle nous reçut avec une simplicité et une bonne grâce qui lui gagnèrent tous nos cœurs, s'informa de nos noms, nous adressa à chacune un mot aimable, et ne nous renvoya qu'après nous avoir fait distribuer de superbes bouquets envoyés par les chambres des Treize et des Quinze[20], du sénat et des autres autorités de la ville. J'en ai conservé la plus belle fleur séchée dans un herbier de souvenir, que j'ai donné depuis à la princesse Dorothée.

Madame la dauphine était, à cette époque, grande et bien faite, quoique un peu mince. Elle n'a que très-peu changé depuis ; c'est toujours ce même visage allongé et régulier, ce nez aquilin bien que pointu du bout, ce front haut, ces yeux bleus et vifs. Sa bouche, très-petite, semblait déjà légèrement dédaigneuse. Elle avait la *lèvre autrichienne* plus prononcée qu'aucun de ceux de son illustre maison. Rien ne peut donner une idée de l'éclat de son teint, mêlé, bien à la lettre, de lis et de roses. Ses cheveux, d'un blond cendré, n'avaient alors qu'un petit œil de poudre. Son port de tête, la majesté de sa taille, l'élégance et la grâce de toute sa personne, étaient ce qu'ils sont aujourd'hui. Enfin tout en elle respirait la grandeur de sa race, la douceur et la noblesse de son âme : elle appelait les cœurs.

On avait élevé, pour recevoir l'archiduchesse, un pavillon composé de trois parties dans l'île du Rhin. Je ne sais qui imagina d'y placer de sottes tapisseries représentant Médée et Jason, avec leurs massacres et leurs querelles de ménage. La princesse en fut frappée, et sa suite autant qu'elle.

— Ah ! dit la jeune dauphine à sa femme de chambre allemande, voyez quel pronostic !

On lui retira, comme c'est d'usage, les personnes de sa maison ; elle pleura beaucoup, et les chargea d'une infinité de choses pour l'impératrice, pour les archiduchesses ses sœurs et pour ses *amies* de Vienne. On l'habilla à la française des superbes atours envoyés de Paris, elle parut mille fois plus charmante. Elle fut logée au palais épiscopal, où le vieux cardinal de Rohan[21] eut l'honneur de la recevoir. M. d'Antigny, comme chef du magistrat (préteur royal), la reçut lorsqu'elle mit le pied sur le territoire. On se crut obligé de la haranguer en allemand : elle interrompit l'orateur avec une présence d'esprit et un charme incroyables :

— Ne parlez point allemand, messieurs : à dater d'aujourd'hui je n'entends plus d'autre langue que le français.

L'accent qui accompagnait ces paroles les rendait encore plus touchantes ; tout le monde les a retenues et répétées en ce temps-là. Hélas ! elles sont bien oubliées maintenant !

Madame la dauphine est fille de François-Étienne, duc de Lorraine et de Bar, mort en 1765, et de la grande Marie-Thérèse, archiduchesse d'Autriche, reine de Hongrie et de Bohême, morte depuis, le 29 octobre 1780.

M. de Durfort la demanda en mariage pour M. le dauphin le 16 avril 1770. Le 17, elle renonça solennellement à sa succession héréditaire, tant paternelle que maternelle. Le 19, l'archiduc Ferdinand l'épousa au couvent des Augustins au nom de monseigneur le dauphin (devenu roi quatre ans après, en 1774). Le 21, Marie-Antoinette partit de Vienne à neuf heures un quart du matin ; elle arriva à Strasbourg le 7 mai. S. E. le cardinal de Rohan, prince-évêque de Strasbourg, la reçut dans son palais de Saverne, où devait plus tard habiter celui qui lui a fait tant de mal : le neveu et successeur de ce vénérable prélat, le prince Louis, à qui ses folies et la misérable affaire du collier qui ont donné une célébrité si funeste. Quels rapprochements il y a dans la vie !

Le 14 mai, le roi vit l'archiduchesse dans la forêt de Compiègne ; le 15, elle fut mariée dans la chapelle du château. J'aurai l'occasion de parler de cette noble princesse, que j'ai eu l'honneur d'approcher souvent, et dont les bontés sont ineffaçables dans mon cœur.

Après mon voyage à Strasbourg, nous retournâmes à Montbéliard où nous passâmes tout l'été, sauf quelques excursions à Schweighouse, que j'abrégeais le plus possible. Au mois de novembre je revins à la ville, mais avec la promesse de me trouver près de Son Altesse royale le jour de sa fête de naissance, le 18 décembre. Le soir même, comme le plus charmant bouquet du monde, le duc régnant de Wurtemberg (Charles) arriva, ainsi que je l'ai dit dans le chapitre précédent ; on ne l'attendait pas. Nous avons fait mille enfantillages que la bonté de Leurs Altesses autorisait. Nous étions en train de jouer au *colin-maillard-à-l'ombre*, et, qui pis est, nous y faisions jouer toute la cour, excepté le baron et la baronne de Borck, l'un chambellan, l'autre grande-maîtresse ; les deux personnages les meilleurs, mais les plus curieux que j'ai rencontrés pendant toute ma jeunesse. C'était Philémon et Baucis, s'adorant et se le disant devant les princes comme dans leurs tête-à-tête ; s'appelant *ma mie, mon cœur*, et même, à ce que prétendait le prince Frédéric (je ne l'ai point entendu),

*mon chat* et *ma poule*. Ce soir-là ils tenaient un trictrac
avec le baron de Wurmser, grand veneur, et le baron de
Schwarzer, évêque *in partibus*, grand aumônier du duc
Frédéric-Eugène. Ces bonnes créatures jouaient souvent l'une contre l'autre ; et alors elles se faisaient des
signes de la meilleure foi possible, ne croyant pas le
moins du monde manquer à l'honnêteté. Nous les
impatientions fort par nos rires et par les figures grotesques que nous composions pour les répéter en silhouettes sur le mur. Au milieu de tout ce tapage on
annonça Son Altesse royale. Jugez si les costumes, les
grosses têtes et les cornes disparurent ! Le duc aimait
les surprises, il arrivait presque toujours sans prévenir.
La comtesse de Wartensleben employa son savoir-faire
à enlever une souquenille destinée à représenter le diable, et dont les cordons ne voulaient point se dénouer.
[La princesse Dorothée riait aux larmes de mon embarras ; j'étais furieuse ;] enfin nous en vînmes à bout
avant que le prince eût jeté les yeux de notre côté. La
comtesse de Wartensleben, née de Linas, était une
femme charmante, belle, spirituelle, recherchée ;
madame la princesse de Montbéliard l'aimait fort et
l'engageait souvent.

Le voyage du duc régnant fut le prétexte de fêtes
aussi belles que le permettaient les ressources et les
moyens dont on disposait dans ce pays retiré. Les drapeaux aux armes de Wurtemberg écartelées de Montbéliard flottaient partout. Ces dernières sont de gueules à
deux bars adossés d'or. Les bars ou barbeaux sont mis
de profil et un peu courbés en portion de cercle. Il ne
faut pas les confondre avec les dauphins.

On alluma tous les lampions, toutes les torches,
toutes les chandelles de la ville. Les trois corps de la
magistrature lui présentèrent en grande cérémonie
un cahier de doléances. Il les reçut avec beaucoup de
bonté, en leur promettant d'y faire droit.

— Mon Dieu, dit-il, le soir, au prince de Montbéliard, comme je suis changé, et combien j'en suis aise !
Dans ma jeunesse j'aurais ri au nez de vos robins, plus
drôles que vos enfants l'autre jour, au colin-maillard-à-
l'ombre. Aujourd'hui j'ai été plus grave qu'eux. Du reste,
comme ils ont raison, je m'occuperai de leur demande.

L'audience publique dura depuis neuf heures du
matin jusqu'à sept heures du soir. Son Altesse écouta
avec la même patience les réclamations les plus absur-
des : celles-là seulement furent écartées. [Je me rappelle
une pauvre paysanne qui demandait qu'on ne permît
plus de faire sonner les cloches parce que cela faisait
rancir sa crème !]

Le jour de son départ le duc régnant reçut de nouveau la magistrature avec plus de bonté encore que la
première fois. Il avait réfléchi, les réminiscences de sa
jeunesse s'étaient envolées, son discours s'en ressentit.
Il fut touchant, persuasif, paternel ; tous les yeux se
mouillèrent en l'entendant [et nous-mêmes, jeunes
comme nous l'étions, pleurions avec les autres, sans
savoir pourquoi]. Il remonta en carrosse vers midi pour
regagner Stuttgart et ses États d'outre-Rhin. La cavalerie bourgeoise l'escorta jusqu'à la frontière du comté
de Montbéliard. Ils revinrent tous enchantés ; nous
l'étions aussi, surtout la princesse Dorothée, à laquelle
il avait laissé une fort belle bague en présent. Cette
chère princesse était pour moi d'une bonté à toute
épreuve. Je l'aimais avec passion ; elle inspirait ce sentiment à tous ceux qui l'approchaient, car personne ne
mérita tant d'être aimée. Naturelle, spirituelle sans prétention, exempte de toute coquetterie, elle était surtout
de la douceur la plus exquise. Elle m'appelait tout haut
et devant tous son amie, me désirant lorsque je n'étais
pas là, m'écrivant sans cesse ; elle prétendait ne pouvoir se passer de moi.

Madame la princesse sa mère me témoignait une
confiance sans bornes. Elle voulait que je fusse sans

cesse avec sa fille, et que, malgré la différence de nos âges, nos récréations fussent communes.

— Ma chère Lanele, disait-elle, vous êtes raisonnable et studieuse, je suis bien aise de vous donner pour exemple à ma fille ; elle vous aime tant qu'elle fera comme vous.

J'étais chanoinesse, on le sait. Les chapitres protestants avaient, sous les rapports nobiliaires, les mêmes droits et les mêmes usages que les chapitres catholiques. On m'appelait donc madame la comtesse Henriette de Waldner. Le surnom de Lane, diminutif Lanele, avait une origine que je vais raconter. On donnait, du reste, assez volontiers des surnoms à Montbéliard. Madame de Borck nous répétait bien et avec raison que ce n'était pas de bon goût, nous n'en tenions guère compte, et elle-même ne fut pas plus épargnée que les autres. On la surnomma mîlady Carcasso. Elle était maigre à faire peur, et nous parlait sans cesse d'un Anglais qu'elle avait connu dans sa jeunesse et qu'elle voulait toujours appeler milord *Carcasso*, malgré toutes nos réclamations. Ce n'était certainement pas son nom, ni rien qui y ressemblât. Jamais Anglais ni chrétien quelconque n'a pu s'affubler du nom de Carcasso.

Mon surnom de Lanele ou Lane venait d'un petit déguisement que nous fîmes au carnaval. On m'habilla en Catalane, et l'on eut la bonté de dire que je m'acquittais parfaitement de mon rôle. Pendant plusieurs jours le nom m'en resta, on ne m'appela que la Catalane. Le dernier des petits princes, bégayant à peine, ne pouvait prononcer ce mot très-long pour lui. Il m'avait prise en amitié et répétait sans cesse : *Lane ! Lane !* La princesse Dorothée s'empara de ce diminutif, en fit Lanele, et je fus ainsi baptisée pour le reste de mes jours dans la maison de Montbéliard.

1771. Je passais, on le voit, une grande partie de ma vie à la cour de Montbéliard : elle était devenue, pour ainsi dire, une seconde famille ; j'y étais aimée et regardée comme l'enfant de la maison. Je m'y trouvais encore le 24 avril 1771, lorsque la princesse accoucha de son septième fils, auquel on donna les noms d'*Alexandre*-Frédéric-Charles. Cette union était bénie de Dieu, et à chaque enfant qui naissait, malgré leur nombre, c'était une joie nouvelle. La principauté entière se mit en liesse, on dansa, on chanta partout, chez les pauvres et chez les riches. Son altesse, pour célébrer cette heureuse délivrance, voulut inaugurer dignement son théâtre à Étupes, et ce fut une grande joie pour nous.

On nous permit d'aller avec la comtesse de Borck et plusieurs personnes graves de la cour, nous installer à Étupes jusqu'à ce que le rétablissement complet de la princesse permît de commencer ces fêtes. Nous aimions ce château et ces jardins au-dessus de tout. On y avait la même liberté, la même bonhomie que chez un particulier riche, qui veut voir sa maison heureuse et gaie. J'ai encore le plan des jardins, devenus plus beaux qu'ils ne l'étaient à cette époque ; les arbres ont poussé, les fabriques ont perdu un peu de cette blancheur qui choque la vue, à ce que dit M. Tronchin de Genève, lequel se connaît admirablement en ces matières, assure-t-on. Le dessin en est parfait. L'orangerie est citée comme une des plus belles de l'Allemagne. Une charmante idée vint à la princesse, elle ordonna une profusion de berceaux de roses, montés et contournés en temple ; cette voûte parfumée est le lieu le plus délicieux du monde pour lire ou pour causer.

La laiterie, faite en maison suisse, offre comme rareté de superbes vases en *faenza*, poteries du XVIᵉ siècle, grossièrement peintes, mais fort prisées des gens de l'art au point de vue de la conception et du dessin. Ces vieilles terrines me plaisaient bien moins que les jolies porcelaines de Saxe, mais il paraît que c'est plus rare. Les grottes d'Étupes sont pleines de stalactites très-curieuses ; quand on les illumine, on les prendrait pour des diamants ; il y en a plusieurs dans des îles factices, sur la rivière, reliées ensemble par des ponts chinois.

Un des objets les plus remarquables que renferme ce parc est un arc de triomphe d'ordre corinthien, formé avec des chapiteaux et des tronçons de colonnes provenant des ruines de Mandeure, autrefois *Epamanduodurum*, village situé dans le comté de Montbéliard, au sud de cette ville. On le dédia au grand Frédéric.

Les huit jours qui précédèrent le spectacle, nous plantâmes nos tentes, ainsi que le disait M. de Borck en son langage biblique, dans la cabane d'un soi-disant charbonnier, isolée au milieu des bois. L'extérieur était en tout conforme à sa destination ; mais la princesse avait fait de l'intérieur un vrai bijou. Les meubles, d'une simplicité élégante, venaient tous de Paris, et bien qu'appropriés à un usage rustique, accusaient le goût sûr qui les avait choisis. La princesse Dorothée voulut que nous y couchassions une nuit. Ce furent alors des cris de chouette de la part de madame Hendel ; elle se voila la face de son bavolet, et prétendit qu'il y avait dans cette fantaisie une atteinte à la dignité de la maison régnante. Il fallut céder, mais elle ne s'en consola point, et pendant bien des années, lorsque sa jeune maîtresse fut devenue grande-duchesse de Russie, quand elle passait devant la chaumière, en la montrant d'un geste tragique, elle *déclamait* :

— Quand on pense que la future impératrice de toutes les *Moscovies* a couché là.

Nous allions de notre chère cabane au temple de Flore, admirer la statue, lui porter des couronnes et la couvrir de guirlandes de marguerites. Les tapis verts nous servaient de mail et de jeux de boules, au grand désespoir des jardiniers, et nous restions de longues heures près des volières, où tous les oiseaux nous connaissaient ; nous les comblions de mie de pain, de gâteaux, d'herbes fraîches. Nous apprenions à parler aux perroquets, et Dieu sait quelles folies leur répétaient les jeunes princes.

Plus tard, quand la famille fut dispersée, on éleva dans un coin ombragé et silencieux une colonne aux absents, avec leurs initiales gravées alentour sur une bande. Que de fois madame la princesse de Montbéliard et moi nous sommes restées devant ce petit monument du cœur, les yeux mouillés de larmes, parlant de celle qui ne revenait plus ! La condition des princes a cela de cruel, qu'il leur faut oublier leurs sentiments et leurs affections pour les intérêts politiques. La princesse Dorothée eût été trop heureuse si la bonté de Dieu lui avait permis de conserver sa mère auprès d'elle. Il fallut acheter le bonheur par un sacrifice : elle le fit ; mais souvent dans les pompes de Saint-Pétersbourg elle regretta ce coin du monde où elle était chérie. Elle m'a fait souvent l'honneur de me dire qu'entre la splendide destinée et la joie de vivre obscure à Étupes au milieu de ses parents, son mari qu'elle adore partageant ce tranquille séjour, elle n'eût pas hésité un instant. L'ambition était si loin d'elle !

Le lendemain de notre arrivée à Étupes, nous regardions traire les vaches dans la laiterie, un page vint dire à la princesse Dorothée qu'un solitaire nouvellement installé dans l'ermitage la priait de l'honorer d'une visite.

— Sur-le-champ ? demanda-t-elle.

— Sur-le-champ, madame, si Votre Altesse le désire.

— Il m'attend, et ma crème ?

— Si Votre Altesse pouvait la manger en route.

— Ou plutôt la porter à l'ermite. Viens, Lanele, c'est quelque tour de mes frères ; mais ils vont voir comment je m'en vengerai.

Le clocher de l'ermitage, situé sur un monticule et formant un charmant point de vue, sonnait incessamment ; le page marchait gravement devant nous, et ne répondait aux questions de la princesse que par un :

— Son Altesse va voir, qui nous impatientait. Enfin nous arrivâmes en pensant trouver la bande des jeunes princes espiègles à l'ermitage ; nous reculâmes saisies d'étonnement et de respect : c'était encore une surprise du duc régnant ; il ne pouvait pas arriver comme un autre. Il venait faire un long séjour, pour s'enquérir un peu des affaires, et resta en effet jusqu'au mois d'août. Il laissa en partant une loi sur l'agriculture qui le fit bénir de la population tout entière[22].

Ce petit État ne laisse pas que d'avoir un gouvernement fort bien ordonné, surtout depuis que S. A. R. s'en occupe. L'homme le plus important est d'abord le bailli, et après lui le chancelier. Viennent ensuite les conseillers ou membres de la régence ; leur nombre n'est pas limité ; et enfin le procureur général. Autrefois les conseillers portaient des robes moitiés noires et moitié jaunes, couleurs de la maison de Wurtemberg. Tous ces rouages fonctionnent admirablement sous l'autorité directe de S. A. R. le duc régnant. Ce n'est que plus tard qu'il nomma Stathouder son frère le prince de Montbéliard. Cette échelle, commençant au peuple et finissant au maître, me semble parfaitement entendue. On ne saurait souhaiter mieux.

Me voilà bien loin de la comédie : j'y reviens. Le duc régnant fut fort aimable pour nous dans son ermitage, et voulant jouer son rôle jusqu'au bout, il nous dit notre bonne fortune.

— Vous, ma nièce, vous épouserez quelque vieil électeur, borgne et boiteux pour le moins, qui vous empêchera de voir personne, et qui composera votre cour de magots, afin d'être toujours le plus beau pour vous plaire. Vous, comtesse Henriette, vous resterez chanoinesse, ou peut-être on vous mariera au premier ministre de son électeur, brèche-dent, parcheminé, chassant le lapin en brouette pendant que vous tricoterez à côté de lui. Voilà ce que je vous prédis et ce que je vois.

— Votre Révérence ne voit-elle que cela ? demanda en riant la princesse.

— Je vois encore une belle étoile très-brillante, c'est la vôtre, mais c'est une étoile filante ; celle de votre amie scintille au-dessous, jamais on ne trouva pareille attraction d'étoiles.

— Ah ! c'est que j'aime bien Lanele, me dit cette adorable princesse en m'embrassant.

Toute la soirée, le duc resta avec nous. Il revint presque tous les jours jusqu'à celui fixé pour le spectacle. On avait fait chercher des danseuses à Vienne. La pièce choisie était le ballet de *Médée*, composé par M. Noverre, quelques années auparavant. Ce ballet avait été joué dans l'origine à Stuttgart par le fameux Vestris, devant la cour, de sorte que S. A. R. le connaissait et le prisait beaucoup. Il regretta pourtant Vestris, les danseurs de Vienne étaient loin de le valoir. Pour nous, ignorants et *paysans* d'Alsace, ce fut magnifique. Jamais spectacle ne m'a tant amusée ; j'en ai conservé un souvenir inaltérable. Les premières impressions sont si vives !

Je me rappelle encore ma toilette ; j'avais un *quesaco*[23], nom emprunté à l'Espagne, et comme je refusais de danser, cela fit dire à madame de Borck que je sortais de l'esprit de ma robe.

Le prince de Rathsamhausen venait à Montbéliard ; il était abbé des chapitres nobles réunis de Murbach et de Lure, et est mort en 1786 en odeur de sainteté. Il était bon et tolérant. Je me souviens que le baron de Wurmser raconta devant lui la funeste histoire de M. de Bombelles, et qu'il l'en reprit avec douceur, mais fermement. Je vais dire cette histoire, d'autant plus qu'elle est fort contestée, et qu'on pourrait encore défendre cette cause bien plus facilement qu'on ne pense. J'ai appris beaucoup de détails sur tout cela dans mes voyages à Paris, où je fréquentais cette famille de

Bombelles, très-certainement calomniée en cette circonstance.

Les papiers publics assurèrent qu'un officier du
régiment de Piémont, le vicomte de Bombelles, avait
épousé depuis quelques années, dans le Midi, une jeune
fille protestante. Le mariage fut célébré dans les deux
églises, les époux vécurent assez longtemps ensemble,
et un beau jour il en épousa une autre, arguant de la
nullité de la première union, à cause des lois sur les
protestants.

Si le fait est vrai, et je ne l'avance qu'avec la plus
grande circonspection, uniquement pour montrer que
je ne l'ignore pas, si le fait est vrai, il se peut que des
raisons ignorées, impérieuses, expliquent cette conduite
blâmable. Les circonstances peuvent être quelquefois
plus fortes que nos volontés. Je n'approuve ni ne blâme,
ma conscience et mes relations me défendent l'un et
l'autre. On assure pourtant (je me crois obligée de tout
dire pour l'impartialité des faits), on assure que le
conseil de l'école militaire, où M. de Bombelles a été
élevé, s'est ému de ces bruits ; on assure encore qu'il lui
a adressé une lettre où il lui exprime, au nom de l'école,
la douleur et l'indignation qu'elle ressent de sa
conduite, si elle est vraie ; que cette conduite rejaillit
sur elle, et qu'on l'invite à ne jamais se représenter. Je
ne puis ajouter foi à tout cela. La famille de Bombelles, que nous connaissons, qui possède des fiefs en
Alsace, est une des plus honorables, des plus respec-
tables qu'il y ait. Il me serait trop pénible de penser
qu'elle ait pu subir une pareille tache, mon cœur s'en
navre, et je n'en veux plus parler. Grâce au ciel et au roi
Louis XVI, de semblables choses ne sont plus possibles.
Nous autres Alsaciens, nous n'avons jamais rien eu à
craindre à cet égard, les traités qui ont réuni l'Alsace à
la France nous ayant assuré tous nos droits. Nous n'en
jouissons pas moins de la justice octroyée à nos frères
des autres provinces.

1772. Il nous vint à cette époque plusieurs personnes en visite à Montbéliard, dont je ne suis pas fâchée de me rappeler les noms. Les souvenirs de la première jeunesse sont comme les fleurs conservées. On aime à respirer leur parfum lointain ; l'imagination le fait revivre sur ses couleurs flétries, qu'on a vues si belles et si fraîches !

Une des personnes qui m'a le plus frappée par sa bonne mine est le baron de Glaubitz. Il était grand et avait été beau comme le jour, assuraient ceux qui l'avaient connu autrefois. Bien qu'il eût soixante ans à peu près, il en conservait toutes les traces. Il était resté quelques jours à Belfort, où il avait été témoin de quelques discussions entre les gens de madame la duchesse de Mazarin, dame de Belfort[24], et ceux de monseigneur le duc de Wurtemberg. Il racontait cela fort drôlement, et entremêlait la question d'histoires sur madame de Mazarin, toutes plus curieuses et plus amusantes les unes que les autres. Elle avait fait avec le duc régnant un échange de droits et revenus seigneuriaux qu'ils possédaient respectivement dans les différents villages et territoires enclavés en Alsace dans le comté de Montbéliard. Cette convention, sanctionnée par le roi et consommée par l'échange avec M. le duc de Wurtemberg de ses droits de souveraineté sur ces mêmes places, amenait cependant des querelles entre les agents inférieurs qui, sous prétexte d'honorer leurs maîtres, leur causaient des embarras. J'ai entendu souvent Son Altesse se plaindre de ces ennuis-là.

Madame de Mazarin, née Durfort de Duras, est fille d'une Laporte-Mazarini, dernière héritière de cette famille et de ce titre. Elle a épousé le fils aîné du duc d'Aumont, alors duc de Villequier, et lui apporta le duché de la Meilleraye et celui de *Mazarin*, dont ils prirent le nom. La duchesse est certainement une des femmes les plus originales de ce siècle. Elle était belle, mais cette beauté ne lui a servi qu'à faire valoir celle

des autres ; grande, forte comme une figure de caria-
tide, elle semblait toujours embarrassée de sa taille et
de sa tournure. Elle avait de l'esprit, une fortune
immense, et dépensait l'un et l'autre pour se faire
moquer d'elle. On ne s'en faisait faute.

M. de Wittgenstein, colonel d'Anhalt, avait une
manière de raillerie fine et délicate qui plut beaucoup
à Montbéliard. Il s'y trouvait en même temps plusieurs
officiers généraux ou autres, à cause d'une petite guerre
qu'on avait projetée près de Belfort : le baron de Reinach, colonel commandant le régiment d'Alsace sous
M. de Wurmser ; le général de Strahlenheim, d'origine
suédoise, brave comme son épée ; le général d'Oben-
heim, qui vit encore ; le brave général de Wangen, qui
a été colonel du régiment d'Alsace, et bien d'autres
encore. Aussi le salon d'Étupes fut-il pendant quelques
jours un vrai mémorial de guerre.

Il fut fort question de l'ordre du Mérite militaire,
institué en 59 par Louis XV pour récompenser les services de ses sujets protestants et leur tenir lieu de la
croix de Saint-Louis, qui ne pouvait être donnée qu'à
des catholiques. On profita de l'occasion pour louer
comme il le mérite mon oncle de Waldner, qui fut avec
le prince de Nassau-Sarrebruck le premier grand-croix
nommé par le roi, dans l'origine, bien qu'il ne fût alors
que maréchal du camp. Louis XV ajouta à cette grande
faveur par les paroles dont il l'accompagna.

— En créant cet ordre, monsieur le comte, lui dit-il,
c'est à vos services que j'ai surtout pensé.

Le baron de Dieskau et le baron de Wurmser furent
commandeurs dès la création de l'ordre.

Il y a maintenant quatre grands-croix :

De 1759, le comte de Waldner ;

De 1763, le baron de Wurmser ;

De 1770, le prince d'Anhalt-Coëthen ;

De 1770, le baron d'Erlach de Riggisberg.

Le rang et les honneurs sont les mêmes que pour l'ordre de Saint-Louis. Le cordon est bleu, la croix d'or émaillée de blanc ; elle porte une épée en pal avec ces mots : *Pro virtute bellica.*

Qu'on me pardonne cette digression, elle m'est venue avec la pensée de cet ordre, dont nous nous honorons à juste titre dans la religion protestante.

On avait tant parlé de mon oncle, que l'idée nous vint à mon père et à moi d'aller lui faire une visite à son château d'Ollwiller. On eut bien de la peine à nous le permettre, et la princesse Dorothée me bouda la veille de notre départ. Cependant nous partîmes tout à fait réconciliées, à la condition que je ne resterais que huit jours. Je m'en allais l'œil un peu humide, lorsqu'en passant le pont à Montbéliard j'aperçus deux figures grotesques de juifs, qui rappelèrent le sourire sur mes lèvres. Il faut si peu de chose à la jeunesse pour oublier les larmes ! Ils avaient à leurs chapeaux deux barres parallèles de craie blanche, qu'ils affichaient avec empressement. J'en demandai la raison à un de nos gens.

— Cela indique, madame la comtesse, me répondit-il, qu'ils ont payé le droit de six sous neuf deniers, imposé aux juifs pour le passage du pont.

Ces pauvres juifs, il faut toujours qu'ils payent, mais aussi comme ils savent reprendre leur argent avec usure !

Ollwiller est un château magnifique et un des plus beaux domaines de l'Alsace. Mon oncle le fit rebâtir avant ma naissance, de sorte que je n'ai jamais connu l'ancien manoir. Il est situé au midi de Soultz. M. de Waldner épousa en 1748 Louise-Françoise Heuze de Vologer (d'une famille de Normandie), veuve du marquis de Ferrière, ancien fermier général fort riche. Elle lui a apporté une belle fortune, qui lui a permis de reconstruire Ollwiller. Plus âgée que lui, elle était d'ailleurs d'un caractère aimable et bon qui la faisait généralement aimer.

Qu'on me permette encore quelques mots sur le comte de Waldner, une des illustrations de notre famille et de notre province, j'ose le dire. [Je pense qu'il est permis à sa nièce de parler de ses talents et de ses services. Je ne puis comprendre cette fausse modestie qui nous interdit de mentionner les nobles qualités de membres de notre famille, alors qu'elle nous donne pleine liberté de proclamer leurs défauts.] Frère puîné de mon père, il est doué comme ses frères d'un noble et beau visage [et il porte extraordinairement bien l'uniforme ; il est franc, affable et possède à un très haut point le sens de l'honneur]. Né en 1712, il entra au service à l'âge de quatorze ans, et obtint en 1741 une commission pour tenir rang de capitaine au régiment des gardes suisses. Il se distingua aux sièges de Menin, d'Ypres, de Fribourg et de Tournai, et à la bataille de Lawfeld. Colonel en second en 1755, il devint deux ans après, à la mort de M. de Wittmer, colonel de ce régiment, qu'il avait commandé à la bataille de Rosbach, où par parenthèse plusieurs de ses frères furent blessés. Maréchal de camp en 1758, il obtint enfin le grade de lieutenant général par pouvoir du 25 juillet 1762.

Lorsque Louis XV institua, le 10 mars 1759, l'ordre du Mérite militaire, mon oncle, on le sait, fut grand-croix par provision du même jour. Ce prince avait déjà récompensé ses services, en lui accordant, par lettres patentes de l'année 1752, le titre de comte, transmissible à mon père, s'il ne laisse pas de prospérité, ce qui est probable.

*Ces états de services*, pour parler comme les militaires, ne paraîtront pas déplacés dans ces Mémoires, je veux l'espérer. Je ne parle guère de moi et des miens que lorsqu'il le faut absolument, pour la clarté ou la véracité du récit. [Ce comte de Waldner fut le héros de ma jeunesse ; mon imagination s'enflammait de ses hauts faits d'armes, de ses vertus et de sa bonté. Je l'aimais profondément et souhaite que ma fille, héritant de ce sentiment, sache de quelle source il a jailli.]

Nous fûmes admirablement reçus à Ollwiller[25] ; Louis XV y a autrefois passé trois jours et a fait cadeau à mon oncle de quatre canons, que celui-ci avait pris sur les Prussiens. Pendant le séjour du roi, un bataillon suisse faisait le service au château, le reste était cantonné dans les villages environnants. M. de Waldner menait grand train à Ollwiller, je m'y plaisais fort, on parlait même de m'y donner un bal, lorsqu'une lettre de ma chère princesse me rappela que j'avais outrepassé le temps, me gronda beaucoup, et m'apprit que S. A. R. était heureusement accouchée d'un huitième fils. On m'appelait pour le baptême ; je quittai tous les plaisirs et j'obéis à cette invitation. Le charmant enfant reçut les noms de *Henri*-Frédéric-Charles.

Aujourd'hui, en 1789, il a dix-sept ans. C'est un prince remarquable sur tous les points ; on vante surtout sa loyauté, sa franchise et l'affabilité de son caractère. Le jour de son baptême, bien que ce fût au mois de juillet, je pris un rhume abominable, qui me dura six mois, pour m'être mise les pieds dans l'eau au jardin, dans une promenade que nous nous obstinâmes à faire, la princesse Dorothée et moi, bien qu'il plût à torrents. Ce rhume a marqué dans ma mémoire. Nous gardâmes la chambre, la princesse et moi, car notre sort était commun, et je ne sais pourquoi nous prîmes l'idée de songer aux événements publics et de nous occuper de l'agrandissement de la Russie par le partage de la Pologne[26]. J'ai déjà remarqué que la princesse semblait avoir un pressentiment de sa future grandeur. Elle s'intéressait à cette grande puissance du Nord, plus qu'à aucune autre. Nous nous livrâmes à des conjectures et à des discours fort sensés au sujet de ce partage, tout en éternuant et en buvant de la tisane de réglisse. [Nous parlâmes beaucoup, entre autres, d'un certain gentil-

homme moscovite dont j'ai oublié le nom mais dont la
mention nous faisait toujours rire aux éclats parce que
la princesse ne pouvait prononcer ce nom sans être
prise d'éternuement ; ce personnage était heureusement
mort au moment du mariage de celle-ci car il aurait
certainement provoqué chez elle un rhume de cerveau
perpétuel.]

La dissolution totale de l'ordre des Jésuites, par bulle
du pape Clément XIV, fut encore un des événements
les plus importants de 1773. Il occupa beaucoup les
esprits à Strasbourg. Dès la réunion de cette ville à la
France les membres de cet ordre étaient venus s'y établir afin d'y réveiller les idées catholiques : ils y avaient
construit un très-beau collège près de la cathédrale[27],
collège qui passa à un autre ordre religieux. Les protestants ne virent pas sans quelque plaisir la chute de
ces adversaires. Je ne me permettrai point de réflexions
à cet égard ; je ne suis pas compétente en tout ce qui
regarde les moines et la religion catholique.

Louis XV mourut, et Louis XVI monta sur le trône
le 10 mai 1774. Ce nouveau règne s'ouvrait avec les
espérances les plus brillantes et les mieux justifiées.
L'Alsace, qui se souvenait de Marie-Antoinette, fut particulièrement attentive à cet avenir ; cependant le baron
de Wurmser fit remarquer que les princesses de la maison d'Autriche ne portaient pas bonheur à la France.

Le deuil du roi arrêta un peu une nouvelle mode
assez ridicule qui remplaçait les *quesaco*, celle des *poufs
au sentiment*. C'était une coiffure dans laquelle on
introduisait les personnes ou les choses qu'on préférait.
Ainsi le portrait de sa fille, de sa mère, l'image de son
serin, de son chien, etc., tout cela garni des cheveux de
son père ou d'un ami de cœur. C'était incroyable d'extravagance. Nous n'en voulûmes pas moins nous y
conformer, et la princesse fit l'espièglerie de porter tout
un jour sur l'oreille une figure de femme tenant un
trousseau de clefs, qu'elle assura être madame Hendel.

Celle-ci se trouva très-ressemblante et faillit en mourir
de joie et d'orgueil.

1775. Une chose dont les princes n'étaient ni
contents, ni orgueilleux, au contraire, c'était la conduite
du margrave de Bayreuth[28] ; on en parlait dans toute
l'Allemagne. Il avait amené avec lui, de Paris, mademoiselle Clairon, lui avait fait quitter le théâtre, et au
grand scandale de la noblesse entière l'avait nommée
gouvernante de ses enfants. S. A. R. ne pouvait s'en
taire.

— N'y a-t-il donc pas moyen d'interdire ce vieux
fou ? disait-elle. Faudra-t-il voir les affaires du gouvernement et l'éducation des jeunes princes entre les
mains d'une fille de théâtre qui, Dieu merci, a fait ses
preuves ?

— Mais, madame, elle leur apprendra à porter
magnifiquement l'habit de cour, et à prononcer une
harangue, répondait le prince pour la tourmenter un
peu.

— Taisez-vous, monsieur, vous en devriez avoir
honte, au lieu d'en rire ; car enfin, il est votre allié.
Quoi ! Melpomène pour premier ministre ? Elle qui
n'a su que brouiller le tripot comique ! Elle mettra le
feu à la principauté, et lui n'aura que ce qu'il mérite.

Au moment même, M. de Wurmser entra, et il
apporta une autre nouvelle, qui remplaça pendant quelques jours cette colère par de la douleur. Le duc des
Deux-Ponts venait d'être tué à la chasse. Il courait la
grosse bête, quelques jours avant, et le cerf s'étant
retourné vers les chasseurs, s'élança sur lui et l'éven-
tra. On regretta vivement ce prince, et surtout à cause
du genre de sa mort. Cependant S. A. R. la princesse
de Montbéliard lui gardait un peu rancune de ce qu'il
avait embrassé la religion catholique : elle n'en parlait
point devant le prince, mais elle nous en entretenait
lorsque nous étions seules. Le duc Christian III des
Deux-Ponts était de la maison de Birkenfeld ; son père,

le duc de Birkenfeld, Christian II, hérita des Deux-Ponts
en 1734. La succession lui fut disputée par le prince
Palatin, mais il l'obtint par accommodement.

Ce fut son neveu, le duc Charles, qui lui succéda
comme prince des Deux-Ponts.

C'était l'année des catastrophes. Il y eut un duel à
Strasbourg, auquel nous prîmes beaucoup de part,
connaissant fort la partie intéressée. Le baron de Pirch,
d'une haute famille de Poméranie, était passé au service de France plusieurs années avant cet événement,
ayant quitté celui de Prusse pour des raisons que
j'ignore. C'était un homme d'un grand mérite, d'une
instruction immense, et destiné à un bel avenir ; il a
composé plusieurs ouvrages de tactique fort estimés. Il
était alors capitaine au régiment d'Anhalt, en garnison
à Strasbourg, et prétendait avoir le secret des manœuvres et de la tactique du roi de Prusse, ce qui l'avait mis
en grande faveur auprès du duc d'Aiguillon, prédécesseur du maréchal du Muy[29]. Un de ses camarades,
jaloux, assure-t-on, de ses talents et de ses protections,
lui chercha querelle et le blessa dangereusement. Il n'en
mourut pas néanmoins, et son adversaire n'en recueillit
que la honte et les reproches de tous ceux qui le connaissaient. Cette rage de duel a fait couler bien des larmes
en France.

La princesse Dorothée de Wurtemberg entrait dans
sa seizième année. L'aimable enfant était devenue une
belle et charmante princesse ; son esprit s'était déve-
loppé, son cœur était resté le même, tendre et aimant.
La différence d'âge qui nous séparait devenait chaque
jour moins sensible ; aux premières sympathies du
cœur étaient venues se joindre celles de l'esprit. Nos
conversations prenaient souvent un tour plus sérieux ;
la princesse Dorothée sentait avec émotion ce qui était
bien, s'enthousiasmait pour ce qui était beau ; je voyais
avec un bonheur indicible s'ouvrir les pétales de ce
charmant bouton de rose ; et l'affection qu'elle me per-

mettait d'avoir pour elle, tenait de ces deux sentiments de sœur et de mère réunis quelquefois chez une sœur aînée. Ses adorables parents encourageaient nos sentiments mutuels ; dès l'année précédente Son Altesse le prince de Wurtemberg avait daigné au mois de septembre venir à Schweighouse avec sa fille. J'y étais avec mon père, avec mon oncle le commandeur qui ne nous quittait guère l'été, et avec madame Louise de Waldner de Sierentz, fille d'un cousin germain de mon père et chanoinesse de Schacken[30]. Ma cousine plut beaucoup à la princesse, et j'en fus charmée, ayant moi-même beaucoup d'amitié pour cette aimable parente. Mon père eut le bonheur de posséder ses illustres hôtes plusieurs jours ; la princesse Dorothée parut s'éloigner avec chagrin, et, quelques moments après son départ, lorsque je montai pour voir encore la chambre qu'elle avait occupée, j'y trouvai une lettre écrite à une heure avancée de la nuit et renfermant de touchants adieux.

Nous nous étions promis de nous écrire, et c'est alors que commença entre nous une correspondance suivie qu'aucune circonstance n'a jamais complètement interrompue depuis ; ce commerce de lettres embellissait les moments où j'avais le chagrin de vivre éloignée de ma noble amie.

Elle me racontait ce qu'on faisait à Montbéliard et à Étupes. Ainsi le jour des Rois, on avait soupé chez le président de Goll ; milord Howard avait été roi et avait choisi pour reine la baronne de Bulach. Je m'amusai de toutes les gaietés de ce souper, la famille de Bulach y avait oublié un moment ses chagrins, car la douairière était déjà dans le plus triste état du monde, et est morte bientôt après d'un cancer qui lui rongeait le côté.

Malgré le désir que m'en exprimait la princesse, je ne pus aller la rejoindre à Étupes avant le mois de juin, mon père ayant dû se rendre à Strasbourg pour aller faire sa cour à Leurs Altesses le prince de Condé et le

duc de Bourbon[31]. Ils y arrivèrent le 26 mai et descendirent à l'hôtel du gouvernement[32].

Je trouvai à Étupes madame de Ferrette, chanoinesse
d'Épinal, sœur de l'abbesse de Masevaux, madame de
Reitner et madame de Kempf. Milord Charles Howard
y venait souvent ; neveu du duc de Norfolk mort peu
après sans enfants, il vivait alors ainsi que sa femme
dans le voisinage de Montbéliard. Le duc de Norfolk
ne siégeait pas à la Chambre haute, parce que comme
catholique il se refusait au serment exigé. Cette maison jouissait d'un privilège particulier qu'elle a encore
exercé à la fin du siècle dernier[33] ; c'était de fournir le
gant de la main droite du Roi et de soutenir son bras
droit tenant le sceptre, à la cérémonie du couronnement. Milord Charles était un homme distingué et de
bonne conversation.

À cette époque j'appris aussi à mieux connaître et à
aimer cette bonne madame de Borck à qui sa vive tendresse pour son mari laissait encore au fond du cœur
une grande place pour ceux qu'elle distinguait.

Au bout de deux mois je revins à Schweighouse, car
madame la princesse de Wurtemberg partait pour
Potsdam avec son second fils, le prince Louis, et
madame la landgrave de Hesse-Cassel, sa sœur. Ils
allaient rendre hommage au grand Frédéric, leur
oncle, et revoir aussi le prince Fritz, frère aîné de ma
chère princesse, qui était entré au service de Prusse. Le
roi avait eu la grâce de demander à ce bon jeune prince
s'il ne voulait pas aller à la rencontre de sa mère
jusqu'à Brandebourg, et celui-ci ne se l'était pas fait dire
deux fois. Ce fut une charmante surprise pour madame
la princesse de Wurtemberg. Arrivés à Sans-Souci, le
roi les reçut très-gracieusement ; Sa Majesté avait
poussé la bonté pour ses nièces, jusqu'à vouloir aller à
leur rencontre, mais il avait manqué le chemin et ce
n'est qu'à Sans-Souci qu'il les retrouva. Il les traita
avec toute la tendresse imaginable, et trouva le prince

Louis fort à son gré, ce qui causa à son frère aîné une joie inexprimable et un contentement qu'il ne pouvait assez manifester. Le prince Frédéric a un excellent cœur et beaucoup d'esprit. Fort bien de figure, il avait dès cette époque des dispositions à trop engraisser, ce qui désole sa mère.

Madame la princesse de Wurtemberg était suivie de ses deux dames, mademoiselle de Grollmann et mademoiselle de Schilling (ma chère Tille) qui depuis a épousé le baron de Benckendorf. J'avais déjà beaucoup d'amitié pour cette charmante femme que nous retrouverons plus tard, et pour laquelle on désirait alors un mariage qui n'a pas réussi. Le bon M. Bertaud, médecin de la princesse, était également du voyage ; j'ai vu une lettre que le petit docteur écrivait à son père. Il y parle avec enthousiasme des merveilles de Sans-Souci ; cependant il avait vu Paris et Versailles.

Mademoiselle de Grollmann est une personne du caractère le plus gai et le plus enjoué, et la princesse Dorothée l'appelle quelquefois mademoiselle de Freudmann à cause de cela ; elle croit aux rêves, à la sympathie, et son bonheur est de prédire l'avenir. Elle ne réussit pas toujours.

La lettre qui m'apprenait ces nouvelles, m'annonçait que la foudre était tombée sur le toit du château de Montbéliard, ce qui heureusement n'a pas mis le feu ; car il se trouvait qu'on travaillait à un moulin, et le canal qui passe au-dessous étant tout à fait desséché, on était absolument sans moyen d'éteindre l'incendie. Dieu a préservé ces chers princes, et on ne peut songer sans frémir que si le feu avait pris, tout aurait brûlé.

La princesse me parlait aussi de M. de Cerney qui a la vue basse, ce qui lui fait commettre souvent les méprises les plus comiques. Elle m'en citait un nouvel exemple qui me concernait. Je monte souvent à cheval et assez bien ; mais mon costume est simple et sévère, ce qui est plus nécessaire dans ce pays-ci qu'ailleurs, attendu que les femmes n'y prennent guère ce genre d'exercice. M. de Cerney étant allé à Montbéliard avec sa femme prétendit m'avoir rencontrée vêtue en amazone avec habit écarlate, chapeau galonné d'or, etc. On rit bien de sa bévue ; il avait tout bonnement pris mon frère pour moi.

Le sacre de Louis XVI était le sujet de toutes les conversations. On m'envoya à la fin de ce mois de juillet un détail imprimé de cette cérémonie ; il m'intéressa. Le roi parti le 5 juin est arrivé à Reims le 9 ; les premières vêpres ont eu lieu le 10 ; le sacre le 11, le 12 il fut reçu grand maître de l'ordre du Saint-Esprit ; le 14 eut lieu la cavalcade à l'abbaye de Saint-Remi, et le roi est revenu le 16 à Compiègne. Il était le 19 à Versailles. On a abattu à Reims une porte trop étroite pour l'entrée de Sa Majesté.

Mais ce qui ne préoccupa pas moins l'opinion publique fut l'avènement de M. de Malesherbes au ministère en remplacement du duc de la Vrillière qui après cinquante-cinq ans de ministère, se retirait avec une pension de 6,000 livres. « Toute la France applaudit à ce nouveau choix (m'écrivait la princesse Dorothée), ainsi vous, mon cœur, qui devez être et qui êtes si zélée Française, vous devez être pénétrée de la plus vive et de la plus sincère joie. »

On a fait sur le duc de la Vrillière (Phelippeaux, comte de Saint-Florentin) cette épigramme en forme d'épitaphe :

*Ci-gît un petit homme à l'air assez commun,*
*Ayant porté trois noms sans en laisser aucun.*

Nous avions des nouvelles de Berlin et des augustes voyageurs ; le prince Fritz a donné un café à toute la famille royale, le roi excepté.

Ma chère Tilline qui est fort timide a eu une singulière aventure qui l'a fort troublée. Le roi étant venu

frapper à la porte de madame la princesse de Wurtemberg, mademoiselle de Schilling entr'ouvrit la porte
pour voir qui était là ; le roi l'ouvrait au même moment,
et ils se heurtèrent violemment le front. Mademoiselle
de Schilling, s'effrayant, ferme la porte au nez du roi,
et jette un grand cri qui effraye à son tour la princesse ;
enfin le roi entre en riant, et s'amuse beaucoup de ce
petit accident.

Frédéric le Grand venait annoncer à sa nièce qu'il
nommait son fils, le prince Louis, lieutenant-colonel
dans l'infanterie, ce qui lui a fait un sensible plaisir.
La princesse Philippine lui a donné un cheval blanc
qui a fait l'admiration de tout Berlin, la princesse Ferdinand deux jolis chevaux de carrosse, et le prince
Henri de Prusse tout un équipage de cheval. La princesse Amélie, sœur du roi et abbesse de Quedlimbourg,
leur fit aussi de nombreux cadeaux. Les deux princes
Frédéric et Louis de Wurtemberg devaient accompagner le roi de Prusse en Silésie.

À la fin d'août, mon bon père profita d'un petit
voyage à Porrentruy pour me conduire à Étupes. Il ne
pouvait résister plus longtemps aux désirs de ma chère
princesse et à la demande de celui qui daignait se dire
*mon second père*. Comment n'eût-il pas été profondément touché de toutes les bontés du prince et de la
princesse de Wurtemberg, de celle de leur fille et de
l'amitié que me témoignaient ces jeunes princes qui se
disaient en plaisantant mes beaux-frères, leur petit
frère Charles étant mon petit mari.

Nous fûmes reçus comme je n'ose pas le dire. Pendant mon séjour je m'occupai beaucoup de peinture ;
la princesse Dorothée et mademoiselle de Schilling,
lorsqu'elle était encore là, dessinaient sous la direction
de M. Warner, très-bon maître qui venait de Montbéliard. À cette époque je fis le portrait de la princesse
Dorothée qui, le trouvant ressemblant, l'envoya à Berlin au prince Fritz son frère. Celui-ci en fut satisfait et

m'écrivit une lettre de remercîments ; je me trouvais
ainsi en correspondance avec toute la famille. Le général duc de Wurtemberg (Louis-Eugène), qui aime beaucoup la peinture, encourageait mes essais, et voulut
placer dans sa chambre un portrait de vieille femme
que j'avais peint à Strasbourg.

Notre temps était bien rempli, ma charmante amie
se levait à six heures du matin ; les premières heures,
elle les employait à la lecture et au clavecin ; nous exé-
cutions quelquefois des quatuors de Schenkel. L'*Histoire universelle* de l'abbé Millot, Gresset, les *Caractères*
de La Bruyère, nous les lisions ensemble ; puis venaient
les promenades où le prince Eugène nous accompagnait ordinairement ainsi que M. le major de Maucler,
son gouverneur, dont la conversation d'une morale
douce et instructive avait un charme tout particulier.
Le jeune prince, d'un cœur si bon, d'une âme si élevée,
âgé alors de dix-sept ans, m'avait voué une amitié qui
ne s'est jamais démentie. Le dimanche nous allions
entendre le service divin à l'église Saint-Martin qui est
la principale de la ville, et la seule de la confession
d'Augsbourg, avec celle de Saint-Georges, où il se fasse
en français. Il venait souvent des visites, et c'est à cette
époque que je vis pour la première fois M. Rossel,
conseiller de Montbéliard dont j'aurai occasion de
reparler. Il nous apparut vêtu le plus singulièrement du
monde d'un habit céladon vieux comme les rues, d'une
veste verte ornée de galons en argent et de culottes
noires, le tout faisant un effet très-grotesque. Il parle
par sentences, a la prétention d'être *puriste*, et relève les
fautes de langage sans aucune pitié. Son index qu'il
garde habituellement devant sa bouche, même lorsqu'il
prend la parole, lui donne un air tout à fait solennel et
important. Grand admirateur de l'embonpoint chez le
beau sexe, il était en extase devant madame de Salomon, femme d'un magistrat au Conseil souverain
d'Alsace[34] ; tribunal suprême institué par Louis XIV

après la reddition de l'Alsace à la France. Madame de Salomon, quoique jeune, était si prodigieusement grasse, que cela déparait les plus jolis traits du monde. M. de Salomon était fort maigre, ce qui faisait un curieux contraste ; assez prétentieux d'ailleurs et face à mourir, il endormait habituellement son auditoire.

Il n'en était pas de même de M. de Daguet d'Hieure commandant pour le roi le fort de Blamont dans la seigneurie de ce nom située à deux lieues de Montbéliard et dépendant de la principauté. C'était un homme d'esprit, et sa charmante fille, un peu maniérée peut-être, était remarquable par la plus jolie taille possible.

Nous revînmes à Schweighouse à la fin de septembre rejoindre ma cousine madame Louise qui y était restée avec mon oncle le commandeur qu'un mal d'yeux avait retenu. Le prince de Wurtemberg partait lui-même pour Stuttgart ; il passa par Schweighouse où il s'arrêta deux jours. Nous y avions milord Howard qui depuis longtemps nous avait promis sa visite, et le général de Lort ainsi que madame sa femme, personnes distinguées par leur esprit, et dont j'aurai occasion de reparler. Milord s'amusa beaucoup de la sortie bruyante des quatre cents pigeons que renfermait le colombier de Schweighouse ; c'était comme un nuage au-dessus de la cour du château qui s'en trouvait obscurcie.

Le général duc de Wurtemberg accompagnait son frère ; ils allaient rejoindre la princesse de Taxis, leur sœur et le prince de Taxis pour se rendre avec eux à Kirchheim, belle ville à neuf lieues au sud-est de Stuttgart, où le duc régnant possède un beau château près de la Laut. La jeune et charmante princesse de Taxis qui épousa la même année le prince Jérôme Radziwil était avec eux.

Madame la princesse de Wurtemberg avait quitté Brunswick pour aller à Cassel, et comme elle n'aimait pas Kirchheim, elle devait se trouver à Darmstadt pour y avoir une entrevue avec son mari. J'ai su peu de temps après que c'était au sujet d'un mariage projeté pour la princesse Dorothée avec le jeune prince de Darmstadt. On verra plus loin comment ce mariage décidé alors ne put pas se conclure.

Le prince de Wurtemberg arriva à Darmstadt avec un bel attelage de huit chevaux que lui avait donné le prince de Taxis ; le lendemain arrivèrent madame la princesse de Montbéliard ainsi que madame la landgrave sa sœur. Elles avaient eu à Brunswick force fêtes, bals et parties de campagne. Mademoiselle de Grollmann dont j'ai dit la manie n'avait pas perdu cette occasion de prophétiser toute la cour de Brunswick.

Je recevais en même temps et comme de coutume de tendres lettres de ma princesse. Elle me racontait un trait des plus singuliers qu'elle avait trouvé dans la gazette[35]. Fréron, l'ennemi mortel de Voltaire, avait fait imprimer la *Henriade* avec des commentaires de la Beaumelle (autre terrible adversaire, comme chacun sait, du philosophe de Ferney), et qui plus est, il y avait fait mettre la taille-douce de Voltaire avec celle de la Beaumelle d'un côté et la sienne propre de l'autre. Ceci a tant irrité le grand philosophe qu'il a voulu, a-t-on dit, intenter un procès à Fréron et qu'il en aurait intenté un également à la Beaumelle si celui-ci n'avait pas eu la précaution de mourir deux ans auparavant.

Le prince et la princesse de Wurtemberg, après être allés ensemble à Kirchheim où ils passèrent quinze jours, rentrèrent à Étupes le 19 octobre. Quelques jours auparavant j'y avais envoyé un panier de raisins, de pêches et de fraises, fruits que Schweighouse produit en abondance et qui par parenthèse sont détestables à Étupes. Ce cadeau ne déplut pas à M. de Borck, car le chambellan, ou plutôt le *chambranls*, comme l'appelait le petit prince Henri, était grand mangeur de fruits.

Je renouvelai cet envoi le jour de la fête de naissance de mon amie en y joignant un cadeau de musique nouvelle, choisie avec soin. Elle voulut bien me dire qu'il lui faisait plaisir, quoiqu'elle eût reçu de ses augustes parents de superbes présents. « Ma chère maman (m'écrivait-elle) a eu la grâce de me donner une robe de gros de Tours riche ; le fond est blanc, les fleurs sont peintes et brodées avec des paillettes, puis une charmante toilette, une tasse de la fabrique de Berlin avec son chiffre (qu'elle m'a donnée depuis), un chapeau, des rubans, enfin mille et mille choses. » « Vous ne sauriez croire, ma charmante amie (m'écrivait-elle encore), combien je suis heureuse de me revoir aux pieds de mes chers parents, vous savez combien j'ai gémi et soupiré d'en être éloignée ; ainsi jugez de ma satisfaction d'être à même de leur faire ma cour journellement. Lorsque je pense au jour de leur arrivée, je reste stupéfaite. C'était le 19, comme vous le savez bien. Nous étions à table, nous parlions de nos adorables parents ; la porte s'ouvre, le cher papa entre et dit *Guten Abend, Kinderschen*. Jeter un cri, sauter de la chaise et voler dans les bras de ces chers parents, fut l'effet d'un instant. Ah ! ma chère amie, ce sont de ces moments délicieux qu'on ne peut que sentir et qui ne peuvent se dépeindre. »

Le mois de novembre nous fit aller à Strasbourg, et fit quitter à la famille de Wurtemberg, Étupes pour le château de Montbéliard. Ma noble amie y trouva mon portrait que je n'avais pas osé lui donner et que mon frère m'avait volé pour le lui envoyer. Ce fut de la part du prince son père le sujet d'aimables taquineries.

« Il trouve le portrait charmant et a eu grande envie de me l'ôter, mais à force de prières, j'espère qu'il me laissera l'image chérie de Lanele. »

Et plus tard :

« Il a fait un grand salut à votre portrait, et m'a dit de vous le dire ; mais pensez, mon ange, que je suis menacée de le perdre. Le cher papa me dit que Monsieur votre frère le lui a envoyé à lui autant qu'à moi, qu'ainsi il n'y voulait pas renoncer ; qu'il l'aurait deux jours et moi un : c'est aujourd'hui qu'il doit enlever ma charmante chanoinesse, et je crains bien que toute mon éloquence ne serve de rien. » Ce portrait, disait-elle, avait tout à fait *mon grand air de gravité* ; mademoiselle de Schilling voulait entreprendre la guérison de cette maladie, et je devais m'attendre à être tourmentée par mon médecin.

Il se faisait un mariage ; M. de Bulach épousait mademoiselle de Goll, seconde fille du président de ce nom, qui lui donnait quarante mille francs et faisait son trousseau ; on trouvait cela fort généreux. Une montre, une robe, une paire de bracelets de quinze cents francs et une paire de boucles d'oreilles de trois mille, étaient les présents que M. de Bulach faisait à sa promise. J'eus tous ces détails et beaucoup d'autres par M. de Giesberg qui venait de Montbéliard et avait laissé la princesse Dorothée malade de la grippe.

Pour terminer cette année 1775, ma tendre amie m'écrivit le 31 décembre *quatre* lettres : une en français, la seconde en allemand, la troisième en italien et une quatrième en latin. Mais voici celle que je reçus le 16 novembre :

Montbéliard, ce 15 novembre 1775.

« Ma chère, charmante et bien aimable amie, mille grâces de votre charmante lettre ; elle a réveillé en moi toute la douleur que j'ai éprouvée en me séparant de vous, ma chère amie. Je me suis acquittée avec exactitude de la commission que vous me donniez et mes adorables parents me chargent tous les deux de vous dire bien de belles choses en leur nom ; vous en êtes véritablement bien chérie et aimée, et autant qu'ils ont la grâce de faire vis-à-vis de tous leurs enfants. Ainsi jugez si vous ne l'êtes pas beaucoup ! Nous sommes rentrés en ville hier après dîner, ce qui ne laisse pas que de donner beaucoup de remue-ménage ; tout le monde range, et moi je suis occupée à vous écrire ce qui est une occupation bien agréable pour moi. Je compte me la procurer aussi souvent qu'il sera en mon pouvoir, faites-en de même, chère Lanele, donnez souvent de vos nouvelles à vos amis et soyez persuadée que vous en avez bon nombre ici. J'ai embrassé ce matin votre charmant portrait et aurais bien souhaité que vous en eussiez eu une petite sensation. Madame de Borck, mes chères sœurs et les dames vous embrassent bien des fois, et moi, chère amie, je vous prie d'être persuadée que personne ne vous aime autant que votre à jamais tendre et fidèle amie

« Et très-humble servante
« DOROTHÉE DE W. »

Sur la même feuille madame la duchesse m'écrivait :

« Mon cher enfant, je vous embrasse bien tendrement pour tout ce que vous me dites d'affectueux dans votre jolie lettre. Si monsieur votre digne père avait pu sentir la douleur que j'ai éprouvée en vous voyant partir, j'ose me flatter qu'il en aurait différé le moment. Vous me manquez partout ; je vous cherche, et ne vous trouve que dans mon cœur qui est tout à vous.

Votre fidèle mère et amie,
DOROTHÉE, princesse DE WURTEMBERG,
née princesse de PRUSSE. »

« *P.-S.* Mille amitiés au cher et bon père que j'aime bien. »

J'abrège ces années de ma jeunesse pour arriver à la partie intéressante de ma vie, à celle où j'ai connu tant de personnages illustres et éminents. Cependant notre petite cour de Montbéliard offrait encore plus d'agréments et d'intérêt qu'on n'aurait pu le croire. J'ai du

plaisir à la raconter, mais voilà le temps qui vient où
j'aurai autre chose à dire.


## CHAPITRE IV


1776. Mon père vint à Strasbourg en cette année.
Nous nous plaisions beaucoup dans cette ville, la
société y était charmante et nombreuse, de fort bonne
compagnie. Je commençais à aimer les réunions et les
fêtes : c'était de mon âge. Cependant j'aimais ce plaisir
avec la modération et la mesure que m'avaient données
mon éducation et les habitudes de ma famille. Nous
autres protestants on nous accuse de rigidité, parce
que nous tenons surtout essentiellement à la réserve
dans la conduite des femmes. C'est que nous sommes
convaincus que le bonheur de la vie est dans l'intérieur, dans la précise conservation des lois de l'honneur
et de la sainteté du mariage. Nous sommes moins aimables peut-être, mais nous sommes plus sûrs.

Le duc d'Aiguillon, gouverneur de la province d'Alsace,
ne résidait pas à Strasbourg, mais le maréchal de
Contades[36], commandant en chef, y venait quelquefois.
Nous voyions souvent le baron de Lort, lieutenant du
roi à Strasbourg, commandeur de Saint-Louis et de
Saint-Lazare, ainsi que M. de Marzy, brigadier, commandant l'école d'artillerie. Le premier avait une fort
bonne maison dont il faisait très-bien les honneurs. Le
second recevait surtout des militaires, et on rencontrait
chez lui tous les officiers de la garnison.

Dans notre famille nous avions beaucoup de monde
à voir, et particulièrement mes deux oncles de Berck-
kheim, M. de Berckheim de Schoppenwihr, cousin germain de ma mère, dont la femme est une Glaubitz [et

M. Jean de Dietrich, fils aîné du baron de Dietrich dont la femme est aussi une Glaubitz.

M. Franck, banquier et madame Franck étaient à égalité avec les premières personnes de la ville et étaient reçus dans la meilleure société ; notre noblesse est cependant très exclusive et à juste titre : c'est une des plus anciennes aristocraties d'Europe. J'aurai souvent l'occasion de parler de ces excellents Franck qui ont si bien servi leur pays.]

Le mois de février était magnifique, j'en profitais pour monter à cheval avec mon père. Au moment de partir pour Rastadt et Carlsruhe où mon père et moi allions faire un petit voyage, je reçus de ma bien-aimée Dorothée une lettre à laquelle la princesse sa mère avait eu la grâce d'ajouter quelques lignes. Les voici :

« Je vous embrasse mille fois, chère petite amazone ; je vous vois, montée sur le coursier le plus intrépide, cabrioler avec les grâces que le ciel vous a prodiguées si grandement. Je vois encore d'autres merveilles, par ma lunette, que je ne pourrais rendre que poétiquement, mais comme Pégase me refuse sa monture, je ne puis que soupirer amèrement de ce contre-temps. J'en reste donc aux douces expressions d'un cœur rempli de tendresse pour son aimable enfant. Je vous fais mes plus sincères remercîments pour toutes les commissions animales et végétales ; le tout a réussi à souhait ; je vous prie, mon aimable petit cœur, de m'envoyer de plus belle des pieds de quarantain et de bâton-d'or, avec de la semence d'autres espèces de fleurs et une douzaine de très-beaux pieds de roses. Mille baisers en idée pour mon ange *Lanelchen* de sa vieille radoteuse mère. »

Son Altesse royale m'avait demandé de lui envoyer des faisans, poulets et canards pour l'économie d'Étupes, puis des arbres nains, des pots de fleurs de faïence bleus et blancs, voire même des gants de peau de chien danois qui étaient fort à la mode cette année. Je fus chargée également d'envoyer des arbres nains à Berlin à Son Altesse royale madame la princesse Amélie de Prusse, sœur du roi. On me savait gré de la moindre peine, du moindre petit service.

Je savais jour par jour ce qui se passait à Montbéliard, je recevais de la princesse Dorothée trois ou quatre lettres par semaine, elles avaient souvent huit pages. L'hiver s'était passé assez gaiement ; milord Charles avait donné un bal qui avait duré depuis sept heures du soir jusqu'à huit heures du matin. Il y en avait eu un aussi au château de Montbéliard le 11 février, jour de la naissance du duc régnant. À cette fête les écoliers du gymnase[37] de la ville avaient fait un *acte oratoire*. Ils discutèrent en public sur des sujets donnés ; cette cérémonie se faisait tous les ans à pareille époque. Cette année ils avaient eu pour thème *l'amour de la patrie*.

Il y eut à la fin de février et à la suite d'un orage violent une inondation à Montbéliard ; ce fut une occasion pour ces nobles princes de montrer leur bon cœur. Les orages sont fréquents dans notre pays de montagnes, et je leur dois un de mes plus chers souvenirs. Réveillée un jour par la pluie qui pénétrait dans sa chambre, ma chère princesse vint se réfugier dans la mienne. On comprend que nous ne dormîmes pas et que la nuit se passa en causeries. Depuis sa haute élévation madame la grande-duchesse m'a plusieurs fois rappelé dans ses lettres cette circonstance si douce à mon cœur et dont elle daigne conserver le souvenir.

Le beau temps permettait déjà aux princes d'aller passer la journée à Étupes qui s'embellissait chaque jour, grâce aux plantations auxquelles chacun prenait part. Après avoir *mérité* leur souper à la sueur de leur visage, ils rentraient à Montbéliard, et le soir M. de Maucler lisait à la famille réunie de vieilles lettres de leurs arrières grands-parents, ce qui avait un attrait tout particulier. Ma chère princesse disait qu'elle eût cédé volontiers bals, jeux et toutes sortes de plaisirs pour la lecture de ces lettres. Les plus intéressantes étaient écrites par le feu prince Jean-Georges de Dessau à madame sa fille, la margrave Philippe, grand'mère de Son Altesse royale madame la princesse de Wurtemberg. Le prince de Dessau aimait sa fille à la folie, et lui écrivait souvent pendant les séjours qu'il était obligé de faire à Berlin. Cette jeune princesse pouvait avoir de sept à huit ans, et on ne peut s'imaginer la tendresse et la bonté avec laquelle il lui parle. Enfin il avait la grâce de se mettre à sa portée en ne lui écrivant que des choses propres à amuser un enfant de son âge. M. le major de Maucler lisait à merveille et doublait par là le prix de ces lectures du soir ; j'en ai souvent joui plus tard, et lui suis restée très-attachée.

Mon père était fort occupé alors comme président du directoire de la noblesse immédiate de l'Ortenau. Cependant il trouva le temps d'aller voir à Heydersheim, dans le Brisgau, le grand prieur de Malte. Cette ville appartenait à l'ordre de Saint-Jean de Jérusalem. Elle lui avait été donnée par le margrave de Bade-Hochberg, en 1296. Le grand prieur porte le titre de prince de Heydersheim et siège à la Diète, comme prince ecclésiastique, immédiatement après l'abbé de Murbach. Il a la prétention d'être souverain des sujets du grand prieuré, mais la maison d'Autriche le lui conteste. Le plus clair est que si le grand prieur fournit son contingent à l'Empire, et que s'il envoie à Malte une partie des revenus de ses commanderies, il en conserve la meilleure part. Il était très-riche, dépensait beaucoup d'argent, et son luxe étincelait sur toute l'Allemagne. Il est mort l'année suivante, et c'est le comte de Reinach de Foussemagne qui a été élu à sa place.

Pendant l'absence de mon père, je fis aussi une charmante visite qu'il m'avait permise. J'allai passer mon *veuvage* près d'Altkirch, au chapitre noble d'Ottmarsheim[38].

Madame de Flaxlanden, abbesse depuis 1757, était une des bonnes amies de ma mère, et chaque année elle demandait à me voir. Je trouvai là de charmantes jeunes personnes parmi les chanoinesses, qui portent toutes le titre de baronnes. On me fit de grandes coquetteries pour me retenir plus longtemps. Ces huit jours se passèrent à nous promener, à visiter les traces des voies romaines, [à chanter,] à rire beaucoup, à danser même, car il venait beaucoup de monde à l'abbaye, et surtout à parler chiffons. On me questionnait fort sur mes toilettes. On portait alors des plumes sur la tête en manière d'édifice ; cela ne seyait qu'aux grandes femmes ; les petites avaient ainsi le menton à moitié chemin des pieds. Les couleurs à la mode étaient d'abord celles que l'on nommait *cheveux de la reine*, c'est-à-dire gris cendré, puis un violet brunâtre porté par Sa Majesté, et que le roi avait dit ressembler à une puce. Le nom lui en resta. On variait entre *cuisses de puce, ventre de puce, dos de puce*. Tout cela est bien français. Madame l'abbesse, bonne et spirituelle, bien qu'elle ne fût plus jeune, plaisantait avec nous de ces choses *sérieuses*.

[Après de tendres adieux à mes nouvelles amies, je revins à Strasbourg.]

Mon père était de retour avant moi. Il me reçut à merveille, et comme nous nous racontions mutuellement nos huit jours de séparation, on nous annonça monseigneur l'évêque de Bâle, le baron de Wangen de Geroldseck, qui venait en personne nous inviter à son sacre. Il devait avoir lieu le 1er de ce mois de mars. C'est un fort grand seigneur que l'évêque de Bâle, et il est à remarquer combien il existe en Alsace de hautes dignités ecclésiastiques, en dépit des différences de religion qui partagent le pays. L'évêque de Bâle est souverain pour le temporel comme pour le spirituel de toutes les terres de cet évêché, qui forment une principauté assez étendue. La ville de Bâle, qui autrefois en faisait partie, a embrassé le calvinisme et n'est plus sous son autorité. Il réside à Porrentruy, devenue capitale de cette souveraineté depuis la réformation. Cette ville touche aux frontières d'Alsace, et sa cathédrale a un chapitre de dix-huit chanoines nobles. L'autre ville considérable est Délémont. L'évêque est allié des sept cantons suisses catholiques, ainsi que de la France. Il dépend pour le spirituel de l'archevêque de Besançon, et prend rang à la diète avant l'évêque de Liège.

Les Rothberg ont auprès de lui une grande charge héréditaire. Ils se sont établis aux environs de Bâle au dixième siècle, ainsi que les Flachsland et une branche des Andlau, après que cette ville eut été dévastée et dépeuplée ainsi que ses environs par les Hongrois, sous le règne de Rodolphe II.

M. de Wangen est un homme d'une cinquantaine d'années, fort respectable et fort assidu à ses devoirs. Lorsqu'il sera sacré, il n'aura plus qu'à prêter serment entre les mains de l'empereur, ce qui aura lieu bientôt, nous a-t-il dit. Par combien de liens ce pays tient encore à l'étranger !

La famille de Wangen est une des plus anciennes d'Alsace, et était autrefois une des plus puissantes. L'empereur Sigismond gratifia les Wangen du château de Geroldseck et des autres fiefs de la maison de ce nom, qui venait de s'éteindre. Gerold, comte de Souabe, beau-père de Charlemagne, avait bâti ce château sur une montagne des Vosges, tout près de Saverne. Le baron de Wangen actuel est officier général. Il a commandé le régiment d'Alsace et a été blessé et fait prisonnier à l'affaire de Clostercamp, en 1760, ce qui lui a valu le grade de maréchal de camp.

Je m'étends un peu trop peut-être sur toutes ces vieilles choses, racines de notre histoire ; c'est que, s'il faut en croire les prévisions générales, elles vont bientôt disparaître, et j'en veux au moins conserver le souvenir pour moi et pour les miens. Hélas ! combien il est triste de penser que ces lois antiques sous lesquelles nos ancêtres vécurent heureux tant de siècles, ne laisseront après eux que de faibles traces. Tout s'éteint, tout se détruit ici-bas ; les meilleures choses ont leur temps comme les mauvaises ; le bien et le mal passent également. Tout fuit sous l'œil du souverain maître, seul immuable et éternel.

[À mon arrivée à Strasbourg, j'avais trouvé une lettre qui m'intéressa beaucoup et dont je fus très fière. Elle était de M. Lavater[39], ministre protestant à Zurich, qui avait consacré beaucoup de temps à décrire les rapports qui existent entre le caractère et les sentiments, et les traits de l'apparence physique. On l'avait vu à Étupes le précédent automne et mes amis lui avaient parlé de moi de la manière la plus flatteuse. Voici cette lettre :

« Puis-je vous demander (est-ce à une connaissance ou à une étrangère que je m'adresse ?) une faveur et un privilège, excellente comtesse ? Tous les êtres de bonté sont liés par des chaînes invisibles et indissolubles. Ils éprouvent une inclination à s'aimer et à se connaître et, quand ils ne peuvent se rencontrer, ils échangent au moins un dessin de leurs traits respectifs. Vous savez sûrement quelle vénération je voue à la physiognomonie des personnes sages et vertueuses. C'est pourquoi, sans autre préambule, je vous prie, noble et généreux cœur, de m'envoyer votre silhouette[40], correctement et fidèlement dessinée, persuadé que vous trouverez plaisir à me procurer ce grand bonheur. Dites-moi seulement si je puis, à mon tour, vous rendre le moindre service.

J.-G. LAVATER. »
« Zurich, 11 février 1776. »

Il est à peine nécessaire de préciser que cette lettre était écrite en allemand et que cela en est la traduction littérale. Je ne crus pas devoir refuser ma silhouette et mon père me permit de l'envoyer. M. Lavater se trompait rarement. Je connais des cas où son jugement a été merveilleusement exact. C'était très intéressant de l'entendre exposer sa doctrine qui était parfaitement claire et facile à comprendre. Il décela à Étupes les mauvaises dispositions d'un domestique et l'événement prouva la justesse de son système. Le prince de Montbéliard citait fréquemment cet exemple et il croyait en M. Lavater aussi fermement qu'en Dieu.

Une étoile littéraire doit avoir présidé à ma destinée cette année :] M. Goethe m'adressa sa *Claudine*, qui ne m'a pas moins vivement touchée que son *Werther*. Je suis enthousiaste de ce poète. J'ai lu au moins vingt fois sa tragédie de *Gœtz de Berlichingen* avec une émotion toujours nouvelle. Il a achevé ses études à Strasbourg[41]. Il y était lors du passage de madame la dauphine, aujourd'hui notre reine bien-aimée. Voici sa lettre d'envoi :

« Je vous envoie ma *Claudine*, puisse-t-elle vous faire passer un moment agréable ! Dans ma vie d'auteur (hors cela un triste métier), j'ai été assez heureux pour rencontrer et apprécier beaucoup d'honnêtes gens, beaucoup de belles âmes, parmi lesquelles j'aime à vous classer. Pour celles-là particulièrement j'aime à décrire ce qui me va le plus à l'esprit et au cœur. D'après cela, vous comprendrez que j'écrive pour vous. Je crois aussi pouvoir vous adresser ce bout de lettre, que vous accueillerez avec indulgence. Vivez aussi heureuse qu'on puisse l'être avec un cœur comme le vôtre, et veuillez toujours me compter parmi les plus dévoués de vos serviteurs.

GOETHE. »
« Weimar, 12 mai 1776 ».

[J'ai négligé de parler — et vraiment je ne sais comment cela a pu m'échapper — d'un voyage que M. Goethe fit à Montbéliard où je le vis et lui offris le tribut d'admiration qu'il méritait. Il fut assez bon pour se former de moi une opinion dont je n'étais pas digne. Tout le monde était si bon pour Lanele à Montbéliard ! On me comblait de gentillesses, on me gâtait de si bonne grâce ! Les larmes me montent aux yeux lorsque j'y pense. Oh ! on ne se fera plus de tels amis : il faut être jeune, dans le premier élan des illusions et des attachements de la jeunesse pour former de pareils liens. Je le sens chaque jour davantage, tandis que passe rapidement la froide aile du temps qui glace et durcit le cœur.

M. Lavater répondit par une lettre si étrange que je ne sus et ne sais encore qu'en penser. Je lui avais envoyé une esquisse de ma personne ; beaucoup de gens en faisaient autant et je n'avais attaché aucune importance à ce présent, si c'en était un. Je lui avais écrit une lettre polie, étant incapable d'accorder une faveur d'une façon discourtoise. M. Lavater a la réputation d'un pieux et estimable ministre : le mot « pasteur » accompagne sa signature. J'estime donc que sa lettre dénote un manque de goût et est sans doute le produit d'une imagination mystique. Quoi qu'il en soit, voici cette lettre, le lecteur jugera :

« Ô la plus délicieuse, dirai-je, mère, sœur, amie ? Comment vous remercier de ce double présent, lettre et cher portrait ? Qu'est-ce cependant ? Pardonnez-moi une audacieuse requête, mais ne faut-il pas donner encore à ceux à qui il a déjà été donné ? Je ne suis pas encore satisfait. J'ai bien votre silhouette, mais ce n'est qu'une ombre, beaucoup moins expressive que la miniature que je désirerais maintenant recevoir de vous (que n'exprimerait-elle pas !) Mais elle doit être aussi précise dans la ressemblance et aussi fine d'exécution que votre premier envoi. Je suis franc parce que je crois, aime et espère toujours plus ! Je parle peu mais mes sentiments sont profonds. Oh ! Que ne puis-je exprimer parfaitement ma pensée et dire tout ce que je ressens !

Je baise votre main généreuse.

Jean-Gaspard LAVATER,
pasteur. »

« Zurich, le 22 mars 1776. »

Une dame de Versailles aurait certainement souri de ce « tout ce que je ressens » ; je me contentai de ne pas répondre et de garder pour moi cette histoire qui aurait pu jeter le ridicule sur un ministre de notre religion. J'avais d'ailleurs autre chose en tête.]

Il fut question à cette époque de mon mariage avec M. d'Oberkirch [et je pensais surtout à l'acte solennel qui allait bouleverser ma vie et ne pouvait être pesé trop sérieusement] ; MM. de Wurmser, nos parents, eurent les premiers l'idée de cette alliance et en parlèrent à mon père qui l'accueillit. L'aîné, Christian, lieutenant général, autrefois colonel commandant du régiment d'Alsace, avait eu M. d'Oberkirch sous ses ordres. Le cadet, Frantz de Wurmser, brigadier maintenant, était alors lieutenant-colonel de ce même régiment ; tous deux avaient pu apprécier l'esprit, la bravoure et les qualités de M. d'Oberkirch, qui d'ailleurs était aussi leur parent par les Buch. Les grandes familles d'Alsace se tiennent toutes. Frantz de Wurmser a été depuis colonel-propriétaire du régiment des volontaires étrangers de Wurmser.

Le baron Siegfrid d'Oberkirch, chef de la branche protestante de sa famille, parut à tous les miens un parti convenable[42]. Les Oberkirch sont de haute qualité ; issus de chevalerie, figurant dans les tournois dès le XIIe siècle, ils possédaient dès avant cette époque et possèdent encore le fief d'Oberkirch en basse Alsace ; [pendant plusieurs siècles, ils avaient fait partie des familles nobles qui gouvernèrent Strasbourg ;] et le titre de princesse fut porté par plusieurs femmes de cette maison, entre autres par deux abbesses de Hohenbourg (Sainte-Odile).

Il reçut la croix du Mérite militaire en 1763, et quitta le service pour être conseiller noble de la chambre des Quinze au sénat de la ville libre de Strasbourg. Son père avait été Stettmeister, c'est-à-dire président noble de ce sénat en 1748[43].

Ce mariage, qui convint tout de suite à mon père, me plut bientôt à moi. Sans être régulièrement beau et malgré sa petite taille, M. d'Oberkirch était cité pour sa parfaite élégance et la distinction de ses manières. Quoiqu'il eût quarante ans, il donnait le ton à Strasbourg. Mais ce qu'on disait de sa conduite à la guerre et de la supériorité de son esprit me frappa davantage. [M. d'Oberkirch était bien de sa personne sans être remarquable. La taille était petite mais l'air hautement distingué et l'expression fort aimable. Son jugement était bon et il était aussi cultivé que peut l'être un homme entré si jeune dans l'armée. Enseigne breveté en 1746, à l'âge de onze ans, dans le Royal-Suédois, ce n'est qu'en 1779 qu'il avait commencé à servir dans le régiment d'Alsace. En 1758, il était devenu capitaine dans le Royal-Deux-Ponts ; il fit quatre campagnes et se trouva à plusieurs batailles.

Il y avait là assez de titres honorables et sur cette question, il n'y avait rien à dire. J'éprouvais quelque hésitation en pensant à la différence d'âge. J'étais encore très jeune ; il avait quarante ans. Il avait une grande expérience de la vie ; j'entrais seulement dans la mienne. Pourrait-il m'aimer comme je désirais être aimée ? La vie de soldat ne l'avait-elle pas rendu incapable de se contenter des simples devoirs domestiques, sans autres divertissements extérieurs ? Je craignais tout cela, bien qu'il me plût et précisément parce qu'il me plaisait, mes craintes étaient vives. Je l'avais remarqué plusieurs fois dans les différents cercles où nous nous rencontrions. Mon père me parla de lui. Je l'étudiai plus attentivement ; je vis qu'il m'observait également ; je commençai à penser qu'il était aussi intéressé que moi. MM. de Wurmser me chantaient ses louanges du matin au soir. Je fus tentée de les croire, si tentée que je les crus vraiment et que je donnai mon consentement.

Mon père m'embrassa quand je dis oui. Il pleura en me bénissant et en prononçant le nom de ma mère. Quel jour solennel ! J'étais engagée pour toujours car nous n'étions pas gens à reprendre notre parole. Mon père et moi soupâmes tête à tête ; nous étions silencieux et graves. Les yeux de mon père ne me quittaient pas ; j'étais si émue que je ne pus me contenir : je me levai pour lui baiser la main. « Vous serez heureuse, ma chère enfant, me dit-il, et si vous voulez mon avis, nous allons prendre nos dispositions sans tarder. J'ai toujours remarqué que les mariages trop différés ne tournent pas bien. J'ai informé MM. de Wurmser de votre réponse et de la mienne ; ils en ont, selon toute probabilité, déjà informé M. d'Oberkirch. Avez-vous quelque objection à ce que celui-ci se présente ici demain ? — Aucune, mon père, répondis-je, je déteste les formalités. — Bien, l'entrevue aura donc lieu demain ; demain nous déciderons du jour et de l'heure. Nous en informerons tous nos parents et les princes de Montbéliard.

— Mon cher père, si vous le permettez, je préférerais aller moi-même annoncer mon mariage à la duchesse. — Nous irons ensemble, mon enfant, c'est notre devoir. »

Après le souper, mon père se retira dans sa chambre. Il était profondément troublé, presque malade. Il avait été prévu que je passerais une partie de l'année avec ma belle-mère ; ce serait une dure privation pour mon père qui était habitué à m'avoir toujours à ses côtés. Pour moi, j'étais jeune et la vie me souriait : un mari qui, disait-on, m'adorerait et que, me soupirait mon cœur, j'adorerais... Mais mon cher père qui serait désormais seul une grande partie de l'année avec ses souvenirs et ses regrets et qui avait cependant consenti à ce qu'il croyait devoir être mon bonheur ! Combien sublimes les parents dans ce sacrifice constant d'eux-mêmes, si rarement payé de retour par les enfants !

Cependant, je dormis peu ; à six heures, j'étais levée et habillée et commençai une lettre à la princesse Doro-thée. Je lui racontai tout le déroulement de mon projet de mariage, mes réflexions, mon consentement tardif et mon intention d'aller lui raconter tout de vive voix.

Dès que mon père fut levé, je me rendis dans sa chambre ; il était pâle et souffrant. « Mon cher père, êtes-vous tourmenté à mon sujet ? lui dis-je ; si c'est le cas, M. d'Oberkirch est trop homme d'honneur, pour ne pas vous dégager de votre promesse. — Je pensais seulement que j'ai moi aussi épousé la femme que j'aimais, que cette femme a été votre mère et qu'elle ne sera pas témoin de votre bonheur, ma chère fille. — Mais, mon père, elle nous voit et elle nous garde. Je n'ai jamais compris pourquoi les catholiques prient pour leurs morts, comme s'il n'était pas beaucoup plus consolant de penser qu'ils prient pour nous. »

Immédiatement après le dîner, MM. de Wurmser arrivèrent, amenant avec eux M. d'Oberkirch, encore plus élégant que d'ordinaire mais pas moins embar-rassé que moi, ce qui veut dire terriblement. L'aîné des MM. de Wurmser prit le baron par la main et me le présenta comme mon futur mari. « Madame, me dit mon fiancé, avec une simplicité que je jugeai de bon augure, vous me rendez très heureux et j'espère que vous n'aurez aucune raison de le regretter. » Je restai sans réponse ; j'ai toujours remarqué que les fiancées sont particulièrement stupides. Mon père entraîna MM. de Wurmser à l'autre bout du salon sous prétexte de parler d'affaires et on nous laissa seuls. Je commençais à reprendre mes esprits et M. d'Oberkirch à n'avoir plus peur de moi. Il parla de plusieurs sujets, évitant toutefois ceux que sans doute il était aussi désireux de discuter que moi. Comme je l'avais déjà remarqué, il a beaucoup de tact et de savoir-faire. Je portais une robe de brocard puce, je m'en souviens parfaitement et un petit chapeau « pouf » qui était alors le comble de la mode. Il me complimenta pour ma robe et ajouta aussitôt : « Vous suivez la mode, comtesse. — Quand j'ai le temps d'y penser. — Suivez-vous strictement tous ses caprices ? — Oh non, mais vous ? — Je les devance souvent. — C'est ce que j'ai entendu, dis-je en souriant bien que mon cœur battît. — Cela vous déplaît-il ? — Non pourvu que j'en sois la première informée. — J'espère, comtesse, que vous me faites l'honneur de compter sur ma politesse. N'êtes-vous pas la maîtresse dans votre propre maison et votre premier serviteur pourrait-il porter une tenue qui n'aurait pas votre agrément ? » Je me sentis rougir ; ce fut ma seule réponse. « Ma mère, continua-t-il, aura l'honneur de vous rendre visite. — Mais c'est à moi de lui présenter mes devoirs. — Plus tard, je pense ; puisque l'un de nous seulement a encore sa mère, c'est à elle de se présenter. Elle est si bonne, elle vous aimera. — Je suis prête moi-même à l'aimer autant que... » Je m'arrêtai brusquement ; j'allais dire une sottise. M. d'Oberkirch l'avait senti mais avec tact ne le releva pas. « Je crains que vous ne trouviez pas Quatzenheim aussi agréable que Schweighouse ; c'est un endroit triste et solitaire. Mon grand-père l'a acquis en raison de son importance et de son rapport ; mes père et mère l'ont toujours trouvé très ennuyeux. — Et Oberkirch ? — C'est encore pire ; je n'y vais qu'à la saison de la chasse. J'ai la faiblesse d'aimer celle-ci à la folie ; vous n'allez pas me l'interdire, j'espère ? — À la folie ? repris-je avec une petite moue qui ne sembla pas lui déplaire. — Chère madame, reprit-il vivement, si nous parlions allemand, nous nous comprendrions mieux. » C'était inutile, il plaidait fort bien sa cause et je le comprenais parfaitement.]

J'allai avec mon père passer quelques jours à Montbéliard, pour annoncer mon bonheur au prince et à la princesse ; l'un et l'autre me firent des compliments sincères. Quand je la quittai, madame la duchesse de Wurtemberg me donna une agrafe en diamants, son auguste époux une aigrette, et, ce qui me fit plus de plaisir encore, la princesse Dorothée m'attacha au bras son portrait. Peu de temps auparavant, à l'occasion de mon jour de naissance, elle m'avait donné une tasse qu'elle avait fait faire à Dresde, et sur laquelle se trouvent, dans deux médaillons, les portraits en silhouette de mon père et de ma marraine, ce qui m'avait ravie. Je pleurai en recevant le portrait de ma chère princesse ; je savais qu'il était question de mariage pour elle, et que nous étions menacés de la perdre. Elle ne me cachait aucune de ses pensées, aussi je connaissais le combat dont son cœur était le champ de bataille. L'année précédente, la princesse Dorothée s'était trouvée avec le prince héréditaire de Darmstadt qui avait été très-frappé de sa beauté, et avait sollicité sa main. Pour elle, elle l'avait vu avec assez d'indifférence, mais elle était touchée de ses soins, et, après beaucoup d'hésitations, elle consentait à cette alliance. Les deux cours venaient donc de se faire une promesse mutuelle. Je quittai la princesse avec la pensée de voir son mariage suivre de près le mien.

[Le jour de mon retour à Strasbourg, M. d'Oberkirch me présenta un élégant vis-à-vis[44] et le jour suivant, le contrat de mariage fut signé. M. d'Oberkirch me fit de magnifiques cadeaux ; ma belle-mère m'offrit un collier de perles.]

Le grand jour[45] arriva bientôt pour moi. J'étais fort parée avec des dentelles d'Angleterre. Je portais une robe de point de Venise, sur une jupe de dauphine blanche. M. d'Oberkirch était mis très-galamment ; son habit bleu de roi clair, brodé en or, remporta tous les suffrages. Mon père aurait désiré qu'il reprît son uniforme, mais on décida que cela ne se pouvait pas.

Parmi les personnes qui assistaient à mon mariage, se trouvait tout naturellement mon excellent oncle le baron de Berckheim de Ribeauvillé, le second des frères de ma mère, marié à une Rathsamhausen. C'est bien le meilleur des êtres. Il accourut à la première nouvelle (il avait toujours su un gré infini à mon père de ne s'être pas remarié). Il amenait avec lui M. de Berckheim de Lœrrach, son frère aîné et mon parrain, conseiller de la régence de Bade, dont la femme était une Glaubitz ; et M. de Turckheim, gentilhomme ordinaire de S. A. le duc de Saxe-Weimar. Il arrivait de Weimar, et m'apporta des nouvelles de M. Goethe, ses respects et ses vœux.

En sortant du temple, nous allâmes tout de suite à l'hôtel d'Oberkirch[46], rue de la Nuée-Bleue, près la place Saint-Pierre le Jeune, entre l'hôtel du grand prévôt de la cathédrale et l'hôtel du gouvernement. Je devais l'habiter désormais avec ma belle-mère, la douairière d'Oberkirch, née baronne de Buch. On m'y reçut admirablement ; mon mari m'avait fait meubler un appartement très-beau et très-commode [qui faisait honneur à son goût. Je ne dois pas oublier de signaler les merveilleux rideaux, richement brodés ; ils venaient des Indes et avaient appartenu à la grand-mère de M. d'Oberkirch]. Malgré ma douleur de quitter mon père, je m'accoutumai vite à mon nouvel état. [Mon mari n'épargna rien pour me le rendre agréable. Nous fîmes des visites avec ma belle-mère à toute la noblesse du voisinage qui s'empressa de nous offrir ses félicitations ; pendant trois jours, notre hôtel ne désemplit pas.

J'étais à peine mariée quand je reçus une autre lettre de M. Lavater ; il avait compris mon silence et changé de style :

« Honorable amie (ce fut son mot), un abbé italien qui a séjourné quelque temps à Zurich et dont la conduite et le caractère sont dignes d'admiration doit se rendre à Strasbourg pour mettre en ordre ses affaires ; il serait très désireux d'obtenir une audience du cardinal-archevêque de Strasbourg. Je ne connais personne à Strasbourg à qui je puisse m'adresser pour l'aider à obtenir cette faveur, sauf vous, la plus noble et la meilleure des femmes. Ces lignes n'auront pas été inutiles si elles sont comprises aussi bien que celles par lesquelles je pris la liberté de vous demander votre silhouette, aussi respectueusement qu'instamment. Je ne sais si vous êtes habituée à pareille franchise. Mais je sais — si votre portrait n'est pas trompeur — que vous daignerez accepter mes lettres telles qu'elles sont. J'ose espérer quelques mots pour m'assurer que je ne me suis pas trompé dans mon jugement.

Jean-Gaspard L<small>AVATER</small>. »

« Zurich, 11 mai 1776. »

M. d'Oberkirch lut cette lettre et insista pour que j'envoie ma miniature à M. Lavater afin d'apprendre ce qu'il dirait de mon caractère. Je n'avais pas montré à mon mari la lettre précédente, si étrange ; cependant, sur son insistance, je décidai de lui obéir. Voici la réponse de M. Lavater :

« Je vous remercie respectueusement de votre portrait dont je ne puis vraiment dire grand'chose. Je ne dis à personne ce que je pense à première vue de son portrait en bien ou en mal, à moins d'être dans l'obligation de le faire. Je vois de nobles traits dans votre

silhouette mais je dois avouer (j'espère que vous sup-
portez la vérité) que la partie inférieure de votre visage
— la faute en est peut-être à l'artiste — est bien moins
prometteur que dans le portrait peint. Je serais enclin
à penser que la silhouette a été mal découpée : une lar-
geur d'un cheveu peut tout gâter.

Je suis très reconnaissant de ce que vous avez fait
pour M. Velo. Je devrais vous remercier davantage et
m'excuser de mon indiscrétion mais je n'en ferai rien ;
votre visage m'a appris que vous attachez peu d'importance aux phrases. Aurai-je un jour le bonheur de vous
dire « de vive voix » combien je vous honore et à quelle
hauteur je place l'heureuse fortune de celui qui a le
bonheur de vous appeler sa femme.

J. G. L., pasteur. »

« Zurich, le 14 juin 1776. »

J'avais présenté cet abbé au prince de Rohan, évêque
de Strasbourg, « comme un enfant à son père » selon
l'expression de mademoiselle Schneider, ma femme de
chambre. Il était toujours à notre égard d'une grande
courtoisie, bien que nous n'appartenions point à son
troupeau.

Les lettres de M. Lavater n'étaient pas spirituelles
mais en les traduisant dans leur totalité, j'ai voulu montrer qu'un homme peut être un génie, sans posséder le
charme du style. Je n'appris jamais rien de plus sur
ma silhouette et mon portrait. M. d'Oberkirch prétendait qu'il n'avait rien de bon à en dire et qu'il n'avait
pas voulu m'en dire du mal « en face », c'était là son
expression. Il est intéressant de noter que jamais, pendant tout le temps de cette correspondance, M. Lavater
et moi-même ne nous sommes rencontrés.]

Peu de temps après, je devins grosse, et lorsque j'en
fis part à mon auguste amie, celle-ci m'écrivit en retour
qu'elle désirait me voir, si ma santé me le permettait,

parce qu'elle devait incessamment quitter Étupes, pour se rendre à Cassel et de là à Berlin, d'où elle ne reviendrait pas de longtemps probablement. Elle me dirait le reste de vive voix.

— Ah ! m'écriai-je, la princesse Dorothée se marie ; ce n'est pas au prince de Darmstadt, mais à qui donc ? En tout cas, elle est perdue pour nous. J'en suis très-heureuse, mais j'en pleurerai longtemps.

M. d'Oberkirch me permit un voyage de quelques jours avec toutes les précautions possibles. Nous pensâmes qu'il ne devait pas m'accompagner, et que ce n'était pas le moment d'une présentation, lorsque toute la famille était dans l'agitation d'une grande nouvelle. Cette séparation nous coûta, et il fallut que mon amie me fût bien chère, pour lui sacrifier ainsi mes instants de bonheur. Je trouvai en effet la cour de Montbéliard bouleversée, car il s'agissait d'un mariage inespéré, la plus haute place de l'Europe, après la reine de France certainement. Le prétendu n'était rien moins que le grand-duc Paul[47], héritier futur du trône de Russie. Voici comment cela s'était arrangé.

Le prince Henri de Prusse, frère de Frédéric le Grand, oncle de madame la duchesse de Wurtemberg-Montbéliard, avait été envoyé en 1770 par le roi, son illustre frère, en Russie, auprès de Catherine II, pour s'occuper des affaires de la Pologne, et tâcher de prévenir une guerre entre la Prusse, l'Autriche et la Russie. Cette négociation réussit complètement. L'état d'anarchie où se trouvait la Pologne avait excité les désirs d'agrandissement de la Russie et de l'Autriche. Le prince Henri, ne pouvant s'y opposer, obtint que la Prusse en prît sa part, afin de rétablir la balance. Il posa les bases du partage de ce malheureux pays, et Frédéric lui dit à son retour :

— Un Dieu vous inspirait, mon frère ; vous aviez raison.

Le prince conserva sur Catherine II un singulier ascendant.

Il était de nouveau auprès d'elle, en cette année 1776, et il y avait huit jours qu'il était à Saint-Pétersbourg, lorsque la princesse de Darmstadt, sœur de la princesse de Prusse et femme du grand-duc de Russie, mourut en mettant au monde un enfant qui mourut aussi en naissant. Le désespoir de l'impératrice fut grand ; elle se retira à Czarkozelo avec son fils, non moins affligé, et le prince Henri qui s'efforçait de calmer ses justes douleurs. Ces premiers moments passés, il fallait songer à la descendance impériale, et à donner au grand-duc une seconde épouse. Le prince Henri pensa alors à cimenter l'alliance de la Russie et de la Prusse par un mariage entre le grand-duc Paul et la princesse Dorothée de Wurtemberg-Montbéliard, sa petite-nièce et celle du grand Frédéric. Catherine déclara aussitôt au prince qu'elle verrait cette alliance avec plaisir.

Mais il y avait une difficulté ; on a vu qu'elle était promise au prince héréditaire de Darmstadt ; comment rompre cet engagement réciproque ? Le prince Henri pensa que l'autorité ou le désir du grand Frédéric suffisait pour l'annuler ; il expédia donc un courrier à son auguste frère, pour lui faire connaître les intentions de la czarine et le prier d'agir en conséquence. Le prince héréditaire de Darmstadt était précisément à Potsdam, et le roi sut avec son esprit et son habileté ordinaires décider le prince à renoncer de lui-même à son mariage, malgré les sentiments d'admiration qu'il avait pour sa fiancée, et cela sans humilier ni blesser ce jeune prince en lui exprimant sa volonté. Il écrivit ensuite à Montbéliard, pour décider également les parents de la princesse.

Les choses marchèrent vite ; les réponses favorables ayant été envoyées en Russie, on décida que les futurs époux se rendraient à Berlin, et que, s'ils se convenaient mutuellement, le mariage se ferait à Saint-Pétersbourg.

Le grand-duc Paul Petrowitz partit accompagné du prince Henri pour Berlin, afin que si les fiançailles avaient lieu, le grand-duc pût recevoir sa nouvelle épouse des mains de Frédéric. Leur entrée dans la capitale de la Prusse fut pour le prince Henri un véritable triomphe, l'alliance qu'il avait négociée étant le gage assuré de la paix.

Les choses en étaient là, quand j'arrivai à Étupes ; la princesse allait partir avec son auguste père. Elle était très-heureuse ; aussitôt qu'elle m'aperçut, elle me jeta les bras au cou, et m'embrassa à plusieurs reprises.

— Lanele, répétait-elle, j'ai bien du chagrin de vous quitter tous, mais je suis la plus enchantée des princesses de l'univers. Vous viendrez me voir.

Moi, je pleurais, et madame la duchesse pleurait avec moi. La grandeur de l'alliance ne lui en dissimulait pas l'éloignement.

— Et puis, disait-elle, il arrive souvent des malheurs aux czars, et qui sait le sort que le ciel réserve à ma pauvre fille !

Elle s'est heureusement trompée ; son instinct maternel est en défaut jusqu'ici.

Nos journées et nos soirées se passaient en conjectures, en projets ; nous ne dormions point, la princesse Dorothée faisait des répétitions de cour qui nous forçaient à rire, en dépit de nous-mêmes. Elle saluait tous les fauteuils vides, pour s'apprendre à être gracieuse, tout en ne rendant que ce qu'elle devait. Quelquefois elle s'interrompait au milieu de son jeu, et se tournant vers moi :

— J'ai bien peur de Catherine, disait-elle, elle m'intimidera, j'en suis sûre, et je vais lui paraître une vraie niaise. Pourvu que je parvienne à lui plaire, ainsi qu'au grand-duc !

La princesse Dorothée, née en 1759, était alors âgée de dix-sept ans ; elle était belle comme le jour, de la grande taille des femmes, faite à peindre, et joignait à la délicate régularité des traits, l'air le plus noble et le plus imposant. Elle était née pour le diadème ; elle se faisait une joie d'enfant de son union. Cependant les derniers jours la tristesse la gagna, en songeant qu'elle allait quitter sa mère, le pays où elle avait été élevée, ce château où elle était si heureuse, ses frères, moi, jusqu'aux habitants ; elle regrettait tout. Il fallut presque l'arracher de nos bras ; on la porta évanouie dans le carrosse, où le prince son père et deux de ses femmes montèrent avec elle. J'avais promis de rester près de madame la duchesse dans ces premiers instants, et j'écrivis à M. d'Oberkirch de venir me joindre, ce qu'il fit avec empressement ; il eut le bonheur de réussir beaucoup à Étupes, particulièrement près de madame la duchesse qui ne cessait de dire :

— Je ne demande au ciel que de voir ma fille aussi heureusement mariée que vous.

Combien ce palais, ces jardins me paraissaient tristes et déserts, maintenant que je n'y trouvais plus ma tendre et illustre amie ! Je me promenais toute la journée avec sa pauvre mère, cherchant toutes deux les endroits qu'elle affectionnait, pour nous y asseoir. Nous ne tarissions pas sur ses louanges ; elle écrivait tous les jours à la duchesse, ajoutant quelques mots pour moi.

Le 5 juillet j'eus mon tour ; elle me fit l'honneur de m'écrire de Cassel[48].

Cassel, 5 juillet 1776.

« Ma chère et charmante amie,

« Enfin nous voici heureusement arrivés ici, chère Lanele, en bien bonne santé. Dieu veuille que vous ayez fait de même, et que j'apprenne bientôt votre heureuse arrivée à Strasbourg ! Mon adorable et chère tante a daigné nous recevoir avec la plus grande tendresse à Jessberg ; le lendemain nous avons dîné à Fritzlar et sommes arrivés le même soir ici. Après quelques moments nous avons été à la comédie où on a repré-

senté la *Bataille d'Ivry* et le *Roi de Cocagne*. Aujourd'hui
il y aura grande cour et encore comédie ; demain nous
irons à Weissenstein où il y aura illumination et bal, et
dimanche je ne sais pas encore ce qui se fera. Cassel est
sans contredit un des plus beaux endroits de l'univers
par les superbes jardins qui s'y trouvent. De nos
chambres j'ai la vue sur la *Fulde*, sur la *Ménagerie*, sur
*Bellevue* et sur le *vieux château*. Je meurs d'inquiétude
jusqu'à ce que je sache si vous vous portez bien. Mon
Dieu ! ma chère amie, donnez-m'en bientôt des nouvelles ; je vous aime si tendrement que je ne puis pas être
heureuse sans savoir ce que fait ma chère amie. C'est
avec bien des regrets, mon ange, que je vous quitte
sitôt, mais le temps est si court, que pour aujourd'hui
je ne puis que vous embrasser encore mille fois et vous
assurer de ma bien sincère et tendre amitié. Adieu,
chérissime amie, aimez toujours un peu.

                              « Votre fidèle amie,
                                  « DORTEL. »

   « *P.-S.* Mes adorables parents vous disent mille choses, la donzelle Dortele vous embrasse de même que
Frédérique[49] *und die ganze Gesellschaft*. Mes compliments à M. d'Oberkirch ; lundi nous partirons pour
Potsdam. »

   « Le 6 juillet. — Ma lettre ne partant qu'aujourd'hui,
je veux du moins encore vous dire le bonjour. Ah ! ma
charmante amie, faites des vœux pour mon bonheur. »

   J'eus encore une lettre de Potsdam ; le roi témoignait
à sa petite-nièce beaucoup de bontés et de grâces, et lui
donnait un bal. Les princesses retrouvaient à Potsdam
les deux frères aînés qui donnèrent un grand goûter le
16. Mais ma noble amie m'avait promis de me raconter
aussitôt l'entrevue, qui eut lieu le 26 juillet. Elle tint sa
parole le 26 en ces termes :

Berlin, le 26 juillet 1776.

« Ma chérissime amie, je suis contente et plus que contente. Ma chère amie, jamais je n'aurais pu l'être davantage ; le grand-duc est aussi aimable que possible, il réunit toutes les qualités ; il est arrivé le 21, et le 23 le prince Henri a fait la demande. J'ai eu le pas sur toutes les Princesses et Altesses impériales. J'ose me flatter d'être très-aimée de mon cher promis, ce qui me rend bien, mais bien heureuse. Je ne puis vous en dire davantage ; le courrier que mon adorable papa envoie à Stuttgart part en ce moment, et je lui donne cette lettre, afin qu'il la mette à la poste à Cassel. Adieu, chère amie ; je suis de cœur et d'âme votre fidèle et tendre amie,

« DOROTHÉE. »

La raison d'État est souvent bien cruelle, et il faut beaucoup de courage pour s'y soumettre. La princesse Dorothée, en épousant le grand-duc, fut obligée d'embrasser la religion grecque, et fut baptisée sous le nom de Marie Feodorovna, comme chacun sait. Elle dut en être bien sensiblement affectée, elle si attachée à notre sainte foi, si pieuse, si rigoureusement dévouée à ses devoirs[50]. J'en ai gémi, dans le fond de mon âme, mais c'était une condition indispensable et Dieu l'appellera à lui, à la fin de sa belle vie, malgré son signe de croix à gauche et son culte pour les images : Dieu, qui voit les cœurs, aimera celui-là fait à sa ressemblance.

La princesse Dorothée avait infiniment plu au grand-duc, qui le déclara au prince Henri dès le soir même. Celui-ci, porteur des pleins pouvoirs de la czarine, remit alors les lettres dont elle l'avait chargé pour la famille de Wurtemberg, et le mariage fut bientôt décidé. Il avait remis précédemment au roi de Prusse celle qui lui était adressée par l'impératrice. Il montra confiden-

tiellement à madame la princesse de Wurtemberg la
lettre d'envoi que cette auguste souveraine y avait ajou-
tée, lettre dont celle-ci prit copie, tant elle la trouva
remarquable. Voici cette lettre :

« Monsieur mon cousin,

« Je prends la liberté d'envoyer à Votre Altesse royale
les quatre lettres dont je lui ai parlé, et dont elle a bien
voulu se charger. La première est pour le roi son frère,
et les autres pour les princes et princesses de Wurtemberg. J'ose la prier (si le cœur de mon fils se détermine
pour la princesse Sophie-Dorothée, comme je n'en
doute pas) d'employer les trois dernières selon leur destination, et de les appuyer de l'éloquence persuasive
dont Dieu l'a douée.

« Les preuves convaincantes et réitérées qu'elle m'a
données de son amitié, la haute estime que j'ai conçue
pour ses vertus, et l'étendue de la confiance qu'elle m'a
inspirée, ne me laissent aucun doute sur le succès d'une
affaire qui me tient tant au cœur ; pouvais-je la mettre
en de meilleures mains !

« Votre Altesse royale est assurément un négociateur
unique (qu'elle pardonne cette expression à mon amitié) ; mais je ne crois pas qu'il y ait d'exemple d'une
affaire de cette nature traitée comme celle-ci ; aussi est-
ce la production de l'amitié et de la confiance la plus
intime.

« Cette princesse en sera le gage ; je ne pourrai la voir
sans me ressouvenir comment cette affaire a été commencée, menée et finie entre la maison royale de Prusse
et celle de Russie. Puisse-t-elle perpétuer les liaisons qui
nous unissent !

« Je finis en remerciant bien tendrement Votre
Altesse royale de tous les soins et de toutes les peines
qu'elle s'est donnés ; et je la prie d'être assurée que
ma reconnaissance, mon amitié, mon estime, la haute

considération que j'ai pour elle, ne finiront qu'avec ma vie.

> « Monsieur mon cousin, de Votre Altesse
> royale, la bonne cousine et amie,
> « CATHERINE. »
>
> À Czarkozelo, le 11 juin 1776.

Cette lettre était écrite tout entière de la main de l'impératrice.

Les fiançailles se célébrèrent magnifiquement ; on ne parla d'autre chose dans toute l'Europe. Les gazettes étaient pleines de détails de toutes sortes ; nous nous les arrachions. Le cœur aimant de la princesse n'eût pu jouir parfaitement de son bonheur loin de sa mère chérie. Une fois la chose décidée, madame la duchesse partit en toute hâte. L'impératrice avait mis quarante mille écus à la disposition du prince de Wurtemberg, pour le voyage de la princesse sa fille et de ses parents. La princesse de Montbéliard emmena quelques dames de sa cour. Je l'aurais certainement suivie, sans l'état de souffrance où me mettait ma grossesse ; M. d'Ober-kirch ne voulut absolument pas y consentir [par souci de son héritier à naître].

Ma chère princesse ne m'oublia pas, et, au milieu de l'embarras de l'étiquette, des visites, elle m'écrivit ces quelques lignes de Marienwerder, le 18 août 1776 :

> « Ma chère et charmante Lanele, je n'ai que deux minutes à moi, je vous les donne, pour vous dire que nous sommes fort heureusement arrivés ici, que nous nous portons tous bien, et que nous vous aimons tous beaucoup, mais particulièrement moi, qui suis à jamais votre tendre et fidèle amie,
>
> « DOROTHÉE, princesse de W. »
>
> « Que fait votre santé, ma chère amie ? parlez-m'en amplement dans votre première lettre. Papa, maman et toutes les dames vous font mille compliments. »

Il y eut de grandes réjouissances après la décision du mariage : une très-belle fête offerte par le prince Ferdinand de Prusse, frère du roi, à son château de Friedrichsfeld ; un immense dîner donné par le roi à Charlottembourg ; les bals et spectacles de Sans-Souci, les manœuvres de Potsdam, etc. Madame la duchesse m'a raconté tout cela, ainsi que l'amabilité du maréchal comte de Romanzow, gouverneur de l'Ukraine, qui avait reçu l'ordre de quitter cette province pour accompagner le grand-duc ; enfin, la brillante réception que leur fit le prince Henri à son château de Rheinsberg, où ils passèrent quatre jours.

Lorsqu'il fut question du départ pour la Russie, on décida que le grand-duc partirait le premier avec sa suite, qui était brillante et nombreuse, et que la princesse Dorothée et ses parents se mettraient en route le jour suivant, ces derniers devant la conduire jusqu'à Memel, où se trouvaient les personnes désignées par l'impératrice pour composer sa cour. Ils y arrivèrent le 29 août ; et le 11 septembre, mon auguste amie se trouvait à Tsarsko-Sélo où Catherine II et Paul l'attendaient à la descente de voiture.

Le mariage se fit le 1er/12 octobre de la même année[51] ; elle devint ainsi grande-duchesse de Russie et duchesse régnante de Schlesvig-Holstein, le czar Pierre III étant un duc de Holstein-Gottorp. On sait que ce prince réunissait en lui le sang de Pierre Ier[52] et celui de Charles XII. Appelé par la czarine Élisabeth à lui succéder, il avait été en même temps élu héritier du trône de Suède, ce qu'il n'accepta pas. Ainsi, outre le Holstein dont il était souverain, il avait eu le choix de deux couronnes.

Ce fut dans la joie de son mariage que la grande-duchesse m'écrivit de Saint-Pétersbourg. Elle était avec son mari aussi heureuse qu'il est possible de l'être sur la terre, rien ne manquait à ses vœux et elle pouvait

faire du bien ; elle en fit, elle en fit beaucoup, et ses
nouveaux et futurs sujets l'adorèrent comme les anciens.
Bonne toujours, elle n'oublia pas notre amitié, et entre
autres lettres j'en reçus d'elle une charmante que voici
à la date du 16/27 décembre 1776.

« Ma bien bonne, bien chère et bien tendrement
aimée amie, je viens de recevoir votre lettre de Strasbourg dans cet instant, mon ange, et je m'empresse d'y
répondre, quoique je n'aie qu'une couple de minutes
à moi. Connaissant l'amitié et l'attachement que vous
avez pour mes chers parents, je suis convaincue de la
peine que cela vous aura faite en les quittant ; mais
malgré cela vous êtes plus heureuse que moi, car après
vos couches j'espère que vous y retournerez, et moi,
malheureusement, je ne m'attends jamais plus à un
pareil bonheur. Toutes les fois que cette idée me passe
par la tête, je suis triste et mélancolique le reste de la
journée. Mais brisons là-dessus et parlons de vous, ma
chère amie. Grâce au ciel, je vois que malgré l'état dans
lequel vous êtes vous vous portez bien. Je fais mille et
mille vœux pour que vos couches soient des plus heureuses, et que bientôt ma chère amie soit hors d'affaire.
De grâce, mon ange, comme dans le temps de vos couches vous n'oserez pas m'écrire, faites-moi donner de
vos nouvelles par une de vos amies ; pourvu que je
sache ce que vous faites et comment tout s'est passé,
je serai contente. Votre charmant portrait est placé
dans une de mes chambres, mais je ne le trouve pas
ressemblant ; ainsi j'ose vous prier en grâce de m'en
envoyer un qui soit meilleur. Vous auriez déjà le mien
depuis longtemps, mais on en a fait cinq, et tous si
mauvais, que je n'en ai pu employer qu'un seul que j'ai
envoyé à mon frère Eugène. Je me fais peindre de nouveau par un autre peintre ; j'espère qu'il réussira mieux,
et alors je vous l'enverrai. Le thé ne sera point oublié.
J'espère qu'à cette heure vous avez reçu le cœur avec

mon chiffre que j'ai pris la liberté de vous offrir. Adieu, mon petit cœur, je vous embrasse mille fois. Si mon petit filleul ou ma petite filleule existe déjà, donnez-lui un baiser au nom de sa marraine. Je suis à jamais, chère et bien tendre amie, votre tendre et fidèle amie.

« MARIE, grande-duchesse de Russie,<br>née princesse de Wurtemberg. »

« *P.-S.* Le grand-duc, qui est le plus adorable des maris, vous fait ses compliments. Je suis très-aise que vous ne le connaissiez point, car vous ne pourriez vous empêcher de l'adorer et de l'aimer, et moi j'en deviendrais jalouse. Ce cher mari est un ange, je l'aime à la folie. »

Madame la princesse de Montbéliard avait quitté sa fille [immédiatement après son mariage]. Je retournai à Montbéliard pour l'y attendre et adoucir ses premiers moments de solitude. Ma grossesse touchait à son terme, et M. d'Oberkirch voulut que je retournasse à Strasbourg à la fin de novembre. Le duc Frédéric-Eugène, qui avait aussi conduit la princesse Dorothée jusqu'à Memel, ne revint que le 18 octobre. Il nous raconta mille traits charmants de notre chère absente : comment un matin elle avait aperçu par sa fenêtre un houx tout couvert de ses fruits rouges ; elle se mit à pleurer en souvenir d'Étupes et d'une soirée où elle et moi en avions placé dans nos cheveux. Il y avait grande réception ce jour-là ; elle envoya chercher du houx, en fit faire une coiffure semblable à celles que nous avons portées ensemble, et au milieu du cercle de ses courtisans elle dit à son père :

— N'est-ce pas, monsieur, que je suis bien belle ? Rappelez à ma chère Lanele que j'ai porté du houx en mémoire de notre amitié et des beaux bouquets que nous en faisions ensemble.

J'en fus touchée jusqu'aux larmes à mon tour ; c'est par les petites choses que le cœur se prouve.

Je trouvai à mon arrivée à Strasbourg une aimable surprise. M. Wieland[53], auquel M. Goethe avait parlé de moi, m'envoya quelques numéros d'un journal dans lequel il écrivait des articles fort remarquables. Ancien professeur très-distingué de l'université d'Erfurt, il était depuis quelques années fixé à Weimar, pour diriger l'éducation du jeune prince. Il n'avait guère que quarante ans, et son talent, si plein de finesse et d'élégance, augmentait chaque jour. Je lui ai écrit une lettre aimable. Elle lui fit plaisir à ce qu'il paraît. Voici sa réponse :

« Weimar, le 12 novembre 1776.

« Honorée baronne,

« La parfaite bonté avec laquelle Votre Grâce a daigné m'assurer qu'elle ne s'était pas offensée de la liberté que j'ai prise de lui envoyer quelques numéros du *Mercure Tudesque*, me met en mesure d'assurer à Votre Grâce que je ne trouve pas de termes convenables pour lui exprimer ma gratitude. Combien j'envie, madame, à mon ami[54] le bonheur de vous connaître personnellement et d'être connu de vous. Si jamais ce rare bonheur devient mon partage, je pourrai peut-être espérer que Votre Grâce daignera accorder à l'homme l'estime que par générosité, et non par justice, elle accorde à l'auteur. Permettez, honorée madame, que je me dise avec reconnaissance et respect, de Votre Grâce,

« L'obéissant serviteur et sujet,
« WIELAND. »

J'ai toujours aimé les personnes de génie, et si j'avais possédé une plus grande fortune, le rôle de Mécène m'eût tout à fait convenu. Je les ai recherchées tant que cela m'a été possible, et l'on en trouvera bien des preuves dans la suite de ces Mémoires.

## CHAPITRE V

1777. Le jeudi, 23 janvier, entre trois et quatre heures du matin, je mis au monde une fille. Elle fut baptisée le samedi suivant, au Temple Neuf[55] ; on lui donna les noms de :

Marie-Philippine-Frédérique-Dorothée-Françoise.

Les illustres marraines et parrains furent :

1° S.A.I. la princesse Marie Feodorovna, représentée par la baronne de Palen, née de Durckheim ;

2° S.A.R. la princesse *Philippine*-Auguste-Amélie, épouse du landgrave régnant de Hesse-Cassel, née margrave de Brandebourg-Schwedt, représentée par madame la baronne de Hahn, née de Lieven ;

3° Leurs Altesses le duc et la duchesse de Wurtemberg-Montbéliard, représentés par le baron de Waldner, mon père, et par madame la baronne douairière de Bernhold, née de Wurmser de Vendenheim.

Les parrains et marraines présents en personne, furent : le baron Dagobert de Wurmser de Vendenheim, grand veneur du comté de Montbéliard ;

Le baron Frédéric de Wurmser ; colonel d'infanterie (il fut plus tard, en 1780, brigadier) ;

Le baron de Berckheim-Jebsheim-Schoppenwihr et la baronne douairière d'Oberkirch, née baronne de Buch.

[M. d'Oberkirch fut très désappointé de la naissance de sa fille ; il avait ardemment désiré un héritier. Il prit si peu de peine de cacher ses sentiments sur ce sujet pendant les premiers jours de ma maladie que je devins très malheureuse ; je ne pouvais me retenir de pleurer constamment, tout en craignant que cela fût mauvais pour ma santé. Pour moi, j'aimais cette enfant qui était la mienne, c'était l'instinct maternel.

Le désir d'avoir un fils était bien naturel de la part de M. d'Oberkirch car les possessions d'Oberkirch étaient un fief masculin qui passerait, faute d'héritier mâle, à la branche aînée, au second frère et à ses enfants. Il ne put jamais surmonter sa déception et quand il n'était pas de très bonne humeur, si quelqu'un lui parlait de son enfant, il répondait : « Je n'ai pas d'enfant, j'ai seulement une fille. » Ma fille Marie l'entendit un jour dire cela et ne fut pas très flattée de cette marque d'amour paternel.

Quelques jours après la naissance de l'enfant, le premier choc étant surmonté et le mécontentement un peu calmé, il se comporta plus poliment. Il entra un jour dans ma chambre au moment où la nourrice apportait le bébé. J'étais couchée sur un sofa, très fatiguée d'avoir reçu plusieurs visites ; j'embrassai Marie et dis que je voulais dormir. Comme M. d'Oberkirch s'approchait de notre enfant, il me sembla qu'elle souriait (c'était aux anges, sans doute) et je voulus voir là une preuve d'intelligence, bien impossible chez un si petit être. « Mademoiselle d'Oberkirch est un joli bébé, dit mon mari en la regardant. — Vous vous en apercevez enfin, dis-je un peu piquée, et croyez-vous qu'un gros garçon serait à moitié aussi charmant que cette adorable petite fille ? » Il soupira mais prit la main de sa fille et après l'avoir tenue un moment, l'embrassa. « Vous l'aimez déjà, dis-je, et vous oubliez la déception qu'elle vous a causée ; d'ailleurs, je m'engage à l'élever de telle façon qu'aucune jeune dame ne la surpassera. » Il ne dit rien mais ayant fait signe à la nourrice de se retirer, il s'approcha de moi et m'attira vers lui : « Voulez-vous me pardonner ma mauvaise humeur et ma dureté ? » Nous restâmes à bavarder un quart d'heure, de la manière la plus confiante et la plus affectueuse. Je fus convaincue qu'il surmonterait son regret et je m'endormis plus apaisée que je ne l'avais été depuis longtemps.]

Ma chère princesse m'écrivit, au sujet de mes couches, une lettre adorable que voici :

1777.

« Ma bien charmante et bien aimable amie, ma joie a
été des plus grandes en recevant vos deux lettres. Mais
jugez quelle satisfaction a été comparable à la mienne,
lorsque j'ai vu que, grâce à la divine et adorable Providence, vous êtes accouchée heureusement d'une fille,
et que vous jouissez, ainsi que la charmante nouvelle-
née, d'une bonne santé. J'ai été touchée aux larmes en
voyant l'attention que vous avez eue, mon ange, de me
donner cette nouvelle vous-même, et je conserverai toujours cette charmante lettre, comme une preuve non
équivoque des sentiments que vous me portez. J'embrasse bien tendrement ma chère petite filleule, pour
laquelle je me sens une amitié que je ne saurais vous
exprimer. Oui, ma chère amie, et j'ose me flatter qu'on
ne saurait aimer, chérir plus une amie, que je ne vous
aime et ne vous chéris, et je puis dire en vérité que je
vous aime comme ma sœur. De grâce, envoyez-moi
votre portrait, et cela en miniature, afin que je le puisse
toujours porter à ma montre ; ce cher portrait ne me
quittera jamais. Vous aurez le mien, peut-être dans une
quinzaine de jours. Mon mari me charge de vous faire
ses compliments ; il vous félicite sur votre heureuse
délivrance. Pour vous amuser, ma charmante amie, je
vous dirai que le grand-duc, par badinage, m'entendant
parler fort souvent de ma chère amie Oberkirch, vous
a donné le nom de *Zuckerbucker*, et tous les jours de
poste, il me demande si je n'ai pas reçu de nouvelles
de madame de Zuckerbucker, et que je dois vous faire
des compliments, quand je vous écrirai. Je ne sais ce
que je donnerais, si vous connaissiez l'adorable mari
que j'ai ; c'est un ange, c'est la perle de tous les maris ;
aussi, grâce à cette divine et adorable Providence, je
suis heureuse, mais heureuse au possible. Je vous le
répète chaque fois, ma chère amie, car, comme je

connais l'amitié que vous avez pour moi, je suis persuadée que vous prenez part à mon bonheur. Mais
vous êtes en couches, ma chère amie, et on dit qu'il ne
faut pas s'occuper ; je m'arrache donc malgré moi au
papier, et finis ma lettre, en vous assurant que toute
ma vie vous prouvera mon amitié et mon tendre attachement.

« Votre tendre et fidèle amie,
« MARIE de Russie, née de Wurtemberg. »

On voit de quelle affection m'honorait cette illustre
princesse, et combien j'aurais été ingrate de ne pas la
lui rendre, de tout mon respect et de toute ma tendresse. Elle m'écrivit souvent, pendant ma convalescence. Voici une de ses lettres, qui prouve sa bien-
veillante sollicitude, et combien elle daignait s'occuper
de moi.

Czarkozelo, $\frac{28 \text{ avril}}{8 \text{ mai}}$ 77.

« Ma bien chère et bien tendrement aimée amie,
s'il m'était permis de me plaindre de la paresse d'une
convalescente, je le ferais. Me voici quinze jours sans
les lettres de ma chère Lanele, ce qui naturellement me
fait beaucoup de peine, puisque je vous aime comme
une sœur. De grâce, ma bien chère amie, écrivez-moi
vite, mais bien vite, que vous m'aimez encore, que vous
ne m'avez point oubliée, que vous êtes et serez toujours
mon amie de cœur, et je serai bien contente.
[« Le grand-duc vous envoie ses compliments et me
prie de vous dire que nous désirons acquérir, pour en
faire présent à l'impératrice, le tableau de Paul Véro-
nèse, le prix demandé est de trois cents louis d'or français. M. de Mecheln l'enverra ; par terre ou par mer,
comme il voudra ; nous nous chargeons naturellement
de tous les frais, mais il doit assurer son arrivée ici en

parfait état. Je vous enverrai, mon ange, quand je le pourrai, un dessin en couleurs de ce tableau. Je le ferai par la poste. Dites-moi aussi, ma chère amie, à combien monte la souscription à l'œuvre de MM. qui fait des dessins en réduction des peintures de la galerie de Dusseldorf et qui, si je ne me trompe, a dû peindre le tableau que vous m'avez envoyé. Beaucoup de gens ici voudraient souscrire. Voilà beaucoup de services ! Quelle confiance dois-je avoir dans l'amitié de ma chère Lanele, pour la mettre ainsi à contribution !]

. . . . . . . . . . . . . . . . . . . . . . . . . . . .

« Que fait ma charmante petite filleule ? Dieu, que je voudrais voir la mère et la fille ! Je les aime toutes deux avec une tendresse incroyable. Quand aurai-je votre portrait ? je l'attends avec une impatience bien vive ; le mien vous arrivera dans peu. Puisse-t-il vous rappeler les traits d'une amie, qui ne se trouvera heureuse que lorsqu'elle pourra vous prouver évidemment qu'elle est et sera à jamais votre tendre et fidèle amie.

« MARIE de Russie, née de Wurtemberg. »

« *P.-S.* Je baise la poussière des souliers de madame Hendel ; que fait mademoiselle Schneider ? Quoique je sois à Czarkozelo, je vous prie de m'adresser mes lettres à Saint-Pétersbourg. »

Je n'hésitais jamais à recommander à madame la grande-duchesse des artistes et des malheureux ; il était bien rare qu'elle me refusât. Elle aime les arts et les protège de sa bonté. Le château de Czarskozelo, où l'impératrice Catherine passe la belle saison, a été construit par la czarine Élisabeth ; elle le préférait à Peterhof, qui paraît cependant être dans une belle situation et avoir de magnifiques jardins. Mais le château d'Oranicnbaum situé à une lieue de Peterhof, est, à ce que je crois, encore plus grand, plus beau et mieux situé. C'est dans cette dernière résidence que Pierre III est mort. Cette catastrophe est trop connue pour que j'en parle[56].

Je reçus aussi de charmantes marques d'intérêt de Stuttgart, bien qu'on y fût fort occupé du passage de S. M. l'empereur Joseph II. Il voyageait sous le nom de comte de Falkenstein. Falkenstein est un fief contigu au comté de Bitche, situé entre la Lorraine et l'Alsace, et que le traité de Ryswick a accordé au duc de Lorraine, grand-père de l'empereur, en même temps que No– mény, Lixheim et Commercy. François I$^{er}$, alors grand-duc de Toscane, se l'était réservé, lors de la cession de la Lorraine à la France, afin de rester membre du corps germanique. Ce comté a été jadis l'apanage de Gérard d'Alsace, premier duc de Lorraine, en 1060. L'empereur fit preuve d'un bon jugement en prenant ce nom ; il devait lui porter bonheur. Le duc de Wurtemberg écrivit à l'empereur pour lui offrir son palais, Sa Majesté refusa et fit répondre qu'elle désirait demeurer à l'auberge.

Le duc alors eut une idée très-heureuse et tout à fait dans son caractère si délicat et si souverainement distingué. Il ordonna à toutes les hôtelleries d'ôter leurs enseignes, et il en fit mettre une énorme à la porte du palais, portant les armes d'Autriche, avec ces mots :

— Hôtel de l'empereur.

Joseph II ne résista pas à une si ingénieuse insistance, il vint chez le duc Charles et y resta plusieurs jours. Il se rendait en France pour y voir la reine, son auguste sœur, visiter Paris et un peu aussi le reste du royaume.

La plaisanterie de l'auberge fut admirablement soutenue à Stuttgart ; lorsque l'empereur descendit à la porte du palais, le duc vint le recevoir en costume d'hôtelier et joua son rôle avec un naturel incroyable. Les personnes de la cour les plus choisies et les plus élevées avaient toutes un emploi, soit à la chambre, soit à l'office ; les plus jolies femmes portèrent le bavolet et le tablier des servantes. L'empereur s'y prêta de bonne grâce et en rit beaucoup. Le lendemain, chacun reprit sa place, et les fêtes commencèrent ; un incident assez drôle signala la présentation des dames.

Madame de ***, je ne me rappelle pas le nom, se présenta dans la salle, pendant que le maréchal de la cour plaçait chacun selon le rang que lui assignait sa naissance. Il vit arriver madame de ***, une Française qu'il n'avait jamais vue, et lui demanda :

— Quelle est votre qualité ?

Surprise de cette question, dont elle ne saisit pas sur-le-champ le but, elle répondit en riant :

— Acariâtre.

— Acariâtre, dit le maréchal de la cour, qui ne connaissait point ce mot, acariâtre ! J'ignore quelle est cette dignité. C'est égal, placez-vous toujours au rang des comtesses.

L'empereur, auquel on raconta l'histoire, en rit beaucoup ; il en plaisanta avec les dames, et leur demandait souvent :

— Laquelle de vous, mesdames, veut monter au rang d'acariâtre ?

Les comtesses se révoltaient, et le pauvre maréchal de la cour eut à subir bien des reproches pour l'assimilation qu'il avait faite.

L'empereur partit de Vienne le 1er avril 1777 et arriva à Stuttgart assez promptement. Il y fut reçu comme je viens de le raconter ; son départ ne fut pas moins singulier que son arrivée. Au moment où le carrosse s'approchait devant la porte du palais, on vit monter à cheval un postillon en vieux surtout et en bottes crottées. L'empereur même le remarqua et dit en riant :

— En voilà un qui n'est pas courtisan, il n'a pas mis son habit des dimanches. Ce doit être un ivrogne, nous lui donnerons un bon pourboire.

Le postillon mena ventre à terre avec une adresse et une agilité merveilleuses. Joseph II en fut enchanté et répéta plusieurs fois :

— Je voudrais avoir un drôle comme celui-là dans mes écuries.

Arrivé à la poste suivante, au moment de changer de relais, Sa Majesté voulut tenir sa promesse et donner un souvenir *sonnant* à celui qui s'était si fort distingué pendant ces quatre lieues. On lui apprit alors que ce postillon était le prince de \*\*\*, et qu'il avait été conduit avec ses chevaux. L'empereur trouva la plaisanterie charmante et remercia l'Altesse, qui se transformait pour lui en coureur de grandes routes.

— L'imitation était parfaite, monsieur, dit-il ; cependant, si j'y avais regardé de plus près, j'aurais découvert le déguisement : vous n'avez pas assez juré.

J'ai eu l'honneur de voir Sa Majesté impériale dans une autre occasion que je raconterai plus tard. Cette fois-ci, je l'aperçus au spectacle ; je dis apercevoir, car dans de pareilles circonstances on ne voit pas. Sa Majesté passa quelques jours à Strasbourg, où par suite de ses idées elle voulut garder l'incognito ; ainsi elle alla le soir même de son arrivée à la comédie. Elle fut reconnue aux secondes loges, dans un coin, applaudie à tout rompre. Le marquis de Vogüé s'empressa de chercher l'empereur et de le supplier de venir dans sa loge ; les applaudissements redoublèrent. Le lendemain, 10 avril, il assista à la parade et vit défiler les troupes sur la place d'armes. Il visita ensuite l'arsenal, les fortifications, les hôpitaux, la cathédrale et le tombeau du maréchal de Saxe. Partout il fut reçu à merveille, comme le frère de notre reine bien-aimée. Elle l'était alors ! Le 11, Joseph II retourna à la comédie ; j'y fis prendre une loge ; toute la noblesse de la ville était là pour lui faire honneur. Nous y retrouvâmes, entre autres, le marquis de Voyer, lieutenant général, commandant d'Alsace, M. de Saint-Victor, lieutenant du

roi à Strasbourg, le chevalier de Saint-Mars, commandant le régiment d'artillerie à Strasbourg, et bien d'autres
personnes encore dont je ne me souviens pas. On jouait
la *Fausse Magie* et le *Barbier de Séville*, cette première
pierre de l'édifice élevé contre nous par Beaumarchais.
Nous avons tous applaudi à notre satire ; nous avons
approuvé et béni les armes qui devaient nous frapper.
J'en dirai mon sentiment en parlant du *Mariage de
Figaro*, mais je n'ai jamais compris la conduite de la
noblesse à cette époque.

Je parle ici de l'empereur pour la première fois, et
nous le retrouverons encore plus loin. C'était un prince
étrange, et peu fait peut-être pour occuper une pareille
place dans un siècle comme celui-ci. Il voulut combiner
le passé et l'avenir, et il manqua les deux buts. Ses
habitudes et sa vie ne ressemblaient à celles de personne. Il couchait sur une paillasse recouverte d'une
peau de cerf ; ennemi du faste, ce qui, jusqu'à un certain point, n'est pas une qualité dans un souverain, il
est de l'abord le plus facile, recherche la franchise et la
vérité, souffre qu'on la lui dise sans voile et sans prétexte. Il est du reste très-fin et d'une pénétration merveilleuse.

Son costume est l'uniforme d'un de ses régiments :
vert, parements et petit collet rouges, veste et culotte
chamois ; d'autres fois il ne porte qu'un simple habit
de drap. J'ai entendu dire à Paris qu'une poissarde, en
lui apportant des bouquets, le complimenta d'une façon
tout à fait philosophique :

— Le peuple qui paye les galons de vos habits est
bien heureux, monsieur le comte.

Assurément cette dame de la halle avait lu Rousseau
et toute l'Encyclopédie. En attendant, le peuple de Paris
serait bien attrapé si la cour se mettait au régime des
habits sans galons ni broderies. Ôtez le luxe à la France,
à sa capitale surtout, et vous tuerez une grande partie
de son commerce ; je dis plus, vous lui ôterez une

grande partie de sa suprématie en Europe. Si les modes ne venaient pas de Paris, d'où viendraient-elles, je le demande ?

À son arrivée à Paris l'empereur fut enseveli sous les discours, les vers, les dédicaces, les placets, toutes les flatteries et toutes les vérités imaginables. On remarqua l'impromptu de l'abbé Delaunay :

> *Quel est ce voyageur dont les simples dehors*
> *Annoncent la bonté d'un grand qui s'humilie ?*
> *Au digne emploi qu'il fait du temps et des trésors,*
> *Toujours il se dévoile... et jamais ne s'oublie.*

Je n'aime pas beaucoup ces vers ; à mon avis ils renferment un contre-sens. *Le grand qui s'humilie* ne me plaît pas, ou bien alors *il s'oublie* ; il n'y a pas de milieu. Je ne suis qu'une Allemande, mais ce français-là ne me paraît pas très-régulier.

En voici d'autres :

### CORTÈGE DE L'EMPEREUR

> *La bienséance le précède,*
> *La modeste vertu se tient à son côté,*
> *À la vertu l'humanité succède ;*
> *Et la marche finit par l'immortalité.*

Tout cela ne vous semble-t-il pas bien philosophique pour un empereur d'Allemagne ?

On a aussi beaucoup cité sa réponse à un seigneur qui lui reprochait de trop se confondre avec le peuple dans les endroits publics :

— Si je ne voulais voir que mes égaux, je devrais me renfermer avec mes ancêtres au couvent des Capucins, où ils reposent.

Cela me paraît très-orgueilleux, et plus spécieux que profond. On peut voir et étudier les vivants, tout empereur que l'on soit, et il y a un vaste terrain à explorer entre le forum et le cimetière.

Le comte de Falkenstein partit de Paris le 31 mai 1777. Il visita successivement Rouen, Dieppe, le Havre, Caen, Saint-Malo, Brest, Saumur, Nantes, Tours, la Rochelle, Bordeaux, Fontarabie, Saint-Jean-de-Luz, Saint-Sébastien, Bayonne, Toulouse, Béziers, Montpellier, Marseille, Toulon et Lyon. Il trouva dans cette dernière ville le comte d'Oland (le duc d'Ostrogothie), frère du roi de Suède. Les deux princes, dit-on, se convinrent assez peu.

Parti de Lyon le 12 juillet, le comte de Falkenstein arriva à Genève, se rendant à Vienne, par la Suisse et Fribourg en Brisgau. Il reçut à Genève la visite du professeur de physique, M. de Saussure, qui fit en sa présence plusieurs expériences d'électricité. Il prit ensuite la route de Bâle.

M. de Voltaire espérait fort que ce prince philosophe ne passerait pas aussi près de sa retraite sans s'y arrêter. Mais M. de Voltaire ne connaissait pas Joseph II. Il le croyait comme lui friand d'honneurs, avide d'étiquette, et il fit des préparatifs immenses, voulant sans doute mettre en action la fameuse devise de son église de village :

*Voltaire à Dieu.*

Il comptait apparemment dire cette fois :

*Voltaire à l'empereur,*

afin de mettre sur le même pied vis-à-vis de lui les puissances du ciel et celles de la terre. Joseph de Lorraine *flaira* cette *séance* académique et passa outre. Cependant sa voiture a rasé la terrasse du château. Les postillons, gagnés, répétaient incessamment en faisant claquer leurs fouets ;

— Voilà le château de Ferney, voilà M. de Voltaire.

Le comte de Falkenstein ne voulut point entendre, et tourna la tête d'un autre côté. M. de Voltaire en fut au désespoir, et fit mille contes qui se colportèrent pour consoler son amour-propre. Il prétendit que Sa Majesté impériale avait eu beaucoup d'humeur de ce qu'un officier genevois avait eu l'indiscrète curiosité de suivre son carrosse à cheval pendant trois lieues, sans se retirer de la portière, quoi qu'il pût faire pour l'empêcher.

L'empereur arriva à Schœnbrunn le I$^{er}$ août, de retour de son voyage et disposé à en faire un autre.

Peu de temps après le passage de l'empereur, il arriva à Colmar un événement mystérieux dont toute l'Alsace s'occupa.

Le 7 mai 1777 le bourreau de Colmar fut mis en prison pour s'être absenté sans congé. Les magistrats l'interrogèrent à plusieurs reprises, et voici ce qu'il répondit :

Un soir de la fin d'avril, il était chez lui, tout seul, sa femme et ses aides étant sortis. Il s'occupait à quelques-unes des nécessités de sa profession, c'est-à-dire qu'il raccommodait quelques menottes ou quelque gibet, lorsqu'on frappa à sa porte. Il n'hésita pas à ouvrir. Le bourreau est peu craintif ; il reçoit peu de visites, et, hors les ministres de la loi, personne n'approche de cette maison maudite. Trois hommes enveloppés de manteaux se présentèrent ; un carrosse, arrêté à quelque distance et entouré de cinq ou six autres, avança lentement. Le bourreau vit tout cela ; il s'en étonna, mais ne s'en effraya point.

— C'est vous qui êtes l'exécuteur des hautes œuvres ? demanda l'un des étrangers.

— Oui, monsieur.

— Êtes-vous seul ? Nous désirons vous parler d'une chose fort secrète.

— Je suis absolument seul ; entrez, messieurs.

Il les prit pour les envoyés de quelque juridiction voisine, et s'effaça pour leur livrer passage ; mais il n'avait pas achevé sa phrase, que ces hommes se jetèrent sur lui, lui administrèrent une *poire d'angoisses*[57], lui lièrent en un clin d'œil les bras et les jambes, de façon à l'empêcher de faire le moindre mouvement, et l'emportèrent dans la voiture, où ils montèrent après lui. La portière se referma, les gens de l'escorte sautèrent à cheval, tout cela partit au grand galop. Tous gardèrent le silence tant qu'on fut dans la ville ; lorsqu'ils roulèrent sur la terre et que le bruit permit de s'entendre, celui qui avait déjà parlé toucha le bras de l'exécuteur.

— Écoute, lui dit-il, et ne crains rien, il ne te sera fait aucun mal. Tu as été enlevé pour accomplir un grand acte de justice. Nous répondons de toi, pourvu toutefois que tu n'essayes point de fuir, pourvu encore que tu ne cherches à pénétrer ce que tu ne dois pas connaître. On ne répondra à aucune de tes questions, on te donnera tout ce dont tu auras besoin, on te ramènera chez toi, ta tâche accomplie, et tu recevras deux cents louis pour t'être dérangé de tes occupations.

Le bourreau respira, quoiqu'il ne fût point à son aise. On n'en voulait pas à sa vie, c'était beaucoup. Il eût pourtant bien désiré qu'on lui rendît l'usage de ses membres et de sa langue, ce qui eut lieu peu après.

— On va t'ôter tes liens et la poire d'angoisses, continua la même voix, on t'ôtera même ton bandeau pendant la nuit ; le jour on te le mettra de nouveau ; mais c'est à la condition que tu obéiras en tout à nos ordres, que tu ne prononceras pas un mot ; au premier cri, tu es mort.

Il sentit deux canons de pistolets et un poignard appuyés sur sa poitrine, et il comprit suffisamment qu'un seul parti était à prendre, celui de la soumission. Dès qu'on lui eut ôté son bâillon, il jura par tous les serments possibles de ne rien faire contre le traité proposé, d'accepter toutes les conditions, et de consentir à tout ce qu'on exigerait de lui.

— Bien. Tu n'as rien à craindre, alors.

À dater de ce moment, pas une parole ne fut prononcée ; la voiture roulait toujours, et très-vite. On relayait souvent, les chevaux étaient préparés d'avance, et jamais, à ce que crut le bourreau, dans les endroits habités. Les stores du carrosse étaient fermés hermétiquement ; pourtant, quand le jour revint, on banda de nouveau les yeux du prisonnier, et on lui répéta les mêmes menaces, au cas où il tenterait même de soulever le bandeau. Du reste, on le traita bien ; les coffres renfermaient de bons vins et d'excellentes provisions, dont il eut sa part comme les autres. Lorsqu'il était nécessaire de descendre, c'était toujours dans quelque forêt et dans quelque endroit désert, qu'il ne pouvait ni reconnaître ni remarquer. Il lui sembla qu'on avait passé le Rhin, et qu'il gravissait les montagnes. Le soir du deuxième jour (ils montaient depuis longtemps), on s'arrêta à une porte ; il entendit crier une herse et descendre un pont-levis ; on passa sur un fossé d'une grande profondeur : la sonorité du bruit des roues le lui révéla. Bien que la nuit fût complète, on lui avait remis son bandeau. Les chevaux tournèrent dans une vaste cour, la portière s'ouvrit, deux hommes soutinrent le bourreau par les bras, lui firent monter plusieurs marches ; il entendit retomber autour de lui comme des pertuisanes ou des crosses de mousquets.

— Laissez-vous conduire ! reprit une voix inconnue, car il hésitait.

— Souviens-toi de ta promesse ! ajouta son compagnon de voyage, nous tiendrons toutes les nôtres.

Il lui sembla entrer dans un grand vestibule, puis il traversa plusieurs pièces, vastes, noires et voûtées, très-certainement ; enfin on l'introduisit dans une salle immense, et là on lui ôta son bandeau. Cette salle était tendue de noir du haut en bas ; quelques torches l'éclairaient à peine. Des hommes, en costume de magistrats, étaient assis à l'entour sur des espèces de chaises ; ils n'avaient point de masques, mais la lumière était si faible, qu'il était impossible, à la distance où ils se tenaient, de distinguer leurs traits.

À peine le bourreau était-il entré, qu'une femme voilée fut amenée de l'autre côté. Elle était grande, élancée, et certainement jeune. Une longue robe de velours violet, faite comme celle des religieuses, la couvrait tout entière. Elle resta immobile au milieu du cercle, les bras cachés dans les manches, la tête haute, pourtant. Celui qui semblait présider l'assemblée se leva.

— Nous t'avons envoyé chercher, dit-il en allemand, que le bourreau, comme tous les Alsaciens, comprenait, malgré la différence du dialecte ; nous t'avons envoyé chercher pour exécuter une sentence rendue contre cette femme, afin que cette punition fût ignorée de tous, comme le crime qui l'a provoquée. Tu vas remplir tes fonctions, tu vas décapiter cette créature, que les lois humaines ne pouvaient atteindre, et qui est cependant coupable d'un crime irrémissible.

Le bourreau, tout bourreau qu'il fût, était un honnête homme ; il tuait pour le compte de messieurs de Colmar, avec un arrêt signé d'eux, enregistré, paraphé, revu par les gens du roi, avec le grand sceau de la ville et les sceaux fleurdelisés. Ici c'était tout autre chose ; il s'agissait, à ses yeux, d'un assassinat, car il ne pouvait reconnaître l'autorité de ces étrangers, dont le visage même restait pour lui une énigme ; il réunit donc tout le courage de sa conscience, et répondit d'un ton assez ferme :

— Je ne ferai point cela.

Un cliquetis d'épées se fit entendre autour de lui, et lui donna à penser que les robes des juges n'étaient pas aussi pacifiques qu'elles en avaient l'air. Il jeta les yeux sur la condamnée, du reste immobile comme si ce débat eût été pour elle dénué de tout intérêt.

— Tu as promis d'obéir, répéta la voix de celui qui l'avait enlevé, et tu t'es soumis à notre vengeance, si tu reprenais la parole donnée.

— J'ai cru qu'il s'agissait d'un jugement secret, mais régulier. Je ne suis point un assassin. Messieurs, qui que vous soyez, je n'accepte pas votre mandat, je ne toucherai pas à un cheveu de cette femme. D'ailleurs, qu'a-t-elle fait ?

Le président sembla consulter ses collègues du regard, puis il se releva vivement, et s'écria d'une voix tonnante :

— Tu demandes ce qu'a fait cette femme ? Je puis te le dire, et alors tes cheveux se dresseront d'horreur sur ta tête ; alors, tu n'hésiteras plus à devenir l'instrument de notre justice, alors...

— Assez, interrompit la femme, en étendant vers lui son bras, assez ! Vous pouvez me faire mourir, mais vous ne pouvez pas, vous ne devez pas révéler à un homme de cette espèce, ce que vos oreilles ont entendu. Si je suis coupable, punissez-moi ; je me soumets, c'est plus que vous n'avez le droit d'attendre.

Le silence succéda à cette altercation, un silence solennel, glacial, interrompu seulement par le balancier d'une grosse pendule invisible, et qui tout à coup sonna onze heures.

— Il n'y a pas un instant à perdre, recommença le chef ; obéis. On lui présenta un glaive fort large et très-affilé, assez semblable à ceux des exécuteurs, en Suisse.

— Non, répéta-t-il ; non, faites vous-mêmes, puisque vous condamnez sans titre, exécutez vos sentences.

La victime ne fit toujours pas un mouvement.

— Écoute, dit son premier interlocuteur, tiens-tu à la vie ?

— Oui, pour ma femme et pour ma petite fille, qui n'auraient plus un appui au monde si je leur manquais.

— Eh bien ! choisis ; lorsque l'horloge sonnera le quart, si cette femme n'a pas été décapitée de ta main, tu mourras d'un coup de pistolet tiré par la mienne.

— Eh ! que ne la tuez-vous, alors, si vous vous rési-
gnez ainsi à devenir assassin ?

Le juge frémit sous sa longue robe.

— C'est à toi de choisir, continua-t-il.

Le bourreau avait résisté de tout son pouvoir ; il
commençait à avoir peur, tout brave homme qu'il fût,
et l'attitude de ses persécuteurs lui parut plus effrayante
qu'auparavant. Il se résolut pourtant à faire bonne
contenance, tant qu'il pourrait. Le balancier marchait
toujours ; chaque coup retentissait dans le cœur du
malheureux, placé entre le crime et la mort. Un silence
morne régnait dans cette salle ; tous étaient immobiles,
surtout celle qui fournissait le sujet de la tragédie. Le
bourreau se mit à prier en lui-même ; il invoqua la
Vierge et les saints, car il était catholique ; le résultat
de la prière fut qu'il s'écria :

— Tuez-moi si vous voulez, je n'obéirai point.

— Tu as encore dix minutes pour te décider, répliqua froidement le juge.

Le même silence régna, toujours interrompu par ce
balancier inflexible, mesurant la vie de chacun, des
heureux comme des misérables. C'était une terrible
scène que celle-là. La femme ne faisait pas un mouvement, lorsque le quart sonna, ce coup de cloche de
l'éternité pour elle, elle ne releva même pas la tête, elle
était ou bien innocente, ou bien endurcie. Sur un signe
du principal personnage, deux subalternes s'avancèrent
vers l'exécuteur et lui présentèrent le glaive. Il secoua
la tête, et le repoussa de la main, sans avoir la force de
parler. Le président prépara son pistolet, il le vit et
devint plus pâle encore.

— Mon Dieu, pensa-t-il, voulez-vous que je laisse
ici-bas une veuve et un orphelin ?

Soit que cette idée le rattachât à la vie, soit que ses
forces de résistance fussent épuisées, en face de l'arme
braquée sur lui, il céda.

— Je consens, je consens.

Ces mots, dits d'une voix basse et étranglée, s'entendirent pourtant dans toute la salle. Il prit le glaive, et
le toucha de son pouce, pour s'assurer qu'il était bien
affilé ; il fit ensuite deux pas en avant. La condamnée
restait debout et ne s'agenouilla pas.

— Ne lui donne-t-on pas un prêtre ? dit-il tout à
coup en s'arrêtant.

— Remplis ton office, lui fut-il répondu, et ne t'inquiète pas du reste.

— Je ne puis exercer ainsi, il faut que cette dame
soit liée.

— Liée, moi ! s'écria-t-elle avec une indicible fierté.

— Attachez les mains de cette femme ! dit la voix
impassible du justicier.

Deux hommes s'avancèrent ; elle se redressa de toute
sa hauteur :

— Osez-vous bien ?

Ces mots arrêtèrent les deux domestiques, ou du
moins ceux qui en remplissaient les fonctions.

— Obéissez-moi, reprit le président.

En quelques secondes, la femme fut attachée à un
billot qu'on venait d'apporter ; son voile relevé à l'endroit du cou, elle cessa de résister dès qu'elle se vit com-
primée, et redevint immobile.

— Frappe, ou…, répéta le juge, dirigeant de nouveau
son pistolet.

Une sorte de vertige s'empara du bourreau, soit
l'amour de la vie, soit la crainte, soit peut-être cet eni-
vrement qui, dit-on, domine les hommes dans certaines circonstances, il leva son sabre, et frappa un coup
dont la violence sépara la tête du corps, sans qu'il y eût
besoin d'y revenir à deux fois. Il laissa ensuite tomber
son arme, et lui, cet homme de fer, accoutumé au sang,
servant depuis vingt ans de ministre à la justice
humaine, il tomba de toute sa hauteur, évanoui près
de la victime qu'il avait sacrifiée. Quand il revint à lui,
il était de nouveau enfermé dans le carrosse, le bandeau

sur les yeux, enveloppé d'un manteau qui cachait ses habits maculés, et dès qu'il reprit ses sens :

— Voilà ton salaire, lui dit celui qui l'avait amené ; on l'a doublé, parce que tu es un honnête homme.

Le retour se passa de la même manière ; le quatrième jour au soir, il était chez lui. Seulement, on le laissa sur le bord de l'Ill, dans une prairie proche de sa demeure. Il retrouva sa femme bien inquiète, et les magistrats furieux. Ce que je viens d'écrire est copié à peu de chose près sur sa déposition. On nous la lut à cette époque à Strasbourg, chez M. le lieutenant général, et j'obtins la permission d'en prendre un double. La justice de Colmar fit les recherches les plus actives, et ne découvrit rien. On n'en sut jamais davantage.

Je trace mes souvenirs sur des notes que j'ai prises à cette époque des événements les plus importants, et des choses que je voulais me rappeler. J'y trouve un concert donné par une madame Hizelberg, cantatrice allemande, se rendant à Paris. Elle est première chanteuse du prince-évêque de Franconie. Je ne sais si elle a eu du succès, mais à Strasbourg elle a inspiré peu d'enthousiasme. Il y avait cependant beaucoup de monde à ce concert, et je me rappelle que les femmes élégantes portaient des chapeaux relevés avec des plumes à la Henri IV. J'étais charmée et contente, j'avais appris le matin même la naissance d'Alexandre Paulowitz[58] et l'heureuse délivrance de ma chère princesse, le 20 décembre 1777. Elle m'avait écrit peu de temps avant et daignait être satisfaite d'un déshabillé que j'avais pris la liberté de lui offrir à l'occasion de son jour de naissance. Voici cette lettre :

Le $\frac{7}{18}$ novembre 1777.

« Ma chère et charmante Lanele ! Recevez mille tendres remercîments, ma chérissime amie, pour vos chères lettres et pour le charmant cadeau que vous avez eu la bonté de me faire pour mon jour de naissance : attention charmante, qui m'a fait le plaisir le plus sensible. Aussi, mon ange, depuis que j'ai ce charmant déshabillé, je n'en porte plus d'autre. Vous voilà donc de retour à Strasbourg. Dieu veuille qu'alors vous jouissiez de la tranquillité et du bonheur que je vous souhaite, et vous serez contente ; tout ce que vous me dites de la chère petite Marie, me fait grand plaisir, bientôt j'en pourrai dire autant. Nos enfants seront amis autant que nous le sommes, chère Lanele, c'est du moins ce que je souhaite beaucoup. Ma santé est, grâce à Dieu, bonne, je compte faire mes couches à la mi-décembre, peut-être à la fin ; je m'en remets à la divine Providence. Vous savez déjà sans doute que le tableau de M. de Mecheln est arrivé heureusement, et qu'il a trouvé approbation. Je lui ai écrit pour remercier et pour lui demander où il veut qu'on adresse le paiement qui se fera au mois de janvier. Ayez patience, ma chère amie, vous aurez mon portrait, et j'espère qu'à la fin il réussira, puisque je viens de déterrer un peintre qui promet monts et merveilles.

Adieu, mon ange, pardonnez, que ma lettre est courte, j'ai beaucoup à écrire aujourd'hui, et je vous avoue que c'est la seule chose qui m'incommode, puisque tout le sang se porte à la tête. Le plus adorable, le plus dévoué, le plus cher des maris vous fait ses compliments, pour moi je vous embrasse de tout mon cœur et suis à jamais

Votre tendre et fidèle amie,
MARIE. »

« Mes compliments à votre mari. Écrivez-moi souvent, mon ange, j'ai un peu besoin de distractions. »

La translation du corps du comte de Saxe[59], du Temple Neuf à celui de Saint-Thomas eut lieu le 20 août 1777. Les quatre coins du drap funèbre étaient portés par le baron de Wurmser et les comtes de Vaux, de Waldner et de Lausnitz, tous quatre lieutenants généraux. La princesse Christine de Saxe avec sa cour représentait sa famille. Le baron de Gore, son chevalier d'honneur, portait le cœur du maréchal dans une boîte d'or.

1778. Parmi les lettres que je reçus de mon illustre amie, en voici une qui prouve que son affection influe sur son auguste époux, qui, comme on va le voir, est on ne peut pas plus aimable pour moi.

« Czarkozelo, le $\dfrac{28 \text{ avril}}{9 \text{ mai}}$ 1778.

« Ma bien chère, ma bien bonne amie, chère Lanele, je ne saurais vous dépeindre combien votre charmante lettre du 15 avril m'a fait plaisir, et combien je suis charmée et en même temps flattée de savoir que vous m'aimez, et que la longueur de l'absence et l'éloignement n'ont porté nulle atteinte à l'amitié que vous avez pour moi. Je vous embrasse mille fois, pour vous remercier des sentiments que vous me témoignez, chère Lanele, et pour vous dire que mon cœur vous rend sincèrement la pareille, *und dass ich Lanele von ganzem Herzen liebe*[60]. En me faisant montrer dernièrement la liste de mes lettres, je n'en ai pas trouvé une dans laquelle je vous parlais de ce jeune M. de Hahn ; je crains alors qu'elle ne se soit perdue. Je vous dirai donc encore ce que j'ai pu faire. Le grand-duc veut le prendre dans son régiment, à condition qu'il consente à entrer un grade plus bas qu'il n'est présentement ; ce qui se fait toujours ici, lorsqu'un officier étranger entre au service. Il sera surnuméraire pendant quelque temps, et le grand-duc promet que, s'il se conduit bien et qu'il aime le service, certainement il en aura soin et il fera son chemin.

(Les lignes qui suivent sont de la main de Son Altesse impériable le grand-duc Paul.)

« L'amitié que ma femme a pour vous, madame, m'offre une occasion favorable de me rappeler à votre souvenir et de vous prier de croire que les sentiments que ma femme a pour vous se sont communiqués à moi, et que je ne désire que pouvoir vous le prouver par quelque chose, étant à tout jamais votre affectionné,

« *Signé* : PAUL. »

« Le grand-duc entre dans ma chambre, me demande à qui j'écris. Je dis que c'est à Lanele. À Lanele ? me répond-il, et vite il m'ôte la plume, pour vous écrire cette couple de lignes, et moi, sachant que cela vous fera plaisir, je me laisse ôter plume et papier, et j'attends patiemment qu'il ait fini pour prendre de nouveau mon tour. J'en reviens donc à M. de Hahn ; s'il accepte ces propositions, son départ dépend absolument de lui... Adieu, chère amie, écrivez-moi bien souvent, et comptez sur votre tendre et fidèle amie.

« *Signé* : MARIE. »

Encore une recommandation, on le voit. Je n'en perdais guère l'occasion, et j'étais presque toujours écoutée. Ces lettres me rendaient bien heureuse, on le conçoit. Ma respectueuse affection pour cette bien-aimée princesse était un des plus chers sentiments de mon cœur.

J'étais alors tout à fait rétablie, et, pour célébrer ma convalescence, M. d'Oberkirch donna un dîner où se trouvaient, avec notre famille et les amis déjà connus, plusieurs personnes dont je n'ai pas parlé, entre autres M. d'Aumont, chef de la brigade du génie, homme de beaucoup d'esprit et d'instruction. Il était en outre de la meilleure compagnie ; nous l'aimions fort et le voyions souvent. Nous avions encore le baron de Lort,

maréchal de camp et lieutenant du roi à Strasbourg ;
puis le baron de Flachsland, neveu de la douairière
de Berckheim, nommé brigadier des armées du roi, le
même jour que mon oncle le commandeur de Waldner :
il l'a remplacé depuis comme colonel du régiment de
Bouillon. Il y a deux branches de Flachsland, celle de
la haute Alsace et celle de la basse. La première n'est
pas comprise au corps de la noblesse de basse Alsace ;
la seconde a résidé à Saverne, et ils étaient seigneurs de
Schaffhausen et de Mackenheim. M. de Flachsland est
fort distingué de toutes les façons ; il a le plus grand
air du monde et un port de tête tout à fait militaire. Il
dînait souvent chez moi.

Presque aussitôt après le dîner, nous allâmes faire
une visite à mon oncle. Il arrivait de Landau où son
régiment de Waldner-Suisse était en garnison. Il en
avait ramené plusieurs officiers : M. de Chateauvieux,
lieutenant-colonel ; M. de Wech, major ; le baron de
Roll, le comte de Paravicini, le baron de Thurn, capitaine ; M. Reizet, lieutenant, chevalier de Saint-Louis.
Mon oncle recevait beaucoup de monde à Ollwiller, et
menait grand train. Il tenait pour ainsi dire table
ouverte, et ses chevaux, ses voitures, ses équipages de
chasse, annonçaient des habitudes de grand seigneur.
Le comte de Waldner passait les hivers à Paris et les
étés à Ollwiller. La cour et la ville venaient l'y visiter :
M. de Choiseul (le ministre), madame la duchesse de
Gramont, M. de Stainville[61] et mille autres. Ollwiller
était meublé somptueusement, il y avait trente appartements de maîtres, grande chère, jeux et divertissements de toute sorte.

Tous les dimanches, après la parade, le prince Max
de Deux-Ponts[62], colonel du régiment d'Alsace, partait
en poste avec plusieurs officiers, et ils venaient passer
la journée du lundi à Ollwiller. On leur faisait grande
fête ; tous les environs étaient priés. On jouait assez
gros jeu et l'on chassait d'ordinaire. Le prince Max était

un bourreau d'argent ; le roi Louis XVI avait payé ses dettes, et il en faisait toujours de nouvelles. C'était ce que les hommes appellent un bon vivant. Il aimait la chasse, la table, et, dit-on, les filles d'Opéra, ce qui ne l'empêchait pas d'avoir de grandes manières et d'être du meilleur air à la cour et dans les salons. Il racontait à merveille les choses les plus drôles et les plus diffi- ciles à faire écouter. Le lundi que nous passâmes ensemble à Ollwiller, il fut d'une folie incroyable. Il nous contrefit tout le monde : les acteurs connus, les personnages célèbres, entre autres M. de Voltaire, mort peu de mois auparavant. Il savait toutes les anecdotes légères, l'histoire des demoiselles les plus à la mode et la généalogie de leurs amants. Il nous fit écouter tout cela sans que nous y trouvassions d'inconvenance, tant il était amusant.

L'uniforme de son régiment d'Alsace était tout à fait joli : habit bleu, veste et culotte blanches, collet, pare- ments, revers, doublures rouges, chapeau bordé d'ar- gent. Il avait la meilleure tournure vêtu ainsi. Le prince Max valait infiniment mieux qu'il n'en avait l'air et qu'il ne voulait le laisser croire. Je sais de lui des traits qui l'honorent. Il aimait beaucoup mon frère Godefroy, aide de camp de mon oncle, et le lui prouvait par toute espèce d'attentions.

On avait envoyé à mon ordre une brochure qui nous intéressa beaucoup et que nous lûmes en famille dès que le prince Max et tous ses brillants états-majors nous eurent quittés. Elle était intitulée : *Dialogues sur l'état civil des protestants de France*. C'est un corollaire de la proposition faite au Parlement en leur faveur. Bien que nous fussions désintéressés dans la question en Alsace, puisque nous jouissions des privilèges particuliers[63] accordés lors de la réunion à la France, nous nous en occupions beaucoup. M. Necker employa toute sa faveur et y mit un grand zèle, sans pouvoir réussir à cette époque. [Quand donc, mon Dieu, prendront fin ces discussions et ces querelles et quand donc chacun pourra-t-il jouir d'une totale liberté de conscience ?]

# CHAPITRE VI

J'étais depuis longtemps absente de Montbéliard ; j'y retournai avec un grand plaisir. L'illustre famille qui y résidait était devenue nécessaire à mon bonheur ; je ne pouvais me passer d'elle, et puis madame la duchesse me réclamait pour parler de sa fille chérie, pour en parler comme elle le sentait elle-même, et mieux que tout autre j'étais à même de la comprendre. M. d'Oberkirch ne vint pas avec moi, mais il vint m'y rejoindre.

La première chose que l'on me fit voir, ce fut le nouvel hôtel de ville, remplaçant celui qui avait été démoli deux ans auparavant. Il a coûté plus de quatre-vingt mille livres, et fait beaucoup d'honneur à M. Laguépierre qui l'a construit. Le magistrat y avait tenu séance la veille pour la première fois. Je vis avec plaisir qu'on avait conservé les anciens vitraux, et qu'on les avait replacés avec soin. Ils portent les armes de Montbéliard, et produisent un très-bon effet dans les salles.

Lorsque j'arrivai, malgré la saison avancée, Son Altesse royale était aux *Rêveries*, charmant lieu de plaisance qu'elle s'était créé sur la route de Delle, qui conduit d'abord à Étupes et à Exincourt, à l'entrée du petit bois de Sochaux. [Les ducs de Montbéliard possèdent plus de vingt mille acres de forêts, six mille environ dans le comté de Montbéliard, six mille dans la seigneurie de Blamont, Clémont, Châtelot et Héricourt ; cinq mille dans celle de Horbourg et Riquewihr, deux mille à Clerval, Grange et Passavant. On voit par là que la princesse avait le choix pour une retraite ; il s'était fixé sur ce charmant petit enclos.] Le mur du midi est caché par des plantations et par une rangée de peupliers qui bordent la route. Au nord, les *Rêveries* sont entourées par un canal qu'alimentent les eaux de l'*Allan* et de la *Savoureuse*. Le bosquet est orné de statues et de vases ; on y trouve mille sentiers tournants, des fleurs, des ruisseaux, de charmantes pelouses, dans le pavillon, deux cabinets pour se reposer, et un salon.

La princesse aimait beaucoup ce lieu, et elle y allait souvent. Mon parti fut bientôt pris de l'y surprendre ; elle ne m'attendait pas. Je résistai à toutes les observations, et, par un beau soleil de novembre, je me mis en route. Son Altesse royale poussa un cri en me reconnaissant, et vint à moi les bras ouverts. Son premier mot fut pour sa fille. Ma subite apparition lui fit craindre une mauvaise nouvelle. La grande-duchesse de Russie était grosse pour la seconde fois, et s'en effrayait beaucoup ; elle nous l'avait écrit à tous. J'eus bien de la peine à rassurer sa mère. Enfin, lorsqu'elle fut bien certaine que je venais seulement pour la voir et passer quelque temps avec elle, elle eut la bonté de s'en montrer joyeuse et de m'en remercier.

— En récompense de votre visite, chère Lanele, je vous apprendrai, moi, une bonne nouvelle : le comte Sigismond de Wurmser vient d'être nommé lieutenant général par l'empereur Joseph II.

C'était, en effet, une bonne nouvelle, et j'aurais voulu l'apprendre de suite à mon père qui en aurait été charmé. Le comte de Wurmser[64], notre parent, suivit son père en Autriche, quelques années auparavant. Son éclatante bravoure s'était montrée, dès sa première jeunesse, au service de France. D'abord capitaine de cavalerie dans Royal-Allemand, puis lieutenant-colonel de Royal-Nassau, à la création de ce régiment en 56, il fut blessé l'année suivante à la bataille de Rosbach. Brigadier et colonel des volontaires de Soubise en 61, il a encore été blessé près de Friedberg en 62. Plus tard il leva un corps de hussards de son nom, avec lequel il passa au service de l'impératrice-reine. Elle lui donna, dès son début, la clef de chambellan, et depuis le créa comte du Saint-Empire et général-major. Il était adoré des soldats, par sa bonté et sa générosité ; son caractère chevaleresque fait le plus grand honneur à son nom. Nous l'aimions fort dans la famille ; on assure qu'il ira très-loin dans la renommée.

Nous parlâmes deux jours de cette nomination, et nous en fûmes distraits par un envoi de musique que je fis venir pour l'offrir au grand-duc de Russie qui en raffolait. [Nous déchiffrâmes toutes les partitions avant de les emballer. Quelle cacophonie ! Chacun chantait son air personnel, le prince se bouchait les oreilles et nous riions de tout ce tapage. Madame la duchesse était triste : « Cela me rappelle ma Dorothée et la musique que vous faisiez ensemble. Vous souvenez-vous de la partie de colin-maillard le jour de l'arrivée du prince régnant ? »] Nous soupirâmes toutes deux, en pensant que ces feuilles de papier retrouveraient celle dont nous pleurions sans cesse l'absence, et que nous ne reverrions pas de longtemps, jamais peut-être.

Cette musique fit plaisir à S.A.I. apparemment, car elle me valut la charmante lettre que voici :

« Saint-Pétersbourg, ce $\frac{9}{14}$ février 1779.

« Madame, je suis bien reconnaissant pour la musique que vous avez bien voulu m'envoyer. Je n'ai pas eu occasion de l'entendre, mais je suis sûr qu'elle ne peut manquer d'être agréable par la conviction que j'ai du goût de celle qui l'a choisie. D'ailleurs, madame, vous avez un titre bien puissant pour ajouter au prix des choses, qui est le titre d'amie de celle qui fait tout mon bonheur ; avec ce titre, vous êtes sûre de la réussite avec moi. Je suis au désespoir, madame, de voir que l'aventure du baron de Hahn a pu vous causer du déplaisir, et que vous ayez pu croire que son étourderie ait fait une impression quelconque, par rapport à la personne qui l'a recommandé. Si j'ai raison d'être fâché de cette aventure, ce n'est qu'eu égard au déplaisir qu'elle a pu vous faire, et que vous me marquez dans votre lettre, madame. D'ailleurs, j'ai déjà une lettre de M. de Hahn, où il est tout repentant. Qu'il ne soit plus question de cette aventure, et permettez-moi de me dire votre fidèle.

« *Signé :* PAUL. »

Mon protégé était le jeune baron de Hahn. On a vu que la baronne de Hahn, née de Lieven, femme du baron de Hahn, colonel de cavalerie, avait représenté au baptême de ma fille madame la landgrave de Hesse-Cassel comme marraine. Ce jeune homme, frère cadet du colonel, était major au service de France, il désira entrer à celui de Russie. J'écrivis à madame la grande-duchesse, on a vu sa réponse. M. de Hahn ne voulut pas accepter la condition, et me mit par là dans la position la plus désagréable. Il devait cependant savoir que c'était la coutume. Tout le monde trouva ce procédé très-mauvais de sa part ; j'écrivis au grand-duc pour lui en faire mes excuses. Voici une lettre que madame la grande-duchesse m'écrivait à ce sujet :

Le $\frac{8}{19}$ décembre 1778.

« Ma chère et charmante Lanele que j'aime de tout mon cœur, premièrement je vous embrasse de tout mon cœur, secondement je vous remercie mille fois pour vos jolies lettres, et troisièmement j'ai le chagrin de vous annoncer que votre M. de Hahn s'est conduit aussi ridiculement que possible. Je vais vous faire le détail, ou plutôt l'énumération de ses fautes. L'instant que nous savons son arrivée, nous lui fixons le jour pour qu'il vienne dans nos chambres intérieures. Nous le recevons le plus poliment possible ; après bien des questions qui regardaient ma chère Lanele, nous entrons en matière. Il débute par dire qu'il était major, et qu'il désirait beaucoup entrer comme capitaine ; là-dessus nous lui représentons qu'il était engagé comme lieutenant surnuméraire, mais qu'il n'y perdrait rien, et que certainement nous aurions soin de lui. Il allègue son peu de fortune. Nous lui demandons à combien montent ses revenus, il nous dit à cent ducats, nous lui jurons qu'il serait le plus riche de tout le régiment ; tout cela n'est de rien, et il finit par dire tout bonnement que des affaires de famille pressantes exigeaient son retour. Très-stupéfaits de cette réponse, nous lui disons que pour ne rien précipiter, nous lui donnerons quelques jours pour y réfléchir. Ces jours passés il revient, et dit qu'absolument il ne peut pas servir, et que ses affaires de famille le rappelaient chez lui. Nous l'avons exhorté, nous lui avons dit que cette conduite vous déplairait bien fort, mais il est toujours resté ferme dans sa volonté, et il est parti ; et avouez, mon cœur, que ce jeune homme en a agi très-inconséquemment. Il m'avait porté une lettre de ton frère. Je vous envoie ci-joint ma réponse, sous cachet volant, pour que vous puissiez la lire. Vous y verrez que j'y ai fait dire les choses de la manière la plus polie que possible.

« J'aurais ardemment souhaité de me trouver au dîner que vous avez donné à mon adorable père, j'aurais embrassé les genoux du cher papa et je me serais jetée au col de ma chère Lanele. Adieu, mille et mille fois je suis,

> « Tout à toi,
> « votre fidèle amie,
> « MARIE. »

« Envoyez-moi de grâce les excuses que ce jeune homme alléguera. »

Je passai l'hiver à Strasbourg, et j'y étais le 11 mars, au moment de l'intronisation du prince Louis de Rohan[65], succédant au siège du cardinal Constantin, son oncle, dont il était le coadjuteur. C'était un fort grand seigneur, pour qui les domaines de l'évêché en France et en Allemagne n'étaient, disait-il, qu'une bague au doigt. Quel anneau pastoral ! Son chapitre, composé de douze chanoines et de douze domicellaires, alla le recevoir à la porte de sa splendide cathédrale. Né en 1734, jeune encore par conséquent, il était fort beau sous ses riches ornements. Je l'ai souvent rencontré, et j'aurai occasion d'en reparler encore.

Je retournai au printemps à Montbéliard, pour y fêter l'heureuse nouvelle de la naissance du grand-duc Constantin Paulowitz, venu au monde le 8 mai. Son adorable mère était bien souffrante, et nous en avions ici de cruelles inquiétudes. Heureusement elles se dissipèrent, et nous pûmes vivre tranquillement tout cet été, que je passai presque en entier à Étupes. L'absence de la princesse Marie-Feodorovna se faisait sentir, la gaieté n'était plus aussi expansive ; les princesses ses sœurs étaient moins rieuses qu'elle, et la baronne de Borck était un peu moins tourmentée. Cependant elle nous amusait encore souvent au reversis, lorsqu'elle faisait des signes au baron d'écarter quinola. Nous avions acquis une personne d'un tout autre genre, madame de Schack, une des dames de la duchesse. Elle était pleine d'esprit et d'instruction, d'une pénétration et d'une finesse dignes d'un plus grand théâtre. Elle observait et voyait tout, sans rien dire, car elle parlait à peine ; le baron de Maucler, gouverneur des jeunes princes, avec lequel j'en parlais souvent, ne l'aimait point à cause de cette grande réserve.

Il se fit au mois d'octobre de cette année, un mariage dont tout le monde se crut le droit de causer. Le prince de Nassau-Sarrebruck fit épouser à son fils, âgé de douze ans, mademoiselle de Montbarrey[66] qui en avait dix-huit. On s'étonna de ce mariage, non parce qu'il était protestant et elle catholique, ces unions mixtes étant très-fréquentes dans ce pays-ci, mais à cause de l'âge du prince. La jeune personne retourna du reste auprès de ses parents aussitôt la cérémonie faite, et elle y restera jusqu'à ce que son mari puisse l'être réellement. Mademoiselle de Montbarrey est la fille de l'ancien ministre de la guerre. Il avait été choisi par le comte de Saint-Germain[67], Franc-Comtois comme lui, pour adjoint à ce même ministère, dans lequel il devait lui succéder. Comme il est fort adroit, il a tiré un excellent parti de sa position : il s'est fait créer prince du Saint-Empire, grand d'Espagne, chevalier de l'ordre et grand-bailli de Haguenau. Sa femme a été d'une grande beauté : un teint admirable, pour dents des perles ; un joli sourire et des yeux veloutés, caressants, en faisaient la plus charmante personne du monde. On l'accuse d'avoir eu le cœur trop tendre ; pourtant elle est généralement aimée, et a joui avec goût et sagesse de la position de son mari.

C'était un fort grand mariage que celui du prince de Nassau-Sarrebruck avec mademoiselle de Montbarrey. Le comté de Sarrebruck, ainsi que celui de Sarrewerden, ont été cédés à la France avec nombre de terres et seigneuries immédiates en 1680, par suite de l'interprétation du traité de Westphalie. Pour dédommager le comte de Nassau-Sarrebruck, l'empereur, par lettres patentes du 4 août 1688, l'éleva à la qualité de prince du Saint-Empire.

On célébra de toutes les manières les jeunes époux. Voici des vers adressés à la princesse par un poète de salon ; on les répandit avec profusion pendant les fêtes du mariage, j'en ai gardé une copie.

> *Vous partez, vous allez loin de votre patrie*
> *Passer des tendres mains d'une mère chérie*
> *Dans les avides bras d'un époux enchanté.*
> *Déposant un fardeau si cher, si regretté,*

> *L'une l'arrosera de larmes ;*
> *L'autre, possesseur de vos charmes,*
> *Sera de plaisir transporté.*
> *Dans ce monde admirable ainsi tout se compense ;*
> *Votre beauté mettait en France*
> *Mille esclaves à vos genoux ;*
> *Sur de nouveaux sujets, par votre bienfaisance,*
> *Vous allez exercer un empire plus doux.*
> *Ici l'on vous aurait haïe,*
> *Se voyant toujours dédaigner,*
> *Là vous serez toujours chérie.*
> *D'une ou d'autre façon il vous faudra régner.*

Ces vers sont assez plats, mais je les cite parce qu'ils nous amusèrent. Il faut songer que cet époux *enchanté, transporté de plaisir, possesseur de ses charmes*, était un bambin de douze ans, qui pleurait du matin au soir, furieux d'être l'objet de la curiosité de tous, fuyant sa femme, la repoussant même avec une brusquerie d'enfant mal élevé, et n'ayant aucune envie de réclamer des droits qu'il ne comprenait pas. Madame de Montbarrey oublia son esprit ordinaire, en faisant parade de ces vers ; il eût été plus convenable de les cacher.

M. de Dietrich, qui avait acheté la seigneurie de Reichshoffen[68] près de Haguenau, en 1761, lorsqu'on la confisqua sur le prince de Vaudémont, fit reconstruire le château en 1769. Cette terre portait le nom d'une ancienne famille d'Alsace, entièrement éteinte. Le prince régnant de Nassau-Sarrebruck y accepta des fêtes brillantes pour célébrer le mariage de son fils avec la princesse Maximilienne de Montbarrey. On y convia toute la province, toutes les cours environnantes ; ce fut magnifique. Les chasses, les repas, les promenades en voiture durèrent trois jours. M. d'Oberkirch et moi nous nous y rendîmes. J'y rencontrai beaucoup de personnes de ma connaissance, tant allemandes que françaises. Le marié ne voulut pas danser avec sa femme, au bal ; il fallut lui promettre le fouet s'il continuait à crier comme une chouette, et lui donner au contraire un déluge d'avelines, de pistaches, de dragées de toutes sortes, pour qu'il consentît à lui donner la main au menuet. Il montrait une grande sympathie pour la petite Louise de Dietrich, jolie enfant plus jeune encore que lui, et retournait auprès d'elle aussitôt qu'il parvenait à s'échapper. C'était là cet époux dont les *avides bras* s'ouvraient pour la jeune princesse. Je ne puis dire combien nous avons ri de ces exagérations et de la figure de ce petit bonhomme.

Mon frère avait entrepris de le consoler, et il lui montra des gravures dans un grand livre ; il s'y trouva une procession et une noce de je ne sais qui. Lorsqu'il aperçut ce mot : *les noces*, il referma vite la page, et dit à mon frère :

— Ôtez-moi cela, monsieur ; les noces ! je n'ai que faire de les voir, c'est trop ennuyeux, et tenez, ajouta-t-il en montrant une grande figure, voilà qui ressemble à mademoiselle de Montbarrey.

Quel doux pronostic d'avenir !

## CHAPITRE VII

1780. Mon oncle, le commandeur de Waldner, fut compris dans la promotion du 1er mars 1780 comme maréchal de camp. J'appris cette nouvelle au moment où je partais pour me prendre à Montbéliard. J'y devais passer seulement une semaine, M. d'Oberkirch soupirant après Strasbourg ; il préférait cette ville à nos autres résidences. Nous trouvâmes la cour de Montbéliard en deuil [ce qui m'ennuya beaucoup car ma robe était verte et pendant que l'on me confectionnait une tenue de deuil, je fus obligée de rester dans une chambre chaque fois que s'annonçait une visite]. Madame la princesse de Montbéliard avait perdu la duchesse régnante de Wurtemberg, princesse de Brandebourg-Bayreuth, morte à quarante-huit ans, fille du margrave Frédéric et de la princesse Frédérique de Prusse, sœur du grand Frédéric. Elle était par conséquent à la fois belle-sœur et cousine germaine de la duchesse de Montbéliard. On la regretta peu ; c'était une personne étrange, depuis longtemps séparée de son mari, dont elle n'eut qu'une fille, morte en bas âge. Elle ne put rendre heureux ni le duc Charles, ni ceux qui l'approchaient.

On n'en prit pas moins la laine[69], comme pour une mère, et nous nous privâmes de tout divertissement.

J'obtins de M. d'Oberkirch de me laisser tout l'été à Montbéliard, contre son intention première ; j'y fis venir ma fille, dont la princesse raffolait, peut-être à cause de sa marraine. Au mois d'octobre, le prince Frédéric-Guillaume, l'aîné de ses fils, épousa la princesse Auguste de Brunswick-Wolfenbuttel. Il était entré comme colonel au service de Prusse, et devint major général pendant la guerre de la succession d'Autriche. Ses parents furent heureux de cette alliance. Madame la duchesse était si bonne mère, elle ne vivait que pour ses enfants, et s'en occupait sans cesse. Jamais on ne vit famille plus unie.

Un mois après ce mariage, en novembre, nous eûmes une visite dont je me serais bien passée, mais que je ne veux point laisser dans l'oubli, puisqu'il s'agit d'un personnage célèbre : c'était l'abbé Raynal[70]. Il arrivait de Genève, où il venait de faire imprimer une nouvelle édition de son *Histoire philosophique des Indes*, qui lui a fait une si grande réputation. C'était un homme d'environ soixante-cinq ans, qui me parut fort laid ; peut-être était-ce un effet de la prévention. Comme cela m'arrive toujours avec ceux qui me déplaisent, il ne

manqua pas de s'accrocher à moi et de m'accabler de
dissertations religieuses et politiques, sous prétexte que
j'avais l'esprit sérieux et que je savais le comprendre ;
tout cela avec l'accent de Pézénas, sa patrie, qu'il
conservait dans toute sa pureté. Il était impossible de
gasconner d'une façon plus désagréable. Voyant que je
ne répondais rien à tous ses paradoxes, il interrompit
son discours tout à coup, et me demanda :

— Est-ce que vous n'êtes point philosophe, madame
la baronne ?

— Je n'ai point cet honneur, monsieur l'abbé.

— Vous êtes au moins très-convaincue de l'absurdité
de certaines doctrines ?

— Monsieur l'abbé, ne discutons pas ensemble, nous
ne nous entendrions pas. Grâce à Dieu, je suis bonne
protestante, et je ne me mêle point des affaires des
athées. Ma conscience me suffit.

— Ah ! si vous êtes protestante, madame, c'est différent, il n'y a rien à faire avec vous.

Il me tourna le dos et ne m'adressa plus la parole :
j'y gagnai le repos. À Montbéliard, on accueillait toutes
les célébrités, quelles qu'elles fussent, sauf à ne pas
approuver les opinions qu'on ne partageait pas. L'abbé
Raynal réussit peu. Il effaroucha les jeunes princesses,
et madame Hendel ne put jamais lui pardonner de lui
avoir offert un mauvais livre de je ne sais quelle académie.

— Si j'avais su cela d'avance, disait-elle en furie, je
lui aurais fait donner une taie d'oreiller de coton.

C'était là sa punition rigoureuse. Elle prétendait qu'on
ne dormait pas sur la toile des Indes, nouveauté à
laquelle elle ne s'accoutumerait jamais. Elle n'en souffrait que quelques-unes, comme punition, je le répète,
dans la maison de Monseigneur ; encore voyaient-elles
rarement le jour. J'appris sa colère de sa propre bouche,
un matin qu'elle m'apporta une lettre de ma chère princesse, que je vais transcrire ici.

Saint-Pétersbourg, ce $\frac{14}{25}$ novembre 1780.

« Ma chère, ma bonne amie Lanele, la générale Benckendorf, gouvernante de mes enfants, m'a instamment priée de vous faire parvenir cette lettre. Elle vous conjure de l'envoyer à sa belle-fille. Cette lettre contient deux mille roubles en lettres de change, qu'elle envoie à son fils. Elle vous conjure encore d'en faire mystère à Montbéliard. Vous voudrez bien me garder aussi le secret, ma chère amie ; j'ose compter sur votre discrétion. La chère me supplie tous les jours, au nom de Dieu, d'accélérer le retour de son fils ; mais, en conscience, je ne puis m'en mêler. J'ai écrit à Tille qu'elle fasse ce que sa conscience demandera d'elle, et que, absente comme présente, elle sera toujours mon amie chérie. Tout ceci m'inquiète, et que je plains ma pauvre, ma bonne maman ! Au nom de Dieu, chère Lane, au nom de notre amitié, soyez souvent chez elle, engagez-y votre mari ; vous savez que vous êtes regardée chez nous comme l'enfant de la maison. La petite Marie vous suit toujours, et vous serez au sein de l'amitié et dans une maison dont tous les êtres vous chérissent si infiniment. De grâce, écrivez-moi bientôt ; ma chère Lane me néglige, et n'aime plus aussi tendrement sa sincère amie

« MARIE. »

« J'embrasse ma petite filleule. Le grand-duc vous fait ses compliments. Mes enfants se portent au mieux. Eux et leur père font ma félicité, mais c'est aussi la seule que je trouve dans ce tourbillon du grand monde. »

Ce n'est pas ici le lieu de raconter le sujet des inquiétudes de la grande-duchesse. Je parlerai plus tard de cette madame de Benckendorf et de son fils. La princesse savait que j'allais retourner pour l'hiver chez moi, et elle me conjurait de quitter sa mère le moins possible ; mon inclination m'y portait de reste, mais j'étais tenue à rester pourtant quelque temps à Strasbourg : le rang que j'y occupais m'en faisait une loi. En y arrivant, à la fin de novembre, nous trouvâmes toutes les têtes occupées d'un charlatan[71] devenu célèbre, qui commençait alors avec une rare adresse les jongleries qui lui ont fait jouer un rôle si étrange. Je vais en dire ce que j'en ai vu, avec sincérité, laissant à mes lecteurs à juger ce que je n'ai pu comprendre.

Aussitôt après notre arrivée, nous fûmes rendre nos devoirs à Son Éminence le cardinal de Rohan, prince-évêque de Strasbourg. Il revenait d'un voyage de l'autre côté du Rhin, où il était allé visiter ses domaines. C'est le troisième ou même le quatrième cardinal du nom de Rohan qui soit évêque de Strasbourg, de sorte qu'il regarde un peu les terres de l'église comme lui appartenant par droit d'héritage. Il a bâti et arrangé à Saverne une des plus charmantes résidences du monde. C'est un beau prélat, fort peu dévot, fort adonné aux femmes ; plein d'esprit et d'amabilité, mais d'une faiblesse, d'une crédulité qu'il a expiées bien cher, et qui a coûté bien des larmes à notre pauvre reine dans la misérable histoire du Collier.

Son Excellence nous reçut dans son palais épiscopal, digne d'un souverain. Il menait un train de maison ruineux et invraisemblable à raconter. Je ne dirai qu'une seule chose, elle donnera l'idée du reste. Il n'avait pas moins de quatorze maîtres d'hôtel et vingt-cinq valets de chambre. Jugez ! Il était trois heures de l'après-midi, la veille de l'octave de la Toussaint, le cardinal sortait de sa chapelle, en soutane de moire écarlate et en rochet d'Angleterre d'un prix incalculable. Il avait une aube des grandes cérémonies quand il officiait à Versailles, en point à l'aiguille, d'une telle richesse qu'on osait à peine les toucher. Ses armes et sa devise étaient disposées en médaillons au-dessus de toutes les grandes fleurs ; on l'estimait plus de cent mille livres. Ce jour-là, nous n'avions que le rochet d'Angleterre, un de ses moins beaux, disait l'abbé Georgel, son secrétaire. Le cardinal portait à la main un missel enluminé, meuble de famille d'une antiquité et d'une magnificence uniques ; les livres imprimés n'étaient pas dignes de lui.

Il vint au-devant de nous avec une galanterie et une politesse de grand seigneur que j'ai rarement rencontrées chez personne. Il s'informa de nous, des princes de Montbéliard, de la grande-duchesse de Russie, comme si cela eût été son unique affaire. Il nous raconta son voyage avec mille détails intéressants ; je me souviens entre autres qu'il nous parla de Salzbach, le lieu où fut tué le maréchal de Turenne.

— La pensée m'est venue, nous dit-il, d'élever un monument à ce grand homme[72] ; j'ai donc acheté le champ où un boulet le frappa, et avec lui la fortune de la France, pour y faire construire une pyramide. Je ferai bâtir à côté une maison pour y établir un gardien, un vieux soldat invalide du régiment de Turenne ; je désire que ce soit de préférence un Alsacien. La pyramide aura vingt-cinq pieds de haut et sera entourée de lauriers, garantis des passants par une grille en fer. Que vous semble de ce projet, madame la baronne ?

Nous assurâmes Son Éminence qu'il était tout à fait patriotique. Une conversation intéressante commença alors ; j'y prenais un vrai plaisir : le cardinal était fort instruit et fort aimable. Elle fut interrompue tout à coup par un huissier, qui, ouvrant les deux battants de la porte, annonça : — Son Excellence M. le comte de Cagliostro !

Je tournai promptement la tête. J'avais entendu parler de cet aventurier depuis mon arrivée à Strasbourg, mais je ne l'avais pas encore rencontré. Je restai stupéfaite de le voir entrer ainsi chez l'évêque, de l'entendre annoncer avec cette pompe, et plus stupéfaite encore de l'accueil qu'il reçut. Il était en Alsace depuis le mois de septembre, et il y faisait un bruit incroyable, prétendant guérir toutes sortes de maladies. Comme il ne recevait pas d'argent, et qu'au contraire il en répandait beaucoup parmi les pauvres, il attirait la foule chez lui, malgré la non-réussite de sa panacée. Il ne guérissait que ceux qui se portaient bien, ou du moins ceux chez lesquels l'imagination était assez forte pour aider le remède. La police avait les yeux sur lui, elle le faisait épier d'assez près, et il affectait de la braver. On le disait Arabe ; cependant son accent était plutôt italien ou piémontais. J'ai su depuis qu'en effet il était de Naples. À cette époque, pour frapper l'esprit du vulgaire, il affectait des bizarreries. Il ne dormait que dans un fauteuil et ne mangeait que du fromage.

Il n'était pas absolument beau, mais jamais physionomie plus remarquable ne s'était offerte à mon observation. Il avait surtout un regard d'une profondeur presque surnaturelle ; je ne saurais rendre l'expression de ses yeux : c'était en même temps de la flamme et de la glace ; il attirait et il repoussait ; il faisait peur et il inspirait une curiosité insurmontable. On tracerait de lui deux portraits différents, ressemblants tous les deux et aussi dissemblables que possible. Il portait à sa chemise, aux chaînes de ses montres, à ses doigts, des diamants d'une grosseur et d'une eau admirables ; si ce n'était pas du strass, cela valait la rançon d'un roi. Il prétendait les fabriquer lui-même. Toute cette friperie sentait le charlatan d'une lieue.

À peine le cardinal l'aperçut-il, qu'il courut au-devant lui, et pendant qu'il saluait à la porte, il lui dit quelques mots que je ne cherchai pas à entendre. Tous les deux revinrent vers nous ; je m'étais levée en même temps que l'évêque, mais je me hâtai de me rasseoir, ne voulant pas laisser croire à cet aventurier que je lui accordais quelque attention. Je fus bientôt contrainte à m'en occuper, néanmoins, et j'avoue en toute humilité, aujourd'hui, que je n'eus pas à m'en repentir, ayant toujours beaucoup aimé l'extraordinaire.

Son Éminence trouva le moyen, au bout de cinq minutes, et quelque résistance que j'y fisse, ainsi que M. d'Oberkirch, de nous mettre en conversation directe ; elle eut le tact de ne pas me nommer, sans quoi je serais partie sur-le-champ, mais elle le mêla dans nos propos et nous dans les siens ; il fallut bien se répondre. Cagliostro ne cessait de me regarder ; mon mari me fit signe de partir ; je ne vis pas ce signe, mais je sentis ce regard entrant dans mon sein comme une vrille, je ne trouve pas d'autre expression. Tout à coup il interrompit M. de Rohan, lequel, par parenthèse, s'en pâmait de joie, et me dit brusquement :

— Madame, vous n'avez pas de mère, vous avez à peine connu la vôtre, et vous avez une fille. Vous êtes la seule fille de votre famille, et vous n'aurez pas d'autre enfant que celle que vous avez déjà.

Je regardai autour de moi, si surprise, que je ne suis pas revenue encore d'une telle audace s'adressant à une femme de ma qualité. Je crus qu'il parlait à une autre, et je ne répondis pas.

— Répondez, madame, reprit le cardinal d'un air suppliant.

— Monseigneur, madame d'Oberkirch ne répond sur pareilles matières qu'à ceux qu'elle a l'honneur de connaître, répliqua mon mari d'un ton presque impertinent ; je craignis qu'il ne manquât de respect à l'évêque.

Il se leva et salua d'un air hautain ; j'en fis de même. Le cardinal, embarrassé, accoutumé à trouver partout des courtisans, ne sut quelle contenance tenir. Cependant il s'approcha de M. d'Oberkirch (Cagliostro me regardait toujours), et lui adressa quelques mots d'une si excessive prévenance, qu'il n'y eut pas moyen de s'y montrer rebelle.

— M. de Cagliostro est un savant qu'il ne faut pas traiter comme un homme ordinaire, ajouta-t-il ; demeurez quelques instants, mon cher baron ; permettez à madame d'Oberkirch de répondre, il n'y a là ni péché, ni inconvenance, je vous le promets, et d'ailleurs, n'ai-je pas des absolutions toutes prêtes pour les cas réservés ?

— Je n'ai pas l'honneur d'être de vos ouailles, monseigneur, interrompit M. d'Oberkirch avec un reste de mauvaise humeur.

— Je ne le sais que trop, monsieur, et j'en suis marri ; vous feriez honneur à notre Église. Madame la baronne, dites-nous si M. de Cagliostro s'est trompé, dites-nous-le, je vous en supplie.

— Il ne s'est point trompé dans ce qui concerne le passé, répliquai-je, entraînée par la vérité.

— Et je ne me trompe pas davantage en ce qui concerne l'avenir, répondit-il d'une voix si cuivrée qu'elle retentissait comme une trompette voilée de crêpe.

Il faut bien que je l'avoue, j'eus en ce moment un irrésistible désir de consulter cet homme, et la crainte de contrarier M. d'Oberkirch, dont je savais l'éloignement pour ces sortes de momeries, put seule m'en empêcher. Le cardinal restait bouche béante ; il était visiblement subjugué par cet habile jongleur, et ne l'a que trop prouvé depuis. Ce jour-là restera irrévocablement gravé dans ma mémoire. J'eus de la peine à m'arracher à une fascination que je comprends difficilement aujourd'hui, bien que je ne puisse la nier. Je n'en ai pas fini avec Cagliostro, et ce qui me reste à dire de lui est au moins aussi singulier et plus inconnu encore. Il prédit d'une manière certaine la mort de l'impératrice Marie-Thérèse, à l'heure même où elle rendait le dernier soupir. M. de Rohan me le dit le soir même, et la nouvelle n'arriva que cinq jours après. Ce fut une immense perte que celle de cette grande souveraine. Si elle vivait encore, les choses n'en seraient pas en France où elles en sont ; elle dominait l'Europe par son génie. Elle et Catherine II, la Sémiramis du Nord, n'ont point eu d'égaux parmi les monarques de ce siècle, si ce n'est Frédéric de Prusse. Marie-Thérèse mourut avec un courage héroïque ; elle fut sublime de résolution et de présence d'esprit. Elle voulut connaître au juste le moment de sa fin. Son fils, l'empereur Joseph II, s'évanouit en entendant l'arrêt prononcé par le premier médecin. L'impératrice le soutint, le consola, lui donna les conseils et les instructions nécessaires. Elle s'occupa jusqu'au bout de ses actes de souveraineté, et dicta avec une netteté incroyable des lettres à son auguste fils, pour tout régler dans l'empire, et lui ôter tout embarras. On mit ces vers au bas de son portrait :

> *Cette merveille de notre âge,*
> *A de son sexe la beauté,*
> *Du nôtre elle a tout le courage,*
> *Elle a des dieux la majesté.*

1781. Je partis pour Montbéliard au mois de mars 1781, à ma grande joie ; je n'avais pu y retourner de l'hiver, la santé de ma fille demandant de trop grands ménagements. J'emmenai avec moi dans mon carrosse le baron de Wangen dont j'ai déjà parlé ; il avait été nommé lieutenant général l'année dernière, ainsi que le baron de Wittinghoff qui commandait le régiment de Hesse-Darmstadt[73], et que nous emmenâmes également. Il fut maréchal de camp de la même promotion : c'était un militaire distingué. Né en Courlande, en 1722, il quitta le service de Pologne pour celui de France, où il fut d'abord nommé colonel de Royal-Bavière. Il portait l'ordre de l'Épée de Suède.

Madame la princesse de Montbéliard était assez triste de la mort du fameux médecin Bernouilli. Il habitait Bâle, et S.A.R. le fit souvent venir pour les princes ses enfants ; elle avait toute confiance en lui ; il était à la fois botaniste, anatomiste et physicien. Cette famille était incarnée dans la science : Jean et Jacques Bernouilli, célèbres mathématiciens, étaient l'un son père, et l'autre son oncle.

— Je suis désolé de le voir partir sitôt, me dit le prince fort plaisamment, j'espérais ne mourir que de sa main.

Quelques jours après mon arrivée, madame la duchesse me confia le mariage de sa seconde fille, la princesse Frédérique, avec le prince Pierre-Frédéric-Louis de Holstein, coadjuteur de Lubeck. Ce mariage fut en effet célébré le 26 juin suivant, et je ne manquai pas d'y assister après quelques jours passés chez moi.

La princesse Frédérique n'avait que seize ans ; elle était charmante d'esprit et de visage, quoique moins grande et moins régulièrement belle que la grande-duchesse de Russie. Sa physionomie était comme son caractère, mélancolique et douce.

Le prince, âgé de vingt-six ans, avait le nez aquilin, le menton rentrant et la lèvre inférieure un peu avancée. Il a généralement l'air sérieux et réfléchi. Les fêtes de ce mariage durèrent plusieurs jours. Ce mariage fut une grande joie dans toute la principauté, où la famille ducale était fort aimée. L'établissement était pourtant loin de celui de la princesse Dorothée. Le prince était coadjuteur du prince-évêque de Lubeck, son oncle, et administrait Oldenbourg depuis 1776 ; son cousin, le prince Pierre-Frédéric-Guillaume de Holstein-Oldenbourg, avait résigné en sa faveur. Le prince était aussi neveu du roi de Suède.

La ville de Lubeck, la principale des soixante-douze hanséatiques, forme une république indépendante ; elle suit la confession d'Augsbourg depuis 1535. L'évêque (protestant) n'exerce aucune autorité souveraine ; il dépend de l'archevêque de Brême et réside ordinairement à Eutin. La ville et le chapitre de Lubeck élisent leur évêque. Ce chapitre se compose de vingt-deux chanoines protestants et de quatre catholiques, en tout vingt-six. Cet évêché, situé dans le cercle de la basse Saxe, a été fondé dans la ville d'Oldenbourg par Othon I^er. En 1143, il fut transféré à Lubeck. Le luthéranisme a commencé sous son trente-neuvième titulaire, et s'est étendu sous ses successeurs.

Depuis 1530, les évêques sont luthériens. Jean de Holstein, élu évêque en 1654, empêcha que le siège de Lubeck ne fût sécularisé à Munster ainsi que les autres. Par reconnaissance, le chapitre décida qu'on élirait successivement pour prélats six princes de Holstein, ce qui a toujours eu lieu depuis. Le prévôt de l'église est nommé alternativement par la ville et par le chapitre. L'évêque n'a aucun pouvoir sur la ville, mais il siège à la diète de l'Empire, au banc des évêques protestants et à côté de celui d'Osnabruck[74]. C'est en 1773 que Catherine, au nom de son fils, abandonna au prince-évêque de Lubeck, Frédéric-Auguste de Holstein-Gottorp, les comtés d'Oldenbourg et de Delmenhorst qu'elle avait reçus du Danemark en compensation de ses droits sur le Holstein auxquels elle renonça. Ces comtés ont été érigés en duché par l'empereur d'Allemagne, en 1776.

Ce prince s'intitule *héritier de Norvège*, duc de Schleswig, de Holstein, de Stormarn et de Ditmarsen, comte d'Oldenbourg et de Delmenhorst. Sa résidence est à Eutin ; il a un palais épiscopal à Lubeck. Ses armes sont : d'azur à une croix alezée d'or surmontée d'une mitre épiscopale.

À peine ces fêtes étaient-elles finies, et commencions-nous à rentrer dans le calme, sans nous accoutumer cependant au départ de la jeune princesse, que nous fûmes bientôt mis en émoi par une bien autre nouvelle. Le 7 août, nous étions à Étupes, auprès d'un boulingrin que le prince affectionnait beaucoup, nous parlions des deux chères filles absentes, lorsqu'un courrier entra précipitamment et se présenta tout botté devant le duc, sans songer à l'étiquette, laquelle s'oubliait du reste souvent dans cette cour patriarcale ; il s'écriait :

— Monseigneur ! Monseigneur ! Sa Majesté l'empereur est à Montbéliard et attend Votre Altesse.

Nous ne nous le fîmes pas répéter deux fois, et un quart d'heure après nous étions tous en carrosse. L'empereur était descendu comme un simple particulier à l'hôtel du Lion rouge. Il venait de parcourir le nord de l'Allemagne, les Pays-Bas et une partie de la France. Il voyageait encore sous le nom de comte de Falkenstein, nom qu'il avait pris l'année précédente, lorsqu'il alla en Pologne visiter la czarine à Mohiloff et ensuite à Pétersbourg, et fut très-apprécié à Paris, où son auguste sœur, la reine Marie-Antoinette, lui prépara toutes sortes de plaisirs. Il était d'une simplicité extrême, je l'ai dit, et à Nantes, par exemple, comme on refoulait assez rudement le peuple pour le laisser passer, il dit à l'officier chargé de l'escorte :

— Doucement, monsieur, il ne faut pas tant d'espace pour qu'un homme puisse marcher.

Dès que nous arrivâmes à Montbéliard, le duc et la duchesse, les jeunes princes et toute la maison de Leurs Altesses se rendirent à l'auberge de Sa Majesté impériale. Le duc voulut fléchir le genou, pour lui rendre hommage conformément à ses devoirs de prince du Saint-Empire romain, mais l'empereur l'arrêta, en lui disant d'un air plein d'aménité :

— Pas de cérémonie, mon cher duc, c'est le comte de Falkenstein qui vous rend visite.

Nous fûmes présentés ensuite à Joseph II qui me plut extrêmement. Il avait l'air fier, non de sa haute position, mais du sentiment de sa supériorité personnelle. Très-grand, il se tenait cependant fort droit ; il portait une perruque qu'il dérangeait quelquefois sans s'en apercevoir. Ses manières sont de la plus noble simplicité, trop simples peut-être, et sa visite fut mauvaise pour la France ; elle contribua à discréditer la majesté royale, et à la rabaisser au niveau du peuple qui se hâta d'en profiter. L'esprit de justice de Joseph II, sa modération, son humanité, l'ont fait adorer de ses sujets. Ses façons inspiraient autant d'affection que de respect dès la première vue. Il met de la coquetterie dans son affabilité. Je ne lui ferai qu'un reproche, celui de ses tendances philosophiques, idées qu'il tient en partie du maréchal de Bathyani, par lequel il a été élevé. Il a cherché, assure-t-on, à marcher sur les traces du grand Frédéric ; il a voulu réfléchir et concerter lui-même un plan de gouvernement suivant ses nouvelles idées. Autant que mes faibles lumières me permettent de juger un si grand prince, je crois qu'il s'est trompé. Tout philosophe qu'il fût, il n'alla pas cependant, ainsi que je l'ai dit, voir M. de Voltaire à Ferney, ce dont le patriarche a eu bien de la peine à se consoler. Mais il paraît qu'il n'a fait en cela qu'obéir aux désirs de Marie-Thérèse.

Aussitôt que Leurs Altesses eurent salué l'empereur, elles l'emmenèrent au château, où on lui préparait à la hâte un appartement. Nous eûmes l'honneur de souper avec sa Majesté, qui fut particulièrement gracieuse pour moi, en apprenant que j'étais amie de cœur de la grande-duchesse. Je regardai beaucoup et je parlai peu, devinant à certains signes très-connus de moi, si initiée aux particularités de cette maison, devinant, dis-je, une préoccupation grave et joyeuse tout à la fois chez le prince et la princesse. Le soir on joua fort petit jeu, du moins relativement, et l'empereur, interrogé sur cette sagesse bien rare dans un souverain, dit qu'il se ferait scrupule de perdre l'argent de ses sujets. Je trouvai cette réponse fort louable, mais un peu prétentieuse. En tout, il me sembla que le monarque posait toujours, comme s'il eût eu derrière lui un moraliste occupé à peindre le portrait de ses vertus.

La journée du lendemain se passa à visiter Étupes ; l'empereur en fut charmé, même après les magnificences de Versailles et de Trianon. Il s'occupa d'une façon marquée de la princesse Élisabeth, la dernière des filles de la princesse de Wurtemberg ; il l'interrogea sur différents points, relevant ses réponses, les commentant, et souriant à ses reparties. Ceci fut remarqué de toute la cour. Le soir j'en témoignai mon plaisir à S.A.R.

— Oui, me dit-elle, ma chère Lane, je suis bien heureuse, et je ne saurais tarder plus longtemps à vous le confier ; le voyage de l'empereur n'avait qu'un but, celui du mariage de l'archiduc François de Toscane avec ma fille Élisabeth. Vous jugez si le duc et moi nous sommes satisfaits.

Je ne pus m'empêcher de baiser la main de S.A.R., tant j'étais contente. C'était un parti si brillant, si inattendu, et la demande faite par Joseph II en personne était de sa part une distinction si flatteuse. Le 9, l'empereur partit enchanté de notre petite cour, où il laissait un souvenir ineffaçable. Quant à moi, je le répète encore, bien que je rende justice au mérite de cet illustre monarque, je lui préfère de beaucoup son auguste sœur, la reine Marie-Antoinette. Elle est aussi bonne, aussi simple, mais elle est plus reine ; elle a plus de dignité, plus de franchise peut-être aussi ; elle tient davantage de la grande Marie-Thérèse.

L'empereur nous avait quittés depuis deux jours lorsque nous reçûmes une nouvelle visite, celle de la landgrave de Hesse-Cassel, seconde femme du landgrave Frédéric II, dont la première fut la princesse Marie d'Angleterre. Je dis *nous* quand je parle de cette noble famille, à laquelle j'étais inféodée, et dont je faisais partie par l'affection que chacun me témoignait. Qu'on me le pardonne donc ainsi qu'ils me le pardonnaient.

La landgrave Philippine de Brandebourg-Schwedt était la tante de madame la grande-duchesse de Russie, sœur de sa mère ; elle avait tenu ma fille sur les fonts de baptême et elle était pleine de bonté et d'affection pour moi. Elle conduisait avec elle la princesse Antoinette de Hesse-Rheinfels-Rothembourg. Celle-ci se mit à m'aimer plus qu'elle, prétendant que j'étais parfaite, et que la princesse de Bouillon, sa sœur, le lui avait assuré. Je fus très-sensible à ces prévenances aussi flatteuses qu'honorables, mais je désirais m'y soustraire. Des affaires nous appelaient à Strasbourg, et puis, malgré ma position si enviable à Montbéliard, j'étais impatiente de retrouver mon *chez moi*. Je pris congé de mes augustes hôtes avec le même chagrin qu'à l'ordinaire ; je promis de revenir et de rester longtemps.

— Ah ! répétait souvent madame la duchesse, ma chère Lanele, que ne demeurez-vous toujours avec nous ! Je serais si heureuse de vous garder près de moi et de vous y donner la meilleure place, surtout maintenant que je vais être abandonnée de toutes mes filles.

Elle m'aimait autant qu'une mère, cela est certain, mais, quelque touchée que je fusse de ce désir, et quelque pressantes qu'aient pu être des instances semblables que me fit souvent madame la grande-duchesse, sa fille, je n'aurais pu me résoudre à enchaîner ma liberté en acceptant une charge de cour. Indépendante par caractère autant que par position, le titre d'amie dont j'étais honorée me paraissait bien préférable sous tous les rapports.

Aussitôt que je fus établie chez moi, à Strasbourg, on me remit une lettre cachetée d'un sceau immense, par laquelle monseigneur le cardinal de Rohan nous invitait à dîner, M. d'Oberkirch et moi, trois jours après. Je ne compris rien à cette politesse, à laquelle nous n'étions point accoutumés.

— Je gage, dit mon mari, qu'il veut nous mettre en face de son maudit sorcier, auquel je ferais volontiers un mauvais parti.

— Il est à Paris, répliquai-je.

— Il est ici depuis un mois, suivi par une douzaine de folles auxquelles il a persuadé qu'il allait les guérir. C'est une frénésie, une rage ; et des femmes de qualité encore ! voilà le plus triste. Elles ont abandonné Paris à sa suite, elles sont ici *parquées* dans des cellules ; tout leur est égal pourvu qu'elles soient sous le regard du grand cophte, leur maître et leur médecin. Vit-on jamais pareille démence ?

— Je croyais qu'il était allé soigner le prince de Soubise ?

— Sans doute, mais il est revenu, et avec le cortège. Depuis son retour il a guéri ici d'une fièvre imaginaire, un officier de dragons qui passait pour gravement malade. C'est à qui, depuis lors, réclamera ses conseils. Il fait grandement les choses, je l'avoue, et c'est un *philanthrope* de la meilleure espèce.

Ce mot, inventé depuis peu par le *reste* des encyclopédistes, me sembla au moins aussi étrange que ce qui précédait.

[J'avais vu la veille chez un marchand d'estampes un portrait de Cagliostro avec les vers suivants :

*De l'ami des humains, reconnaissez les traits.*
*Tous ses jours sont marqués par de nouveaux bienfaits.*
*Il prolonge la vie et secourt l'indigence.*
*Le plaisir d'être utile est seul sa récompense.*

Je ne crois pas que l'on puisse dire en plus sots vers une plus sotte chose.]

Nous hésitâmes assez longtemps avant de répondre au prince. M. d'Oberkirch avait grande envie de refuser, et moi, toujours au contraire ce désir inconcevable de revoir le *sorcier*, ainsi que l'appelait mon mari. La crainte d'être impolis envers Son Éminence nous décida à accepter. J'avoue que le cœur me battait au moment où j'entrai chez le cardinal ; c'était une crainte indéfinissable, et qui n'était pourtant pas sans charme. Nous ne nous étions pas trompés : Cagliostro était là.

Jamais on ne se fera une idée de la fureur de passion avec laquelle tout le monde se jetait à sa tête ; il faut l'avoir vu[75]. On l'entourait, on l'obsédait ; c'était à qui obtiendrait de lui un regard, une parole. Et ce n'était pas seulement dans notre province : à Paris l'engouement était le même. M. d'Oberkirch n'avait rien exagéré. Une douzaine de femmes de qualité, plus deux comédiennes, l'avaient suivi pour ne pas interrompre leur traitement, et la cure de l'officier de dragons, feinte ou véritable, acheva de le diviniser. Je m'étais promis de ne me singulariser en rien, d'accepter comme les autres la science merveilleuse de l'adepte, ou du moins d'en avoir l'air, mais de ne jamais me livrer avec lui, ni de lui donner l'occasion d'étaler sa fatuité pédante, et surtout de ne point permettre qu'il franchît le seuil de notre porte.

Dès qu'il m'aperçut, il me salua très-respectueusement ; je lui rendis son salut sans affectation de hauteur ni de bonne grâce. Je ne savais pourquoi le cardinal tenait à me gagner plus qu'une autre. Nous étions une quinzaine de personnes, et lui ne s'occupa que de moi. Il mit une coquetterie raffinée à m'amener à sa manière de voir. Il me plaça à sa droite, ne causa presque qu'avec moi, et tâcha par tous les moyens possibles de m'inculquer ses convictions. Je résistai doucement mais fermement, il s'impatienta et en vint aux confidences en sortant de table. Si je ne l'avais pas entendu, je ne supposerais jamais qu'un prince de l'Église romaine, un Rohan, un homme intelligent et honorable sous tant d'autres rapports, puisse se laisser subjuguer au point d'abjurer sa dignité, son libre arbitre, devant un chevalier d'industrie.

— En vérité, madame la baronne, vous êtes trop difficile à convaincre. Quoi ! ce qu'il vous a dit à vous-même, ce que je viens de vous raconter, ne vous a pas persuadée. Il vous faut donc tout avouer ; souvenez-vous au moins que je vais vous confier un secret d'importance.

Je me trouvai fort embarrassée ; je ne me souciais pas de son secret, et son inconséquence très-connue, dont il me donnait du reste une si grande preuve, me faisait craindre de partager l'honneur de sa confiance avec trop de gens, et avec des gens indignes de lui. J'allais me récuser, il le devina.

— Ne dites pas non, interrompit-il, et écoutez-moi. Vous voyez bien ceci ?

Il me montrait un gros solitaire qu'il portait au petit doigt, et sur lequel étaient gravées les armes de la maison de Rohan ; c'était une bague de vingt mille livres au moins.

— C'est une belle pierre, monseigneur, et je l'avais déjà admirée.

— Eh bien ! c'est lui qui l'a faite, entendez-vous ; il l'a créée avec rien ; je l'ai vu, j'étais là, les yeux fixés sur le creuset, et j'ai assisté à l'opération. Est-ce de la science ? Qu'en pensez-vous, madame la baronne ? On ne dira pas qu'il me leurre, qu'il m'exploite, le joaillier et le graveur ont estimé le brillant vingt-cinq mille livres. Vous conviendrez au moins que c'est un étrange filou, que celui qui fait de pareils cadeaux.

Je restai stupéfaite, je l'avoue ; M. de Rohan s'en aperçut et continua, se croyant sûr de sa victoire :

— Ce n'est pas tout, il fait de l'or ; il m'en a composé devant moi pour cinq ou six mille livres, là-haut dans les combles du palais. J'en aurai davantage, j'en aurai beaucoup ; il me rendra le prince le plus riche de l'Europe. Ce ne sont point des rêves, madame, ce sont des preuves. Et ses prophéties toutes réalisées, et les guérisons miraculeuses qu'il a opérées ! Je vous dis que c'est l'homme le plus extraordinaire, le plus sublime, et dont le savoir n'a d'égal au monde que sa bonté. Que d'aumônes il répand ! que de bien il fait ! Cela passe toute imagination.

— Quoi ! monseigneur, Votre Excellence ne lui a rien donné pour tout cela, pas la moindre avance, pas de

promesses, pas d'écrit qui vous compromette ? Pardonnez ma curiosité, mais puisque vous voulez bien me
confier ces mystères, je...

— Vous avez raison, madame, et je puis vous assurer
un fait, c'est qu'il n'a absolument rien demandé, qu'il
n'a rien reçu de moi.

— Ah ! monseigneur ! m'écriai-je, il faut que cet
homme compte exiger de vous de bien dangereux sacrifices, pour acheter aussi cher votre confiance illimitée !
À votre place, j'y prendrais garde ; il vous conduira loin.

Le cardinal ne me répondit que par un sourire d'in-
crédulité ; mais je suis sûre que plus tard, dans l'affaire
du Collier, lorsque Cagliostro et madame de la Mothe[76]
l'eurent jeté au fond de l'abîme, il se rappela mes
paroles.

Nous causâmes ainsi presque toute la soirée, et je
finis par découvrir le but de ses cajoleries ; le pauvre
prince n'agissait pas de lui-même. Cagliostro savait
mon amitié intime avec la grande-duchesse, et il avait
insisté près de son protecteur pour qu'il me persuadât
de son pouvoir occulte, afin d'arriver par moi à Son
Altesse impériale. Le plan n'était pas mal conçu, mais
il échoua devant ma volonté ; je ne dis pas ma raison,
elle eût été insuffisante ; je ne dis pas ma conviction,
je la sentais ébranlée. Il est certain que si je n'avais
pas dominé le penchant qui m'entraînait vers le merveilleux, je fusse devenue, moi aussi peut-être, la dupe
de cet intrigant. [La pensée de ma fille et de mon mari
m'a préservée de cette folie, la seule importante que
j'ai eue à combattre dans ma vie.] L'inconnu est si
séduisant ! Le prisme des découvertes et des sciences
astrologiques a tant d'éclat ! Ce que je ne puis dissimuler, c'est qu'il y avait en Cagliostro une puissance
démoniaque ; c'est qu'il fascinait l'esprit, c'est qu'il
domptait la réflexion. Je ne me charge pas d'expliquer
ce phénomène, je le raconte, laissant à de plus instruits
que moi le soin d'en percer le mystère.

Le cardinal de Rohan perdit plus tard des sommes prodigieuses avec ce *désintéressé*. On assure pourtant qu'il est encore complètement aveuglé, et qu'il n'en parle que les larmes aux yeux. Quelle tête que celle de ce prélat ! Quelle position il a gâtée ! Que de mal il a fait par sa faiblesse et son inconséquence ! Il l'expie cruellement ; mais il a été bien coupable.

## CHAPITRE VIII

Le 27 de septembre 1781, nous étions à Montbéliard lorsqu'il naquit un fils au duc *Frédéric-Guillaume* de Wurtemberg. On le nomma Frédéric-*Guillaume*-Charles. Le prince de Montbéliard, son grand-père, en fut enchanté ; il ne pouvait contenir sa joie, et la montrait à tout le monde. Une autre grande joie les attendait. Madame la grande-duchesse Marie allait voyager ; elle comptait les voir, et on juge si j'étais empressée de me joindre à eux. M. d'Oberkirch me l'avait promis ; nous devions tous aller au-devant d'elle, à Vienne, et nous comptions les jours, jusqu'à celui-là. Madame la duchesse de Montbéliard en maigrissait d'impatience. Madame la grande-duchesse avait expressément demandé que je fusse du voyage. Nous avions mille choses à nous raconter, on le comprend, après une si longue absence, après un tel changement d'état. Il fut convenu que ma fille resterait avec ma belle-mère, quelque chagrin que j'eusse de m'en séparer. Je comprenais que cela était indispensable, et je m'y résignai pour l'amour de ma chère princesse.

Le grand-duc Paul et la grande-duchesse Marie étaient donc partis de Saint-Pétersbourg avec une suite nombreuse. Ils avaient obtenu de l'impératrice la permission de voyager, et ils en profitèrent avec toute l'impatience de leur âge. Ils devaient parcourir la Pologne, l'Autriche, l'Italie, et se rendre en France, accompagnés de l'aîné des frères de la princesse, le duc Frédéric-Guillaume, qui avait quitté le service de Prusse. Ils avaient pris le nom de comte et de comtesse du Nord. Les lettres de Son Altesse impériale étaient remplies de sa joie de nous revoir tous ; elle nous racontait les moindres détails, et se hâtait, disait-elle, pour être plus tôt près de nous. Madame la duchesse de Montbéliard me demanda expressément de partir dans la même voiture qu'elle et Son Altesse le duc.

Car, disait-elle, avec vous seulement, chère Lanele, nous pouvons parler de ma fille selon notre cœur ; vous nous répondez.

Enfin le grand jour arriva. Nous nous mîmes tous en route pour Stuttgart, où le prince régnant nous attendait ; nous devions ensuite gagner Munich et Vienne. La grande-duchesse Marie y passait pour se rendre en Italie. Notre voyage, jusqu'à la capitale du duché de Wurtemberg, fut un enchantement. Nous riions, nous chantions, nous étions aussi heureux qu'on le peut être, en allant rejoindre une amie, une fille bien-aimée. À Stuttgart, la réception fut charmante. Son Altesse sérénissime le duc Charles nous retint plusieurs jours, et voulut nous faire divertir ; elle nous prépara tous les plaisirs imaginables, dont nous ne profitâmes qu'à moitié : nos pensées étaient ailleurs.

Après une semaine de séjour, un soir, j'étais à jouer au piquet à écrire[77] avec plusieurs personnes, lorsque je me sentis la tête fort lourde et mal au cœur. Je crus que le repos me ferait du bien, et je demandai à Son Altesse la permission de me retirer ; on me l'accorda en se moquant de moi, on m'appela douillette, on m'accusa de paresse ; madame la duchesse de Montbéliard ajouta même :

— Ce n'est pas l'occasion d'être malade.

Je n'en fus pas moins prise la nuit d'une fièvre terrible, et le lendemain les médecins déclarèrent que j'avais
la petite vérole. Cette nouvelle m'atterra, non pas tant
encore pour cette terrible maladie et pour ses suites,
mais à cause de la nécessité de rester où je me trouvais.

— Je ne verrai pas la grande-duchesse Marie,
répétais-je sans cesse en pleurant comme une petite
fille.

On me séquestra, ainsi que cela se fait toujours ; on
me cacha le départ de la famille pour Vienne, afin de
ne me pas trop tourmenter ; c'était facile, puisque je ne
voyais personne. Leurs Altesses impériales, m'assurait-
on, avaient changé de route, et ne viendraient à Vienne
qu'au retour. Je le crus, et je consentis à me soigner
attentivement, M. d'Oberkirch ne me quitta pas.

J'avais été reçue avec beaucoup d'empressement et
d'amitié par la famille de Cramm. Mademoiselle de
Cramm avait alors vingt et un ans. C'était une personne
des plus distinguées, de toutes manières. Nous éprouvâmes l'une pour l'autre beaucoup d'attrait, et nous
nous liâmes presque sur-le-champ. Madame sa mère a
épousé successivement deux cousins germains de son
nom. Cette famille de Cramm est de Brunswick ; elle
porte, je ne sais pourquoi ni comment, trois fleurs de
lis d'or sur champ d'azur. Ce sont tout bonnement les
armes de France. Cela m'a fort étonnée ; il serait
curieux d'en connaître l'origine, mais je l'ignore, ayant
négligé de le demander ; je m'en accuse.

Lorsque mademoiselle de Cramm apprit le coup dont
j'étais frappée, elle n'eut pas un moment d'hésitation ;
oubliant le danger, la contagion, oubliant sa jeunesse,
son joli visage, elle vint s'enfermer avec moi, et s'exposa
à toutes les conséquences de ce fléau. Elle me soigna
avec un dévouement, avec une affection sans pareille ;
elle passa à mon chevet les jours et les nuits, attentive
à mes désirs, les prévenant tous, les satisfaisant avec

cette grâce qui double le bienfait. J'en serai reconnaissante toute ma vie.

Je fus en danger pendant quelques jours ; ma garde-
malade fit si bien qu'elle me sauva. [M. Oberkirch en
fut si reconnaissant que je crois qu'il lui aurait donné
tout ce qu'il possédait, si elle le lui avait demandé.]
Les progrès du mieux furent sensibles, j'entrai promptement en convalescence. Il devint impossible de me
cacher la vérité sur ce voyage de la comtesse du Nord,
dont tout le monde parlait ; la désolation me reprit. Je
ne pouvais m'en taire ni m'en consoler.

— Monsieur, dit un jour mademoiselle de Cramm à
M. d'Oberkirch, la pauvre baronne en perdra l'esprit
de n'avoir point vu la princesse.

— Elle n'en perdra rien du tout, si elle veut être sage,
se soigner et se rétablir vite ; je la mènerai à Paris attendre Son Altesse impériale. Elle la verra ainsi, mieux et
plus longtemps.

J'entendis ces mots, et j'en aurais sauté d'aise, si je
n'avais été clouée sur mon lit de douleur.

— Oh ! je vous promets de faire tout ce que vous
voudrez, de prendre sans difficulté les plus noires
médecines et les plus affreuses tisanes, afin d'être en
état de vous suivre. Vous me rendrez ainsi mieux la
santé que par toutes les ordonnances des médecins.

En effet, cette perspective m'apporta une consolation
et un bien-être qui me firent revenir comme par
enchantement. Ma charmante infirmière partagea ma
joie, et l'augmenta en me parlant continuellement de
mon voyage et en me le montrant comme le terme et
la récompense de ma patente docilité. M. d'Oberkirch
tint parole, et lorsque le comte et la comtesse du Nord
arrivèrent à Paris, le 18 mai 1782, j'y étais déjà, ainsi
qu'on le verra en son lieu.

C'est alors que je tins exactement un journal pendant mon voyage ; je le rédigeai plus en détail à mon
retour en Alsace. C'est celui qu'on lira bientôt ; si j'y

ajoute quelques nouveaux détails, je reviendrai chaque
fois au texte que je suivrai jour par jour, pour être sûre
de ne pas me tromper.

Aussitôt qu'il fut possible de me transporter,
M. d'Oberkirch me ramena à Strasbourg, où mon père
m'attendait avec impatience. On me trouva fort changée, point défigurée néanmoins ; j'avais surmonté mes
souffrances, grâce aux avertissements et aux prières
de mademoiselle de Cramm, qui ne me voulait point
comme une écumoire, en quoi elle avait parfaitement
raison.

Madame la comtesse du Nord m'écrivit de Vienne ;

Vienne, 24 décembre 1781.

« À la fin, ma chère Lane, je puis suivre le penchant
de mon cœur et vous dire mes regrets et ma joie. J'ai
cru tomber en faiblesse lorsque l'empereur m'a annoncé
votre cruelle maladie, mes yeux se sont remplis de larmes, et je me suis dit que mon amie n'est pas née pour
le bonheur. Vous vous faisiez une fête de ce voyage, et
moi je me disais que votre présence mettrait le comble
à ma satisfaction. Mais enfin le ciel en dispose autrement : que faire, si ce n'est de prendre le parti de s'armer de résignation, comme vous l'avez fait, ma chère
Lanele ? J'avoue que ce courage d'esprit vous rend
encore plus respectable à mes yeux. Enfin je bénis
Dieu de vous savoir tout à fait rétablie ; on m'assure
que vous ne serez pas marquée du tout, et que ma Lane
sera tout aussi jolie qu'elle l'a toujours été. Dans cinq
mois je vous tiendrai dans mes bras, et j'espère par mon
amitié et mes soins empressés, vous prouver combien
sincèrement j'aime l'amie de mon cœur.

« Ma joie en revoyant ma bonne maman ne s'exprime
pas. Je l'ai serrée contre mon cœur, je ne pouvais me
détacher d'elle. Nous avons oublié dans ce moment la
présence de l'empereur. Cette scène était si touchante

qu'il en a été attendri... Après les premiers instants j'ai demandé après ma Lanele... Tous ces embrassements n'ont pas cessé de la journée. J'étais hors de moi-même ; pendant cinq années de ma vie mon âme avait été fermée à ces doux sentiments ; mais à cette heure que je suis réunie à mon adorable maman mon cœur s'épanouit. Malheureusement le 3 janvier en sera le terme... »

« MARIE. »

Pendant ma maladie, un grand événement eut lieu à Versailles : la reine était accouchée de M. le dauphin. Il fut baptisé le lendemain de sa naissance par M. le cardinal-prince de Rohan, grand aumônier, évêque de Strasbourg, et tenu sur les fonts au nom de l'empereur et de madame de Piémont, par Monsieur, frère du roi, et par Madame, comtesse de Provence. La mode vint de porter des dauphins en or, ornés de brillants, comme on portait des jeannettes. À la suite de ses couches, les cheveux de la reine sont tombés ; elle a adopté alors une coiffure dite à l'enfant. Cette coiffure basse a été prise successivement par la cour et par la ville. Ce fut une grande joie dans le royaume que la naissance de ce royal enfant. [Le souci de sa santé était si grand qu'une « gardienne du ventre » fut désignée pour la nourrice, afin de tenir la faculté au courant de la santé de cette précieuse personne qu'elle ne devait, pour ainsi dire, perdre de vue un seul instant.]

La ville de Strasbourg, comme toutes les autres, fit de grandes réjouissances ; elles se rencontrèrent presque avec celles de la réunion de Strasbourg à la France, il y avait cent ans (le 30 septembre 1681), par conséquent un mois avant la naissance de l'héritier du trône.

On sait que, par le traité de Munster ou de West-phalie, de novembre 1648, l'empereur et la maison d'Autriche cédèrent au roi de France la plus grande partie de l'Alsace, c'est-à-dire la haute Alsace, la basse Alsace, le Sundgau, Brisach, et la préfecture de Haguenau, avec tous les droits de souveraineté et de haute puissance qu'ils pouvaient avoir sur ces terres ; mais Strasbourg, Ferrette[78] et d'autres villes ne furent réunies que plus tard et après la paix de Nimègue.

Perdue et reconquise par Turenne en 1675, réunie en 1680, l'Alsace fut entièrement cédée à la France par le traité de Ryswick en 1697. Strasbourg avait capitulé dès le 30 septembre 1681, et s'était soumise à Louis XIV. Il est remarquable qu'aucun noble ne voulut signer cette capitulation, qui fut consentie à Illkirch dans une maison qui existe encore[79].

En vertu de cette capitulation, la ville de Strasbourg a conservé le privilège de se gouverner par ses propres magistrats[80]. Le roi nomme seulement un préteur royal pour le représenter auprès du sénat, ainsi qu'un syndic.

On maria et on dota, lors de cet anniversaire, vingt jeunes filles, une par tribu, aux frais du magistrat de la ville, et l'on accorda à leurs maris le droit de bourgeoisie. Les dix mariages luthériens se sont faits au Temple Neuf, et les dix catholiques à la cathédrale, où on a chanté un *Te Deum* en latin. Il a, comme de raison, été chanté en allemand au temple. Toute l'artillerie des remparts tirait, ainsi que les régiments. Le cardinal de Rohan officia à la cathédrale, secondé de l'évêque de Tournay, et partit le lendemain pour Versailles où l'appelaient les cérémonies pour les couches de la reine. Le maréchal de Contades[81], qui commande pour le roi, le marquis de la Salle, l'intendant, M. de la Galaisière, le préteur royal, M. Gérard, les stettmeistre et ammeistre, les conseillers des chambres des Treize, des Quinze et des Vingt-et-un, ceux du grand sénat, les échevins des tribus, etc., ont reçu des médailles d'or ou d'argent à l'effigie de Louis XVI et frappées à cette occasion. Les personnes de distinction en ont reçu également.

Les trente-trois médailles d'or étaient chacune de la valeur de deux cents livres ; les autres, au nombre de trois cent cinquante, de la valeur de douze livres chacune. Il y avait en outre quinze cents jetons d'argent, de la valeur d'un florin, avec ces mots : *Argentoratum felix* [82] d'un côté, et de l'autre une fleur de lis.

M. Gérard, le préteur royal, qui est lié avec M. Rochon de Chabannes, lui a écrit pour le prier de composer une pièce de circonstance. Cette pièce, intitulée *La Tribu*, a eu le plus grand succès. Le sujet était pris dans les mœurs de Strasbourg, et la moralité a pour but le besoin et la nécessité de vaincre les préventions et l'ancienne antipathie entre les deux nations allemande et française, antipathie qui existe encore parmi le peuple. D'heureuses pensées, des couplets charmants furent applaudis avec enthousiasme. Cette représentation n'eut lieu que le 1er octobre, et ne fut pas gratuite, ce qui fut blâmé, car cette pièce était composée pour tout le monde. Il est vrai que les gens de basse classe savent généralement peu le français. Peut-être s'était-on rappelé que, dans une autre occasion où le spectacle était gratis, ils n'avaient pas été satisfaits.

— Messieurs, avaient dit les paysans, nous sommes restés jusqu'au bout, donnez-nous au moins quelque chose pour boire.

Madame la princesse Christine de Saxe, abbesse de Remiremont, était à cette comédie, ainsi que plusieurs princes et seigneurs étrangers et toute la noblesse de l'Alsace.

M. Gérard avait remplacé, comme préteur royal, M. le baron d'Antigny qui lui-même remplaçait son oncle M. Gayot. Ce dernier était aussi considéré par sa scrupuleuse probité que par sa capacité et ses moyens ; il passa à l'administration de la guerre, et est mort depuis quelques années. M. Gérard porta des médailles d'or au roi, à la famille royale et aux ministres. D'un côté est l'effigie de Louis XVI, et de l'autre : *Argentoratum felix votis sœcularibus* 1781. Le professeur Oberlin rédigea cette inscription.

Je n'assistai point à ces fêtes, mais j'en entendis le récit par beaucoup de personnes de ma famille et de mes amis. Je l'ai soigneusement recueilli, attendu qu'on ne verra plus les pareilles de cent ans, si on les voit. J'aime tout ce qui est rare et curieux.

Je parlais tout à l'heure de la princesse Christine de Saxe[83], abbesse de Remiremont, et je suis charmée de l'occasion d'en parler davantage. Cette princesse sœur de la dauphine Marie-Joséphine, mère de Louis XVI, était fille de Frédéric-Auguste, électeur de Saxe et successeur de Stanislas Leczinski au trône de Pologne. Elle avait fait construire place des Juifs, au coin de la rue des Charpentiers, un bel hôtel où elle résidait souvent, lorsqu'elle n'était point à son château de Brumath ou à Remiremont. Le chapitre de Remiremont est fort intéressant ; il offre beaucoup de particularités remarquables que je me suis empressée de mettre en note. Nous voyions souvent la princesse Christine et plusieurs dames chanoinesses à Montbéliard et à Strasbourg ; elles étaient presque toujours en route. On s'amusait pourtant à l'abbaye ; on y recevait beaucoup de monde dans les appartements particuliers de la princesse et aux bâtiments des étrangers.

Le chapitre noble de Saint-Pierre de Remiremont, situé au diocèse de Saint-Dié, fut fondé en 620 par saint Romaric. Il est composé d'une abbesse et de deux dignitaires : la doyenne et la secrète.

Il y a de plus l'aumônière et la tourière. Les dames chanoinesses ne sont pas de vœux ; elles peuvent rentrer dans le monde et même se marier. Elles ont chacune le droit de choisir une *nièce*, c'est-à-dire une coadjutrice qui doit leur succéder. Il faut prouver neuf générations ou deux cent vingt-cinq ans de noblesse chevaleresque, tant du côté de la mère que du côté du père. Les dames nièces payent soixante livres de pension aux dames *tantes* pour leur entretien. Les chanoinesses sont séculières, et soumises immédiatement au Saint-Siège. L'abbesse est princesse de l'Empire et jouit des droits régaliens. Le chapitre a le droit de fixer lui-même sa part dans les contributions de l'État. Il jouit des haute, basse et moyenne justices dans la sénéchaussée de Remiremont.

Les chanoinesses portent une croix, sur laquelle est saint Romaric, attachée à un large cordon bleu liséré de rouge, qu'elles mettent en écharpe de droite à gauche.

Ce chapitre a toujours joui de la protection la plus immédiate des souverains, depuis saint Romaric, prince de sang royal, son fondateur, jusqu'à nos jours. Les ducs de Lorraine venaient en personne à Remiremont jurer de conserver les droits de l'abbaye, et de ne pas souffrir qu'on y portât atteinte. Cette cérémonie se faisait avec la plus grande pompe. Les officiers de ces dames, les douze chanoines-curés, les chapelains, y assistaient en grand costume. Parmi les prérogatives de l'abbesse, une des plus précieuses est celle de délivrer, à certains jours, tous les prisonniers détenus à la Conciergerie.

À l'époque dont je parle, il s'était élevé une difficulté disciplinaire entre les dames tantes et les dames nièces. Celles-ci ont voulu pouvoir voter librement, ce qu'elles n'ont pas le droit de faire autrement que par l'organe des tantes, et s'émanciper de cette tutelle. Il en résulta un grand scandale, ou du moins un grand éclat, qui fut suivi d'un procès[84].

Il y a, du reste, une excessive liberté dans cet établissement qui n'est que mondain. Les prébendistes, et à plus forte raison les nièces, n'ont aucune règle, s'habillent comme tout le monde, portant seulement la croix et le cordon qui caractérisent le chapitre et la dignité.

La princesse Christine était du parti des jeunes chanoinesses. Cette princesse était bonne jusqu'à la faiblesse [et malheureusement laide à faire peur]. Elle habitait le plus ordinairement Strasbourg, et m'a toujours témoigné beaucoup d'affection et de bontés. Élue en 73, elle a remplacé la princesse Anne-Charlotte de Lorraine. Les plus grandes dames françaises et étrangères tiennent à l'honneur d'être admises dans cette maison. Elles ont tous les agréments possibles, la liberté des femmes mariées, et pas de mari qui les contrecarre. Je ne me ferai point l'écho des bruits et des accusations tant répétés contre les chapitres ; il y a du bon et du mauvais partout : la perfection n'est point dans les institutions humaines.

Pendant ma maladie, nous perdîmes le baron Christian de Wimpffen, maréchal de camp depuis l'année dernière, inspecteur des troupes et commandeur de Saint-Louis. C'était un officier supérieur distingué, dont mon père faisait beaucoup de cas, et qui fut fort regretté. Le colonel de Wimpffen, qui remplaçait M. de Flachsland dans le commandement du régiment de Bouillon, assistait à l'enterrement, et parut fort affecté. Le baron Christian de Wimpffen jouit d'une grande influence pendant le ministère de M. de Saint-Germain, dont il était le bras droit. Aussi lui a-t-on fortement reproché l'ordonnance qui exigeait, pour ceux qui entraient comme officiers dans les régiments, les mêmes preuves que pour les élèves de l'École militaire, c'est-à-dire quatre degrés de noblesse. Cette ordonnance a été blâmée comme impolitique. M. de Wimpffen n'était pas alsacien, mais d'une maison allemande du cercle de Souabe. Sa famille était nombreuse et ses frères servaient en Allemagne.

Lors des nouveaux règlements de M. de Saint-Germain dont je viens de parler, règlements qui faisaient de chaque blessure un droit à l'avancement, Carlin[85] disait à son interlocuteur Scapin :

« Je me ferai couper un bras, et on me fera capitaine ; puis l'autre, et je serai major ; avec un œil de moins, je serai colonel ; puis, je me ferai couper la tête pour devenir général. »

Le public comprit la critique, et Carlin fut couvert d'applaudissements.

M. de Saint-Germain a été diversement jugé, et toujours presque avec injustice. J'en puis dire quelques mots certains, mes relations de famille m'ayant mise à même de savoir beaucoup de choses sur ce ministre, dont les intentions et les talents ont été, j'ose le dire, méconnus.

Né en Franche-Comté, près de Lons-le-Saulnier, il passa successivement du service de France où il était sous-lieutenant à celui de l'électeur palatin, de l'Autriche, de la Bavière et de la Prusse. Rentré en France comme maréchal de camp, il y fit la guerre de 56. À la suite de quelques différends avec M. de Broglie, il prit tout à coup du service en Danemark, et se retira ensuite à Lutterbach en Alsace. Il avait perdu sa fortune dans une banqueroute à Hambourg ; les régiments allemands se cotisèrent pour lui faire un revenu de seize mille livres, jusqu'au moment où il reçut une pension du roi. Il s'occupait à Lutterbach de travaux sur l'état militaire de la France, qu'il adressa à M. de Maurepas ; ce travail fit jeter les yeux sur lui pour en faire un ministre.

M. de Saint-Germain avait les meilleures intentions, il voulait réprimer les abus, et donner à l'organisation de l'armée plus de discipline. Mais il lui manquait la fermeté nécessaire à la réalisation de ses idées. Il fléchit dès le début devant le crédit de personnages puissants, et dès ce moment il devint incapable d'opérer le bien qu'il avait rêvé. Il accepta le ministère à contre-cœur ; M. de Maurepas conseilla à Louis XVI de le prendre à la mort du maréchal du Muy ; on eut beaucoup de peine à le déterminer. Ce fut M. Dubois, préteur de Sélestat, son ami intime, et l'abbé Dubois, son frère, qui le décidèrent. Il céda et partit pour

Fontainebleau. M. de Maurepas était si pressé de le présenter au roi, qu'il le força de venir dans son cabinet en costume de voyage, c'est-à-dire en habit de campagnard et en perruque de laine ronde. Cet engouement passa vite ; on le trouva trop sévère, et on le remplaça par le prince de Montbarrey, père de la princesse de Nassau-Sarrebruck dont on a vu le mariage.

À peine étais-je rétablie ou du moins en convalescence, qu'il fallut m'apprendre un événement affreux dont nous fûmes tous consternés. Le neveu du général de Wurmser, notre parent, mourut de la manière la plus tragique et la plus douloureuse pour tous ceux qui lui appartenaient. Il menait une fort mauvaise conduite, dissipant sa fortune, fréquentant des compagnies indignes de lui, tant et si bien que son oncle fut contraint de demander un ordre du roi pour le faire enfermer pendant quelque temps. Avant de le conduire dans une citadelle, on le mit à l'Abbaye[86] et au secret. Le désespoir s'empara de lui, mais un désespoir, calme et résigné en apparence, qui trompa tous les yeux. Le geôlier s'attendrit sur son sort (non qu'il lui eût donné de l'argent, car on lui avait retiré le peu qui lui en restait), mais il lui fit tant de prières, lui montra un repentir si touchant, qu'il en obtint tout ce qu'il voulut. Il lui donna d'abord de petites douceurs de table, puis en vint même à lui accorder un couteau et une fourchette pour manger plus facilement. On l'avait privé de tout cela, ce qui était bien sévère, il faut en convenir. Il avait imploré plusieurs fois la clémence de sa famille et celle du roi, sans l'obtenir. Furieux d'être traité en criminel, il résolut de mourir et se porta plusieurs coups de couteau. Avec cette arme ébréchée et détestable, il se fit des blessures épouvantables, et il expira, perdant tout son sang, dans les bras du guichetier, avant même qu'on eût le temps de faire venir un médecin. Il écrivit sur la muraille ces quelques lignes, que j'ai toujours retenues, et qui, si Dieu m'avait accordé un fils, et qu'il eût eu une jeunesse orageuse, eussent certainement réglé ma conduite avec lui. Mon cœur se fend de pitié rien qu'en y songeant.

« Je ne puis supporter le déshonneur et la position que m'ont faite mes parents ; leur sévérité cruelle me rendra plus coupable encore, car je succombe aux traitements injustes dont je suis victime. Si on s'était adressé à mon cœur, il eût mieux répondu à leur attente. Je vais mourir, puisqu'on m'y force ; je vais expier mes fautes en donnant ma vie. Je pardonne à ceux qui me tuent, comme je prie Dieu de me pardonner ; mais je ne puis m'empêcher de regretter l'existence, en songeant que j'aurais pu être heureux si j'avais été plus sage, et que j'aurais pu effacer mes torts, si on ne m'avait pas mis dans l'impossibilité de les réparer. Adieu à tous ceux que j'aimais, non pas à ceux qui m'aimaient, car il n'y en a pas. Que le ciel les sauve du désespoir et leur épargne de souffrir jamais autant que moi. »

M. d'Oberkirch et moi, nous fûmes réellement affligés et tout à fait saisis de douleur, en lisant ces lignes touchantes. Cette mort fit plus de bruit qu'on ne l'aurait voulu. Les nouvelles à la main[87] la racontèrent. Nous en reçûmes de toutes parts des compliments dont nous nous serions bien passés. Ce deuil, car c'en était un véritable, se joignit à celui de la maison de Montbéliard, qui perdit peu de temps après et à peu de distance l'un de l'autre deux de ses membres : d'abord, le 7 février 1782, et à l'âge de soixante-six ans, la femme du margrave Frédéric-Henri de Brandebourg-Schwedt, oncle de madame la princesse ; c'était une princesse d'Anhalt-Dessau ; puis, le 7 mai suivant, la duchesse douairière de Wurtemberg, princesse de Brandebourg-Schwedt, tante par sa mère de Son Altesse royale, et veuve du prince héritier du rameau aîné, mort avant

son père, ce qui fit passer le duché au rameau actuel.
Cette princesse était alors dans sa quatre-vingt-unième
année.

Madame la grande-duchesse Marie en prit le deuil
pour quelques jours, presque aussitôt son arrivée à
Paris. J'eus de ses nouvelles de Venise où elle avait
passé six jours. Le 16/27 janvier 1782, elle m'écrivait de
Ferrare, après avoir fait un voyage de trois jours par
eau depuis Venise ; j'eus encore de ses nouvelles de
Bologne ; enfin le 8/19 février elle était à Naples. Je
devançais en espérance le moment qui devait me réunir à elle et à notre chère Tille.


## CHAPITRE IX


[Je passai ma dernière soirée à Strasbourg chez
moi, en compagnie de plusieurs officiers du régiment
d'Alsace qui étaient en permission. C'était d'abord
M. de Langenstecker, colonel commandant, le plus ridicule personnage que j'aie jamais connu. Très brave,
parfaitement honorable mais incroyablement stupide ;
il se prenait, avec la meilleure foi du monde, pour un
homme à bonnes fortunes et l'arbitre souverain de tous
les cœurs féminins de sa connaissance. Ce soir-là, il se
répandait en lamentations de ne pouvoir se rendre à
Paris où plus d'un cœur, disait-il, battait pour lui. Il
était entouré de jeunes gens, presque tous beaux, élégants et cultivés, mais le digne colonel croyait les sur-
passer tous par les grâces de l'esprit et par les charmes
de la personne. Il y avait là le baron de Gail et le baron
Schauenbourg, capitaines ; le comte de Reinach et le
comte de Froberg, lieutenants ; le comte de Montreux,
le chevalier de La Salle, le baron de Wangen, sous-
lieutenants ; tous servant sous les ordres du colonel et,

par conséquent, obligés de l'écouter en silence, mais riant largement quand il leur tournait le dos. À cette réunion d'adieux assistaient aussi mon cousin le baron de Waldner qui venait de passer adjudant-major dans le régiment de Waldner-Suisse, alors en garnison à Cherbourg, et le chevalier de Langalerie, officier appartenant au même corps. M. d'Oberkirch remarqua en riant que notre salon ce soir-là était une caserne en miniature : tous nos hôtes étaient en uniforme.]

Nous devions partir pour Paris le 12 mai de l'année 1782, et la veille, à la pointe du jour, nous nous mîmes en route pour Quatzenheim, où nous voulions passer la journée pour mettre ordre à quelques affaires.

J'étais la plus heureuse personne du monde ; je ne savais comment remercier M. d'Oberkirch du plaisir qu'il me faisait. Je ne dormis point cette nuit à Quatzenheim. J'avais les yeux ouverts à l'aurore ; je fis lever tout le monde. Nous partîmes enfin, mon mari, moi et ma femme de chambre, l'excellente Schneider, cette fille si dévouée qui, je l'espère, ne me quittera jamais. Ce n'était pas la moins heureuse de la caravane ; elle jouissait d'avance de sa supériorité sur madame Hendel, forcée de rester à Montbéliard, de ne point voir madame la grande-duchesse, et qui avait failli en faire une maladie. Nous avions de plus deux domestiques ; notre voiture à quatre places était excellente et nous allâmes avec nos chevaux jusqu'à Sarrebourg, après avoir dîné à Saverne. Ma belle-mère et ma fille nous accompagnèrent jusque-là. Ma belle-mère, la baronne douairière d'Oberkirch, née baronne de Buch, avait alors soixante-quatorze ans, et ce n'était pas sans quelque chagrin que je lui confiais ma chère Marie. Elle l'aimait beaucoup, mais je redoutais son caractère parfaitement désagréable. Je craignais que l'enfant ne s'en effrayât, ne s'en rebutât. Nos deux cousins, MM. Christian et Frédéric d'Oberkirch, vinrent aussi passer quelques moments avec nous. Ils venaient de Molsheim, où ils demeurent et où ils ont une jolie maison en forme de château moderne, sur les bords de la Bruche. Ce sont les représentants de la branche catholique. Les Oberkirch avaient tous embrassé le protestantisme à l'époque de la réforme, mais le bisaïeul de mon mari abjura cette religion, à l'âge de soixante-quatorze ans, ainsi que son plus jeune fils, Frédéric-Léopold d'Oberkirch, capitaine au régiment de Bernhold, de qui part cette branche. MM. d'Oberkirch sont donc les cousins issus de germain de mon mari ; ils nous ont toujours témoigné beaucoup d'amitié. Frédéric a quarante-cinq ans ; il a servi dans les gendarmes de la garde, puis comme capitaine dans Royal-Allemand, cavalerie.

Je pleurai beaucoup en quittant ma fille ; c'était une vraie douleur pour moi, et sans mon affection si tendre pour madame la grande-duchesse Marie, je crois que j'aurais renoncé au voyage dans cet instant cruel. [Je donnai mille consignes et mille recommandations à ma belle-mère qui chaque fois me répondait : « Soyez tranquille, ma fille. » Cette phrase répétée constamment m'aurait donné des vapeurs si j'avais été une petite maîtresse.] Enfin M. d'Oberkirch m'emmena, bien qu'il fût très-ému lui-même.

La Schneider pleurait aussi, de quoi je lui cherchai querelle. Elle ne laissait point derrière elle une enfant chérie. En passant à Phalsbourg, nous trouvâmes madame de Soettern et le colonel, et madame de Butler, qui y étaient venus tout exprès pour nous voir encore. Nous restâmes plus d'une heure avec eux. M. de Soettern est de la famille du célèbre Philippe-Christophe de Soettern, électeur de Trèves, qui fut enlevé de sa capitale en 1635 par les Espagnols, lesquels le gardèrent dix ans prisonnier pour le punir de s'être mis sous la protection de Louis XIII. Cet acte de violence fut une des raisons de la guerre entre la France, l'Espagne et l'Empereur.

Le marquis de Talaru, gouverneur de Phalsbourg, n'y réside pas. Ce gouvernement vaut douze mille livres de rentes. Il est lieutenant général, grand-croix de Saint-Louis, et maître d'hôtel de la reine en survivance[88].

Je fus très-sensible à l'attention de mes amis, et j'aurais souhaité rester plus longtemps avec eux, mais c'était impossible ; il avait plu toute la journée, les chemins étaient fort mauvais ; il y avait loin jusqu'à Sarrebourg, où nous devions coucher.

À Sarrebourg, nous renvoyâmes nos chevaux, et prîmes la poste. On nous en attela six, avec lesquels nous arrivâmes pour dîner à Lunéville, où résida si longtemps le bon roi Stanislas. La gendarmerie y est en garnison ; ce beau corps est l'occupation unique de tout ce pays. Ces cavaliers font la loi aux bourgeois, et même à la noblesse, et cela le plus galamment du monde. Ils sont fort aimés ; ils le sont trop même, assure-t-on ; ce qu'il y a de certain, c'est qu'ils s'y plaisent beaucoup. Nous nous promenâmes dans les jardins du château, qui sont assez beaux, bien qu'un peu négligés maintenant.

Nous devions aller coucher à Nancy. Nous nous arrêtâmes à une demi-lieue de la ville chez M. de Stainville (Choiseul), à sa maison de la Malgrange. M. de Stainville, lieutenant général, a été il y a dix ans gouverneur de la ville de Strasbourg et commandant en chef dans la Lorraine ; plus tard il a remplacé le maréchal de Contades dans son gouvernement. Il fut nommé maréchal de France un mois, jour pour jour, après cette visite. Mademoiselle sa fille venait d'épouser, le 16 avril précédent, le prince Joseph de Monaco, second fils du prince souverain de ce nom. L'aîné, duc de Valentinois, était le mari de mademoiselle d'Aumont depuis plusieurs années. Une des anecdotes que le maréchal aimait à raconter était celle-ci :

Son grand-père, ministre plénipotentiaire de M. le duc de Lorraine près de M. le régent, fut rencontré par ce prince au moment où il était furieux contre le duc, dont il croyait avoir à se plaindre. Il s'animait en lui parlant, selon son habitude, et alla jusqu'à lui dire :

— Je crois en vérité, monsieur de Stainville, que votre maître se f... de moi.

— Monseigneur, répliqua avec fierté M. de Stain-ville, le duc mon maître ne m'a pas chargé d'en informer Votre Altesse royale.

Mesdames de Zuckmantel et de Bernhold (cette dernière est de mes parentes) demeuraient à la Malgrange, et c'était à elles surtout que s'adressait notre visite. Madame de Zuckmantel est veuve du général de Zuckmantel, cordon rouge[89], et ambassadeur à Lisbonne. Les Zuckmantel sont une des plus anciennes et des plus puissantes familles de basse Alsace. Ils ont eu une princesse abbesse de Sainte-Odile, au XVIe siècle. Madame de Zuckmantel habite Paris l'hiver, et y tient un brillant état. Je ne l'avais pas vue depuis longtemps, et nous avons été charmées de nous retrouver. Elle avait perdu sept mois auparavant son fils unique, dernier rejeton de sa famille, mort à dix-neuf ans, chef d'escadron dans le régiment de Schomberg. Sa mère pénétrée de douleur a quitté sur-le-champ Osthoffen où elle lui fait élever un monument funèbre. Cette aimable et brillante femme parut touchée de mon intérêt. Nous rencontrâmes aussi, à la Malgrange, madame la comtesse de Lénoncourt, née également d'Haussonville, la comtesse de Mun, et madame de Franck l'*ammeistre*. Tout ce cercle nous reçut à merveille ; on nous raconta de beaux détails des fêtes données à l'Hôtel-de-ville de Paris, pour la naissance de M. le dauphin ; on me félicita d'aller dans cette capitale, où tant de plaisirs m'attendaient. J'étais peu à la conversation, l'impatience d'arriver me dominait, et j'aurais voulu ne m'arrêter jamais.

La Lorraine a beaucoup de noblesse, et qui porte des dénominations particulières, en usage seulement dans ce duché. Les quatre principales familles sont nommées les *Grands-Chevaux*, ce sont :

D'Haracourt, Lénoncourt, Ligneville, du Châtelet.

La seconde chevalerie, familles qui en descendent par les filles, et qui peuvent aller de pair avec elles, sont :

Stainville, Ludre, Saffré d'Haussonville, Lambertie, Gournay, Fiquelmont, d'Ourches, Helmstadt, Marle, Mauléon, Mercy, Hunolstein.

On a souvent dit que ces maisons égalaient bien les quatre premières, et que ces *petits chevaux* valaient quelquefois mieux que les *grands chevaux*, dont les prétentions sont discutables. De là l'expression *monter sur ses grands chevaux*.

Toutes ces grandes maisons fournissaient de chanoinesses les chapitres de la Lorraine, où il y en avait plusieurs. Ils venaient peu à la cour de France, et se regardaient à peine comme Français. Madame de Lénoncourt était veuve depuis plus de trente ans ; c'était une belle vieille femme, son seul chagrin était de n'avoir pas d'enfant. Le nom de Lénoncourt est porté, par substitution, par les Sublet d'Heudicourt. Elle raffolait et avec raison de madame de Franck, la femme de l'ammeistre de Strasbourg, qui venait la voir tous les matins. Ce titre d'ammeistre se donne au chef du petit conseil, au *magistrat* de la ville. Il a déjà été porté par un autre membre de la famille de Franck, et son avènement aux fonctions d'ammeistre a été assez singulier pour que je le rapporte ici.

À la suite de discussions intestines dans le *magistrat*, son prédécesseur donna sa démission, et on ne trouva personne pour le remplacer. Les discours et même les écrits de M. de Franck l'avaient fait beaucoup aimer dans le menu peuple, et, comme il disait hautement qu'un bon citoyen ne pouvait refuser ces fonctions, ni se dispenser d'aller siéger, même quand il serait mourant, on le prit au mot, et on le nomma. Il était précisément fort malade. La populace se porta en foule

devant sa porte, on lui fit, de force, quitter son lit ; on
le porta en triomphe, malgré qu'il en eût, en criant :

— Vive le grand patriote !

Il manqua en mourir, et le nom lui en est resté. Je
crois bien qu'il se repentit un peu de ses maximes
hasardées, et qu'il eût préféré n'être point si grand
patriote, afin de l'être plus longtemps. Ce qu'il y a de
sûr, c'est qu'il se mesura davantage, et qu'il n'étala plus
des devoirs aussi impérieux devant ses concitoyens.

Madame de Mun, que nous vîmes aussi chez M. de
Stainville, était la fille de M. Helvétius[90], fils du médecin de la reine, et la sœur de la comtesse d'Andlau.
M. Helvétius, tout fermier général qu'il fût, n'en avait
pas moins épousé mademoiselle de Ligneville, qui n'avait
rien et qui se mésallia avec lui pour sa grande fortune.
Madame la comtesse de Mun était alors en visite chez
sa sœur, la comtesse d'Andlau, nièce du baron d'Andlau, qui habitait Colmar, et a épousé la mère de
madame de Genlis. Les comtes d'Andlau sont deux frères ; l'un a commandé le régiment de Royal-Lorraine,
cavalerie, et a été depuis nommé ministre plénipotentiaire à Bruxelles. Ces d'Andlau, établis en Lorraine,
sont une branche des d'Andlau d'Alsace, famille si nombreuse et si étendue. Le chef de cette maison a pour
titre :

« Premier des quatre chevaliers héréditaires du saint-
empire romain. »

Il porte ses armes soutenues par le quart d'un manteau impérial.

Il faut savoir que cette maison d'Andlau et celle de
Berckheim sortent de la même souche. Schœpflin et
Hertzog sont d'accord là-dessus, et ces deux familles
elles-mêmes l'ont toujours authentiquement reconnu.
Mais cette séparation entre les Andlau d'Andlau et les
Andlau de Berckheim est si ancienne, qu'elle se perd
dans la nuit des temps. Cependant on croit qu'elle s'est
faite au XIIe siècle.

Nous passâmes toute la journée à la Malgrange ; on voulait nous y retenir le soir, mais nous préférâmes retourner à Nancy ; nous devions y retrouver mon beau-frère, capitaine dans Berchigny-hussards[91], en garnison à Saint-Mihiel, et qui venait exprès pour nous voir. C'est le frère cadet de mon mari ; sa femme est une Rathsamhausen. Nous le revîmes avec bien du plaisir. Nous avions ainsi des affections sincères sur toute la route ; c'était un vrai voyage de cœur. [Avant d'entrer en ville, nous fîmes un arrêt à Notre-Dame-de-Bon-Secours, car nous désirions visiter les tombeaux du roi et de la reine de Pologne qui sont enterrés dans cette chapelle. Les mausolées sont en marbre blanc et les sculptures sont très belles. Le bon roi Stanislas a laissé de touchants souvenirs dans ce pays ; tout le monde l'adorait et il le méritait car il a fait énormément de bien. J'étais profondément émue devant cette tombe : je pensais que nous devons tous mourir, si aimés et si puissants que nous soyons, et je ressentais vivement la vanité de nous attacher aux choses d'un monde que nous devons quitter si rapidement.] Nous nous mîmes à courir la ville neuve, qui est très-belle et très-bien bâtie : la place Carrière, la place Royale, la Pépinière, charmante promenade où nous rencontrâmes beaucoup de personnes de qualité qui nous firent accueil. Si nous eussions voulu rester deux semaines à Nancy, tous les jours étaient pris d'avance. M. d'Oberkirch retrouva, entre autres, deux comtes de Ligneville, qu'il avait connus autrefois : l'un, ancien capitaine de vaisseau, qui avait épousé une demoiselle Conte ; l'autre, sous-lieutenant des gardes du corps du roi, très-bel homme et très-recherché des dames.

Cette ville de Nancy me sembla très-agréable à habiter. Il y avait quantité de noblesse fort magnifique ; beaucoup de parures, des officiers très-galants, parmi lesquels la gendarmerie de Lunéville tenait sa place. Cependant je ne sais si je ne préfère pas Strasbourg.

Nous sommes moins élégants, plus sérieux, c'est vrai, mais nous sommes aussi, ce me semble, plus dignes, plus suivis dans notre genre d'esprit. Il est très-facile d'être honnêtes gens dans un pays comme le nôtre, où les tentations manquent, où les mœurs sont sévères, où la moindre inconséquence est punie d'un blâme universel. À Nancy comme à Paris, comme à la cour, la vie est tout autre ; les plaisirs et la galanterie y sont la grande occupation ; les personnes graves et retenues y sont traitées de prudes. Les paroles et les actions ont une facilité qui, sans conduire au mal, je n'en doute pas, le laisse craindre ou soupçonner. Je comprends combien il est facile de le supposer ; je comprends aussi combien, pour être juste et impartial, il faut mesurer ses jugements et les tourner *sept fois* dans sa tête, selon la recommandation du sage. Ainsi veux-je faire.

Nous partîmes de Nancy le samedi 14 mai, à dix heures du matin, par un temps délicieux. Nous roulions très-vite ; les chemins de Lorraine sont assez beaux, moins beaux que ceux d'Alsace, cependant. Nous passâmes à Toul, et nous nous y arrêtâmes juste le temps de changer de chevaux et de visiter la cathédrale. C'est un superbe morceau gothique ; nous y remarquâmes surtout une chapelle, véritable dentelle de pierre. J'aime les églises anciennes, et je comprends que ces grands vaisseaux, sonores et sombres, parlent vivement à l'imagination des catholiques.

Nous dînâmes à Void, petit bourg dans le diocèse de Toul. Je remarquai une chose singulière, c'est que ce cabaret borgne, où ne logeaient et ne descendaient guère que des gens de peu, avait une excellente cuisine ; nous y mangeâmes des écrevisses grosses comme des homards, je n'en ai jamais revu de pareilles, même sur les tables des princes. M. d'Oberkirch s'amusa à faire monter l'hôte pour lui adresser un compliment. Celui-ci arriva, son bonnet de coton à la main, en tirant sans cesse la jambe gauche, manière de saluer particulière aux paysans lorrains, et que celui-ci outrait d'une façon toute comique.

— Où prenez-vous de si belles écrevisses ? demandai-je, vous les nourrissez donc exprès ?

— Que non, madame, nous ne pourrions pas suffire : elles finiraient par nous manger.

Je trouvai la naïveté admirable, et M. d'Oberkirch en rit de tout son cœur.

Nous couchâmes à Saint-Dizier, en Champagne ; tout ce pays est fort laid et fort triste. Saint-Dizier est une vilaine petite ville, où l'on ne trouve que des auberges détestables ; je n'y pus dormir de la nuit, à cause d'une assemblée de rouliers, établie sous mes fenêtres, et qui ne pouvaient venir à bout de charger leur voiture d'un gros ballot, retombant toujours comme le rocher de Sisyphe. Ils dépensèrent une telle quantité de paroles et de juruments, qu'ils durent en avoir au moins pour quinze jours à s'en passer.

Le matin avant notre départ, les commis de la ferme vinrent faire semblant de nous fouiller, ils avaient à peine ouvert un œil ; la veille, il y avait eu, il paraît, une débauche chez ces messieurs, à cause d'une belle prise qu'ils firent sur un fraudeur de vins, et dont ils burent l'appoint et les intérêts. Ils ménagèrent nos coffres à la grande admiration de l'honnête Schneider, qui voulait absolument leur donner pour boire.

— Eh ! ils n'ont que trop bu, répliqua M. d'Oberkirch, ayez pitié d'eux.

— Ils n'ont au contraire, disais-je, bu que juste assez ; un peu plus, ils seraient querelleurs ; un peu moins, ils seraient ennuyeux et voudraient tout voir. Ils poussèrent la politesse jusqu'à aider nos gens à recharger les malles. Nous leur donnâmes enfin, pour prix de tant de bonne grâce, de quoi reprendre la *chose* où ils l'avaient laissée la veille. Ils burent donc à notre santé accompagnée de celle du fraudeur.

Le 15, nous nous arrêtâmes pour manger à Châlons-sur-Marne, capitale de la Champagne, qu'il ne me plairait point d'habiter. Je lui trouve un vilain air. Nous couchâmes à Dormans, autre petite ville champenoise, où nous arrivâmes fatigués. Depuis Saint-Dizier, il pleuvait sans cesse, et les chemins étaient abominables. J'avais les côtes brisées des cahots, bien que notre voiture fût excellente. [C'était dommage que le temps fût si mauvais, car cette partie de la Champagne où coule la Marne est très belle. Sur les deux rives, on voit de superbes champs de blé et des vignobles, d'admirables domaines et maisons de campagne, de magnifiques cultures. Nous ne pouvions guère jouir de ce charmant paysage, car nous étions obligés de garder fermées les fenêtres de la voiture à cause de la pluie qui nous battait furieusement le visage. Nous parvînmes ainsi à Épernay que l'on considère comme la capitale de cette partie de la Champagne qui donne le meilleur vin. Nous désirâmes le goûter sur son sol natal ; mais, au risque de passer pour barbare, j'avoue préférer nos vins d'Alsace et du bord du Rhin. Le 16, nous arrivâmes à Meaux, capitale de la Brie du Nord, grande ville de marchands, mais très bourbeuse et très triste. C'est dans ses environs que l'on fabrique les fameux fromages qui portent le nom de cette province. On en envoie dans tous les coins d'Europe et nous en mangions souvent à Strasbourg.]

Enfin, nous aperçûmes la grande capitale, et bientôt nous y arrivâmes. Son aspect ne me frappa que par le mouvement ; les quartiers que je parcourus ne me semblaient pas plus magnifiques que nos villes de province. Il faut habiter Paris pour l'apprécier. Nous descendîmes chez mon oncle, le comte de Waldner, qui demeurait à la Chaussée-d'Antin et qui, devant rester à la campagne avec sa femme, nous céda son appartement. Nous nous y trouvâmes fort bien logés, et je m'y établis sur-le-champ avec un très-grand plaisir.

On me remit, à notre débotté, une lettre de madame de Benckendorf, qui accompagnait madame la comtesse du Nord dans son voyage. Elle me priait de la part de la princesse d'aller au-devant d'elle avec M. d'Oberkirch jusqu'à Fontainebleau. Cette attention de madame la comtesse du Nord me toucha profondément. Je m'empressai de répondre que je me rendrais à ses ordres, et ce fut de toute la joie de mon cœur.

Je finissais à peine ma réponse, qu'on m'annonça le prince Baradinski, ministre de Russie ; il venait aussi de la part de ma chère princesse, me parler de son voyage, me dire tous les endroits où elle s'était reposée, comment elle se trouvait, qu'elle n'était point fatiguée du voyage et qu'elle désirait me voir.

Le prince Baradinski partait le lendemain pour Fontainebleau, il allait à la rencontre de Leurs Altesses impériales. J'étais très-résolue à en faire autant, et c'était pour moi une joie extrême. Le prince Baradinski était, comme presque tous les Russes de la cour de Catherine, un homme fort distingué ; il avait les meilleures manières et rien du Sarmate et du Goth, je vous en réponds.

Après sa visite, nous reçûmes celle de la baronne de Hahn, la même dont j'ai déjà parlé et dont le mari est colonel attaché au régiment d'Anhalt. [Elle devait rentrer le lendemain à Strasbourg ; je la chargeai de mille tendresses pour ma fille et de mes respects pour ma belle-mère qui était, en général, très-considérée mais peu aimée ; son caractère était terrible, si son cœur était bon ; il était impossible de vivre avec elle. Ma fille toutefois fut heureuse pendant son séjour chez elle et je n'eus pas à regretter de l'avoir confiée à sa grand-mère.]

Ensuite, nous nous couchâmes très-fatigués, très-agités, ainsi que cela arrive en pareil cas.

17 mai. — Nous étions pourtant debout de très-bonne heure, et nous nous mîmes en chemin pour Champigny, où demeurait le comte de Waldner, mon

oncle, auquel nous allâmes rendre nos devoirs. Il avait
acheté là une assez jolie maison de campagne, qu'il
habitait une grande partie de l'année. Il nous reçut à
bras ouverts, comme ses enfants. Je le trouvai si changé
que j'en fus touchée jusqu'aux larmes. Le pauvre
homme se soutenait difficilement ; il fallait l'aider
lorsqu'il allait de son fauteuil à son lit ; son esprit a
baissé en proportion. C'est un douloureux spectacle,
quand on pense surtout à ce qu'il a été. Je revins après
dîner, le cœur navré de cette transformation. Les fatigues de la guerre y ont sans doute contribué plus
encore que l'âge.

En rentrant à Paris, nous allâmes faire une visite à
madame la marquise de la Salle dont le mari, lieutenant général, commande en second en Alsace. C'est
un homme de beaucoup d'esprit ; la marquise est plus
ordinaire, quoiqu'elle ait du monde autant que femme
en France. Elle a deux fils, dont l'un au service, l'autre
encore enfant. Madame de la Salle est une Clermont-
Chaste, et madame sa mère était mademoiselle de
Butler.

J'allai, en quittant madame de la Salle, faire une
visite de femme chez mademoiselle Bertin, fameuse
marchande de modes de la reine, selon l'ordre que
j'en avais reçu de madame la grande-duchesse, afin de
m'informer si ses robes étaient prêtes. Toute la boutique travaillait pour elle ; on ne voyait de tous côtés que
des damas, des dauphines, des satins brochés, des bro-
carts et des dentelles. Les dames de la cour se les faisaient montrer par curiosité ; mais jusqu'à ce que la
princesse les eût portées, il était défendu d'en donner
les modèles. Mademoiselle Bertin me sembla une singulière personne, gonflée de son importance, traitant
d'égale à égale avec les princesses.

On raconte qu'une dame de province vint un jour lui
demander une coiffure pour sa présentation ; elle voulait du nouveau. La marchande la toisa des pieds à la

tête, et, satisfaite sans doute de cet examen, elle se retourna d'un air majestueux vers une de ses demoiselles en disant :

— Montrez à Madame le résultat de mon dernier travail avec Sa Majesté.

Madame la baronne de Hahn partait le soir même ; elle nous avait fait promettre de souper chez elle. Nous voulions partir aussi, de notre côté, pour aller au-devant de madame la comtesse du Nord jusqu'à Fontainebleau. Pour aucun prix nous ne pûmes trouver des chevaux de poste. M. d'Oberkirch fit courir et courut lui-même tout Paris inutilement ; j'en aurais pleuré. Il fallut se résigner à attendre le lendemain. Il fut convenu que nos chevaux de renvoi nous conduiraient à la rencontre de Leurs Altesses impériales aussi loin que possible. Je ne voulus point me coucher ; je passai une grande partie de la nuit à écrire à madame la princesse de Montbéliard. Mon cœur était si plein qu'il ne pouvait s'adresser qu'à elle seule. J'étouffais de joie et d'impatience. J'allais donc la revoir, cette amie si chère, cette charmante princesse ! j'allais la revoir au comble du bonheur et de la gloire. Mon vœu le plus ardent s'accomplissait ainsi.

« Ah ! madame, écrivais-je à son auguste mère, j'ai bien envié votre sort, mais c'est vous maintenant qui allez envier le mien. »

18 mai. — Le lendemain, en effet, nous marchâmes assez vite trois postes durant, et à Froidmanteau, nous attendîmes de neuf heures à deux heures l'arrivée des carrosses.

## CHAPITRE X

Enfin nous entendîmes le bruit des roues, les fouets des postillons, les grelots des chevaux ; les carrosses

parurent, nous nous élançâmes dehors. Madame la
grande-duchesse mit la tête à la portière et agita son
mouchoir en m'apercevant, et dès que la voiture s'arrêta, M. le comte du Nord sauta à terre et vint au-
devant de moi ; il me reçut admirablement bien, avec
une affabilité et une bonne grâce qui ressemblaient
presque à de l'amitié. Mais ma chère princesse, elle,
me combla de caresses et d'affection ! Ce moment fut
un des plus beaux de ma vie ; le cœur me battait avec
une émotion que je ne puis rendre. Je restai presque
cinq minutes serrée dans ses bras.

— Ma bonne, ma chère Lanele ! répétait-elle, que je
suis aise de te revoir !

— Et moi donc !

Nous rentrâmes à Paris à la suite de Leurs Altesses
impériales, après cette courte entrevue, et nous eûmes
l'honneur de les accompagner à leur hôtel. Là, je
retrouvai ma bien-aimée princesse Dorothée comme
aux jours de Montbéliard, aussi simple, aussi bonne,
aussi confiante. Elle me présenta de nouveau au grand-
duc, en ajoutant :

— C'est une autre moi-même, je vous prie de l'aimer
pour l'amour de moi. [C'est une vraie sœur pour moi
et je vous prie de l'aimer comme les deux autres.]

J'en fus attendrie jusqu'aux larmes. M. le comte du
Nord, tout ému, me baisa les mains. Son auguste épouse
lui était si chère, qu'il partageait tous ses sentiments.
Madame la comtesse du Nord me parla ensuite de ses
enfants, dont elle était idolâtre.

— Mon cher Alexandre, mon cher Constantin, j'ai
de leurs nouvelles tous les ordinaires, mais je trouve le
temps bien long. Cependant, loin d'eux, ma chère
Lanele, mon cœur est partagé en plusieurs morceaux ;
c'est le sort de celles qui sont destinées au trône. Il
nous est interdit de réunir jamais près de nous à la fois
tous ceux que nous chérissons. Et ma petite filleule,

pourquoi ne l'avez-vous pas amenée ? J'aurais été charmée de la voir, de l'embrasser.

Nous avions bien des choses à dire, à nous raconter : nos maris, nos familles, toutes les circonstances de notre vie depuis notre séparation. J'étais particulièrement curieuse de détails sur la grande Catherine, et madame la comtesse du Nord ne me les épargna pas. On nous dérangeait à chaque instant, car les visites et les compliments pleuvaient. Nous trouvâmes cependant moyen de faire une bonne trouée dans le passé, sauf à reprendre les choses où nous les laissions, ce qui nous amena des fous rires qui semblaient l'écho de ceux d'autrefois.

On logea fort magnifiquement la suite de madame la grande-duchesse. Madame de Benckendorf[92] eut un joli appartement, et comme je m'y étais retirée un instant avant le souper, madame la marquise de Bombelles[93], dame pour accompagner Madame Élisabeth de France, sœur du roi, vint m'y chercher ; c'était une fort aimable personne. Le marquis de Bombelles, son mari, ministre du roi près de la diète générale de l'Empire, avait succédé dans ce poste au baron de Mackau, son beau-père. Le beau-frère de la marquise, M. le comte de Bombelles, est maréchal de camp et sert dans les gardes françaises. Le marquis de Bombelles est seigneur des fiefs de Worck et Achenheim, en Alsace, à une lieue de Strasbourg. Son père était lieutenant général des armées du roi et commandant des ville et château de Bitche, de la frontière de la Lorraine allemande et de la Sarre, ambassadeur, etc.

Deux demoiselles de Bombelles, ses sœurs, ont épousé, l'une le marquis de Travanet, et l'autre le marquis de Louvois, qu'on appelait autrefois le chevalier de Souvré. Je suis liée avec madame de Travanet de la plus vive amitié ; c'est une des meilleures, une des plus spirituelles, une des plus charmantes femmes que je connaisse. Elle a été dame de Madame Élisabeth, et ne l'était plus au moment dont je parle. C'est elle qui a composé la chanson du *Pauvre Jacques*, dont l'air et les paroles sont si touchants. Je voyais sans cesse madame de Travanet, et je suis même entrée en correspondance avec elle.

Quant à madame de Louvois, elle était fort jeune, et venait d'être présentée cet hiver-là même. C'était la quatrième femme de M. de Louvois. Il avait épousé en premières noces mademoiselle de Logny ; il ne vécut avec elle que quelques années, et se remaria peu après sa mort avec une Hollandaise, la baronne de Wriezend'Hoffel. Il était fort extravagant, et connu pour tel ; la baronne ne l'était pas mal non plus. En revenant de l'autel, elle lui dit d'un air agréable qu'elle espérait le voir devenir sage désormais.

— Je vous assure, répondit M. de Louvois, que de toutes mes sottises j'ai fait la dernière.

La pauvre marquise aurait pu lui donner bien des démentis, quoique sa vie eût été courte. Il avait la rage du mariage, il convola donc de nouveau avec la comtesse de Reichenberg. Celle-là vécut moins que les autres encore, à peine quelques mois. Avait-elle ouvert plus tôt les portes du cabinet de la Barbe-Bleue ? Je l'ignore ; mais mademoiselle de Bombelles fit certainement un acte de courage en se risquant au quatrième numéro.

M. de Louvois avait fait mille folies dans sa jeunesse. Il jetait l'argent par les fenêtres avec une facilité merveilleuse, et tellement que M. de Louvois, son père, lui coupa les vivres au mauvais moment, celui où il ne trouvait plus de crédit. Il fallut donc revenir sous l'aile paternelle, malgré qu'il en eût, et il arriva au château d'Ancy-le-Franc comme l'enfant prodigue, sans un habit de rechange ! Le lendemain, il y avait beaucoup de monde à dîner, et il ne pouvait décemment paraître vêtu comme il l'était ; d'ailleurs la compagnie l'ennuyait, il prit le prétexte de sa toilette pour s'excuser de descendre.

— Je vous demande pardon, monsieur, lui dit son père, vous viendrez à ce dîner.

— Monsieur, je ne demande pas mieux, mais voyez, cela est impossible, cet habit...

— Mettez-en un autre.

— Je n'en ai pas.

— Vous n'en avez pas ! après avoir dépensé soixante mille livres chez les tailleurs et les brodeuses.

— Enfin, monsieur, ce n'est *plus* une raison ; c'en était une jadis... je ne dis pas... À présent ils sont usés.

— Ayez-en un.

— Monsieur, c'est facile à dire ; mais pour avoir un habit... il faut de l'argent, et... dans ce moment-ci...

— Comment, monsieur !... Et vous avez emprunté deux cent mille livres chez les usuriers !

— Mon Dieu, monsieur, je ne dis pas le contraire, mais les écus sont allés avec les habits.

M. de Louvois leva les yeux et les bras au ciel, poussa une exclamation de colère, et sortit. Au moment de fermer la porte, il se retourna :

— Je n'entre pas dans vos extravagances, monsieur ; tout ce que je puis vous dire, c'est que *je veux* vous voir à ma table au jour convenu, et que je vous défends d'y paraître avec un pareil habit.

Le chevalier resta fort stupéfait, fort embarrassé et fort contrit. La volonté paternelle était positive, et si elle n'était point exécutée, il ne restait plus d'espoir de pardon. Il se creusa la tête pour chercher un expédient, appela son valet de chambre, espèce de Scapin, et tous les deux se mirent à retourner toutes leurs rubriques sans rien trouver de présentable. Enfin, les yeux du chevalier se portèrent sur la tapisserie de la chambre représentant le mariage de Statira et d'Alexandre, avec une foule de personnages plus curieux les uns que les autres.

— Ah s'écria-t-il, j'ai mon affaire ; va me chercher le tailleur du village, qu'il vienne de suite, qu'il apporte tous ses outils, et qu'il se prépare à passer la nuit au château.

— Mais, monsieur le chevalier...

— Va vite, et ne réplique pas.

À peine le valet fut-il parti, qu'il se mit à décrocher avec beaucoup de sang-froid les rideaux de son lit, et les étala sur une table, marqua avec de la craie les figures qui lui plaisaient le plus, et dès que le tailleur fut arrivé :

— Taille-moi là dedans habit, veste et culotte, mon garçon, lui dit-il ; choisis les plus jolies femmes pour me les mettre par devant, et quant au grand prêtre que voici, lui et sa barbe seront admirablement placés dans mon dos.

Le tailleur ouvrit d'aussi grands yeux que le valet de chambre ; ils crurent la raison de leur jeune maître dérangée ; mais celui-ci insista si fort, avec tant de gaieté, qu'ils se décidèrent à obéir.

L'habit fut prêt pour le lendemain ; il allait à ravir, et le chevalier de Souvré se présenta sans sourciller, à la table du marquis. On juge des exclamations, des étonnements, des rires. Le père se fâcha. Pourtant cette honte publique faite à sa parcimonie l'obligea de rouvrir sa bourse. Il habilla de neuf son héritier, de quoi celui-ci profita pour prendre la clef des champs. Il revint à Paris, et se mit fort dans les bonnes grâces de mademoiselle Colombe, actrice de la Comédie Italienne, et, dans un transport de reconnaissance, il lui demanda ce qui pourrait lui faire plaisir.

— Envoyez-moi des chatons, répondit-elle, j'en veux composer un collier.

Le lendemain, il fit porter chez elle une boîte remplie de petits chats. À la cour et dans les coulisses, ce qui commençait à se mêler beaucoup trop ensemble, on en rit pendant huit jours. Après, une autre facétie fit oublier celle-là.

Revenons maintenant aux illustres voyageurs. Ils étaient logés à l'hôtel de l'ambassade de Russie, autrefois hôtel de Lévis, au coin de la rue de Gramont et de l'ancien boulevard. Quand ils arrivèrent, une affluence choisie les attendait ; ils furent couverts d'applaudissements, et saluèrent indistinctement tout le monde. Les jours suivants, un peuple immense s'y portait et criait :
— Vivent M. le comte et madame la comtesse du Nord ! aussitôt qu'ils paraissaient. Dans la crainte de quelque mouvement, un exempt logeait à leur hôtel et se tenait absolument à leur disposition. Il prenait leurs ordres plusieurs fois par jour.

M. le comte du Nord avait alors vingt-huit ans, étant né le 1er octobre 1754. Il ne séduisait pas au premier abord : il était de fort petite taille, et ses traits étaient ceux des races du Nord dans ce qu'elles ont de moins régulier. Mais, en le regardant mieux, on découvrait dans sa physionomie tant d'intelligence et de finesse ; ses yeux étaient si vifs, si spirituels, si animés, son sourire si malin, qu'on ne comprenait pas comment ils conservaient néanmoins une grande expression de douceur et une dignité qui ne se démentait jamais, malgré l'aisance et le naturel de ses manières. Il a été élevé par le comte Panin qui était grand gouverneur.

Madame la grande-duchesse était devenue la plus belle personne du monde. Elle avait grandi encore, sa taille s'était développée ; elle marchait avec une grâce et une majesté qui ne pouvaient être comparées qu'à celles de notre charmante reine. Je n'ai pas besoin de dire ce qu'elle était, du reste ; elle est suffisamment connue de mes lecteurs.

Outre sa dame d'honneur et deux autres de ses dames, madame la comtesse du Nord avait avec elle la baronne de Benckendorf, sa meilleure amie après moi. Le colonel de Benckendorf était attaché au grand-duc et

l'accompagnait dans ce voyage. Ce nom de Benckendorf a été illustré, pendant la guerre de Sept ans, par
son père, général de cavalerie, qui décida le gain de la
bataille de *Kollin* contre Frédéric.

Le grand-duc avait aussi auprès de lui le prince
Alexandre Kourakin[94], son compagnon d'enfance et son
ami, et le prince Yousoupoff, premier chambellan.
Lorsque Son Altesse impériale sortait sans ses gens et
sans madame la comtesse du Nord, le prince Kourakin
l'accompagnait toujours. Le prince n'avait point du tout
l'air de ces *barbares du Nord*, et il eut beaucoup de
succès à Versailles.

Madame la comtesse du Nord avait encore retrouvé
à Lyon sa famille, c'est-à-dire ses augustes père et mère
et un de ses frères. Ils demeurèrent avec elle tout le
temps qu'elle y resta et l'accompagnèrent jusqu'à Dijon,
où ils la quittèrent pour retourner à Montbéliard.
Madame la grande-duchesse me parlait sans cesse
d'eux ; elle ne les avait pas assez vus, et malgré les
séductions de Paris, elle tournait souvent un œil de
désir vers l'asile de son enfance. Peut-on oublier les
premières impressions de la vie !

Le comte du Nord a eu à Lyon un plaisir bien digne
de son âme généreuse, celui de libérer du service, en
rachetant son engagement, un Russe qui se trouvait
dans le guet de cette ville. Il lui donna cinquante louis
et l'engagea à se présenter à lui à Saint-Pétersbourg,
où il s'occuperait de son avenir.

Ce soldat, qui appartenait à une bonne famille, avait
été obligé de quitter la Russie à la suite d'une accusation injuste. Son Altesse impériale nous raconta elle-
même toute la joie qu'elle avait éprouvée en retrouvant
ce pauvre compatriote si loin de son pays.

— La Russie m'est si chère ! ajoutait-il l'œil humide
d'émotion. Je voudrais si bien voir tous les sujets de
l'impératrice heureux, et être aimé d'eux comme je les
aime.

Il est doux et consolant de trouver de pareils sentiments dans un aussi grand prince.

19 mai. — Je me levai à six heures pour me faire coiffer, les coiffeurs étant déjà retenus pour les heures suivantes par leurs pratiques. J'allai de fort bonne heure chez madame la comtesse du Nord, avec laquelle je causai longtemps en particulier. Je revins m'habiller chez moi, et je retournai chez Son Altesse impériale pour le dîner. Le bel air était de dîner à deux heures. Il n'y eut personne, la princesse se reposa. Le comte du Nord, au contraire, se fit conduire incognito à Versailles ; il entendit la messe et fut placé dans une tribune, sans aucune cérémonie. Il assista à la procession des cordons bleus, c'est-à-dire des chevaliers de l'ordre du Saint-Esprit, procession qui a lieu selon le vœu de Louis XIII. Il en revint enthousiasmé de la magnificence de Versailles, des costumes, de l'élégance des ajustements, surtout de la beauté de la reine. Madame la grande-duchesse en eut un peu de trouble que le sourire de son cher mari effaça bientôt.

Après le dîner, selon l'ordre de ma princesse, je montai en carrosse pour faire des visites à toutes les dames russes qui se trouvaient alors à Paris : la comtesse Skzrawonsky[95], la comtesse Bruce, l'une et l'autre dames à portrait, c'est-à-dire ayant le droit de porter à leur côté gauche le portrait de l'impératrice entouré de diamants, comme on porte une croix de chanoinesse ; c'était une grande faveur.

La comtesse Paul Skzrawonsky avait une tête d'une beauté idéale ; impossible d'être plus jolie. Elle était nièce du prince Potemkin, et son nom était Engelhard. Elles étaient cinq sœurs, la comtesse Branitzky, la femme du prince Serge-Federewitz-Galitzin, une autre qui avait épousé le général Schepeloff, et enfin la dernière mariée à son cousin Michel Potemkin. La comtesse Skzrawonsky a beaucoup d'influence sur l'esprit de son oncle. Celui-ci jouissait de la plus haute faveur, et il passait pour être d'une avidité extrême ; on raconte même à ce sujet une réponse assez fine du comte Panin. Le marquis de Vérac, ministre de France, se plaignant à ce dernier de ce que Potemkin avait reçu cinquante mille roubles de l'ambassadeur d'Angleterre, le comte Panin lui dit : — « Soyez bien persuadé, monsieur le marquis, que le prince ne se laisse point gagner par cinquante mille roubles. » — La vérité est qu'il avait reçu davantage.

J'allai ensuite chez la comtesse Zoltikoff, pleine de raison et de douceur, et chez madame de Zoltikoff, mère de deux filles, dont l'une surtout est charmante. Je me rendis encore chez la comtesse de Travanet (prononcez Travanette), et je revins souper en petit comité avec le comte et la comtesse du Nord. Ce repas fut charmant. Le grand-duc nous raconta ses impressions de la matinée, ce qu'il avait vu, ce qu'il avait observé ; ses remarques étaient pleines de finesse. Il avait déjà deviné bien des dessous des cartes avec la sagacité d'un vieux courtisan.

Je rentrai chez moi à onze heures et demie. Cette vie-là ne me fatiguait pas trop, tant j'avais le cœur content. Le général de Wurmser, mon parent, vint encore me voir, n'ayant pas pu me trouver chez moi de toute la journée. C'est l'ancien colonel du régiment d'Alsace dont j'ai parlé, devenu lieutenant général et grand-croix du Mérite militaire. Il habite ordinairement Paris ; il avait été longtemps inspecteur général des régiments allemands ; il se reposait cette année-là. C'était un aimable vieillard, qui nous portait beaucoup d'affection.

20 mai. — C'était un grand jour. M. le comte et madame la comtesse du Nord et toute la cour russe devaient faire leur entrée à Versailles. On appelait la cour russe : Leurs Altesses impériales, leur suite, l'ambassade, et un peu moi aussi, comme on le verra plus loin. Nous fûmes tous prêts de bonne heure. Madame la grande-duchesse était fort parée, d'un grand habit

de brocart bordé de perles, sur un panier de six aunes[96]. Elle avait les plus belles pierreries qui se puissent imaginer ; je ne me lassais pas de l'admirer, et le grand-duc aussi. — Serai-je aussi belle que la reine ? lui demanda-t-elle malignement.

On partit. Je ne suivis point Leurs Altesses impériales dans la présentation, n'en ayant pas le droit, puisque j'étais Française. J'allai dîner, comme c'était convenu, chez madame la baronne de Mackau, sous-gouvernante des enfants de France. Son mari est Alsacien, ancien ministre du roi à la diète de l'Empire, ainsi que je l'ai dit ; il a toujours été dans d'excellentes relations avec ma famille. Madame de Mackau, née de Ficte de Soucy, est une femme éminemment distinguée, avec laquelle je suis intimement liée, ainsi qu'avec tout ce qui lui appartient. Sa belle-fille est mademoiselle Alissan de Chazet. M. de Mackau, son mari, est lieutenant-colonel de dragons. Ils ont été présentés en 1781. Les Mackau sont parents des Bernhausen, grande famille allemande.

M. le comte du Nord fut présenté à Leurs Majestés et à la famille royale, accompagné par le prince Baradinski, ambassadeur de la czarine, et par M. de Vergennes[97]. Il fut d'abord annoncé par M. de Sequeville, secrétaire du roi, à la conduite des ambassadeurs ; et M. de Lalive, introducteur des ambassadeurs, présenta M. le comte du Nord en forme à Sa Majesté. Le roi l'a attendu dans son grand cabinet ; les deux princes se sont salués avec beaucoup d'effusion.

— Combien je suis heureux, Sire, de voir Votre Majesté ! c'était le principal but de mon voyage en France. L'impératrice ma mère m'enviera ce bonheur, car en cela, comme en toutes choses, nos sentiments sont les mêmes.

Louis XVI est timide, et malgré l'habitude qu'il en doit avoir, il est toujours un peu embarrassé dans les cérémonies. Il répondit à ce compliment par quelques phrases assez vagues. Le grand-duc trouva cette première entrevue un peu froide. Il présenta ensuite au roi deux lettres, l'une de Naples, l'autre de Parme.

Son Altesse impériale passa ensuite chez M. le dauphin ; il l'embrassa beaucoup, le trouva fort bel enfant ; c'était le premier dauphin, celui que nous venons de perdre (le 4 juin 1789). Le grand-duc fit ensuite beaucoup de questions à madame la princesse de Guéménée, gouvernante de l'auguste enfant. Elle y répondit avec toute la dignité et la mesure qui la caractérisaient.

— Madame, dit M. le comte du Nord, rappelez souvent à M. le dauphin la visite qu'il reçoit aujourd'hui ; rappelez-lui l'attachement que je lui voue dès son berceau, qu'il soit le gage d'une alliance et d'une union éternelles entre nos États.

Ces paroles furent répétées à tout le monde à Versailles, on les trouva fort sages et fort belles ; Leurs Majestés en furent charmées.

Pendant ce temps, madame la comtesse de Vergennes, femme du ministre des affaires étrangères, conduisait madame la comtesse du Nord chez la reine et chez les princesses de la famille royale, auxquelles elle la présenta. La reine fut charmante, pleine de bonne grâce et d'affabilité ; elle traita madame la comtesse du Nord comme si elle l'eût connue toute sa vie, s'informa minutieusement de ses goûts, de tout ce qu'elle pourrait lui offrir d'agréable, et la pria de la voir souvent. Madame la grande-duchesse répondit comme elle le devait à ces prévenances, et sortit enchantée de notre souveraine.

La famille royale se composait alors :

De Leurs Majestés
Louis XVI, né le 23 août 1754 ;
Marie-Antoinette d'Autriche, née le 2 novembre 1755 ;

Madame Adélaïde, née le 23 mars 1732, ⎫
Madame Victoire, née le 11 mai 1733, ⎬ tantes du roi ;
Madame Louise, ⎭

Monsieur, frère du roi, comte de Provence, né le 17 novembre 1755 ;

Madame, comtesse de Provence, née en 1753 ;

M. le comte d'Artois, né le 9 octobre 1757 ;

Madame la comtesse d'Artois, née le 31 janvier 1756[98] ;

M. le dauphin, né le 22 octobre 1781 ;

Madame Royale, fille du roi, née le 19 décembre 1778 ;

M. le duc d'Angoulême, né le 6 août 1775, fils de M. le comte d'Artois ;

M. le duc de Berry, né le 24 janvier 1778, *idem.*

Madame Élisabeth, sœur du roi, née le 3 mai 1764.

Les grandes charges à la couronne étaient ainsi remplies :

M. le cardinal de Rohan, grand aumônier ;

Monseigneur le prince de Condé, grand maître de France et de la maison du roi ;

Monseigneur le duc de Bourbon en survivance ;

M. le prince de Rohan-Guéménée, grand chambellan ;

M. le duc de Bouillon en survivance ;

M. le prince de Lambesc, grand écuyer ;

M. le duc de Brissac, premier panetier ;

M. le marquis de Verneuil, premier échanson ;

M. le duc de Penthièvre, grand veneur ;

M. le comte de Vaudreuil, grand fauconnier ;

M. le comte de Flamarens, grand louvetier ;

M. le duc de Penthièvre, amiral de France ;

M. le marquis de la Suze, grand maréchal des logis ;

M. le marquis de Sourches, grand prévôt de France ;

M. le marquis de Tourzel, en survivance ;

M. de Maupeou, grand chancelier ;

M. Hue de Miromesnil, garde des sceaux.

M. le maréchal de Duras était d'année pour 1782, comme premier gentilhomme de la chambre. MM. le prince de Beauvau et le prince de Poix, en survivance, étaient de service pour le quartier d'avril, comme capitaines des gardes.

M. le comte et madame la comtesse du Nord, après avoir vu Leurs Majestés et les princes, se retirèrent chez eux. Ils y reçurent plusieurs visites et présentations, entre autres M. le maréchal de Biron, qui leur présenta les officiers des gardes françaises. M. le grand-duc les admira beaucoup.

La cour russe dîna ensuite avec la famille royale dans les grands cabinets. Le roi fut un peu plus à son aise et se montra, par conséquent, plus affable. La reine continua son accueil affectueux. Madame la comtesse de Provence n'était pas jolie, mais elle avait de fort beaux yeux, une conversation pétillante d'esprit, et de la gaieté sans malice, chose précieuse, à la cour surtout. Madame la comtesse d'Artois, sa sœur cadette, petite, douce, ingénue, généreuse, est pleine des plus admirables qualités. Elle avait un fort beau teint, mais le nez un peu long.

Madame la grande-duchesse brilla fort à ce dîner ; elle y montra un esprit et un tact bien rares à son âge. Les représentations d'étiquette sont pénibles et fatigantes pour les princes ; je ne sais comment ils peuvent s'y accoutumer. Après le dîner, on passa chez la reine, où toute la cour se trouva réunie, pour un grand concert dans le salon de la Paix. Il y eut des pliants dans la galerie pour les personnes présentées qui n'avaient pas eu d'invitations. On illumina le château comme les jours de grand appartement. Mille lustres descendaient du plafond, et des girandoles à quarante bougies surmontaient toutes les consoles. L'orchestre était placé sur des gradins. Rien ne peut donner une idée de cette splendeur et de cette richesse. Les toilettes étaient miraculeuses. La reine, belle comme le jour, animait tout de son éclat.

Sa Majesté avait été prévenue que j'avais l'honneur d'être l'amie intime de madame la grande-duchesse, mais que je ne pouvais lui être présentée par elle, n'étant pas Russe. Elle envoya sur-le-champ un de ses valets de chambre me prier à son concert. Pendant que nous étions à dîner, elle me fit encore dire, par une dame du palais, qu'elle me dispensait du cérémonial de la présentation.

— Je serais bien maladroite en vous privant de votre amie, madame, dit-elle à madame la comtesse du Nord, moi qui voudrais, au contraire, réunir autour de vous tout ce qui peut vous plaire.

La reine me reçut, en effet, avec une bonté excessive lorsque j'entrai chez elle.

— Vous êtes bien heureuse, madame, de posséder une aussi illustre amitié : je vous l'envie ; mais je ne puis m'empêcher d'envier aussi à madame la comtesse du Nord une amie telle qu'on m'a dit que vous êtes vous-même.

Je n'oublierai jamais ces paroles, ni le regard qui les accompagna.

La reine me fit placer derrière elle et madame la comtesse du Nord, entre madame de Benckendorf et madame de Vergennes. Elle me fit l'honneur de m'adresser la parole cinq ou six fois pendant le concert.

— Vous êtes d'un pays que j'ai trouvé, à mon passage, bien beau et bien fidèle, madame la baronne ; je me souviendrai toujours que j'y ai reçu les premiers vœux des Français. C'est là que j'ai compris le bonheur de devenir leur reine.

Un peu plus tard, après m'avoir demandé combien j'avais d'enfants :

— Il est dommage que vous n'ayez point de fils, mais j'espère qu'il vous en viendra ; ils serviront le roi, comme l'ont fait leurs pères et toute leur famille.

À ce concert, qui fut magnifique, il n'y avait que la famille royale, la cour russe et les grandes charges de la couronne. Le sieur Legros, de l'Opéra, y chanta des morceaux admirables, ainsi que la célèbre madame

Mara. C'est une fort belle personne, Saxonne d'origine, et dont le talent musical est plein de chaleur et d'énergie. Elle ne faisait pas partie, cette année, des concerts spirituels, dont le sieur Legros était directeur. Le sieur Laïs et madame Saint-Huberti faisaient les délices de ces concerts, où l'on admirait les virtuoses les plus habiles. On vantait beaucoup, surtout, un *Stabat* mis en musique par différents maîtres célèbres, et exécuté par un concours de talents du premier ordre dans tous les genres. Ces concerts n'étaient ouverts qu'aux grandes fêtes et pendant certains jours du carême, où les autres spectacles n'avaient pas lieu.

Je retournai souper chez madame de Mackau, et nous ne quittâmes Versailles qu'à trois heures du matin. Nous étions tous si fatigués, que nous nous endormîmes dans les carrosses. Madame la grande-duchesse avait mal à la tête, de tout cet éclat, de ce bruit, des phrases à faire et à écouter. Leurs Altesses impériales revinrent enchantées de Versailles et de l'accueil qu'elles y avaient reçu. Elles en écrivirent, le lendemain, de longues lettres à la czarine.

21 mai. — Nous nous levâmes tard. Je trouvai à mon réveil une charmante attention de M. le comte du Nord, qui m'envoyait un panier de primeurs et de fruits magnifiques, choisis chez le verdurier du roi. J'avais dit la veille, devant lui, que je les aimais beaucoup. J'allai voir Leurs Altesses impériales, et je remerciai mille fois le grand-duc. La princesse rit beaucoup de l'excès de ma reconnaissance, qu'elle trouvait proportionnée à l'*indigestion* que toutes ces grosses fraises et ces hottées de cerises pouvaient causer.

J'allai le soir à l'Opéra, avec M. et madame de Benckendorf. J'aime infiniment le spectacle, et je ne perdais aucune occasion de me donner ce plaisir. On jouait l'*Inconnu persécuté*, comédie-opéra-bouffon, représentée pour la première fois, six mois avant, sur le théâtre des Menus. Les paroles étaient de M. du

Rozay, et la musique de M. Anfossi[99], célèbre compositeur italien. On avait fait, disait-on, beaucoup de changements et d'additions à cet ouvrage, qui l'avaient fort amélioré. La salle était pleine, les applaudissements prolongés. C'était très-beau, je n'avais jamais vu une représentation aussi splendide. Madame de Benckendorf me dit que le théâtre de Saint-Pétersbourg n'était pas aussi bien.

22 mai. — Je voulus dîner chez moi, bien que madame la grande-duchesse m'eût fait l'honneur de me dire que mon couvert et celui de M. d'Oberkirch étaient mis à sa table tous les jours. J'allai lui présenter mes devoirs dans la matinée, et comme nous étions près de la fenêtre, nous entendîmes de grands cris dans la rue. Je m'avançai promptement vers le balcon où je vis une grande foule amassée, sans en saisir le motif. Un des gens de madame la comtesse du Nord y alla voir, et revint annoncer que c'était une pauvre femme écrasée par un cabriolet devant l'ancien hôtel de la police.

— Ah ! s'écria madame la grande-duchesse, cette femme a peut-être un mari, des enfants !

Ses yeux se mouillèrent de larmes ; elle pensait aux siens éloignés d'elle et à tout ce qu'elle aurait à souffrir s'il fallait s'en séparer tout à fait.

— Tenez, ajouta-t-elle en prenant sa bourse où se trouvaient vingt-cinq louis à peu près, portez-lui cela, et dites que si cela ne suffit pas, on lui en donnera davantage.

Elle envoya, le lendemain, savoir des nouvelles de la malade et un nouveau secours. M. le comte du Nord aimait à la voir ainsi, et encourageait encore ses dispositions bienfaisantes.

Le soir de ce jour, je partis pour aller coucher à Versailles à l'hôtel des Ambassadeurs. Il y avait, le lendemain, grand spectacle à la cour, dans la salle du palais ; la reine avait eu la nouvelle bonté de m'y faire

donner une loge. Madame la grande-duchesse en fut
touchée ; c'était une manière si délicate de lui être
agréable ! Cette salle de Versailles est féerique, tant par
sa forme que par la richesse de ses ornements, ses
dorures et la beauté des décorations. Je devais la voir
le lendemain dans toute sa splendeur, aussi n'y entrâ-
mes-nous point. [Cette vie de cour me fatiguait beaucoup, c'était épuisant ; si triste aussi d'être loin de la
maison, de mon père et de ma fille et d'avoir rompu
avec mon mode de vie habituel. Je dus souffrir en
silence ; personne ne m'aurait prise en pitié ; tout le
monde enviait ma situation. Je me couchai très tard et
ne pus m'endormir, à cause du bruit de l'hôtel, d'abord ;
puis, je commençais à m'imaginer que Marie était
malade et qu'on me le cachait. M. d'Oberkirch dut faire
mille protestations avant de me convaincre qu'il n'en
était rien, tant mon cœur de mère était inquiet. Mais
c'est un fait que Marie fut malade cette nuit-là et à cette
heure même où je me sentais si malheureuse. J'avoue
que je crois aux pressentiments.]

23 mai. — Je fus le matin de bonne heure visiter le
Petit-Trianon de la Reine. Mon Dieu, la charmante
promenade ! que ces bosquets parfumés de lilas, peuplés de rossignols, étaient délicieux ! Il faisait un temps
magnifique, l'air était plein de vapeurs embaumées,
des papillons étalaient leurs ailes d'or aux rayons de ce
soleil printanier. Je n'ai de ma vie passé des moments
plus enchanteurs que les trois heures employées à
visiter cette retraite. La reine y restait la plus grande
partie de la belle saison, et je le conçois à merveille.

Le Petit-Trianon est bâti vis-à-vis du grand. Il appartenait autrefois à madame Dubarry, et Louis XV l'avait
fait meubler avec goût et magnificence. Bien que le
château ne soit pas grand, il est admirablement distribué et peut contenir beaucoup de monde. Les jardins
sont délicieux, surtout la partie anglaise que la reine
venait de faire arranger. Rien n'y manquait : les rui-

nes, les chemins contournés, les nappes d'eau, les cascades, les montagnes, les temples, les statues, enfin tout ce qui peut les rendre variés et très-agréables. La partie française est dans le genre de *Le Nôtre* et des quinconces de Versailles. Au bout se trouve une mignonne salle de spectacle, où la reine aime à jouer elle-même la comédie avec M. le comte d'Artois et des amis intimes.

En revenant de Trianon, nous dînâmes à notre hôtel avec madame de Bombelles, puis nous nous habillâmes pour le spectacle. La reine avait eu la bonté extrême de me faire placer dans la petite loge grillée du roi, derrière la sienne. Elle me fit l'honneur de me parler encore plusieurs fois, et toujours avec une amabilité bien flatteuse.

On donnait le grand opéra d'*Aline ou la Reine de Golconde*, tiré d'une nouvelle de M. le chevalier de Boufflers, auquel, à ce qu'il paraît, il est arrivé quelque chose dans ce genre-là[100]. Les paroles sont du sieur Sedaine, la musique de M. de Monsigny, et l'arrangement des ballets de M. de Laval, maître des ballets du roi. La musique de M. de Monsigny est charmante, et elle fut admirablement exécutée. Ce qui me charma le plus, ce furent les danses ; à quel point de perfection on a poussé cet art voluptueux ! Celles du premier acte sont de M. Gardel l'aîné, celles du second de M. Vestris, et enfin celles du troisième de M. Noverre. Les décors étaient d'une fraîcheur et d'une vérité inouïes. On aurait voulu être Aline pour régner sur ce délicieux pays.

M. de Monsigny est maître d'hôtel ordinaire de M. le duc d'Orléans. Il est fort estimé pour sa bonté et toutes ses vertus, qu'on vante à qui mieux mieux.

Après l'opéra, je fus engagée à souper chez madame la princesse de Chimay, dame d'honneur de la reine. Il y arriva une drôle d'aventure. Pendant que nous étions encore au théâtre, un singe de la plus mignonne espèce, et que la princesse aimait beaucoup, parvint à casser sa petite chaîne et à s'enfuir, sans que personne y prît garde. Il couchait dans un cabinet, derrière sa chambre, en compagnie d'une chienne bichonne aussi petite que lui. Ils vivaient en parfaite intelligence, ne se battaient jamais, à moins qu'il n'y eût quelque amande ou quelque pistache à partager. Le singe, tout heureux de sa liberté, en usa d'abord sobrement, à ce qu'il paraît ; car il se contenta de verser de l'eau dans l'écuelle de sa compagne et d'en inonder le tapis. Un peu plus hardi, sans doute, il risqua un pas dans la chambre voisine, et enfin dans le cabinet de toilette qu'il connaissait parfaitement ; on l'y amenait tous les jours, et la belle toilette de vermeil de la princesse faisait, depuis longtemps, l'objet de sa convoitise. On juge s'il s'en donna. Ce fut un massacre de boîtes de houppes à poudre, de peignes et d'épingles à friser. Il ouvrit tout, répandit toutes les essences, mais après avoir eu le soin de s'en couvrir. Il se roula après dans la poudre, se regarda au miroir, apparemment, et, satisfait de cette transformation, il la rendit complète en s'appliquant du rouge et des mouches, ainsi qu'il l'avait vu faire à sa maîtresse ; seulement il se mit le rouge sur le nez, et la mouche au milieu du front. Ce ne fut pas tout ; il se fit un pouf avec une manchette, et tout à coup, au moment où on s'y attendait le moins, au milieu du souper, il entra dans la salle à manger, sauta sur la table dans cet accoutrement, et courut vers sa maîtresse.

Les dames poussèrent des cris affreux et s'enfuirent ; elles crurent que c'était le diable en personne. La princesse elle-même eut de la peine à le reconnaître ; mais, lorsqu'elle se fut assurée que c'était bien Almanzor, lorsqu'elle le montra, assis à côté d'elle, enchanté de sa parure et faisant le beau, les rires chassèrent les craintes ; ce fut à qui lui donnerait des gimblettes et des avelines[101]. Quant à moi, je ne partageai pas l'engouement général. Je trouve les singes fort drôles de loin, mais non pas dans les appartements, où ils commettent toutes sortes de dégâts et où ils apportent de la mal-propreté. Cependant celui de madame la princesse de Chimay me sembla très-comique, ainsi accommodé.

Pendant que j'étais à Versailles, madame la comtesse du Nord reçut les bouquetières du Pont-Neuf, qui lui apportaient une corbeille des plus belles fleurs du monde. Elle leur fit de grandes générosités, propor-tionnées à son plaisir *impérial*. Elle aimait passion-nément les fleurs, et, si on l'eût laissée faire, cette corbeille aurait passé la nuit dans sa chambre. Elle en envoya chez moi, recommandant de les bien conserver pour que je les retrouvasse à mon retour.

Elle alla ensuite visiter les nouvelles prisons de la rue des Ballets, à l'ancien hôtel de la Force[102]. Elle prit en grande pitié ces pauvres prisonniers, et, de moitié avec son auguste époux, elle fit distribuer dix mille livres à ceux enfermés pour dettes. Dieu, les malades et les malheureux eurent ses premières visites, car elle alla, le lendemain 25, à Notre-Dame et à l'Hôtel-Dieu ; elle y sema l'or, ainsi qu'elle le faisait partout. Elle dépensa des trésors dans ce voyage, mais presque toujours en bienfaisance, en encouragements, en récompenses ; elle céda peu à ses fantaisies et donna beaucoup aux pauvres.

24 mai. — J'étais encore à Versailles ; je dînai chez madame de Mackau, si parfaitement aimable pour moi. Nous causâmes beaucoup. M. de Mackau me conduisit, avec M. d'Oberkirch, à la ménagerie du roi, fort peu peuplée d'animaux rares. J'en fis l'observation, à quoi M. de Mackau répondit :

— Que voulez-vous qu'on en fasse ici ? n'y a-t-il pas assez de courtisans ?

Le gouverneur de la ménagerie, chevalier de Saint-Louis, homme très-original et très-sale, occupait déjà cette charge du vivant de Louis XV. Peu de temps avant la mort de ce prince, il s'était imaginé d'acheter un troupeau de dindons. Le roi se promenait accompagné,

ainsi qu'il était d'usage chaque fois qu'il sortait même
à pied, de son capitaine des gardes de quartier, et suivi
de douze gardes du corps et de douze cent-suisses ; il
passa devant la ménagerie et trouva ces bêtes désagréables. Il le témoigna, le gouverneur n'en tint compte ; le
roi, en repassant, les revit encore.

— Monsieur, lui a-t-il dit, que cette troupe disparaisse, ou je vous en donne ma parole royale, je vous
ferai casser à la tête de votre régiment.

Madame de Mackau eut ensuite la bonté de m'introduire chez les enfants de France. Je vis Madame Royale,
qui est un miracle de beauté, d'esprit, de dignité précoce ; elle ressemble à son auguste mère. Elle me
regarda avec attention, demanda mon nom ; lorsqu'on
le lui eut dit :

— Vous êtes donc Allemande, madame ? dit-elle.

— Non, madame, je suis Française ; Alsacienne.

— Ah ! tant mieux ! car je ne voudrais pas aimer des
étrangères.

Cela n'est-il pas charmant à cet âge ?

M. le dauphin était superbe. Comment s'attendre
alors à voir périr ce frais bouton d'une tige royale ? En
quittant les enfants de France, j'allai avec madame de
Bombelles faire des visites à toutes les femmes des
ministres.

Elle me conduisit aux appartements et petits cabinets du roi, que je ne connaissais point. Je les trouvai
beaux et moins ornés que ceux de la reine. Louis XVI
a des goûts simples, ils percent dans tout ce qui l'en-
toure. Nous montâmes par un escalier dérobé jusqu'à
un réduit, qu'il s'est créé dans les combles, et où il tra-
vaille à la serrurerie, ce qui l'amuse infiniment. Il a
plusieurs pièces remplies des outils nécessaires ; je fus
tout impressionnée en y entrant. Un si grand roi s'occuper de si petites choses !

Nous revînmes souper chez madame la duchesse de
Villequier ; c'est la seconde femme du duc, d'abord

marquis de Villequier (second fils du duc d'Aumont), marié d'abord à une Courtanvaux-Louvois, dont il a un fils créé duc de Pienne par brevet de 1786. Le frère aîné du duc de Villequier, mari d'une Durfort-Duras, dont j'ai déjà parlé[103], a porté longtemps le titre de duc de Mazarin. À la mort de son père, il a pris le titre de duc d'Aumont. Leur fille a épousé, comme on sait, le prince de Monaco, d'où il résulte que l'héritage des Mazarin s'est fondu avec la fortune des Valentinois.

La sœur du duc d'Aumont et du duc de Villequier a épousé le duc de Villeroi, son cousin germain. C'était une des femmes les plus remarquables de la cour, d'un esprit supérieur, jugeant sûrement les hommes et les choses. Sa mémoire est prodigieuse, son imagination surprenante. Elle est admirable dans la discussion, et son génie observateur lui fournit les traits les plus piquants. Elle est d'ailleurs assez vindicative et devient caustique sous l'empire de ses rancunes. Elle est cependant au fond très-bonne et même très-sensible, mais d'une grande susceptibilité. Elle est ce qu'on peut appeler une bonne méchante ; c'est ainsi que quelques personnes l'avaient surnommée ; le nom est resté. Elle aime et déteste bien.

Elle a dans sa jeunesse cultivé avec passion la musique, les arts, les plaisirs de l'esprit. Plus tard elle s'est occupée de politique et en parle avec les hommes de façon à étonner. Elle ne partage pas les idées du jour, et lutte énergiquement contre les tendances révolutionnaires. Son mari était lieutenant général.

Ce soir-là dont je parle, elle soupait avec nous chez sa belle-sœur et nous prit en suprême pitié, parce que nous jouions au loto-dauphin. Elle se moqua très-drôlement de ce jeu, très à la mode, et qui réellement ne demandait pas un grand travail d'intelligence. Madame la duchesse de Villeroi resta à causer dans un coin avec une espèce de savant, dont j'ai oublié le nom, mais qui habitait un coin de l'hôtel d'Aumont à Paris, ce qui lui avait été fort utile dans les études de sa jeunesse. Il était pauvre et timide ; elle ne souffrait pas qu'on l'attaquât. Son cœur se montrait ainsi partout dans mille choses, en même temps que son esprit déchirait à droite et à gauche. Malheureusement il est difficile au cœur, quelque excellent qu'il soit, de faire autant de bien que l'esprit peut faire de mal par un seul mot.

25 mai. — Je revins de Versailles à Paris, et je courus chez madame la comtesse du Nord. Elle me retint à dîner, me fit raconter tout ce que j'avais vu, et en fit autant pour moi de son côté. Elle voyageait avec beaucoup de fruit, profitait de tout, prenait toutes ses notes et écrivait avec une lucidité remarquable. C'est elle qui me donna l'idée de ce journal, et par suite de ces Mémoires.

— Il est doux dans un âge avancé, me disait-elle, de se rappeler les premières années et tout ce qu'on a vu et fait ; et puis n'aimez-vous pas la pensée de laisser un sillon derrière vous, quand vous avez traversé cette mer pleine de tempêtes, qui représente la vie ? Nos enfants trouveront ces pages ; ils y verront nos sentiments, nos idées, ils sauront combien nous les avons chéris dès leur berceau, ils songeront davantage et plus longtemps à nous.

L'après-midi, nous eûmes une solennité. M. de La Harpe[104] dînait chez la princesse ; il lut sa traduction du second chant de Lucain, qui passe pour fort belle et qui l'est en effet. M. de La Harpe ne me plaît pas beaucoup ; je lui trouve l'air pédant, composé, content de lui-même jusqu'à la vanité. Il versait des flots de bile sur tous ses confrères ; il ne leur permet pas d'avoir de l'esprit. Madame la grande-duchesse était entièrement de cet avis-là.

Après Lucain, j'allai chez madame la princesse de Bouillon, née princesse de Hesse-Rothembourg. Le prince de Bouillon, son mari, était propriétaire du régiment que mon père avait longtemps commandé, ainsi que mon oncle le commandeur, et qui le fut ensuite par M. de Wimpfen. Le prince conserva toujours beaucoup de bienveillance pour mon père, et la princesse me reçut à merveille. Le duc de Bouillon, père du prince, vit encore aujourd'hui ; il est veuf d'une princesse de Lorraine-Marsan. La princesse, sa belle-fille, avait pour père le landgrave Constantin de Hesse-Rhinfels-Rothembourg, et pour mère la comtesse Marie de Staremberg. Les anciens ducs de Bouillon étaient de la maison de la Marck qui, s'étant éteinte dans les mâles, se perpétua dans la maison de la Tour-d'Auvergne par le mariage de l'héritière Charlotte de la Marck avec le maréchal de Turenne, en 1591. Madame de Bouillon voulait absolument me retenir à souper. Elle avait le duc et la duchesse de Bouillon, son beau-père et sa belle-mère. J'étais curieuse de les voir, je l'avoue. L'un était petit-fils, par sa mère, du grand Sobieski[105], frère de la princesse de Rohan-Montbazon, l'autre était célèbre par ses aventures. Elle avait aimé le maréchal de Saxe[106], et la chronique l'accusait d'avoir fait empoisonner mademoiselle Lecouvreur dont elle était jalouse. Combien une femme de cette qualité doit-elle s'être oubliée, pour qu'on ose faire monter jusqu'à elle un crime aussi bas ! Quelle leçon pour les autres ! Ah ! qu'on doit souffrir de semblables calomnies !

J'avais promis à madame la comtesse du Nord de revenir, et puis il me restait quelques visites à faire : une d'abord chez la comtesse de Halwyll, avec laquelle j'avais quelques relations de famille. Le comte de Halwyll était maréchal de camp ; il avait longtemps commandé le régiment de Halwyll-Suisse, qui a été réformé. C'est un très-ancien nom d'Argovie. Un Halwyll figura dans un carrousel, à Augsbourg, en 1080. Puis ce nom doit rappeler à mes lecteurs Jean de Halwyll, qui commandait les quarante-cinq mille Suisses, vainqueurs de Charles le Téméraire à Morat.

Après la comtesse de Halwyll, je vis madame la vicomtesse d'Ecquevilly, toute jeune et toute agréable femme, mariée depuis fort peu de temps, et présentée depuis six jours. Son beau-père, le marquis d'Ecquevilly, était lieutenant général et capitaine du *vautrait*, charge presque héréditaire dans sa famille. On appelle ainsi vulgairement la charge de capitaine des toiles de chasse, tentes et pavillons du roi, et de l'équipage du *sanglier*.

Le marquis d'Ecquevilly a deux fils ; le vicomte, celui qui venait d'épouser mademoiselle Deick, était colonel en second du régiment de Deux-Ponts-Dragons.

Je fis d'autres visites, dont plusieurs *en blanc*, c'est-à-dire que je me suis fait écrire. Le jargon et le bel air de ce pays parisien ont été de tout temps éminemment fantasques, et il faut se remettre au courant, sous peine de passer pour des *pecques provinciales*, ainsi que le disait madame de Villeroi dans sa colère contre des gens de province qui venaient la saluer à son château. Madame la comtesse du Nord, d'un esprit sérieux et juste, a bien souvent ri avec moi de ces *petites grandes* choses, auxquelles elle se conformait néanmoins. La mode ne régit-elle pas les rois eux-mêmes ?

## CHAPITRE XI

26 mai. — Madame de Benckendorf vint me prendre pour aller voir le dôme des Invalides. Cette promenade m'intéressa beaucoup. Madame de Benckendorf est grosse et fort souffrante ; cependant il est impossible de l'empêcher de courir sans cesse, de s'agiter et de se donner un mouvement perpétuel. Nous revînmes ensemble chez madame la comtesse du Nord, où nous dînâmes ; ce dîner fut charmant. On causa beaucoup.

Ma princesse nous raconta sa visite à Notre-Dame, où elle avait été pendant mon séjour à Versailles. Elle aime beaucoup la peinture, ce qui se comprend, car elle dessine en perfection, et a fort admiré les tableaux qui ornent l'église. Bien que Leurs Altesses impériales n'aient pas prévenu de leur visite, espérant au contraire tout voir incognito, quelques chanoines ont été instruits à temps et leur ont fait les honneurs. La princesse a beaucoup causé avec l'abbé de Lafage, qui connaît l'Alsace et y a des parents.

À propos de Notre-Dame, madame la grande-duchesse nous a beaucoup parlé de Saint-Pierre de Rome et de cette capitale du monde catholique. Je me souviens toujours de son parallèle entre ces deux églises, qui ne peuvent se comparer que d'après le même point de vue qu'elle.

— À Saint-Pierre, disait la grande-duchesse, on est écrasé par la beauté, par l'élévation, par la majesté du vaisseau ; il semble qu'on n'ose prier l'Être tout-puissant auquel les hommes ont bâti un pareil temple. Il est trop haut et trop loin. À Notre-Dame, au contraire, ce mystère, cette obscurité des vitraux, cette architecture des siècles où la religion avait tant de puissance, impriment le recueillement et l'amour. On a l'espoir d'être écouté, la certitude d'être entendu, on aime et on espère ; voilà du moins ce que j'ai éprouvé dans les deux églises. Ce qui vous paraîtra peut-être étrange, c'est qu'à tout je préfère encore nos églises grecques.

Heureusement pour elle, la grande-duchesse me parut ainsi tout à fait convaincue, et ne pas regretter le culte de son enfance.

Après le dîner, madame la comtesse du Nord nous montra un magnifique éventail enrichi de diamants, que lui a donné la reine le jour du spectacle de Versailles. Il renferme une lorgnette qui servit de prétexte à Sa Majesté pour le lui offrir, et cela comme elle fait

tout, avec cette grâce et ce tact exquis dont elle a le
secret.

— Je sais, dit-elle à madame la comtesse du Nord,
que vous avez comme moi la vue un peu basse ; permettez-moi d'y remédier, et gardez ce simple bijou en
mémoire de moi. Le voulez-vous bien, madame ?

— Je le conserverai toute ma vie, répondit la princesse, car je lui devrai le bonheur de mieux voir Votre
Majesté.

Après le dîner, j'allai avec le général de Wurmser à
l'Opéra, où on donnait *Iphigénie en Tauride*, de M. Piccini, et le *Devin du Village*, paroles et musique du fameux Jean-Jacques Rousseau. *Iphigénie en Tauride* est
le même sujet et presque le même poème que celui
de Guimond de Latouche, déjà mis en musique par
M. Gluck[107] en 1779. Cette pièce eut alors un immense
succès ; le sujet était d'un intérêt soutenu, la musique
en parfaite harmonie avec les paroles ; enfin c'était un
chef-d'œuvre de musique dramatique. Mademoiselle
Levasseur jouait Iphigénie ; Larrivée, Oreste ; Legros,
Pylade ; et Moreau, Thoas.

Piccini fit depuis, en 1781, un opéra sur le même
poème, à la grande indignation des gluckistes. À la
seconde représentation de cette pièce, mademoiselle
Laguerre se montra sur la scène ivre comme une bacchante. Le public siffla, hurla, trépigna, demanda à
grands cris qu'elle fût emmenée au For-l'Évêque, ce qui
arriva, au déplaisir du duc de Bouillon, son amant, qui
s'est tout bonnement ruiné par amour pour elle. Rien
n'a pu arrêter cette folle passion, et enfin on l'a chan-
sonnée plus tard, comme on chansonne tout en France.
Voici ces couplets, assez spirituels, cette fois :

> *Bouillon est preux et vaillant,*
> *Il aime la Guerre ;*
> *À tout autre amusement*
> *Son cœur la préfère ;*

*Ma foi, vive un chambellan*
*Qùi toujours s'en va disant :*
*Moi, j'aime* la Guerre, ô gué,
*Moi, j'aime la Guerre.*

*Au sortir de l'opéra*
*Voler à la Guerre,*
*De Bouillon (qui le croira ?)*
*C'est le caractère ;*
*Elle a pour lui des appas*
*Que pour d'autres elle n'a pas.*
*Enfin c'est la Guerre.*

*À Durfort il faut du* Thé,
*C'est sa fantaisie ;*
*Soubise, moins dégoûté,*
*Aime* la Prairie[108],
*Mais Bouillon, qui pour son roi*
*Mettrait tout en désarroi,*
*Aime mieux la Guerre, ô gué,*
*Aime mieux la Guerre.*

Ce pauvre duc de Bouillon, que d'extravagances il a faites ! que de singularités il a eues ! Il avait inventé, à peu près à cette époque, un ordre de *la Félicité*, qu'il donnait aux jeunes femmes, et que celles-ci s'empressaient de porter. Le marquis de Chambonas, son ami, qui demeurait chez lui, et si à la mode par son esprit et sa prodigalité, en était le lieutenant-maître. Les statuts se composaient de maximes de galanterie, auxquelles nulle ne pouvait manquer. Un ruban vert, symbole de l'espérance, soutenait une petite croix que ces dames portaient sur le cœur.

M. le duc de Bouillon me fit offrir son ordre ; je le refusai. Je n'avais pas besoin de toute cette chevalerie-là, ni surtout de l'ordre de la Félicité, pour être heureuse.

Revenons à l'Opéra et à *Iphigénie*. J'entendis donc

l'opéra de M. Piccini, et bien que gluckiste et amateur
de la musique d'expression, je suis obligée de convenir
qu'il s'y trouve de grandes beautés. Pourquoi comparer
deux hommes absolument différents ? pourquoi élever
l'un aux dépens de l'autre ? Cette grande guerre a commencé en 1778. Elle eut pour origine un mot de l'abbé
Arnaud ; il imprima que Gluck faisait un Orlando, et
Piccini un Orlandino. M. de Marmontel, qui avait écrit
le poème d'un opéra pour M. Piccini, se mit en furie,
déclama, tempêta ; et de là, la bataille. Les femmes
s'en mêlèrent comme les hommes. Ce furent des rages
et des cris tels qu'on était souvent obligé de séparer les
gens, et qu'il y eut nombre d'amis, d'amants, brouillés
pour cette cause. Elle troubla même des ménages, et
je connais une très-jolie femme que je ne nommerai
pas, laquelle donnait pour raison de ses torts envers
son mari :

— Comment voulez-vous endurer cet homme-là et
lui être fidèle ? Il est picciniste, et m'écorche les oreilles
du matin au soir.

— Alors vous le lui rendez du soir au matin, lui
répliqua-t-on.

Après *Iphigénie* nous entendîmes le *Devin du village*.
C'est une charmante bergerie. Mademoiselle Maillart[109],
qui débutait alors avec beaucoup de succès, tenait le
rôle de Colette. Elle chantait mieux que mademoiselle
Audinot, sa devancière, mais elle jouait mal. Le sieur
Duquesnoy était fort agréable dans le rôle de Colin.

Les premiers sujets de la danse étaient mademoiselle Guimard, jolie et gracieuse personne dont on a
parlé partout, Vestris fils et Nivellon. Vestris fils, qu'on
appelait Vestr-Allard, du nom mêlé de son père et de
sa mère, ne vaudra jamais, assure-t-on, le *Diou* de la
danse. Il a cependant beaucoup de succès.

La salle de l'Opéra était fort belle ; c'était le nouveau
théâtre de la Porte-Saint-Martin, l'autre ayant été incen-
dié l'année précédente, le 8 juin[110].

Le feu prit à huit heures et demie du soir ; l'Opéra était alors au Palais-Royal. On venait de donner l'*Orphée*, de M. Gluck, et l'acte de *Coronis*. Il y avait foule, mais heureusement les spectateurs étaient partis, et aucun n'a eu de mal. Le feu commença par une toile du cintre, on coupa une des cordes, on ne put couper l'autre. L'incendie augmenta d'une façon terrible, et bientôt la salle fut embrasée. Il se communiqua au Palais-Royal et à d'autres édifices. La charpente s'écroula une heure après avec un fracas épouvantable, des flammèches s'envolèrent fort loin, mais il plut, fort heureusement. Les acteurs eurent le temps de s'enfuir, néanmoins quelques subalternes ont péri.

La salle provisoire qu'on a construite près de la porte Saint-Martin, où était autrefois le magasin de la ville, sur les dessins de M. Lenoir, architecte, fut commencée au mois de juillet. Le 27 octobre, elle était finie, garantie pour *six ans* ; on en fit l'ouverture par la représentation d'*Adèle de Ponthieu*, de Piccini, donnée gratis en l'honneur de la naissance de M. le dauphin.

Il y a opéra quatre fois par semaine, les dimanche, mardi, jeudi et vendredi. Les bals de l'Opéra commencent à minuit et finissent à sept heures du matin.

En revenant de l'Opéra, nous retournâmes chez madame la comtesse du Nord, où un grand plaisir nous attendait, en dépit de M. de La Harpe, que je me réjouissais, je l'avoue, de voir enrager. M. de Beaumarchais devait lire à Leurs Altesses impériales son *Mariage de Figaro*[111], encore inconnu à la scène, où on lui refusait la permission de le faire représenter. M. de La Harpe venait tous les jours chez M. le comte du Nord, sous prétexte qu'il était son correspondant. Le prince et nous tous commencions à nous en lasser fort. Cet amour-propre excessif, ridicule, qu'aucun compliment ne pouvait satisfaire, nous pesait comme une obligation importune. Son Altesse impériale hésita à entendre la lecture de M. de Beaumarchais, dans la

crainte d'exciter la jalousie de M. de La Harpe, et disait
en riant :

— Je ne veux pas me brouiller avec les grandes puissances.

Cependant madame la comtesse du Nord insista, et
il y consentit. Quelle différence entre M. de Beaumarchais et M. de la Harpe !

Autant la mine de chafouin de M. de La Harpe
m'avait déplu, autant la belle figure, ouverte, spirituelle,
un peu hardie peut-être de M. de Beaumarchais, me
séduisit[112]. On m'en blâma ; on disait que c'était un vaurien. Je ne le nie pas, c'est possible, mais il a un esprit
prodigieux, un courage à toute épreuve, une volonté
ferme que rien n'arrête ; ce sont là de grandes qualités.
Fils d'un horloger, il est arrivé, par son seul mérite, à
la familiarité des plus illustres personnages ; tous ceux
qui ont essayé de se moquer de lui ont été confondus ;
il a triomphé des obstacles et s'est créé une immense
fortune. C'est un homme remarquable à beaucoup
d'égards. On assure qu'il aime sa fille à la passion ; un
bon père ne peut être un mauvais cœur.

Quoi qu'il en soit, son *Mariage de Figaro* nous intéressa beaucoup. On trouvait la pièce moins bonne que
le *Barbier de Séville*[113] ; je n'étais point de cet avis ; peut-
être n'est-elle pas autant dans les règles, je ne sais, mais
elle est plus amusante, les saillies en sont plus vives, le
style plus étincelant. Les ennemis de M. de Beaumarchais prétendent qu'il s'était peint dans Figaro, c'est
possible ; mais il en a peint bien d'autres à côté. Je
dirai plus tard mon sentiment sur la réputation de cette
pièce à laquelle j'ai assisté, et les réflexions qu'elle
m'inspira.

27 mai. — Madame la comtesse du Nord avait eu la
bonté de me demander une matinée pour examiner des
toilettes et recevoir des marchands qui lui apportaient
leurs chefs-d'œuvre. Elle acheta une superbe parure
d'émaux entourés de marcassites. C'était une collection

vraiment curieuse, et qu'elle paya aussi cher que des pierres précieuses[114]. J'eus ensuite l'honneur de suivre Leurs Altesses impériales à l'Académie. Il y avait une séance en leur honneur. Cette réunion m'imposa beaucoup. Nous retrouvâmes l'inévitable M. de La Harpe ; il lut une épître en vers, éloge du comte du Nord. Il parut tout à fait manquer de tact et de goût, et cela par plusieurs raisons ; d'abord parce qu'il fut trop long, ensuite par la critique qu'il fit des poètes allemands, en la présence de madame la grande-duchesse, princesse allemande. Elle le sentit vivement et m'en fit le soir même l'observation. Son Altesse impériale aime et connaît à fond les poètes de son pays ; M. de La Harpe ne les a peut-être jamais lus dans leur langue naturelle : il ne peut donc pas les juger impartialement. Il a comparé M. le comte du Nord à Pierre le Grand, et ce prince, qui a l'esprit fort juste, repoussa cet encens mal placé, en disant :

— Toute mon ambition est de lui ressembler un jour, et de continuer l'œuvre qui l'a illustré ; mais jusqu'ici je n'ai pas même le droit de mettre mon nom sans gloire à côté du sien.

On a cependant remarqué un vers dans la pièce de M. de La Harpe à cause de sa vérité ; c'est celui-ci :

*Aux courtisans jaloux il apprend l'art de plaire.*

Quant à l'épître au comte Schouwalow, elle a fait bâiller toute l'assemblée.

M. d'Arnoud parla assez longtemps et fort bien, à ce qu'on assure, de Jules César ; je ne me permettrai pas de juger un morceau aussi supérieur et aussi loin de mes faibles lumières. À la fin de la séance, M. d'Alembert[115] distribua des jetons à toutes les personnes de la suite de Leurs Altesses impériales. Jamais figure plus ignoble ne servit d'enseigne à un philosophe ; il nous cria des compliments du même son de voix aigu avec lequel il nous eût injuriés. Je ne savais trop comment les prendre dans le premier moment.

Madame la comtesse du Nord a étonné les académiciens par sa prodigieuse instruction. Elle a trouvé le moyen de citer à presque tous un passage de leurs ouvrages les plus renommés ; ils en ont été ravis. Les augustes voyageurs ont daigné promettre à messieurs les quarante leurs portraits. On les placera à côté de celui de la fameuse Christine, reine de Suède.

Nous revînmes dîner, et nous ne pûmes nous taire sur les immortels, et en particulier sur M. de La Harpe. Pauvre M. de La Harpe ! les épigrammes lui tombaient dru comme grêle dans tous les coins de Paris. Je me souviens d'une anecdote sur lui ; on me la raconta je ne sais à quelle époque, peut-être à ce voyage, peut-être aux suivants, je ne me le rappelle plus. Il était en carrosse de gala au bois de Boulogne avec deux dames de la cour, dont l'une était, je crois, la duchesse de Gramont. Il avalait l'encens qu'il se faisait offrir et qu'il rendait aux autres, en les jugeant d'après lui-même. Un quidam passait près de la voiture, qui marchait au pas, en criant :

— Qui veut m'acheter des cannes à la Barmécide !

— Des cannes à la Barmécide ! monsieur de La Harpe, dit une de ces dames, cela vous regarde. Permettez-moi de vous en offrir une en mémoire de votre grand succès.

M. de La Harpe regardait les représentations des *Barmécides*, cette tragédie de momies persanes, comme un succès. On appela le marchand, il s'approcha du carrosse et montra trois ou quatre bâtons noueux surmontés d'une pomme d'ivoire ; c'était fort laid.

— Quoi ! voilà vos Barmécides, reprirent ces dames ; pourquoi leur donner un pareil nom ?

— Vous allez voir, madame, poursuivit le marchand d'un air futé.

Il démonta la pomme montée à vis, et montra à la carrossée un gros sifflet caché sous l'ivoire. M. de La Harpe resta tout penaud, mais ces dames eurent la cruauté d'éclater de rire. Que devint son visage ! Comme le disait M. de Beaumarchais, « il aurait volontiers pleuré de la bile ».

Après dîner, Leurs Altesses impériales se rendirent au *Théâtre-Français*, nouveau nom de la Comédie française. Elles préféraient ce spectacle à tous les autres, et s'y étaient fait marquer une loge pour tout le temps de leur séjour à Paris. Elles y allaient pour la troisième fois. Cette préférence prouve leur goût éclairé. La représentation fut très-brillante, on jouait le *Mercure galant*[116] et la *Partie de chasse de Henri IV*, dont M. le comte du Nord demanda une seconde représentation. On lui apporta à ce sujet les vers suivants :

> Lorsque du bon Henri l'idolâtre Français
> Sur la scène t'offrit la vivante peinture,
> L'art imitait si bien les traits de la nature,
> Que tu pensas le voir auprès de ses sujets.
>> De tant de vertus généreuses
>> Ton cœur se sentit transporté ;
> Prince ! tu répandis ces larmes précieuses,
> Qu'en tombant de tes yeux un peuple sait compter,
>> Ah ! comme Henri de la France
>> Fut le père et le bienfaiteur,
> Tu sauras, nouveau Czar, par ton expérience,
> Des tiens étendre aussi la gloire et le bonheur.
> En toi, je vois déjà naître la ressemblance,
> Jusque dans le beau choix d'un hymen enchanteur.
> Ton épouse t'apprit à connaître l'amour ;
> Ta mère, comme il faut gouverner et combattre ;
> Et baigner de tes pleurs l'image d'Henri Quatre,
>> C'est annoncer que tu dois l'être un jour.

Leurs Altesses impériales furent très-applaudies ce soir-là au théâtre ; elles y répondirent par de fréquentes révérences, en témoignage de leur satisfaction. Les applaudissements les reconduisirent jusqu'à leur carrosse.

Le Théâtre-Français[117] venait seulement de s'établir dans une salle neuve ; on n'y jouait que depuis deux mois. Elle était construite près du Luxembourg, sur l'emplacement de l'ancien hôtel de Condé, acheté d'abord par la ville, ensuite par le roi, et cédé par lui à Monsieur, à charge d'y faire construire la salle. Elle lui revient à deux millions. Le public n'en était point content, on la trouvait d'une architecture lourde, on se plaignait de la petitesse des loges, de la manière dont la salle était coupée ; il y avait nombre de places desquelles on ne voyait point. Cependant le parterre était assis, heureuse innovation. On critiqua fort la couleur blanche des peintures ; les femmes se plaignirent qu'elle écrasait leurs toilettes.

Quant aux acteurs, il n'y avait pas le plus petit mot à dire. Quelle admirable réunion de talents ! Il suffit de nommer MM. Préville, Brizard, Molé, Dugazon, Desessarts, Larive, Dazincourt, Fleury, mesdemoiselles Belcourt, Vestris, Préville, Molé, Doligny, La Chassaigne, Raucourt, Suin, Sainval, Contat ; l'éloge est superflu.

Cependant on entend toujours dire que l'art est en décadence. On ne songe pas à la difficulté immense de ce *métier* de comédien, comme disait mademoiselle Clairon[118], en colère, au margrave d'Anspach. Ce n'est pas trop de toute une carrière pour arriver à la perfection. Le plus beau génie ne se développe tout à fait qu'après une vie d'expérience, d'études, d'observations. On a la mauvaise foi de toujours comparer l'acteur complet qui se retire à celui qui le remplace et qui n'a pas encore acquis la moitié de ce qu'il aura un jour. La comparaison est nécessairement au désavantage du dernier venu.

Mademoiselle Raucourt, à cette époque, commençait à faire oublier mesdemoiselles Clairon et Dumesnil, qu'on mettait si fort au-dessus d'elle à ses débuts. Préville et Molé ont plus de talent que leurs prédécesseurs, et certainement Dazincourt, Fleury, mademoiselle Contat, qui, en ce temps-là, ne donnaient encore que des espérances, surpassent maintenant leurs anciens maîtres. Il n'y a donc rien de vrai dans ces critiques exagérées. Sans doute les talents ne renaissent pas, mais d'autres se présentent sous une autre forme, et le Théâtre-Français fera longtemps la gloire de notre pays.

Le théâtre fit, en cette même année 1782, une grande perte : mademoiselle Lusy, qui jouait les soubrettes en perfection, se retira ; on la regretta beaucoup.

Nous revînmes souper chez madame la comtesse du Nord. Elle était ravie de notre soirée.

— Ah ! monsieur, disait-elle au grand-duc, s'il y avait moyen d'obtenir un spectacle pareil à Saint-Pétersbourg !

— Pourquoi pas ? répondit Son Altesse impériale en rêvant ; nous y penserons.

Le 28 mai, madame de Benckendorf vint me prendre de bonne heure, et nous courûmes toute la matinée les marchands. Nous restâmes plusieurs heures au *Petit-Dunkerque*. C'était l'enseigne d'un bijoutier demeurant à la descente du Pont-Neuf. Rien n'est joli et brillant comme cette boutique, remplie de bijoux et de colifichets en or, dont on paye la façon dix fois ce que vaut la matière. On vendait à prix fixe, et, bien que les modèles soient élégants et variés, bien que le travail en soit exquis, le fabricant vendait au bon marché, disait-il ; aussi il y avait tant d'acheteurs que souvent on y plaçait une garde.

Nous choisîmes le joujou à la mode, une sorte de petit moulin pour mettre à la montre. Madame la comtesse du Nord en emporta beaucoup en Russie.

Après avoir dîné avec les Benckendorf, je fis des visites d'après-midi, et j'allai avec madame de Skzrawonski aux *Variétés amusantes*[119], où nous nous *amu-sâmes* beaucoup à *Jérôme pointu*. La salle était pleine de gens de la cour, qui riaient à gorge déployée. En sortant de la comédie, nous retournâmes dans les boutiques, en particulier chez les ébénistes et les quincailliers[120]. Nous y vîmes les plus belles choses du monde. J'étais rentrée chez moi à neuf heures.

## CHAPITRE XII

Le 29 mai, je fus obligée de partir seule pour Ver-sailles, à ma grande contrariété, M. d'Oberkirch étant un peu incommodé depuis deux jours. Je ne pouvais faire autrement que de m'y rendre, la reine ayant dai-gné me le faire dire la veille, et madame la comtesse du Nord comptant absolument sur moi. J'allai dîner chez madame de Mackau, où il y avait beaucoup de monde, et je fis ensuite quelques visites à la cour, entre autres chez madame la comtesse de Vergennes, femme du ministre des affaires étrangères. Ses deux beaux-frères, le marquis et le vicomte, étaient : l'un ambassadeur en Suisse, l'autre capitaine-colonel des gardes de la Porte ; ce dernier avait épousé mademoi-selle de Lentilhac. On parlait beaucoup, chez madame de Vergennes, d'une grande aventure arrivée depuis quelques jours, et qui courait sous le manteau. Je ne nommerai personne, l'honneur y étant compromis ; si jamais ces Mémoires tombent entre les mains de ceux qui savent cette histoire, ils ne la reconnaîtront que trop.

Une jeune fille d'un grand nom, sortant du couvent de Belle-Chasse, pour être mariée, refusa obstinément le parti magnifique qu'on lui proposait, et refusa tout aussi obstinément de recevoir personne, d'aller nulle part, même chez Madame Élisabeth qui avait bien voulu la faire demander. La famille s'en inquiéta. On interrogea la jeune fille de toutes les manières, on questionna ses bonnes amies du couvent, les religieuses, personne ne put donner la clef de ce singulier entêtement. Sa mère, qui était au désespoir, lui promit tout ce qu'elle voudrait, à condition qu'elle paraîtrait un jour chez Mesdames, où il y avait concert. Elle refusa. Cette obstination étonnait de plus en plus, on l'entourait d'espions, elle ne voyait qui que ce fût, et n'écrivait à personne. On la crut atteinte de monomanie. Cela dura trois mois, jour pour jour, après quoi elle déclara qu'elle irait à la messe du roi, le dimanche suivant, si on voulait l'y conduire.

Ses parents se hâtèrent de lui préparer une toilette ; elle parut et fit sensation ; d'abord elle était belle, ensuite tout le monde connaissait sa singularité. Elle ne se déconcerta pas, et ne cessa de regarder autour d'elle. Tout à coup elle fit un geste de surprise, au moment où on sortait, et se penchant vers sa mère, elle lui dit :

— Quel est ce seigneur en habit gris de lin, madame, s'il vous plaît ?

— C'est le marquis d'***.

— Et la dame qu'il accompagne ?

— C'est sa femme, la marquise d'***, mademoiselle de La... qu'il vient d'épouser, il y a quinze jours.

— Marié ! s'écria-t-elle, il est marié !

Ce mot fit retourner tout le monde. La mère entrevit quelque affreux malheur, elle emmena sa fille sans passer par la galerie. Celle-ci jetait les hauts cris et se précipitait à travers toutes les portes comme une folle qu'elle était.

Les interrogatoires recommencèrent avec plus d'insistance, enfin on lui tira par lambeaux la vérité. La sœur du marquis d'*** était à Belle-Chasse, son frère vint la voir souvent, et la sœur conduisit sa bonne

amie au parloir. Il la trouva belle, il la savait riche, il
chargea sa sœur de ses intérêts. Ainsi qu'il arrive toujours, ces petites filles se montèrent la tête ensemble,
et arrangèrent un mariage que les familles ignoraient ;
elles trouvèrent moyen dans leurs sorties d'éloigner et
d'occuper les gouvernantes, tant y a que les jeunes gens
se virent en particulier. Comment ? combien de fois ?
jusqu'où cette intimité alla-t-elle ? on l'ignora. Ce qu'il
y a de sûr, c'est qu'on proposa dans l'intervalle, au marquis, un parti bien plus riche, bien plus brillant surtout, la nièce d'un homme en faveur, apportant, outre
sa dot, une place des plus importantes. Il rompit en
lui-même son union enfantine et consentit à tout ce
qu'on voulut. L'embarras était la première accordée.
Elle allait sortir du couvent, elle apprendrait infailli-
blement son inconstance, sa famille puissante prendrait
fait et cause pour elle, et pouvait le gêner considérablement. Il connaissait la faiblesse de sa tête, son amour
pour lui ; il lui joua des scènes de sentiment, et prenant
un air mystérieux, il lui confia que leur bonheur était
menacé, qu'il dépendait d'elle de l'affermir par un sacrifice, quelque pénible qu'il lui semblât, et enfin il lui fit
jurer sur l'Évangile de ne voir personne, de ne pas
sortir de sa chambre avant trois mois révolus, après
lesquels elle pourrait aller à la chapelle le dimanche
suivant. Ce temps lui était nécessaire pour conduire à
sa fin la négociation et la noce.

On juge de la furie où entrèrent le père et la mère ;
il n'y avait pas de remède, mais un éclat déshonorait
leur fille sans qu'il fût possible d'y revenir jamais. Elle
était d'un caractère sans force, peureux ; elle se jeta
aux genoux de tous les siens, et perdit pour ainsi dire
la raison. Après bien des délibérations pendant lesquelles nul ne la voyait, elle passait pour malade, on
l'emmena au fond du Languedoc, dans une magnifique
terre, et là on déterra un voisin, d'une grande naissance,
sans fortune, ignorant la cour et ce qui s'y passait.

Mademoiselle de..., malgré sa déraison, était pour lui un parti inespéré. Il l'épousa sans y regarder davantage, et fit ainsi taire les propos et les conjectures. On ne parla d'autre chose à Versailles pendant huit jours, après quoi on n'y pensa plus. Le temps amena chez cette pauvre créature une révolution heureuse ; elle oublia sa première déconvenue, s'attacha à son mari, forma son jugement, et depuis je l'ai rencontrée quelquefois à Paris ; tout le monde l'estimait et l'aimait. C'est une des femmes les plus honnêtes de la cour et de la ville. Le jour où j'appris cette histoire, le contrat avait été signé par Leurs Majestés. C'était la nouvelle la plus fraîche.

Après ces visites, j'allai voir madame la comtesse du Nord, dans son appartement. Je la trouvai fort choquée d'un propos indiscret tenu par la comtesse Diane de Polignac, chez Madame Élisabeth, dont elle était dame d'honneur. Madame la grande-duchesse ayant fait une visite à cette princesse, la comtesse Diane fut chargée de la reconduire, ainsi que cela se doit, jusqu'en dehors de l'appartement. Madame la comtesse du Nord loua beaucoup les grâces, l'amabilité et le charmant visage de Madame Élisabeth.

— Oui, répondit madame de Polignac, elle a de la beauté, mais l'embonpoint gâte tout.

Ce propos était doublement maladroit, car, s'il y avait quelque chose à critiquer dans ma princesse, ce serait justement cet embonpoint, que sa haute et riche taille dissimule heureusement. Il lui déplut, on le conçoit ; aussi quitta-t-elle la comtesse en lui disant assez sèchement :

— J'ai trouvé Madame Élisabeth on ne peut mieux, madame, et je n'ai pas été frappée du défaut dont vous parlez.

La comtesse Diane de Polignac n'était ni mariée, ni chanoinesse, bien qu'elle portât la croix honoraire d'un chapitre de Lorraine. Le roi lui donna un *brevet*

*de dame*, ce qui ne s'était point fait encore. Elle n'était
ni belle, ni bien faite : sa mise n'était pas élégante,
mais son esprit et sa sensibilité la faisaient aimer de
tous. Un rien la troublait, elle rougissait comme une
pensionnaire. Elle avait pourtant beaucoup de caractère, et ceux qui la croyaient faible se trompaient grossièrement. Elle aimait et soutenait sa famille avec une
énergie et une ardeur au-dessus de tout éloge. La séduction de son esprit créait des amis aux Polignac, pendant qu'elle imposait silence aux sots et aux méchants
en se faisant craindre.

J'allai, en sortant de chez ma princesse, au spectacle
de la cour, où la reine avait eu la bonté de me désigner
la même loge que la première fois, derrière elle et
madame la comtesse du Nord ; elle daigna m'adresser
la parole plusieurs fois, et me pria, avec une grâce et
une amabilité charmantes, à souper chez elle le jeudi
suivant. Elle donnait une fête à madame la grande-
duchesse dans les jardins de Trianon.

On représentait au théâtre de la cour *Iphigénie en
Aulide*, tragédie-opéra en trois actes. Le poème est de
M. du Rollet, et la musique du chevalier de Gluck. Les
ballets sont de M. Gardel, maître de ballets du roi. On
joua ensuite l'admirable pantomime de *Ninette à la
cour*, dans laquelle parut mademoiselle Heinel, danseuse célèbre, qui s'était retirée dans un couvent par
amour pour Vestris, assurait-on, et qui désirait
l'épouser. Vestris père, qui avait quitté la scène l'année précédente, sortit aussi de la retraite pour cette
représentation. Mademoiselle Heinel avait autrefois
fait partie de la troupe de Stuttgart et excellait surtout
dans le genre noble ; on improvisa les vers suivants :

*Que dans tout son éclat Ninette a paru plaire !*
*Qu'embelli par Vestris, ennobli par Heinel,*
*Ce ballet a dû satisfaire !*

*Puisqu'il n'était déjà critique si sévère*
*Qui ne dit : Quand on a Gardel,*
*On ne peut regretter Noverre.*

Noverre était à Londres, où il obtenait beaucoup de succès avec ses ballets. Il en dédia un à la duchesse de Devonshire, qu'il intitula *Adèle de Ponthieu*.

Madame la comtesse du Nord produisit un grand effet à cette admirable représentation. Elle attira tous les regards et était éclatante de beauté et de parure. C'est, disait-on, Minerve sous les traits des Grâces.

Parmi tous les vers dont on accabla les illustres voyageurs, voici, à mon avis, les meilleurs et surtout les plus vrais. Ils furent composés par un homme de la cour, le jour du spectacle :

*La Renommée annonce vos bienfaits :*
*Prince, armez-vous de grande patience*
*Pour lire les rondeaux, les odes, les couplets,*
*Que forgeront pour vous les rimailleurs de France.*

On me remit ces vers après l'opéra, chez madame la princesse de Chimay, dame d'honneur de la reine, où j'allai faire une visite avant de souper chez madame de Mackau. La princesse de Chimay était, je l'ai dit, une femme charmante et bonne, aussi élégante que distinguée par sa conduite et ses vertus. La princesse de Chimay, douairière, sa belle-sœur, est dame de Madame Victoire[121] ; c'est une Lepelletier de Saint-Fargeau. Elle est veuve du frère aîné, car ils étaient trois. Le prince de Chimay, frère du prince d'Hénin, avait épousé mademoiselle de Fitz-James, dont le père, M. le duc de Fitz-James, était gouverneur du Limousin. Ils sont de la maison d'*Hénin-d'Alsace* ou d'*Hénin-Liétard*. Leur sœur, mademoiselle d'Alsace, a épousé le comte de Caraman (Riquet), descendant de l'ingénieur du canal de Languedoc. La mère des princes de Chimay

et du prince d'Hénin était une Beauvau-Craon. Le titre
de prince de Chimay a été porté autrefois par les princes de Ligne et a passé par mariage dans la maison
d'Hénin.

30 mai. — Il fallut me lever de fort bonne heure, car
j'avais promis à madame la comtesse du Nord de la
suivre à Notre-Dame ; ce qui devait être d'ailleurs pour
moi un fort beau spectacle. La cérémonie fut en effet
magnifique ; l'archevêque, M. Leclerc de Juigné, officia.
On nous plaça dans le jubé[122]. La musique était fort
belle, et toute cette pompe catholique a réellement
quelque chose d'imposant. M. le comte et madame la
comtesse du Nord distribuèrent, ce jour-là, une somme
considérable aux enfants trouvés et aux pauvres. Leur
bienfaisance était inépuisable ; on ne se figure pas ce
qu'ils donnèrent pendant ce voyage de Paris. Jamais
une demande ne leur fut adressée en vain ; ils sortaient
avec des bourses pleines d'or, au retour il n'en restait
plus. L'impératrice le voulait ainsi, et ses augustes
enfants, trop heureux de lui obéir, ne ménageaient pas
sa cassette.

J'appris, ce jour-là même, une chose qui me combla
de joie, par les espérances qu'elle donnait à tous ceux
de ma religion. Une ordonnance du roi, enregistrée au
Parlement, enjoignait aux curés d'écrire les déclarations des personnes qui présenteraient leurs enfants
telles qu'elles leur seraient faites, sans y rien ajouter,
sans les interpeller aucunement. C'était pour empêcher
certains curés de jeter du doute sur la légitimité des
enfants des protestants, ou même de la faire soupçonner. Si ce n'était pas encore reconnaître tout à fait la
validité des mariages, c'était du moins un acheminement
à une position meilleure. Madame la grande-duchesse
s'en félicita tout comme moi. Au fond du cœur elle
aimait toujours ses anciens frères.

Après la messe, nous dînâmes chez madame la
comtesse du Nord, et fûmes ensuite avec madame de

Benckendorf aux Gobelins. Cette intéressante manufacture de tapisseries de haute et basse lisse est unique
en Europe. On assure que l'eau de la petite rivière
contribue à la beauté de la teinture et des laines. Le
roi fit présent à Leurs Altesses impériales de plusieurs
tentures de ces magnifiques tapisseries. On nous les
montra ainsi que beaucoup d'autres, c'est un travail
inouï. Madame de Benckendorf me donna quelque
inquiétude dans cette visite ; elle se trouva mal trois
fois ; elle se fatiguait trop dans un commencement de
grossesse, mais elle voulait suffire à tout. Nous revînmes le soir souper avec tous les Russes chez la comtesse Skzrawonski, elle n'y put rester. J'eus pour m'en
consoler la comtesse de Bruce, personne d'infiniment
d'esprit et célèbre par sa beauté, dont le mari était premier major des gardes, je crois, et depuis gouverneur
de Pétersbourg. La comtesse de Bruce était sœur du
maréchal Romanzoff. Elle a été longtemps honorée de
l'amitié de l'impératrice et une de ses confidentes les
plus intimes. Mais elle excita sa jalousie. [Il courait
une étrange histoire sur l'endurance de cette dame. Elle
était restée une nuit entière enfermée dans une armoire
où elle faillit étouffer plutôt que de se présenter à sa
souveraine courroucée. Après le départ de Catherine,
on la retrouva presque mourante ; elle ne voulut jamais
avouer la raison de cette punition volontaire ;] s'étant
fort éprise de Korzakoff, qui était alors son favori, et
la czarine, ayant eu la preuve de leur trahison, exila la
première à Moscou et retira à celui-ci ses bonnes grâces qu'elle a reportées sur un de ses chevaliers-gardes
nommé de Lanskoi, mort quatre ans après, en 1784, à
la fleur de son âge, et l'objet de ses plus amers regrets.

Le comte de Bruce ne partagea pas la disgrâce de sa
femme.

Je causai avec celle-ci fort longtemps ; elle est d'une
instruction variée et d'une simplicité charmante. [Elle
se moquait beaucoup d'une de ses compatriotes qui

était tellement lacée qu'elle pouvait à peine respirer :
« C'est si délicieux d'aspirer de l'air. » Elle pensait certainement à l'armoire !]

31 mai. — Je me rendis de bonne heure chez madame la comtesse du Nord, pour aller avec elle visiter
les Invalides. M. le comte du Nord était fort préoccupé,
il admirait beaucoup cette institution. Nous parcourûmes la maison tout entière, nous arrêtant partout
où nous trouvions à examiner ; le dôme est magnifique. Ici comme toujours, madame la grande-duchesse
étonna par son goût et ses observations qui dénotent
tant d'instruction. Elle critiquait ou louait, en connaissance de cause, les peintures des chapelles, du dôme.
Chacun est frappé de sa supériorité en tout genre. Elle
causa beaucoup avec le gouverneur, M. d'Espagnac ; le
grand-duc s'informa des détails les plus minutieux
relatifs à ces braves soldats. [Ils étaient beaucoup
mieux traités alors que sous M. Leray de Chaumont.
Cet intendant avait fait une scandaleuse fortune aux
dépens de leur santé. Le luxe de sa délicieuse maison
d'Auteuil en était, disait-on, une des preuves.]

En quittant les Invalides, j'allai prendre la comtesse
Skzrawonski pour visiter avec elle la maison Thélusson[123], au bout de la rue d'Artois. C'est une singulière fantaisie que celle-là. Elle coûtait déjà sept cent
mille livres et elle était loin de sa perfection. On assure
que M. Thélusson y a enfoui plus de deux millions et
demi. Elle attirait en ce temps-là tout Paris ; il fallait
des billets pour être admis. Elle me parut plus bizarre
que belle ; cependant les détails en sont du meilleur
goût. L'escalier est superbe, partout on ne voit que des
colonnes. On se demandait comment M. Thélusson
ferait pour s'y maintenir avec le train de gens qu'elle
exige. Il est cependant d'une famille de banque fort
riche. L'arcade qui est sur la rue écrase à mon avis la
perspective ; on la blâme généralement.

Après le dîner je repartis, toujours avec la comtesse. Nous nous rendîmes au Palais-Royal, on y montrait les tableaux de M. le duc de Chartres et la galerie de l'Encyclopédie naturelle en petit. Les tableaux me plurent infiniment ; il s'y trouve quantité de chefs-d'œuvre. Quant au reste, je n'ai pas la prétention d'être savante. Ce qui nous amusa le plus, ce fut un vieux valet de chambre, sorte de chat de la maison, auquel on donne les invalides dans le palais, et qui n'en est pas sorti depuis nombre d'années. Il y est né, aux écuries de M. le régent, dont il a été jockey. Il a vu passer tous les princes depuis, et seul il a survécu à ses maîtres. Il est fort âgé, plus de quatre-vingts ans, mais il est vert encore et il sait mille contes, mille choses qu'on ignore. Son bonheur est de montrer le Palais-Royal ; il vous promène partout, vous fait une histoire sur chaque pièce, sur chaque corridor. Lorsqu'on veut lui donner une récompense, il la refuse fièrement.

— Monseigneur paye ses gens, nous dit-il, et le vieux Laplace mange le pain de la maison d'Orléans depuis qu'il est au monde.

En sortant du Palais-Royal, nous allâmes voir la petite maison et le jardin de mademoiselle Dervieux, célèbre fille entretenue. C'est une délicieuse bonbonnière. L'ameublement vaut la rançon d'un roi. La cour et la ville y ont apporté leur tribut. Mademoiselle Dervieux avait à peu près trente ans ; elle était, disait-on, plus belle que celles de vingt. Elle a débuté à l'Opéra à quatorze ans, et y est restée longtemps rivale de mademoiselle Guimard. Sa maison est rue Chantereine[124] ; elle a fait dessiner le jardin à l'anglaise et y a réuni une foule de merveilles. Je n'en finirais pas si je voulais décrire tout ce que j'y vis. On prête beaucoup d'esprit à cette demoiselle. Parmi ses mots, on en cite un qui aurait été *volé* par mademoiselle Sophie Arnould, et qu'il serait juste de lui restituer. En écrivant sur mes contemporains, pour ceux qui doivent nous succéder, je me permets une fois de répéter un écho de ce monde dangereux et coupable, afin de parler de tout.

Un jeune provincial, peu connu, avec peu de bien, devint éperdument amoureux de cette belle Terpsichore. Il l'écrivit, le dit, le fit dire sous toutes les formes et de toutes les manières, sans pouvoir être écouté. On avait autre chose à faire. Un jour enfin il se jeta à ses genoux en pleurant, la conjurant de l'aimer un peu.

— Faites-moi cette aumône, je vous en supplie.

— C'est impossible, monsieur, j'ai mes pauvres[125].

Une autre fois la duchesse de \*\*\*, personne fort acariâtre, fort méchante, fort laide, ce dont elle enrageait, car elle était, en outre, fort galante (on voit bien que j'ai raison de ne pas la nommer) ; la duchesse de \*\*\* se fit conduire à cette fabuleuse maison par un de ses adorateurs qui passait pour l'être aussi de mademoiselle Dervieux. Elle trouva comme nous le logis vide, en apparence du moins, et, se croyant bien seule avec son introducteur, elle donna carrière à sa jalousie, à l'indignation que lui inspirait ce luxe, très-déplacé il est vrai, et n'épargna pas la propriétaire. En entrant dans le boudoir, la plus coquette de toutes les retraites, elle redoubla ses exclamations.

— Ah ! s'écria-t-elle, c'en est trop, ceci passe toute idée, c'est un conte des *Mille et une Nuits.*

En ce moment, un petit œil-de-bœuf, adroitement dissimulé dans une rosace de cristal de roche, s'ouvrit, une tête mutine et railleuse se montra : c'était mademoiselle Dervieux, cachée en observation et impatientée de s'entendre habiller de la sorte.

— Oui, madame, répondit-elle, et je doute qu'aucune des vôtres en ait jamais valu autant.

Voilà à quoi on s'expose en se posant en rivale de ces sortes de personnes ; je ne sais comment une femme peut se dégrader ainsi, et je ne connais pas de passion qui puisse servir d'excuse à pareille chose.

Après cette visite un peu légère, tout vide que fût ce logis, nous allâmes visiter Saint-Roch, Saint-Sulpice et l'église des Quatre-Nations[126], où se trouve le mausolée du cardinal Mazarin. C'est un très-beau morceau de sculpture, moins beau néanmoins que celui du cardinal de Richelieu que nous vîmes à la Sorbonne. Je le regardai avec un véritable plaisir. Je ne ferai la description ni de l'un ni de l'autre, tout le monde les a vus, ou en a entendu parler, et j'évite autant que possible les détails de ce genre.

Nous nous dirigeâmes ensuite vers le jardin des Tuileries tout embaumé, tout parfumé de fleurs ; nous ne pouvions nous en arracher. Enfin il fallut se rendre à souper chez madame de Travanet ; je l'avais promis. J'y trouvai les Mackau avec lesquels je me liais de plus en plus, et mademoiselle Sicard qui joua fort joliment de la harpe. Cet instrument est à la mode. Quelques femmes en abusent pour montrer leur pied, leur bras, pour déployer toutes leurs grâces ; mademoiselle Sicard est au contraire très-modeste ; je la trouvai à mon goût, et je la ramenai chez elle avec sa mère.

Le 1er juin, je dînai chez madame de Travanet. M. d'Oberkirch, un peu souffrant depuis quelques jours, ne put m'y accompagner.

Le dîner fut gai et amusant ; j'y rencontrai la comtesse de Clermont-Tonnerre, mariée au commencement de cette année. Elle était précédemment chanoinesse de Remiremont et dame pour accompagner Madame Élisabeth. On l'appelait la comtesse Delphine de Sorrans. Vive, d'un esprit enjoué et plein de saillies, elle m'inspira le désir de la voir souvent, ce qui arriva en effet. J'aurai occasion d'en reparler. Elle nous raconta que le jour du spectacle de Versailles, où avait assisté madame la comtesse du Nord, le roi remarqua le marquis de G*** comme ayant l'habit le plus riche et le plus élégant ; il l'en complimenta. Ce seigneur, fort endetté, lui répondit avec un sérieux comique :

— Sire, cela se doit !

J'avais été le matin à Bagatelle avec madame la
comtesse du Nord. C'est une charmante petite maison
dans le bois de Boulogne, appartenant à M. le comte
d'Artois, qui en fit les honneurs avec sa grâce accoutumée. On y entendit un concert magnifique exécuté par
les meilleurs musiciens de Paris. Madame la comtesse
du Nord en fut enchantée. La collation qui suivit fut
des plus galantes. Il y avait les plus beaux fruits de primeur qui se puissent rencontrer. M. le comte d'Artois
est le prince le plus aimable du monde. Il a infiniment
d'esprit, non pas dans le genre de M. le comte de Provence, c'est-à-dire sérieux et savant, mais le véritable
esprit français, l'esprit de saillie et d'à-propos. La
grande-duchesse en était ravie. Au moment de partir,
un homme de la cour lui remit l'impromptu suivant,
écrit au crayon :

> *Il suffit de vous approcher,*
> *Couple auguste, pour vous connaître.*
> *Si vous voulez tout à fait vous cacher,*
> *Voilez donc les vertus que vous faites paraître.*

Après le dîner, M. d'Oberkirch m'ayant fait dire qu'il
allait mieux, je fis une visite à madame la princesse de
Bouillon ; j'y trouvai la duchesse de Lauzun et la princesse d'Hénin, ses deux amies. Madame de Lauzun,
petite-fille de la maréchale de Luxembourg, était une
des plus charmantes personnes du monde. Son éducation, son esprit, ses manières, son caractère surtout la
faisaient aimer et rechercher de tous. Elle était ordinairement triste, à cause de la conduite de son mari,
qui la négligeait, lui donnait d'indignes rivales et qui,
maintenant, bien pis encore, affichait une passion
insolente pour la reine, qui, elle, ne pouvait le souffrir.
Il courait une anecdote sur lui, et on se la répétait bien
bas, autant par convenance que pour ne pas affliger la

duchesse, en révélant les fautes de son mari. On assurait, et j'ai peine à le croire, que, pour se faire remarquer de la reine, il avait eu l'audace de se présenter sous sa livrée, de la suivre tout le jour, partout où elle se rendit, et de ne pas quitter la porte de son appartement la nuit comme un chien de garde. Il arriva que Sa Majesté ne jeta pas les yeux de son côté et qu'elle ne le remarqua point. Il allait en être pour ses frais de service, lorsqu'il imagina, au moment où la reine rentrait en carrosse d'une promenade à Trianon, de mettre un genou en terre, afin qu'elle posât le pied sur l'autre, au lieu de se servir du marchepied de velours. Sa Majesté, étonnée, le regarda alors pour la première fois, mais en femme d'esprit et de sens qu'elle était, elle ne fit pas semblant de le reconnaître, et appela un page.

— Dites, je vous prie, monsieur, qu'on renvoie ce garçon ; c'est un maladroit, il ne sait même pas ouvrir la portière d'un carrosse.

Et elle passa outre. On assure que M. de Lauzun a été blessé jusqu'au cœur de cette leçon, et que depuis lors il se présente à peine aux regards de Sa Majesté.

Madame de Lauzun n'a point l'air heureux, et je crois qu'elle en sait plus que personne sur le compte de son mari. Elle ne se plaint point, elle ne l'accuse même pas ; elle reste silencieuse et ne parle guère en général.

Madame la princesse d'Hénin, comme chacun sait, s'est vue délaissée pour mademoiselle Arnould[127]. Elle ne prit jamais la chose au grave, et prétendait au contraire que la célèbre actrice était le vengeur de ses maux. Elle aimait son mari juste assez pour ne pas le haïr ; elle se montrait charmée qu'il eût ce qu'elle appelait *ses occupations*.

— Un homme désœuvré est si ennuyeux ! ajoutait-elle.

— Est-ce que M. le prince d'Hénin a quelque chose à faire ? reprenait, avec une naïveté cousue de malice, madame de Clermont.

— Ce n'est pas chez moi du moins, ajoutait la princesse avec un grand sang-froid.

Ce pauvre prince d'Hénin était (cela est vrai) le roi des ennuyeux.

Je ne sais plus qui avait imaginé de le nommer le *nain des princes.*

Le 2 juin, j'allai de très-bonne heure chez madame la comtesse du Nord ; elle avait bien voulu me demander de la suivre à la Bibliothèque du roi[128]. Nous en fûmes enchantées ; on nous montra tous les trésors de science qu'elle renferme, les manuscrits, les livres sacrés, les médailles et les pièces antiques ; nous en eûmes pour plusieurs heures, tout en ne faisant qu'*apercevoir*. Nous examinâmes plus en détail les deux superbes globes du père Coronelli[129], qu'on venait d'y placer. Ils étaient depuis 1704 au château de Marly, dans les derniers pavillons. Ce sont les plus beaux et les plus grands qui existent. On les avait déposés dans une salle du rez-de-chaussée de cette année seulement ; ils sont montés sur leurs colonnes. Ces globes ont douze pieds de diamètre, tandis que le plus grand de ceux de Saint-Pétersbourg, m'a dit le comte du Nord, n'en a que onze. Madame la grande-duchesse s'intéresse beaucoup à la science, et s'en occupe extrêmement. Elle a, dit-elle, envie de tous les livres plus que de tous les chiffons. Son éducation a toujours été tournée du côté des choses sérieuses. Madame la princesse de Montbéliard déteste la frivolité et la légèreté de nos habitudes françaises ; elle n'a point souffert qu'on les inculquât à ses filles, en quoi elle a eu parfaitement raison. Madame la comtesse du Nord réunissait toutes les perfections. On la goûte et l'apprécie tout à fait à Paris, où l'on juge bien les gens.

Après la Bibliothèque, nous revînmes dîner chez madame la comtesse du Nord ; nous étions en petit comité, et nous causâmes, ce que M. le comte du Nord préfère à tous les plaisirs. Il s'en acquitte à merveille pour sa part. Il nous raconta en riant ce qui lui était arrivé la surveille à la Sorbonne. Il allait voir le tombeau du cardinal de Richelieu. Un des savants du lieu lui faisait les honneurs, et lui montrait en détail les magnificences de cet établissement royal.

— Le czar[130], votre illustre aïeul, l'immortel Pierre le Grand, est venu ici, monseigneur ; il s'est agenouillé devant la tombe du cardinal, en disant : « Ô grand homme, si tu vivais, je te donnerais la moitié de mon royaume pour que tu m'apprennes à gouverner l'autre. »

— À la place du cardinal, monsieur, j'aurais eu peur de ne pas garder longtemps le cadeau, répliqua le comte du Nord.

Cette réponse est bien fine, surtout dans la bouche du fils de Catherine II.

Le général de Wurmser me conduisit à l'Opéra voir *Thésée*, dont la musique est du sieur Gossec. Les femmes étaient magnifiquement parées. La musique a été applaudie à tout rompre, le chœur des démons surtout. Je vis le sieur Legros et le sieur Larrivée. Ils jouent merveilleusement avec mademoiselle Duplan.

Madame la grande-duchesse m'avait suppliée de venir avec elle au bal de l'Opéra[131], et je m'y étais engagée uniquement pour ne point la contrarier, car je goûte peu ces sortes de plaisirs. Je soupai chez ma chère princesse, qui se faisait une joie d'enfant de cette fête nocturne.

— Je vais donc être moi-même jusqu'à demain, répétait-elle.

— Ne vous y fiez pas, madame, lui répondit l'ambassadeur de Russie, vous ne serez pas plus maîtresse de vous-même là qu'ailleurs : pour ma part, j'ai dix espions autour de votre personne, dont je réponds à l'impératrice ; le lieutenant de police en a bien dix autres. La reine, que Votre Altesse impériale retrouvera sans doute, en a de patentés : M. le ministre de la maison du roi, qui est obligé par sa charge de ne la point

quitter en pareille circonstance. Trouvez-vous que cela
soit assez ?

— Cela est trop, s'écria la princesse en riant, et vous
allez m'ôter tout mon plaisir. Mais je ne vous crois
pas.

Madame la comtesse du Nord prit un superbe
domino en chauve-souris, suivant la mode ; elle le laissa
ouvert pour montrer son devant de robe tout orné d'une
broderie admirable de jayet et de paillons. Madame la
grande-duchesse ne quitta le bras de son illustre époux
que pour prendre celui de M. Amelot, ministre de la
maison du roi, quand elle eut rejoint Sa Majesté, qui
donnait le bras à Monsieur, comte de Provence. Les
princesses ont fort peu quitté leur loge, et sont restées
tout le temps ensemble. La reine, quoi qu'on en dise,
ne se mêle jamais à la foule sans s'arranger de manière
à être reconnue. Elle ne veut point de suite, mais elle
s'en fait une de tout ce que renferme le bal. On m'a
raconté depuis un propos piquant et presque injurieux adressé à M. le duc de Chartres[132], par un masque inconnu. Cela se passait fort près de moi, à ce
qu'il paraît, sans que je m'en aperçusse. Le prince causait avec une femme ; un masque, vêtu en *tour*, se mê-
lait à la conversation, ce qui contrariait vivement les
interlocuteurs. M. le duc de Chartres, enfin poussé à
bout, lui demanda vivement s'il ne le reconnaissait
pas. La conversation avait pris un tour cynique, habituel à M. le duc de Chartres, et dont il se fait une sorte
de gloire, ce qui, en revanche, lui fait le plus grand tort
à la cour et dans le monde.

— Je vous demande pardon, monseigneur, j'ai l'honneur de vous reconnaître ; vous vous êtes parfaitement
démasqué. Son Altesse sérénissime resta tout ébahie
de cette hardiesse. Lorsqu'il revint à lui, il trouva à ses
côtés la tour immobile, qui semblait le narguer, et il fit
un geste à un de ses gentilshommes :

— Qu'on arrête cet insolent ! dit-il.

On se précipita sur la tour, mais on la trouva vide. Le quidam avait ouvert la porte après sa bordée lâchée, et s'était perdu dans la foule. Le prince se mit en furie, mais il n'y eut pas moyen d'y remédier. Je me souviens que M. le comte du Nord, auquel on racontait cette aventure et les mille déportements de M. le duc de Chartres, avec son esprit frondeur par-dessus le marché, dit dans l'intimité :

— Le roi de France est bien patient ! si ma mère avait un pareil cousin, il ne resterait pas longtemps en Russie. Les conséquences de ces rébellions sourdes dans la famille royale sont toujours plus graves qu'on ne croit.

Je ne m'amusai guère à ce bal. Je ne peux pas me faire au métier d'*intrigueuse*. Ce n'est point un plaisir d'honnête femme. On est exposé à entendre et à voir bien des choses qui font rougir. Ici ces dames trouvent cela tout simple ; elles y sont accoutumées. Nous autres provinciales, nous n'avons jamais rien ouï de pareil, et cela nous blesse ; aussi, on nous traite de prudes. Est-ce une injure ? J'ai souvent envie, quand j'assiste à tout ce qui se passe, de prendre cette épithète pour un compliment.

## CHAPITRE XIII

3 juin. — Madame la comtesse du Nord eut l'extrême bonté de venir me prendre dès huit heures du matin pour me conduire à Sceaux, chez M. le duc de Penthiè-vre. Elle devait y aller déjeuner, et elle exigea que j'y fusse avec elle. Je n'eus point à m'en repentir, car je visitai un endroit délicieux, et je vis le plus vertueux, le meilleur des princes et la plus charmante des princes-ses. M. le duc de Penthièvre, fils du comte de Toulouse

et petit-fils de Louis XIV, est certainement l'homme le
plus parfait qu'il y ait sur la terre. Il vit à Sceaux dans
une retraite enchantée, loin de la cour, loin des intrigues. Il ne s'est jamais consolé et ne se consolera jamais
de la mort de M. le prince de Lamballe, son fils unique. C'est une douleur que rien ne peut ni rendre ni
effacer. Il lui reste seulement madame la duchesse de
Chartres, sa fille, laquelle a hérité de sa bonté et de ses
vertus, comme elle héritera de son immense fortune.

Le mariage de mademoiselle de Penthièvre, tout
brillant qu'il fût, s'est accompli malgré la volonté de
son père. Certes, le parti était de haute importance ; le
premier prince du sang faisait en effet grand honneur
à la fille d'une race bâtarde en lui donnant son nom.
M. le duc de Penthièvre n'enviait pas tant de gloire. Le
caractère de M. le duc de Chartres ne lui convenait
pas. L'abbé de Breteuil, chancelier de M. le duc d'Orléans, eut la première idée de cette union, mais M. le
duc d'Orléans lui-même n'y voulut point consentir.
M. le prince de Lamballe vivait encore ; il ne trouvait
point mademoiselle de Penthièvre assez riche pour lui
faire oublier son horreur des bâtards. Il en fut ainsi
jusqu'à la maladie répétée du pauvre prince de Lamballe ; alors l'abbé de Breteuil remit la chose sur le
tapis, et par l'immortelle raison de la dot, il triompha
de toutes les répugnances de M. le duc d'Orléans. Le
duc de Choiseul fut prié par lui de conduire cette
affaire. Pendant ce temps-là, M. le prince de Condé
demandait aussi mademoiselle de Penthièvre pour
M. le duc de Bourbon, et il s'adressa également au
ministre dans le même but. M. de Choiseul ne lui cacha
pas ses engagements positifs avec la maison d'Orléans
et ne lui laissa guère d'espoir de réussite. M. le duc de
Penthièvre, en effet, accepta la proposition, remit un
état de tous ses biens, et son testament pour qu'on le
consultât ; mais il ne voulut donner pour le moment
que cinquante mille écus de rente. Les d'Orléans criè-

rent, M. le duc de Penthièvre répondit que son fils vivait, qu'il était condamné sans doute, mais que Dieu pouvait faire un miracle. En effet, il se trouva mieux. M. le duc d'Orléans retira alors sa proposition, prétextant toujours la modicité de la dot. M. le duc de Penthièvre en devint furieux, M. de Choiseul aussi ; il s'emporta contre M. le duc d'Orléans, et protesta que de sa vie il ne s'occuperait de ses affaires. M. le prince de Condé, attentif à tout cela, crut le moment favorable pour se remettre en ligne ; le duc de Choiseul parla pour lui. M. le duc de Penthièvre allait céder peut-être, lorsque son fils mourut. Alors la maison d'Orléans reprit ses idées premières ; le calcul fut fait, les biens de cette maison réunis à ceux de mademoiselle de Penthièvre formeraient plus de huit millions de rentes ; il ne fallait pas laisser échapper cela. M. de Penthièvre, de son côté, tout blessé qu'il fût, sentait la beauté du parti ; ce qui le décida surtout, ce fut l'inclination très-prononcée de sa fille. Elle avait vu M. le duc de Chartres une seule fois chez madame de Modène, il lui donna la main pour la reconduire à son carrosse ; en rentrant au couvent, elle déclara qu'elle n'en épouserait jamais d'autre que lui.

Le plus difficile fut d'y faire consentir le roi. Quoi qu'on en ait dit et qu'on en dise tous les jours, le roi Louis XV avait le sens droit ; il sentit quel puissant levier était une pareille fortune entre les mains du premier prince du sang, et ce qu'il pouvait en faire s'il avait l'esprit de révolte. Il refusa d'abord, et M. de Choiseul eut beaucoup de peine à l'y amener.

— Songez donc, disait le roi, que mes petits-fils, le comte de Provence et le comte d'Artois, sont loin d'une pareille fortune, et que vous allez rendre MM. d'Orléans bien plus riches que leurs aînés.

— Sire, les aînés ont la couronne, qui les place toujours hors de toute comparaison.

— Prenez garde de donner aux cadets le moyen de la leur enlever, monsieur le duc.

Le roi refusa longtemps ; il ne céda qu'aux instances de M. le duc de Penthièvre, pour lequel il avait une amitié de jeunesse ; encore son consentement fut-il accompagné de restrictions et d'observations répétées.

— Vous avez tort, mon cousin, lui dit-il, le duc de Chartres a un mauvais caractère, de mauvaises habitudes ; c'est un libertin, votre fille ne sera pas heureuse. Ne vous pressez pas, attendez.

La princesse était pressée, elle. Son père l'adorait, il céda ; le mariage se fit. Depuis ce temps-là, le père et la fille ont dû souvent se rappeler les paroles du vieux roi.

Notre fête à Sceaux n'en fut pas moins charmante ; madame la duchesse de Chartres en fit les honneurs avec une amabilité extrême. Les eaux jouèrent partout. On visita ce parc et ce lieu enchanteur en carrosses à six chevaux, c'est-à-dire deux calèches découvertes dans lesquelles presque toutes les dames se placèrent. Le monde était des plus choisis ; le déjeuner d'une magnificence exquise. M. le duc de Penthièvre est adoré de ses vassaux, qu'il comble de bienfaits ; il n'y a pas de malheureux à Sceaux. Partout sur le passage de Leurs Altesses ce furent des cris d'enthousiasme ; jamais je n'en vis de pareils. Qu'il est doux d'être aimé ainsi !

En revenant à Paris, j'allai prendre la comtesse Skrawonsky, chez laquelle je dînai, pour parcourir différentes églises ; d'abord les deux qui sont dédiées à sainte Geneviève[133], puis celle de Notre-Dame, la cathédrale, le Val-de-Grâce, enfin les Carmélites[134]. Nous y admirâmes le superbe tableau de madame de La Vallière, représentant une Vierge ; c'est là que cette célèbre pécheresse finit sa vie dans la pénitence et le repentir, après huit ans de retraite et de larmes. On est touché chaque fois qu'on y pense, et l'on voudrait pouvoir excuser une faute si cruellement expiée. Nous allâmes après faire quelques visites et souper chez madame la comtesse du Nord, où il ne fut question que de Sceaux et de ses propriétaires. Nos éloges ne tarirent pas. M. le comte du Nord emportait le souvenir le plus touchant du bon duc de Penthièvre ; c'était bien un prince selon son cœur.

4 juin. — Lorsque j'arrivai chez madame la comtesse du Nord, elle me montra une romance et un rondeau pour le clavecin, qui lui avaient été présentés le matin même par un compositeur de musique nommé M. Prati. Ils sont ornés des chiffres de madame la comtesse du Nord (Marie-Feodorovna) et de celui de son mari (Paul-Petrowitz), dessinés avec une grande délicatesse et une grande élégance. Dans les jambages des lettres M F se trouvent ces vers :

*Semblable aux fleurs qui naissent sur ses traces,*
*Marie étonne et charme tous les yeux.*
*À son port noble, à son air gracieux,*
*On a cru voir la plus jeune des Grâces.*

Entre les lettres P P se trouvent ceux-ci :

*Législateur du Nord et vainqueur de l'Asie,*
*Créant un vaste empire au milieu des déserts,*
*Pierre étonna l'Europe et fonda la Russie.*
*Voyageant pour s'instruire au loin de sa patrie,*
*Son jeune successeur annonce à l'univers*
*Qu'héritier de son trône, il l'est de son génie.*

Je cite scrupuleusement tous les vers adressés aux augustes voyageurs, tous ceux que j'ai connus du moins, pour montrer combien la flatterie est rarement adroite, et combien l'encens qu'on brûle devant les princes est grossier.

Madame la duchesse de Chartres arriva au milieu de ce discours avec madame la comtesse de Lawoestine, dame pour accompagner. L'air de cette princesse me plut et me toucha encore plus que la veille. Son sourire est triste, ses yeux sont mélancoliques ; dès qu'elle ne parle pas, elle soupire ou elle rêve. Elle aime passionnément ses enfants ; et un de ses grands sujets de chagrin est de se voir enlever la direction de leur éducation par madame de Genlis[135]. Je n'aime point à enregistrer les scandales, mais celui-là passe tous les autres. Madame de Genlis ou madame de Sillery est fort belle, fort spirituelle, mais un peu pédante aussi. C'est une madame Necker élégante. Je ne sais qui l'a représentée en caricature, armée d'un bâton de sucre d'orge et d'une férule ; c'est absolument la vérité. Madame de Lawoestine est la fille de madame de Genlis.

Quand la princesse fut partie, nous allâmes aux Gobelins que j'avais déjà visités et que je retrouvai avec plaisir. Madame la comtesse du Nord donna cinquante louis aux ouvriers. De là, nous nous rendîmes aux établissements du curé de Saint-Sulpice[136], que madame la comtesse du Nord examina en détail. M. le curé nous montra tout lui-même. Il nous dit les choses les plus intéressantes et présenta à madame la grande-duchesse une médaille en or qu'il venait de recevoir de la czarine, à laquelle il avait envoyé un précis de sa méthode. Il était pénétré de reconnaissance et portait l'impératrice aux nues.

— Vous avez bien raison, répondit la princesse. L'impératrice est la mère de ses sujets ; c'est à la fois la plus forte tête et le meilleur cœur de l'Europe.

Je n'ai jamais entendu madame la comtesse du Nord tenir un autre langage [sur l'impératrice] ; ceux qui ont cru à d'autres dispositions se sont trompés. Je ne fis pas grand'chose ce jour-là, je rentrai de bonne heure. Leurs Altesses royales se rendirent à une fête particulière donnée par M. le duc d'Orléans dans sa maison de la Chaussée-d'Antin.

5 juin. — Nous avions une journée fort occupée ;
aussi fallut-il nous lever de bonne heure et nous faire
habiller à la hâte.

Madame la comtesse du Nord m'avait déclaré qu'elle
ne me tiendrait quitte de rien, et que je la suivrais partout. Je ne demandais pas mieux. Tout mon bonheur
était de rester avec elle, de la voir le plus possible ; ce
bonheur devait m'échapper si vite ! Nous allâmes avant
le déjeuner visiter le jardin de M. Boutin, receveur
général des finances, puis conseiller d'État, puis trésorier de la marine et frère de l'intendant des finances,
dont il a été question lors de la création de la Compagnie des Indes. Il a donné à son jardin le nom de *Tivoli*,
mais l'appellation populaire est : la *Folie-Boutin*. Folie
est le mot ; il y a dépensé ou plutôt enfoui plusieurs
millions. C'est un lieu de plaisance ravissant, les surprises s'y trouvent à chaque pas ; les grottes, les bosquets, les statues, un charmant pavillon meublé avec
un luxe de prince. Il faut être roi ou financier pour se
créer des fantaisies semblables. M. Boutin fait souvent
en cet endroit des soupers fins qui ne sont pas moins
somptueux que le local.

Après Tivoli, où nous prîmes d'excellent lait et des
fruits dans de la vaisselle d'or, nous allâmes faire une
autre visite, bien plus intéressante, selon moi, chez
M. et madame Necker à Saint-Ouen. Ils avaient là une
campagne qui leur appartenait[137]. M. Necker avait quitté
le contrôle général en 1781, après son fameux Compte
rendu[138]. Sa disgrâce ou sa retraite fit beaucoup de bruit
en Europe. Les opinions se partageaient sur son compte ;
les uns le portaient aux nues, les autres le blâmaient à
l'excès. Quelle que puisse être ma sympathie pour un
protestant, il me faut avouer que M. Necker, après
avoir tant parlé de la diminution des impôts, n'a fait
que les augmenter. Ses ennemis semblent bien avoir
quelque raison en l'accusant de charlatanerie. M. le

comte du Nord s'entretint pendant une heure, seul à seul, avec l'ancien ministre.

— Je viens, lui dit-il en l'abordant, joindre mon tribut d'admiration à celui de l'Europe entière.

Il me semble qu'en quittant le grand homme, Son Altesse impériale était moins satisfaite. Elle nous demanda dans le carrosse si nous connaissions la fable des Bâtons flottants sur l'eau. Dans la bouche du grand-duc, c'était toute une appréciation.

Quant à moi, M. Necker ne me plut point. Je fus frappée de sa ressemblance inouïe avec Cagliostro, mais sans son étincelant regard, sans sa physionomie étourdissante. C'était un Cagliostro guindé, aux formes roides et désagréables ; un vrai bourgeois de Genève. Il n'a rien d'aimable malgré sa volonté de l'être. Madame Necker est bien pis encore. En dépit des grandes positions qu'elle a occupées, c'est une institutrice, et rien de plus. Elle est pédante et prétentieuse au-delà de tout. Fille d'un ministre de village du nom de Churchod[139], elle a reçu une excellente éducation, dont elle profite par le travers. Elle est belle, et elle n'est point agréable ; elle est bienfaisante, et elle n'est point aimée ; son corps, son esprit, son cœur, manquent de grâce. Dieu, avant de la créer, la trempa en dedans et en dehors dans un baquet d'empois. Elle n'aura jamais l'art de plaire. Pour tout dire en un mot, elle ne sait ni pleurer ni sourire. Son père était pauvre ; elle se mit à tenir une pension de jeunes filles à Genève ; elle fut amenée à Paris par madame de Vermenoux, dont la beauté et la galanterie sont connues. Cette madame de Vermenoux était liée avec l'abbé Raynal, avec M. de Marmontel, avec d'autres philosophes, enfin avec M. Necker. Celui-ci l'ennuya bientôt, je le conçois du reste. Il m'eût ennuyée bien autant ; pour s'en débarrasser, elle imagina de lui faire épouser mademoiselle Churchod.

— Ils s'ennuieront tant ensemble, dit-elle, que cela leur fera une occupation.

Ils ne s'ennuyèrent point, mais ils ennuyèrent les autres et se mirent à s'adorer, à se complimenter, à s'encenser sans cesse, ils s'établirent en thuriféraires l'un de l'autre, surtout madame Necker devant son mari.

Mademoiselle Necker me parut une tout autre personne que ses parents, bien qu'elle eût aussi son petit coin de Genevois et son grand coin de thuriféraire. Ses yeux sont admirables ; à cela près, elle est laide ; elle a une belle taille, une belle peau et quelque chose de parfaitement intelligent dans le regard ; c'est une flamme. Je portai d'elle un jugement qui s'est réalisé depuis ; c'est et ce sera une femme remarquable.

M. le comte et madame la comtesse du Nord furent pleins de bienveillance pour cette famille : madame la grande-duchesse, en particulier, dit tant de choses bien senties sur cette retraite et sur la manière dont elle était supportée, que madame Necker s'évanouit, tant elle était émue ! La grâce et la distinction si nobles et si touchantes dans cette princesse lui gagnent tous les cœurs.

Cette visite nous retint jusqu'à une heure. On attendait Leurs Altesses impériales à l'Académie des sciences. Elles furent reçues par tous les immortels ; M. de Condorcet[140] prononça un discours emphatique, ampoulé et prétentieux. Il entra dans des dissertations métaphysique bien pauvres et bien faibles en comparaison de nos philosophes allemands. Madame la comtesse du Nord me regarda du coin de l'œil pendant qu'il étalait ce pathos.

On présenta à M. le comte du Nord un morceau d'ivoire travaillé par le czar Pierre $I^{er}$, et dont il fit présent à l'Académie en 1717. Il est resté à la belle place de la collection. Nous nous mourions de faim, de sorte que le grand-duc abrégea son admiration et ses éloges.

On reconduisit Leurs Altesses impériales avec le même
cérémonial, et je me rappelle toujours madame de
Benckendorf à laquelle son état de grossesse donnait
un appétit perpétuel ; elle grignotait un morceau de
pain qu'elle tirait de sa poche tout en faisant la révérence, absolument comme une petite fille qui a peur du
fouet ; madame la grande-duchesse pensa en éclater
de rire.

Nous nous mîmes à table comme des affamés. Pendant le dîner, on parla beaucoup du spectacle de la
veille chez M. le duc d'Orléans ou plutôt chez madame
de Montesson. Il y avait à cette fête un souper magnifique. M. le comte du Nord se trouvait un peu souffrant ; il n'y assista pas, non plus que madame la
grande-duchesse ; ce fut une mortification sensible
pour madame de Montesson. La princesse en avait
éprouvé une petite à son arrivée, qui mit en émoi
M. le duc d'Orléans et la maîtresse du logis. Pendant
que Comus faisait ses tours[141], avant la comédie, plusieurs personnes eurent l'indiscrétion de se mettre
aux meilleures places dans la salle du théâtre, sans
attendre madame la comtesse du Nord, ni laisser de
place vide pour elle. M. le duc d'Orléans, je l'ai dit, en
témoigna tout haut et très-vivement sa mauvaise
humeur. Malgré les efforts de la grande-duchesse, très-
fâchée d'être la cause involontaire de tout cela, il fit
expulser les indiscrets.

On prétendait à la cour que Son Altesse sérénissime
n'ayant pu obtenir du roi la permission de faire de madame de Montesson une duchesse d'Orléans, s'était
fait, au contraire, lui, M. de Montesson. Rien de plus
vrai, quant à l'apparence : le prince entrait dans les
propos, dans les tripotages, dans les petites haines de
la marquise ; il ne voyait que par ses yeux, et il est certain qu'elle l'avait rendu terriblement petit. Madame
de Montesson jouait la comédie avec beaucoup d'âme
et de sensibilité. C'était une personne d'esprit, mais

tracassière et désagréable, lorsqu'elle voulait l'être, à un point extrême. On n'était pas d'accord sur sa naissance que les uns faisaient illustre et les autres bourgeoise, selon les amitiés ou les antipathies. Elle s'appelait mademoiselle de La Haye. Le marquis de Montesson, son mari, était mort à cette époque-là ; c'était un vieillard en enfance, qu'elle avait épousé pour le nom et pour le bien. Elle se fit aimer de M. le duc d'Orléans, brave prince, mais bien nul. Avant de la connaître, il n'avait ressenti qu'une seule passion, la gourmandise[142]. Elle eut l'adresse de le tenir en haleine et de se poser en grande vertu jusqu'à la mort de son mari, où, enfin, Son Altesse sérénissime lui offrit le mariage. La fine mouche l'accepta, et se mit à courtiser madame du Barry, du vivant du feu roi. Celle-ci poussa tant qu'elle put au mariage ; l'avilissement de la famille royale ne lui importait guère, et si elle avait pu se faire épouser aussi, elle n'eût point empêché cette chute de la couronne dans la boue, par un dévouement patriotique. On sait ce qu'elle dit à cette occasion à M. le duc d'Orléans, dans son langage trivial, lorsqu'il lui demandait de parler au roi en sa faveur :

— Épousez toujours, *gros père*, nous verrons après.

Il épousa en effet, mais il ne put jamais obtenir la permission de déclarer le mariage ; au contraire de cela, le roi lui signifia que, si madame de Montesson tentait par les moindres manières à se mettre au-dessus des femmes de qualité, il la ferait jeter à la Bastille sans le moindre ménagement. Il fallut bien accepter cet arrêt et s'en tenir à son exécution. Le prince en gémissait presque tout haut ; il était fou de la marquise ; il se désolait de ne pouvoir lui donner le rang dû à ses charmes : il lui en donnait du moins la fortune, car il dépensait un argent immense, soit à Sainte-Assise, soit à Paris[143].

Parmi les acteurs favoris de madame de Montesson, on remarque M. de Caumartin, maître de requêtes et fils du prévôt des marchands. C'était un jeune homme de trente ans, fort agréable et qui avait beaucoup de succès parmi les femmes de tous les rangs. Une des plaies de la société, qui commence à s'étendre, et qui s'étendra bien davantage encore, si cela continue, c'est l'importance donnée par les hommes aux filles entretenues et de théâtre. Ils s'en occupent fort, sinon ostensiblement, ils ne l'oseraient pas, au moins en particulier. Ils se ruinent à les couvrir d'or et de bijoux. C'est un scandale sans pareil, auquel les bons esprits répugnent et auquel personne ne met ordre, malgré les réclamations des familles. Je n'ai point envie de moraliser, mais j'avoue que souvent je me félicite de n'avoir point de fils pour être quitte de cet embarras-là.

Ce 5 juin, aussitôt après dîner, je rentrai pour faire ma toilette, et j'allai de là aux Italiens[144], dans la loge de la comtesse d'Halwyll. On donnait les *Mariages Samnites*. La pièce m'amusait beaucoup ; mais il y a à la Comédie italienne trois charmantes actrices, mesdemoiselles Dugazon, Colombe et Lescot.

La première est fort jolie et a le jeu le plus spirituel ;

La seconde est fort belle et d'une magnifique taille ;

La troisième est pleine de grâce et d'ingénuité.

On a fait sur elles les couplets suivants :

> *C'est pour l'indolente richesse*
> *Que l'on inventa les sofas,*
> *Mais vers ce lit de la mollesse*
> *Mes désirs ne me portent pas.*
> *Moi, je préfère la nature*
> *À tous les coussins d'édredon ,*
> *Qui fait le mieux, je vous le jure,*
> *Parler d'amour ? c'est :* du Gazon.

> *Circé changeant l'homme en oiseau,*
> *D'un seul coup de baguette,*
> *Fournit la femelle au moineau,*

*Le mâle à la fauvette.*
*Chez elle, il faut s'appareiller ;*
*Si dans ses mains je tombe,*
*Qu'elle me transforme en ramier,*
*Car j'aime la* Colombe.

*En prenant des bains dans un fleuve,*
*Mon mal de nerfs doit s'affaiblir ;*
*Je brûle de tenter l'épreuve ;*
*Mais quel fleuve dois-je choisir ?*
*L'eau du Rhin n'est pas assez pure ;*
*Le Danube a trop de froidure,*
*Le Sénégal serait trop chaud ;*
*Je le vois, le mal que j'endure*
*Ne peut guérir que par l'Escaut (Lescot).*

Ces vers ont trop de liberté de langage et surtout de pensée, mais je tiens à les citer à l'appui de ce que je disais tout à l'heure ; la licence était partout. Le sans-gêne des relations avec ces demoiselles amène petit à petit un sans-gêne de façon dont rien n'approche. On tient, devant les femmes les plus irréprochables, des propos inouïs. Ceci est un trait de mœurs que je n'ai pas voulu omettre et dont la source vient de plus loin. Il faudrait des volumes pour démontrer cette vérité, *trop vraie*, comme dit Figaro.

6 juin. — Mademoiselle Schneider vint me réveiller dès six heures du matin. [La pauvre Schneider n'a jamais été capable d'apprendre un mot de français, même à Paris ; elle fait constamment les fautes les plus comiques, elle dit un mot pour un autre, par exemple que je vais mal quand je suis bien et voulut la semaine dernière me forcer à prendre une médecine destinée à M. d'Oberkirch parce que l'apothicaire avait dit que c'était pour moi. J'eus beaucoup de peine à la persuader du contraire.] Je devais me faire coiffer et mettre un grand habit pour aller à Versailles. La reine donnait

la comédie à Trianon, pour madame la comtesse du Nord. Ces toilettes de cour sont éternelles, et le chemin de Paris à Versailles bien fatigant, lorsque l'on craint surtout de chiffonner sa jupe et ses falbalas. J'essayai pour la première fois une chose fort à la mode, mais assez gênante : de petites bouteilles plates et courbées dans la forme de la tête, contenant un peu d'eau, pour y tremper la queue des fleurs naturelles et les entretenir fraîches dans la coiffure. Cela ne réussissait pas toujours, mais lorsqu'on en venait à bout, c'était charmant. Le printemps sur la tête, au milieu de la neige poudrée, produisait un effet sans pareil.

Madame la comtesse du Nord était déjà dans son appartement au château lorsque j'y arrivai. Je rencontrai la reine dans son antichambre ; elle sortait de chez ma princesse. Lorsque je lui fis mes révérences, elle eut la bonté de me remarquer, et me fit l'honneur de me dire avec sa grâce ordinaire qu'elle comptait bien me voir le soir à Trianon.

— Je vous y verrai venir avec grand plaisir, madame la baronne, ajouta-t-elle ; madame la comtesse du Nord parle trop souvent de vous pour qu'on n'en ait pas à vous recevoir plus souvent encore. [La grande-duchesse à qui je répétai ces paroles me fit l'honneur de me dire que rien ne pouvait plus la toucher et qu'elle remercierait la reine. « Une faveur à ma chère Lanele mérite ma reconnaissance plus que si c'était à moi. » Ce furent ses propres mots. J'étais profondément touchée. L'amitié est un sentiment si rare chez les personnes de son rang et les princes ont certainement besoin de beaucoup de discernement pour éviter d'être les dupes de leurs prétendus amis. L'intérêt personnel est la pierre de touche universelle et le mobile de nos actes. Dieu a-t-il créé l'homme tellement égoïste ou est-ce la corruption des temps qui l'a rendu tel ? Je laisse à des têtes plus sages que la mienne le soin de répondre.]

On donna à Trianon *Zémire et Azor*, ce délicieux opéra de M. Grétry. Il fut chanté dans la perfection. Sa Majesté y tient la main ; elle est fort bonne musicienne et élève du chevalier Gluck. Le petit théâtre de Trianon est un bijou ; il y a une décoration de diamants dont l'éclat éblouit les yeux.

Après *Zémire et Azor* vint *La Jeune Française au sérail*, ballet d'action du sieur Gardel aîné, maître des ballets de la reine. Les danses sont tout à fait gaies et touchantes, les costumes admirables, et les acteurs plus admirables que les costumes. La cour était radieuse. Madame la comtesse du Nord avait sur la tête un petit oiseau de pierreries qu'on ne pouvait pas regarder tant il était brillant. Il se balançait par un ressort, en battant des ailes, au-dessus d'une rose, au moindre de ses mouvements. La reine le trouva si joli qu'elle en voulut un pareil.

Il y eut ensuite un souper de trois tables, à cent couverts par table. J'eus l'honneur d'être placée près de Madame Élisabeth, et de regarder bien à mon aise cette sainte princesse. Elle était dans tout l'éclat de la jeunesse et de la beauté, et refusait tous les partis pour rester dans sa famille.

— Je ne puis épouser que le fils d'un roi, disait-elle, et le fils d'un roi doit régner sur les États de son père. Je ne serais plus Française ; je ne veux pas cesser de l'être. Mieux vaut rester ici, au pied du trône de mon frère, que de monter sur un autre.

Elle me fit l'honneur de me parler beaucoup de la famille de Lort, ayant connu la mère à la cour et la fille à Saint-Cyr. Je les connais tous particulièrement ; ils sont de Lorraine. Madame Élisabeth avait retenu cette circonstance, je ne sais comment, et en fit le sujet d'un entretien fort agréable.

La reine me fit l'honneur de me parler plusieurs fois et de prendre part à ma conversation avec la princesse, dont elle entendait des bribes au milieu de toutes les autres.

On alla ensuite dans les jardins voir l'illumination, qui était magnifique. Trianon est certainement un lieu enchanteur, mais bien des jardins de particuliers ont coûté plus cher, ainsi : la folie Boutin, la folie Saint-James, la folie Beaujon, le parc de Brunoy[145], que sais-je ! On n'en a pas moins accusé la reine de dépenser les deniers du royaume en inventions insensées. Tout cela, parce qu'elle a fait un hameau suisse ! N'est-ce pas une fantaisie exorbitante, en effet, pour la reine de France !!! Ah ! l'envie est toujours cruelle ; le secret de bien des colères est là.

7 juin. — Je revins de Versailles juste à temps pour dîner. Je m'étais reposée des fatigues de la veille, et puis promenée un peu dans le parc. Après un repas conjugal, je me rendis chez un ébéniste appelé Éricourt, qui faisait des meubles merveilleux. Il nous en montra de toutes les manières. J'y passai plus de deux heures, si bien que j'eus à peine le temps d'arriver pour l'Opéra avec madame la comtesse du Nord. On donnait *Thésée*, qu'elle voulait entendre de nouveau. Ma princesse était ravie de la fête de la veille ; elle ne pouvait se taire de la reine et de ses prévenances.

— Combien j'aimerais à vivre avec elle, et combien je serais charmée que M. le comte du Nord fût dauphin de France ! sans toutefois perdre la czarine, ajoutait-elle en souriant. J'éprouve pour mon cœur l'embarras des richesses.

Elle me donna à lire ensuite de singuliers vers qu'elle venait de recevoir. Les voici avec leur titre assez préten-tieux :

PRÉDICTION À MADAME LA COMTESSE DU NORD,
PAR UNE FEMME PHILOSOPHE,
AUTEUR DE TRENTE-DEUX VOLUMES.

*De l'étoile du Nord la brillante lumière*
*De notre cour augmente et le charme et l'éclat ;*
*Paraissant ralentir son immense carrière,*
*Semble fixer sa marche en cet heureux climat.*
*À son aspect charmant le ciel est sans nuages,*
*Pour lui plaire, Phébus, recommençant son cours,*
*De ses rayons divins éclairant les orages,*
*Va du printemps tardif ramener les beaux jours.*

Ce n'est pas la peine d'avoir imprimé trente-deux volumes pour composer une semblable platitude.

## CHAPITRE XIV

8 juin. — Madame la comtesse du Nord aimait beaucoup les excursions matinales ; elle aimait surtout à les faire avec moi, cela lui rappelait notre cher Montbéliard. Nous fûmes au Luxembourg admirer la galerie des tableaux, une des plus belles qui soit au monde. Le palais du Luxembourg renferme bien des souvenirs. Nous nous fîmes montrer les chambres de Marie de Médicis et de la grande Mademoiselle. Une remarque singulière que nous fîmes, c'est que dans ce palais on a toujours été en querelle avec quelqu'un. Ainsi, Marie de Médicis et Louis XIII ; mademoiselle de Montpensier et son père, Monsieur (Gaston d'Orléans), d'abord ; puis sa belle-mère, madame de Lorraine, et ses sœurs, les autres filles de Monsieur, ses égales en rang, ses inférieures en fortune, après madame la

duchesse de Berry, fille de M. le régent, en bataille réglée avec tout le monde. De nos jours, enfin, M. le comte de Provence, qui n'a pas l'air de s'accorder beaucoup avec personne. Certains lieux sont marqués pour certaines choses dans les idées de la Providence.

Du Luxembourg nous allâmes au Jardin du Roi[146]. On attendait Leurs Altesses au cabinet d'histoire naturelle et des expériences de physique. Nous nous arrêtâmes d'abord aux serres et aux plantes. Le jardin est admirablement entretenu. Le cabinet d'histoire naturelle n'a pas son semblable, tant pour le genre végétal que pour le genre animal et minéral. Nous y vîmes faire plusieurs expériences superbes sur les airs fixes, phlogistiques, déphlogistiques et sur leurs propriétés. Ce qui surprend partout, c'est l'instruction prodigieuse du comte du Nord. Rien ne lui est étranger dans la science ni dans les arts. Dans ses visites, il prend intérêt à tout ce qu'on lui fait voir, et sait toujours dire ce qui doit flatter les personnes et la nation. M. Daubenton en est enchanté. Voici les vers qu'on a adressés au prince à cette occasion. Il faut convenir que les Parisiens sont bien rimeurs.

> *Pierre, que l'univers a surnommé le Grand,*
> *Parmi nous autrefois voyagea pour s'instruire ;*
> *Les leçons qu'il reçut, Europe, il te les rend*
> *Dans l'héritier de son empire.*

Après la visite au Jardin du Roi, je rentrai chez moi pour m'habiller et me rendre à Versailles, où se donnait un bal paré chez la reine. Je ne puis encore revenir de la difficulté de se tenir toute vêtue et coiffée dans les carrosses de Paris à Versailles ; on est aussi mal à son aise que possible, et les femmes qui font ce métier de postillon plusieurs fois par semaine doivent en être bien lasses.

Le bal était admirable ; il y avait une profusion de bougies et de girandoles. Les salons que tout le monde connaît étaient étincelants, surtout la galerie. Toute la cour était habillée de sa plus grande parure ; les femmes qui dansaient étaient en domino de satin blanc, avec un petit panier et de petites queues. Le comte et la comtesse du Nord y furent très remarqués comme à l'ordinaire : l'un par son aisance et son esprit d'à-propos, l'autre par sa grâce et sa beauté. La toilette de la princesse était magnifique ; elle avait ces célèbres calcédoines[147] dont on a tant parlé, les plus belles qui fussent en Europe. La reine ne pouvait se lasser de les admirer, et les princesses venaient à tour de rôle pour tâcher de les voir de plus près, tant elles éblouissaient de loin.

M. le comte du Nord eut un de ces mots justement appliqués qui lui ont fait tant d'honneur pendant son séjour à Paris. La foule, curieuse de le voir, se portait du côté où il était avec le roi, pendant qu'ils se dirigeaient vers la place où ils allaient s'asseoir, et le roi se plaignit de ce qu'on le pressait beaucoup. M. le comte du Nord s'éloigna aussitôt, comme tout le monde, en disant :

— Sire, pardonnez-moi, je suis devenu tellement Français, que je crois, *comme eux*, ne pas pouvoir m'approcher trop près de Votre Majesté.

La reine dansa avec le grand-duc ; il est impossible de déployer plus de grâce et de noblesse que notre auguste souveraine. Elle a une taille et un port merveilleux. Je me trouvai un instant derrière elle et derrière la grande-duchesse.

— Madame d'Oberkirch, me dit la reine, parlez-moi donc un peu allemand ; que je sache si je m'en souviens. Je ne sais plus que la langue de ma nouvelle patrie.

Je lui dis plusieurs mots allemands ; elle resta quelques secondes rêveuse et sans répondre.

— Ah ! reprit-elle enfin, je suis pourtant charmée d'entendre ce vieux tudesque ; vous parlez comme une Saxonne, madame, sans accent alsacien, ce qui m'étonne. C'est une belle langue que l'allemand ; mais le français ! Il me semble, dans la bouche de mes enfants, l'idiome le plus doux de l'univers.

Elle a toujours bien aimé la France, cette auguste princesse, quoi qu'en disent ses calomniateurs.

Un des beaux coups d'œil que j'ai vus, c'est l'entrée de la famille royale au bal, lorsque toute la cour est réunie. Les airs de tête de la reine sont d'une majesté gracieuse qui n'appartient qu'à elle. Le roi a une bonté, une affabilité extrêmes. Madame Élisabeth et tous les princes et les princesses les suivent, ainsi que le service de chacun ; c'est magnifique par la quantité et l'éclat des bijoux, par les broderies d'or et d'argent, par la richesse des étoffes. On ne peut s'en faire une idée sans l'avoir vu.

La fête ne se prolongea pas très-tard. Ces réunions d'étiquette ne sont point amusantes, quand chacun a *vu*, il brûle de se retirer. Nous en étions d'autant plus pressés que nous devions nous rendre ensuite, pour le souper, chez madame la princesse de Lamballe, surintendante de la maison de la reine et son amie. C'est une princesse de Savoie-Carignan, mariée au fils de M. le duc de Penthièvre, ce jeune prince de Lamballe mort si jeune, par conséquent une belle-sœur de madame la duchesse de Chartres. Elle est belle et charmante ; c'est un modèle de toutes les vertus, surtout de la piété filiale envers le père de son malheureux mari, et d'affection dévouée envers la reine. Elle avait invité Leurs Altesses impériales par ordre de Sa Majesté, qui voulait passer cette soirée avec elles et leur procurer un nouveau plaisir. Le cercle était peu nombreux, mais très-choisi. Après le souper, on joua au loto, jeu fort à la mode en ce temps-là et où l'on perdait beaucoup d'argent. J'eus l'honneur d'être assise près de madame la comtesse de Provence ; la famille royale tout entière était venue. Après le loto, on dansa, et la reine dansa une contredanse. Ce petit bal fut bien plus gai que l'autre, sans comparaison. Le roi ne fit qu'y paraître, et se retira. Après son départ, le respect ne gêna pas le plaisir, et on fut extrêmement content de cette sorte d'intimité que la reine n'écartait pas.

Nous quittâmes Versailles pour revenir à Paris à quatre heures du matin. J'étais bien fatiguée. C'est une grande débauche pour moi qu'une nuit passée à une fête. [Je m'endormis dans la voiture ; le temps était radieux ; il faisait grand jour et les paysans se livraient à leur travail quotidien. Quel contraste entre leurs visages calmes et satisfaits, et nos mines fatiguées : le rouge était tombé de nos joues, la poudre de nos cheveux. Le retour d'une fête n'est pas un beau spectacle et peut inspirer bien des réflexions philosophiques à qui veut en prendre la peine. M. d'Oberkirch se moquait de mes soupirs. Il usait d'une excellente maxime : « Ceux qui vont à la fête comme à une corvée et se plaignent quand elle est terminée, ne méritent pas de s'être amusés. » Je me plaignais beaucoup et je m'étais peu amusée. L'un implique l'autre.]

9 juin. — Je dormis jusqu'à midi, et si l'on ne m'avait pas éveillée, je dormirais encore. Je devais aller, avec madame de Benckendorf, au Champ-de-Mars voir manœuvrer les gardes françaises. La veille, le comte du Nord avait visité le dépôt ; il y était allé à pied et fut reçu par le maréchal de Biron, leur colonel. Le prince Baradinsky accompagnait Son Altesse impériale. La matinée fut charmante pour le grand-duc ; il resta long-temps avec les élèves destinés au régiment et goûta leur soupe. Le maréchal se retourna vers le jeune homme qui avait prêté sa cuillère.

— Gardez précieusement cette mauvaise cuillère d'étain et souvenez-vous que le comte du Nord en a fait usage.

M. le comte du Nord nous avait raconté la veille tout
cela ; nous étions donc encore plus intéressés pour ce
beau régiment des gardes-françaises, composé de trois
mille hommes, les plus choisis du royaume. C'était un
coup d'œil admirable.

Le vieux maréchal marchait à la tête de cette troupe,
la commandait et la dirigeait avec une ardeur de jeune
homme. Le Champ-de-Mars était rempli d'une foule
nombreuse. Le peuple se pressait tout autour, et
c'étaient des cris, des vivats, des applaudissements, des
gaietés sans terme. Jamais je ne vis de plus près et
n'appris mieux à connaître les Parisiens. Ils buvaient
et chantaient comme aux Porcherons ; quelques-uns
même dansaient au son de la musique. Leurs Altesses
impériales s'en amusèrent beaucoup. Nos Allemands et
les Russes ne leur ressemblent guère.

La suite de M. le comte du Nord et du maréchal était
des plus brillantes[148]. Des gentilshommes français et
moscovites, revêtus des plus beaux costumes, étince-
laient au soleil. Parmi les spectateurs se trouvaient
beaucoup d'officiers en uniforme.

Après la manœuvre et l'exercice à feu, M. le comte
du Nord visita les soldats malades à l'hôpital, et leur
fit distribuer de nombreux secours. La sollicitude du
maréchal de Biron pour eux était paternelle. Il les
connaissait tous, les appelait par leurs noms et s'in-
formait de leur santé dans les plus grands détails. Le
prince en fut ému jusqu'aux larmes.

— Ce sont mes enfants, disait le maréchal, nous sommes ensemble depuis bien des années ; je veux qu'ils
soient heureux, et qu'il ne leur manque rien lorsqu'ils
souffrent.

Le maréchal pria ensuite la comtesse du Nord et les
dames de vouloir bien accepter une collation à son
hôtel de la rue de Varennes[149], ainsi que le grand-duc
avec ses officiers. La table fut servie dans le jardin, un
des plus grands de tout Paris, avec une collection de

fruits et de fleurs qui embaumaient l'air. La musique du régiment des gardes était cachée derrière les bosquets, et jouait les airs les plus mélodieux et des fanfares. Après le repas, Leurs Altesses impériales firent le tour du cercle et parlèrent à tous les officiers ; puis elles visitèrent les bosquets, les pavillons, les cabinets de verdure. Le maréchal était rayonnant.

En rentrant chez eux, les illustres voyageurs envoyèrent cinq cents louis pour boire aux soldats des gardes-françaises, et madame la comtesse du Nord y joignit un petit billet écrit de sa main, adressé au maréchal de Biron. Le billet était charmant, le maréchal l'a gardé comme un trophée, disait-il. J'allai ensuite chez madame de Benckendorf, et le soir visiter la galerie de Rubens au Luxembourg. Il n'y a rien à dire sur ce grand peintre, tout a été répété cent fois.

10 juin. — Il fallut encore se lever dès l'aube, pour faire ma toilette. Les grandes toilettes sont terribles et ennuyeuses, surtout aussi matin que cela. Nous devions aller à Chantilly chez M. le prince de Condé[150], et il fallait y être pour le dîner. Cette partie fut, à mon sens, une des plus agréables que nous eussions faites. Chantilly est le plus beau lieu du monde, non plus comme au temps de madame de Sévigné, tapissé de mille écus de jonquilles, mais enchanteur, mais superbe. Les eaux, les bois, les jardins, sont délicieux ; les naïades de ces fontaines ont un air de cour, appuyées sur leurs urnes, et les allées sablées de cette forêt sont mille fois plus charmantes que celles d'un parterre. Le dîner qui ouvrit la journée fut splendide. Les princes de la maison de Condé ont toujours été magnifiques et chevaleresques ; aussi, je ne saurais trop en dire la raison, ils ont obtenu les sympathies de la noblesse infiniment plus que leurs aînés, les princes d'Orléans. M. le prince de Condé et M. le duc de Bourbon ont une suite nombreuse de gentilshommes, tous recommandables par leur bravoure et leur loyauté. Les familiers du Palais-Royal, au

contraire, sont peu estimés, peu honorés : on ne les reçoit guère que là. C'est une mauvaise compagnie pour un jeune homme ; c'est presque une mauvaise note. M. le comte du Nord faisait là-dessus des réflexions très-justes et très-profondes ; je ne les répéterai point ici, mais elles m'ont été souvent rappelées depuis par les événements qui se passent sous nos yeux.

Nous étions cent cinquante personnes, et un domestique trois fois aussi nombreux au moins, sans compter ceux de la maison du prince. En sortant de table, on trouva des calèches attelées. M. le duc de Bourbon, M. le prince de Condé conduisirent eux-mêmes les dames, à travers mille surprises, sous des voûtes de verdure, ornées de banderoles, de rubans et des chiffres de Leurs Altesses impériales. Le temps était à souhait : c'était un délice.

En rentrant, on alla à la salle de spectacle, fort jolie et fort ornée ; on joua *L'Ami de la maison*. Mademoiselle Audinot fut charmante dans le rôle d'Agathe. M. le comte du Nord la trouva si jolie que la princesse lui en fit la moue. [Je ne pus m'empêcher de rire, respectueusement cependant. « — Je voudrais vous voir dans ma situation, Lanele, dit-elle, avec un mari que tout le monde aime et vous envie. » Cette naïveté fit encore plus rire M. d'Oberkirch ; il aurait aimé prendre le bon côté de la remarque pour lui-même et, à dire vrai, ma chère princesse n'avait pas pensé qu'elle puisse être interprétée autrement.]

Après *L'Ami de la maison*, on joua une pièce de circonstance, en vaudevilles, par M. Laujon, secrétaire des commandements de M. le prince de Condé. Le titre était : *Le Poète supposé*, et M. Champein l'avait mis en musique. Les couplets de la fête du jour étaient surtout très-jolis et furent parfaitement chantés. Il y eut une décoration d'une superbe chute d'eau naturelle et un ballet où parurent les plus célèbres danseuses. Toute la comédie était parfaitement organisée comme le reste

de la fête. M. Laujon fut présenté à M. le comte du
Nord qui lui fit le compliment le plus aimable. M. Laujon est l'auteur de *L'Amoureux de quinze ans*, joué à
Chantilly pour le mariage de M. le duc de Bourbon, en
1770, et d'une autre spirituelle bluette à l'intention de
madame la duchesse de Bourbon qui y jouait un rôle,
ainsi que plusieurs dames de son intimité. Cette
manière de proverbe s'appelait *Les Soubrettes* ; elle
était excessivement piquante.

Avant *L'Ami de la maison*, on avait donné des fragments de l'*Iphigénie* de M. Gluck. Cet opéra, tout
superbe qu'il soit, fit moins d'effet que les petites pièces
et surtout le ballet.

Nous trouvâmes ensuite une illumination complète
dans les jardins et un feu d'artifice éblouissant. La
façade du château représentait l'écusson du comte et
de la comtesse du Nord avec leurs chiffres symboliques
en lacs d'amour : c'était du dernier galant.

On soupa dans l'Île d'amour ; il s'y trouva toutes
sortes de jeux de bague et d'escarpolette ; puis le bal,
ensuite : ce fut d'une gaieté, d'un entrain qu'on ne rencontre point ordinairement à la cour. J'ai su depuis
combien la reine avait regretté de ne point assister à
cette fête, mais le roi ne l'aurait point permis. Le trône
de France est entouré d'un rempart d'étiquette bien
difficile à franchir. On le dit nécessaire ; c'est possible,
mais il est bien rigoureux. On se coucha quand on voulut ; toutes les chambres étaient préparées, et, sans
presse, sans confusion, la liberté la plus entière régnait
dans cette maison, héritage d'une si grande race. On
se fût cru pour cela chez un particulier. Les mesures
étaient si bien prises que le matin on n'entendit point
de bruit qui pût troubler le repos des hôtes ; tout se fit
comme par enchantement, et tout fut prêt. Madame la
comtesse du Nord le remarqua.

— Ah ! madame, lui répondit une dame de cette cour,
depuis longtemps on parle en France de l'*hospitalité*

*des Condé*, elle a laissé des souvenirs ineffaçables dans l'histoire ; et dans quelle occasion plus belle pourrait-elle se signaler qu'en recevant Votre Altesse impériale ?

Madame la comtesse du Nord était ce soir-là d'une beauté digne de la fête.

11 juin. — On alla, après le déjeuner que chacun prit où et comme il le voulut, vers le cabinet d'histoire naturelle de M. le duc, père du prince de Condé actuel, qui fut ministre sous la régence. M. le prince de Condé est un homme d'esprit, d'un tact et d'un sens exquis ; il n'aime pas les philosophes, et n'a jamais donné dans l'engouement de ces messieurs qui nous ont fait et nous feront encore tant de mal. Il ne se laisse pas éblouir par des réputations souvent usurpées.

— J'aime mieux, disait-il souvent, les bons esprits que les beaux esprits.

Il donnait fréquemment ce qu'il appelait des dîners militaires, et il aimait à s'entourer de tout ce qui rappelle ou annonce la gloire de la France et la mémoire de ses ancêtres. Son caractère est d'une affabilité rare ; il accueille tout le monde en restant ce qu'il doit être : c'est un des princes les plus braves de l'Europe et, en cas de guerre, le roi aurait en lui une vaillante épée. C'est, du reste, une vertu héréditaire dans cette branche de héros, et M. le duc de Bourbon et M. le duc d'Enghien ne failliront pas à leurs ancêtres. M. le prince de Condé a une grande instruction, des connaissances littéraires variées, beaucoup plus qu'on ne lui en suppose généralement. Il a énormément lu, il retient et il sait. Il causa longuement avec M. le comte du Nord, si profondément savant, et celui-ci fut étonné de tout ce qu'il rencontra chez ce prince, en apparence livré seulement au métier des armes.

Les appartements de Chantilly sont ornés de superbes tableaux, représentant des faits de guerre glorieux pour la maison de Condé. C'est un choix de batailles magnifiques et bien remarquables. Le grand prince de

Condé est partout. C'est une figure historique de prédilection pour le grand-duc, il en parla toute la matinée. Nous ne pouvions sortir de ces appartements si
pompeusement décorés, et nous y revînmes à plusieurs
fois, toujours conduits par mademoiselle de Condé qui
ne quitta pas madame la comtesse du Nord. Celle-là
aussi est digne de ses ancêtres. C'est une de ces personnes tellement au-dessus des autres, que leur haut
rang n'ajoute rien à leur valeur personnelle. Mademoiselle de Condé[151], née dans une ferme, eût été la première dans cette ferme et n'eût point ressemblé aux
autres paysannes, par son esprit supérieur et par sa distinction innée. Elle est en effet belle, mais à la manière
des reines ; il y a de la puissance et de la force jusque
dans son sourire. Elle a cependant, en même temps,
une grande tendresse de cœur : c'est un front à porter
une couronne ou un voile de religieuse. Elle avait alors
vingt-cinq ans et était restée au couvent jusqu'à vingt-
trois ; aussi sa piété était-elle angélique. Elle conservait
partout une sérénité d'âme et de regard qui ne va qu'à
une créature privilégiée de Dieu. Elle était bonne musicienne, avec une belle voix et un jeu fort agréable sur
le clavecin ; elle savait même la composition. Elle peignait de plusieurs manières et faisait fort bien les vers.

Un soir, dans un petit cercle d'amis réunis chez
madame la duchesse de Bourbon, on joua un jeu de
bouts rimés ; on donna à mademoiselle de Condé les
mots *fantaisie, amour, folie, vautour.* Elle les remplit
sur-le-champ, presque sans chercher, par des vers délicieux. Je les ai copiés sur l'original resté entre les mains
de madame la duchesse de Bourbon :

> *N'avoir jamais d'amant, telle est ma fantaisie ;*
> *Je crains trop les transports d'un dangereux amour ;*
> *Et j'évite ce dieu guidé par la Folie,*
> *Comme l'oiseau timide évite le vautour.*

Madame la comtesse du Nord me dit qu'après la reine, mademoiselle de Condé était celle de toutes nos princesses qui lui plaisait le plus, et dont elle eût voulu faire son amie. Je le conçois parfaitement.

Après le dîner aussi beau que celui de la veille, on se promena en calèche dans le parc, puis il y eut une chasse aux étangs pour ceux qui voulurent s'y rendre. Après quoi, le nuit étant venue, il sortit, je crois, des lampions de toutes les feuilles. On improvisa différents bals dans les salles de verdure et dans des pavillons. Le souper était servi au hameau[152], pittoresque réunion de fabriques champêtres au milieu de jardins anglais. La plus grande des cabanes est tapissée à l'intérieur en feuillages de verdure et l'extérieur est entouré de tout ce qui est nécessaire à un bon laboureur. C'est dans cette chaumière, qui forme une seule pièce en ovale, que l'on soupa à une douzaine de petites tables avec dix à douze couverts chacune. C'était commode, gai, sans façon et parfaitement bien imaginé.

Nous avions fort remarqué sur la place une statue représentant un connétable de Montmorency. C'est par cette maison de Montmorency que Chantilly est arrivé à celle de Condé, mais bien différent de ce qu'il est aujourd'hui. M. le duc, du temps de la régence, y a dépensé des millions, sans compter tout ce qu'y avaient fait le grand Condé et son fils. M. le duc de Bourbon gagna immensément au système[153] ; aussi prétendit-on alors qu'il avait détourné le Pactole dans Chantilly.

Nous avions, après le dîner, été manger des fruits dans un pavillon situé au milieu de ces bois, et que nous n'avions pas vu encore. Ce pavillon est une seule rotonde isolée, dans le haut de laquelle on a préparé des places invisibles pour des musiciens ; de sorte qu'étant assis bien mollement dans la salle sur un sofa, on entend de la musique au-dessus de soi, sans l'apercevoir

le moins du monde. Cela fait une illusion charmante ;
on croit entendre chanter les anges du ciel.

Les plus jeunes et les plus jolies femmes de Paris, les
cavaliers les plus aimables, se trouvaient à cette fête qui
n'aurait pu être aussi belle dans aucun autre lieu. La
ménagerie est plus nombreuse et plus soignée que celle
du roi, et quant aux écuries, tout le monde sait qu'on
les traverse aisément en voiture à quatre chevaux[154].

Après cette musique il y eut encore une promenade,
et le soir chasse aux flambeaux dans les toiles. Ce fut
un coup d'œil ravissant, toutes les dames étaient en
calèche découverte, les princesses ensemble, les cavaliers galopaient aux portières. On voyait les cerfs
effrayés par les torches, la meute les suivait en aboyant,
c'était féerique. Madame la comtesse du Nord fut
ravie. Au moment où elle montait en voiture, M. le duc
d'Enghien, bel enfant de dix ans, qui promettait déjà
tout ce qu'il a tenu, lui apporta un immense bouquet
des fleurs les plus rares et les plus odorantes. Elle fut
excessivement sensible à cette attention, car elle aimait
beaucoup les fleurs. C'était pour elle une passion difficile à satisfaire à Saint-Pétersbourg.

Un jour, je lui demandais si elle en avait dans ses
maisons de plaisance ; elle me répondit : Je suis obligée
de m'en priver, ou du moins de restreindre beaucoup
ma collection. L'impératrice en a des plus superbes,
beaucoup de grands seigneurs aussi ; moi j'en voudrais
comme à notre cher Étupes, partout, et cela coûterait
des sommes folles. J'aime mieux donner à de pauvres
mères, à de pauvres enfants qui souffrent ; j'en suis bien
plus heureuse, je t'assure.

L'excellent cœur de cette chère princesse se révélait
à chaque instant.

M. le duc de Bourbon avait alors vingt-six ans à peu
près, une belle tournure et le teint éclatant de fraîcheur. M. le prince de Condé, âgé de quarante-six ans,
était jeune et vigoureux comme lui. Ils montaient tous

les deux à cheval comme les premiers écuyers de
France. C'était plaisir à les voir arriver de cette chasse.
Ce plaisir, tout royal, est particulièrement goûté des
princesses de la maison de Condé. Je le comprends,
quand on a vu leurs forêts, leurs équipages, tout cet
attirail de vénerie qui, en vérité, donnerait du courage
aux plus timides.

Le souper était de toute recherche. « Il y avait là,
disait madame la comtesse du Nord, des friandises
qui feraient venir l'eau à la bouche à mon adorable
maman. » Je dois avouer que Son Altesse royale faisait,
en effet, assez cas de ces délicatesses.

Après le souper on fit ce qu'on voulut. Beaucoup de
personnes restèrent dans le parc jusqu'à une heure très-
avancée. Moi, je me couchai ; la vue de toutes ces merveilles m'avait horriblement fatiguée. Je m'endormis
au son de la musique lointaine et des fanfares qui
retentissaient encore dans le bois. Ce séjour de Chantilly était un véritable enchantement.

Le 12 juin, la chasse recommença dès l'aube dans
le parc ; plusieurs des personnes qui y assistaient ne
s'étaient point couchées, entre autres M. le duc de
Bourbon. Le cerf se fit courir trois heures et forcer dans
la tête du canal, qu'il traversa suivi de toute la meute.
Le coup d'œil était superbe et les chasseurs enchantés.
Les honneurs furent, comme de raison, pour madame
la comtesse du Nord. M. le prince de Condé lui donna
les quatre dents et les bois du cerf ; elle fit monter les
dents en girandole en les entourant de diamants. C'était
bizarre et assez joli ; mais le souvenir était tout pour
elle.

Après la chasse, on dîna dans le hameau de la même
manière que les jours précédents. On se promena de
nouveau, on voulait revoir encore ces lieux enchanteurs. Je me rappelle une statue placée dans l'Île
d'amour, représentant un enfant qui tient en sa main

un cœur enflammé. En bas sont les vers suivants, que je copiai parce que je les trouvai jolis :

> *N'offrant qu'un cœur à la beauté,*
> *Aussi nu que la vérité,*
> *Sans armes comme l'innocence,*
> *Sans ailes comme la constance,*
> *Tel fut l'amour au siècle d'or :*
> *On ne le trouve plus, mais on le cherche encor.*

M. le prince de Condé, qui recevait le comte du Nord avec tant d'éclat, a conçu pour le prince une véritable amitié que celui-ci lui rendait de tout son cœur. Les caractères nobles se comprennent vite. Lorsque après le dîner et la promenade on se sépara pour aller à Paris, ce fut avec un véritable chagrin.

— Nous serons bien éloignés l'un de l'autre, disait M. le prince de Condé ; mais si Votre Altesse impériale le permet, et que le roi ne s'y oppose pas, je pourrai un jour aller lui rendre à Saint-Pétersbourg la visite qu'elle a bien voulu me faire.

— Nous vous recevrons avec enthousiasme, monsieur, et l'impératrice sera trop heureuse de vous voir dans notre pays sauvage.

— Hélas ! ce sont des rêves, reprit le prince de Condé en soupirant.

Le fait est que les princes sont bien souvent malheureux de leur esclavage. Leurs chaînes pour être d'or ne sont que plus lourdes.

## CHAPITRE XV

13 juin. — Nous avions tous besoin de repos. Cependant je me levai de bonne heure pour me faire coiffer

et essayer les frisures à la mode. Madame la comtesse
du Nord me l'avait fait promettre ; elle prétendait
qu'avec mon crêpé droit je ressemblais à madame
Hendel, notre vieux joujou de Montbéliard. Il me fallut
bien la satisfaire malgré ma répugnance. Du reste, je
reçus des compliments de tout le monde ; j'étais, à ce
qu'il paraît, réellement mieux ainsi. Quand j'arrivai
pour dîner, Son Altesse impériale fit un cri de joie et
m'embrassa, en me disant que j'étais enfin moi-même,
sa vraie Lane, et non plus son portrait de famille, selon
l'expression de madame de Benckendorf. Après que
nous eûmes bien ri, on se mit à table et l'on parla, bien
entendu, des jours précédents ; chacun donna son
avis, il fut unanime sur la beauté, la magnificence et
l'agrément. Quelqu'un rapporta un mot qui courait déjà
dans Paris, et qui était remarquablement vrai.

— Le roi a reçu M. le comte du Nord en ami, M. le
duc d'Orléans l'a reçu en bourgeois, et M. le prince de
Condé en souverain.

— Cela est profondément juste, répondit le comte
du Nord. On ne peut rien dire de trop de la maison de
Condé, aucun monarque de l'Europe n'aurait pu faire
mieux ; ne fût-ce qu'à cause de ce beau lieu de Chantilly que rien n'égale.

C'était une opinion déjà exprimée la veille par Son
Altesse impériale, et d'une manière charmante ; il disait
à M. le prince de Condé :

— Je changerais ce que je possède contre votre beau
Chantilly, monsieur.

— Oh ! monsieur, vous y perdriez trop.

— Non, répliqua M. le comte du Nord, car ce serait
devenir Condé ou Bourbon.

On causa ensuite de la famille royale, de son union
si remarquable, de la cour, de tout ce qui s'y rattache,
et des personnes considérables qui la composent. Le
roi a la plus grande confiance dans madame Adélaïde
sa tante, elle lui donne d'excellents conseils pour le bien

de l'État. Il les suit toujours religieusement. Mais personne n'est plus à même de guider Louis XVI, s'il avait besoin de l'être, que son auguste épouse la reine Marie-Antoinette, dont la pureté de vues et l'attachement qu'elle porte au Roi lui donnent tous les droits possibles à sa confiance. Monsieur, comte de Provence, et M. le comte d'Artois ont chacun leur caractère distinct : Monsieur est un homme d'une instruction variée et même profonde ; M. le comte d'Artois a les grâces, la bonté, l'esprit d'Henri IV, son aïeul. C'était une chose touchante que de voir ces trois jeunes couples se promener ensemble dans le parc de Versailles ou à Trianon. Là est l'espoir de la France et son avenir. Que Dieu le lui conserve !

Parmi les personnes remarquables de la cour, on cite M. et madame de Maurepas, Philémon et Baucis, les époux les plus unis qui existent. M. de Maurepas est la légèreté en personne, et pourtant c'est un mari fidèle ; il n'a pas une idée sérieuse dans la tête, excepté quand il est question de sa femme et de ce qui la concerne. Quand il a été ministre, il eût volontiers mis la politique en chansons, et une larme de madame de Maurepas le rendait triste pendant des mois entiers. C'est un singulier assemblage. Ils sont très-vieux l'un et l'autre, et certainement ils ne se survivront pas ; ils s'en iront ensemble.

On nomme encore MM. de Miroménil, de Puységur, le duc de Coigny ; puis la marquise d'Ossun, née Hocquart de Montfermeil ; la comtesse de Châlons, née d'Andlau : sa mère est une Polastron, cousine des Polignac ; c'est une des plus jolies femmes de la cour (j'entends madame de Châlons), des plus élégantes et des plus recherchées ; enfin, la vieille maréchale de Luxembourg[155], cet arbitre souverain de l'esprit, de la beauté, de la réputation des femmes ; cette personne à laquelle il a fallu tant pardonner dans sa jeunesse et qui est devenue si sévère pour les autres ! Sa maison est un vrai tribunal où elle juge sans appel ; ses arrêts font loi. On les répète, on les colporte, et on s'y soumet. Madame de Luxembourg était mademoiselle de Villeroi, et en premières noces duchesse de Boufflers. Elle fut affichée autant qu'on peut l'être sous Louis XV, à cette époque où il était si difficile de primer dans ce genre-là. Les ponts-neufs[156] les plus injurieux coururent sur elle ; on les sait encore parmi le peuple, et comme elle a changé de nom, elle ne semble pas se douter qu'il soit question d'elle. J'entendais ce matin un palefrenier, dans la cour, chantant en étrillant ses chevaux :

> *Quand Boufflers parut à la cour,*
> *Des Amours on crut voir la mère, etc.*

La maréchale n'était point instruite, mais elle avait beaucoup d'esprit, du plus fin et du plus délicat. On la trouvait pédante, si je puis m'exprimer ainsi, pour peindre l'affectation du langage de bonne compagnie, l'affectation de l'élégance et du code des usages dont elle donnait les explications les plus amusantes et les plus spécieuses. Elle condamnait une personne à l'expulsion sur un seul mot qui ne lui plaisait pas ; il n'y avait plus moyen d'y revenir, quelque prière qu'on lui adressât. Ainsi, pour les soupers, par exemple, où l'on ne voulait que des gens aimables, sur une sentence de madame de Luxembourg on était banni de toutes les tables un peu du bel air. Ce qu'elle frappait surtout impitoyablement, c'étaient les prétentions et la fatuité. Elle avait inventé le bon moyen d'être toujours entourée ; les jeunes gens lui faisaient la cour ; il fallait être dans ses bonnes grâces pour trouver un parti. Pas une jeune mariée n'eût risqué sa présentation sans aller d'abord se montrer chez la maréchale : c'était une véritable autorité.

Il y a deux espèces de convives : ceux du dîner et ceux du souper ; ceux du dîner sont souvent, presque toujours (quand ce ne sont pas des amis), des personnes sérieuses, âgées, des obligations, des ennuyeux même ; on dîne facilement en ville, pour peu qu'on ait une société un peu étendue. Mais le souper, c'est différent ; il faut des qualités très-difficiles à réunir, dont la plus indispensable est l'esprit. Sans esprit, sans élégance, sans la science du monde, des anecdotes, des mille riens qui composent les nouvelles, il ne faut pas songer à être admis dans ces réunions pleines de charmes. Là seulement on cause : on cause sur les propos les plus légers, par conséquent les plus difficiles à soutenir ; c'est une véritable mousse qui s'évapore et qui ne laisse rien après elle ; mais dont la saveur est pleine d'agrément. Une fois qu'on en a goûté, le reste paraît fade et sans aucun goût. Madame la comtesse du Nord m'a écrit bien des fois que ce qu'elle regrettait le plus de Paris, c'était l'esprit. Tous les étrangers intelligents disent de même.

Après ce dîner, où l'on causa si bien, quoique ce fût un dîner, je fis plusieurs visites ; une en particulier à la duchesse de Polignac, l'amie de la reine, la belle-sœur de la comtesse Diane dont j'ai déjà parlé. La duchesse de Polignac, d'abord la comtesse Jules (son mari, créé duc héréditaire en 1780, est le neveu du marquis de Polignac, premier écuyer de M. le comte d'Artois, remplacé depuis dans cette charge par le marquis actuel (Melchior-Armand) qui l'occupe au moment où j'écris) ; madame de Polignac, dis-je, née de Polastron, était l'amie de cœur de la reine qui en a fait depuis la gouvernante de ses enfants. La reine l'aimait, en effet, si tendrement, que, lorsqu'elle fit ses couches à Passy, Sa Majesté alla s'établir à la Muette, afin de la voir plus à son aise et plus souvent. Déjà, l'année précédente, Marie-Antoinette, profitant de l'absence du roi, établi à Fontainebleau pour quelques chasses, s'était rendue à Clayes, chez madame la duchesse Jules, et cela plusieurs fois de suite, faisant ainsi vingt lieues dans un jour. Jamais sujette ne jouit d'une pareille faveur auprès de sa souveraine. Aussi fait-elle autant de jaloux qu'il y a de courtisans.

Elle est petite et mal faite, bien qu'elle soit très-droite, mais elle marche mal et n'a aucune grâce ; son visage est parfait, à l'exception de son front trop brun et dont la forme est désagréable ; elle a la physionomie la plus charmante, la plus douce, la plus naïve, la plus candide ; son sourire est enchanteur. Loin d'être enivrée de la place qu'elle occupe, elle conserve toute sa simplicité, les manières les plus naturelles ; ses traits sont d'un calme inaltérable, le calme d'une bonne conscience qui s'allie néanmoins avec une vive sensibilité.

— Quand je suis avec elle, dit Sa Majesté, je ne suis plus la reine ; je suis moi-même.

Je restai longtemps chez elle ; j'aime son esprit sans prétention. Beaucoup assurent qu'elle n'en a aucun. Il faut bien lui faire payer sa faveur par des calomnies ou des injures.

J'allai ensuite souper chez madame de Benckendorf, de plus en plus souffrante, et très-inquiète de savoir comment elle pourrait faire un si long voyage. Elle me pria de l'excuser auprès de madame la comtesse du Nord si elle ne la suivait pas le lendemain dans ses courses, mais elle en était entièrement incapable.

14 juin. — Madame la comtesse du Nord me conduisit avec elle visiter plusieurs maisons fameuses par la beauté et la richesse des ameublements. Nous passâmes plusieurs heures à examiner ces belles choses ; j'en avais mal à la tête, et je n'ai pu me les rappeler toutes. Nous allâmes d'abord chez M. de Beaujon[157], le banquier de la cour, où il déploie tout le luxe des banquiers les plus riches. Les princes ne sont rien auprès de cela, si ce n'est la solidité pourtant et la magnificence positive.

La maison de M. Beaujon, qu'il appelle son ermitage, est un bâtiment situé au milieu d'un jardin à l'anglaise, qu'il a fait planter dans un vaste terrain près de la grille de Chaillot, aux Champs-Élysées. C'est une vraie campagne, avec une ménagerie, une laiterie, et même une chapelle. La maison est meublée magnifiquement, des meubles anciens surtout et des *vernis-Martin*[158] admirables. On nous montra un escalier en bois d'acajou et une table à manger du même bois de trente couverts. Je ne dis rien des statues, des tableaux, des objets curieux qu'on trouve à chaque pas ; il faudrait un catalogue. La bibliothèque est célèbre ; on y voit les éditions les plus rares. Les princes de la famille royale ont tous donné leur portrait à M. de Beaujon, je ne sais à quel titre ; peut-être est-ce à cause de la beauté de ses salons, qui ne sont pas fort grands, mais où tout est soigné, tout est splendide, jusqu'aux plus petits détails.

La vie de ce financier est, à ce qu'on assure, des plus singulières. Il était malade, et il lui était défendu de manger autre chose qu'une sorte de brouet au lait sans sucre. Il donnait des dîners dignes de Comus, il voyait manger ses convives, il sentait l'odeur des mets, et il ne touchait à rien. Il était entouré des plus jolies femmes de Paris, qui le traitaient tout à fait sans conséquence ; elles le lutinaient et l'agaçaient sans cesse. La moindre galanterie lui était défendue, les émotions lui étaient interdites. Le soir sa maison était pleine d'une joyeuse compagnie, le souper était étincelant, les mots et les bouchons se croisaient. Pendant ce temps, le propriétaire, ce Crésus envié de tous, était condamné à se mettre au lit, où il ne dormait pas à cause de ses souffrances. Ces dames se relevaient autour de lui, et l'une après l'autre le berçaient de leurs chansons, de leurs histoires, de leurs propos. De là le nom de *berceuses* de M. de Beaujon, qu'on leur donna fort généreusement. Du reste, c'était un homme excellent, faisant un bien infini, et employant sa fortune en bonnes œuvres.

La maison de M. de La Reynière est située rue du Faubourg-Saint-Honoré, elle a une sortie sur les

Champs-Élysées, près de la place Louis XV[159], à côté du
pavillon Péronnet. On a dit de cette maison que c'est la
meilleure auberge des gens de qualité. Ce qui est certain, c'est qu'on s'arrache les invitations, en ayant l'air
de les compter pour rien. Comme les véritables gour-
mands, il a la bonté de l'insouciance ; il ne s'occupe que
de son dîner, des morceaux qu'il avalera et des menus
singuliers dont il aura la primeur. Tout le monde se
moque de lui ; c'est à qui le tournera en ridicule, en
mangeant son argent. Il aime et protège les arts ; il les
protège non pas en homme éclairé et spécial peut-être,
mais en bon cœur, en homme qui désire être utile et
soulager ceux qui souffrent. Madame de La Reynière
est une belle femme se mourant sans cesse, et faisant
pourtant à merveille les honneurs de chez elle. Les
dames de la cour sont fort jalouses, non-seulement de
sa beauté et de ses triomphes, mais surtout du luxe,
de l'élégance au milieu desquels elle vit. On ne peut se
figurer sans les avoir vus ce que sont ces appartements.
Quelle recherche ! quelle coquetterie ! Les cabinets de
toute sorte, les niches, les draperies, les porcelaines,
enfin une véritable curiosité. Nous y restâmes deux
heures et nous n'en avons pas vu la moitié.

À peine entrions-nous dans la salle à manger, un vrai
temple ! qu'un homme s'avança vers M. le comte du
Nord et le salua : c'était M. Clérisseau, architecte de
l'impératrice de Russie, et associé honoraire de l'Académie de Saint-Pétersbourg. Le prince lui rendit son
salut avec la même politesse qu'il le fait à tout le
monde, et fit deux pas en avant. Cet homme lui barra
le passage et l'arrêta de nouveau.

— Que voulez-vous, monsieur ? demanda le prince.

— Vous ne me reconnaissez pas, monseigneur ?

— Je vous reconnais parfaitement, monsieur, vous
êtes le sieur Clérisseau.

— Pourquoi ne me parlez-vous pas, alors ?

Nous crûmes tous que cet homme était fou. M. le comte du Nord haussa légèrement les épaules et voulut passer outre, après avoir répondu :

— Parce que je n'ai rien à vous dire.

— Et vous allez être ici ce que vous avez été chez vous, monseigneur, me méconnaître, me traiter comme un étranger, moi, l'architecte de l'impératrice, moi qui suis en correspondance avec elle. Aussi je lui ai écrit à madame votre mère, pour me plaindre de l'indigne réception que vous m'avez faite.

À ce mot, tout le monde se regarda. Son Altesse impériale hésita un instant, puis il reprit avec un fin sourire, en écartant légèrement le sieur Clérisseau :

— Écrivez-lui donc aussi à *madame ma mère* que vous m'empêchez de passer, monsieur ! elle vous en remerciera certainement.

Cette scène inconvenante que j'hésiterais à rapporter, que j'aurais tue, si elle n'avait pas eu tant de témoins et si elle n'avait pas été déjà imprimée ailleurs ; cette scène, dis-je, nous fut à tous horriblement désagréable ; mais à M. et à madame de La Reynière plus qu'à personne. Ils avaient permis au sieur Clérisseau de se trouver chez eux au moment de la visite de Leurs Altesses impériales. Celui-ci, s'étant présenté chez M. le comte du Nord avec une vanité gonflée comme celle de la grenouille, fut tout surpris d'être reçu poliment, et rien de plus. Il ne put le pardonner au grand-duc, et imagina de le lui dire publiquement, espérant acquérir ainsi de l'importance. Le prince le punit de la meilleure manière, en n'ayant pas l'air de donner la moindre attention à si peu de chose. M. le comte du Nord possède un tact parfait et une grande puissance sur lui-même. Il ne s'offense point de la vérité, fût-elle désagréable, fût-elle exagérée, et il s'en retire toujours avec les honneurs de la guerre.

Entendant dire un jour dans la foule qu'il était laid (ce qui n'est pas vrai pourtant) :

— Si les Français sont aimables, dit-il, avec beaucoup de finesse, en se retournant vers l'ambassadeur
de la czarine, on ne peut pas non plus les accuser de
manquer de franchise.

Madame la comtesse du Nord eut la bonté de s'en
affecter ; le prince la plaisanta gaiement, de bon aloi,
comme un homme sûr de ce qu'il vaut : elle finit par le
croire et se consoler.

Nous vîmes après la maison de la marquise de La
Rivière, née de Rozet de Rocozel de Fleury. Elle était
veuve depuis 1778. Son neveu, le marquis de Fleury, a
épousé plus tard (en 1784) la fille du comte de Coigny,
chevalier d'honneur de Madame Élisabeth et est devenu
duc en 1788, par succession d'aïeul. Cette maison est
moins somptueuse que les autres, mais elle est plus
jolie, de meilleur goût peut-être ; la femme de qualité
se sent partout jusque dans les moindres détails. On
voit que l'or n'est pas tout dans ce logis.

Il ne faut pas confondre la famille de madame de La
Rivière avec M. Mercier de La Rivière, écrivain fort
distingué et qui a été en Russie sur l'invitation de la
czarine, à qui M. Diderot avait donné envie de le voir.
C'est un homme d'un amour-propre féroce ; il s'imagina
qu'il allait jouer près d'elle le rôle du prince Potemkin,
et devenir premier ministre. Ce Lycurgue n'a pas caché
cette pensée en arrivant à Saint-Pétersbourg, et il le
disait à tout le monde, avec une naïveté inouïe. On
comprend, du reste, qu'il ne joua rien du tout que le
rôle d'un sot, malgré son esprit. Il avait été conseiller
au parlement de Paris en 1747, et plus tard intendant
de la Martinique. Il ne croyait pas les Russes plus avan-
cés que les nègres, et ne revenait pas de leur civilisation. L'impératrice acheva de le consoler de sa
déconvenue ambitieuse et de ses mécomptes d'amour-
propre, par ses générosités. Il rapporta beaucoup d'argent, beaucoup de cadeaux, et convint de bonne grâce
que les sauvages avaient du bon.

Nous trouvâmes toute la livrée du duc d'Aumont rangée sous le vestibule de son hôtel, et en deuil de son père, mort le 15 avril précédent. Le duc d'Aumont était premier gentilhomme de la chambre ; son frère, le duc de Villequier, a la survivance. Le duc d'Aumont actuel a fait dire de lui que sa montre retarde toujours. Homme excellent, plein de sens, mais sans esprit, et dont l'indécision, la faiblesse de caractère sont passées en proverbe. Son père était l'homme le plus original et le plus sale de France. C'était lui qui, se regardant dans sa glace, disait :

— D'Aumont, Dieu t'a fait bon gentilhomme, le roi t'a fait duc, fais quelque chose pour toi à ton tour ; fais-toi la barbe.

Les mauvais plaisants ajoutaient une variante par rapport à madame la duchesse d'Aumont, que je ne me permettrai pas de répéter, mais que l'on trouve dans les comédies de Molière.

Cela n'empêchait pas l'hôtel d'Aumont d'être admirablement meublé et de renfermer de grandes richesses.

Quant à la marquise de La Ferté-Imbault, chez laquelle nous nous rendîmes ensuite, c'est la fille de la célèbre madame Geoffrin[160]. Elle a épousé le petit-fils du maréchal de La Ferté-d'Étampes, et a été sous-gouvernante des enfants de France. C'est elle qui a fait l'éducation de Madame Élisabeth. Veuve à vingt et un ans, elle a renoncé à un second mariage et elle a donné tout son temps à la science et aux arts. Sa maison était le rendez-vous des beaux esprits, mais ses idées ne ressemblaient pas à celles de sa mère, au contraire ; elle haïssait les philosophes, et je ne l'en blâme pas. Le jour où nous allâmes voir son logis, nous y trouvâmes M. de Burigny, membre de l'Académie des inscriptions, charmant vieillard de quatre-vingt-dix ans, de la conversation la plus intéressante ; il n'avait presque pas d'infirmités. C'était l'ami de madame de La Ferté-Imbault, il demeurait chez elle ; doyen de la littérature, il était respecté comme tel. On estime son traité de l'*Autorité des Papes*. Ami de madame Geoffrin, il se rencontrait chez elle avec le baron d'Holbach, Marmontel, Helvétius, Raynal, d'Alembert et toute la clique de l'Encyclopédie. Madame Geoffrin ne sortait jamais, et l'on était toujours sûr de la rencontrer tous les soirs. Son cercle était des plus choisis, même en femmes, à part ces malheureux philosophes et ces gens d'esprit crottés qu'elle appelait *ses bêtes*. Elle a été fort à la mode sous Louis XV. Depuis, elle s'est rendue en Pologne, pour y voir le roi Poniatowsky, qu'elle avait comblé de biens lorsqu'il était simple gentilhomme et assez malheureux à Paris. Il fut reconnaissant, chose rare, surtout à la cour. Madame de La Ferté-Imbault avait, à l'époque de notre visite, environ soixante-sept ans, ce qui n'avait rien ôté ni à son esprit ni à la gaieté de sa conversation.

Après toutes ces courses, nous dînâmes chez madame la comtesse du Nord, et j'allai ensuite voir *Castor et Pollux* à l'Opéra. C'est un chef-d'œuvre de musique, il a immortalisé Rameau. C'était pour le faire juger au comte et à la comtesse du Nord qu'on le remettait au répertoire. Ils en furent enchantés. La demoiselle Girardin a été très-applaudie, et elle le méritait. La pompe du spectacle était magnifique, les ballets variés et soutenus par une mélodie enchanteresse. Les effets d'harmonie ne sont pas moins puissants ; tout est admirable dans cet opéra.

On s'est plaint, on se plaint encore de ce que la nouvelle salle de l'Opéra est trop courte. Rien n'est plus vrai, cela empêchait toute illusion dans la décoration des Champs-Élysées de *Castor et Pollux*. On a longtemps parlé d'allonger le théâtre par derrière, du côté de la rue de Bondy ; je ne sais si on l'a fait ou si on le fera.

Après le spectacle, j'allai avec madame de Polignac chez madame la duchesse de Chartres, où il y avait cercle, et où je devais rendre mes devoirs. C'était fort triste, la princesse était si triste elle-même !

15 juin. — Je voulus aller voir madame de Mackau à Versailles qu'elle ne quittait guère. Je passai la journée tout entière avec elle, et nous parlâmes de bien des choses que je voudrais raconter en détail. Elle savait si bien la cour ; elle en connaissait si parfaitement le dessous des cartes ! Je rentrai chez moi à une heure du matin. Ces courses étaient très-fatigantes ; M. d'Oberkirch y mettait une complaisance infinie, mais sa santé n'y résistait pas aussi bien que la mienne.

16 juin. — J'allai voir de bonne heure madame la comtesse du Nord dans son appartement ; elle était soucieuse et ennuyée de la santé de madame de Benckendorf. La faculté annonçait qu'elle ne pourrait la suivre dans son voyage sans faire une fausse couche. C'était un véritable chagrin pour la princesse qui ne voulait pas l'exposer à un danger pareil, et qui cependant se trouvait bien isolée sans une amie dévouée. [« Lanele, me dit-elle en me regardant dans les yeux, voulez-vous venir avec moi ? Je fus fort surprise et hésitai un moment. « Vous rendriez grand service à cette pauvre Benckendorf qui se désole de me laisser seule ; vous sauveriez peut-être la vie de son enfant, car je ne serais pas surprise qu'elle brave les conseils médicaux plutôt que de me laisser sans amie ; allons, dites-moi que vous viendrez ! — Me garderiez-vous longtemps ? — Trois mois au plus y compris le temps à passer avec ma famille. Songez, Lanele, que si nous nous quittons maintenant, nous ne nous reverrons jamais plus, à moins que vous ne veniez à Saint-Pétersbourg, ce qui ne semble pas vous tenter. »

« Chère princesse, disposez de moi ; je renoncerai pour vous au bonheur de revoir ma famille ; mais je ne sais si M. d'Oberkirch consentira... — L'affreux tyran, dit-elle en riant, je vais lui parler, il consentira. — Dans ce cas, je serai ravie. — Bien, faites maintenant une bonne action et dînez avec ma pauvre Benckendorf à votre retour de Marly ; consolez-la en lui apprenant que je ne pars pas seule. »

J'étais à la fois heureuse et triste, ravie du beau voyage en perspective, mais triste à l'idée de laisser M. d'Oberkirch qui reverrait ma fille avant moi.

Il restait à obtenir son accord. Je ne pouvais m'engager définitivement sans cette « formalité », selon l'expression du comte du Nord. M. d'Oberkirch consentit sans hésitation. « Madame, dit-il en répondant à la demande de la princesse, madame d'Oberkirch est libre de sa personne et nous sommes tous les deux trop honorés par votre demande pour ne pas obéir avec plaisir. » « Que vous disais-je ! » dit la princesse. J'étais ravie. L'affaire décidée, chacun en fut informé, de la manière la plus aimable, par son Altesse impériale et l'en félicita].

Je fus un peu rêveuse pendant le voyage de Marly[161]. Les eaux y jouèrent, et la reine y mena madame la grande-duchesse. Ce château, presque abandonné sous Louis XV, n'avait jamais repris sous Louis XVI le brillant et l'éclat que lui avait donnés Louis XIV. Il était beau, original, mais il n'avait pas le grandiose de Versailles, tout en ayant coûté presque autant d'argent. C'est une large et longue pelouse entourée de portiques de verdure avec un miroir au milieu. À un des bouts se trouve un vaste et grand pavillon carré, où logent le roi et la famille royale ; et de chaque côté des portiques, six autres pavillons destinés aux personnes de la cour, et à celles désignées pour être du voyage. L'architecture de ces pavillons est belle, sans doute ; mais je comprends la définition d'un courtisan, qui comparait Marly à un jeu de tric-trac sur lequel les dés sont jetés au hasard. Ces pavillons carrés ressemblent assez à des dés de cornet. Les eaux sont belles, moins belles que celles de Versailles. Elles jouèrent toute la journée.

J'entendis madame la comtesse du Nord parler à la reine d'une visite qu'elle avait faite, avec le grand-duc, à la manufacture de Sèvres, et dans laquelle elle avait trouvé une raison nouvelle de louer la grâce inimitable avec laquelle Sa Majesté savait tout faire. L'auguste couple acheta pour trois cent mille livres de porcelaines. Sur la fin, on présenta à la princesse une toilette d'une grande beauté. Elle était tout en porcelaine bleu-lapis, ornée de peintures et de bordures en émail, imitant les pierres fines et les perles, et montée en or. Deux Amours placés sur le miroir se jouent aux pieds de trois Grâces, qui le soutiennent. La princesse, en admirant ce bijou, s'écria :

— Mon Dieu ! que c'est beau ! C'est sans doute pour la reine !

— Madame, répondit M. le comte d'Angivillers, la reine l'offre à madame la comtesse du Nord ; elle espère qu'elle lui sera agréable, et qu'elle la conservera en mémoire de Sa Majesté.

— Ah ! voici partout mes armes, en effet, reprit madame la grande-duchesse. La reine est mille fois trop aimable ; je la remercierai moi-même. Oh ! le magnifique présent !

Pendant ce temps, M. le comte du Nord examinait aussi des vases et un service de la plus grande beauté, marqués à ses armes de la part du roi ; c'était quelque chose de merveilleux. Toute la peur de madame la comtesse du Nord était que, pendant la route, on ne brisât ces magnificences. Elle en fit prendre tous les soins possibles.

Le même jour où elle vit les porcelaines, elle visita les prisons. Elle et son auguste époux descendirent dans les cellules ; ils voulaient voir comment les prisonniers étaient traités, et leur distribuer eux-mêmes les aumônes qu'ils leur destinaient. Ils les soulagèrent tous et grandement. Dans les différentes prisons qu'ils visitèrent, ils donnèrent plus de dix-huit mille francs ; aussi leur nom était-il béni de tous.

Après avoir visité Marly en détail, nous revînmes à Paris, et j'obéis à ma princesse, en allant dîner chez madame de Benckendorf, à laquelle je racontai la bonne nouvelle. La baronne apprit avec une grande joie que la princesse ne serait point réduite à ses deux dames russes, avec lesquelles elle n'était point liée, et que pendant ce temps, elle, baronne de Benckendorf, s'en irait à petites journées tranquillement à Montbéliard, pour y attendre madame la grande-duchesse.

Madame la comtesse du Nord m'emmena avec elle revoir *Castor et Pollux*, dont elle fut encore émerveillée ; après l'opéra, nous nous habillâmes vite pour retourner au bal masqué. Madame la comtesse du Nord voulait encore en revoir un. [Elle y resta plus longtemps que la première fois, écoutant les conversations et riant des propos amusants qu'elle entendait. Elle était souvent abordée par des gens qu'attirait son élégante tournure que le domino ne parvenait pas à cacher entièrement. Elle entra en conversation avec un inconnu portant un pot de fleurs et qui lui refusa de la laisser en cueillir une, sous prétexte qu'elle devait être laide. Nous prîmes d'abord peu de plaisir à ce dialogue mais quand cet homme demanda soudain son âge à la princesse et d'une voix si étrange et si comique nous ne pûmes réprimer nos rires pendant un quart d'heure. Nous restâmes très tard. On reconnut enfin les illustres visiteurs, on les escorta et on les acclama. Cela devint fatigant et nous rentrâmes chez nous.]

17 juin. — Le matin, je me rendis chez madame la comtesse du Nord pour aller avec elle au Parlement. C'était une cérémonie fort imposante. On députa deux *Messieurs* au-devant de Leurs Altesses impériales. Ils firent une espèce de compliment et de révérence à la manière des femmes, ce dont la gravité de Son Altesse

impériale faillit être déconcertée ; elle n'avait jamais vu cela. La Grand'Chambre était en robe rouge, et présidée par M. d'Ormesson[162]. On avait réservé la place de M. le comte et de madame la comtesse du Nord dans une lanterne, où nous entrâmes aussi. Nous entendîmes une cause fort intéressante ; M. Seguier, avocat général, trouva moyen de glisser un mot très-adroit et très-opportun sur la visite que recevaient Messieurs. Les avocats des parties en voulurent faire autant, avec moins de bonheur. M. le président fit ensuite visiter à Leurs Altesses impériales tout le palais, les différentes chambres et la Saint-Chapelle, ce bijou de pierre. Le grand chantre, M. l'abbé Bezon, le complimenta à son tour. Malgré soi, on pense au *Lutrin*, lorsqu'on parle du grand chantre de la Sainte-Chapelle.

Tous les conseillers furent ensuite présentés aux princes, à qui ils refirent leurs révérences de femme. Cette fois-ci, madame la comtesse du Nord commençait à s'y accoutumer, elle garda son sérieux.

En sortant du palais, madame la comtesse du Nord alla faire une visite à madame la princesse de Marsan, ancienne gouvernante de madame Clotilde, sœur du roi, mariée au prince de Piémont. Madame de Marsan, née de Rohan-Soubise, était veuve de Gaston de Lorraine, comte de Marsan. Lorsqu'elle était gouvernante des enfants de France, elle occupait avec eux le pavillon des Tuileries, auquel son nom est demeuré et demeurera probablement. Madame la comtesse du Nord s'était intimement liée, pendant son voyage d'Italie, avec madame la princesse de Piémont ; elle voulut donc accorder cette distinction à celle qui avait formé le cœur et l'esprit si distingué de son amie. Madame la princesse de Piémont, qu'on appelait *Madame* avant la mort de Louis XV, était déjà si grasse, que le roi, très-amateur de sobriquets, l'avait baptisée *Gros-*

*Madame* ; quand elle se maria, en 1775, on fit le quatrain suivant :

> *Le bon Savoyard qui réclame*
> *Le prix de son double présent,*
> *En échange reçoit Madame,*
> *C'est le payer bien grassement.*

Madame la princesse de Piémont est un ange de piété
et de vertu, et certainement les catholiques ont dans
leur calendrier bien des saintes qui ne la valent pas.

Madame la princesse ou comtesse de Marsan, ainsi
qu'elle a longtemps été appelée, était sœur du prince de
Soubise, mari d'une princesse de Hesse-Rothembourg.
Elle avait alors soixante-deux ans. Elle resta veuve très
jeune et sans enfants. On la disait fort impérieuse et
très-prude. Son beau-père, le prince Camille de Marsan,
de la maison de Lorraine, est mort cette même année
de 1782.

Madame de Marsan avait remis sa charge de gouvernante à madame la princesse de Guéménée, qui lors
de la malheureuse banqueroute[163] de son mari, la rendit
à la reine. On la donna à la duchesse Jules de Polignac.

Après le dîner chez madame la comtesse du Nord,
nous allâmes faire nos adieux à Champigny, M. d'Oberkirch et moi. Nous prîmes congé de mon oncle, toujours fort souffrant, et que nous n'avions pas pu voir
autant que nous l'avions désiré. Nous revînmes à une
heure après minuit.

19 juin. — J'avais été la veille voir cette pauvre
madame de Benckendorf, si désolée et pourtant un
peu consolée par ma présence.

— Comme je vous envie ! disait-elle.

— Qu'aurai-je donc à répondre, moi ? Vous la retrou-
verez dans deux mois et vous ne la quitterez plus ; tandis que je me séparerai d'elle, et ce sera pour toujours
sans doute.

Après avoir dîné avec cette excellente femme, je l'embrassai bien des fois et je la quittai fort émue. Je revins chez moi faire mes paquets. [Nous ne savions où mettre tous nos achats qui s'étaient multipliés, on le devine, dans une ville comme Paris.] M. d'Oberkirch voulut que je fisse une visite à madame la princesse de Bouillon. Je m'échappai en courant, n'ayant guère de temps à moi, on le pense, et je revins aussi vite. Malgré ma joie, j'étais triste de laisser partir sans moi mon mari, de ne point aller retrouver ma fille et mon père. Et puis, les départs me semblent toujours douloureux. Ils sont l'image de ce grand départ qui nous ôtera tout en ce monde, pour nous donner à Dieu dans l'autre, je l'espère.

Nous partîmes, le 19, avec M. le comte et madame la comtesse du Nord, pour aller à Montbéliard par le chemin des écoliers et par celui que La Fontaine prenait pour aller à l'Académie, puisque nous devions passer par la Bretagne, la Normandie, la Flandre, la Hollande et les électorats.

Au moment du départ, les illustres voyageurs reçurent encore des vers ; voici ceux du chevalier du Coudray :

> *Par votre agréable présence*
> *Vous avez comblé nos souhaits ;*
> *Par votre départ, votre absence,*
> *Princes, vous excitez nos sensibles regrets.*
> *Tels sont, en ce moment, les adieux de la France :*
> *Il fallait y rester, ou n'y venir jamais.*

[Il y en eut d'autres qui me parurent complètement stupides.]

Le comte et la comtesse du Nord quittèrent Paris avec bien du regret. Ils avaient eu l'un et l'autre, tant à la cour qu'à la ville, un succès infini. On les trouva aimables, pleins d'esprit et de connaissances, d'une bonté, d'une affabilité, d'une politesse admirables. Le comte du Nord fut surtout extrêmement goûté pour ses réponses fines et spirituelles, pour ses à-propos si bien saisis. Leur triomphe fut général, et le peuple de Paris comme la bonne compagnie furent extrêmement touchés de leur mérite et de la beauté de madame la comtesse du Nord. Applaudis partout où on les vit, surtout aux spectacles, cet enthousiasme se soutint jusqu'au moment de leur départ. Ils réussirent ainsi dans toute la France, sans compter la Russie où on les adorait. On a retenu bien des mots de M. le comte du Nord, entre autres ceux-ci :

M. d'Alembert lui ayant présenté à l'Académie M. de Malesherbes, il dit à cet ancien ministre :

— C'est probablement *ici* que M. de Malesherbes s'est retiré.

M. de Malesherbes sentit toute la finesse de ce mot, et y fut très-sensible.

M. le comte d'Artois avait fait voir à Leurs Altesses impériales des épées d'un travail admirable en acier ; comme il les examinait avec attention et semblait en apprécier la supériorité, M. le comte d'Artois le pria d'en accepter une.

— Eh bien, lui dit le comte du Nord, je vous demanderai plus tard celle avec laquelle vous aurez emporté Gibraltar.

C'était le moment où le prince partait pour l'Espagne.

Madame de Benckendorf partit, de son côté, pour Montbéliard en même temps que nous, mais à petites journées. Madame la comtesse du Nord et moi, nous la chargeâmes de toutes nos tendresses et nos respects.

— Vous verrez mes chers parents avant moi, disait la princesse, portez-leur mes vœux, mes pensées, et répétez-leur que je compterai les jours jusqu'à notre réunion.

Nous montâmes dans une voiture à quatre, où nous étions : madame la comtesse du Nord, M. le comte du

Nord, le prince de Baradinski et moi. Nous prîmes la
route d'Orléans. En disant adieu à M. d'Oberkirch, je
ne pus m'empêcher de pleurer un peu. Madame la
grande-duchesse prétendit que j'avais versé trois larmes ; qu'elle les avait comptées et se moqua beaucoup
de mes trois larmes avec son enjouement ordinaire. Je
ne sais s'il n'en était tombé que trois, mais je sais qu'il
en est resté beaucoup sur mon cœur.

## CHAPITRE XVI

Toujours le 19 juin. — Nous marchâmes assez tristement, bien que nous voulussions mutuellement le
cacher. Nous devions déjeuner à Choisy[164] ; toute la
famille royale s'y était rendue pour dire adieu à Leurs
Altesses impériales. On servit un charmant repas. Les
voyageurs seuls se mirent à table ; le roi, la reine, toute
la famille royale, jusqu'à Mesdames tantes du roi, se
promenèrent autour pour faire la conversation. Leurs
Majestés et tous les princes me firent l'honneur de me
parler, surtout notre charmante reine qui me dit avec
cette affabilité qui transporte les choses les plus gracieuses.

— Vous allez faire un beau voyage, ajouta-t-elle, vous
êtes bien heureuse. Il sera peut-être un peu fatigant,
mais la compagnie compensera la fatigue.

Au moment du départ, elle me dit encore :

— Madame d'Oberkirch, vous êtes celle de tous ceux
qui partent que je regrette le moins, car nous nous
reverrons, n'est-ce pas ? et bientôt ? Bon voyage pourtant, parlez de moi à nos bons Alsaciens ; je ne les
oublierai jamais.

Nous visitâmes tout le château qui a la vue sur la
Seine. Les petits appartements du feu roi sont très-
curieux.

Ils sont distribués de la manière la plus commode et remplis d'objets rares et précieux, entre autres d'une collection de porcelaines. On nous montra la fameuse table magique, qui ne servait plus depuis le nouveau règne et dont les ressorts étaient fort rouillés. Elle était placée dans une pièce où nul ne pénétrait que les convives invités par le roi Louis XV. Elle était de douze couverts. Des contrepoids la faisaient sortir du parquet dont elle faisait partie ; le centre s'enfonçait à volonté, de manière à renouveler le service. Un cylindre en cuivre doré formait un tambour dont la bande fixe portait les couverts. Quatre *servantes* mouvantes à volonté apportaient ce que l'on demandait au signal de la sonnette et en écrivant son désir. Cette table est depuis longtemps détruite (en 1789), comme tout ce qui rappelait les malheureuses dernières années d'un roi si bon, égaré par de perfides conseils.

À Choisy comme partout, le comte et la comtesse du Nord ont laissé des marques de leur générosité.

Nous allâmes tout d'une traite à Orléans, sans nous arrêter que pour changer de chevaux. Nous arrivâmes à onze heures du soir, après une terrible journée, une chaleur et une poussière affreuses. [Nous ne pensions tous qu'à nous coucher. Schneider était comme une folle et faisait mille sottises ne comprenant pas les gens de l'hôtel et ne se faisant pas comprendre d'eux.]

Nous visitâmes Orléans, bien entendu, dans tous ses détails le lendemain. Cela ne fut pas long et ne nous empêcha pas de partir de bonne heure. Le prince Baradinski nous quitta pour retourner à Paris, et M. de Benckendorf *remplit* la place qu'il laissait dans la voiture.

20 juin. — Nous prîmes la route de Tours qui longe la rivière de la Loire ; ce pays est le vrai paradis terrestre.

— Ah ! disait madame la comtesse du Nord, que ma chère maman aimerait à voir cela !

Et elle se mit à me parler de ses parents, du bonheur qu'elle avait eu, lorsqu'en arrivant de Turin à Lyon, le mois de mai précédent, elle retrouva à l'hôtel d'Artois M. le duc et madame la duchesse de Wurtemberg, voyageant sous le nom de comte et de comtesse de Justin.

— Nous avons vu surtout, disait-elle, les colonnes antiques du temple d'Auguste, qui nous ont bien frappées, ainsi que les expériences de physique du sieur Crotone, à l'hôtel de ville.

Ils parlèrent encore de la salle d'armes, où sont déposés quatre-vingt mille fusils ; le grand-duc en était très-frappé.

— Et moi, dit madame la grande-duchesse, j'espère bien que ces vaillants et aimables Français ne les tireront jamais contre mes chers Russes ; il vaut mieux être amis.

M. le comte du Nord avait tenu à visiter les hôpitaux, malgré toutes les observations qu'on lui fit.

— Plus on est éloigné des misères de l'humanité, répondit-il, plus on doit s'en rapprocher pour les connaître et les soulager.

Il a joint l'action au précepte, en laissant à cet hôpital des marques de sa libéralité. Cette libéralité s'est étendue sur tous : sur les manufactures, sur ceux qui lui ont rendu le moindre service. Le sergent commandant le guet, chargé de sa sûreté, a reçu une montre enrichie de diamants. Il répandait l'or à Lyon comme à Paris, et dans son voyage de France, il a certainement distribué plus de deux millions.

On parla à ce propos de la cupidité des courtisans, et le grand-duc raconta que lors de la conclusion de son mariage à Berlin, il avait fait de fort beaux présents aux seigneurs de la cour de Prusse placés auprès de lui ou employés à le servir. Il avait eu soin de les montrer auparavant à un général prussien, en qui il avait beaucoup de confiance. L'un des seigneurs, qui avait reçu une fort jolie tabatière, vint se plaindre à ce général et témoigner sa mauvaise humeur de ce que le cadeau n'était pas assez important ; ce à quoi celui-ci, qui connaissait la valeur de la boîte, répondit en lui en offrant mille écus, ce qui le fit taire et rougir de son impudence.

Nous nous arrêtâmes à Ménars avant d'arriver à Blois. C'est un superbe château appartenant au frère de madame de Pompadour, que le feu roi fit successivement marquis de Vandières (les courtisans disaient tout bas d'*avant-hier*), de Marigny et de Ménars. Il s'appelait tout simplement Poisson et ne s'en faisait pas accroire. Il est resté toute sa vie dans la bonne compagnie et fort aimé ainsi que sa femme. Il venait de mourir depuis un an, sans laisser d'enfants. Louis XV le fit aussi intendant des bâtiments et lui donna une charge dans la chancellerie de ses ordres, qui autorisait à porter le cordon bleu sans faire ses preuves[165]. On dit à ce sujet, que ce *poisson* était trop petit pour être mis au bleu. Il faut toujours que les Français se moquent des fautes de leurs maîtres et même des leurs, quand ils ne peuvent pas faire autrement.

De Ménars, qui est un fort beau lieu, on a une vue superbe ; on découvre toute la Loire, Blois, Chambord où est mort le maréchal de Saxe. Nous n'eûmes pas le temps d'aller jusque-là. Les jardins de Ménars sont superbes, ainsi que les bâtiments et les meubles, au superlatif. Tout y est recherché et rempli d'objets d'art, dont M. de Marigny était fort curieux.

Après Ménars, vient Blois où nous ne fîmes que passer, le temps d'entrevoir le château, la salle des États et la place où le duc de Guise fut assassiné. On dit que le peuple parle très-purement le français à Blois. Je ne sais si c'est un préjugé ou si ce sont mes oreilles alsaciennes, ce qu'il y a de sûr, c'est que je préfère de beaucoup l'accent parisien. Je trouve, au contraire, aux Blaisois un parler traînard et chantant fort désagréable.

Nous distinguâmes, à une petite distance, Chanteloup, bâti par la princesse des Ursins, pour s'en faire une principauté de retraite (ce qu'elle ne put obtenir), et appartenant alors au duc de Choiseul, ancien ministre disgracié de Louis XV.

Amboise, le vieux château de nos rois, où naquit Charles VII, se dessine de loin sur le haut d'un rocher. M. le comte du Nord voulut le visiter. Enfin, nous arrivâmes à Tours pour y coucher. Au moment où nous apercevions la ville, M. le comte du Nord, en riant et je ne sais à propos de quoi, embrassa madame la grande-duchesse. Puis, il ajouta d'un grand sang-froid en nous regardant :

— C'est que j'aime beaucoup ma femme.

Madame la grande-duchesse se mit à rire aux éclats.

— Racontez l'histoire à madame d'Oberkirch, racontez-la, je vous en supplie.

M. le comte du Nord ne se fit pas prier, et nous raconta en effet que, se trouvant à Naples et allant de Portici à Pompéi avec la princesse, il pria sir William Hamilton de les accompagner. À la suite d'un mot gracieux dit par la grande-duchesse, son mari lui baisa le bout des doigts ; mais il aperçut sur la grave figure du baronnet une contraction désapprobative. Il comprit qu'il avait blessé la sévère pruderie de l'Anglais, à cheval sur la plus stricte réserve, et résolut de s'en amuser. Amenant mille plaisanteries dans la conversation, il en vint à embrasser gaiement madame la grande-duchesse. Sir William, tout décontenancé, passa discrètement la tête par la portière, et fit semblant de regarder le paysage. Lorsqu'il revint à sa place, le comte du Nord lui dit gravement, ainsi qu'il venait de nous le dire à nous :

— C'est que j'aime beaucoup ma femme, monsieur le chevalier.

— C'est une affection toute naturelle, reprend celui-ci, un peu embarrassé.

— N'est-ce pas ? ajoute le comte du Nord.

Et en même temps, il embrasse encore la princesse qui s'y prêtait de fort bonne grâce et en riant.

Sir William fut en ce moment tout à fait embarrassé, et le comte du Nord répéta tout aussi gravement que la première fois :

— Aussi, voyez-vous, j'aime beaucoup ma femme.

Nous en riions encore, quand nous entrâmes dans la capitale de la Touraine, où l'on nous servit un mauvais souper et où l'on nous donna de mauvais lits. Mais nous étions montés en gaieté ce jour-là, et nous plaisantâmes de nos infortunes, tout en nous endormant néanmoins.

21 juin. — Nous allâmes, avant de quitter Tours, visiter le mail, qui passe pour le plus beau de France, et qui est en effet fort agréable. Nous le parcourûmes en courant, pressés de nous mettre en route. Il faisait une chaleur horrible. On arriva pour dîner à Saumur, dont nous admirâmes de loin le château, et nous eûmes, pendant le repas, une charmante musique de régiment ; à Angers, où nous couchâmes, nous eûmes celle de Royal-Lorraine, cavalerie. C'était une galanterie du comte de Marmier, colonel en second. Le colonel en pied, le comte d'Andlau, venait d'être nommé ministre plénipotentiaire à Bruxelles et n'était pas encore remplacé. Je fus très-fâchée de ne pas le voir. Les officiers vinrent faire une visite de corps à Leurs Altesses impériales.

Dans l'auberge où nous descendîmes, pendant que nous soupions, une petite servante en bavolet et en tablier blanc se fit remarquer de madame la comtesse du Nord. Elle était jolie comme un ange, et paraissait accorte et intelligente. Madame la comtesse du Nord la montra au prince, qui, ainsi que nous, se mit à la regarder, ce qui ne la déconcerta pas du tout.

— Voilà une jolie fille, dit Son Altesse.

Elle leva la tête et sourit, en montrant deux rangs de dents blanches comme du lait, pour prouver qu'elle avait entendu.

— Comment t'appelles-tu, mon enfant ? demanda la princesse.

— Madame, je m'appelle Jeanne, mais on m'appelle Javotte, parce qu'on prétend que je parle beaucoup.

— Ah ! tu aimes à causer, poursuivit le prince. Veux-tu causer avec nous ?

— Dame ! si vous voulez...

— Tu n'es pas timide ?

— Je n'ai point honte avec vous, monsieur ; je sais bien que vous êtes un grand prince, très-riche, aussi riche que le roi ; mais vous avez l'air bon, et je n'ai pas si peur de vous que des sous-lieutenants de Royal-Lorraine.

Le grand-duc se mit à rire et nous dit :

— Vous voyez que Javotte, qui craint les jolis garçons, est de l'avis des Parisiens.

On se rappelle qu'un jour dans une foule on l'avait trouvé laid et qu'il l'avait entendu.

— Eh bien ! Javotte, puisque tu trouves que j'ai l'air bon, que veux-tu que je fasse pour toi ?

— Dame ! monsieur... je ne sais pas...

— Tu ne sais pas, cherche bien.

Elle se prit à sourire, du même sourire fin et perlé, comme une soubrette de comédie.

— Ah ! je sais peut-être bien ! mais...

— Veux-tu que je t'aide ?

— C'est cela, aidez-moi.

— Voyons, me répondras-tu franchement ?

— Ah ! que oui.

— As-tu un amoureux ?

Elle devint toute rouge, ce qui nous prouva qu'elle n'était point effrontée, malgré sa hardiesse, et répondit avec un sourire en roulant son tablier :

— Ah ! oui.

— Comment s'appelle-t-il ?

— Bastien Raulé, pour vous servir.

Et elle fit la révérence.

— Que fait-il ?

— Il est tailleur de pierres ; c'est un bon état, mais très-sale et très-ennuyeux.

— Pourquoi ne l'épouses-tu pas ?

— Ah ! voilà justement, monsieur, que vous y arrivez.

— Est-il riche ?

— Hélas ! non.

— Et toi ?

— Moi, j'ai mes gages, dix écus par an.

— C'est pour cela que vous ne vous mariez pas ?

— C'est pour cela, monseigneur, rien que pour cela ; il en a bien envie, et moi aussi.

— Est-ce un joli garçon ?

— Ah ! pour ça, monsieur, j'en réponds ; plus joli, quand il est requinqué, que tous les officiers de Royal-Lorraine.

— Et combien vous faudrait-il pour vous marier ?

— Beaucoup, beaucoup d'argent, plus que vous n'en avez, peut-être, en ce moment, monsieur.

— Mais encore ?

— Il nous faudrait... cent écus !

Lorsqu'elle eut lâché cette *énormité*, elle baissa la tête et devint plus rouge encore. Le comte du Nord regarda en souriant son adorable épouse ; il voulait lui laisser le plaisir du bienfait.

— Viens ici, Javotte, dit celle-ci, et tends ton tablier.

Elle chercha sa bourse et en tira quinze louis d'or, qu'elle laissa tomber dans le tablier de la servante. Celle-ci fut si joyeuse, si étonnée, qu'elle lâcha les coins, et leva les yeux au ciel en s'écriant :

— Dieu du ciel ! est-il possible !

Les louis roulèrent sur le plancher, elle ne songea point à les ramasser ; mais, les yeux tout pleins de larmes, et sans rien ajouter, elle prit le bas de la robe de la princesse qu'elle porta à ses lèvres avec une grâce et une simplicité qui nous touchèrent tous. Cette fille avait certainement un bon cœur. On ne parla que d'elle pendant tout le reste du souper. Avant de m'endormir, j'écrivis cette petite scène telle qu'elle s'était passée, et je vous assure que rien n'était plus charmant. M. le comte du Nord me rappelait tout à fait la popularité de Henri IV.

22 juin. — Aussitôt notre réveil, de très-bonne heure, nous allâmes voir manœuvrer le régiment de Royal-Lorraine. Comme nous allions monter en carrosse, nous vîmes arriver Javotte avec un beau garçon qui la menait par la main, tous les deux endimanchés, et portant chacun un immense bouquet de roses. Ils firent une superbe révérence à Leurs Altesses impériales, et leur offrirent leurs fleurs, qui furent très-gracieusement acceptées. La pauvre fille était si émue qu'elle ne pouvait pas parler ; ce n'était pas là son joyeux babil de la veille. Nous partîmes ensuite pour aller dîner à Houdon. Là, il vint une personne d'une quarantaine d'années, encore belle, qui habitait les environs, pour saluer le comte et la comtesse du Nord. J'ai oublié son nom, mais je sais que c'était une *dame damée*, ou dame à brevet.

Il en existe encore beaucoup, et de très-jeunes personnes en ont obtenu du roi. C'est sous Louis XV que cet usage s'est introduit à la cour ; mais on en a fait un tel abus, et il est si propre à favoriser les mauvaises mœurs, qu'on commence à ouvrir les yeux là-dessus, et qu'on n'en obtient maintenant qu'avec les plus hauts appuis. L'avantage est, pour les filles de qualité, de pouvoir être présentées et de jouir des avantages qui en sont la suite.

Nous arrivâmes d'assez bonne heure à Nantes. Cette ville nous plut infiniment. Hélas ! l'édit que Henri IV y signa en faveur des protestants a été révoqué par Louis XIV. Dieu sait ce qui en résulta ! Le marquis de

La Suze, colonel de Dauphin-Infanterie, vint au-devant de Leurs Altesses impériales à une lieue et demie de la ville. Aussitôt après leur arrivée, les officiers se présentèrent en corps pour leur rendre leurs hommages, le roi ayant ordonné qu'on leur rendît partout les plus grands honneurs. M. du Coëtlosquet était colonel en second du régiment du Dauphin ; le vicomte de Hautefeuille et le vicomte de Foucault sont colonel et lieutenant-colonel du régiment d'Île-de-France, dont les officiers firent aussi leur cour au prince et à la princesse. Le marquis de La Suze offrit son carrosse aux illustres voyageurs, et les mena voir le port, la promenade du cours, et enfin la comédie. On donna la *Coquette fixée*. M. le comte et madame la comtesse du Nord furent très-applaudis.

23 juin. — Dès le matin, nous allâmes à la manœuvre des deux régiments de la garnison, qui eut lieu au cours. Après les plus brillants honneurs militaires, nous nous mîmes en chemin pour aller dîner à Pont-Château. Nous étions fort gais et nous nous amusions beaucoup. Je ne sais qui parla de M. de La Harpe et l'appela *chafouin*.

— Le mot lui va à merveille, à cet *amoureux* de ma mère, répondit le grand-duc en riant ; je dirai certainement à l'impératrice comment est sa conquête en France.

Malgré ses moqueries, le comte du Nord n'en a pas moins donné à M. de La Harpe une superbe tabatière d'or enrichie de diamants, admirablement travaillée, et sur laquelle se trouvent les attributs des neuf Muses. Ce présent est d'une valeur considérable.

Nous passâmes la Vilaine en barque à la Roche-Bernard, pour aller coucher à Musillac. Nous trouvâmes de pitoyables auberges, et madame la comtesse du Nord rit pendant plus d'une heure de la tournure qu'avait son lit. On y avait entassé toutes les broderies et toutes les bonnes Vierges de dix lieues à la ronde. Je passai toute la nuit dans sa chambre. Le grand-duc resta à écrire dans une salle à côté, et ne se coucha point.

Le 24 juin, la chaleur était épouvantable, pendant notre séjour à Vannes, où nous nous arrêtâmes trois heures, tous épuisés, bêtes et gens, [obligés de garder ouvertes toutes les portes]. Nous passâmes à Hennebont, où le régiment de Royal-Darmstadt était en garnison, ainsi qu'à Lorient[166], où nous arrivâmes à huit heures. Aussitôt MM. les chefs du port et de la garnison proposèrent à Leurs Altesses impériales une promenade en rade, en carrosse d'eau. Nous vîmes le port rempli d'une quantité de vaisseaux de toutes grandeurs et de toutes les nations, qui arborèrent leurs pavillons pour saluer les illustres étrangers. C'était un beau spectacle.

Le baron de Pirch était colonel du Royal-Darmstad ; j'appris avec plaisir qu'il ne se ressentait plus de sa blessure.

Je trouvai aussi le baron de Weitersheim, mon compatriote, qui est capitaine dans ce régiment. Je causai beaucoup avec lui de notre chère Alsace et des Wurmser, nos parents communs ; les Weitersheim doivent être de la même souche que les Zuckmantel, car ils ont les mêmes armes.

25 juin. — Nous vîmes mettre à la voile le *Puissant*, de cent dix canons, et allâmes coucher à Quimper-Corentin. On offrit à madame la comtesse du Nord une corbeille de roses, les plus belles qu'on pût imaginer ; ce fut un délice pour elle. Il fallut les lui ôter ; elle voulait les garder la nuit dans sa chambre, au risque de prendre la migraine. L'amour des fleurs, poussé à ce point, ressemble à une passion.

26 juin. — Nous dînâmes à Châteaulin et nous allâmes ensuite coucher à Brest. À notre arrivée, MM. d'Hector, commandant du port, et de Langeron commandant des troupes, vinrent saluer Leurs Altesses

impériales et prendre leurs ordres. Les officiers du régiment de Lorraine firent également leur visite de corps.
M. de Mortemart en était colonel et le comte de Buf-
févent lieutenant-colonel. Ce dernier était de ma
connaissance. Son frère, le vicomte, capitaine de dragons, venait d'épouser mademoiselle de La Galaisière,
fille de l'intendant d'Alsace.

Quant au comte d'Hector, ce nom, assez singulier,
me fit faire à son sujet quelques questions. On me parla
d'une lettre assez peu flatteuse adressée à cet officier
et rendue à peu près publique, il y a deux ans. On ne
se bornait pas à lui demander s'il était fils de Priam ou
du valet de carreau, on lui reprochait d'avoir manqué
de valeur dans le combat, et de n'avoir pas mis son
habit d'uniforme ce jour-là, pour être moins distingué.
On lui citait l'exemple du comte d'Estaing, dont on l'accusait d'être envieux ; enfin, on l'invitait au courage et
à se rendre digne de commencer une nouvelle branche
d'Hector.

Tout cela peut être fort injuste, mais n'en est pas
moins pénible, même à entendre raconter.

27 juin. — Nous fûmes éveillés par les canons du
fort et des navires qui partirent à la fois en l'honneur
des augustes hôtes que la ville renfermait. M. d'Hector
et messieurs de la marine vinrent nous prendre pour
nous mener en carrosse d'eau jusqu'au vaisseau amiral
*L'Invincible*, monté par le comte de La Motte-Piquet,
lieutenant général de la marine, un des grands hommes
de guerre de notre époque. Il s'était signalé au combat
de Fort-Royal, et avait capturé à l'escadre de George
Rodney vingt-six vaisseaux. Nous vîmes partir soixante-
dix bâtiments pour l'Amérique, devant passer par La
Rochelle, pour y rejoindre la flotte. L'escadre du comte
de la Motte-Piquet était de sept navires. Il donna à
madame la comtesse du Nord un simulacre de combat
entre deux vaisseaux de ligne. C'est un beau spectacle,

mais un peu effrayant. Il me semble que je n'aimerais guère à y être acteur pour tout de bon.

Après le dîner on lança une frégate ; nous examinâmes ensuite des modèles de vaisseaux et celui du port de Toulon, exécuté par le fameux M. Groignard, et qu'il nous expliqua lui-même. Ce savant s'est fait une grande réputation, même à l'étranger, pour les travaux hydrauliques, et il a déjà reçu de plusieurs souverains l'invitation de visiter leurs ports et de régler les réparations à faire.

Madame la comtesse du Nord fut, après, conduite au spectacle, où l'on donna l'*Amour et la Folie*, mauvaise petite pièce, après laquelle on pria Leurs Altesses impériales de paraître sur une terrasse pour se montrer au peuple assemblé qui les demandait à grands cris. Ils y consentirent, et on les applaudit beaucoup. Le souper fut splendide ; nous retournâmes ensuite au port, M. de La Motte-Piquet ayant fait illuminer et pavoiser deux vaisseaux en l'honneur de madame la grande-duchesse.

28 juin. — Je ne sais ce que nous ne visitâmes point ce jour-là : les forçats, les régiments que nous passâmes en revue, et cela par une chaleur du Sénégal. Après ces courses, il fallut s'habiller, faire une grande toilette, dîner en cérémonie, retourner au spectacle, voir le *Jugement de Midas*, et ensuite faire une visite à madame d'Hector, qui rassemblait chez elle les principales femmes de la ville. Le prince et la princesse prirent, là, congé de tout le monde, fort satisfaits de leur séjour en cette ville. C'est une chose merveilleuse que les détails d'un port et tout ce qui tient à la marine. Cela donne une grande idée du génie inventif de l'esprit humain. On ne peut aller en carrosse dans la ville de Brest, et les femmes y vont en chaise à porteurs.

29 juin. — Avant de partir il fallut encore revoir tous les corps ; pendant cette revue la princesse me disait des folies. Elle cherchait des ressemblances, et en

trouva une très-remarquable entre une beyeuse, qui restait près du carrosse, et une des femmes de chambre de la reine, dont on avait beaucoup parlé. Louis XVI la rencontrant un jour à Fontainebleau, je crois, couverte de diamants et très-richement mise, la prit pour une dame de la cour et la salua profondément. Cela revint à la reine qui en plaisanta le roi. À ce sujet, il a été fortement question de prescrire l'usage d'un petit tablier, qui indiquât la fonction de ces personnes. Il ne paraît pas cependant que cela ait eu lieu. Depuis cette aventure, cette femme de chambre de la reine eut une espèce de célébrité ; on la montrait à ceux qui ne la connaissaient pas. Madame la comtesse du Nord l'avait vue et se la rappelait parfaitement.

Nous allâmes dîner à Landernau et coucher à Morlaix. Nous y vîmes une frégate, autrefois nommée *La Princesse Noire*, à présent, *La Marquise de Castries*. Personne ne put nous expliquer la raison de ces noms étranges. Cette Basse-Bretagne est un pays affreux ; on y parle un langage incompréhensible, qu'on m'assure n'être pas un patois, mais seulement une corruption du celtique primitif. Ce qui me le ferait croire, c'est que cette même langue, légèrement modifiée, existe, dit-on, chez les montagnards du pays de Galles.

Quoi qu'il en soit, le bas-breton est mille fois plus éloigné du français que ne l'est du pur saxon notre pauvre allemand alsacien si dédaigné. On trouve de tout à manger dans ce pays, mais c'est si mal apprêté, tout y est si sale, qu'on ne mange point. Ces hommes habillés de peaux rappelèrent au comte du Nord ses Tartares.

30 juin. — Nous allâmes dîner à Belle-Île, et coucher à Saint-Brieuc, où nous trouvâmes une pluie battante qui nous fit nous céler.

1er juillet. — Dîner à Broons, petit village où on nous donna à manger des œufs sous toutes les formes, et de là coucher à Rennes où nous nous dédommageâmes par un excellent souper et un fort bon logement. Nous y restâmes peu cependant, car nous ne trouvâmes guère à voir ni à apprendre dans ce pays perdu.

2 juillet. — Nous dînâmes à Vitré, baronnie apparte-nant au duc de la Tremouille, où M. le comte du Nord, je ne sais à propos de quoi, se mit à parler de madame de Montesson. Il me semble que ce fut parce qu'elle est Bretonne et peu aimée, peu considérée dans son pays. Il se pourrait bien que le prince n'eût pas été incom-modé le jour de son spectacle, comme je l'ai dit en son temps, car il ajouta négligemment qu'il s'était imposé à Paris la loi de ne manger chez aucun particulier, pas même chez elle, qui s'en était flattée, à ce qu'il paraît.

— C'est par respect pour l'étiquette qui lui refuse les honneurs dus à une duchesse d'Orléans, que nous nous sommes bornés à paraître à son spectacle, ajouta le grand-duc.

Dans sa bouche ce mot était significatif.

Quelqu'un mit ensuite la conversation sur M. le comte d'Artois et sur son ménage, auquel il n'était pas toujours très-fidèle. On raconta un mot qui courait tout Paris :

« M. le comte d'Artois, ayant eu une indigestion de biscuit de *Savoie*, a pris *du Thé*. » Mademoiselle Duthé était alors la maîtresse du jeune prince.

En sortant de Vitré, nous eussions voulu aller visiter *les Rochers*, terre de la célèbre madame de Sévigné, mais on nous assura que les chemins étaient rompus par les grandes pluies, et que nous n'arriverions pas. Nous allâmes donc directement coucher à Mayenne. Ce nom me rappela le terrible ennemi de ceux de ma religion, lors de la Ligue, et les persécutions qu'ils essuyèrent. C'était, en effet, le chef-lieu de ce duché-pairie, appartenant à la maison de Lorraine. Le cardi-nal Mazarin l'acheta et le donna à Charles de La Porte, duc de La Meilleraye, en considération du mariage d'Hortense de Mancini, nièce du cardinal, avec le fils du maréchal qui prit le titre de duc de Mazarin.

3 juillet. — Nous entrâmes en Normandie, dînâmes à Prez-en-Pail, et traversâmes Alençon, où madame la grande-duchesse acheta quelques aunes de dentelles magnifiques ; puis nous couchâmes à Séez, où nous trouvâmes le chevalier de Broglie et son beau-frère, M. de Montmorency, qui vinrent tous deux faire leur cour à Leurs Altesses impériales et les prier, de la part du maréchal de Broglie, de lui faire l'honneur de s'arrêter chez lui, à Broglie, où il fallait passer le lendemain. Le prince et la princesse acceptèrent. Le régiment de Conti-Dragons vint faire une visite de corps, et nous allâmes sur la place le voir exercer à pied. Madame la grande-duchesse eût mieux aimé brûler Broglie. Le maréchal passait pour brusque et peu agréable. Bien qu'elle ne craignît pas, bien entendu, qu'il le fût avec elle, elle regarda cette visite comme une corvée, et s'en lamenta avec moi. Il lui échappa une phrase qu'elle ne répéta jamais (ce sujet nous avait amenés à des choses graves). Cette phrase me sembla l'expression vraie de ce qu'elle ressentait.

— Ah ! me dit-elle, ma bonne Lane, souvent j'oublie que je ne suis plus Dorothée, mais Marie Feodorovna.

Le maréchal de Broglie, prince du Saint-Empire, gouverneur et commandant en chef de Metz et du pays Messin, chevalier des ordres du roi, marié en secondes noces à mademoiselle de Crozat de Thiers, en a eu sept ou huit enfants, je ne sais plus. Je ne me souviens que de deux : l'aîné, bon et excellent cœur, d'abord colonel du régiment de Saintonge, puis mestre de camp, enthousiaste des idées nouvelles, grand partisan des Américains, dont je ne me soucie guère, je l'avoue. Il a accompagné le marquis de La Fayette pour soutenir leur indépendance. Je ne suis point politique, mais il me semble que le roi Louis XVI a commis une grande faute en les y autorisant. À quoi bon ce donquichottisme pour des rebelles ?

Le prince de Revel, second fils du maréchal, était en ce moment aide de camp du comte de Falkenhayn, mon parent, à l'expédition de Minorque[167]. Il fut chargé par son général de rapporter les drapeaux pris sur l'ennemi, ce qui lui valut de l'avancement à la fin de cette même année 1782. Il venait d'épouser mademoiselle de Verteillac.

Parmi tous ces Broglie, il y avait des alliances avec les Lameth, les Montmorency, les Damas-Crux, les Helmstadt, les Boisse, mais je ne saurais point numéroter tout cela.

4 juillet. — Nous partîmes de Séez à six heures du matin ; nous dînâmes à Verneuse, petit village, et nous nous arrêtâmes à Broglie une heure environ.

Le maréchal avait fait construire un pont au bout de son parc, sur la chaussée, pour faire passer Leurs Altesses impériales jusqu'au château. Les princes furent reçus par le maréchal, lequel a fait bâtir le château, qui pourtant semble vieux. Il est vaste, les dehors en sont agréables ; il est situé dans la paroisse de Ferrières. On fit servir une magnifique collation à laquelle on ne toucha point, on se promena un peu, on fut très-froid, très-compassé, très-ennuyeux, et l'on se sépara assez charmés, je crois, d'être quittes les uns des autres, malgré toutes les bonnes mines que l'on se fit.

Nous poussâmes jusqu'à Rouen, et cela nous parut étrange de nous retrouver si près de Paris après avoir tant couru. Le marquis de Beuvron, qui y commande, vint, avec madame sa belle-fille, faire une visite à Leurs Altesses impériales. Le marquis de Beuvron, lieutenant général, est le second fils du maréchal d'Harcourt et frère du duc d'Harcourt. Il est marié à mademoiselle Rouillé de Jouy, dont il a deux enfants : le comte de Beuvron, colonel en second de cavalerie, marié depuis deux ans à mademoiselle Leveneur de Tillières, la même qui venait voir madame la grande-duchesse ; et une fille, mariée au marquis d'Harcourt d'Olonde, son cousin, maréchal de camp.

Le maréchal d'Harcourt, père de M. de Beuvron, vivait encore à quatre-vingt-un ans. Il était gouverneur de la Normandie, et s'était démis de cette dignité, depuis quelques années seulement, en faveur de son fils aîné, le duc d'Harcourt, qui avait épousé une d'Aubusson.

Le vieux maréchal, qui a eu beaucoup de succès auprès des dames, a conservé les plus grandes et les plus gracieuses manières. C'était un homme d'un grand mérite et d'une grande bonté. Son esprit n'avait jamais de malice, et son cœur était sensible comme celui d'une femme. [Il avait eu dans sa jeunesse la plus romantique aventure avec une princesse dont il était éperdument amoureux. Il était obligé de cacher ses sentiments, par ordre du roi qui avait interdit toute communication entre eux, afin de sauver la réputation de la dame dont le mari était jaloux. Par romantisme, la princesse essaya de faire assassiner son amoureux : « S'il ne peut être à moi, dit-elle, qu'il ne soit à personne ! » Cette histoire m'a été racontée par la duchesse de Bourbon ; j'y reviendrai dans mes Mémoires.]

## CHAPITRE XVII

4 juillet. — Le régiment de Boulonnais vint également faire sa visite de corps. Le baron de Bock, mon parent, y était capitaine. Le comte du Nord demanda le nom d'un jeune officier, un lieutenant, je crois, qu'il avait remarqué à cause de sa bonne mine et qu'on appelait M. de Canrobert. Le même soir, le prince Baradinsky arriva de Paris pour faire sa cour à M. le comte et à madame la comtesse du Nord. Nous le

revîmes avec plaisir ; il nous donna des nouvelles de Versailles, où on s'amusait beaucoup. La reine envoyait à la princesse une charmante tasse en porcelaine de Sèvres, une pièce unique dont on avait cassé le moule et où les portraits du roi et de la reine, de M. le dauphin et de Madame Royale étaient peints d'une ressemblance frappante ; une lettre autographe de Marie-Antoinette accompagnait ce délicieux présent auquel la grande-duchesse fut très-sensible.

Le soir, nous allâmes avec mesdames de Beuvron et d'Harcourt à la comédie. On y donna l'*Amant jaloux*. Madame la comtesse du Nord était épuisée de fatigue ; cette représentation continuelle la brisait ; elle me dit en se couchant qu'elle voudrait être une bonne paysanne normande et avec le grand-duc dans une chaumière.

— J'espère, ajoutai-je, que Votre Altesse impériale mettrait des papillotes à ses moutons et des rubans à sa houlette. Une bergère qui se respecte ne peut faire autrement que de se couronner de roses et de porter un serin sur son doigt.

Nous eûmes encore de bons rires comme autrefois dans notre enfance, quand nous étions si gaies.

5 juillet. — Nous vîmes tout ce qu'il y avait de beau à Rouen avec madame de Beuvron. Elle nous promena dans la ville, le pont et tout ce qui s'ensuit. J'en avais la tête tournée et je ne fus pas fâchée de monter en voiture. [Cette vie vagabonde aurait été bien agréable avec la certitude d'un bon lit chaque soir. Je trouve dans les feuillets de mon journal de voyage une brillante tirade sur les vicissitudes de la Normandie. Je ne l'infligerai pas à mes lecteurs. Ces connaissances peuvent être utiles à moi-même ou à des enfants mais on ne lit pas des Mémoires pour entendre l'histoire de Rollon ou de Charles le Simple.] Nous fîmes encore beaucoup de chemin ce jour-là, et nous allâmes coucher à Amiens. Le prince Baradinski vint avec nous jusque-

là, et il nous laissa le lendemain matin pour retourner
à Paris. Nous fîmes un charmant souper à Amiens, tout
fatigués que nous fussions. [Tout ce que j'ai retenu
d'Amiens, c'est qu'on y fait d'excellents pâtés.]

6 juillet. — D'Amiens, dîner à Doullens, à Saint-Pol,
puis à Béthune, où nous trouvâmes le comte d'Ecquevilly, colonel de Royal-Cavalerie avec son régiment
sous les armes. Ils rendirent beaucoup d'honneurs à
Leurs Altesses impériales qui ne firent cependant que
passer, ayant l'intention de coucher à Lille. Le gouverneur de la province de Flandre, le prince de Robecq,
attendait M. le comte du Nord à son débotté et nous
fit toutes les honnêtetés possibles.

Le prince de Robecq est un Montmorency et l'héritier
du troisième rameau de la branche de Fosseux. Les
deux premiers rameaux de cette branche sont représentés par les Montmorency du surnom de Luxembourg et
de Tingry.

Tout le monde sait que les chefs des deux branches
de Nivelle et de Fosseux avaient été déshérités par leur
père pour avoir pris le parti du duc de Bourgogne
contre Louis XI. Témoin la chanson de :

*Le chien de Jean de Nivelle,*
*Qui s'en va quand on l'appelle.*

Ces branches s'établirent dans les Pays-Bas. La première y acquit le comté de Horn, et le dernier comte de
Horn périt décapité[168]. Mais à l'extinction de la branche des ducs de Montmorency, par la mort du maréchal de Montmorency, décapité à Toulouse, en 1632,
les Montmorency-Fosseux rentrèrent en France, où ils
continuent une suite de générations distinguées par
leurs services. On voit qu'il y a encore de vrais Montmorency, quoi qu'en disent certaines personnes.

Le chef de cette maison porte le titre de baron,
attendu que les Montmorency sont les premiers barons

chrétiens, et ceci me rappelle une petite anecdote que l'on m'a racontée à Paris. L'hiver dernier, le baron de Montmorency, entrant dans je ne sais quel salon, en même temps qu'un baron de fraîche date, homme d'esprit d'ailleurs, un laquais annonça :

— Messieurs les barons de Montmorency et de \*\*\* (j'ai oublié le nom).

Ce dernier s'écria aussitôt :

— C'est le cas ou jamais de dire : les extrêmes se touchent.

On trouva le mot de fort bon goût de la part du nouveau baron, qui est d'ailleurs un mathématicien fort distingué.

M. le prince de Robecq fit comme les autres, il nous montra tout, nous promena partout dans son carrosse, entre autres à un hôpital qu'on appelle l'Hôpital Comtesse, dans lequel les malades sont servis dans de la vaisselle d'argent. C'est un vœu d'une comtesse de Flandre. Madame la comtesse du Nord prétendit que, si elle était la maîtresse, elle en ferait autant à Saint-Pétersbourg.

7 juillet. — Nous allâmes par un soleil brûlant sur l'esplanade, pour y voir manœuvrer et défiler les régiments de Colonel-Général-Infanterie qui est de la plus grande beauté, Orléans-Infanterie et Royal-Vaisseaux-Dragons. C'était superbe, mais nous fondions en eau.

— Mon Dieu ! dit M. le comte du Nord, quand nous fûmes seuls dans le carrosse en quittant Lille, que les grandeurs sont souvent lourdes à porter ! Avec une chaleur semblable, ne pouvait-on pas laisser ces pauvres gens tranquilles et nous aussi ?

Il avait bien raison.

Nous avions encore dîné à Lille, et après, lorsqu'il fit un peu moins chaud, nous nous dirigeâmes vers Dunkerque. Mon Dieu ! la jolie route ! c'est un jardin. On ne voit à droite et à gauche que des plantations, des villages propres comme le sont ceux de Flandre ; c'est délicieux. Le prince de Robecq suivait Leurs Altesses impériales, puisqu'on était toujours dans son gouvernement. Il nous fit servir un souper exquis avec les meilleurs poissons de mer, et il nous amusa de récits piquants. C'était bien un véritable grand seigneur, tel qu'il y en avait tant à la cour de France.

8 juillet. — Éternelle promenade pour *tout voir*, les fortifications détruites, le port, les soldats d'artillerie et le reste. Tout cela en courant comme à l'ordinaire. [« Je vous assure, disait M. de La Fermière, que tout cela m'entre par un œil et ressort par l'autre. » J'avoue que cette vie de « Juif errant » ne me plaisait guère. Chaque jour, de nouvelles figures et un nouvel hôtel, des changements de tenue continuels. Pour jouir agréablement d'un voyage, il faut du temps ; et ne pas courir à travers les villes comme après une chasse.]

Après le dîner, qui fut comme le souper, nous dîmes adieu à la France et nous entrâmes bientôt dans les Pays-Bas autrichiens. Nous devions coucher à Ostende.

En débarquant, la première chose que nous apprîmes, ce fut l'arrivée de madame la gouvernante des Pays-Bas, l'archiduchesse Christine, duchesse de Saxe-Teschen, sœur de l'empereur Joseph II et par conséquent de notre bien-aimée reine Marie-Antoinette, qui la chérit tendrement et dont elle est tendrement chérie. Cette princesse avait alors quarante ans. Le duc de Saxe-Teschen, son mari, un peu plus âgé qu'elle, était gouverneur.

Il avait pour ministre le prince de Stahremberg, chevalier de la Toison d'or et grand-croix de Saint-Étienne ; celui-ci était en outre ministre d'État de l'empereur et roi, et son ministre plénipotentiaire des Pays-Bas. Au fond, il avait toute l'autorité sous la dépendance de l'empereur.

Le prince de Grimberghe était grand écuyer.

Le prince de Grave, grand maréchal.

Le comte de Sart, grand-maître des cuisines.

Toute cette cour accompagnait l'archiduchesse, plus le prince de Ligne, M. de Seckendorf et M. de Kempel.

Le prince de Stahremberg était un homme d'esprit, fin diplomate et fin courtisan. La princesse était contrefaite et n'en avait que plus de piquant et de piqué.

Le prince de Stahremberg avait été ambassadeur d'Autriche en France, et il contait très-bien une assez drôle d'anecdote qui le concernait :

M. le duc de Choiseul venait d'être nommé ministre des affaires étrangères. M. de Stahremberg lui fit la visite d'usage, et le ministre le fit attendre assez longtemps pour l'impatienter et le décider à se faire annoncer de nouveau. On le pria d'attendre un moment encore ; redoublement d'impatience ; enfin, il se plaignit hautement, et menaça même de se plaindre au roi. On l'introduisit ; il ne se possédait pas.

— Monsieur le duc, s'écria-t-il furieux, depuis une heure vous faites faire antichambre à l'ambassade de S.M. l'empereur, mon maître ; sont-ce les nouvelles instructions de votre politique ? Sur quel pied dois-je regarder cette insulte déguisée ? Étiez-vous donc occupé ?

— Je vous avouerai, lui dit M. de Choiseul en souriant avec calme, que je n'étais guère occupé, car je cherchais le mot d'un logogriphe[169], mais j'ai voulu rendre hommage en votre personne aux usages de la cour de Vienne, n'ayant pas oublié qu'en pareille circonstance le prince de Kaunitz m'a fait attendre ainsi plus d'une heure dans son antichambre ; j'ai pensé ne pouvoir mieux faire que de l'imiter.

Le comte trouva la revanche si bonne, qu'il ne put s'empêcher d'en rire, et qu'il eut le bon esprit de raconter l'histoire lui-même, afin qu'on ne la défigurât pas : c'est le meilleur parti à prendre lorsque les choses sont connues de tous ; les nier est d'un sot ; un homme habile les accepte et les exploite.

Cette anecdote m'en rappelle une autre du même genre qui regarde M. de Vergennes, mort en 1787, il y a deux ans. M. de La Motte-Piquet fut rencontré, sortant de la baie de Quiberon, par deux vaisseaux américains, qui le saluèrent. D'après les ordres qu'il avait reçus, il répondit par neuf coups de canon, honneur auquel a droit le pavillon des républiques. Une explication fut à l'instant demandée par l'ambassadeur d'Angleterre, auquel M. de Vergennes répondit avec l'apparente bonhomie d'un homme qui avait à peine connaissance du fait en question : « Peut-être est-ce le paroli du salut que vous rendîtes jadis au pavillon corse, lorsque le roi mon maître traitait cette île en rebelle, ce que votre cour savait très-bien[170]. »

Le prince de Ligne[171] s'était empressé de se rendre auprès du grand-duc. Ce nom rappelle toute la grâce, tout l'esprit qu'un homme peut avoir. Il s'est distingué dans la guerre de Sept ans, et il a été fait lieutenant général. L'empereur Joseph II lui a donné toute sa confiance. Il était bien connu et fortement apprécié par la czarine. Je ne puis dire ce qu'il y avait de fin, d'aimable, d'incisif, et cependant de bon, de loyal, dans les regards de ce prince. Son sourire valait un discours.

Toutes ces personnes composaient une cour fort agréable à Leurs Altesses impériales, et la soirée se passa d'une manière amusante à les écouter, surtout le prince de Ligne, qui resta plus tard que les autres. Il nous raconta une foule de choses charmantes, entre autres un épisode d'un de ses voyages à Paris, que je n'ai vu relaté nulle part.

Il avait une jeune nièce pensionnaire au couvent des Capucines, rue Saint-Antoine. J'ai égaré son nom de famille, bien que je l'eusse écrit, mais je suis sûre qu'elle s'appelait Charlotte, et qu'elle avait une parenté très-proche avec les Lichtenstein. C'était une fille d'esprit, déjà belle, et que le prince aimait beaucoup. Il allait fort souvent la voir, et elle lui parlait d'une novice merveilleusement jolie, dont la vêture s'était faite depuis peu de temps, et qui devait bientôt prononcer ses vœux. Elle la vanta tant, et elle lui donna une telle envie de la voir, qu'il ne résista pas à cette tentation. Il en parla à sa nièce ; elle lui répondit que c'était impossible, que la cérémonie aurait lieu dans l'intérieur de la clôture, et que les femmes seules y étaient admises. Ce contre-temps dérangea le prince sans le décourager. La veille du jour fixé, il vint au parloir et demanda la comtesse Charlotte.

— Ma chère enfant, lui dit-il, une de mes parentes, chanoinesse d'un chapitre régulier, est à Paris, et désire entrer demain dans la chapelle ; ne peut-on lui en obtenir la permission ?

— Très-certainement, mon oncle, si vous la demandez.

Je ne sais pas de quel nom il affubla la cousine, mais à sa recommandation elle fut admise sans conteste, d'autant plus qu'elle ne rompait la clôture que pour la chapelle, et que cela ne lui donnait pas le moindre droit de mettre le pied dans l'intérieur du couvent. À l'heure fixée, une sainte personne, vêtue de noir, emmitouflée de coiffes, dont on ne voyait que le bout du nez, les yeux dévotement baissés, se présenta munie du laissez-passer de la prieure. Elle portait une croix large comme une assiette à un ruban bleu qui servait de collier. Elle salua tout le monde en silence, mais eut soin de choisir une des meilleures places pour bien voir. Elle vit bien, en effet, à ce qu'il paraît, car elle emporta dans son imagination une image que rien n'en fit jamais sortir, celle de cette admirable personne, pâle, résignée, mais triste et non fervente. Elle jeta dans le ciel un regard que rien ne peut rendre, au moment de prononcer les vœux qui la séparaient à jamais du monde. Il y avait là un reproche, une plainte muette, une douce et modeste tranquillité, semblable à celle de la victime condamnée à une mort qu'elle ne peut éviter et qu'elle accepte.

— J'ai une théorie, ajouta le prince de Ligne, c'est que les gens les plus raisonnables ont, à leur insu et malgré eux, un coin de roman dans leur vie. Aucun de nous ne l'évite, c'est l'obole payée à l'imagination. Eh bien ! moi, qui ne suis pas d'une sagesse de Socrate, je sens et j'avoue ce côté faible de ma nature. Ce roman inévitable, c'est, pour moi, cette jeune religieuse qui languit au pied de l'autel, comme une fleur des tropiques loin des rayons du soleil. Je la vois souvent dans mes songes ; je me surprends plus souvent encore à rêver d'elle tout éveillé. Je ne puis dire que je l'aime, mais je me plais à bâtir sur ce souvenir caressé mille châteaux en Espagne, sur lesquels je souffle immédiatement. Il est sûr qu'elle ne sait pas même mon nom ; je ne l'ai jamais revue depuis, je ne lui ai jamais parlé, je ne la reverrai jamais ; ce n'est qu'un fantôme dans ma vie. Je vivrais mille ans, que ce fantôme y tiendrait toujours sa place, rien ne l'en effacera.

Nous avions commencé par être très-gais ; la mélancolie nous gagna peu à peu, madame la comtesse du Nord surtout : elle est si facile à impressionner ! Le prince de Ligne n'était point accoutumé à un effet semblable, il en revint bien vite et nous en fit revenir. C'était un véritable magicien de la parole et du regard. Il maniait les esprits à sa fantaisie.

— Monsieur, lui demanda le comte du Nord en riant, car nous n'étions déjà plus tristes, la comtesse Charlotte vous avait-elle reconnu sous vos coiffes ?

— La petite masque en était bien capable, monseigneur, mais elle n'en fit pas semblant et ne m'en a point parlé depuis. Elle écrivit seulement une lettre où elle dit ces mots à sa mère : « Je sais bien quelque chose sur M. le prince de Ligne, mais si vous le permettez, chère maman, je ne le raconterai ni à vous ni à personne. »

— C'était une fille d'esprit.

— Je vous en réponds, madame, et depuis ce temps-là cela n'a fait que croître et embellir.

J'écrivis, en rentrant, toute cette conversation. Madame la grande-duchesse en fit autant, elle l'avait fort intéressée.

9 juillet. — Nous allâmes le matin chez l'archiduchesse ; Leurs Altesses impériales et royales montèrent ensemble dans un *dreckcheid*[172], après avoir visité le port, et nous entrâmes dans le canal de Bruges pour aller coucher à Gand. Nous dînâmes dans la barque, et nous traversâmes ainsi toute la ville de Bruges, ce qui fut charmant. C'est une manière délicieuse de voyager. La conversation fut très-amusante pendant la route. L'archiduchesse Christine nous fit à tous cent questions sur sa sœur chérie ; madame la grande-duchesse lui parla de la tasse qu'elle en avait reçue et lui promit de la lui montrer.

— Si cela ne vous est pas désagréable, madame, je demanderai à la reine de m'en envoyer une semblable, ou à peu près, puisque le modèle a été brisé. Rien ne saurait me faire plus de plaisir.

Madame la comtesse du Nord répondit comme elle le devait, et nous arrivâmes ainsi, sans presque nous en apercevoir, jusqu'à Gand, dont nous ne vîmes rien du tout ce soir-là que la salle de spectacle. On joua la *Clochette*, assez mal. Ces troupes de province semblent bien pauvres lorsqu'on a les souvenirs de Paris.

10 juillet. — Nous courûmes la ville de bon matin, avec madame la gouvernante, mais sans cérémonie, Son Altesse impériale gardant l'incognito pour éviter les embarras d'étiquette et de préséance. Je n'y vis rien de bien remarquable. Les vieilles villes de Flandre se ressemblent toutes beaucoup. Elles portent la marque de la domination espagnole, et les bâtiments ont parfois une tournure mauresque très-étrange dans ces climats du Nord.

Nous dînâmes à Gand, toujours avec l'archiduchesse, qui refusa tous les honneurs. Nous allâmes enfin coucher à Bruxelles, où nous trouvâmes une cour, une ville commode et belle, des ressources de tous genres, quelque chose qui rappelait Paris, quoique de loin pourtant. À peine débottés, on nous fit aller au théâtre, dans la loge de l'archiduchesse. On donna *Félix* et les *Sabots perdus*. On se retira enfin. La princesse ne prit pas le temps de souper ; je me mourais de faim, le grand-duc aussi, nous soupâmes donc nonobstant la fatigue. [On nous servit de délicieuses petites huîtres grasses et savoureuses et qu'on ne trouve, paraît-il, que dans la région d'Ostende.] Le comte du Nord fut très-aimable à ce souper. Je ne sais comment on parla de pressentiments, de rêves, de présages ; chacun raconta son histoire, et l'appuya des meilleures preuves possibles. Le grand-duc ne disait plus un mot.

— Et vous, monseigneur, lui demanda le prince de Ligne, qui nous avait précédés à Bruxelles et que nous retrouvions ; est-ce que vous n'avez rien à nous répondre ? La Russie est-elle exempte du merveilleux ? Les sorciers et les diables vous ont-ils épargnés dans leurs *maléfices*, ainsi que disaient les anciens ?

Le grand-duc secoua la tête.

— Kourakin sait bien, répliqua-t-il, que j'aurais à raconter, si je le voulais, tout comme les autres. Mais je tâche d'écarter les idées de ce genre, elles ne m'ont que trop tourmenté autrefois.

Personne ne répondit. Le prince regarda son ami, et reprit avec un accent de tristesse :

— N'est-ce pas, Kourakin, qu'il m'est arrivé quelque chose d'étrange ?

— De si étrange, monseigneur, que malgré le respect que je dois à vos paroles, je n'ai pu regarder ce fait que comme un jeu de votre imagination.

— C'était vrai, très-vrai ; et si madame d'Oberkirch veut me promettre de n'en jamais parler à ma femme, je vais vous la raconter. Je vous prie également, messieurs, de me garder ce secret *diplomatique*, ajouta-t-il en souriant, car il ne me plairait pas de voir courir dans toute l'Europe une histoire de revenant racontée par moi et sur moi.

Chacun donna sa parole ; quant à moi, je l'ai fidèlement tenue et je n'y manquerai point. Ces mémoires, s'ils paraissent, ne verront le jour qu'à une époque où la postérité, déjà commencée, ne s'inquiétera guère de si peu de chose.

— J'étais, un soir, ou plutôt une nuit, dans les rues de Saint-Pétersbourg, avec Kourakin et deux valets. Nous étions restés chez moi longtemps à causer et à fumer, et l'idée nous vint de sortir du palais, incognito, pour voir la ville au clair de lune. Il ne faisait point froid, les jours se rallongeaient ; c'était un de ces moments les plus doux de notre printemps, si pâle en comparaison de ceux du Midi. Nous étions gais ; nous ne pensions à rien de religieux, ni de sérieux même, et Kourakin me débitait mille plaisanteries sur les passants très-rares que nous rencontrions. Je marchais devant, un de nos gens me précédait néanmoins, Kourakin restait de quelques pas en arrière, et l'autre domestique nous suivait un peu plus loin. La lune était claire ; on aurait pu lire une lettre ; aussi les ombres, par opposition, étaient longues et épaisses. Au détour d'une rue, dans l'enfoncement d'une porte, j'aperçus un homme grand et maigre, enveloppé d'un manteau, comme un Espagnol, avec un chapeau militaire très-rabattu sur ses yeux. Il paraissait attendre, et, dès que nous passâmes devant lui, il sortit de sa retraite et se mit à ma gauche, sans dire un mot, sans faire un geste. Il était impossible de distinguer ses traits ; seulement, ses pas en heurtant les dalles rendaient un son étrange, semblable à celui d'une pierre qui en frappe une autre. Je fus d'abord étonné de cette rencontre ; puis, il me parut que tout le côté qu'il touchait presque se refroidissait peu à peu. Je sentis un frisson glacial pénétrer mes membres, et me retournant vers Kourakin, je lui dis :

— Voilà un singulier compagnon que nous avons là.

— Quel compagnon ? me demanda-t-il.

— Mais celui qui marche à ma gauche, et qui fait assez de bruit ce me semble.

Kourakin ouvrait des yeux étonnés, et m'assura qu'à ma gauche il ne voyait personne.

— Comment ! tu ne vois pas à ma gauche un homme en manteau, qui est là entre le mur et moi ?

— Votre Altesse touche le mur elle-même, et il n'y a de place pour personne entre le mur et vous.

J'allongeai un peu le bras ; en effet, je sentis de la pierre. Cependant l'homme était là, toujours marchant de ce même pas de marteau qui se réglait sur le mien. Je l'examinai attentivement alors, et je vis briller sous ce chapeau d'une forme singulière, je l'ai dit, l'œil le plus étincelant que j'aie rencontré avant ou depuis. Cet œil me regardait, me fascinait ; je ne pouvais pas en fuir le rayon.

— Ah ! dis-je à Kourakin, je ne sais ce que j'éprouve, mais c'est étrange !

Je tremblais non de peur, mais de froid. Je me sentais peu à peu gagner jusqu'au cœur par une impression que rien ne peut rendre. Mon sang se figeait dans mes veines. Tout à coup, une voix creuse et mélancolique sortit de ce manteau qui cachait sa bouche et m'appela par mon nom :

— Paul !

Je répondis machinalement poussé par je ne sais quelle puissance.

— Que veux-tu ?

— Paul, répéta-t-il.

Et cette fois, l'accent était affectueux et plus triste encore. Je ne répliquai rien, j'attendis, il m'appela de nouveau, et ensuite il s'arrêta tout court. Je fus contraint d'en faire autant.

— Paul, pauvre Paul, pauvre prince !

Je me retournai vers Kourakin qui s'était arrêté aussi.

— Entends-tu ? lui dis-je.

— Rien absolument, monseigneur, et vous ?

Quant à moi, j'entendais ; la plainte résonnait encore à mon oreille. Je fis un effort immense, et je demandai à cet être mystérieux qui il était et ce qu'il me voulait.

— Pauvre Paul ! qui je suis ! Je suis celui qui s'intéresse à toi. Ce que je veux ? je veux que tu ne t'attaches pas trop à ce monde, car tu n'y resteras pas longtemps. Vis en juste, si tu désires mourir en paix et ne méprise pas le remords, c'est le supplice le plus poignant des grandes âmes.

Il reprit son chemin en me regardant toujours de cet œil qui semblait se détacher de sa tête, et de même que j'avais été forcé de m'arrêter comme lui, je fus forcé de marcher comme lui. Il ne me parla plus et je ne me sentis plus le désir de lui adresser la parole. Je le suivais, car c'était lui qui dirigeait la marche, et cette course dura plus d'une heure encore, en silence, sans que je puisse dire par où j'ai passé. Kourakin et les laquais n'en revenaient point. Regardez-le sourire, il croit encore que j'ai rêvé tout cela.

Enfin, nous approchâmes de la Grande-Place, entre le pont de la Néva et le palais des Sénateurs.

L'homme alla droit vers un endroit de cette place, où je le suivis, bien entendu, et là il s'arrêta encore.

— Paul, adieu, tu me reverras ici et ailleurs encore.

Puis, comme s'il l'eût touché, son chapeau se souleva légèrement tout seul ; je distinguai alors très-facilement son visage. Je reculai malgré moi ; c'était l'œil d'aigle, c'était le front basané, le sourire sévère de mon aïeul Pierre le Grand. Avant que je fusse revenu de ma surprise, de ma terreur, il avait disparu.

C'est à cette même place que l'impératrice élève le monument célèbre qui va bientôt faire l'admiration de toute l'Europe, et qui représente le czar Pierre à cheval[173]. Un immense bloc de granit, un rocher, est à la base de cette statue. Ce n'est pas moi qui ai désigné à ma mère cet endroit choisi, ou plutôt deviné d'avance par le fantôme, et j'avoue qu'en y retrouvant cette statue, je ne sais quel sentiment s'empara de moi. *J'ai peur d'avoir peur*, malgré le prince Kourakin qui veut me persuader que j'ai rêvé tout éveillé, en me promenant dans les rues. Je me souviens du moindre détail de cette vision, car c'en était une, je persiste à le soutenir. Il me semble que j'y suis encore. Je revins au palais, brisé comme si j'avais fait une longue route et littéralement gelé du côté gauche. Il me fallut plusieurs heures pour me réchauffer dans un lit brûlant et sous des couvertures.

J'espère que mon histoire est complète et que vous ne m'accuserez pas de vous l'avoir fait attendre sans mérite.

— Savez-vous ce qu'elle prouve, monseigneur ? poursuivit le prince de Ligne.

— Elle prouve que je mourrai jeune, monsieur.

— Pardon de n'être point de cet avis-là. Elle prouve incontestablement deux choses : la première, c'est qu'il ne faut pas se promener seul la nuit, lorsqu'on a envie de dormir ; et la seconde, qu'il ne faut point se frotter aux murailles à peine dégelées, sous un climat tel que le vôtre, monseigneur. Je ne sache pas d'autre morale à en déduire que celle-là ; car, pour votre illustre aïeul, il n'existait, pardonnez-moi de vous le dire, que dans votre imagination. Je gage que votre habit était tout souillé de la poussière des murs du côté gauche. N'est-il pas vrai, monsieur ?

Et il se retourna vers le prince Kourakin.

Cette histoire ne nous en fit pas moins une très-vive impression, et il est facile de le comprendre. Peu de personnes la connaissent, le grand-duc n'aimait pas à la raconter. Madame la grande-duchesse ne l'a jamais sue et ne la sait point encore ; son esprit s'en serait frappé. J'écrivis cette soirée, ainsi que j'avais l'habitude de le faire pour les choses intéressantes ; autrement je ne prenais souvent que des notes.

11 juillet. — L'archiduchesse et le duc vinrent nous prendre de fort bonne heure et nous menèrent courir la ville. Nous vîmes les manufactures de dentelles, la cathédrale, c'est-à-dire la collégiale et ensuite les béguinages. Je ne puis m'empêcher de parler avec un peu de détails de ces singulières congrégations qui n'existent qu'en Flandre. Ce sont des espèces de grands monastères, où se rassemblent les filles dévotes qui ne se marient pas. Elles vivent en communauté sans aucun engagement. Celles qui peuvent travailler habitent une maison achetée par une béguine riche, qui est obligée de les loger gratuitement. Celles qui sont infirmes restent ensemble, sous la domination d'une supérieure, dans un grand logis qui a la forme d'un couvent. On les y nourrit et on les occupe selon leurs talents et leurs forces. Ces saintes filles doivent leur institution et leur nom même à un prêtre nommé Lebègue, qui, réunissant quelques pieuses personnes, leur inspira ainsi le désir de vivre dans la continence pour une plus grande perfection. Cela date du douzième siècle. Il y a des béguinages partout en Flandre, mais ceux de Gand sont les plus célèbres. Ces espèces de nonnes portent sur la tête un béguin particulier ; certaines gens croient que cette coiffure est l'origine de leur nom. N'est-ce pas plutôt de la congrégation que vient le nom de la coiffure ? Cette visite nous intéressa fort. Nous causâmes avec quelques-unes de ces recluses ; elles nous parurent dans un état de quiétude et de placidité à faire envie. Rien du monde ne les occupe ; elles ne songent qu'à l'autre vie, et les chagrins de celle-ci ne sauraient les atteindre. Ces retraites manquent, je l'avoue, à notre foi protes-

tante. Aussi avons-nous plus de mérite, puisqu'il nous est interdit de quitter le champ de bataille, où nous devons combattre nos passions et le malheur, jusqu'à ce que Dieu nous rappelle.

Nous dînions à la cour, et nous rentrâmes pour nous habiller. Il fallut faire une grande toilette. Madame la comtesse du Nord était magnifique ; elle produisit la plus grande sensation. Elle essaya, ce jour-là, un nouvel habit envoyé de Paris par mademoiselle Bertin. Ce n'étaient que dentelles d'or sur un fond de brocart, à grandes fleurs de velours, on eût dit un vêtement de fée. La seule garniture de fleurs était un chef-d'œuvre.

Le palais est beau et vaste ; il date de plusieurs siè-cles. La cour de l'archiduchesse est fort bien montée, convenablement, sans faste extraordinaire. Il est impos-sible d'être plus gracieuse, plus prévenante, plus agréa-ble que cette princesse ; elle a un charmant visage, ressemblant à celui de la reine, quoiqu'elle soit moins régulièrement belle que Sa Majesté pourtant, de taille surtout. Elle mit, ce jour-là, ses perles si connues et si estimées. Ce sont assurément les plus belles de l'Eu-rope. Je ne puis dire combien cette parure lui était séante. Les perles vont certainement mieux à la peau et au teint que les diamants ; aussi les dames du temps de Louis XIV, si savantes dans l'art de la toilette, ne portaient que cela. Voyez tous les portraits de Mignard. Une des perles de l'archiduchesse, une de ses poires les plus belles, était malade et en traitement. Madame la comtesse du Nord lui donna un remède envoyé à l'im-pératrice par le schah de Perse. Je ne me souviens plus en quoi il consistait ; je me rappelle seulement que la première prescription était de porter *la malade* sur soi nuit et jour, afin de lui rendre de la vie. On prétend que les perles vivent ; si cela est, quelles sont leurs sensa-tions ? Je disais, un jour, à madame de Genlis, que je rencontrai chez madame la duchesse de Bourbon, qu'on ferait un joli roman de l'*Histoire d'une perle*. Elle me répondit qu'elle s'en occuperait. Je ne sais si elle l'a fait réellement.

Le duc, mari de l'archiduchesse, est aussi un prince d'une bonté et d'une affabilité tout à fait remarquables.

Après dîner, on alla se promener en voiture au Cours, qui est une belle avenue. Il y avait beaucoup de monde, et Leurs Altesses impériales furent admirablement reçues. L'archiduchesse s'en montra enchantée. Les équipages étaient magnifiques ; les ambassadeurs y étaient en gala, presque comme à une entrée. C'était une galanterie à l'adresse de madame la comtesse du Nord. Après le Cours, je fis une visite à la princesse de Stahremberg, et de là nous rendîmes à la Monnaie, où l'on frappa des médailles au coin de M. le comte et de madame la comtesse du Nord, qu'on distribua, ce qui fit une surprise charmante. J'ai gardé ma médaille ; elle représente d'un côté M. le comte et madame la comtesse du Nord en profils superposés. Pour exergue leurs noms. De l'autre côté, sont les attributs de la science, des arts, de la paix et de la guerre, avec ces mots au bas : *Bruxelles, mense Jul. MDC-CLXXXII.*

Le soir, il y eut bal paré à la cour. La réunion était des plus brillantes : beaucoup de femmes de différents pays, des seigneurs, des officiers étrangers, des savants en voyage ; toutes les ambassadrices et leur suite, de belles toilettes, de belles femmes, parmi lesquelles madame la grande-duchesse prima comme à l'ordinaire. On soupa sur de petites tables, comme à Trianon et à Chantilly. C'est infiniment plus gai et plus commode.

12 juillet. — Nous allâmes dans la matinée, toujours avec l'archiduchesse, voir le sellier Simon et les belles voitures qu'il fait pour tous les souverains de l'Europe. C'est lui qui a la vogue en ce moment. Il nous montra celle qu'il termine pour l'archiduchesse. Elle est dorée, sculptée admirablement avec des panneaux de vernis

Martin. L'archiduchesse nous dit que ces panneaux si rares aujourd'hui venaient de Vienne, où il y a au moins douze carrosses de ce genre, les plus beaux du monde peut-être.

À la bibliothèque, où nous allâmes ensuite, il y eut une espèce de concours pour les ouvrages d'agriculture. On distribua des jetons, après avoir entendu des fragments de ces ouvrages. Ce n'était pas fort amusant. Je ne suis point savante en ces matières et j'aime assez les choses toutes venues.

Il fallut s'habiller au galop pour aller dîner en gala à la cour. Ce fut d'une cérémonie assommante, qui ôta toute envie de manger. Il me sembla que ces bonnes choses étaient en sucre ou en carton, et nous changés en pierres. Le gala fini, on revint se déshabiller, se mettre plus simplement, et l'on se rendit à la comédie où l'on joua l'*Infante* et les *Sabots perdus*. Je n'en écoutai pas un mot, je causai tout ce temps à voix basse dans le fond de la loge avec le prince de Ligne et M. de La Fermière. [La comtesse du Nord m'avoua qu'elle aurait bien aimé changer de place avec moi, ce que je crois volontiers.] Après un tour au Vauxhall, nous rentrâmes souper à l'auberge. C'est là ce qui s'appelle une vie pleine de riens.

Le prince de Galitzin, ministre de Russie à La Haye, et M. Markoff, secrétaire de la légation, vinrent à Bruxelles prendre les ordres de Leurs Altesses impériales et s'en retournèrent le même jour. Ils ne firent que toucher barres. J'ai revu plus tard ce M. Arcadius Markoff à Paris, où il a été envoyé par sa cour. Il est, dit-on, le fils d'un paysan russe, ce qui ne l'empêche pas, à ce que je crois, de cacher beaucoup de ruse sous une apparence de rudesse et de distraction. Il s'est fort lié, à Paris, avec madame Hus, actrice, avec laquelle il vit publiquement, ce qu'on trouve assez scandaleux. Il est aussi joueur que libertin.

13 juillet. — Nous allâmes à Malines, et toujours avec

l'archiduchesse ; madame la grande-duchesse y acheta de belles dentelles et de ces belles tentures en cuir doré qu'on y fabrique et qu'on nomme cuir d'Espagne.

Le duc et l'archiduchesse accompagnèrent encore Leurs Altesses impériales jusqu'à Anvers, la dernière des villes de leur gouvernement. Ils nous menèrent tous dîner au couvent de Saint-Michel, où nous fûmes reçus sans distinction de croyance. Il y a, à Anvers, quantité de beaux tableaux tant dans les maisons particulières que dans les églises : c'est un goût dominant dans ce pays. Celui de la *Descente de croix*, de Rubens, nous retint plus d'une heure à l'examiner. Mon Dieu, que c'est beau ! Nous vîmes, ce jour-là, autant de tableaux qu'il en tiendrait dans une galerie. La chaire de la cathédrale est aussi un superbe morceau. Elle représente tous les animaux de l'arche, sculptés en bois d'une manière admirable. On nous conduisit à l'embouchure de l'Escaut ; c'est imposant et majestueux, bien qu'on ne voie pas la pleine mer. Nous rentrâmes à l'auberge, et nous prîmes congé du duc et de l'archiduchesse. Ils avaient été charmants pour M. le comte et madame la comtesse du Nord, les ayant prévenus en toutes choses et comblés de tous les soins possibles. Nous allions entrer en Hollande où des honneurs nouveaux attendaient les illustres voyageurs. [Pour ma part, je commençais à être vraiment fatiguée de cette situation et de ces cérémonies ; je soupirais après le calme de mon foyer et les caresses de ma fille. En vérité, je plains les princes.]

## CHAPITRE XVIII

Il est inutile de dire que le comte et la comtesse du Nord furent admirablement reçus, ainsi que les per-

sonnes de leur suite ; que partout où ils se firent voir,
la foule se porta sur leur passage. Dans les auberges
où ils couchèrent, les rues d'alentour étaient toujours si
pleines de monde, qu'on entendait sans cesse, et toute
la nuit, un bourdonnement semblable à celui d'une
ruche d'abeilles. Comme ils voyageaient incognito, ils
ne reçurent d'autres honneurs que ceux qui pouvaient
leur faciliter la vue des objets dignes de leur attention.

Ils voyageaient depuis quelques jours en trois colonnes, à cause de la grande quantité de chevaux qu'il leur
fallait. Dans la première où ils se trouvaient, j'étais la
seule femme ; et en hommes, le prince Kourakin, ami
du comte du Nord[174], le colonel de Benckendorf, qui était
chargé de la dépense, M. de Krusse, médecin, et M. de
La Fermière, secrétaire des commandements de M. le
comte du Nord. Le prince Alexandre Kourakin est attaché depuis l'enfance à la personne du grand-duc, on le
sait. Il l'a accompagné dans un voyage en Prusse et
dans celui-ci. C'est un homme de mérite, mais sérieux.
Le grand-duc l'aime tendrement et ne lui cache rien.
[« Je l'aime, disait-il parfois à la grande-duchesse,
comme vous madame d'Oberkirch. »] Le prince Kourakin avait pour lui un dévouement absolu : en voici la
preuve.

Quoique l'impératrice Catherine II se fît expédier
chaque jour un courrier pour se faire rendre compte
de ce qui regardait le grand-duc et la grande-duchesse,
elle ne se souciait pas que de leur côté ils fussent très-
instruits de ce qui se passait en Russie, et des ordres
sévères avaient été donnés à ce sujet. Cependant le
prince Kourakin cherchait naturellement à ne pas rester étranger à ce qui devait intéresser le comte du Nord,
et il entretenait une correspondance avec un aide de
camp de l'impératrice nommé Bibikoff. Malheureusement ses lettres furent interceptées, ce qui fut très-
contrariant et pour le prince Kourakin et même pour
M. le comte du Nord, quoique Catherine se fût bornée

à faire tomber son mécontentement sur son aide de camp, qu'elle exila à Astracan.

Les Kourakin descendent de Boris Kourakin, beau-frère de Pierre le Grand.

M. de La Fermière, secrétaire des commandements de M. le comte du Nord, était gros et gras, bien qu'il eût beaucoup d'esprit. Il m'avait prise en grande admiration, et la comtesse du Nord me plaisantait souvent sur cette passion qu'elle faisait semblant de lui supposer et qu'un profond respect l'empêchait seul, disait-elle, de manifester. Elle revenait souvent sur cette plaisanterie et l'appelait mon *chaste amant*. La vérité est que je causais volontiers avec lui, quand l'occasion s'en présentait. C'était le meilleur homme du monde et tout à fait sans conséquence. Le grand-duc et la grande-duchesse étaient très-gais en voyage. Ils faisaient chacun un journal le matin, on les lisait quelquefois tout haut, car ils y mettaient mille folies.

Ils avaient une bonne voiture de voyage à deux, avec toutes les commodités possibles, et lorsqu'ils voulaient rester seuls, ils s'y mettaient. M. de Benckendorf, M. de La Fermière et la Schneider venaient dans la mienne, M. de La Fermière, ainsi que je l'ai dit, était un homme d'esprit, de connaissances, et par conséquent de beaucoup de ressources dans la conversation. C'était une bibliothèque vivante. Il connaissait jusqu'au dernier village et toute son histoire ; M. le comte du Nord l'interrogeait souvent.

13 juillet. — Nous partîmes dans la nuit et arrivâmes le lendemain à Mordeck, petit village à l'embouchure de la Meuse. Nos voitures furent envoyées par terre jusqu'à Utrecht, où nous devions les retrouver, l'intention de Leurs Altesses impériales étant de traverser par eau la Hollande. Nous nous embarquâmes à Mordeck, avec tous nos équipages, sur quatre yachts que le stathouder et les États généraux avaient envoyés au-devant des illustres voyageurs pour les conduire par

eau jusqu'à Rotterdam. Comme il fallait traverser un bras de mer pour entrer dans la Meuse, nous eûmes quelques coups de gros vent qui nous empêchèrent de faire lever l'ancre, et qui nous donnèrent à presque tous des maux de cœur abominables. M. de La Fermière était dans un état affreux, et madame la grande-duchesse m'assura d'un air très-sérieux, au milieu de ses souffrances, qu'en ce moment je n'avais point à redouter les importunités de sa passion. Lorsque nous fûmes rétablis de ce sot mal, nous avons bien ri de nos figures à tous les trois pendant nos douleurs.

Les yachts étaient fournis de toutes les choses néces-saires et désirables pour la table et pour le reste ; on ne peut pas exercer plus royalement l'hospitalité. Nous fûmes servis par les gens du stathouder, cuisiniers, maîtres d'hôtel et autres. Le soir du 14, nous partîmes et nous entrâmes dans la Meuse, qui est bordée à droite et à gauche de villes, villages, campagnes et beaux jar-dins. C'est délicieux. La soirée fut adorable ; on causa fort sur ce yacht, et nous regrettâmes bien le prince de Ligne. Ce pays de Hollande a un caractère particulier. Les Hollandais n'ont pas l'air d'être du même sang que nous. Il y a sur toutes ces bonnes figures plates, un calme, une absence de passions, une tranquillité que rien ne peut rendre. [« Ce n'est pas du sang, disait M. de La Fermière, mais du lait qui coule dans les vei-nes de ces femmes ; elles ressemblent à un pot de leur bonne crème bien blanche, dans un récipient brillant et bien frotté... »] Le ministre de Russie à La Haye, le prince Galitzin, vint au-devant de Leurs Altesses impé-riales et passa avec elles tout le temps de leur séjour en Hollande. Il causait peu, soit timidité, soit respect, et ne contribua guère à l'agrément de notre voyage. Nous eûmes le vent favorable toute la journée ; nous passâ-mes Gorcum et Dordrecht, et jetâmes l'ancre, après avoir doublé le cap, à minuit. Je restai encore long-temps dehors, tant la nuit était belle, et j'eus beaucoup de peine à me coucher. Le calme universel était vraiment sublime en ce moment et élevait l'âme vers le ciel. On n'entendait que le clapotement de l'eau contre les barques et le chant des petites raines faisant rage sur les buissons voisins. De temps en temps, à travers le silence, une horloge éloignée sonnait l'heure, ou l'aboiement lointain d'un chien près d'une ferme annonçait seul que cette belle campagne n'était pas déserte. Mon Dieu ! que je me suis souvent rappelé ces heures-là ! La lune était d'un éclat de diamant, et faisait briller jusqu'au moindre brin d'herbe. Je m'arrachai enfin à cette contemplation pour rejoindre mon lit, où les plus beaux rêves m'auraient à peine dédommagée de la réalité.

15 juillet. — À huit heures du matin on leva l'ancre ; nous allions contre le vent et la marée, de sorte qu'il fallut louvoyer, ce qui nous retarda et nous fit arriver à Rotterdam à midi. L'entrée de cette ville, de ce côté, forme un coup d'œil superbe. Nous trouvâmes, au sortir du yacht, le prince et la princesse d'Orange qui venaient recevoir leurs hôtes. Ils nous emmenèrent en voiture ; on fit un tour dans la ville, qui est d'une originalité charmante avec ses canaux et ses arbres. Les promenades hors de la ville sont entourées de maisons garnies de feuillages et de fleurs et ornées de statues et de vases dorés. Après cette promenade nous retournâmes en dreekscheid, et nous y dinâmes chemin faisant pour aller à La Haye. C'est une façon de voyager bien moins fatigante et bien plus intéressante qu'en carrosse. On voit mieux le pays le long de ces canaux.

Nous passâmes en face de Ryswick, célèbre par le traité qui y fut signé sous Louis XIV entre ce grand monarque et les puissances belligérantes. Nous nous arrêtâmes à Delft, jolie petite ville, où on nous apporta des corbeilles de fleurs ; malheureusement le temps des tulipes était passé. Nous vîmes un *fou-tulipier*, qui a pour plusieurs centaines de mille livres de caïeux et d'oignons. Toutes les églises de Hollande sont nues, excepté les orgues, ce qui est triste même pour nos yeux protestants, lorsqu'on a vu les basiliques du culte romain, si ornées d'habitude et si majestueuses. Ce que l'on voit en profusion en ce pays, ce sont des chinoiseries, porcelaines de toutes sortes, laques, magots et tout ce qui s'ensuit.

Nous arrivâmes à La Haye sur les sept heures du soir. Le prince et la princesse d'Orange vinrent nous prendre pour aller à la *Maison des bois*, où ils passent tout l'été, et qui est à une petite distance de La Haye. On donna un concert magnifique ; tout le corps diplomatique s'y trouva. Nous avions fort envie de dormir ; aussi, dès que nous pûmes nous échapper, nous nous hâtâmes de retourner à la ville, à notre auberge du *Maréchal de Turenne*, où nous dormîmes, je crois, douze heures.

[M. de La Fermière prétendait que la conversation et les discours des Hollandais avaient un effet soporifique. C'est un fait qu'écouter pendant trois heures des harangues et des compliments en vers nous fatiguait plus que trois journées de courses ininterrompues dans Paris. Il faut dire que ce genre de poésie est généralement bien difficile à digérer.]

16 juillet. — À onze heures du matin, le prince et la princesse d'Orange vinrent nous prendre pour aller voir le magnifique cabinet d'histoire naturelle du stathouder qui est en ville, au château. C'est un des plus complets qui existent. Il n'a la manie ni des tulipes, ni des tableaux, ni des Chinois ; mais comme il faut toujours qu'un Hollandais en ait une, c'est celle des bêtes empaillées que le bon Dieu lui a donnée.

On revint après, s'habiller pour un grand gala à la cour. Ce dîner fut encore plus ennuyeux que tous les dîners de cérémonie subis depuis notre départ de Paris.

À propos du nom d'Orange, n'est-il pas singulier de voir ce nom français porté par un stathouder de Hollande ? Voici d'où cela vient.

La principauté d'Orange, enclose entre le comté Venaissin et le Rhône, qui la sépare du Languedoc, cédée à la France par le traité d'Utrecht, eut d'abord pour souverain Guillaume *au court nez*, qui vivait du temps de Charlemagne, surnommé ainsi parce qu'il avait eu le bout du nez emporté d'un coup d'épée. Sa postérité lui succéda jusqu'en 1173, où Raimbaud III ayant donné ses biens à Tiburge, sa sœur, deuxième femme de Bertrand de Baux, cette principauté passa dans cette maison de Baux.

Elle passa ensuite, en 1386, dans la maison de Challon par le mariage de Marie de Baux, seule et dernière héritière de cette maison, avec Jean de Challon, sire d'Arlay.

Cette troisième race s'éteignit à son tour dans les mâles, en 1530, par la mort de Philibert de Challon, tué au siège de Florence, dont hérita René de Nassau, son neveu, fils de Claude de Challon et de Henri, comte de Nassau, à la condition de porter le nom et les armes d'Orange.

Ce prince, mort sans enfants, en 1544, avait institué pour son héritier son cousin germain, Guillaume Ier, dit le Taciturne, stathouder, capitaine et amiral général des Provinces-Unies.

Il paraît que le stathouder Guillaume V est sujet à s'endormir pendant le repas. Il faisait des efforts visibles pour lutter contre cette habitude, et il y parvint. On raconte qu'un jour il s'endormit dans l'assemblée des États, ce qui produisit un fort mauvais effet. Mais ce prince, qui est d'une santé très-délicate, veut faire comme le roi de Prusse, dont il a épousé la nièce ; il se lève à quatre heures du matin pour travailler. Il a hérité de la grandeur d'âme de son père ; son caractère est franc, véridique, doux et sensible. Sa mémoire est surprenante et son esprit un peu railleur. Il aime les troupes, et il en est aimé ; il a profité des leçons du duc de Brunswick, son oncle, et passe pour un très-bon militaire. Mais, par cette raison, il est peu aimé des Hollandais, peuple mercantile qui a une horreur secrète pour le pouvoir du sabre.

Quant à la princesse d'Orange, c'est la princesse la plus vertueuse, la plus éclairée, la plus accomplie ; le courage qu'elle a montré depuis, il y a deux ans, en 1787, à cette triste époque d'anarchie et de *désunion* des Provinces-*Unies*, a fait éclater dans tout leur jour ses hautes qualités. Elle est aussi grande que madame la comtesse du Nord, et on disait qu'elle ressemblait beaucoup au prince Frédéric-Guillaume de Prusse, son frère, neveu du grand Frédéric et depuis roi de Prusse.

À peine sortis de table, on remonta en voiture pour aller voir *tout le reste*, comme disait madame la comtesse du Nord. De là, nous entrâmes au spectacle. Après la comédie, on se remit en lévite, pour retourner à la Maison des bois où l'on avait arrangé une fête. Tout le bois était magnifiquement illuminé ; de distance en distance se trouvaient des boutiques, où l'on vendait gratis, en imitation des fêtes de Louis XIV. Plusieurs grandes tables très-bien servies attendaient les convives. Celle où nous mangeâmes fut dans un pavillon nouvellement construit, éclairé comme un palais de fée et meublé dans un goût nullement hollandais.

On termina la soirée par un bal où dansèrent quantité de femmes fort belles, quoiqu'un peu lourdes et un peu grasses. Nous avons vu à Paris un charmant échantillon de la beauté hollandaise dans madame de Niewerkerke, d'abord connue sous le nom de madame Pater. Elle fit révolution à la fin du règne de Louis XV, et vit tous les hommes de Paris à ses pieds. Elle faillit épouser le prince de Lambesc, de la maison de Lorraine, rien de moins, et finit par choisir M. de Champcenetz. On assure qu'elle avait été en secret aimée de Louis XV, pendant les dernières années, et qu'elle balança un instant l'influence de madame Dubarry. Mais c'était bien la beauté la moins hollandaise possible ; de petites mains, de petits pieds, une physionomie piquante avec de beaux traits. [Elle ne ressemblait pas du tout à un pot de crème.

La Haye est une ville magnifique, très régulièrement bâtie. La propreté hollandaise dépasse tout ce qu'on a pu en dire. Chaque objet, même le plus humble ustensile, sort brillant de la main des ménagères. C'est très agréable à l'œil. Mais ce pays me fait un effet terriblement ennuyeux : je ne pourrais y vivre. Je crois que ces Hollandais ne rient jamais, sauf après avoir bu cinq ou six pots de bière et alors, quelle gaieté ! Je préfère encore leur humeur flegmatique.]

L'envoyé de France à La Haye était le duc de La Vauguyon, depuis ambassadeur, dont la mère était une Breteuil. Madame la duchesse ne paraissait pas à la cour pour dispute de rang ; ce sont des choses sur lesquelles les envoyés du roi ne cèdent guère à l'étranger, et ils ont parfaitement raison. Cela doit être ainsi, et cela a toujours été. Madame de La Vauguyon est mademoiselle de Pons de Rochefort ; elle était dame d'honneur de Madame, et avait ses grandes entrées chez le roi à Versailles. Je ne sais plus sur quelle étiquette la cour du stathouder ne voulait point céder ; ce qu'il y a de sûr, c'est qu'elle ne céda pas non plus.

La position du duc de La Vauguyon était, du reste, assez difficile. Comme le stathouder a toujours été plus attaché aux intérêts de l'Angleterre qu'à ceux de la France, les ambassadeurs de France ne témoignaient depuis plusieurs années au prince d'Orange que les égards commandés par leur position. Le duc de La Vauguyon marchait sur leurs traces et flattait, au contraire, les membres de la régence opposés à Son Altesse. Il était facile de voir que la France méditait l'abaissement de la maison d'Orange, et les événements qui ont eu lieu depuis ont confirmé cette observation.

17 juillet. — Nous partîmes en voiture pour Amsterdam, où tous les gens allèrent par eau. Nous nous

arrêtâmes une heure à la Maison des bois, pour prendre congé du prince et de la princesse d'Orange ; madame la comtesse du Nord tenait à les remercier de leurs attentions.

Le prince Galitzin y fut avec eux en voiture, ainsi que moi. Nous dînâmes à Leyde où se trouve la célèbre université. Nous remarquâmes de superbes promenades où personne ne va. Les Hollandais préfèrent leurs cabarets où ils passent le temps à boire un peu de café, beaucoup de thé et énormément de bière.

Un endroit qui me charma fut Harlem. Nous y restâmes plusieurs heures pour admirer le beau jardin et voir le jardinier célèbre dans toute l'Europe. Malheureusement une grande partie des fleurs étaient passées, mais il en restait assez pour préjuger du reste. C'était un parfum enchanteur ; il nous montra mille espèces de plantes que nous ne connaissions pas, entre autres un arbuste qui produit des fleurs magnifiques, veloutées comme un beau parchemin, très-doubles, mais sans odeur. Il nous dit que cela s'appelait des roses de la Chine, et qu'on les avait apportées depuis un an seulement, avec tous les soins du monde. On en voit, en effet, de semblables sur les paravents et au coin des éventails.

Harlem est situé au bord d'un lac ; tout est vert et charmant. Il tient une grande partie de la route jusqu'à Amsterdam où nous arrivâmes le soir. L'affluence de peuple fut immense sur le passage de Leurs Altesses impériales. Elle me parut encore plus insupportable en Hollande qu'ailleurs. Je ne sais pas ce que Leurs Altesses en pensèrent. Nous fûmes parfaitement logés ; aussi madame la grande-duchesse, tentée par un bon lit, se coucha presque en arrivant. Elle était réellement fatiguée de toute cette représentation. Le grand-duc, au contraire, se prétendit frais et dispos ; il voulut absolument souper avec nous et fut d'une gaieté étourdissante.

— Eh bien ! me dit-il tout à coup, madame d'Ober-kirch, vous ne racontez pas d'histoires de revenant ce soir ?

— Mais Monseigneur les raconte beaucoup mieux que moi.

— N'est-ce pas que je vous ai bien attrapés ? Plus l'histoire était surprenante, plus il est surprenant que vous l'ayez prise au sérieux.

— Quoi ! monseigneur, elle n'est pas vraie ?

— Mais non, elle n'est pas vraie, elle n'a jamais été vraie. C'est un conte à dormir debout, que j'ai fait pour vous effrayer un peu ; vous pouvez le répéter si vous voulez.

Je compris ce que cela signifiait, mais je ne fis aucune observation. Je regardai seulement le prince avec une telle expression, sans doute, qu'il prit ma main, la baisa et me dit :

— J'ai voulu rire, baronne. Je sais, au reste, que vous ne rapporteriez pas cette histoire si elle était vraie, mais vous pourriez en plaisanter, et, avec la grande-duchesse, il ne faut pas même plaisanter de choses semblables ; vous le savez aussi bien que moi.

— Je ne parlerai de votre aventure à *personne*, puis-que monseigneur le désire.

— Mais ce n'est pas une aventure, entendez-vous, c'est une folie, un conte, une extravagance pour m'amu-ser ; n'allez pas y ajouter foi au moins.

— Je n'aurai garde.

Depuis lors, le grand-duc fit encore deux ou trois allusions à cette histoire. Évidemment, il était fâché de l'avoir racontée, et il eût désiré me persuader qu'il avait voulu rire. Je ne puis donc affirmer que ce soit une vérité positive, mais ce n'en est pas moins mon sentiment intime. Le grand-duc a eu ou cru avoir cette vision, et il rougissait souvent de cette croyance : de là ces contradictions. Pour moi le fait n'en existe pas moins.

18 juillet. — Nous sortîmes à neuf heures du matin pour aller visiter la ville, où nous vîmes quantité de beaux édifices, entre autres l'hôtel de ville et l'amirauté ; puis les chantiers, le port, la bourse, que sais-je encore ? Dans plusieurs maisons de particuliers nous trouvâmes des tableaux de grands maîtres flamands et italiens [car les Hollandais sont grands amateurs de peinture]. Pour terminer la journée nous allâmes, quoique tous rendus de fatigue, chez un marchand de porcelaine et de provenances des Indes, où Leurs Altesses impériales firent beaucoup d'emplettes. Nous fûmes accompagnés pendant toute cette journée par M. Reindeck, bourgmestre de la ville, homme de beaucoup d'esprit, très-instruit et très-aimable. Nous avions aussi le prince Galitzin et le prince Goloffkin. Quand nous rentrâmes, chacun se coucha, après avoir pris à peine le temps de souper.

19 juillet. — Ce jour fut pour Leurs Altesses impériales d'un grand intérêt. Nous allâmes à Saardam visiter les *reliques* de Pierre le Grand. Ce village est délicieux ; la propreté extraordinaire et la gaieté qui y règnent en font un séjour des plus agréables. Nous entrâmes avec respect dans la petite maison ou baraque qu'il occupait. Elle est composée d'une seule chambre avec une niche où il reste encore un peu du rideau qui entourait son lit. Nous vîmes aux chantiers la place où il travaillait pour apprendre la construction des vaisseaux et établir une marine chez lui. Le grand-duc fut très-touché de ce souvenir ; il a une profonde vénération pour son ancêtre, et il nous dit qu'il le prendrait constamment pour modèle, en ce qui touche le gouvernement bien entendu. M. Reindeck était du voyage, il nous avait fait préparer un yacht, qui nous ramena très-vite à la faveur du vent et de la marée. Nous ne fîmes que changer de bateau ; nous prîmes un dreckscheid et partîmes par les canaux pour Utrecht. Les dreckscheids sont des espèces de barques couvertes, mais très-basses pour

pouvoir passer dans les villes sous les ponts. L'intérieur
en est bien meublé et arrangé ; on n'y a d'autre désa-
grément que celui de ne pouvoir s'y tenir debout.

Nous vîmes, chemin faisant, quantité de belles campagnes, de beaux jardins ; nous descendîmes à Hun-
thun, qui est une maison appartenant à M. Fort-
Lowen : c'est un vrai bijou ; les jardins sont délicieux,
la maison très vaste ; les fleurs les plus rares sont disposées avec un goût admirable. Les plantations sont
renommées dans toute la Hollande, et l'on vient de fort
loin y chercher des *élèves*. À Martzen, milady Lockart
a aussi une habitation magnifique où elle nous reçut
très-bien. Les Lockart sont une ancienne famille écossaise. Un Lockart était ambassadeur de Cromwell en
France. M. le comte du Nord, qui est fort instruit, ne
manqua pas une fine allusion à ce personnage.

En Hollande, les villes, les villages, les maisons, les
jardins, sont généralement taillés sur le même modèle ;
qui en a vu un les a tous vus ; c'est une ressemblance
presque identique. Cette propreté minutieuse, qui ne
laisse pas traîner un grain de poussière, donne à tous
les objets un lustre qu'on ne trouve point ailleurs.

Utrecht, où nous arrivâmes le soir, est donc une ville
belle tout comme les autres, à cela près que le Rhin
annonce qu'on en a fini avec ce pays auquel M. de Voltaire adressa, en le quittant, ces paroles célèbres :

*Adieu, canards, canaux, canailles !*

20 juillet. — Le prince Galitzin et le comte de
Goloffkin prirent congé de M. le comte et de madame
la comtesse du Nord. Nous partîmes de notre côté, et
nous traversâmes quatre fleuves en barque avant d'arriver à Bois-le-Duc, où M. le duc de Brunswick, lieutenant général au service de la Hollande et qui y réside,
offrit une très-belle collation à Leurs Altesses impériales. Par un contre-temps singulier, M. de Benckendorf,

M. de La Fermière et moi nous manquâmes ce festin. M. le comte et madame la comtesse du Nord étaient partis d'Utrecht dans leur voiture à deux, nous les suivions comme d'habitude dans la nôtre. Je ne sais qui s'était amusé à griser les postillons, mais ils avaient bu comme des Templiers et se tenaient à peine en selle. Nous en rîmes d'abord, ce qui nous mit en gaieté.

— Nous arrêtons à Bois-le-Duc, leur cria M. de La Fermière, et pas ailleurs, vous le savez.

Soit qu'ils ne comprissent pas, soit qu'ils eussent quelque raison de nous arrêter plus loin, ils traversèrent Bois-le-Duc au galop sans répondre à nos questions, et se mirent à courir bride abattue jusqu'à un petit village à trois lieues de là, et s'arrêtèrent triomphalement devant une sorte de cabaret dont l'enseigne était toute noire. Nous ne trouvâmes pour toute nourriture, dans ce lieu de leur choix, que des beurrées, et M. de La Fermière eut bien de la peine à s'en consoler. Cependant nous fûmes très-gais, beaucoup plus, à ce qu'il paraît, qu'au banquet que nous avions manqué. Nous couchâmes à Endhowen, où nous trouvâmes un excellent souper qui nous consola des beurrées.

21 juillet. — Nous allâmes coucher à Maestricht. Nous voyagions très-vite. Cette journée encore nous la passâmes dans notre voiture de suite ; mais M. de La Fermière prit un soin extrême des postillons et des relais. Il plut très-fort, ce qui nous mit de mauvaise humeur. Nous n'allâmes rien voir à Maestricht ; je ne sais pourquoi toutes ces villes de Hollande et des Pays-Bas ne me plaisaient pas du tout. Il nous tardait à tous d'arriver en Allemagne, et plus encore là où nous attendaient nos chères affections. Madame la comtesse du Nord me parlait sans cesse de ses parents, et moi je pensais à ma fille, à M. d'Oberkirch, à mon père ; je comptais les jours ; il n'en restait pas beaucoup, grâce à Dieu.

22 juillet. — Nous quittâmes Maestricht, toujours par une pluie battante, pour aller dîner à Liège, où nous attendait le comte de Romanzoff, ministre de l'impératrice de Russie aux cours électorales. C'était un homme d'un esprit charmant, fils du maréchal de Romanzoff, célèbre par ses exploits et très-aimé de l'impératrice Catherine II. Il est très-proche parent de la comtesse de Bruce dont j'ai parlé. Il dîna avec nous, et il fit présent à Leurs Altesses impériales d'un monstrueux poisson péché dans la Meuse. L'évêque de Liège est prince de l'Empire. Son chapitre n'admet que des nobles ou des docteurs ; il se compose de soixante chanoines, y compris les dignitaires. Le comte de Walbruck était alors évêque de Liège. Il exerce une souveraineté absolue sur le territoire dépendant de son évêché. Suffragant de Cologne, il jouit d'environ huit cent mille livres de rentes, il est au troisième rang dans le cercle de Westphalie. Cette ville ecclésiastique a un parfum de couvent, qui ne lui donne pas un grand charme. Nous en partîmes de bonne heure pour aller coucher à Spa.

Aussitôt après notre arrivée, l'archiduchesse et le duc de Saxe-Teschen, qui y étaient venus pour voir encore Leurs Altesses impériales, se rendirent à leur auberge. Cette entrevue fut plus que gracieuse et presque amicale. Ces augustes princes s'étaient infiniment convenu pendant le peu de jours qu'ils avaient passés ensemble.

Le même soir, nous allâmes tous au salon où se réunissent tous les étrangers. Il y avait un monde prodigieux, et madame la comtesse du Nord fut, comme à l'ordinaire, l'objet de l'admiration générale. Le duc et la duchesse de Gloucester vinrent saluer Leurs Altesses impériales. La duchesse de Gloucester est belle-sœur du roi George III. Son nom est Marguerite Walpole ; elle était veuve du comte de Waldegrave lorsque le duc de Gloucester l'épousa. C'est un mariage d'inclination. Cependant le prince n'en est pas moins bien avec le roi, son auguste frère, à ce qu'on assure du moins.

Nous rencontrâmes aussi à Spa beaucoup de dames de Paris ; ce lieu commence à devenir à la mode.

J'eus pour mon compte une agréable surprise ; la princesse Antoinette de Hesse-Rhinfels-Rothembourg était venue à Spa exprès pour m'y rencontrer. C'est cette princesse que j'avais connue l'année précédente à Montbéliard, et qui, ainsi que je l'ai dit, avait bien voulu me prendre en si grande affection. Elle est sœur de madame la princesse de Bouillon et belle-sœur de la landgrave de Hesse-Rothembourg ; elle avait alors vingt-neuf ans. Madame la grande-duchesse la reçut à merveille et eut l'amabilité de lui dire qu'elle serait jalouse d'elle, si elle ne me connaissait pas depuis si longtemps, et si l'ancienneté de notre amitié ne la rassurait pas sur une rivalité semblable. J'étais toute confuse de voir ces princesses s'occuper ainsi de ma chétive personne.

23 juillet. — Nous allâmes visiter les fontaines, le Pouhon, la Sauvenière hors la ville. Le pays est assez joli, quoique peu ombragé. À onze heures, nous allâmes déjeuner chez l'archiduchesse ; elle avait prié au salon tous les étrangers ; nous étions plus de cent personnes à table. [Le coup d'œil était étonnant. Les robes étaient du meilleur goût. On resta assis longtemps et l'on but une grande quantité de vin du Rhin, de sorte que lorsqu'on annonça le dîner, personne n'était en état d'y faire honneur.] Nous allâmes après faire une visite à l'archiduchesse et à la duchesse de Gloucester. Le soir, nous fûmes encore au spectacle. Le comte de Romanzoff vint à la comédie ; il fut très-aimable et contribua à nous faire oublier les comédiens, dont les grands gestes et les manières de province ne nous plaisaient guère. [La comtesse du Nord était épuisée à mourir de ces cérémonies publiques continuelles.]

24 juillet. — Nous déjeunâmes chez l'archiduchesse, mais en petit comité cette fois et pour prendre congé. Il était de fort bonne heure. Nous nous séparâmes avec quelque peine de cette excellente princesse, si char-

mante pour nous, je dis pour *nous*, car elle me combla
de bontés. Nous allâmes dîner à Verviers, toujours dans
l'évêché de Liège. [Ce fut le meilleur dîner depuis le
début de notre voyage. Nous eûmes, entre autres, d'excellentes huîtres. M. de La Fermière n'est pas insensible aux plaisirs de la table et le grand-duc le plaisante
souvent là-dessus, tout en le gâtant de son mieux et lui
offrant ce qu'il préfère. Les attentions du prince pour
tous les gens de sa maison sont continuelles ; quel plaisir de servir un maître pareil !]

Nous couchâmes à Aix-la-Chapelle ; c'est une ville
impériale libre, où les empereurs étaient couronnés
autrefois. Lorsqu'ils le sont dans une autre ville, ce qui
arrive souvent, on envoie d'Aix-la-Chapelle le livre des
Évangiles, les reliques de Saint-Étienne et l'épée de
Charlemagne, dont le corps repose dans l'église collégiale de Notre-Dame. Nous allâmes voir ce tombeau qui
nous frappa de vénération. M. le grand-duc resta longtemps à le contempler.

— Voilà où aboutissent la gloire et la puissance,
dit-il ; un nom qui ne survit pas toujours et quelques
pieds de terre ! Ah ! le bonheur vaut bien mieux, il nous
fait meilleurs ici-bas et plus heureux là-haut encore.

Madame la grande-duchesse fut touchée de cette
phrase que ses regards lui adressaient.

La collégiale a vingt-quatre chanoines capitulaires ;
l'empereur est un des chanoines. Au moment où nous
sortions de l'église, un des enfants de chœur, suivant
l'ecclésiastique chargé de faire les honneurs à Leurs
Altesses impériales, fit un signe de tendresse à une pauvre femme assise au pied d'une colonne. Elle tenait sur
ses genoux un enfant estropié et couvert de haillons.
Le grand-duc, à qui rien n'échappait, aperçut ce signe
et vit aussi la misère de la pauvre femme ; il s'arrêta et
lui demanda si cet enfant était à elle. La pauvre créature, étonnée de voir un si grand personnage lui adresser la parole, resta interdite, sans se lever et sans

répondre. Le chanoine répéta la question avec un peu plus de vivacité.

— Laissez, laissez, monsieur le chanoine, lui dit le prince, ne troublez pas cette pauvre femme ; elle va nous mieux comprendre dans un instant. Cet enfant vous appartient-il, ma bonne femme ?

— Oh ! oui, monsieur ! Il est bien à moi, et je ne l'aurais plus sans ce petit ange qui est là derrière Sa Révérence.

Tous les regards se tournèrent vers l'enfant de chœur qui se cacha tout honteux.

— Il ne faut pas rougir d'une bonne action, continua le prince. Voyons, apprenez-nous ce que cet enfant a fait pour vous, et nous verrons s'il n'y a pas moyen de le récompenser en l'aidant dans son œuvre de charité. Est-il votre parent ?

— Non, monsieur, il n'est pas mon parent, mais je l'aime autant que ma fille.

Et alors la pauvresse tout à fait remise raconta comment, à Pâques fleuries, elle venait demander l'aumône à la porte de l'église, et comment elle se trouva prise ainsi que sa petite fille au milieu des carrosses de la suite de l'évêque de Liège qui officiait ce jour-là. Effrayée, elle voulut courir, le pied lui manqua, elle tomba sur le pavé, son enfant fut jeté à quelques pas d'elle. Il se cassa le bras et allait être broyé sous les pieds des chevaux, quand le petit Hans se jeta sur lui et l'emporta au péril de sa vie. Depuis lors il partageait avec la mère et la fille le fruit de son travail ; orphelin lui-même, sans famille, il adopta ceux que la Providence lui envoyait et tâcha de soutenir celles qu'il avait sauvées. Il était chez un charron et gagnait quinze sous par jour, sans compter la rétribution du chapitre. Tout appartenait à *sa mère*. Mais la petite fille ne s'était jamais remise de son accident, l'argent passait en drogues chez l'apothicaire ; à peine avaient-ils de quoi manger et pas de quoi se vêtir. Pourtant le brave Hans se privait de tout. Madame la grande-duchesse, émue jusqu'aux larmes, vida sa bourse dans le tablier de la pauvre femme qui, n'ayant jamais vu tant d'or réuni, crut qu'elle faisait un rêve.

— Je suis sûre de mieux récompenser Hans que si je lui donnais deux fois cela à lui-même. Cependant il ne sera point oublié.

En effet Leurs Altesses impériales firent acheter pour l'enfant une maîtrise de charronnage, afin qu'il en jouît lorsqu'il aurait l'âge voulu, et d'ici là on la fit gérer pour lui. Je ne finirais point, si je contais tous les traits de bonté de cette chère princesse et de son noble époux ; à chaque pas ils semaient des bienfaits, aussi leur nom fut-il béni partout où ils passèrent.

25 juillet. — Nous partîmes d'Aix-la-Chapelle de bonne heure, pour aller dîner à Juliers et coucher à Dusseldorf. L'électeur a une des plus belles galeries de l'Europe ; nous ne manquâmes pas d'aller la voir.

26 juillet. — Nous partîmes à cinq heures du matin, brûlâmes Cologne, dont nous n'aperçûmes que la cathédrale, dînâmes à Bonn et nous couchâmes à Coblence. Je passe vivement sur ces villes, où il ne nous arriva rien de remarquable et j'abrège ce journal déjà trop ennuyeux, je le crains.

27 juillet. — Nous partîmes encore à la même heure et passâmes le Rhin. Nous dînâmes à Seltzers, où se trouve cette source excellente dont les eaux s'envoient dans toute l'Europe. Nous allâmes en boire à la fontaine même, avec un véritable délice. Enfin nous arrivâmes à Francfort-sur-le-Mein, et nous y fûmes reçus par les princes Louis et Eugène de Wurtemberg, frères de madame la grande-duchesse, et par madame la landgrave de Hesse-Cassel, sa tante. C'est une princesse de Brandebourg-Schwedt, sœur de madame la princesse de Montbéliard. Elle est une des marraines de ma fille. [Elle avait, à cette époque, trente-sept ans.]

Ce fut une grande joie. Nous retrouvâmes aussi le comte de Romanzoff, dont Francfort est la résidence diplomatique, et nous fîmes le soir un délicieux souper. Le prince Eugène, que nous fûmes tous bien heureux de revoir, fut fort gai et fort amusant, il nous fit un tableau à mourir de rire des visites qui arrivaient pour le lendemain. La nouvelle de la présence du grand-duc faisait sortir des châteaux toute la noblesse immédiate des environs.

— Il y a là des robes, des habits et des carrosses qui n'ont pas vu le jour depuis quarante ans. Je vous assure que ce sera la plus curieuse page de votre journal, ma sœur. J'en ai rencontré quelques-unes qui sont à peindre, et que je ne voudrais pas manquer demain pour tout au monde. Faites provision de sérieux, car les occasions de rire ne nous manqueront pas.

Nous nous couchâmes fort tard, après avoir non pas épuisé, mais entamé tous les chapitres de conversation qui nous intéressaient, et lu les lettres que les princes avaient apportées. Madame la comtesse du Nord était attendue avec impatience à Montbéliard, on le comprend, et son impatience d'y arriver n'était pas moins vive.

28 juillet. — Cette journée amena encore plus de monde que le prince Eugène n'avait promis. D'abord il arriva une quantité de princes de Hesse-Darmstadt, Hanau, Hombourg, Mecklembourg, Saxe-Cobourg, Nassau-Usingen, etc. Ils dînèrent et soupèrent avec Leurs Altesses impériales. Ils étaient tous plus ou moins ses parents. Les étiquettes de ces petites cours sont tout aussi minutieuses que celles des grandes, et la susceptibilité allemande les rend encore plus importantes à observer. La comtesse du Nord eut le bonheur de ne pas s'embrouiller, de ne pas confondre les personnes et les rangs, et de répondre à chacun ce qu'il lui fallait. Je remarquai une douairière, de je ne sais plus quelle principauté, qui s'était attachée à madame la

comtesse du Nord, et qui voulait absolument qu'elle lui racontât ce que faisait la grande Catherine du matin jusqu'au soir.

— Mais, Madame, à quelle heure se lève-t-elle ?

— Mais, Madame, que fait-elle ensuite ?

— Mais, Madame, à quelle heure ses repas ?

— Mais, Madame, se couche-t-elle bien tard ?

— Enfin, Madame, puisque vous êtes si désireuse de connaître la vie de l'impératrice, est-ce que vous auriez envie de l'imiter en tout ?

— En tout ! je ne dis pas ; mais en ce que je pourrai du moins.

Le prince Eugène et le prince Louis n'y tinrent plus et se détournèrent. Le grand-duc fut admirable de sang-froid, et trouva le moyen de dire quelque chose d'aimable à ce sujet.

Dans la journée, il y eut un grand bal au Vauxhall, où chacun fut nommé et présenté à Leurs Altesses impériales.

Parmi cette noblesse immédiate, si respectable et si ancienne, quelques-uns, n'ayant jamais quitté leurs castels, étaient étrangers aux usages de la cour. La noblesse de province en France, quelque éloignée qu'elle en soit, a toujours quelque habitude des grandes manières, et est à peu près instruite des vicissitudes de la mode et du costume. Les gouvernements de province reçoivent ; les châteaux sont souvent habités par des dames de Versailles, et il y a toujours une fréquentation plus ou moins immédiate ; ici, il n'en était pas toujours ainsi, et plus d'un costume ou d'une révérence nous fit sourire malgré nous.

29 juillet. — Nous allâmes de Francfort dîner à Darmstadt, chez madame la princesse héréditaire de Hesse-Darmstadt. Madame la landgrave de Hesse-Cassel accompagna le comte et la comtesse du Nord jusque-là. Toute la famille du prince héréditaire et de la princesse George était rassemblée. Le prince George

est le neveu du landgrave régnant ; il avait exactement mon âge et il semblait bien plus âgé que moi, à ce que trouvait madame la grande-duchesse. [On nous promena partout, comme à l'habitude. La seule chose à signaler est une sorte de gymnase, magnifique bâtiment, le plus grand d'Europe peut-être. Dans la soirée nous partîmes pour Mannheim où nous devions coucher. C'était la répétition de notre train quotidien.]

30 juillet. — En quittant Mannheim, nous nous arrêtâmes à Schwetzingen pour visiter un des plus charmants jardins du monde, dans le goût anglais et français. Le pays environnant, tout le Palatinat en général, est magnifique. Le dîner fut à Spire ; nous y passâmes le Rhin, et nous arrivâmes *enfin* à Lauterbourg, où j'eus le bonheur de retrouver mon mari et ma fille. Je n'ai pas besoin de dire quelle fut ma joie. Je présentai à madame la grande-duchesse sa petite filleule, pour qui elle fut d'une bonté qui m'alla au cœur. Le maréchal de Contades, commandant en chef en Alsace, avait envoyé le baron de Hahn, colonel attaché au régiment d'Anhalt, pour prendre les ordres de M. le comte et de madame la comtesse du Nord, au sujet de leur passage et de leur séjour à Strasbourg. Leurs Altesses impériales répondirent que, pour arriver un jour plus tôt à Montbéliard, elles iraient directement et ne visiteraient Strasbourg qu'en revenant, ne faisant que le traverser cette fois. J'étais heureuse et disposée par conséquent à trouver bien toutes choses.

30 juillet. — Nous ne fîmes donc que dîner à Strasbourg, sans y recevoir les honneurs habituels, c'est-à-dire les visites et les revues, et nous couchâmes à Colmar, dont M. le comte du Nord trouva la position délicieuse. Il regretta fort de n'avoir point le temps de visiter les belles montagnes et les belles ruines qui couronnent les Vosges à quelque distance de la ville. Nous y fûmes témoins d'un fait assez curieux, et que je ne puis m'empêcher de raconter ici.

Sur le toit de la cathédrale on avait placé une roue renversée, comme on le fait presque partout, en Alsace, afin que les cigognes y fassent leur nid. On croit que ces oiseaux portent bonheur. Les cigognes n'y avaient point manqué, et, de l'auberge où nous étions, nous voyions le profil sombre du père et de la mère, entourés des petits, se dessiner sur le ciel rouge d'un soleil couchant, debout sur une de leurs grandes pattes ; ils ne dormaient pas néanmoins, ils attendaient évidemment un absent, un retardataire, et de temps en temps ils poussaient leur cri désagréable et sauvage.

Enfin, nous vîmes arriver du bout de l'horizon une cigogne, les ailes déployées, volant comme une flèche, et suivie de très-près par un oiseau de proie d'une prodigieuse grosseur, quelque vautour des montagnes, sans doute. La cigogne était effrayée, blessée peut-être ; à ses cris, les cris de la nichée tout entière répondirent. L'oiseau, effrayé, arriva droit sur son nid, et y tomba épuisé de fatigue et de douleur. L'autre cigogne alors prit sa place, et s'élança au-devant de l'ennemi. Le combat s'engagea, terrible, acharné ; les deux champions se précipitèrent l'un sur l'autre, en poussant des cris à fendre le cœur. Mais le magnifique instinct de la paternité se développa dans la cigogne avec une force et une énergie incroyables. Tout en se défendant, tout en attaquant ce géant des airs, elle ne perdait pas un instant de vue ses petits, qui se plaignaient et tremblaient, sans doute. Trop faible pour soutenir une lutte inégale, elle les couvrit de ses ailes, tant qu'il lui resta un souffle de vie. Enfin, par un effort désespéré, elle se rapprocha de son nid de branches, où gisait sa compagne expirante et ses petits qui ne pouvaient encore prendre leur volée ; elle prit ce nid dans son long bec, le secoua fortement, le retourna, et précipita du haut du toit les objets de sa tendresse, plutôt que de les voir succomber sous les serres de l'ennemi qui la tuait ; puis, se dévouant seule, en victime résignée, elle se laissa tomber sur la roue, où le vautour l'acheva d'un coup de bec.

Nous restâmes tous frappés et saisis de ce combat et de cette défense. C'était un véritable *drame de famille*, selon l'expression à la mode. M. le comte du Nord surtout en fut impressionné comme d'une bataille véritable.

## CHAPITRE XIX

Le 1$^{er}$ août, M. le comte et madame la comtesse du Nord, ainsi que les princes Louis et Eugène de Wurtemberg, partirent de Colmar le matin, de très-bonne heure, pour arriver à Étupes pendant qu'on serait à table, et surprendre la famille, qui était réunie depuis quelque temps et les attendait avec toute l'impatience qu'on peut imaginer. M. d'Oberkirch et moi, nous partîmes de notre côté, et nous allâmes dîner à Schweighouse, chez mon père. Quant à moi, je respirais plus à mon aise dans cette chère Alsace, que les pompes de la cour et tous les plaisirs n'avaient pu me faire oublier. Le pays natal a tant de charmes ! Nos montagnes me semblaient si belles ! Ces ruines glorieuses, témoignages de la puissance de nos ancêtres, me faisaient battre le cœur. J'entrai avec une émotion vraie à Schweighouse ; j'y trouvai mon père très-bien portant et enchanté de me revoir, de me faire raconter les détails de mon voyage. Nous le quittâmes cependant après dîner, avec promesse de revenir bientôt. Nous tenions à arriver le soir à Étupes.

Dès qu'on aperçut notre voiture, toute cette illustre et excellente famille se précipita au-devant de nous, comme si nous en eussions fait partie. Madame la comtesse du Nord me prit par la tête, et m'embrassa en me conduisant à ses parents.

— Chère maman, voici mademoiselle Lane que je vous ramène, et qui se serait échappée sans cela. C'est une vagabonde ; elle ne veut plus revenir à Montbéliard, n'est-il pas vrai ?

Madame la princesse de Montbéliard m'embrassa à plusieurs reprises, souriant avec bonté des plaisanteries de sa fille, mais cependant tout aussi émue que moi, et je l'étais beaucoup. Je fus ensuite embrassée, complimentée par tout le reste de la famille, qui, père, mère, enfants, gendres et belles-filles, ne formait pas moins de dix-sept personnes. C'était certainement l'image de l'union et du bonheur le plus parfait qui existent sur la terre, un tableau si touchant qu'il faisait plaisir à voir.

Nous retrouvâmes aussi madame de Benckendorf ; elle nous avait précédés à Montbéliard et avançait dans sa grossesse. Elle ne tarissait pas en éloges de ses nobles hôtes et de la manière dont ils avaient été pour elle. Madame Hendel arriva aussitôt, dès qu'elle me sut débarquée, et me reçut avec trois révérences qui sentaient la cour d'une lieue. Elle était habillée avec une robe de gourgaran couleur de flamme, si flambante, que le grand-duc lui demanda si ce n'était point un costume d'auto-da-fé. Elle lui répondit qu'elle ne comprenait pas le latin, mais que cette robe était sa robe de noces, laquelle ne sortait du tiroir que dans les occasions de haute solennité. Madame la comtesse du Nord lui avait apporté une foule de présents, et je ne l'avais point oubliée. Sa tête brûlait de tant de belles choses, et aussi des soins que demandaient des hôtes aussi nombreux et aussi brillants. Elle menait la maison tout entière, suivant son habitude, et je crois qu'elle eût imité Vatel, si la dernière des sous-servantes eût manqué d'un torchon. La présence du grand-duc et de la grande-duchesse l'enivrait. Elle avait acheté une carte

de Russie, et dans ses rares moments perdus elle courait se mettre en contemplation devant cette carte.

— *Elle* sera maîtresse de tout cela ! disait-elle en faisant avec son doigt le tour du vaste empire.

Chaque matin, elle arrivait de bonne heure dans la
chambre de la princesse, qui la faisait babiller comme
une pie sur les histoires et les propos de toute la principauté, dont elle connaissait, je crois, la moindre
poule, puis les mariages, les morts, les amourettes, et
mêmes les procès. Madame la comtesse du Nord fit
beaucoup de bien par son entremise, car, malgré ses
ridicules et sa quasi-folie, madame Hendel était une
excellente femme, demandant toujours pour les pauvres, et dévouée à ses maîtres jusqu'à la mort.

Nous passâmes un mois entier dans une intimité
délicieuse. On inventait chaque jour de nouveaux plaisirs ; c'étaient des promenades, des courses, de la musique. Nous jouâmes même des proverbes, selon la mode
de Paris. Madame la grande-duchesse se croyait encore
la princesse Dorothée, avec un bonheur de plus, celui
d'avoir un mari aussi parfait que le sien, qu'elle aimait
à l'adoration et dont elle était chérie. Il avait les qualités les plus rares et les plus faites pour attacher ; son
seul défaut peut-être était une susceptibilité provenant
de son excellent cœur. La mobilité de son esprit n'exclut
point l'attachement ; il est surtout sincère et franc dans
les témoignages qu'il en donne. Il se passionne souvent,
et oublie quelquefois ensuite, ce qui arrive ordinairement aux personnes qui s'engouent. Il revient de ses
préventions avec la même facilité. Dans tout ce qui touchait sa femme, il était sérieux et tendre ; il l'adorait,
c'est le mot, et je n'ai jamais rencontré de meilleur
ménage.

13 août. — Le duc régnant Charles, oncle de madame
la grande-duchesse, arriva à Étupes au moment où on
l'y attendait le moins, selon son habitude, pour faire
une visite à son auguste neveu. Nous avions justement

pour ce soir-là un grand spectacle, et madame la comtesse du Nord annonça elle-même au duc Charles que nous le regardions seulement comme un spectateur de plus. Il était si gai, si bon, si aimable ! Il rit beaucoup de *nos talents*, afin de les encourager, dit-il, et nous invita en cérémonie à lui donner une représentation sur le théâtre de Stuttgart dans la visite que nous lui ferions. Madame la grande-duchesse répondit qu'elle n'était pas assez riche pour payer les costumes. Cette folie nous mena loin toute la soirée.

Le duc régnant ne resta que trente-six heures et repartit le lendemain soir pour Stuttgart, où nous devions bientôt le rejoindre.

Le 18, M. le comte et madame la comtesse du Nord allèrent faire une visite à la ville de Montbéliard, et j'eus l'honneur de les y suivre. Ils furent reçus à l'hôtel de ville par les magistrats avec toutes sortes d'honneurs. Ce bâtiment était décoré avec la plus grande élégance et l'on servit une collation superbe. Le comte du Nord remarqua surtout les fruits. On n'en trouve point en Russie ; il faut en faire venir de France. Durant le trajet, ils perdent une partie de leur saveur et se vendent néanmoins un prix excessivement cher.

Après la collation il y eut un bal, où madame la grande-duchesse dansa, et qui fut très-gai ; c'était une vraie fête de famille. La princesse reconnaissait tous ceux qu'elle avait vus dans son enfance. L'hôtel de ville était illuminé, ainsi que toutes les maisons et les édifices publics ; la fête était partout. Je ne saurais dire la joie et l'orgueil de tout ce peuple, de voir une *fille de Montbéliard* si richement et si hautement mariée.

Le lendemain, Leurs Altesses impériales envoyèrent cinquante louis à la chambre de charité, et cent louis à l'hôpital.

28 août. — On reçut une lettre de Saint-Pétersbourg, contenant les détails de l'inauguration de la statue de Pierre le Grand, qui avait eu lieu le 18 de ce mois. Cette

statue équestre, due au ciseau de M. Falconet, a été
placée sur une grande place, entre le palais du sénat et
le pont de la Néva. La czarine Catherine II présida à
cette fête du balcon du sénat. Elle était arrivée en chaloupe, avec toute sa suite, en descendant la Néva.

La statue est posée sur un rocher de quarante-deux
pieds de long sur trente-quatre de large, tout d'une
pièce, trouvé dans un marais de la Karélie. Il pèse deux
millions cinq cent mille livres. Ce n'est point une
matière homogène, mais composée de pierres diverses,
parmi lesquelles se trouvent de l'agate, des cornalines,
des améthystes et des topazes. Ses femmes russes portent des bracelets qui proviennent de ce rocher. Pierre I$^{er}$
cherche à en gravir le sommet. Ceci est une allégorie
que chacun comprendra : un serpent, emblème de la
Prudence, placé aux pieds du cheval, contribue encore
à l'expliquer.

M. le comte du Nord, pendant qu'on lisait cette lettre,
mit, à la dérobée, un doigt sur sa bouche en me regardant. Bien qu'il affectât de sourire, je remarquai qu'il
était fort pâle, ce qui me confirma tout à fait dans mon
opinion précédente.

2 septembre. — M. le comte et madame la comtesse
du Nord partirent avec le prince et la princesse de
Holstein, sœur de la comtesse du Nord, pour faire une
tournée en Suisse. Ils emmenèrent une suite très-peu
nombreuse. Madame la princesse de Holstein était
logée à Exincourt, petit village près d'Étupes. Ce départ
me serra le cœur, c'était déjà une absence ; elle précédait de bien près celle qui allait nous séparer pour toujours de cette princesse si chère et si parfaite. Madame
la princesse de Montbéliard pleura avec moi toute la
soirée. Malgré le bonheur dont jouissait cette fille chérie, elle avait les plus tristes pressentiments. Grâce au
ciel, ils ne se sont pas réalisés.

8 septembre. — Il y eut une vraie fête de famille à
Étupes : on avait choisi dans les jardins un endroit

destiné à placer un monument, pour rappeler la visite du grand-duc Paul, lorsque tous les enfants du prince de Montbéliard se trouvaient réunis.

Ce monument fut inauguré ce 8 septembre. C'était une manière de petit autel fort simple. Il disparaissait ce jour-là sous les guirlandes dont on l'avait couvert. Nous avions toutes tressé des roses trémières et des marguerites. Madame la princesse de Montbéliard, trouvant parmi elles quelques scabieuses, s'en tourmenta et les fit ôter. Des vers ont été gravés sur la pierre. Le chevalier de Florian en est l'auteur :

> *Ici la plus heureuse et la plus tendre mère*
> *Réunit onze enfants, idoles de son cœur,*
> *Et voulut consacrer cette époque si chère*
> *De son amour, de son bonheur.*
> *Passant, repose-toi sous cet épais ombrage,*
> *Et, si tu chéris tes enfants,*
> *Respire ici quelques instants ;*
> *Tu les aimeras davantage.*

10 septembre. — Je partis d'Étupes pour aller passer quelques jours chez mon père à Schweighouse. [J'étais ravie de retrouver la maison de mon enfance et la compagnie de mon père dont l'âge avancé rendait ma présence plus nécessaire. Sa santé était parfaite et il jouissait d'une verte vieillesse. Il prenait grand plaisir à la société de sa petite fille et les jours passaient tranquillement à Schweighouse en lectures et en travaux d'aiguille.] Il me fallait m'occuper de préparatifs, car le 13 nous devions avoir l'honneur de recevoir M. le prince et madame la princesse de Montbéliard, qui se rendaient à Strasbourg, où madame la grande-duchesse devait les rejoindre.

Mon père leur donna à dîner, ce qui ne fut pas une petite affaire pour un homme de son âge, accoutumé à une paix si absolue. Il n'en fut pas moins heureux de posséder chez lui ces excellents princes qui nous avaient comblés de bontés depuis tant d'années. Leur suite mangea à Aspach, petit village à un quart de lieue.

Après le dîner, je partis avec Leurs Altesses pour aller coucher à Sélestat. Nous y trouvâmes un des messieurs de Wurmser, qui est lieutenant-colonel au régiment d'Anhalt, et le comte de Wartensleben, également lieutenant-colonel au même régiment, et dont la femme était dame de madame la duchesse de Wurtemberg.

14 septembre. — Nous allâmes dîner à Strasbourg, et, le jour même, le comte et la comtesse du Nord, le prince et la princesse de Holstein y arrivèrent aussi de leur voyage de Suisse. Ils étaient d'une gaieté vraiment communicative. Nous fîmes un souper très-amusant. M. de La Fermière raconta ses caravanes dans les montagnes, et comme quoi il manqua bien des fois de tomber au milieu des précipices, n'étant pas précisément léger comme une gazelle. On lui fit mille plaisanteries qu'il prit de très-bonne grâce.

15 septembre. — Nous étions une colonie tout entière avec Leurs Altesses. Nous vîmes encore arriver le duc et la duchesse de Deux-Ponts. Le prince Max[175], son frère, a épousé une princesse de Hesse-Darmstadt. Ils étaient fort jeunes tous les deux. Le duc régnant avait épousé la princesse Amélie de Saxe. Cette union commençait déjà à se briser. Madame la comtesse du Nord en fut tout attendrie ; elle est si heureuse, elle comprend le malheur des autres. Le prince se détachait beaucoup de la princesse Amélie, et avait une maîtresse qui le dominait et dont le pouvoir devenait sans bornes : on en craignait de bien tristes conséquences. La duchesse, si jeune et si charmante, dépérissait à vue d'œil, elle se mourait de chagrin, et est morte depuis, en effet, sans avoir été plus heureuse, au contraire. Le duc régnant de Deux-Ponts est le prince Charles II, lieutenant général au service de France. Ses deux sœurs, la princesse Auguste et la princesse Marie, ont épousé, l'une

l'électeur de Saxe, et l'autre le palatin de Birkenfeld. Le duc Charles était le neveu du duc de Deux-Ponts, tué si malheureusement en 1775 par une chute de voiture. Il avait un fils, le prince héréditaire de Deux-Ponts, âgé de six ans alors.

Cette pauvre jeune princesse de Deux-Ponts nous faisait pitié à tous. Je me souviens qu'elle portait au bras un magnifique bracelet avec le portrait de son mari ; c'était un cadeau de noces. Madame la grande-duchesse l'admira, mais elle fit quelques remarques sur le portrait.

— Cela n'est pas très-ressemblant, Madame, dit-elle.

— Cela l'était alors, dit-elle ; mais depuis ce temps il est bien changé.

Elle leva les yeux au ciel, en prononçant ces mots, et elle soupira d'une manière si touchante que nous en fûmes tous émus.

Madame la comtesse du Nord lui fit une visite, et alla ensuite chez la princesse Christine de Saxe[176]. Cette princesse, comme on sait, résidait presque toujours à Strasbourg, bien qu'elle fût abbesse du chapitre de Remiremont. Elle était aussi bonne que laide et sœur de l'électeur Frédéric-Auguste, marié à Marie de Bavière. La pauvre duchesse de Deux-Ponts, dont je viens de parler, était sa sœur aussi, mais elle ne lui ressemblait point.

La cathédrale sembla merveilleuse à M. le comte du Nord, cette flèche de dentelle l'étonna, et puis l'horloge, un des plus beaux morceaux connus en ce genre. Elle fut faite en 1570 par Hubrecht. [L'ensemble très-fragile, est protégé de la curiosité de la foule par une balustrade de cinq pieds de haut. À la base de l'horloge, se trouve une grande sphère céleste, supportée par un pélican, entourée des emblèmes du soleil et de la terre et qui fait un tour en vingt-quatre heures. Derrière cette sphère, il y a trois cadrans : l'un, haut de dix pieds est appelé la Roue de l'Almanach parce qu'il indique l'heure et le jour de la semaine ; il fait en un an une révolution complète autour de son axe. Un autre cadran indique les fêtes ; sa révolution prend cent ans. À côté de ces cadrans, deux statues : celle d'Apollon, dieu du soleil, pointant l'heure et le nom de la fête au moyen d'une flèche ; celle de Diane, emblème de la nuit, dont elle montre les heures. Deux grands tableaux suspendus représentent les éclipses du soleil et de la lune. Au-dessus des cadrans, il y a un firmament : le jour de la semaine est représenté par un petit chariot qui arrive au point culminant à midi. Plus haut, trois cadrans solaires : le premier encadré par deux anges ; celui de droite tient un sceptre dont il frappe le cadran à chaque heure, celui de gauche tourne un sablier dès que l'heure a été frappée. Le second cadran solaire indique les mouvements des planètes ; le troisième représente les quatre âges de la vie, annoncés par deux cloches tous les quarts d'heure. Au-dessous se trouvent la Vie et la Mort et à gauche de l'horloge une tourelle où perche la plus parfaite imitation d'un coq qui, au moment fixé, bat des ailes, allonge le cou et chante deux fois d'une manière digne de Chantecler. Sur la face de cette tourelle on voit le portrait peint du grand Copernic dont les principes ont permis la construction de cette horloge.

La cathédrale de Strasbourg, qui était devenue un temple protestant après la Réformation, fut rendue au culte catholique à la suite du traité de Westphalie, qui rétablit la religion catholique à Strasbourg. L'évêque, dont le siège avait été transporté depuis un siècle et demi à Molsheim, revint aussi prendre possession du palais épiscopal.

Les églises de Saint-Pierre-le-Vieux et de Saint-Pierre-le-Jeune furent partagées entre les protestants et les catholiques. Les catholiques disposèrent du chœur, et les protestants de la nef.

Il en fut de même pour beaucoup d'églises d'Alsace, où cela existe toujours[177].

Après l'Arsenal on visita le tombeau du maréchal de Saxe dans le temple protestant de Saint-Thomas. C'est le 20 août 1777 qu'a eu lieu la translation du corps. M. Blessig, jeune ministre, a fait un beau discours ; je me rappelle qu'il finissait ainsi :

— Tu dors, Maurice, mais tes fils nous protégeront ; voilà tes titres vivants.

C'était un compliment pour le régiment de Schomberg-Dragons, autrefois régiment des hulans du maréchal de Saxe. Le vainqueur de Fontenoy et de Laufeld était, comme chacun sait, fils naturel de l'électeur de Saxe, roi de Pologne, et de la comtesse de Kœnigsmarck, par conséquent grand-oncle de l'électeur de Saxe actuel et de la duchesse de Deux-Ponts, sa sœur. On a fait deux gravures différentes de ce monument dû à Pigalle ; cela tient à ce que, dans l'origine, le sculpteur avait placé au fond un Amour éteignant son flambeau. On critiqua cette pensée, elle était peu convenable, en effet, pour un lieu saint. Il mit un casque sur la tête de cet Amour, pour en faire le dieu de la guerre. Mais en 1777, il rétablit la figure telle qu'elle était auparavant, et les gravures faites depuis sont conformes au mausolée actuel.

Le nom de Schomberg me rappelle un duel qui eut lieu, il y a quelques années, entre M. de Schomberg et le baron Lefort, de Genève, lieutenant-colonel de son régiment, beau-frère du baron de Falkenhayn, notre cousin, général qui a commandé en Corse. Tous deux à genoux, et tenant de la main gauche le bout d'un mouchoir, tirèrent un coup de pistolet au signal donné. M. de Schomberg a reçu dans le corps une balle dont il souffrit toujours beaucoup. M. Lefort n'eut qu'une mèche de cheveux enlevée. C'est M. de Schomberg qui a été l'agresseur et il a eu la loyauté de le reconnaître.

En cette même année 1782, Frédéric Lefort, aide-major de M. de Falkenhayn, a apporté au roi la nouvelle de la reddition de Minorque et du général Murray

À cette occasion, M. de Crillon, lieutenant général au service d'Espagne, fut nommé capitaine-général par Sa Majesté Catholique. Nous retrouverons M. de Crillon, et c'est pour cela que j'en parle ici[178].

Le soir, nous allâmes à la comédie ; on y donna *la Fée Urgèle*[179], pièce fort à la mode, on y chanta des couplets, composés pour M. le comte et madame la comtesse du Nord, par le sieur Belleval, comédien du roi ; ils n'en étaient pas meilleurs pour cela [et M. de La Fermière fit cette remarque : « Bien que je ne voie pas de cocarde blanche, je sens que nous sommes en France. »]

En sortant du spectacle, nous avons trouvé le clocher de la cathédrale illuminé du haut en bas. M. le comte du Nord, qui n'avait jamais rien vu de pareil, en a été frappé d'admiration. Rien n'est aussi beau, dit-on, pas même la girandole de Saint-Pierre de Rome.

16 septembre. — Nous allâmes au polygone, où il se fit des exercices. Leurs Altesses impériales étaient accompagnées du marquis de la Salle, qui commande à Strasbourg, sous M. le maréchal de Contades, commandant en chef ; de M. le marquis de Paulmy, général, de M. le marquis de Peschery, lieutenant de roi du gouvernement général ; et de M. de Lort, lieutenant de roi de Strasbourg ; M. d'Aumont, cordon rouge, directeur du génie ; de Roucy, colonel du régiment de la Reine-Cavalerie ; marquis de Toulongeon, colonel de Dauphin-Cavalerie ; comte de Pontevès, colonel de Royal-Corse ; baron de Chazelles, lieutenant-colonel d'Angoumois ; de Marzy, commandant l'école d'artillerie.

Madame la princesse Christine de Saxe se trouva également au polygone, ainsi que la marquise de la Salle et les principales dames de Strasbourg. Les femmes aiment ces revues ; elles s'y montrent à leur avantage. Nous fîmes nos adieux au polygone, où chacun vint saluer les princes et les princesses, et nous partîmes pour Bischofsheim, ville d'Allemagne, où nous devions dîner pour coucher ensuite à Carlsruhe, charmante résidence du margrave de Bade.

En passant à Rastadt, nous fûmes tout surpris d'y trouver le margrave et la margrave venant au-devant de Leurs Altesses impériales. Ils leur offrirent une charmante collation. Tout ce pays est délicieux, nous eussions vivement désiré le parcourir en détail. Nous trouvâmes à Carlsruhe, où un monde prodigieux nous attendait, tous les princes et princesses de Darmstadt, le duc et la duchesse de Deux-Ponts, enfin tout un congrès.

Il fallut encore recommencer les toilettes ; madame la grande-duchesse en fit une délicieuse ; elle avait la plus jolie coiffure du monde, envoyée de Paris par Léonard, le coiffeur de la reine, qui l'avait inventée pour elle. À onze heures du soir, l'on entendit dans un concert la fameuse Todi qui enchanta ses illustres auditeurs. On a fait sur son nom un calembour que voici. Quelqu'un demandait à un amateur qui il préférait de madame Todi ou d'une autre cantatrice.

— Ah ! c'est bien *Todi* (bientôt dit), répondit-il.

Cette célèbre chanteuse devait rester quelque temps en Allemagne, retourner à Paris et ensuite se rendre en Russie. Elle est Portugaise et s'est fait connaître d'abord en Angleterre. Sa figure est belle et sérieuse ; elle a beaucoup de sensibilité, elle remue le cœur et est admirable dans la tragédie lyrique.

On soupa à deux heures du matin et on ne se retira que vers trois heures, rendus de fatigue et excédés de plaisir.

17 septembre. — Nous partîmes tous de Carlsruhe pour aller dîner à Ensberg, petite ville sur la frontière du duché de Wurtemberg, où le duc régnant avait fait construire un asile composé de plusieurs salles de verdure, exprès pour recevoir madame la grande-duchesse. Il avait placé à côté un arc de triomphe et des emblèmes

de toute espèce. C'était une chose délicieuse que ce petit endroit. Une foule de jeunes filles attendaient la princesse avec des bouquets magnifiques ; elles prononcèrent un compliment, et servirent Leurs Altesses dans cette maison improvisée. Ce repas fut charmant. Le duc de Wurtemberg animait toute la conversation : il avait tant d'esprit et savait si bien s'en servir !

Nous arrivâmes le soir à Stuttgart, au bruit du canon, aux acclamations de toute la populace accourue au-devant de madame la comtesse du Nord et de sa famille. C'était une joie universelle. La maison de Wurtemberg est très-aimée de ses sujets ; ils regardent leurs princes comme leurs pères, et tout ce qui contribue à la gloire de cette maison leur est comme personnel. Le grand-duc fut presque porté en triomphe ; les maisons s'illuminèrent spontanément ; le palais ducal fut entouré toute la nuit de curieux et retentissait des vivats.

Lorsque les illustres voyageurs sortirent pour aller au théâtre, ils furent accompagnés par la foule et applaudis tout le temps. Entrés dans la salle, l'enthousiasme fut plus grand encore.

On joua un grand opéra italien intitulé : *les Fêtes thessaliennes*[180]. La plus grande partie des acteurs ainsi que tout l'orchestre sont formés dans l'académie établie par le duc une dizaine d'années auparavant.

Il y faisait élever avec le plus grand soin des jeunes gens de tous les états, et les faisait instruire à fond dans le métier dont ils faisaient choix et qu'ils devaient embrasser un jour.

Le coup d'œil du théâtre était splendide. Les femmes étaient couvertes de diamants et dans leurs plus beaux atours. Presque toute la noblesse et les comtes de l'empire étaient venus à Stuttgart pour cette époque, ainsi que le duc et la duchesse de Deux-Ponts, les princes de Darmstadt, de Hesse, etc. Après l'opéra il y eut grand souper.

18 septembre. — Après un grand dîner de gala où l'on étouffait, un opéra italien, où M. de La Fermière s'endormit du sommeil du juste, nous fîmes un charmant souper en retraite, pour lequel Son Altesse le duc de Wurtemberg ne retint que les princes et princesses étrangères. Pendant ce souper, il demanda à son illustre nièce, d'un air fort galant, si elle voudrait dîner le lendemain là où il la conduirait et qu'il en serait tout à fait reconnaissant. Madame la grande-duchesse, qui se doutait parfaitement de ce qu'il voulait dire, se hâta d'accepter avec le sourire le plus aimable.

— Tenez-vous donc prête à m'accompagner à la campagne, Madame ; je tâcherai que vous ne vous y ennuyiez pas trop, ajouta-t-il en souriant, et vous y ferez aussi une nouvelle connaissance pour laquelle je vous demanderai vos bontés.

J'ai déjà dit que le duc Charles avait eu une jeunesse fort dissipée, et qu'après avoir éparpillé son cœur entre cent maîtresses, il avait rencontré un véritable amour. D'une haute naissance, dans tout l'éclat de sa jeunesse, la belle *Francisca* réunissait les talents et les grâces. Elle fut pour le prince une véritable amie. Grâce à son influence, le duc de Wurtemberg ne songea plus qu'au bonheur de son peuple ; il réforma ses dépenses et devint le meilleur comme il était déjà le plus éclairé des princes. Il tourna vers le bien les facultés précieuses qu'il avait reçues de la nature.

La duchesse, sa femme, mourut en 1780, et déjà il songeait à contracter mariage avec la comtesse de Hohenheim (c'était le titre qu'il avait conféré à son amie, du nom d'un château qui lui appartenait, près de Stuttgart), mais des raisons d'État retardèrent seules une union qui se fit en 1786, et qui eut l'approbation générale. Beaucoup de personnes soutenaient qu'ils étaient déjà mariés en secret. Il ne m'appartient pas, maintenant surtout, d'exprimer mon opinion sur ce que cette position pouvait avoir de faux et de délicat pour la comtesse de Hohenheim, aux yeux de ceux qui étaient bien instruits de la position des choses ; ce que je puis dire, c'est que la cour se rendait chez elle, et semblait pressentir par ses respects et son empressement l'événement qui sanctifia ces liens. Moins que tout autre, le grand-duc ne pouvait attaquer une position déjà admise, et madame la comtesse du Nord ne fit que suivre son désir en acceptant avec grâce, et comme toutes les autres princesses, la proposition du duc, son oncle. Ce qui distinguait le comtesse de Hohenheim était une noble et exquise simplicité. Les rares qualités de son cœur, l'étendue de son instruction et de son esprit, la mettaient au-dessus de la plupart des femmes d'Allemagne, dont l'éducation est cependant si remarquable. Elle aimait les arts, les cultivait elle-même ; elle eût voulu faire de Stuttgart une nouvelle Athènes. Elle avait trente-quatre ans à cette époque, et le duc en avait cinquante-huit lorsqu'il l'épousa quatre ans plus tard. Il y avait donc vingt ans de différence entre eux deux. Elle aima toujours le duc d'un amour sincère et désintéressé.

20 septembre. — Nous allâmes dîner à Hohenheim, où la comtesse de Hohenheim reçut ses hôtes avec le tact le plus parfait et le plus exquis. Elle sut tenir sa place et réserver celle des autres, se montra reconnaissante de l'honneur qu'elle recevait, mais sans en paraître étonnée. Malheureusement il plut du matin au soir, et on ne put admirer ce charmant séjour, comme l'aurait désiré le duc Charles, qui l'avait arrangé lui-même avec tant de soins. Madame la comtesse du Nord s'en aperçut.

— Nous reviendrons demain, mon oncle, lui dit-elle au moment où il fallait partir.

— Ma nièce, vous êtes aussi bonne que belle, et vous avez autant de cœur que d'esprit, lui répondit-il.

21 septembre. — On retourna, en effet, à Hohenheim, où le plus beau soleil permit de visiter en entier le parc.

Ce qu'on appelle le *Village anglais* me rappela celui de Trianon ; c'est moins grand peut-être, mais tout aussi orné, tout aussi joli. La comtesse conduisit elle-même madame la grande-duchesse lorsque celle-ci l'en eut priée, et rien ne fut agréable comme sa conversation sans pédantisme, sans fausse modestie, juste ce qu'il fallait être.

On revint à Stuttgart pour un grand bal paré, où madame la comtesse du Nord dansa beaucoup et fut très-admirée. Elle vint me chercher dans un coin où je causais, pour me forcer à danser. J'eus beaucoup de peine à m'y décider, n'ayant jamais aimé la danse.

21 septembre. — Après avoir été à l'Académie, puis dîné en gala, on partit pour Louisbourg[181], l'une des résidences du prince. C'est un beau château où se trouve une salle d'opéra magnifique. Tout y était disposé pour un bal masqué, où les étrangers furent priés et où pas un ne manqua. Il y eut de très-jolis déguisements. M. de La Fermière était en moulin à vent ; il avait ainsi la figure la plus amusante. Il raconta mille drôleries à tout le monde, sans compter les malices. Madame la comtesse du Nord s'étant approchée de lui, il fit semblant de ne pas la reconnaître et lui dit, sur elle-même, les choses les plus délicates et les plus charmantes.

22 septembre. — Visite à l'école militaire des orphelins, où le duc fait élever les pauvres enfants des soldats. C'est un bienfait pour le pays et pour l'armée, si armée il y a dans un État peu considérable.

En visitant la manufacture de porcelaine, le duc fit des présents à tout le monde, et donna à son illustre nièce une cheminée sans pareille bien certainement, avec des camaïeux et des médaillons tous plus jolis les uns que les autres.

On alla se coucher à la *Solitude*, admirable château que le duc fit bâtir autrefois, au temps de ses folies, à trois lieues de Louisbourg, sur une montagne ; la vue en est d'une étendue superbe. Le château est immense et parfaitement régulier ; il fut illuminé ainsi que l'avenue : on croyait voir le palais du soleil. Après un opéra italien, il y eut grand souper dans la salle des Lauriers, où les statues, les vases, les tables servies, les lumières a profusion, formèrent un coup d'œil merveilleux.

23 septembre. — On dîna encore à la *Solitude*. On parcourut les jardins en voiture, on traversa les écuries, presque aussi fameuses que celles de Chantilly, bâties en pierre, pour trois cents chevaux. Au milieu se trouve une grande rotonde ornée de quatre fontaines où on a souvent mangé : c'est royal. Le duc, en montrant tout cela à son auguste nièce, lui répétait :

— Je m'en repens, je m'en repens, Madame ; alors j'étais entraîné par la jeunesse ; je ne pensais pas assez à mon peuple qui avait tant besoin d'une pensée constante. Aujourd'hui je ne construis plus de palais, je bâtis des hospices.

Le comte du Nord entendit ces paroles.

— Monsieur, répondit-il, il n'est pas aussi insensé d'élever des palais que vous voulez bien le dire. La grandeur des princes est celle des peuples, et tout l'argent que vous avez dépensé ici a donné du travail et par conséquent de l'aisance à vos sujets.

Ils avaient raison tous deux.

En rentrant à Stuttgart, nous allâmes au théâtre allemand voir jouer l'*Irwish*[182].

24 septembre. — On dîna à midi, et on alla à une espèce de château, entouré d'eau, que l'on appelle le *Beeren-See*, où le duc avait fait préparer une chasse. On vit arriver à la fois quatre mille cerfs ou biches, marchant en troupeau ; ils traversèrent en partie le lac : c'était le coup d'œil le plus singulier possible. Les chasseurs en furent enthousiasmés, mais les spectateurs s'attendrirent sur ce malheureux gibier sacrifié d'avance et dont on fit une horrible boucherie. On en emporta des charrettes pleines dont le duc fit des présents.

Nous retournâmes à Stuttgart. Le duc donna un souper et un bal particulier aux princes et princesses. Un fond de tristesse me suivait partout. Encore quelques jours, et ma chère princesse allait partir, et je ne la reverrais plus sans doute. Madame sa mère n'en parlait qu'à moi, parce que nos impressions étaient les mêmes. Nous ne cessions de causer de cette séparation, et nous nous en désolions ensemble.

25 septembre. — Le duc régnant vint avec la comtesse de Hohenheim prendre madame la comtesse du Nord pour la mener visiter l'Académie des jeunes gens dont il s'occupe beaucoup ; elle fut de là à l'église russe, où officia un prêtre de cette religion que le comte et la comtesse du Nord ont à leur suite. Après, dîner en gala, et, au grand Opéra italien, *Didon abandonnée*[183].

26 septembre. — On alla voir la maison de la comtesse de Hohenheim en ville ; c'est une bonbonnière, ornée avec un art et une richesse inouïs. Le soir, concert au palais, dans un salon appelé *temple d'Apollon*, peint à fresque. Dans une galerie, un parterre de fleurs ayant au milieu un jet d'eau qui s'élance à la hauteur du plafond.

Les princes et les princesses soupèrent encore entre eux. À la suite du souper eut lieu une scène bien cruelle et bien douloureuse. Madame la comtesse du Nord ne faisait que pleurer depuis la veille ; elle devait partir le lendemain, et elle était dans un affreux désespoir. Madame la princesse de Montbéliard faisait pitié plus qu'elle encore, son cœur se fendait sans qu'elle pût pleurer, nous croyions qu'elle étoufferait. Lorsque nous l'eûmes mise au lit, j'allai dans l'appartement de madame la grande-duchesse, où je restai avec elle jusqu'à deux heures du matin. Ce qu'elle me raconta sur son existence, celle de son mari, celle de l'impératrice, ne peut se répéter : c'est dommage, ces Mémoires y gagneraient en intérêt, mais je me suis promis de me taire. Je ne fis que pleurer toute la nuit, et le lendemain, 27 septembre, fut un des plus cruels jours de ma vie.

Je n'oublierai jamais ce triste jour de leur départ et d'une séparation déchirante. Je conduisis madame la comtesse du Nord jusqu'à son carrosse, où il fallut nous arracher l'une à l'autre.

— Ne quitte pas ma mère, ma bonne Lane, disait-elle au milieu de ses sanglots. Oh ! ma mère, ma mère !

M. le comte du Nord fit fermer la portière en m'adressant un adieu plein d'affabilité et de tristesse.

— Nous nous reverrons, madame d'Oberkirch ; vous viendrez nous chercher sous nos glaces.

— Adieu, chère Lane, répétait la princesse.

La voiture partit !... Je passai toute la journée en retraite avec ses parents désolés ; nous donnâmes carrière à nos larmes. Madame la grande-duchesse envoya quatre courriers avec des lettres pour eux et pour moi. Elles étaient si tendres et si bonnes que nos sanglots en redoublaient. Elle emportait avec elle toute notre joie. Le duc régnant montra un intérêt véritable pour sa belle-sœur et pour sa nièce.

— Consolez-vous, disait-il ; elle va au plus beau trône du monde.

Oui, mais ce trône nous l'enlevait.

28 septembre. — Le prince et la princesse de Montbéliard partirent, ce qui fut encore une séparation pénible pour moi. Je restai toute cette journée et celle du 29 à Stuttgart pour y voir mes anciennes connaissances, et surtout mademoiselle de Cramm, qui, lorsque j'avais eu la petite vérole, l'année précédente, m'avait admirablement soignée et montré une amitié sincère et dévouée. Cette charmante fille, si bonne et si aimable, et qui méritait si bien d'être heureuse, épousa depuis M. de Mandelsloh.

29 septembre. — Nous partîmes, mon père et moi, pour Strasbourg, où nous devions passer l'hiver.

Ainsi se termina ce voyage, si plein d'agréments, si satisfaisant et si flatteur pour moi et pour les miens. Je restai quatre mois et demi dans l'intimité des personnes

les plus haut placées qui toutes m'honoraient de leur
bienveillance. Je ne quittai pas d'un instant ma chère
princesse, ma première, ma meilleure amie ; ce fut un
brillant rêve que Dieu, malgré toute sa bonté, ne me
rendra plus.

## CHAPITRE XX

À Strasbourg comme à Paris, on ne s'occupait que
de la faillite du prince de Guéménée. C'était la chose
la plus douloureuse du monde ; on se demandait comment un Rohan avait pu se laisser amener à une position semblable et à finir ainsi. Il y avait clameur de
haro dans le peuple ; les gens les plus atteints étaient
des domestiques, de petits marchands, des portiers, qui
portaient leurs épargnes au prince. Il avait tout reçu,
tout demandé, même des sommes folles, et il a tout dis-
sipé, tout perdu. Parmi les gens du cardinal-archevêque
il s'en trouvait plusieurs de complètement ruinés, le
prince Louis leur a rendu sur-le-champ ce qu'un prince
de sa maison leur enlevait. Il a été en cela très-noble et
très-généreux.

Tout sera payé ou presque tout, les usures exceptées.
Les Rohan se sont réunis pour cela. Madame de Guéménée a été sublime, elle a donné sur-le-champ sa
fortune tout entière et ses diamants. La princesse de
Marsan (qui était une Rohan-Soubise) voulait se mettre au couvent et consacrer sa fortune à sauver l'honneur des Rohan.

Madame la princesse de Guéménée a rendu sa charge
de gouvernante des enfants de France, dont sa volonté
seule pouvait la dépouiller, puisque c'est une des grandes charges de la couronne. La reine a reçu sa démission, profondément touchée. Elle a donné cette place à

madame de Polignac qui n'a pu se refuser au désir de
la reine.

— J'avais confié mes enfants à la vertu, a dit cette
princesse ; maintenant je ne puis mieux faire que de
les remettre à l'amitié.

La reine se chargea plus spécialement de Madame
Royale et fut secondée par deux sous-gouvernantes.
Madame Adélaïde devait suppléer la reine. On avait
parlé, pour gouvernante, de la princesse de Chimay ou
de la duchesse de Mailly, mais la reine s'est décidée
absolument pour madame de Polignac.

La princesse de Guéménée, quoique la plus honnête
personne du monde, a toujours été regardée comme
inférieure au poste qu'elle occupait et auquel sa naissance seule l'avait appelée. Elle passait pour être entê-
tée et en même temps sans caractère, la pire espèce des
entêtés. Elle était passionnée, sans douceur et sans égalité. Quelques-uns prétendaient qu'elle soupçonnait la
position de son mari et qu'elle cherchait à s'étourdir
par les plaisirs et le monde, dont elle était fort éprise ;
ceux-là la blâmaient. Il faut d'ailleurs toujours blâmer
ceux qui sont malheureux, afin de s'éviter la peine de
les plaindre ; c'est une maxime des égoïstes dont la
société fourmille.

Cependant, pour être juste, ajoutons que si elle chercha à réparer la faute, si elle supporta noblement l'in-
fortune, elle y contribua aussi. Les prodigalités inouïes
du prince de Guéménée, la somptuosité de sa maison, l'éclat de ses fêtes et les dépenses de sa femme
ont amené cette faillite qui ne s'élève pas à moins de
trente-cinq millions. Madame de Guéménée était de la
maison de La Marck, sœur de M. le duc de Bouillon.

Les sous-gouvernantes étaient :

La baronne de Mackau, nommée en 1771 ;

La comtesse de Soucy, nommée en 1775 ;

La marquise de Soucy (mademoiselle de Mackau),
en 1781 ; celle-ci est l'amie de Madame Élisabeth de
France que sa mère a élevée.

Mademoiselle de Soucy s'est mariée au comte de Créqui, ancien maréchal-des-logis des camps et armées du roi. C'est pour elle que la reine a soutenu celui-ci contre les attaques de madame la marquise de Créqui, qui n'en voulait point absolument pour le parent de son fils. Cette dame a beaucoup d'autorité dans le monde par sa position et par son esprit, autant que par son caractère. Elle ne passe point pour bonne ; elle est d'une sévérité souvent cruelle, en propos surtout. Elle est fière, elle est surtout capricieuse ; elle approuvera aujourd'hui ce qu'elle blâmait hier. Son salon est un aréopage. Elle y distribue contre ses ennemis des mots qui coupent comme des ciseaux affilés. Elle n'a point laissé de patience à ces pauvres Créqui et n'en voulait absolument pas pour ses alliés.

Pendant que j'étais à Strasbourg, M. de La Harpe alla visiter la cour de Montbéliard. Grâce à Dieu, je l'évitai ainsi. Il les ennuya encore plus qu'il ne m'avait ennuyée et plus longtemps. M. le comte d'Artois arrivait d'Espagne ; il était fort aimé et fort loué en ce moment. M. de La Harpe leur *inventa* tout le voyage du prince dont il ne savait pas un mot. Il se mit en tête de faire l'oraison funèbre du baron de Wangen, prince-évêque de Bâle, et de M. d'Andlau, grand prévôt du chapitre de Murbach, mort à un mois de distance ; personne ne voulut l'écouter, il repartit en colère ; c'était son état habituel. Je n'ai jamais pu souffrir cet homme haineux et bilieux, qui avait toujours l'air d'un serpent à deux têtes, l'une prête à mordre, l'autre pleine de venin.

On fit à peu près vers la même époque les fiançailles de la princesse Élisabeth, avec l'archiduc François d'Autriche. Cette princesse fut conduite à Vienne où elle abjura la religion évangélique, mais elle n'épousa le grand-duc de Toscane que l'année dernière, c'est-à-dire en 1788[184].

Un peu plus tard, autre événement de famille ; le prince Frédéric-Guillaume de Wurtemberg eut une fille.

La femme, la princesse Auguste de Brunswick, accoucha fort heureusement. Sa jeune princesse a été élevée à Montbéliard et y a passé toute son enfance[185].

Nous avions souvent des nouvelles de madame la grande-duchesse. Elle et le grand-duc Paul n'étaient heureux que dans leur intérieur, toujours un modèle d'amour conjugal et de tranquillité. L'impératrice est très-soupçonneuse, jalouse de son autorité ; ils sont obligés de mettre une grande réserve dans leur conduite, afin de ne pas exciter sa défiance. Ils se tiennent tout à fait en dehors des affaires publiques, recevant chez eux leurs amis seulement, à Saint-Pétersbourg et à Gatchina[186], avec cette noble décence, cette simplicité de bon goût et cette délicatesse de manières dont la princesse a pris l'habitude à la cour de Montbéliard. Quant au grand-duc Paul, il est le fils le plus soumis aux volontés de l'impératrice, malgré l'absence de tout sentiment tendre de la part de sa mère. Cependant il m'a paru quelquefois humilié du rôle qu'on lui fait jouer, et même en conserver du ressentiment contre les courtisans qui entourent la czarine. Celle-ci redoute peut-être l'amour sans bornes du peuple russe pour le grand-duc.

Voici deux lettres de Son Altesse impériale qui me tombent sous la main.

Saint-Pétersbourg, $\dfrac{22 \text{ mars}}{2 \text{ avril}}$ 1782.

« Ma chère Lanele, N... est arrivé avant-hier et m'a remis vos lettres et vos beaux nœuds. Je dirai à ma chère Lane que les siens sont les mieux faits et que leur quantité me prouve que vous avez songé souvent à moi . . . . . . . . . . . . . . . . . . . . . . . . . . . . . . . . .
. . . . . . . . . . . . . . . . . . . . . . . . . . . . . . . . . . . . . . . . . .

« Cette lettre te trouvera à Strasbourg et éloignée de maman, ce qui m'afflige sensiblement, car tu lui sers de consolation, et par tes tendres soins tu remplaces ses enfants. Au nom de Dieu retournes-y bientôt, je t'en conjure, et s'il faut pour obtenir cette grâce me prosterner aux pieds de ton seigneur et maître, je m'y mets tout du long. Voici une lettre de ton amoureux, quoique le métier que je fasse ne soit pas des plus honnêtes, du moins te prouve-t-il mon amitié, et c'est tout ce que je veux. Adieu, mon cher ange, je t'embrasse tendrement. Ta fidèle amie,

*Signé :* MARIE. »

Saint-Pétersbourg, $\frac{12}{29}$ avril 1783.

« Ma chère Lane, ta vilaine fièvre m'a donné bien de l'inquiétude, et à cette heure que tu es rétablie, je commencerai par me plaindre de ce que tu ne m'écris pas une ligne. Le gros Fritz[187] et le *de même* Benckendorf, ont reçu de tes lettres, et moi j'ai été *abgeschnitz*[188] avec un froid compliment. Outre ce grief, j'en ai encore un autre contre toi ; maman ne m'aime plus, elle ne m'écrit que des lettres si froides ; ce n'est plus l'effusion du cœur qui parle chez elle. Je t'accuse de cette infidélité, car Dieu sait que je ne suis pas coupable. Tout cela me chagrine et me donne de l'humeur, mais je t'aime cependant et te le répète avec plaisir. Adieu donc, méchante femme, je suis à jamais ta tendre amie.

*Signé :* MARIE. »

C'est au commencement de ce même mois d'avril 1783 qu'est mort Grégoire Orloff, que poursuivait l'ombre sanglante de Pierre III, et dont le cerveau malade par suite de ses remords a rendu la fin affreuse. Le spectacle de cette démence faisait frémir ceux qui en étaient témoins. Il a survécu de bien peu de jours au comte Panin, l'autre chef de la conjuration qui a mis Catherine II sur le trône ; ce dernier est mort de chagrin d'avoir perdu son influence et son pouvoir.

J'arrivai justement cette année à Montbéliard, au moment où la baronne de Maucler accouchait d'un fils [qu'on appela Paul-Théodore-Eugène et qui eut au moins autant de parrains et de marraines que ma fille. Ses parents étaient ravis. Le comte de Montbéliard passait, comme d'habitude, l'été à Étupes.]

Madame la princesse me reçut à l'habitude comme l'enfant de la famille. Je ne puis rendre la sécurité, le calme, la paix dont on jouissait dans ce petit coin du monde. Un cercle intime composé des personnes de la maison, de quelques habitants de la ville, puis des voisins, des visiteurs étrangers faisaient au prince et à la princesse une société charmante. Si tous n'étaient pas également spirituels, tous leur étaient dévoués. Les gens de *bonne compagnie*, dans l'acception complète du mot, sont rares partout, mais de la diversité des caractères et du genre d'esprit naissent des contrastes qui ont leur piquant. Ainsi, le lendemain de mon arrivée, on se réunit le soir par un beau temps, au milieu des fleurs dont le salon était rempli, en souvenir, je crois, de la grande-duchesse qui en mettait partout. On joua au loto, le jeu à la mode. Le salon était ainsi habité : d'abord la famille du prince, dont j'ai suffisamment parlé, puis mesdames de Damitz et de Schack, dames d'honneur de Son Altesse royale, et mademoiselle de Domsdorf, fille d'honneur ; ensuite le baron et la baronne de Borck, grand maître et grande maîtresse dont j'ai déjà parlé ; le baron de Maucler, gouverneur des jeunes princes, et madame de Maucler, sa femme, née baronne Lefort ; l'évêque *in partibus* baron de Schwarzer, grand aumônier du duc Frédéric-Eugène, ancien militaire ; le comte de Baleuze, le marquis de Vernouillet, fils naturel de Louis XV, lui ressemblant beaucoup ; le capitaine Parrot, précédemment au service de la compagnie des Indes orientales ; le conseiller Jeanmaire de Montbéliard ; M. Rossel, conseiller ; M. Duvernoy, voisin habitant Exincourt ; le prince-abbé

des chapitres nobles réunis de Murbach et de Lure,
M. de Rathsamhausen ; M. de Beroldingen, grand
doyen du chapitre de Murbach ; le baron de Wurmser,
mon grand-oncle, grand veneur ; les barons Frantz et
Frédéric de Wurmser, tous les deux brigadiers d'infanterie ; le commandeur de Waldner, mon oncle ; le baron
de Waldner, mon père ; le comte de Wartensleben,
lieutenant-colonel dans Anhalt, et la comtesse de Wartensleben, née de Linas, sa femme. Il devait y avoir
un petit plaisir de plus qu'à l'ordinaire ; aussi le cercle était-il au grand complet. Les princesses et leurs
dames avaient fait une loterie pour les pauvres, de lots
des plus *encourageants*, disait une jolie et spirituelle
personne, mademoiselle de Domsdorf, chargée de placer les billets.

— Les lots vous promettent mille choses, messieurs ;
choisissez les numéros et vous verrez que vous ne vous
en repentirez pas.

Les vingt premiers numéros sortant au loto étaient
les favorisés ; c'était un grand émoi dans ce petit cercle,
où tout était ordinairement si calme ; le mouvement
était partout, on se montrait les billets, on se racontait
les rêves de la nuit passée et les espérances positives
qui en résultaient. Les visages étaient parfaits à étudier
dans leur gaieté ou dans leur sérieux. Le prince se pré-
occupait peu de ces luttes de désirs ; il jouait aux échecs
dans un coin avec le prince-abbé de Murbach, que les
bruits de ce monde préoccupaient encore moins, lui qui
devait mourir *en odeur de sainteté* peu d'années après.
L'évêque de Schwarzer se tenait auprès de lui et le
conseillait. Ceux des jeunes princes et des jeunes princesses qui restaient à Étupes s'étaient groupés près de
leur mère, et échangeaient ces bons rires de la jeunesse
que rien ne remplace et que rien ne fait oublier.

Nous avions en visite M. et madame Tronchin, de
Genève. M. Tronchin-Calandrin, conseiller d'État de la
république de Genève, était l'ennemi de Jean-Jacques

Rousseau, et parent du célèbre Tronchin, médecin de
M. le duc d'Orléans, qui a mis à la mode et répandu la
célèbre invention de l'inoculation[189] ; il fit paraître
contre Rousseau les *Lettres écrites de la campagne* en
réponse aux fameuses *Lettres écrites de la montagne*.

M. Tronchin était assis près de madame de Wartensleben, à laquelle il racontait une anecdote sur Voltaire,
que j'ai retenue ; elle peint bien son caractère tout de
premier mouvement. Il était à Ferney, lorsqu'il reçut
les *Lettres de la montagne*, où se trouve un passage violent contre lui. En le lisant, il se mit d'une colère horrible, traitant Rousseau de drôle, de coquin, de scélérat ;
qu'il s'en vengerait et lui ferait donner cent coups de
bâton.

— Cela vous sera facile, lui répondit-on, car il viendra bientôt vous voir à Ferney.

— Qu'il arrive donc, ajouta Voltaire.

— Et que ferez-vous quand il arrivera ?

— Eh bien ! je lui donnerai ma meilleure chambre,
je le ferai bien dîner, et je l'engagerai à rester tant que
cela pourra lui être agréable.

[C'était bien de Voltaire.]

— Il était plus léger que méchant, répondit le
vicomte de Wargemont qui écoutait. Dieu veuille avoir
l'âme du Père temporel des Capucins de Gex, capucin
indigne ou indigne capucin !

Le vicomte de Wargemont, capitaine dans Royal-
Étranger, en garnison à Belfort, était arrivé en visite à
Étupes avec une recommandation pour le prince. Il est
d'une famille de Normandie ; le marquis de Wargemont
était avec lui ; il a été colonel des volontaires de Soubise, et a épousé mademoiselle Tabutot-d'Orval. Il a une
sœur mariée en Picardie à M. de Gaudechart de Que-
rieu, dont ils parlaient avec enthousiasme.

Nous vîmes plus tard à Étupes M. le duc de Sully,
colonel en second du même régiment Royal-Étranger ;
en ce moment M. de Wargemont y était seul de ce corps.

— Laissons là Rousseau et M. de Voltaire, monsieur Tronchin, dit la princesse ; le grand moment est venu. Qui tirera les numéros ?

— Ce sera Marie, sans doute, dit la baronne de Borck.

— Madame la baronne, si vous le permettez, interrompit M. de Vernouillet, ce sera plutôt le *capitaine Loto* ; c'est son métier de prédilection.

Le marquis appelait ainsi le capitaine Parrot. M. de Vernouillet était gai ; il était même ce que dans le monde on appelle aimable, mais il n'avait pas toujours le goût très-fin. Il avait adopté ce détestable genre de faire des calembours, et les siens n'étaient pas toujours heureux.

— Que ce soit donc le capitaine, mais attention, mesdames.

On s'arrangea autour de la grande table, chacun ayant ses cartons, ses marques et tous les accessoires du loto-dauphin. M. et madame de Borck se mirent à côté l'un de l'autre, pour se conseiller.

— Ma mie, disait le baron, faites attention à ne pas oublier les ambes[190].

— Ambo ! cria M. de Vernouillet ; le baron a raison, madame.

— Quant à moi, je vais perdre selon mon habitude, reprenait le conseiller Rossel, savant en grec, en mathématiques, très-érudit, mais très-mauvais joueur ; il était, en outre, un critique sévère et fort distrait, quoiqu'il eût les manières du monde.

— Attendez, monsieur, que vous ayez perdu pour vous plaindre, répliqua madame de Schack, personne observatrice, pénétrante, occupée de son jeu, instruite et fort silencieuse d'ordinaire.

— Madame de Schack a parlé ! continua M. Frédéric de Wurmser ; c'est déjà un lot de gagné à la loterie.

Madame de Maucler dormait, selon son habitude ; elle était un peu fatiguée de ses couches, et ses sommeils étaient plus fréquents.

— J'y suis, écoutez-moi, entonna le capitaine Parrot du haut de sa tête.

Il nomma un numéro.

— C'est à moi ! murmura humblement le conseiller Jeanmaire.

— À vous cette belle pelote, brodée par madame la grande-duchesse, monsieur le conseiller ! dit mon père, recevez-en mon compliment ; c'est le plus beau lot de la loterie ; ma fille eût bien voulu le gagner, j'en suis sûr.

— Allons, je n'ai pas ce numéro, marmotta M. Rossel d'un ton fâché.

— Déjà ! monsieur Rossel, interrompit M. le prince de Montbéliard en riant, il vous reste encore dix-huit points.

Le capitaine nomma successivement plusieurs numéros. Je gagnai un beau gobelet ciselé, envoyé par la comtesse de Hohenheim, aux armes de l'Ordre teutonique. À chaque nombre qui sortait et qui ne se trouvait pas sur ses cartons, le conseiller Rossel poussait une exclamation de regret. Le duc interrompit sa partie pour en rire à son aise et le mieux écouter.

— Je les avais dimanche, messieurs, tous ces numéros, vous en êtes témoins, répétait l'infortuné conseiller, et pas un ne me vient aujourd'hui ! Je suis trop malheureux.

— Monsieur, à quel chiffre en est-on ? demanda madame de Damitz, dont la compréhension s'ouvrait avec peine.

— Madame, on vient de dire un 1 et un 4, répliquait avec un sang-froid imperturbable le comte de Baleuze, d'une distraction fabuleuse et toujours à cent lieues du jeu[191].

— Alors, monsieur, c'est 14.

— Croyez-vous, madame ?

— Mais, monsieur, sans doute que je le crois ; permettez-moi de vous dire que vous m'*agacez :* 1 et 4 font 14 apparemment.

Et les rires partaient de toutes parts, car la bonne madame de Damitz étant *continuellement agacée*, on s'amusait de ses accès de colère les plus comiques du monde ; aussi le prince Eugène lui répliqua-t-il d'un grand sans-froid :

— Je vous demande pardon, madame, 1 et 4 font cinq.

Madame de Damitz n'osa rien répondre au prince, mais elle dit à M. de Vernouillet :

— Vous êtes bien heureux que ce ne soit pas vous !

— *Del mio delfino*, riposta celui-ci, toujours occupé du jeu, *il est cuit !*

Ces expressions un peu triviales ne messéaient pas au marquis, et contrastaient avec l'élégance de sa tournure ; il s'était mis sur le pied de tout dire et comme il le voulait. Madame la princesse appelait cela tout bas ses *licences royales*.

— Mon ange, glissait madame de Borck à l'oreille de son mari, vous avez oublié une marque ; heureusement je suis près de vous, ajouta-t-elle avec un sourire empreint de toute la coquetterie de sa jeunesse.

Le dernier lot fut enfin tiré, la partie continua. On joua avec toute la *furie* des existences inoccupées, pour lesquelles la moindre chose est un événement. M. de Vernouillet, qui a la manie de rimer à tout propos, perdait beaucoup ; il s'écria avec une verve comique, au moment où sa bourse était vide et où le loto finissait :

*Quoi ! déjà plus d'argent ! comment le concevoir ?*
*Vous n'avez plus de ronds et je n'ai plus d'espoir.*

J'écrivis, le soir même, cette petite scène. Malgré sa futilité, c'est un petit tableau qui fera connaître cet intérieur d'Étupes, où la vie était si douce et si facile, les rapports si pleins de bonhomie et de bienveillance. Les petites passions de l'intimité s'y donnaient carrière, sans jamais amener le moindre orage, ni la plus légère discussion. À peine quelquefois une malice ou la critique la plus innocente venait animer la conversation.

On était heureux à Étupes, et on y faisait le plus d'heureux possible. Que de bonnes œuvres ! combien de fois ai-je vu les jeunes princesses se priver d'une fantaisie, pour secourir de pauvres familles ! Aussi la reconnaissance est dans tous les cœurs, leur nom est béni, et tout ce bonheur laisse dans l'âme un doux et touchant souvenir.

## CHAPITRE XXI

Il vint à Étupes une visite fort agréable et fort distinguée des autres de toutes manières, celle de madame la duchesse de Bourbon. Elle voyageait pour se distraire du profond ennui qu'elle éprouve depuis sa séparation d'avec son mari et les injustices dont le monde l'a accablée. Elle vint à Étupes, beaucoup en souvenir de madame la comtesse du Nord, qu'elle avait malheureusement peu vue et qui lui avait plu infiniment. Ce même souvenir me valut de sa part une attention particulière et une bienveillance que j'étais loin de mériter. Elle me la montra dès le premier jour, et me dit avec la franchise de son caractère :

— Madame d'Oberkirch, madame la grande-duchesse est bien heureuse de vous avoir pour amie, et si j'osais, je vous demanderais la seconde place.

Je répondis comme je le devais, par des remerciements et des modesties.

— C'est entendu, interrompit-elle ; à dater d'aujourd'hui vous êtes à moi en France, ce qui ne vous empêche pas d'être à madame la grande-duchesse en Russie ; nous vous partagerons comme Proserpine, seulement je ne veux pas être Pluton.

Madame la duchesse de Bourbon était fille de M. le duc d'Orléans (petit-fils du régent et mari de madame de Montesson) et d'une princesse de Bourbon-Conti, de triste mémoire, morte en 1759. Née en 1750, elle avait alors trente-trois ans ; elle était, sinon belle, au moins fort agréable, d'un esprit prompt et vif, d'un caractère passionné et loyal ; elle tenait plus de la race où elle était entrée que de la sienne propre.

Elle le disait souvent :

— J'ai tout de Condé et rien d'Orléans[192].

Elle fut mariée en 1770. M. le duc de Bourbon était fort épris d'elle. Mademoiselle avait près de six ans de plus que son mari. *L'Amoureux de quinze ans*, joué à Chantilly lors des fêtes du mariage, avait pour sujet l'amour que ce jeune prince portait à la princesse sa femme, les soins et la passion qu'il affichait pour elle. J'ai déjà parlé de cette bluette de Laujon, qui était alors attaché à M. le comte de Clermont, abbé de Saint-Germain, mort en 1771, grand-oncle de M. le duc de Bourbon. Après la cérémonie, on avait décidé que le prince voyagerait quelque temps et que madame la duchesse de Bourbon resterait au couvent pendant son absence. Cet arrangement ne plut jamais au jeune mari, et sans autre forme de procès il enleva sa femme, qui s'y prêta de la meilleure grâce du monde.

Elle devint grosse bientôt, et après quarante-huit heures d'atroces douleurs, elle mit au monde un fils, auquel on donna le nom de duc d'Enghien. L'enfant, au moment de sa naissance, était noir et ne donnait aucun signe d'existence ; on l'enveloppa de linges trempés dans de l'eau-de-vie, le feu y prit, on crut que le malheureux enfant allait brûler. Ce furent des transes horribles, comme on peut l'imaginer ; heureusement on en fut quitte pour la peur.

La passion de M. le duc de Bourbon avait été trop vive pour durer longtemps ; elle s'éteignit comme les feux de paille. Il commença à s'occuper d'autres femmes, ce qui mit la sienne au désespoir. Elle fit tout ce qu'elle put pour le ramener, mais l'éclat auquel elle se laissa emporter follement ne fit que l'éloigner davantage. Il en résulta une indifférence mutuelle, qui aboutit à une séparation à la fin de 1780.

Madame la duchesse de Bourbon est d'un caractère faible et indécis ; elle n'est jamais sûre de vouloir une chose, aussi est-elle très-facile à influencer ; par suite, sa décision légère amène aisément un changement d'avis. Elle est bonne, mais elle est renfermée même aux personnes qu'elle aime le plus ; elle n'ouvre jamais tout son cœur. Elle est d'ailleurs timide, et bien qu'elle ait beaucoup d'esprit, elle manque quelquefois totalement de conversation. Elle dit souvent qu'elle a tout vu, tout connu, tout aimé, et qu'elle s'est dégoûtée de tout. Cette fâcheuse disposition n'est chez elle qu'un accident, car peu de femmes ont autant de ressources dans l'esprit et autant de moyens de s'occuper. Elle chérit la retraite avec quelques amies ; elle cultive les arts et les sciences et ne hait point la bonne chère. Elle peint agréablement et joue bien de la harpe. Elle s'est occupée des hypothèses de Lavater et des découvertes mesmériennes[193] ; en tout, c'est un esprit inquiet et *chercheur*. Elle veut savoir, et elle a peu la patience d'apprendre. Elle n'est point exclusive et n'a pas de parti pris en affection. Elle s'attache souvent à des gens de goûts, de principes et d'habitudes fort opposés. Elle vit au milieu de tout cela, et laisse à chacun son opinion en réservant la sienne. Sa gouvernante a été madame la marquise de Barbantane.

Madame la duchesse de Bourbon a infiniment de grâce dans l'esprit et une originalité qui, lorsqu'elle veut bien se livrer, rend sa conversation très-piquante, originalité que corrige d'ailleurs l'excellence de son cœur. Ce qui prouve qu'elle a horreur du vice et de la méchanceté, c'est qu'elle n'a jamais voulu prendre pour dame la comtesse d'Hunolstein, fille de madame de Barbantane, avec qui elle a été élevée à Panthémont[194], parce qu'elle connaissait ses mauvais penchants. Depuis l'éclat du duel dont nous parlerons tout à l'heure et sa séparation, madame la duchesse de Bourbon est entrée dans des idées mystiques qui me paraissent fort exaltées. En politique elle a adopté des principes démocratiques, ou qui en approchent, et très-singuliers chez une princesse de son sang. Pour ceux qui la connaissent bien, cela n'a rien d'extraordinaire. Elle ne voit rien qu'avec passion ; elle tombera toujours d'un extrême dans l'autre, ce qui est une triste disposition à une époque comme la nôtre.

M. le duc de Bourbon partit au mois d'août 1782 pour l'Espagne, avec M. le comte d'Artois, qu'il accompagna sous le nom de comte de Dammartin. Il se rendit au camp de Saint-Roch, devant Gibraltar, et s'y battit comme un Condé : c'est tout dire. À son retour, le roi le reçut chevalier de Saint-Louis et le nomma maréchal de camp.

Pendant son séjour à Étupes, madame la duchesse de Bourbon me fit l'honneur de m'emmener chaque jour avec elle dans des promenades solitaires qu'elle entreprenait autour du château. Nous restions quelquefois plus de trois heures, tête à tête, à causer de toutes choses et de toutes gens ; mais sa conversation la plus habituelle était de vouloir me persuader de son innocence à l'endroit des calomnies dont elle souffrait infiniment plus qu'on ne le supposait. Un matin, elle me dit avec une sorte d'embarras qui m'étonna :

— Ma chère baronne, vous ne me connaissez que par les aventures qu'on me prête, et vous me prenez certainement pour une extravagante, en vous supposant une grande dose d'indulgence. N'allez pas dire non ; je ne vous croirais plus.

— Mais, madame, vous me placez dans une position étrange.

— Je vous place dans la position d'une femme que je veux éclairer, si elle a la patience et la volonté de l'être. Voyons, laquelle de mes trois énormités voulez-vous que je vous explique ? Cela ne sera pas plus difficile pour l'une que pour l'autre.

— Si Votre Altesse veut bien m'honorer de sa confiance, il ne me reste qu'à attendre son bon plaisir et à l'en remercier ; j'en suis digne par mon dévouement, et je le serai par ma discrétion.

— Je sais tout cela. Vous ignorez combien j'ai été malheureuse et combien je le suis encore. J'ai aimé mon mari ; quelquefois, il me semble que je l'aime toujours, je l'ai aimé d'une passion sans bornes, sans raison ; il m'en a récompensée par un mépris sans raison et peut-être aussi sans bornes, comme mon amour. Écoutez-moi bien, écoutez bien les détails circonstanciés que je vous donnerai, vous verrez que je n'ai pas tous les torts. M. le duc de Bourbon, au lieu de ménager mon sentiment si tendre pour lui et mon âme si sensible, m'a donné l'exemple de la légèreté, de l'infidélité surtout. Il s'est vivement et uniquement attaché, après deux ans de mariage, à madame de Canilhac, mon ancienne dame pour accompagner. Ce scandale fut poussé à un tel point, qu'il devint impossible de le tolérer sous mes yeux, et que je priai madame de Canilhac de se retirer. C'est cette action digne, honorable, je puis le dire, qui m'a valu depuis l'insulte que j'ai reçue au bal de l'Opéra, le duel qui s'ensuivit, et toutes mes épreuves. Voyez à quoi tient l'avenir.

Elle me raconta ensuite qu'en 1780, lors d'une brouillerie entre eux, madame de Monaco[195], autre maîtresse du prince, engagea M. le duc de Bourbon à écrire à sa femme qu'elle lui ferait plaisir, ainsi qu'au prince de Condé, en ne venant pas avec eux aux courses de Chantilly. Ce procédé l'exaspéra, sachant surtout d'où il partait.

Le prince s'est épris plus tard de madame de Courtebonne, aussi attachée à la princesse sa femme, et il prit si peu de soin de cacher cette intrigue, qu'il se battit par jalousie avec M. d'Agoult, son capitaine des gardes et son rival.

Ce n'est pas tout, la liste est loin d'être épuisée : elle commence à peine. M. le duc de Bourbon a eu longtemps pour maîtresse, et cela peu d'années après son mariage, mademoiselle Michelot de l'Opéra, dont il a eu un enfant. Il fut non-seulement baptisé sous le nom de Bourbon, mais, d'après l'ordre du roi, tenu sur les fonts par mademoiselle de Condé et le prince de Soubise. Toutes ces histoires ont été publiques, et la princesse n'a pu contenir son indignation en se voyant, en ce moment-là même, en butte à de cruels reproches et d'injurieux soupçons. D'ailleurs la séparation n'est pas de son fait, elle ne s'est point opposée aux démarches conciliantes faites par M. le duc d'Orléans, son père ; c'est au contraire M. le duc de Bourbon qui a écrit au roi une lettre vraiment révoltante et incroyable.

Quant au duel, en voici la cause : M. le comte d'Artois était fort épris de madame de Canilhac, dont M. le duc de Bourbon ne voulait plus ; ce qui n'empêchait pas cette jeune femme d'être fraîche et gracieuse. Au bal du mardi gras 1778, madame la duchesse de Bourbon donnait le bras au beau-frère de cette jeune femme. Ils rencontrèrent M. le comte d'Artois et madame de Canilhac ; celle-ci montra la princesse au comte d'Artois et le pria d'être particulièrement désagréable à Son Altesse sérénissime. Bon petit cœur ! Le prince est étourdi, chacun le sait ; il était des plus épris ; il fit semblant de prendre madame la duchesse de Bourbon pour une créature comme il s'en rencontre au bal de l'Opéra, et prononça les mots les plus incroyables. Madame la duchesse de Bourbon, n'étant pas maîtresse d'un premier mouvement, arracha le masque du prince, et celui-ci, furieux, lui écrasa le sien sur le visage, sans

cependant la démasquer. La princesse eut la prudence
de ne rien dire. D'un caractère facile, elle oublia l'insulte et n'attacha le lendemain aucune importance à
cet événement. Mais M. le comte d'Artois raconta cette
histoire à souper chez madame Jules de Polignac ; il en
parla partout. Ce fut un scandale effroyable. Madame
la duchesse de Bourbon l'apprit et éclata. Tout le monde
se rangea de son côté, surtout les femmes. On la blâma
de n'avoir point instruit son mari et sa famille en
demandant vengeance. Elle ne le pouvait pas ; c'eût
été aggraver les choses, ce que l'événement a prouvé.
M. le prince de Condé alla trouver le roi et le pria d'intervenir dans tout ceci. Il fit venir les parties intéressées dans son cabinet, voulant tout connaître comme
chef de famille ; il crut suffisant de les faire embrasser
et de leur ordonner d'oublier le reste. Madame la
duchesse de Bourbon ne se trouva point satisfaite de
la conduite de M. le comte d'Artois ; elle tint bon, et
partit mécontente du prince. M. le duc de Bourbon,
comme je l'ai dit, n'était pas satisfait non plus. Il ne
pouvait provoquer directement un frère de Sa Majesté ;
il le lui fit comprendre, et le petit-fils de Henri IV ne
se fit pas prier. Ils allèrent au bois de Boulogne, où les
Parisiens étaient à leur poste. L'épée de M. le comte
d'Artois s'engagea sous le bras de M. le duc de Bourbon ; on le crut blessé, on déclara l'honneur satisfait et
on arrêta le duel. Les princes s'embrassèrent et tout
fut terminé. Chacun avait fait son devoir. M. le prince
de Condé et M. le duc de Bourbon, transportés, remer-
cièrent M. le comte d'Artois de l'honneur qu'il leur
avait fait en croisant le fer avec eux, et en retour M. le
comte d'Artois alla faire des excuses à madame la
duchesse de Bourbon, ainsi qu'on le lui avait conseillé.
Il se rendit au palais Bourbon et plaisanta agréablement
sa cousine sur *leur procès*. Peut-être crut-il bien faire
en traitant la chose légèrement, mais une visite si tar-
dive ne réussit pas auprès de madame la duchesse de

Bourbon. Quoi qu'on en ait dit, elle fit tout au monde pour le bien recevoir, mais ce ton la blessa ; elle ne put s'empêcher de le laisser voir en lui opposant une froide réserve ; sa dignité personnelle l'exigeait.

Avec plus de prudence, madame la duchesse eût peut-être évité cet éclat, mais elle adorait son mari ; son cœur était brisé. Elle avait chassé de son palais madame de Canilhac, et cette rivale, qui ne le lui pardonna jamais, avait amené cette triste scène pour se venger. En donnant tort à la princesse pour la forme, on ne peut que lui donner raison pour le fond.

Le soir, à l'Opéra, M. le comte d'Artois fut reçu excessivement froidement par le public, et les Condés, au contraire, accablés d'applaudissements. On en sut mauvais gré à la princesse ; qu'y pouvait-elle ? Le palais Bourbon fut toute la journée rempli de visiteurs ; M. le prince de Condé voulait les recevoir tous, malgré madame sa belle-fille. On s'en prit à celle-ci de ce qu'on appela une insolente rivalité.

M. le comte d'Artois est pourtant un prince charmant, rempli de qualités admirables, de loyauté, de noblesse, mais en cette circonstance il fut égaré.

Madame la duchesse de Bourbon n'a pas une grande affection pour M. le duc de Chartres, son frère ; elle n'a pu oublier la manière dont il s'est conduit lors de cette affaire, et comment il osa dire en ce moment :

— Elle n'est ni ma fille ni ma femme, je n'ai pas besoin de me mêler de ses sottises !

Avant la querelle de M. le comte d'Artois, madame la duchesse de Bourbon avait encore eu une malheureuse histoire, qui fit beaucoup de bruit en 1773. Madame la princesse d'Hénin, qui était fort éprise de M. de Coigny et jalouse, je ne sais pourquoi, de madame la duchesse de Bourbon, rencontrant Son Altesse au bal de l'Opéra, profita de ce qu'elle était masquée pour avoir l'air de ne pas la reconnaître, et lui dit les choses les plus désagréables sur sa personne et sur sa conduite. Qu'est-ce

que cela prouve ? de l'emportement et de la passion de
la part de madame d'Hénin, et peut-être de la coquetterie de la part de madame la duchesse de Bourbon.
On fit là-dessus courir mille bruits sur elle ; on assura
qu'elle était exilée à Chantilly.

De là l'origine des propos malveillants et des calomnies dont elle a si souvent été victime.

Pauvre princesse ! elle paya bien cher l'abandon de
sa mère.

Madame la duchesse de Bourbon voulait absolument
connaître nos ruines d'Alsace. Elle fit plusieurs excursions dans lesquelles nous l'accompagnions à tour de
rôle ; mais lorsqu'il fut question des châteaux et des
montagnes où ma famille avait joué un rôle, elle ne
voulut plus d'autre guide que moi. Elle me fit même
l'honneur de me dire qu'elle voulait venir à Schweighouse, afin de visiter de là tous les lieux qui m'intéressaient. Je partis donc un jour d'avance afin de la
recevoir, et en effet le lendemain elle arriva. Nous nous
mîmes en route, et après avoir traversé Cernay, à une
lieue de cette ville (entre les deux chaussées qui mènent
l'une à Soultz et l'autre à Rouffach), nous arrivâmes à
l'endroit où était autrefois le château de Weckenthal,
tout près du village de Berwiller.

Ce château, siège principal de notre maison, lorsqu'elle
était dans toute sa puissance, était flanqué de tours,
défendu par une multitude de remparts et de pont-levis,
entouré de trois enceintes fortifiées et d'un ouvrage
avancé. Brûlé en 1652 par Renaud de Rosen[196], il n'en
reste plus rien aujourd'hui. Si les castels situés sur les
collines du Sundgau ont disparu sans laisser de ruines,
comme ceux qui couronnent les Vosges, dont les restes
ont été protégés par leur situation d'un difficile accès,
à plus forte raison il en est ainsi de ceux de la plaine.

Madame la duchesse de Bourbon aimait les vieux
donjons. Elle voulait visiter Freundstein, le berceau de
notre famille.

À Wuenheim, nous prîmes un sentier le long des prairies qui sont derrière ce village, puis nous pénétrâmes dans la forêt, et après une heure et demie de marche, nous commençâmes à gravir la montagne en quittant la vallée et le charmant ruisseau qui l'arrose. La pente est dure et le chemin pénible. Il faisait chaud, Son Altesse s'arrêtait souvent, s'asseyant sur l'herbe pour reprendre haleine. Il nous fallut deux grandes heures pour arriver au sommet de la montagne et sur le plus élevé des trois pics de Freundstein. C'est là que se trouvent les ruines, ayant pour base un rocher escarpé.

Ces trois cimes sont représentées dans l'écusson des Waldner qui porte *d'argent à trois rochers de sable surmontés chacun d'une merlette de gueules*. Le donjon est encore assez bien conservé et se voit de Fribourg en Brisgau, qui est à douze lieues de là. À travers les fenêtres sans vitraux, on aperçoit au sud la vallée de Saint-Amarin ; du côté de l'entrée qui est au nord, on domine la vallée de Soultz, dont on n'aperçoit cependant pas le fond, puis le ballon de Guebwiller, et à gauche le ballon de Giromagny qui est plus éloigné. Cela fait la plus admirable vue possible. La princesse ne pouvait se lasser de l'admirer.

Freundstein fut brûlé en 1470, dans la guerre des Waldner contre la ville de Soultz qui paya cher cette victoire. On voit le rôle que jouaient nos pères dans cette terre classique de la féodalité. Reconstruit presque de suite, il fut habité jusqu'en 1525, où il fut définitivement démantelé dans la guerre des *Paysans*[197].

Ces *Rustauds* prirent d'abord pour bannière une pique surmontée d'un soulier et écrivirent en lettres rouges sur l'étendard leur cri de guerre : *Rien que la justice de Dieu*. C'est ce qu'on nomma la révolte du *Bundschuh*. La réforme religieuse vint ranimer les passions de ces paysans, qui, sous le nom d'anabaptistes, continuèrent leurs cruautés et leurs ravages en Allemagne.

Mais enfin la révolte fut écrasée et l'Alsace respira jusqu'à la guerre de Trente ans[198].

Alors le comte de Mansfeld, chassé de la Bohême, et le comte de Horn avec ses Suédois occupèrent et ravagèrent ce beau pays pendant plusieurs années. Beaucoup de châteaux-forts furent brûlés et démolis par eux, entre autres le château d'Oberkirch qui le fut en partie. Les ordres de Louis XIV achevèrent cette œuvre de destruction.

Il y a sur le château de Freundstein différentes légendes, dont une, entre autres, est fort curieuse à raconter. On l'a dite à madame la duchesse de Bourbon sur les lieux mêmes, et elle en fut intéressée au point de commander, sur ce sujet, un petit tableau, réellement très-poétique et très-remarquable.

Un Géroldseck devint éperdument amoureux d'une Waldner de Freundstein qui ne répondit pas à ses vœux ; elle aimait un page de son père, un enfant de la souche de Ribeaupierre, mais repoussé par sa famille à cause de la naissance illégitime de sa mère. Le sire de Waldner permit à sa fille de refuser le sire de Géroldseck, mais il ne lui eût jamais permis d'épouser ce page. Géroldseck furieux, se couvrant de sa pesante armure, se met à la tête de ses guerriers et vient mettre le siège devant Freundstein.

— Je l'obtiendrai, dit-il, par la force et la terreur.

L'attaque fut terrible et soutenue, la résistance ne fut pas moins opiniâtre mais inutile. On enfonça les portes, l'ennemi resta maître du champ de bataille et refoula la garnison dans ses derniers retranchements.

Le sire de Waldner alla alors trouver sa fille.

— Veux-tu tomber entre ses mains ? lui dit-il, en montrant l'ennemi qui s'emparait de la dernière enceinte.

— Plutôt mourir, mon père !

— Tu préfères la mort, dis-tu, ma fille ?

— Cent fois et mille fois, mon père.

— Eh bien ! mets ton voile de fiancée, viens avec moi, et montre tout ce que sait être une Waldner.

En ce moment suprême, la jeune héroïne pensa à celui qu'elle aimait, à l'impossibilité d'unir jamais son sort à celui d'un enfant déshérité et méconnu.

— Vous avez raison, mon père, soyons jusqu'à la fin dignes de nos ancêtres.

Devinant ce que méditait le vieux sire, belle de son émotion autant que de sa beauté, elle le suivit sans hésiter. Le temps pressait, un moment de plus, et ils tombaient entre les mains du vainqueur ; le page tenait le cheval du vieux chevalier ; la jeune vierge en l'apercevant lui tendit la main et lui dit :

— Je vais mourir pour rester digne de notre amour impossible sur la terre, nous nous rejoindrons là-haut ; et elle s'élança en croupe de son père.

— Je vous suis, madame ; le sire mon maître ne marche jamais sans son page.

Waldner ne l'entendit pas sans doute ; ses regards et son attention se portaient sur ses chevaliers et ses hommes d'armes dont le nombre diminuait à chaque instant, et sur la porte que l'ennemi allait franchir : il pousse en avant son cheval de bataille et, arrivé sur le sommet de son dernier retranchement, il jette les yeux en arrière au moment où Géroldseck arrivait triomphant.

— Donne-moi ta fille, Waldner, s'écriait-il.

— La voilà, lui répond le père qui, n'écoutant que la voix de l'honneur et du désespoir, s'élance en piquant des deux et tombe mort ainsi que sa fille au milieu des assiégeants. Quelle vue pour Géroldseck ! Le vertige le saisit, il abandonne ses rênes et suit dans sa chute celle qu'il vient de perdre ; leurs corps fracassés sont étendus l'un près de l'autre ; c'est ainsi qu'il a conquis celle qu'il aime.

Le pauvre page n'était point arrivé jusque-là, un carreau d'arbalète l'avait abattu derrière le cheval de son seigneur, il précéda au ciel sa dame adorée[199].

Je n'ai pu passer cette légende sous silence ; c'est une
tradition qui s'est maintenue dans ce pays-ci. Elle a, je
crois, été imprimée quelque part, et est devenue historique.

Nous visitâmes aussi à Soultz les tombeaux de notre
famille. Ils sont fort anciens et curieux. Il en existe
d'autres à l'église de Saint-Pierre à Bâle, à Baldenheim
et à Sierentz.

Nous passâmes ainsi dans ces excursions trois jours
que l'esprit et les bontés de madame la duchesse de
Bourbon me rendirent des plus agréables.

## CHAPITRE XXII

Madame la duchesse de Bourbon avait apporté à la
cour de Montbéliard une mode que nous nous empres-
sâmes toutes de prendre, celle des cadogans, jusqu'ici
réservée aux hommes. Rien n'est plus joli et plus cava-
lier quand on y joint les cadenettes[200], le petit chapeau
et le plumet. On craignait que cette coiffure ne durât
pas ; le roi la détestait ; il ne cessait de s'en moquer,
et en parlait même avec aigreur, ce qui est éloigné de
son caractère habituel.

Un jour, il est entré chez la reine avec un chignon ;
Sa Majesté se mit à rire.

— Vous devriez trouver cela tout simple, madame ;
ne faut-il pas nous distinguer des femmes qui ont pris
nos modes ?

Marie-Antoinette comprit la leçon, et, en effet, les
costumes masculins tombèrent peu à peu.

Il y eut cette année une révolution dans les habits des
enfants, dont je fus charmée pour ma part. On cessa de
leur saupoudrer la tête à blanc, comme on le faisait
autrefois. Ils étaient tout à fait défigurés, avec ces

rouleaux pommadés, ces boucles et tout cet attirail. Rien n'était plus ridicule que ces petites créatures, avec une bourse, un chapeau sous le bras et l'épée au côté. Depuis la révolution établie dans la chevelure, les enfants portèrent les cheveux en rond, bien taillés, bien propres et sans poudre.

On amena un jour à Étupes le plus joli petit garçon du monde, fils d'un gentilhomme du voisinage ; il entra paré comme son grand-père, se tenant droit, très-occupé de son épée et de son habit brodé, et parfaitement ridicule, j'en réponds. Mademoiselle de Domsdorf vint me dire tout bas qu'il fallait faire une conspiration pour mettre cet enfant à la mode. Elle emmena donc la mère du petit bonhomme, pendant que son père faisait sa cour, et fit si bien, que celle-ci partagea bientôt son désir de délivrer d'un tel supplice son pauvre héritier. Les conjurées, fortes du consentement de la mère qui voulut faire semblant de ne rien savoir, emmenèrent l'enfant dans la chambre de madame Hendel, où l'on fit venir le valet de chambre-coiffeur des jeunes princes ; en une demi-heure le changement complet s'opéra, et il reparut au salon, tout à son avantage. Ce furent de grandes exclamations de diverses espèces. Le père, mécontent d'abord, n'osa pas trop mal prendre la chose, et finit par reconnaître le mérite de la métamorphose.

Les femmes se mettaient alors de la poudre d'iris, un peu plus que blonde, ce qui fait qu'elles avaient toutes l'air rousses. C'est apparemment pour accorder les blondes et les rousses qui chacune veulent être les plus belles, et qui chacune, il faut le dire, avaient des partisans. En vérité, les modes font souvent de grandes extravagances, elles servent à gâter ce qu'a fait la nature ; ce qui ne nous empêche pas de nous trouver, tant que nous sommes, charmantes ainsi affublées.

Plusieurs princes arrivèrent successivement à Montbéliard : d'abord l'archiduc Maximilien, électeur de

Cologne, qui, s'il a peu d'esprit, est d'une bonté extrême. Il m'honorait particulièrement de sa bienveillance, et la conversation roulait toujours sur un bourgeois dont la maison gênait sa vue dans un de ses châteaux, et qu'il ne pouvait se décider à en chasser.

— Il n'a pas voulu me la vendre ; on me conseilla de m'emparer en lui en payant le prix, mais je ne le ferai point ; ce pauvre homme est né là, son père y est mort ; on comprend cela, n'est-ce pas, madame la baronne ? Pourtant ce toit rouge me contrarie bien. — Et c'était toujours à recommencer.

— Monsieur l'archiduc n'a donc qu'une seule idée dans la tête ? disait madame la princesse.

— C'est apparemment, répondit M. de Vernouillet, qu'il n'a pas de quoi en changer.

Après l'archiduc vint le duc Pierre de Holstein-Oldenbourg, le même qui avait laissé l'administration d'Oldenbourg à son cousin, ainsi que je l'ai dit ; il jouait admirablement aux échecs, et gagna tous nos professeurs, même le conseiller Rossel, qui chanta son malheur par un nouveau dithyrambe.

Le prince héréditaire de Hesse-Darmstadt, depuis grand-duc, donna aussi quelques jours à Étupes. Il trouva madame Angélique de Messey, dame de Remiremont, fort agréable, et s'arrêta un peu plus à cause d'elle. Mais bientôt il se lassa d'une chimère et partit.

M. d'Oberkirch vint me retrouver vers le mois d'août. [Il passait son temps à la maison ou en visite chez des parents et quelquefois séjournait à Étupes.] Il m'annonça avec satisfaction que, sur la demande de madame la duchesse de Bourbon, M. le duc de Chartres avait fait passer dans le régiment de Colonel-Général-Hussards qui venait d'être créé, et dont il était colonel, mon beau-frère, le baron Samson d'Oberkirch. Le baron seconda pour la formation de ce régiment M. de Kellermann[201], lieutenant-colonel, qui s'est distingué dans la guerre de Sept ans. Mon mari se montrait très-reconnaissant de cette faveur, accordée également au jeune baron de Borck.

Nous eûmes la joie d'apprendre l'heureuse naissance d'Alexandra Paulowna, grande-duchesse de Russie[202], et par conséquent la délivrance de sa bien-aimée mère, qui souffrait beaucoup de sa grossesse et dont la couche fut très-pénible. Madame la princesse en était inquiète ; l'absence et surtout l'éloignement d'une fille si chère lui causait des tourments sans cesse renouvelés. Elle achetait bien chèrement la grandeur de sa maison.

La même lettre de madame la duchesse de Bourbon, qui m'apprenait la nomination de mon beau-frère, me donnait aussi des nouvelles de la cour. Le baron de Breteuil venait d'entrer au conseil ; il était remplacé dans son ambassade, près de l'empereur, par le marquis de Noailles. Le baron de Staël-Holstein, ministre du roi de Suède, présentait ses lettres de créance au roi. C'est le même qui, depuis, a épousé mademoiselle Necker[203]. Enfin, Monsieur, comte de Provence, partait pour faire une tournée en Lorraine. Il allait voir son régiment de carabiniers à Metz, puis la gendarmerie de Lunéville, et toutes les garnisons sur son passage. Il fut un instant question d'une visite du prince de Montbéliard à Son Altesse royale, mais madame la princesse ne voulut pas le laisser s'éloigner d'elle ; il était un peu souffrant. [Strasbourg perdit un savant célèbre, M. Spielmann, botaniste et chimiste, fondateur du Jardin botanique[204] de cette ville et de magnifiques serres. Il a aussi créé une école, une des meilleures de ce genre. On le regretta beaucoup à Étupes où il envoyait régulièrement des fleurs superbes. Je ne sais qui va prendre sa suite désormais.]

On ne parlait alors dans toute la Lorraine, l'Alsace et même à Paris, que du procès des dames *nièces* avec les dames *tantes* du chapitre de Remiremont[205] ; ce qui n'est pas étonnant quand on songe à l'illustration de ce chapitre, à l'importance de la dignité contestée, et à la qualité des personnes qui étaient parties dans ce procès. Chaque camp avait répandu de nombreux mémoires ; le parti de l'élection avait formé appel du jugement rendu contre lui l'année précédente par le parlement de Nancy. Les dames *nièces* prétendent toujours que le chapitre n'est qu'un corps laïque, et que les dames tantes n'ont pas la propriété des voix des dames nièces. On attendait avec impatience le jugement du conseil auquel la requête avait été signifiée. Elle a été jugée, le roi présent. L'élection de madame de Ferrette à la dignité de secrète, en remplacement de madame de Lenoncourt, a été confirmée. Les dames opposantes ont été déboutées, et les dames *nièces* eurent gain de cause contre les dames *tantes*.

— Ce n'est pas qu'elles aient raison, ajoutait M. de Vernouillet, c'est tout bonnement qu'elles sont plus jeunes.

Le doyen de Murbach, auquel il racontait cette folie, lui répondit sérieusement que les années ne faisaient rien à la chose.

On s'amusa beaucoup de ce débat que le marquis poussa, selon sa coutume, au dernier degré. Il fallut le faire taire.

Les dignités de ces dames étaient considérables. Madame la princesse Christine de Saxe, Altesse royale, en était abbesse. Il y avait ensuite la doyenne, la secrète, la censière, la dame du deus, la grande-aumônière, la boursière d'argent, la boursière de grains, la dame du sceau, les dames chantres, la trésorière-lettrière, la dame de la fabrique, la coadjutrice, qui était alors la princesse Charlotte de Lorraine, et enfin trente-deux chanoinesses. À l'heure où j'écris (89), c'est Son Altesse sérénissime madame la princesse Louise de Condé qui est abbesse de ce puissant chapitre. La maison de France en a déjà fourni plusieurs.

J'eus un deuil à porter, auquel je m'attendais depuis longtemps, celui du comte de Waldner, mon oncle, très-âgé et très-malade, on le sait. Mon père prit en conséquence le titre de comte, qui lui était réversible, et à mon frère après lui. Les deuils de famille ne sont quelquefois que des deuils de convenance ; celui-ci, sans être une douleur profonde, m'affligea, surtout à cause de mon père. Le deuil n'est pas l'expression des regrets, il est celle d'un devoir à remplir envers les morts. C'est un hommage rendu à ses parents, aux liens de la famille. Quand le chagrin ne devrait pas durer autant que l'étiquette, ce ne serait pas une raison pour ne pas l'observer. La famille, dans son plus ou moins d'extension, étant la base de la société, on ne peut rompre un anneau de cette chaîne sans affaiblir le réseau formé par tous ces liens. Il a donc été sage de régler la durée du deuil ; il ne le serait pas de l'abréger ou d'en dépasser la limite. On peut, dans ce dernier cas, passer pour vouloir paraître plus sensible et meilleur que d'autres ; et le jour où on change d'habit, le public peut conclure avec quelque raison que la douleur est affaiblie. C'est donner aux autres le droit et le pouvoir de la mesurer et de la supputer, ce qui devient blessant. Ce que nos pères ont fait et réglé est donc sagement pensé, sagement fait.

Il y eut, au commencement de 1784, deux nominations de brigadier parmi nos connaissances : celles de M. de Buttler et du marquis de Bombelles. Nous étions revenus à Strasbourg où nous voyions beaucoup de monde à l'ordinaire. Les régiments en garnison étaient Hesse-Darmstadt (infanterie), Foix, Alsace et La Fère. Nous y connaissions une quantité d'officiers ; les visites nous pleuvaient du matin au soir. Nous étions fort occupés, on le savait, à obtenir le bailliage de Saxe pour mon oncle, commandeur dans l'Ordre teutonique. Madame la grande-duchesse Marie écrivit sur ma demande à l'archiduc Maximilien, coadjuteur de

Cologne et de l'évêché de Munster, frère de notre reine
Marie-Antoinette, qui en est le grand maître.

Saint-Pétersbourg, $\frac{16}{27}$ mars 1784.

« Monsieur, je suis si persuadée de l'amitié de Votre
Altesse royale que je m'adresse à elle avec confiance
pour lui recommander le commandeur de Waldner et
vous supplier d'avoir égard à sa prétention à la dignité
de coadjuteur du bailliage de Saxe[206]. Je m'y intéresse
vivement, désirant rendre service au commandeur
qui joint toutes les qualités d'un bien honnête homme,
et j'y suis portée encore par l'amitié qui me lie à la
baronne d'Oberkirch, sa nièce. Ces deux considérations
m'ont déterminée à faire cette démarche vis-à-vis de
Votre Altesse royale, étant sûre que, comme elle aime à
obliger, elle aura égard à ma prière, et augmentera par
là l'attachement sincère que je lui ai voué ainsi que mon
mari, qui me charge de vous offrir ses compliments.
Je suis avec la considération la plus distinguée, Monsieur, de Votre Altesse royale la bien dévouée cousine.

« Marie Feodorovna. »

[Je dois rappeler que j'ai promis de rassembler dans
ces mémoires tous les détails possibles sur nos anciennes institutions. Je souhaiterais que la mémoire des
choses du passé se garde mieux que par la tradition
orale. Mes petits-enfants me seront reconnaissants de
ma peine. Je dirai donc ici quelques mots sur les Chevaliers teutoniques, leurs institutions et leur importance.

Le premier grand maître des chevaliers teutoniques
fut Henri de Valpot. En 1150 les chevaliers, chassés de
Jérusalem par Saladin, se retirèrent à Acre. Sous Frédéric II, empereur, ils firent la conquête de la Prusse
alors idolâtre. Ils la conservèrent comme fief et bâtirent
Marienbourg au commencement du XIIIe siècle. Pour

être admis dans l'ordre, il fallait être Allemand et faire preuve de seize quartiers de noblesse paternelle et maternelle.

Lorsque leur grand maître Albert de Brandebourg embrassa le luthéranisme et se maria, il s'empara de la Prusse à titre héréditaire. Une partie de l'ordre protesta contre cette usurpation et élut un nouveau grand maître, Gauthier de Cronberg, qui transféra le siège de la grande maîtrise à Mergentheim, en Franconie, où il est demeuré depuis.

Les armes du grand maître sont une croix potencée de sable, chargée d'une croix fleurdelisée d'or, surchargée en cœur d'un écusson d'or, à l'aigle éployé de sable.

La croix de sable fut donnée à l'ordre par l'empereur Henri VI ; la croix d'or par Jean, roi de Jérusalem ; l'aigle impérial par l'empereur Frédéric II ; et les fleurs de lys qui terminent la croix, par le roi Saint Louis.

Cette croix est attachée à une chaîne d'or. Il y a douze commandeurs tant en Alsace que dans tous les pays de l'Allemagne. Le grand maître est prince immédiat de l'Empire et s'assoit à la Diète après l'archevêque de Besançon. Les commandeurs provinciaux des grands bailliages d'Alsace, de Bourgogne et de Coblence étaient aussi regardés comme États immédiats et appelés en cette qualité aux Diètes impériales et à celles des cercles. Les princes du sang royal et les fils de souverains se font un honneur d'être admis dans cet ordre, un des plus nobles de la chrétienté. Pour pouvoir aspirer aux dignités, il faut s'être distingué au moins dans trois batailles.

Bien que le grand maître et la plupart des chevaliers soient de la religion catholique romaine, cependant, à cause des commanderies situées dans les pays protestants, on reçoit aussi dans l'ordre des luthériens et des calvinistes.

Les chevaliers portent sur le cœur la croix de l'ordre, émaillée de sable, à la bordure d'argent, attachée à une

chaîne d'or. Je tiens ces détails de personnes bien infor-
mées ou bien je les ai tirés de documents authentiques.
Je n'ai gardé que l'indispensable de la lecture de nombreux in-folios. J'ai une sorte de passion pour ces
recherches dont M. d'Oberkirch se moque parfois,
disant que j'aurais dû être docteur avec le bonnet et la
robe et jamais il ne me félicite d'une trouvaille que j'ai
pu faire. Il tint cependant un jour à me conduire en
grande cérémonie chez un pauvre artiste qui avait
dépensé temps et science à construire une machine à
imiter le tonnerre et les tempêtes les plus terribles.
Cette invention était destinée à l'Opéra de Paris. Ce
même homme avait chez lui un modèle réduit de la
machine qui a servi à transporter la pierre du piédes-
tal de la statue de Pierre le Grand par Falconet. Cela
m'intéressa beaucoup.]

Nous devions partir incessamment. Madame la
duchesse de Bourbon m'avait fait l'honneur de m'écrire
à plusieurs reprises qu'elle *voulait son* voyage de Paris
comme madame la grande-duchesse. Elle y mit tant
d'insistance qu'il eût été impertinent de refuser.
M. d'Oberkirch le sentit aussi bien que moi et céda.
Nous partîmes au mois de mai 1784.

## CHAPITRE XXIII

Je revis Paris avec un grand plaisir, je l'avoue. Le
séjour que j'allais y faire y devait être presque aussi
agréable que l'autre. Si j'avais perdu le bonheur de me
trouver avec madame la grande-duchesse Marie, je
retrouvais dans madame la duchesse de Bourbon beaucoup de bonté, de bienveillance et un vrai désir de
m'être agréable. Ce n'était pas la même chose pour mon
cœur accoutumé dès l'enfance à chérir ma première et

noble amie, mais c'était beaucoup pour l'agrément de mon séjour à Paris. D'ailleurs, si l'une était mon amie de cœur, l'autre était mon amie d'esprit.

Dès le jour de mon arrivée, j'eus l'honneur de faire ma cour à Son Altesse sérénissime. Elle montra une joie véritable de me voir, et m'accueillit avec une bonté extrême. [« Abandonnez un moment votre Alsace, ma chère baronne, me dit-elle ; c'est un pays magnifique mais on n'y connaît le monde que par les trompettes de la renommée ; et les nouvelles y sont vues par le petit bout ; ici, vous êtes à votre vraie place et vous savez à qui vous parlez. »]

Après cette visite, M. d'Oberkirch me proposa d'aller à l'Opéra [où l'on jouait *Iphigénie en Aulide*. J'aimais beaucoup cette pièce. Une fois lancé dans le tourbillon de la vie à la mode, mon mari y prit plus goût que moi ; après quelques jours de joyeux entraînement, il se mit à aimer ce genre de vie puisqu'il ne pouvait vivre seul à la campagne. Il ne regrette jamais ce qu'il ne peut avoir et il profite à fond de ce qu'il a : c'est un des excellents traits de son caractère. Après l'Opéra, nous allâmes aux Tuileries], la promenade à la mode. Comme les Parisiens font tout par caprice, ils ont adopté une allée de ce jardin et ne mettent pas le pied dans les autres. On s'y étouffe, on s'y battrait presque. Les boutons des habits des hommes emportent les blondes des mantelets, les falbalas sont déchirés par les poignées des épées, et les garnitures de point restent quelquefois tout entières au bout d'un fourreau.

Du reste, les gentilshommes commençaient à aller partout sans armes et à ne porter l'épée que lorsqu'ils s'habillent. Le fretin les imitait ; la mode a été plus forte que l'autorité ne l'eût été. Si on eût donné l'ordre de quitter les épées, nul n'aurait voulu y consentir. Un jeune anglomane a imaginé cette incartade ; ses amis ont fait comme lui, et il est devenu de bon genre de s'en passer. Les badauds n'y manquèrent point ; et voilà une institution perdue, voilà une habitude séculaire de la noblesse française jetée aux orties. La mode fait souvent bien des sottises.

Il y avait, dit-on, aux Tuileries, quelques femmes entretenues ; elles sont moins faciles à reconnaître au premier coup d'œil que je ne pensais, et s'habillent décemment pour se donner l'air d'honnêtes bourgeoises.

22 mai. — J'allais voir madame de Bernhold, et le soir même je fus à la promenade, d'abord aux Tuileries, après aux Champs-Élysées et au Cours.

Cette promenade des Champs-Élysées est insupportable. Il n'y a pas une seule goutte d'eau, la régularité en est triste, et par-dessus tout la poussière est fatigante à cause du voisinage de la route qui mène à Versailles. On aperçoit tout le temps les *carabas* et les *pots-de-chambre* qui conduisent beaucoup de solliciteurs. Les carabas, lourdes voitures qui contiennent vingt personnes, ont huit chevaux qui mettent six heures et demie pour aller à Versailles ; il est curieux de voir ce monde ainsi entassé. Quant aux *pots-de-chambre*, outre ses six habitants, il y a encore deux *singes*, deux *lapins* et deux *araignées*. Les lapins sont devant, à côté du cocher, les singes sur l'impériale et les araignées derrière, comme ils peuvent. Cela me parut fort drôle. On n'a pas l'idée de cela dans nos provinces.

Mes journées et mes soirées étaient plus libres qu'à mon premier voyage. [Je n'étais plus dans la douce obligation de tenir compagnie à ma chère princesse.] J'allai donc causer le soir encore en faisant quelques visites. Je n'entendis parler que de possibilité de guerre entre la Russie et le sultan. J'en fus très-tourmentée pour madame la grande-duchesse dont le mari irait à l'armée probablement. Je lui écrivis avant de me coucher, ainsi qu'à la princesse de Montbéliard.

23 mai. — Je fus de bonne heure chez madame de Dietrich, née Ochs, femme du baron de Dietrich, secrétaire général des Suisses et Grisons dont M. le comte

d'Artois est colonel général. Ce prince a eu cette charge fort jeune, lors de la disgrâce du duc de Choiseul à qui elle appartenait avant lui. M. le comte d'Artois aimait beaucoup M. de Dietrich et faisait le plus grand cas de son esprit.

Son père, dont j'ai parlé à propos des fêtes de Reichsoffen[207], est fort riche ; il possède plusieurs seigneuries, et entre autres celles du *Ban de la Roche* dans les Vosges. Il est fils d'un magistrat du conseil souverain d'Alsace. Bien que cette famille ne soit pas de noblesse ancienne, elle est justement considérée. L'aîné des fils, M. Hans (Jean) de Dietrich a épousé mademoiselle de Glaubitz, ce qui le fait parent d'une grande partie de la noblesse d'Alsace. Celui dont il est ici question a été aussi commissaire du roi à la visite des mines, bouches à feu et forêts du royaume.

Le père de madame de Dietrich, M. Ochs[208], est d'une exagération démocratique partagée par sa fille et inspirée, en partie du moins, par celle-ci à son mari. M. de Dietrich n'en est pas moins spirituel, distingué et de la meilleure compagnie. Madame de Dietrich habitait ordinairement Paris ; elle est petite, vive, spirituelle et tout à fait piquante.

Madame de Dietrich, femme de l'ammeistre, cousine de ceux-ci, est une femme véritablement aimable dans toute l'acception du mot.

— Il n'y a que trois femmes sérieusement et véritablement charmantes de conversation dans toute l'Alsace, disait M. le cardinal de Rohan ; ce sont mesdames de Dietrich, de Berckheim de Schoppenwihr et d'Oberkirch ; les autres parlent et ne causent point.

Monseigneur l'évêque était bien gracieux de me mettre sur cette liste si triée, ma vanité s'en flatta, et ma modestie repoussa cette distinction. Il se peut que j'aime la conversation et que je la recherche, ce n'est encore que la moitié du chemin.

Nous avions une loge à la Comédie française pour le *Mariage de Figaro*[209], que nous connaissions déjà, on se le rappelle, mais que nous étions pressés de juger à la scène. Il avait été joué pour la première fois, le 27 avril précédent. On ne pouvait entrer sans faire le coup de poing ; c'était bien pis qu'aux Tuileries. La salle était éclairée par une nouvelle invention due à M. Quinquet[210], qui avait fort bien réussi, et à laquelle il a donné son nom. Cette lumière douce, vive, exemple de fumée, est d'ailleurs peu dispendieuse ; elle est généralement adoptée aujourd'hui. On assure que M. Quinquet doit le secret de cette découverte à M. de Lavoisier, fermier général et grand chimiste. Il en a fait cadeau à son protégé pour l'enrichir, et, en effet, ce dernier est maintenant tout à fait à son aise. M. de Lavoisier dépense une partie de sa fortune en expériences scientifiques ; il est gendre de M. Paulze, président de la Ferme générale[211] et l'un des hommes les plus estimés de la finance.

La pièce de M. de Beaumarchais attire tout Paris ; chacun en dit du mal, et tout le monde veut la voir. On la trouve inférieure au *Barbier de Séville*, et on prétend qu'elle réussit seulement par les flagorneries adressées au parterre. D'ailleurs la famille royale, les princes du sang, la cour tout entière se sont hâtés d'accourir aux premières représentations. Mon avis n'est point celui des autres, je ne l'ai guère dit, mais je l'écris dans ces Mémoires ; ceux qui les liront, verront si je me suis trompée et si la postérité confirme mon jugement.

Le *Mariage de Figaro* est peut-être la chose la plus spirituelle qu'on ait écrite, sans en excepter, peut-être, les œuvres de M. de Voltaire. C'est étincelant, un vrai feu d'artifice. Les règles de l'art y sont choquées d'un bout à l'autre, ce qui n'empêche pas qu'une représentation de plus de quatre heures n'apporte pas un moment d'ennui. C'est un chef-d'œuvre d'immoralité, je dirai même d'indécence, et pourtant cette comédie restera au répertoire, se jouera souvent, amusera toujours. Les grands seigneurs, ce me semble, ont manqué de tact et de mesure en allant l'applaudir ; ils se sont donné un soufflet sur leur propre joue ; ils ont ri à leurs dépens, et ce qui est pis encore, ils ont fait rire les autres. Ils s'en repentiront plus tard. Les facéties auxquelles ils ont applaudi, leur font les cornes, et ils ne les voient point. Beaumarchais leur a présenté leur propre caricature, et ils ont répondu : C'est cela, nous sommes fort ressemblants. Étrange aveuglement que celui-là !

Quelques jours avant la représentation à laquelle nous assistâmes, on avait jeté à profusion dans la salle les vers que voici ; ils étaient imprimés :

> *Je vis du fond d'une coulisse*
> *L'extravagante nouveauté*
> *Qui, triomphant de la police,*
> *Profane des Français le spectacle enchanté.*
> *Dans ce drame honteux chaque acteur est un vice,*
> *Bien personnifié dans toute son horreur.*
> *Bartholo nous peint l'avarice ;*
> *Almaviva, le suborneur ;*
> *Sa tendre moitié, l'adultère ;*
> *Le Double-Main, un plat voleur.*
> *Marceline est une mégère ;*
> *Basile, un calomniateur.*
> *Fanchette... l'innocente, est trop apprivoisée,*
> *Et tout brûlant d'amour, tel qu'un vrai chérubin,*
> *Le page est pour bien dire un fieffé libertin.*
> *Pour l'esprit de l'ouvrage, il est chez Brid'oison,*
> *Et quant à Figaro... le drôle à son patron*
> *Si scandaleusement ressemble ;*
> *Il est si frappant qu'il fait peur.*
> *Mais pour voir à la fin tous les vices ensemble,*
> *Le parterre en chorus a demandé l'auteur.*

Ces vers ne sont vrais que jusqu'à un certain point : Brid'oison a beaucoup d'esprit dans sa bêtise, mais tous les autres personnages en ont autant que lui.

La pièce était admirablement jouée. Mademoiselle Contat surtout, me sembla adorable, tous les hommes en étaient fous. C'est une délicieuse personne ; je comprends les passions qu'elle inspire. Il est impossible d'avoir plus d'esprit, une meilleure tenue de scène, un talent plus complet enfin que celui de cette actrice. Le bonnet que mademoiselle Contat portait dans le rôle de Suzanne, fut adopté par la mode, sous le nom de *bonnet soufflé à la Suzanne*. Il était entouré d'une guirlande de fleurs et orné de plumes blanches. La *lévite* si élégante de mademoiselle Saint-Val, dans le rôle de la comtesse Almaviva, a décidé le succès du vêtement de ce nom[212].

Je rentrai chez moi en sortant de la comédie, le cœur serré de ce que je venais de voir et furieuse de m'être amusée. Cette inconséquence est le secret du succès. On s'amuse malgré soi.

24 mai. — J'allai le soir à la Comédie où l'on donnait *Pierre le Cruel*, de M. Dubelloy[213], et le *Babillard*. *Pierre le Cruel* ne m'amusa guère, ce qui m'explique l'anecdote que voici :

Une bonne dévote ayant lu *Pierre le Cruel*, s'en accusa à son confesseur, homme d'esprit et de lumières. Elle en avait le cœur tout contrit et s'attendait à une sévère pénitence.

— La pénitence que je vais vous donner, dit l'abbé, sera encore plus rigoureuse que vous ne le pensez, et rachètera certainement votre faute. Vous avez lu *Pierre le Cruel* une fois, eh bien ! vous le relirez une seconde.

25 mai. — Je devais déjeuner chez le baron de Thun, ministre plénipotentiaire de Son Altesse sérénissime le duc de Wurtemberg, et qui demeurait à la Chaussée d'Antin. Il avait réuni quelques personnes ; on fut très-gai, et toute la compagnie convint d'aller visiter l'hôtel de madame de Thélusson[214] que j'avais vu à mon précédent voyage, lorsqu'il n'était pas achevé. C'était encore une merveille du jour.

Madame Thélusson, veuve d'un banquier de Genève, a, rue de Provence, en face de la rue Neuve-d'Artois, ce fameux hôtel dont j'ai déjà parlé. On aperçoit à travers une immense arcade placée sur la rue, le bâtiment en rotonde entouré d'une belle colonnade ; il fait l'admiration de tous. C'est l'architecte Ledoux[215] qui l'a construit. Madame de Thélusson est mademoiselle de Lascaris.

MM. Thélusson, qui sont Genevois, ont cependant une origine française. Ils prétendent descendre de Frédéric Thélusson, seigneur de Fleschères, baron de Saint-Saphorin, en Lyonnais, qui accompagna en Flandre Philippe VI, roi de France, en 1328. C'est un peu vieux pour de la finance. Isaac Thélusson, envoyé de Genève à la cour de Louis XIV, a laissé plusieurs enfants dont l'un fut associé de M. Necker, banquier à Paris. La terre de Dormans, en Champagne, leur appartenait.

Un autre Thélusson a passé en Angleterre où il a fait une fortune énorme.

De l'hôtel Thélusson nous allâmes chez Desguerres, marchand ébéniste fameux, demeurant rue Saint-Honoré, pour y voir des meubles. On ne pouvait approcher de son magasin, tant il y avait de monde ; la foule se pressait devant un buffet de salle à manger d'un travail admirable. Il devait être porté en Angleterre chez le duc de Northumberland.

Le soir, je fis une visite à madame la duchesse de La Vallière, veuve depuis trois ans du grand fauconnier de la couronne, homme de beaucoup de mérite, s'occupant fort de littérature. Il a laissé une bibliothèque très-précieuse, et des tableaux de prix dans son château de Montrouge. Il aimait le faste, et avait eu de grands succès auprès des femmes. Il n'a laissé qu'une fille, madame la duchesse de Châtillon.

Madame de La Vallière a été admirablement belle ; bien qu'elle ne soit plus jeune, elle est encore superbe. Elle était mademoiselle de Crussol. Elle avait le plus grand air possible, et recevait naturellement comme la plus haute dame qui reçoit la plus haute compagnie. Son gendre, le duc de Châtillon, était mort de la petite vérole, et la seconde de ses petites-filles était mariée au prince de Tarentela-Trémouille. L'aînée des filles de madame de Châtillon a épousé le duc de Crussol, son oncle à la mode de Bretagne.

Je revis avec un grand plaisir la comtesse de Bruce qui demeurait aux Champs-Élysées. Nous reparlâmes bien de ma chère princesse ; nous la regrettâmes, comme on peut le croire. Hélas ! elle ne reverra peut-être jamais sa famille. [La grandeur des princes se paie souvent par le sacrifice de leurs affections et ils pourraient répéter le vers de Boileau sur Louis XIV :

*Gémir de sa grandeur qui l'attache au rivage.*]

Madame la duchesse de Bourbon nous donnait un souper sous la feuillée, dans son hôtel de la rue de Varennes, où elle avait un jardin magnifique. Elle ne tenait pas un état de maison considérable, mais elle recevait noblement. Ce souper était délicieux. La comtesse Julie de Sérent, chanoinesse, dame pour accompagner Son Altesse sérénissime, en faisait particulièrement les honneurs. Madame la duchesse de Bourbon avait eu en dot deux cent mille livres de rentes qui lui furent rendues à la séparation. Le roi, en y donnant son agrément, a exigé de M. le prince de Condé qu'il y ajoutât vingt-cinq mille livres, ce qui avec sa pension de cinquante mille livres, comme princesse du sang, lui fait une position à peu près convenable, suivant son rang.

Son Altesse sérénissime me comblait de bontés, de toutes les attentions possibles. Il était impossible d'être plus gracieuse, plus tendre et plus affable. Je m'attachai sincèrement à sa personne. Elle prenait à tâche de me faire oublier la distance qui nous séparait. Je passais de charmants instants avec elle ; son esprit et son originalité en faisaient la société la plus agréable. Elle racontait d'une façon merveilleuse et savait toutes choses sur tout le monde.

Nous nous retirâmes fort tard, après la plus amusante soirée. Il faisait un temps magnifique. Le jardin était éclairé en petites vitrines de couleur d'une nouvelle invention qui ressemblaient à des pierreries ; on appelait cela *à la vénitienne*. Nous entendîmes aussi une excellente musique.

26 mai. — La mode était fort aux visites le matin. On courait les uns chez les autres, sûrs de ne point se rencontrer, mais c'était la rage. J'allai chez la baronne de Zuckmantel[216], qui représente dignement notre province d'Alsace à Paris. Elle y a une grande existence ; elle est très-répandue et très-connue. Je rencontrai chez elle le marquis de Deux-Ponts, comte de Forbach, fils aîné naturel du duc régnant de Deux-Ponts et de la comtesse de Forbach ; il venait d'épouser mademoiselle de Béthune, de la branche appelée Béthune-Pologne, et voici pourquoi :

Un marquis de La Grange d'Arquien avait deux filles, l'une épousa *par hasard* le grand Sobieski[217]. Quand je dis par hasard, c'est une manière de parler. On racontait que le marquis d'Arquien s'était chargé de cette enfant, laquelle ne lui appartenait pas, et était fille naturelle de Marie de Gonzague, la même qui fut aimée de M. de Cinq-Mars, et qui devint par la suite reine de Pologne. Le père de Marie d'Arquien n'était ni plus ni moins que Louis de Bourbon, prince de Condé. La reine de Pologne fit venir cette Marie d'Arquien près d'elle ; elle la maria d'abord au prince Sacrowsky, qu'elle perdit étant fort jeune, puis à Jean Sobieski qui devint le grand Sobieski et roi de Pologne. Quand Marie d'Arquien fut une Majesté, elle demanda au roi Louis XIV de lui envoyer sa sœur, madame de Béthune, pour ambassadrice, en faisant son mari ambassadeur. Louis XIV l'accorda, comme de raison ; le surnom de

Pologne en resta à cette branche-là. Ils se trouvent alliés
des Stuarts, une des filles de Sobieski ayant épousé le
dernier prétendant[218].

Le second fils du duc de Deux-Ponts, le chevalier de
Forbach, capitaine dans Royal-Deux-Ponts, épousa
mademoiselle de Polastron. Cette branche supplémentaire de Deux-Ponts tient à l'Opéra, par mademoiselle
Gamache, leur mère, belle danseuse que le duc fit la
folie d'enlever au théâtre, pour la nommer comtesse de
Forbach. Il en eut les deux fils dont je viens de parler.

M. le marquis de Deux-Ponts nous raconta fort joliment une petite histoire dont j'ai pris note, et qui se
rattache au goût du merveilleux dont nous sommes
tous plus ou moins entichés.

Dans la ville de Deux-Ponts (en allemand Zweibrü-
ken), chef-lieu de leur principauté, coule une petite
rivière appelée la Plies ou l'Erlbach. Cette rivière passe
dans le pays pour une manière de Minotaure ; il lui faut
tous les ans deux victimes, et depuis un temps immé-
morial, en effet, chaque année, soit volontairement, soit
involontairement, deux personnes périssent dans ses
flots. Cette année, 1784, un joli officier, ami du chevalier, venait de payer le tribut. Il aimait passionnément
une jeune fille, et faisait caracoler son cheval devant
sa fenêtre, sur le bord de la rivière ; le cheval eut peur,
se cabra, prit le vertige, enfila la route du pont et, faisant un écart, sauta par-dessus le parapet. Le pauvre
officier se tua sur le coup ; son corps ne fut retrouvé
que le lendemain. La jeune fille en devint presque folle.

Il y a une légende sur cette rivière de la Plies. Les
vieillards prétendent très-sérieusement qu'un serpent
ravageait le pays et dévorait bêtes et gens. Un saint
ermite força le démon à se réfugier dans la rivière,
mais ne put le dompter tout à fait ; il fallut au monstre
dans l'avenir deux victimes par an, jusqu'à la consom-
mation des siècles. Voyez l'égoïsme ! les *Deux-Pontois*
se soucièrent peu de leurs descendants et acceptèrent

les conditions, le serpent n'y a jamais manqué depuis.
Une année cependant, le 31 décembre aucune victime
n'avait encore péri, on se croyait délivré, on chantait
victoire ; dans la soirée la mère et le fils se noyèrent.
Ce furent des lamentations générales.

Le marquis de Forbach était encore tout triste de la
mort de l'ami de son frère, et il croyait très-fermement
à la Plies comme à ses désastres. Peut-être même
croyait-il au serpent.

Après madame de Zuckmantel, je vis madame de La
Salle et la princesse de Bouillon. Celle-ci à la figure la
plus intéressante joint le plus grand et le plus charmant
naturel, qualité bien rare par la mode d'affectation qui
court. Jamais femme ne fut moins comédienne. Son
humeur est inégale quelquefois ; elle se montre telle
qu'elle est, sans façon et sans dissimulation aucune ;
elle prouve qu'on peut être aimable avec ce défaut. On
plaît souvent plus par ses défauts que par ses qualités.
Ainsi la coquetterie, l'inconséquence deviennent parfois
des charmes et attirent plus que des vertus. Madame de
Bouillon est vive, impétueuse, imprudente. On l'aime
néanmoins, on la recherche, les femmes aussi bien que
les hommes. Elle intéresse les uns, elle impose aux
autres et les retient tous dans les bornes de l'admiration
et du respect. Elle a un ton exquis, un vrai ton de princesse ; elle salue avec une grâce et une dignité qui lui
siéent à merveille. Elle sait rendre à chacun, quand elle
le veut, juste ce qui lui revient. On a grand plaisir à la
voir souvent ; pour moi j'en ai plus que beaucoup
d'autres, car je n'ai jamais eu à m'apercevoir même de
ses caprices.

[On donnait le soir *Rodogune* à la Comédie-Française.
M. d'Oberkirch admire beaucoup Corneille et spécialement cette tragédie. Il ne se lasse pas de la voir et de
la lire. Nous partîmes pour le théâtre. Je remarquai
une jeune dame qui pleurait à chaudes larmes et répétait sans cesse : « J'ai peur de cette grande femme »,

parlant de Cléopâtre. On la fit sortir ; elle se serait à coup sûr évanouie au cinquième acte. Avant le souper, j'allai visiter la boutique du « Petit Dunkerque » où l'on trouve toutes sortes de babioles à la mode : de ravissants bibelots et de petits riens élégants. L'endroit était aussi couru qu'à mon premier voyage à Paris. M. d'Oberkirch acheta une paire de manchettes pour sa mère ; ces manchettes coûtaient soixante livres.]

27 mai. — Je me levai de fort bonne heure pour me rendre à Versailles, où je n'avais pas encore été depuis mon arrivée. J'aperçus Sa Majesté la reine dans le bosquet d'Apollon ; elle se promenait avec madame de Polignac[219], Madame Royale et un seul valet de pied. Elle me fit l'honneur de me reconnaître et de me faire le signe le plus aimable. Je trouvai la reine engraissée et embellie. Madame Royale grandissait prodigieusement.

J'allai dîner à Montreuil chez madame de Mackau[220], que j'eus grand plaisir à revoir. Je lui apportais une lettre de madame de Dietrich (née de Glaubitz), qui a fait l'année dernière le voyage de Paris, et pour laquelle madame de Mackau a eu mille soins, mille bontés. Elle était charmée de connaître encore une Alsacienne ; elles sont rares à la cour. Très-peu de femmes, en effet, dans notre bon pays ont fait ce long voyage.

Je rencontrai chez madame de Mackau madame de Villefort, nommée sous-gouvernante l'année dernière. Il y avait aussi la duchesse de Beuvron, qui a été présentée cet hiver (et a pris le tabouret)[221], ainsi que le marquis d'Harcourt-Beuvron qui a les entrées.

Ce petit cercle fut très-aimable. On me fit raconter le reste de notre voyage de Hollande et d'Allemagne. Madame de Mackau surtout s'en montra fort intéressée. Elle avait trouvé madame la grande-duchesse adorable. Nous nous promenâmes dans cette campagne, puis on joua au trent, que je ne connaissais pas et qui se joue avec le nombre trois. Le marquis d'Harcourt gagna tout le temps. [Je suivis le jeu et m'efforçai de l'apprendre ; c'est assez difficile. Je perdis ce soir-là l'agrafe de mon bracelet, en faux diamant. La perte de cette bagatelle, sans valeur réelle, contraria beaucoup M. d'Oberkirch : c'était un héritage de sa famille et il l'appréciait aussi pour l'élégance du travail. Nous fûmes obligés d'en prendre notre parti et de rentrer à Paris.] Il fallut ramener le soir M. et madame de Mackau à Paris ; ils nous demandèrent à venir dans notre carrosse ; nous fûmes heureux de leur rendre ce petit service. Ils retournèrent à Versailles le lendemain. [Ces places à la cour sont bien agréables ; mais elles entraînent à bien des sujétions.]

On dîne à trois heures et les dîners sont devenus très-courts, de quoi les gastronomes et les causeurs se plaignent fort. Il semble qu'on ait hâte de manger pour se nourrir et pour se sauver bien vite. Les vieilles gens disent que ce n'est point là de la dignité ; les cuisiniers sont en insurrection.

— On avale, disait celui de la duchesse de La Vallière, on ne goûte plus. Je suis déshonoré.

Jusqu'ici il n'y a pas encore de Vatel ; cela viendra peut-être.

On soupe à dix heures, et l'on se dépêche tout autant. On n'annonce plus le repas ; au moment de se mettre à table, le maître d'hôtel se *montre* et la maîtresse du logis se lève. Le temps de la gourmandise est passé. Les tables n'en sont pas moins somptueusement servies. Le luxe est effrayant. Les hommes n'ont réellement pas le temps de boire et de manger. Quelques-uns ont inventé d'être fort aimables, fort gais, même galants, pour retenir les dames le plus longtemps possible et pouvoir déguster à leur aise. J'en sais un qui commençait une histoire intéressante après le premier service, l'interrompant à chaque minute, la coupant par des interrogatoires, des réponses, des jeux de mots, afin qu'elle durât plus longtemps. Il ne la terminait impitoyablement qu'après le fruit, tenant les curieux en suspens, jusqu'à ce que son appétit fût satisfait. Il renouvelait ce manège chaque soir, et il réussissait toujours.

M. le prince de Conti[222] tenait à voir ses soupers se prolonger fort tard ; il avait soin de placer près de chaque femme l'homme qui lui plaisait ou qui semblait devoir lui plaire.

— Comment faites-vous, monseigneur, avec les prudes ? lui demandait-on un jour qu'il donnait sa recette.

— Oh ! pour celles-là, je les laisse choisir ; j'aurais trop peur de me tromper et de leur donner un souvenir au lieu d'une espérance.

Mais il n'y avait pas beaucoup de prudes à la cour.

## CHAPITRE XXIV

28 mai. — Je n'avais pas encore visité mademoiselle Bertin depuis mon retour, et chacun me parlait de ses merveilles. Elle avait repris de plus belle d'être à la mode : on s'arrachait ses bonnets. Elle m'en montra, ce jour-là, *elle-même*, ce qui n'était pas une petite faveur, au moins une trentaine, tous différents. Il y avait surtout un petit chapeau bohémien, troussé dans une perfection rare, sur un modèle donné par une jeune dame de ce pays, dont tout Paris raffolait. Le chapeau avait une aigrette et de la passementerie comme les *Steinkerque* de nos pères ; il avait une tournure tout à fait particulière et originale. La reine cependant ne l'accepta pas ; elle dit qu'elle n'était plus assez jeune pour cela, donnant ainsi un exemple prématuré à toutes les coquettes surannées qui s'obstinent à supprimer les almanachs, sans penser qu'on ne supprime point son visage et qu'il est souvent indiscret.

Je devais les *bontés* de mademoiselle Bertin au souvenir de madame la comtesse du Nord dont elle avait conservé la pratique. Elle avait son portrait dans son salon à côté de celui de la reine et de toutes les têtes couronnées qui l'honoraient de leur protection. Le jargon de cette demoiselle était fort divertissant ; c'était un mélange de hauteur et de bassesse qui frisait l'impertinence quand on ne la tenait pas de très-court, et qui devenait insolent pour peu qu'on ne la clouât pas à sa place. La reine, avec sa bonté ordinaire, l'avait admise à une familiarité dont elle abusait, et qui lui donnait le droit, croyait-elle, de prendre des airs d'importance.

Mon père m'avait demandé d'excellentes lunettes ; j'allai les lui acheter chez Sick, l'opticien du Palais-Royal. Celui-là aussi prenait un air d'importance à mourir de rire ; il était, disait son enseigne, *fournisseur de l'Académie.*

— Ah ! disait Beaumarchais, si le pauvre Sick mettait sur sa boutique : *fournisseur des Quinze-Vingts*, cela nous donnerait bien plus de confiance.

Le Palais-Royal faisait l'objet de toutes les conversations, et M. le duc de Chartres celui de toutes les critiques. Il avait suspendu la construction des galeries, faute d'argent, disaient les uns ; par envie de le conserver, disaient les autres. On avait complété le bâtiment par des arcades en bois. L'enceinte des jardins était fermée. On pouvait déjà faire le tour du palais à couvert.

La salle d'arbres du Palais-Royal était la plus belle qui fût au monde. [Les danseurs de l'Opéra s'y pavanent à certaines heures.] Quand M. le duc de Chartres parla d'abattre ces arbres pour construire des boutiques, ce fut un *tolle* général. On l'accabla de calembours, d'épigrammes. L'un dit, lors de son voyage à Rome, qu'il allait se faire recevoir de l'Académie des Arcades ; un autre lança ces vers, bien plus méchants et que je ne puis me résoudre à prendre pour une vérité ; ils doivent être injustes, malgré tous les bruits qui ont couru. Un Bourbon ne peut manquer de courage.

> *Pourquoi de ces chênes altiers*
> *Déplorer si fort le ravage ?*
> *Le vainqueur d'Ouessant*[223] *pour ombrage*
> *Nous laisse encore ses lauriers.*

Enfin, on appelait le Palais-Royal *Palais-Marchand*, et M. le duc de Chartres le prévôt des marchands. Il parut aussi une caricature, où on le représentait en chiffonnier, ramassant des ordures au coin d'une borne ; l'inscription portait :

— Je cherche des loques à terre (locataires).

C'était à qui crierait le plus haut. Rien n'arrêta la volonté du prince ; il fit abattre. En peu d'heures le *meurtre* fut accompli. On assura que les Parisiens n'y perdraient pas. En effet, de toutes les promenades, le nouveau jardin du Palais-Royal est la plus fréquentée par la cour et la ville. C'est le rendez-vous des oisifs et des nouvellistes. J'entendais dire l'autre jour qu'on avait pris, pour modèle des bâtiments, la place Saint-Marc de Venise ; cela sera fort beau quand les quatre faces se rapporteront. On se met au passage du grand escalier pour voir les femmes jolies et élégantes qui vont visiter les tableaux de M. le duc d'Orléans. Cette collection, commencée par Gaston, frère de Louis XIII, continuée par Monsieur, frère de Louis XIV, qui eut une partie de la galerie de Mazarin, n'a fait qu'augmenter depuis lors, et augmente chaque année. Cette branche de la maison royale aime beaucoup les arts. Madame la duchesse de Bourbon a eu pour sa part quelques belles toiles provenant de Sceaux et de M. le duc du Maine[224], arrivées au Palais-Royal par échange ou présent. Elle me répétait, en me les montrant, un mot du vieux maréchal de Richelieu qu'elle se rappelait à merveille :

— Des trois branches de la maison de Bourbon, disait-il, chacune a un goût dominant et prononcé. L'aînée aime la chasse, les d'Orléans aiment les tableaux, les Condés aiment la guerre.

— Et le roi Louis XVI, lui demandait-on, qu'aime-t-il ?

— Ah ! c'est différent ; il aime le peuple.

[C'était vrai et juste, comme tous les propos de ce dernier de nos grands seigneurs ; depuis sa mort, nous n'avons pas vu son pareil.]

Madame de Bruce me mena le soir à l'Opéra. C'était la seconde représentation des *Danaïdes*, superbe spectacle à cause des décorations et des costumes, mais détestable pour le poème et pour la musique. Les ballets sont assez bien dessinés, malgré de mauvais airs de danse. Mademoiselle Guimard avait eu la petite vérole l'année précédente ; elle n'en conserve pas moins sa beauté, ce qui est rare ; il n'y paraît pas. Elle est maigre comme une sauterelle ; mais quelle grâce ! comme elle arrondit ses longs bras et en dissimule les coudes pointus ; on ne sait comment elle a un goût aussi parfait dans ses ajustements ; rien qui sente les habitudes de mauvaise compagnie qu'on lui prête. Elle a, dit-on, toujours des soupirants en masse, et, quoique peu vertueuse, elle se montre fort difficile. Il lui faut beaucoup d'or, ou une beauté, une jeunesse, un esprit sans rivaux. Elle donne énormément aux pauvres ; elle envoie sans cesse à la paroisse, et en hiver ses gens ont ordre de ne jamais refuser la porte de la cuisine à un mendiant.

Un seigneur lui reprochait, un jour, cette facilité à introduire chez elle toutes sortes de gens.

— On vous volera, lui dit-il.

— C'est possible, et je m'y résigne ; mais voyez-vous, monsieur le duc, si je me cassais la jambe, ou quand je deviendrai vieille, j'irai peut-être aussi frapper aux portes des Terpsichores de ce temps-là, qui sait ! Je leur donne l'exemple afin d'en profiter plus tard.

Voilà des réflexions philosophiques bien sérieuses pour une semblable linotte.

Les paroles des *Danaïdes* sont du baron de Tschudy et de M. du Rollet, la musique du sieur Salieri, maître de musique de l'empereur et des spectacles de la cour de Vienne. Il y a quelques beaux vers, très-peu ; en tout c'est ennuyeux comme un *de profundis*. Il n'y a nul inté-rêt dans le poème, l'histoire de ces cinquante demoisel-les étant parfaitement connue. Cependant, je l'ai dit, on était étonné du grand nombre de personnages, de l'éclat des habits et du clinquant. Les ballets sont de M. Gar-del. Cette pièce attirait la foule ; elle a partagé la vogue avec le *Mariage de Figaro* ; on a fait en conséquence cette épigramme :

> *Pour les deux nouveautés, de Paris idolâtre,*
> *Excitant des bravos l'incroyable fureur,*
> *Moi, je déserterais à jamais le théâtre ;*
> *L'une me fait pitié, l'autre me fait horreur.*

Je ne manque pas à citer les vers. Lorsqu'on peint son époque, il faut en marquer toutes les nuances. Une des plus tranchées en ce temps-ci, c'est la rage de rimer en dépit de tout et sur tout. Les Français ont toujours été ainsi, mais je crois que cela augmente.

29 mai. — J'avais été invitée à un concert de jour chez le comte d'Albaret. C'était un Piémontais fort riche, qui avait des musiciens à lui, demeurant chez lui, ne sortant jamais sans sa permission. Il est fou de musique, il a un salon exprès, où l'on en fait toute la journée ; aussi ses concerts étaient-ils excellents. Ils passaient pour les meilleurs de Paris. Cela se conçoit facilement ; un ensemble parfait doit exister entre des musiciens qui font perpétuellement de la musique entre eux.

M. d'Albaret avait beaucoup d'esprit et faisait de jolis vers. C'était un virtuose dans tous les arts. Il était de la société intime de madame de La Massais et de madame de La Reynière, et ne recevait chez lui que la meilleure compagnie. On citait sa maison à juste titre pour la plus gaie, la plus amusante peut-être de la ville. C'était son unique affaire ; il ne songeait qu'à cela. Il était du nombre de ces personnes que l'on peut appeler amuseurs publics. Bon, généreux, toujours la bourse ouverte aux infortunes, surtout à celles des artistes, c'est un véritable Mécène. Il a le caractère le plus facile, le plus hospitalier ; il ne recherche que l'esprit, le talent, et il est prêt à tous les sacrifices pour l'agrément et le plaisir de ses amis.

Il a été souvent à Ferney, il a beaucoup vu M. de Voltaire et le contrefait admirablement. Lorsque nous ne restâmes plus que quelques personnes, il nous joua une petite scène fort drôle et fort amusante. Il a composé beaucoup de proverbes, dans lesquels il introduit le *grand homme* ; tout le monde assure que c'est comme si on le voyait. Il nous le représenta en colère et tout disposé à jeter son valet de chambre par la fenêtre, parce qu'on avait laissé entrer au salon un maître d'école ami et admirateur de Rousseau. M. de Voltaire appelait celui-ci le *vicaire savoyard*, bien qu'il eût quatre enfants et une femme. M. d'Albaret avait assisté à cette furie et la rendait dans la perfection. Le costume était à peindre. Il cassait, mais très-réellement des tabatières de carton et des assiettes de faïence peinte, ainsi qu'avait fait l'illustre vieillard.

— Mais, brute, double ! brute, Ostrogoth, topinambour, ne vois-tu pas que ce fouetteur d'enfants vient ici pour me narguer !

— Je vais le chasser, monsieur.

— Non pas, misérable ! il dirait que je le crains, que je crains son maître et ses kyrielles ; je ne veux pas de cela.

— Alors je le prierai d'attendre monsieur.

— Encore moins, animal ! M'attendre ! Est-ce que je veux le voir ? Est-ce que je veux qu'il regarde mes tableaux, mes glaces ? Âne bâté ! un cuistre, un cuistre de ce prince des cuistres, Rousseau ! Ah ! tu mérites cent coups.

Et il cassait sa canne, plus une douzaine d'assiettes.

— Appellerai-je madame Denis, monsieur ?

— Madame Denis, madame Denis, ma nièce devant ce prestolet ! Tu deviens plus bête que ton père, ce que je ne croyais pas possible.

— Monsieur, il n'est point prêtre, il a une femme.

— Elle est laide.

— Ils sont mariés et bien mariés, j'en suis sûr.

— Elle est laide.

— Ils ont quatre enfants, dont l'un a été un instant pour aider chez M. Rousseau.

— Elle est laide, elle est laide ! te dis-je. Ne me parle plus de cette couvée de singes, ou je t'assomme.

(Tabatière mise en morceaux avec les dents et les ongles.)

— Eh bien ! si Monsieur veut, j'irai faire compagnie au magister.

La fureur de M. de Voltaire se monte à un degré qui devient de la rage ; il tape, il crie, il brise.

— Toi, toi, tenir compagnie à ce vicaire du diable ! C'est moi qu'on demande, et c'est toi qui te montres. Te prendra-t-on pour moi ? le crois-tu ? Est-ce que nous nous ressemblons ? Sais-tu seulement dire : Va-t'en te faire f... en français ? Sais-tu le latin comme lui ? Ah ! te présenter, toi ! Donne-moi ma perruque, ma canne, et j'irai. Oui, j'irai, j'irai le tondre, j'irai lui donner la leçon, et la leçon de Voltaire à Rousseau, ce ne sera pas peu de chose.

Il part, brandissant la canne et levant le ton plus haut encore. Ses yeux se fixent sur une fenêtre, il s'arrête tout à coup et prend un air pastoral.

— Ma génisse, ma génisse blanche et son veau ! Elle va donc mieux ! Ah ! quelle joie ! Cours me chercher du pain, je le lui porte et je reviens.

Après cette églogue, il joint les mains, il bénit. M. de Voltaire aimait beaucoup à bénir ; il descend dans la prairie, il va caresser la génisse, il embrasse le veau, il regarde le troupeau (à ce que nous dit le personnage qui reste en scène), il compte les moutons, il cause avec le berger, il oublie tout à fait, ou du moins il a l'air d'oublier le maître d'école. Le pauvre diable passe sa journée à l'attendre, il se morfond, il se meurt de faim, et le soir, quand le grand Voltaire a compté d'abord ses génisses, puis ses moutons, puis ses lapins, puis ses brins d'herbe, il s'écrie tout à coup (en rentrant en scène) :

— Ah ! le vicaire savoyard ! ma foi, on le fera coucher à la ferme, et nous nous disputerons demain.

Il avait ainsi toute espèce de finesses qu'il cachait sous sa colère ou sa bonhomie. Son immense esprit lui tenait lieu de tout ce qui lui manquait ; il lui donnait dans l'occasion le cœur, la pitié, le dévouement, la charité, toutes les vertus possibles. Il fallait entendre M. d'Albaret ; c'était un portrait, c'était un miroir de Voltaire. J'ai vu des gens en rester dans la stupéfaction.

M. d'Albaret jouait souvent la comédie avec mesdames de Montesson et de Genlis[225] : il était l'ami de toutes les deux, chose fort difficile, attendu qu'elles se détestaient cordialement. [Quand je dis qu'il était leur ami, je veux dire simplement qu'il les connaissait toutes les deux, mais il ne les aimait pas.] Il en faisait au reste des portraits peu flattés. Madame de Montesson, disait-il, prend des airs de bourgeoise parvenue, et elle les prend tout naturellement comme nous avalons le lait de la nourrice. [« Elle sue l'orgueil » ; disait La Harpe qui était bon juge en la matière.] Sa vie se passe en comédies domestiques, pour séduire et retenir ce pauvre duc d'Orléans. Elle lui joue des scènes dont les rôles

sont appris d'avance, il n'y voit rien. Elle se roule sur
les fleurs de lis et le manteau d'hermine avec des mules
éculées et des bas de coton, disait aussi, un jour,
madame la duchesse de Bourbon, à qui sa belle-mère
donnait des nausées. Ce fut cette princesse qui insista
le plus fortement pour l'empêcher de draper ses carrosses à la mort du premier prince du sang. Elle alla
trouver le roi et lui fit hardiment des confidences que
M. le duc de Chartres aurait tues. Le roi ordonna que
madame la *duchesse d'Orléans in partibus* (hélas ! disait
madame la duchesse de Bourbon, on ne peut plus ajouter *infidelium*, ce dont elle est bien marrie), que
madame de Montesson enfin, se renfermât à l'Assomption et y restât derrière les grilles, où elle put prendre
à son aise des façons de princesse sans être dérangée.
J'anticipe sur les événements, cela vient au bout de ma
plume, et surtout au bout de ma pensée. Madame de
Genlis, le *gouverneur*, était une autre manière de vaniteuse. Je n'en veux point parler en détail ; elle me plaît
peu malgré son charme et ses talents. C'est une femme
à système, une femme qui quitte son grand habit pour
les culottes d'un pédagogue. Et puis rien de tout cela
n'est naturel. Elle pose sans cesse pour son portrait
physique et moral, elle tient à sa célébrité, elle tient
trop à la puissance de ses décisions. Un ridicule
immense de cette femme masculine, c'est sa harpe ; elle
la porte partout, elle en parle lorsqu'elle ne l'a point,
elle joue sur une croûte de pain et elle s'exerce avec une
ficelle. Quand on la regarde, elle arrondit les bras, pince
la bouche, prend un air sentimental, un regard analo-
gue et remue les doigts. Mon Dieu, que le naturel est
une belle chose !

On espérait entendre au concert de M. d'Albaret
madame Mara, mais elle s'est trouvée indisposée et
n'est point venue. Elle était à Paris l'année dernière, en
même temps que madame Todi, la même que j'ai
entendue à Stuttgart, et qui est maintenant en Russie.

Elles luttèrent de talent et de succès aux concerts spirituels. On ne pouvait manquer de faire entre elles un
parallèle en vers, le voici :

> *Todi, par sa voix touchante,*
> *De deux pleurs mouille mes yeux ;*
> *Mara, plus vive et plus brillante,*
> *M'étonne et me transporte aux cieux.*
> *L'une et l'autre ravit, enchante,*
> *Et celle qui plaît le mieux,*
> *Est toujours celle qui chante.*

Vous voyez que la rage des vers n'épargne rien
Après le concert de M. d'Albaret, j'allai chez Baulard,
le marchand de modes et de colifichets. Alexandrine et
lui étaient autrefois les deux célèbres, mais mademoiselle Bertin les a détrônés. Elle est venue de son quai de
Gèvres, où elle est restée si longtemps obscure, triompher de ses rivaux et les mettre tous au second rang.
Baulard avait cependant la vogue pour les mantes ; il
les garnissait avec un goût exquis. Il me retint une
heure en démonstrations et en cris contre mademoiselle Bertin, qui prenait des airs de duchesse, et qui
n'était pas même une bourgeoise. Je finis par m'arracher à ses confidences, que du reste il offrait à chaque
nouvel arrivant, et j'allai à la Comédie-Italienne, où l'on
jouait *Aucassin et Nicolette*. Les paroles sont de Sedaine
et la musique de Grétry. Madame Dugazon jouait
Nicolette. Ah ! la charmante, la délicieuse personne !
Je ne puis rendre le plaisir qu'elle m'a fait éprouver.
Que de grâce ! que d'esprit ! quel talent ! Elle remplit
toujours la salle, et on l'applaudit à tout rompre.

La pièce est tirée d'un vieux fabliau ; elle en a la naïveté, et l'on y retrouve le faire de Sedaine. Elle était
encore fort à la mode, bien qu'elle ne fût pas nouvelle ;
mais aussi madame Dugazon !

J'allai faire ma cour à madame la duchesse de Chartres, la plus estimée et la plus estimable de toutes les princesses, sinon la plus heureuse. Elle me reçut avec la bienveillance dont son père, M. le duc de Penthièvre, lui avait donné l'exemple et le précepte toute sa vie. Madame la duchesse de Bourbon me fit l'honneur de venir m'y prendre pour me mener à Petitbourg[226], château qui lui appartenait, et où nous devions passer quelques jours ensemble. Cette partie me plaisait et me séduisait fort. Je me réjouissais de cette occasion d'intimité avec une princesse aussi aimable, et je comptais tirer grand profit de nos conversations.

Petitbourg est un séjour magnifique, dans une situation admirable ; on domine une grande étendue de pays. Il a appartenu à madame de Montespan, puis à son fils, le duc d'Antin, qui y reçut plusieurs fois Louis XIV ; en dernier lieu au marquis de Poyanne, commandant en second les carabiniers de M. le comte de Provence. Madame la duchesse de Bourbon affectionne beaucoup ce séjour ; elle y va le plus qu'elle peut, et y reste autant que cela lui est possible.

Nous avons couché à Petitbourg, où madame la duchesse de Bourbon exerce une hospitalité tout à fait princière, en y joignant le laisser aller de la vie de campagne, chez un particulier riche et grand seigneur.

29 mai. — Le matin, de fort bonne heure, madame la duchesse de Bourbon me fit éveiller. Je la trouvai prête et armée en guerre pour une promenade à pied. Nous sortîmes ensemble, sans aucune suite, absolument seules, et elle me montra avec amour les beaux endroits de son parc. Nous causâmes longuement et dans la plus grande confiance.

La princesse daigna me raconter la tristesse de sa vie, ses chagrins de famille, la tendresse qu'elle avait portée à son auguste époux et récompensée par tant de froideur. Elle me parla surtout de M. le duc de Chartres, son frère, dont elle avait eu tant à se plaindre et qui se conduisait si singulièrement avec elle.

— J'aime beaucoup ma belle-sœur, ajoutait-elle ; c'est une personne parfaite, mais mon frère !

J'ai déjà parlé de sa conduite, lors de l'histoire du duel avec M. le comte d'Artois. Non-seulement, comme je l'ai dit, il n'a pas pris parti pour sa sœur, mais il continua à se montrer partout avec M. le comte d'Artois, affectant de le voir encore davantage et plaisantant sur madame la duchesse de Bourbon avec un cynisme sans pareil. Aussi disait-on dans le monde, où cette conduite indignait, *que lui seul était sorti blessé du combat*. Il n'en vint pas moins au Palais-Bourbon. La princesse refusa de le recevoir, et messieurs de la maison de Condé approuvèrent formellement sa conduite.

Le public avait tout à fait épousé la querelle de madame la duchesse de Bourbon ; il donna une leçon un peu forte à M. le comte d'Artois, en ne l'applaudissant pas lorsqu'il parut au spectacle ; mais il en donna une bien plus sévère à M. le duc de Chartres en lui continuant ce silence pendant de longues années. Au lieu de cela, chaque fois que M. de Condé ou madame la duchesse de Bourbon se montrent, ils sont couverts d'applaudissements.

Il y a bien des choses à dire sur la conduite de M. le duc de Chartres envers M. le prince de Lamballe et aussi envers la princesse, sa propre femme, cet ange terrestre qui l'aimait à la passion et qu'il en récompensait si mal. Ses intimités avec madame de Genlis n'étaient un secret pour personne, et il ne s'en tenait pas à elle seule. J'écoutais avec un vif intérêt tout ce que madame la duchesse de Bourbon me dit sur ce prince et sur tout ce qui la touchait. J'essayai de lui donner des consolations, qu'elle accueillit sans y croire.

— Ma chère baronne, me répondit-elle, une femme de qualité ordinaire, obligée de rester séparée de son mari, est déjà blâmée et exposée à toutes choses ; mais

une princesse, c'est bien pis encore. Toutes les douceurs de la vie lui sont enlevées, les plaisirs les plus
innocents lui sont interdits, les visites les plus chères
lui sont défendues. Il n'est pas une de ses démarches
dont la calomnie ne s'empare à l'instant.

Quand nous rentrâmes, la princesse avait les yeux
rouges ; elle remonta chez elle et y resta une demi-
heure seule avant le déjeuner.

Nous n'étions que très-peu nombreux, son service
intime et obligé, moi seule d'étrangère. La journée se
passa en promenades à pied et en calèche dans tout le
parc, qui est fort grand ; nous le visitâmes en détail.
La conversation fut charmante. Madame la duchesse
de Bourbon avait repris sa gaieté ; elle nous raconta
une anecdote assez peu connue, que je notai le soir
afin de m'en souvenir. C'était sur les fameux sortilèges
de M. le régent.

Elle tenait de madame sa mère[227] (dont elle parlait
peu cependant, et pour cause), elle en tenait donc, qu'on
avait découvert, dans un cabinet au Palais-Royal, après
la mort de M. le duc d'Orléans, fils de M. le régent
(celui qu'on appelait *Orléans Sainte-Geneviève*, parce
qu'il s'était retiré dans cette communauté), on avait
découvert, dis-je, une cachette pratiquée dans le mur et
très-profonde. Là on trouva des instruments inconnus,
des livres de conjuration, des squelettes d'animaux,
des têtes de mort, une foule d'herbes de toutes les façons
et des poudres aux effets incroyables, sans être précisément nuisibles. On y trouva encore un écrit tout
entier de la main du prince ; il contenait des choses
tellement extravagantes, qu'on le brûla sur-le-champ,
sans en donner connaissance à personne. C'étaient des
conjurations cabalistiques, disait-on, des formules et
des serments écrits avec la passion de la science, de
l'amour du merveilleux, et surtout de l'inconnu. La mort
subite de M. le régent l'empêcha, sans doute, de détruire
tout cela ; il est probable qu'il l'eût fait, s'il en eût eu le

temps. Il existait aussi des lettres fort curieuses de ce prince indéfinissable, qui naquit avec le germe de toutes les qualités et à qui l'éducation donna tous les vices. Madame la duchesse de Bourbon aimait beaucoup à causer de lui ; ce caractère lui plaisait. Elle avait hérité de ses goûts, sinon pour la magie, du moins pour le merveilleux, et eût peut-être volontiers, comme lui, entrepris le grand œuvre[228], si elle eût vécu à la même époque.

Nous restâmes fort tard au jardin ; cette première soirée de notre arrivée à Petitbourg, on conta des histoires de revenants, chacun dit la sienne ; et quand nous nous séparâmes, nous n'étions peut-être pas très-rassurés.

Madame de Sérent assura que Monsieur, comte de Provence, faisait des pratiques infernales avec le comte de Modène, qui lui avait fait voir le diable. Ce diable-là était un beau jeune homme dont tous les signes de diablerie se bornaient à de jolies petites cornes. Il avait fait lire Monsieur dans un grand livre tout rouge et tout enflammé, et il y avait lu, en très-distincts caractères, qu'il serait roi un jour ; ce qui nous fit frissonner quand madame de Sérent le raconta. Il lui fut ajouté qu'il verrait trois fois ce même diable et que la dernière il serait très-près de sa fin. Le comte de Modène, espèce d'adepte aussi curieux que Cagliostro, donnait cette histoire pour certaine et prétendait y avoir assisté. Quant à moi, qui n'y ai point assisté certainement, je l'offre pour ce qu'elle vaut[229].

Madame la duchesse de Bourbon avait une très-bonne musique, qu'on entendait tous les soirs avant souper. C'était un plaisir charmant sous cette feuillée ; on ne voyait pas l'orchestre, il semblait perdu derrière ces bois. La princesse sait parfaitement amuser ses hôtes.

31 mai. — Il nous arriva le marquis d'Autichamp[230], capitaine des gendarmes anglais, et cordon rouge, un des meilleurs généraux de cavalerie de France. Il était

accompagné de, ou plutôt il accompagnait mesdames ses nièces. Le marquis d'Autichamp avait pour frère le comte du même nom, qui déploya une bravoure remarquable à la prise de Saint-Christophe. Son fils aîné fut tué à ses côtés par un boulet de canon. On fit le père maréchal de camp après cette action, mais cela ne le consola point.

Il lui restait deux fils : l'un âgé de seize ans ; l'autre, Charles, qui n'en avait que quatorze, sert dans les dragons.

Leur autre oncle, le vicomte d'Autichamp, a épousé une Duplessis-Châtillon. Le vicomte d'Autichamp de Beaumont a épousé mademoiselle de Chaumont de la Galaizière.

Ces dames, qui sont charmantes, étaient avec nous à Petitbourg et y restèrent tout le temps. Madame la duchesse de Bourbon fit illuminer une salle de verdure et nous donna un bal improvisé, où l'on s'amusa excessivement. Les costumes étaient sans prétention, nos diamants étaient des fleurs. On fut très-gai ; on soupa au son de la musique et on entendit des airs nouveaux et délicieux d'un Italien peu connu.

Avant souper on avait fait une promenade à Champrosay et l'on y avait mangé une crème exquise. La princesse aimait ces sortes de surprises et elle s'en divertissait souvent. Tous les paysans des environs la connaissaient ; elle leur parlait familièrement, entrait dans leurs chaumières et prenait un morceau de pain noir ou des œufs frais sur leur table. C'était de sa part originalité d'abord, prétexte à générosité ensuite. Elle donnait beaucoup et grandement.

1er juin. — Madame la duchesse de Chartres vint passer à Petitbourg toute la journée. Cette princesse portait partout une mélancolie dont rien ne pouvait la guérir. Elle souriait quelquefois, elle ne riait jamais. Sa séparation d'avec ses enfants, enlevés par madame de Genlis, lui brisait le cœur. Elle cherchait à se distraire sans y réussir jamais. Elle nous conta cependant avec beaucoup d'esprit que le matin même M. le duc d'Orléans était venu exprès de Sainte-Assise, à sept heures du matin, pour lui parler. Il s'agissait de madame de Montesson, bien entendu. Elle désirait vivement le modèle d'un ornement de corsage en diamant appartenant à madame la duchesse de Chartres, et elle n'osait pas le lui demander ; le prince s'en était chargé. Il alla plus loin.

— Vous seriez la plus aimable fille du monde, si vous vouliez me céder cette parure ; je vous en rendrai une semblable, mais plus belle et plus riche. La marquise en a envie tout de suite, elle ne pourra pas attendre que cela soit fait ; ce serait trop long.

— Et moi, monsieur, je m'en passerais pendant ce temps-là ?

— Sans doute, vous en mettrez une autre. Qu'est-ce que cela vous fait ? Vous n'êtes point vive et nerveuse, comme la marquise ; vous n'êtes pas accoutumée comme elle à suivre vos caprices. N'est-ce pas que vous n'allez point me refuser ? Je la rendrais si heureuse !

Madame la duchesse de Chartres, à qui cela était bien égal en effet, céda la parure. Elle plaignit vivement ce pauvre vieillard amoureux encore à son âge, et dominé comme un petit garçon. Il faisait l'admiration de la cour et de la ville.

Nous allâmes visiter les jardins de Ris à M. Annisson-Duperron[231] ; c'est très-beau, très-anglais. Le soir, il y eut musique et souper à l'ordinaire. On causa dehors jusqu'à deux heures du matin. Madame la duchesse de Chartres nous avait quittés depuis longtemps.

2 juin. — Madame la duchesse de Bourbon voulut aller voir ses pauvres à l'hospice, et nous l'y accompagnâmes. Elle a soin de tous, et elle a fondé plusieurs lits à perpétuité. En revenant, nous déjeunâmes au jardin avec des primeurs dont quelques-unes étaient de Petitbourg. Je ne connais pas de vie plus douce que

celle que mène cette princesse à son château. Elle faisait l'envie de la reine qui le lui disait souvent.

— Je suis juste assez princesse pour en avoir les honneurs et les prérogatives, et pas assez pour en avoir les charges, répliquait-elle. Votre Majesté a Trianon, moi j'ai Petitbourg ; seulement personne ne s'inquiète de moi, et tout le monde s'occupe de la reine ; voici la différence.

On attela les chevaux aux calèches, et nous allâmes faire une course à Brunoy, terre qui appartient maintenant à M. le comte de Provence.

Le marquis de Brunoy, son possesseur précédent, était M. Pâris de Montmartel, de la famille des Pâris Duvernay, ce qui ne voulait pas dire qu'il fût d'une grande naissance[232]. Il avait fait des folies dans le parc, dans le château et surtout dans l'église. Il y a dépensé dix millions. C'est à ne pas le croire, mais c'est vrai. Il imagina une procession de Fête-Dieu, telle que les rois n'en ont jamais vu. Elle coûta vingt-quatre mille livres. Certainement cet homme devait aller aux Petites-Maisons, Monseigneur l'archevêque de Paris trouva ce luxe hors de place. Il en autorisa la vente, lorsque Monsieur devint propriétaire. Celui-ci distribua aux pauvres et aux établissements de bienfaisance le prix de ces extravagances, ce qui fut fort approuvé.

On a beaucoup moins goûté les spectacles grivois et inconvenants qui ont été donnés dans ce château, il y a quelques années. Le roi eut la faiblesse d'y assister par amitié pour son frère, et il s'en est bien repenti ; on n'avait pas l'idée d'une pareille licence. Il n'y eut que deux femmes dans la salle, et elles furent obligées de partir. On avait osé inviter la reine, qui refusa obstinément. Elle fit plus, elle se montra ces jours-là en public à Paris, afin de bien constater qu'elle n'y était point. On dit que madame de Montesson s'y est égarée une fois, où les pièces étaient bien adoucies. Mal-

gré cela, je ne puis comprendre qu'elle se soit oubliée
à ce point.

Le marquis de Brunoy avait épousé mademoiselle
d'Escars.

Monsieur avait donné tous ses ordres pour qu'on
reçût madame la duchesse de Bourbon, si elle avait
fantaisie d'y venir. On nous servit une belle collation,
nous n'y touchâmes point, ou du moins nous ne nous
mîmes pas à table. Monsieur ne venait pas souvent, si
ce n'est pour les réunions, et Madame n'y paraissait
jamais. M. le comte de Provence ne tenait là qu'une
cour de *garçon* assez peu épurée. Ce prince est cependant raisonnable, ou plutôt raisonneur. Il a de l'esprit,
de l'instruction ; il est peu goûté néanmoins.

3 juin. — Madame la duchesse de Bourbon reçut
une lettre qui la rappelait à Paris. Elle me fit demander
le matin et me dit avec beaucoup de regrets que notre
voyage serait abrégé, puisqu'elle était forcée de revenir
pour une affaire. La princesse avait les yeux rouges, je
ne sais ce que contenait cette lettre, mais je craignis
pour elle un chagrin ; le respect me ferma la bouche.
Jamais femme ne fut plus mal ni plus injustement
jugée ; elle conserve, dans son cœur, un amour profond
et vrai pour son mari, quoiqu'elle en ait été malheureuse à mourir. On lui a prêté des aventures. Je n'ai
jamais rien vu qui pût le faire penser, mais en tout cas
il y avait dans son fait plus de légèreté que de mauvais
vouloir. Si elle a manqué à quelques convenances, ce
fut certainement pour chercher l'étourdissement et
l'oubli. Elle voulut peut-être arracher de son cœur le
trait empoisonné dont elle était blessée. Ne se sentant
pas assez forte, assez parfaite pour se jeter dans les
bras de Dieu et pour y trouver la consolation et le courage nécessaires, elle chercha à se lancer dans le tourbillon.

— Je suis comme les écureuils dans leur boîte tour-
nante, me disait-elle ; ils courent, ils courent, et ils

croient avoir fait beaucoup de chemin, lorsqu'ils n'ont
pas bougé de place.

Ce qui me fit croire à un secret pénible ce jour-là
(je n'ai pas dit coupable, au moins), ce fut le retard
très-visiblement cherché que Son Altesse sérénissime
mit à rentrer dans Paris. Elle visita successivement
Bicêtre, la Salpêtrière, les Gobelins. Elle gagnait du
temps, cela était clair pour tout le monde ; un devoir
ou une démarche pénible l'attendait sans doute. [À
Bicêtre, elle s'entretint longuement avec un vieil homme,
sorte de roi Lear qui se plaignait amèrement de ses
filles. Elle lui donna de l'argent et finit par lui demander : « Avez-vous fait quelque tort à vos enfants ?
Consultez votre conscience. — Non, Madame, ils ne
peuvent rien me reprocher, si ce n'est d'avoir épousé
ma servante. — N'est-ce pas suffisant, répondit-elle avec
impatience. Vous n'avez pas besoin d'en dire plus. »

À la Salpêtrière, on lui montra une pauvre femme,
abandonnée par son mari, qui avait perdu la raison.
Tapie dans un coin, une petite image à la main, elle
semblait souffrir terriblement. La duchesse de Bourbon
resta à l'observer pendant plus d'un quart d'heure ; elle
ne dit rien mais devint triste et pensive ; elle nous renvoya à la maison, mais sans son habituelle bonne grâce.
Ce drame muet m'a étreint le cœur. À l'Opéra italien
ce soir-là, j'étais à peu près inconsciente de ce qui se
passait ; je ne voyais ni n'entendais rien, ne pensant
qu'à la pauvre princesse.]

4 juin. — [Je retournai chez Baulard pour m'acheter
un manteau. Il fut plus discret cette fois et je réussis à
ne lui parler que métier. Il me vendit le plus joli manteau du monde. Dès qu'elle l'eut vu, la duchesse de
Bourbon en voulut un semblable.] Après une visite à
madame de Dietrich, je visitai le grand et le petit palais
Bourbon[233], sans la princesse bien entendu ; elle me fit
bien des questions quand nous nous retrouvâmes. Le
petit palais Bourbon, construit en 1779, est annexé au

grand et le complète ; c'est un bijou. M. le prince de
Condé en a fait le plus joli colifichet du monde. Il est
meublé avec une recherche délicieuse, mais pas assez
noble peut-être pour les hôtes qu'il renferme. Il y a là
des fantaisies et des bibelots comme chez mademoiselle Dervieux. L'appartement de mademoiselle de
Condé[234] seul est d'une sévérité majestueuse ; elle y a
placé un Christ, du Titien, je crois ; c'est la plus touchante image de Dieu que j'aie jamais vue.

En outre du grand et du petit palais, il y a encore le
moyen, ce qui rend le tout ensemble une demeure
aussi étendue qu'élégante. La belle galerie de peinture
est dans le palais moyen ; on y voit une suite de tableaux
représentant les batailles où a figuré le grand Condé,
et force tableaux de chasse.

[Nous fûmes reçus par la maison de Son Altesse
sérénissime, avec une politesse bien rare en pareil cas.
C'était l'œuvre du maître. Mademoiselle de Condé
avait donné des ordres très précis à ce sujet. Je pensai
souvent à la princesse pendant cette visite.] Je vis avec
plaisir que M. le prince de Condé conservait le portrait
de madame la duchesse de Bourbon dans sa chambre.
Quant à M. le duc de Bourbon, il n'avait chez lui que
des chiens, des chevaux et aussi ses grands-ancêtres ;
point de femmes, si ce n'est madame la duchesse, fille
de Louis XIV et de madame de Montespan. Mon Dieu,
le mutin et charmant visage !

Les Tuileries étaient pleines de promeneurs ; depuis
quelque temps de mauvais plaisants y venaient avec
des costumes tellement étranges, que les Suisses avaient
souvent été obligés de mettre à la porte ceux dont
l'excès du ridicule pouvait amener des scènes fâcheuses. Ils imaginèrent, pour s'en venger apparemment, de
paraître en troupes avec des costumes, des emblèmes et
des écriteaux, qui étaient une critique de la cour, de la
finance, de la bourgeoisie et du clergé. On ferma les
grilles, on arrêta sur-le-champ ces censeurs importuns,

et on les conduisit au Châtelet[235], où ils eurent le temps
de réfléchir sur les suites et les inconvénients de la
satire.

On parlait beaucoup alors d'un scandale qui venait
de se produire à la cour, et qui prenait des proportions
fort désagréables. M. le comte d'Artois avait un gentilhomme ordinaire, nommé Desgranges ; c'était un
homme de peu et fort déplacé chez le frère de Sa
Majesté. Il était d'une beauté fabuleuse, beauté qui
passait en proverbe et qui servait de point de comparaison. Cette beauté lui avait servi peut-être à lever les
obstacles, mais il parvint d'abord, je ne sais comment,
malgré sa basse extraction, à entrer dans les gardes
d'Artois. Il a de l'esprit, beaucoup d'intrigue, une grande
bravoure et l'envie de parvenir à tout prix. Un jour, il
escortait la voiture de Leurs Altesses royales. Les chevaux s'emportèrent et les menaient tout droit au pont
de Sèvres, alors en réparation ; ils les auraient imman-
quablement jetés à la rivière. Desgranges poussa en
avant, au risque de se faire écraser vingt fois, et en
détournant de toute sa force qui est herculéenne un des
chevaux de devant, il fit dévier l'équipage que l'on parvint à arrêter quelques instants après, dans le champ
où il s'était engagé. Le prince et la princesse (madame
la comtesse d'Artois y était) témoignèrent leur reconnaissance à M. Desgranges et le firent nommer de
suite capitaine de cavalerie. À peu de temps de là, M. le
comte d'Artois le prit pour son gentilhomme ordinaire.
Tout cela était une assez belle fortune pour un homme
de sa sorte ; il eût pu en rester là, se tenir tranquille et
se montrer satisfait apparemment. Il n'en fut rien.

Il eut l'infamie de calomnier sa bienfaitrice. Madame
la comtesse d'Artois s'intéressait à lui comme à un
homme ayant sauvé la vie à son mari et à ses enfants.
Elle le combla de bontés ; pure et vertueuse à l'égal de
son auguste famille, elle ne songea point à la calomnie.
Mais ce Desgranges, fat de garnison, osa se vanter

d'avoir plu à Son Altesse royale, parla à ses camarades de prétendus rendez-vous donnés, montra des lettres supposées, et parvint enfin à répandre d'infâmes bruits sur une princesse que son rang et sa conduite devaient placer au-dessus de pareilles atteintes.

M. le comte d'Artois en fut instruit, il alla trouver le roi. Desgranges fut arrêté, interrogé, sommé de produire des preuves de ses calomnies, et finit par se rétracter honteusement, faisant à genoux amende honorable. Madame la comtesse d'Artois eut bien du chagrin de cette aventure et de tout le bruit qui en résulta. Personne cependant, même les esprits les plus malveillants et les plus mal faits, n'a songé à l'accuser. Elle a été fort applaudie à l'Opéra la première fois qu'elle y a paru ensuite. Tout le monde sait combien cette princesse est attachée à ses devoirs et à son époux. Une fois au moins, la calomnie qui ménage si peu les princes et les rois n'a pas été écoutée.

## CHAPITRE XXV

7 juin. — J'allai voir la marquise de Persan. Cette famille est la vraie source de toutes les nouvelles à la main[236]. Madame de Persan (Doublet de Persan) est mademoiselle de Wargemont. Le marquis de Persan était premier maréchal des logis du comte d'Artois et officier au régiment du roi. Le comte de Persan, son oncle, est maréchal de camp, et a été colonel de *Colonel-Général*. Il s'est distingué à la bataille de Fontenoy, a fait beaucoup la guerre et a assisté à la prise de Minorque. C'est un homme très-estimable et très-estimé.

La présidente Doublet, de cette même famille, réunissait chez elle tous les beaux-esprits. On y composait, on y écrivait, on y distribuait les *nouvelles à la main*, qui couraient ensuite tout Paris, et que l'on imprima, je crois. C'est une société particulière et toute différente de celle que je vois ordinairement. Le Marais où elle habite est passé de mode ; la magistrature seule y reste et quelques vieux débris de l'ancienne cour [et on peut trouver grand intérêt à visiter ce quartier]. Les idées nouvelles et les airs évaporés d'aujourd'hui n'y vont point.

Je devais une visite à la comtesse de Bose, et je m'empressai de la faire avant d'aller avec madame la duchesse de Bourbon à Versailles. La famille de Bose (prononcez Bosé) est attachée à la cour de Stuttgart. L'un des messieurs de Bose est grand veneur de Son Altesse le duc de Wurtemberg, et l'autre est dans son armée. [Ils étaient à Paris pour un moment et je les vis souvent, surtout lors de mon voyage de 1786 comme j'aurai l'occasion de le dire. Ils étaient tout à fait allemands dans leurs manières cérémonieuses qui contrastaient si fort avec l'exquise politesse à laquelle j'étais habituée et je trouvais leur compagnie bien ennuyeuse. Ils ont fait depuis beaucoup de progrès ou peut-être me suis-je faite à eux.]

Madame la duchesse de Bourbon m'emmena à Versailles ; nous y allâmes tête à tête dans son carrosse, elle le voulut ainsi et donna congé à ses dames. Elle était incognito pour une affaire. Elle ne vit ni le roi, ni la reine, et défendit même qu'on parlât de sa présence. Nous revînmes le même jour, nous causâmes beaucoup ; Son Altesse sérénissime me confia encore bien des choses qui redoublèrent mon dévouement respectueux pour elle. Elle eut la bonté de me remettre chez moi, elle-même ; il faisait une chaleur à rendre malade, et je lui enviai bien les beaux ombrages de son jardin, où elle se promena, je le sais, une partie de la nuit.

6 juin. — Il y eut un orage, résultat de la chaleur de la veille, comme je n'en ai jamais vu, même dans nos montagnes. On crut que les maisons s'écrouleraient

sous la foudre, la pluie et le vent. Il fut impossible de sortir, mais nous nous divertîmes à examiner les industries pour marcher au milieu de ce déluge. Ce fut très-drôle ; beaucoup de femmes se faisaient porter, non pas en chaise, mais à bras ; j'en ai vu une dans une hotte ; d'autres haranguaient la foule et demandaient des planches. Je n'ai jamais assisté à pareille fête. Nous fûmes le soir souper au Palais-Royal.

J'avais promis à madame de Bose de la rejoindre aux Italiens[237] pour voir la nouvelle salle, car les Italiens avaient quitté la rue Mauconseil, et le Jeu de paume l'année précédente. Ils s'étaient établis dans la salle bâtie sur les terrains de l'hôtel Choiseul, près du boulevard de la rue Richelieu. Le théâtre n'ouvre pas de ce côté ; c'est cependant celui par lequel on arrive naturellement. Cela tient à ce que les comédiens ont exigé qu'on y ajoutât une maison pour leur usage, à quoi on a eu la faiblesse de consentir. Cela fait un monument retourné le plus bêtement du monde, et dont la façade parerait fort le boulevard.

La toile se lève droite dans cette salle comme à l'Opéra. On a conservé l'ancienne devise : *Castigat ridendo mores* ; elle est du poète Santeuil. Le plafond représente Apollon au milieu des Muses.

M. le duc de Choiseul, en vendant ce terrain, y avait mis une condition ; c'est que lui et sa postérité auront la propriété d'une loge avec une entrée séparée, quelle que fût la destination du théâtre. Cette loge est ainsi devenue une propriété de famille qui passera de génération en génération.

On jouait ce soir-là aux Italiens la *Mélomanie*. Cet opéra-comique avait eu peu de succès à la première représentation, donnée trois ans auparavant, à cause de la faiblesse du poème. Repris depuis il se soutenait par sa jolie musique. Il est de M. Champein[238], et dédié par lui à Son Altesse sérénissime mademoiselle de

Condé. On y distinguait plusieurs airs fort agréables et très-bien rendus.

Après la *Mélomanie* nous eûmes l'*Amoureux de quinze ans*, pièce composée dans le principe, par M. Laujon, pour le mariage de M. de Meulan d'Ablois avec mademoiselle du Plessis. Il la refit lorsqu'elle fut jouée à Chantilly aux fêtes d'un autre mariage si malheureux depuis, celui de madame la duchesse de Bourbon. Il la rendit enfin propre au théâtre des Italiens, où elle tient sa place parmi les comédies à ariettes du genre gracieux. Il y avait à ce spectacle un monde énorme.

8 juin. — J'allai voir *Atys* à l'Opéra. J'étais avec M. le maréchal de Biron, ce bon et illustre vieillard. Il avait quatre-vingt-quatre ans, et il est, hélas ! mort l'année dernière (en 1788). Il demeurait près de la barrière de la rue de Varennes, et avait là un bel hôtel et un superbe jardin. Son fils est le duc de Lauzun ; madame la maréchale est mademoiselle de La Rochefoucauld.

Les paroles d'*Atys* sont de Quinault[239], la musique de M. Piccini. On l'avait repris en 1783, et depuis lors son succès a toujours été en croissant. Tout le monde connaît le poème. Quant à la musique, le récitatif est simple, le chœur des Anges est admirable, les chants le sont également par la variété et la mélodie. Madame Saint-Huberti a joué Sangaride avec un talent sans pareil. Elle a déployé un éclat, un brillant, une sensibilité qui firent oublier facilement madame Laguerre ; elle lui est incontestablement supérieure.

9 juin. — Je m'étais mise en visites ; j'allai d'abord chez madame la princesse de Chimay, née de Fitz-James, dame du palais de la reine. J'y trouvai un essaim de femmes charmantes ; son salon ressemblait à une belle volière dorée où gazouillaient les plus jolis oiseaux du monde. Madame la marquise de Laroche-Lambert (mademoiselle de Dreux-Brézé) avait une voix délicieuse et un goût exquis. Elle chante souvent avec la reine. La comtesse d'Andlau, fille de M. Helvétius ; sa

maison est des plus agréables, c'est un rendez-vous de gens d'esprit ; elle est aussi de la société intime de Sa Majesté. Une autre personne était là aussi, qui soulevait bien des discussions, que les uns voyaient et que les autres ne voyaient pas, et pour la défense ou l'attaque de laquelle on s'échauffait beaucoup, ce me semble. Quelqu'un me dit tout bas qu'elle n'était point dans l'intimité de madame de Chimay ; ce qu'il y a de sûr, c'est qu'elle était là et n'y semblait point gênée. La comtesse de Balbi[240] est mademoiselle de Caumont ; elle a épousé un colonel à la suite du régiment de Bourbon, Génois d'origine, dont elle s'est séparée après un esclandre que je préfère ne pas raconter. Cela fit beaucoup de bruit dans le monde, de 1778 à 1780. Elle a toujours passé depuis pour être en grande faveur auprès de Monsieur, comte de Provence. Madame partagea à cet égard, je ne sais jusqu'à quel point, bien entendu, les préférences de son illustre époux. Elle lui donna près d'elle la survivance de la charge de dame d'atours que possédait en titre la duchesse de Lesparre.

Cette dernière jeta les hauts cris, pria, sollicita, conjura Madame de la délivrer d'un pareil voisinage ; Madame n'y voulut point consentir. La duchesse de Lesparre alors donna sa démission, ce qui n'eut d'autre résultat que de rendre madame de Balbi titulaire beaucoup plus tôt. La reine s'en mêla ; elle fit tout ce qui se pouvait faire pour ouvrir les yeux de Madame, sans nuire à sa tranquillité ; Madame persista, et la comtesse de Balbi conserva sur elle le plus grand ascendant.

Ce n'est point une femme politique, c'est une femme agréable ; sans être très-jolie, elle est pleine de grâces et d'agrément, mais surtout de frivolité. Sa gaieté est intarissable ; aussi sa société est-elle recherchée avidement par les personnes non scrupuleuses. Elle est aimée de beaucoup de gens qui ne savent pas pourquoi ; c'est certainement pour cette gaieté même. On la cite partout pour son élégance et son bon goût. Sa maison est ornée d'une multitude de petites merveilles ; c'est un modèle du genre *babioles* si fort à la mode sous le feu roi : on ne se lasserait pas de les regarder du matin au soir.

Madame de Balbi a un grand défaut qui influe sur son humeur et même sur sa beauté ; elle est joueuse. Elle y met une passion, une furie dont rien ne peut donner l'idée. Monsieur s'amuse beaucoup de ce qu'il appelle ses *bacchanales*. Lorsqu'elle perd, il lui tient tête, et réellement lui seul ose le faire.

Près de madame de Balbi se trouvait le baron de Bezenval[241], lieutenant-colonel des gardes suisses. C'était un des merveilleux du jour. On lui attribuait beaucoup de crédit sur l'esprit de la reine, et ce crédit était justifié par un naturel bien rare, un esprit et une grâce sans culture qui rendent le baron un personnage tout à fait à part. Il n'a aucune instruction, n'ayant jamais voulu étudier ; cependant il est fin, il est diplomate, il voit mieux que personne et raconte très-bien. J'entendis ce jour-là un mot charmant de lui à propos de son compatriote, le baron de Zurlauben, colonel du régiment suisse de ce nom.

Madame la princesse de Chimay en faisait un éloge que M. de Bezenval n'acceptait pas.

— Enfin, monsieur, disait la princesse, vous ne nierez pas qu'il ne soit fort savant ?

— Ah ! pour cela, madame, rien n'est plus vrai ; c'est une grande bibliothèque qui a un sot pour bibliothécaire.

— Monsieur le baron, reprit le comte de Melfort dont je vais parler, je défie qu'on en dise autant de vous.

— Non, car je ne sais rien ! riposta M. de Bezenval qui craignait pourtant assez les allusions à son ignorance.

M. de Melfort est d'une illustre famille d'Écosse et petit-fils de John Drummond, comte de Perth, ministre du roi Jacques II, qui le créa duc de Melfort ;

Louis XIV le nomma pair de France. Le comte de Melfort est aussi petit-neveu de James Drummond, chancelier d'Écosse, qui rejoignit Jacques II à Saint-Germain, fut nommé par lui duc de Perth et gouverneur du chevalier de Saint-Georges, son fils. Il fut également pair de France.

Quant à M. de Melfort, il fut d'abord colonel du régiment d'Orléans-Cavalerie, puis lieutenant général. Il fut dans sa jeunesse un des hommes les plus brillants et les plus séduisants. « La liste de ses conquêtes est bien plus longue que celle de ses victoires », me disait madame la duchesse de Bourbon en me parlant de lui, sous toute réserve pourtant, car la voix publique le donnait pour amant à sa propre mère, madame la duchesse d'Orléans, ce dont la princesse ne se serait jamais permis de laisser aventurer même un seul mot. Madame la duchesse d'Orléans (Louise-Henriette de Bourbon) était la femme de M. le duc d'Orléans, dont on a dit qu'il s'était fait *marquis de Montesson*, ne pouvant faire de madame de Montesson une duchesse d'Orléans.

Cette duchesse d'Orléans, la vraie, était une personne fort dissolue et qui, malheureusement, déshonora gravement le nom qu'elle portait. Le bruit public attribuait au comte de Melfort la paternité de M. le duc de Chartres, et Dieu sait qu'il nous aurait donné là un triste enfant[242].

M. de Melfort a épousé mademoiselle de Laporte, sœur de l'intendant de Lorraine et dont la mère était une Caumartin. Il est cousin germain du duc de Melfort, qui a hérité des deux branches.

Cette matinée fut agréable pour moi de toutes les manières, car, après avoir été me promener au Tivoli de M. Boutin, je me rendis chez madame la duchesse de Bourbon et j'eus l'honneur d'y rencontrer le roi de Suède (Gustave III). Il était depuis quelques jours à Paris et voyageait sous le nom de comte de Haga. Il comptait y rester quelques semaines. C'était un

charmant prince pour lequel je me sentis une respectueuse sympathie, et qui réussit fort à Paris et à Versailles. Il faisait sa première visite à la princesse, et
nous ressentîmes toutes deux la même impression.
Cette physionomie sévère et haute semble marquée
d'une certaine expression de fatalité. Du reste, il croit
beaucoup aux sciences occultes, et je l'ai entendu
assurer qu'il y avait à Stockholm, sur le port, une devineresse à laquelle il avait foi et qu'il consultait sans
cesse sous de nouveaux déguisements. N'importe lequel
il prît, elle lui disait toujours la même chose, qu'il
mourrait jeune et de mort violente, mort à laquelle, du
reste, les souverains du Nord sont fort sujets[243].

À cette première visite, il nous raconta ses enchante-
ments de Paris, son arrivée, la façon dont il était descendu chez son ambassadeur, qui ne l'attendait pas si
tôt, et qu'il trouva ayant pris médecine. Il fit ce récit
avec un esprit remarquable de très-bon goût et fort
piquant. Le principal défaut du roi de Suède me paraît
être la présomption, et c'est, assure-t-on, à la suite
d'un défi que lui fit Catherine II, qu'il introduisit dans
ses États, à la cour et même parmi les bourgeois, le
costume théâtral adopté aujourd'hui.

Le comte de Haga est ainsi tombé à la cour comme
une bombe. Le roi était à la chasse à Rambouillet, la
reine le fit prévenir en toute hâte, Sa Majesté se hâta
ainsi de revenir et sans suite, pour ne pas être retardée.
Les valets de chambre ne se rencontrèrent point là
quand il le fallut ; ils avaient emporté les clefs, on ne
savait où rien prendre. Le comte de Haga était déjà
chez la reine ; le roi, dans sa bonté, ne voulait point le
remettre ; des gens de la cour aidèrent Sa Majesté à
s'habiller, tant bien que mal, et de la façon la plus singulière, à ce qu'il paraît. On était si pressé, que tout fut
fait de travers sans qu'on s'en aperçût. Il avait une de
ses boucles de souliers en or et l'autre blanche, une
veste en velours au mois de juin ! et ses ordres tout à

rebours ; il n'était bien poudré que d'un côté, et le nœud de son épée ne tenait pas. La reine en fut frappée et s'en contraria. Quant au roi, au contraire, il en rit beaucoup et en fit rire le comte de Haga, qui put juger ainsi de la bonté et de la sérénité de son âme.

— Louis XVI, ajouta-t-il après nous avoir raconté tout cela, Louis XVI est le prince le meilleur, le plus bienveillant qui existe. Son âme a une sérénité qui rayonne. J'en suis dans l'admiration.

S.M. le roi de Suède comptait aller et alla, en effet, ce soir-là, au *Mariage de Figaro*. Il arriva tard, le premier acte était joué presque en entier. Le public applaudit le comte de Haga à tout rompre, et il exigea que la pièce fût recommencée, ce dont le prince se montra très-reconnaissant. On a même répété l'ouverture. Le roi remercia par toute la politesse qu'il put imaginer.

Après cette visite, j'allai, je l'ai dit, au jardin Boutin (mais je n'ai pas dit, je crois, que mademoiselle Boutin a épousé depuis, en 1786, le vicomte de Balincourt, capitaine au régiment de Bourbon). Chez la duchesse de La Vallière, où je me rendis ensuite, je trouvai, comme chez la princesse de Chimay, un cercle d'esprits brillants et aimables, et la conversation la plus variée. Il y avait entre autres une charmante jeune personne dont j'ai oublié le nom, et qui était nièce de madame d'Houdctot[244]. Elle rappela un impromptu de sa tante, qui avait eu beaucoup de succès et qui était réellement fort joli. Il s'agissait de la beauté de madame de La Vallière, admirablement conservée à cinquante ans.

> *La nature prudente et sage*
> *Force le temps à respecter*
> *Les charmes de ce beau visage,*
> *Qu'elle n'aurait pu répéter.*

Madame de La Vallière méritait cette flatterie, qui n'en était pas une. Elle était, en outre, pleine de bonté, et l'a poussée envers moi jusqu'à vouloir être ma marraine, à ma présentation. En la voyant si belle encore, au milieu de ce cercle dont elle était la reine, on se demandait ce qu'elle avait dû être dans sa jeunesse.

10 juin. — J'allai avec madame la duchesse de Bourbon, à l'hôtel Mazarin, voir la procession de Saint-Sulpice : c'était fort beau ; l'hôtel était tendu et pavoisé du haut en bas, et la princesse descendit dans la rue pour adorer le Saint-Sacrement et baiser la patène du même côté que le prêtre, prérogative de la race de saint Louis. J'eus l'honneur de dîner avec elle et de l'accompagner chez le roi de Suède. Nous le trouvâmes encore plus remarquable que la veille. Il déploya une variété de connaissances inouïe, un désir de s'instruire encore davantage et de travailler au bonheur de ses peuples, bien louable et bien rare. Il nous dit avoir vu déjà plusieurs savants, beaux-esprits et artistes. Pendant le temps qu'il resta à Paris, les dames qu'il fréquenta le plus furent la princesse de Croy, la duchesse de La Vallière, la comtesse de La Marck et madame de Boufflers. Ce choix prouve qu'il appréciait au-dessus de tout l'esprit et ses agréments.

Nous nous rendîmes au beau boulevard, c'est-à-dire au boulevard du Temple. Il était d'une gaieté, d'une animation qui faisait plaisir à voir. Nous nous arrêtâmes à tous les spectacles en plein vent, aux *fantoccini* venus d'Italie, aux figures de cire ; nous ne manquâmes pas une toile. C'est sur ce boulevard qu'on a vu longtemps Fanchon la vielleuse[245] si à la mode, et qui a gagné tant d'argent avec ses chansons, sa vielle et sa marmotte. Qui ne sait pas son histoire ? Ne l'a-t-on pas mise en vaudevilles de toutes les façons ?

11 juin. — Je fus charmée d'une visite que nous fîmes à Mesmer[246], le chef et le père du magnétisme. Je l'avais connu en Alsace, et j'ai oublié de le dire, ne tenant un journal qu'à Paris. Je l'admirais depuis longtemps et je fus enchantée de le retrouver. Il demeurait place

Vendôme, dans la maison Bouret, et son appartement ne désemplissait pas du matin au soir. Le fameux baquet attirait la cour et la ville. Le fait est que ses cures sont innombrables, et que l'on ne peut nier les effets positifs du magnétisme. Le somnambulisme est encore plus extraordinaire et tout aussi positif. M. de Montjoie, qui a été guéri par M. Mesmer d'une maladie grave, en fut si reconnaissant qu'il publia une brochure à sa louange. Le magnétisme devint tout à fait à la mode ; ce fut, comme toutes les modes, une rage, une furie. On publia ses merveilles et on les augmenta.

Après M. Mesmer, MM. Ledru et Destin, le docteur Thouvenel, le docteur Deslon, se partagèrent la vogue. On courut chez eux comme à la fontaine de Jouvence ; pourtant cette fontaine-là fut peut-être la seule qu'ils ne surent point ouvrir.

Madame la duchesse de Bourbon croyait non-seulement au magnétisme, mais à la sympathie et aux pressentiments. [Elle devait en avoir plus tard de terribles au sujet de son frère : « Il sera le déshonneur de sa famille, disait-elle ; je le sais par mes songes. Je ne peux dire tout ce que je pense de peur d'être tenue pour insensée ; mais j'ai le pressentiment qu'il sera coupable de haute trahison et périra sur l'échafaud[247] »]

La princesse parlait souvent de Martinez Pasqualis[248], ce théosophe, ce chef d'illuminés, qui a établi une secte et qui se trouvait à Paris en 1778. Elle l'a beaucoup vu, beaucoup écouté ; elle est *martiniste* ou à peu près. Elle reçoit dans son cabinet, et fort souvent, M. de Saint-Martin[249], l'auteur des *Rapports entre Dieu, l'homme et l'univers*. Ce livre a fait sensation dans les sectes. Une chose très-étrange à étudier, mais très-vraie, c'est combien ce siècle-ci, le plus immoral qui ait existé, le plus incrédule, le plus philosophiquement fanfaron, tourne, vers sa fin, non pas à la foi, mais à la crédulité, à la superstition, à l'amour du merveilleux. Ne serait-ce pas que, comme les vieux pécheurs, il a peur de l'enfer, et croit se repentir parce qu'il craint ? En regardant autour de nous, nous ne voyons que des sorciers, des adeptes, des nécromanciens et des prophètes. Chacun a le sien, sur lequel il compte ; chacun a ses visions, ses pressentiments, et tous lugubres, tous sanglants. Quelles seront donc les dernières années de ce centenaire[250] qui commença si brillamment, qui usa tant de papier pour prouver ses utopies matérialistes, et qui maintenant ne s'occupe plus que de l'âme, de sa suprématie sur le corps et sur les instincts ? On n'ose y penser. Ce que peut, ce que doit faire un esprit impartial, essayant de peindre ce qu'il voit, c'est de tout dire, de tout montrer, laissant à la postérité le jugement que nous ne pouvons rendre ; nous serions, sans cela, à la fois juges et parties.

Quant à moi, je ne puis m'empêcher de croire aux effets du magnétisme après tout ce que j'ai vu et entendu, que je raconterai en son lieu. J'ai assisté à des expériences les plus extraordinaires. Le somnambulisme est un fait que des millions d'épreuves attestent. Cela n'empêche pas les épigrammes ; en voici une, la moins plate peut-être ! Jugez des autres :

> *Le magnétisme est aux abois !*
> *La Faculté, l'Académie,*
> *L'ont condamné tout d'une voix*
> *Et l'ont couvert d'ignominie.*
> *Après ce jugement bien sage et bien légal,*
> *Si quelque esprit original*
> *Persiste encor dans son délire,*
> *Il sera permis de lui dire :*
> *Crois au magnétisme... animal.*

M. Mesmer reçut madame la duchesse de Bourbon comme on peut le penser. Il nous promit des séances spéciales, et nous en donna constamment[251]. Nous sortîmes de là enthousiasmées, et nous ne cessâmes d'en parler pendant tout le dîner, après lequel S.M. le roi de Suède vint faire une nouvelle visite à Son Altesse sérénissime, dont la tournure d'esprit lui plaisait infiniment. Il nous quitta pour se rendre à l'Opéra, où nous allions aussi, dans la loge du maréchal de Biron.

Le comte de Haga faillit être la cause innocente d'un grand événement : la perte, pour l'Opéra, du célèbre Vestris. Revenu de Londres avec un effort au pied, il ne put danser le jour où la reine et le roi de Suède devaient aller l'applaudir. Le baron de Breteuil, ministre de Paris, et qui a l'Académie royale sous sa domination, a envoyé Vestris à la Force.

— C'est la première fois que notre maison se brouille avec la maison de Bourbon, dit ce petit fat de Vestris II ou Vestr'Allard, comme on l'appelle à cause de sa mère, mademoiselle Allard.

Il est cependant un peu moins insolent que monsieur son père, le *diou de la danse*, retiré depuis trois ans. Le diou de la danse, le grand Vestris, disait souvent :

— Il n'y a en Europe que trois grands hommes : moi, Voltaire et le roi de Prusse.

Il a épousé mademoiselle Heinel, et Vestris II est son fils de la main gauche. Celui-ci avait à cette époque vingt-quatre ans et était au théâtre depuis quatre.

Une femme de ma connaissance racontait ceci : elle l'avait rencontré une fois au Palais-Royal dans une foule :

« Je lui ai marché sur le pied sans le vouloir, disait-elle, et sans le reconnaître. Je me retournai pour lui faire mes excuses, en lui demandant si je lui avais fait mal.

— Non, madame, mais vous avez failli mettre tout Paris en deuil pendant quinze jours.

— Ah ! s'écria mon mari, c'est Vestris.

— Vous ne le saviez pas, monsieur, reprit-il d'un air de mépris, *mé* madame votre *épouse* le savait bien, elle. »

Il avait pris sa maladresse pour une agacerie. Jamais il n'exista fatuité aussi robuste que celle-là.

Nous allâmes donc voir *Didon*. Cet opéra, dont les paroles sont de M. Marmontel, est regardé comme la meilleure musique de Piccini. Il avait un succès prodigieux. Les anciens gluckistes baissaient la tête ; ils n'osaient pas trop réclamer contre le sentiment universel du public. Madame Saint-Huberti produisait un effet admirable dans le rôle de Didon. Elle avait vingt-huit ans alors, sa beauté était dans tout son éclat ; depuis sept ans seulement elle avait débuté. Elle parut costumée selon l'époque où se passe la scène, ce qui fit une révolution théâtrale. Il est impossible de montrer une sensibilité plus vraie, plus touchante, un abandon plus passionné, et de conserver cependant plus de noblesse et de dignité majestueuse.

— C'est le jeu de *Clairon* et la voix de *Todi*, disait-on de toutes parts ; et c'était vrai[252] !

Le roi a été si enthousiasmé de son talent qu'après l'avoir entendue, et sans que personne le lui demandât, il lui fit régler sur-le-champ une pension.

C'est à Fontainebleau que *Didon* fut jouée pour la première fois, au milieu de cette cour si brillante et devant cette reine si éclatante et si belle, entourée de tout ce que l'Europe renferme d'hommes remarquables[253].

12 juin. — C'était pour moi un grand jour que celui de ma présentation, mais cette cérémonie, toute flatteuse qu'elle soit, est très fatigante. On est en représentation depuis le matin jusqu'au soir, sans prendre presque aucun repos. Le 12 juin, qui était la veille, j'en avais les préliminaires et les premières agitations. J'allai donc dîner à Versailles ce jour-là, et après le dîner je fis mes visites à tous les ministres et *aux honneurs*. On appelle ainsi les dames d'honneur et la dame d'atour de la reine, et celles de Mesdames et des princesses belles-sœurs du roi.

J'ai raconté comment en 1782, lors de mon voyage avec madame la comtesse du Nord, la reine avait daigné me dispenser du cérémonial de la présentation. Il fallait donc cette année m'occuper de cette formalité indispensable. Mes preuves ayant été faites et examinées par le généalogiste de la cour, je fus prévenue que le roi et la famille royale avaient fixé ma présentation au dimanche 13 juin, à cinq heures et demie du soir. Je m'étais fait faire le grand habit avec un énorme panier, selon l'étiquette, et un bas de robe, c'est-à-dire une queue qui peut se détacher. J'avais acheté l'étoffe et fait faire l'habit chez Baulard, mademoiselle Bertin m'ayant trop fait attendre. L'étoffe était d'un brocart d'or, à fleurs naturelles, admirablement beau ; j'en reçus mille compliments. Il n'y entrait pas moins de vingt-trois aunes[254] ; c'était d'un poids énorme.

Les preuves doivent dater de 1399. On a choisi cette date parce qu'elle est, *dit-on*, antérieure à tout anoblissement, ou du moins parce qu'avant cette époque il n'y en avait eu qu'excessivement peu. C'était aussi parce que les preuves écrites pour des temps antérieurs sont difficiles, surtout en exigeant les originaux des titres de famille, comme le prescrivait le règlement du 17 août 1760.

Tout ce qui était robe ne pouvait faire partie de la haute noblesse, quelle que fût l'ancienneté ; l'étiquette les excluait de manger avec les princes du sang et leurs femmes n'étaient jamais dans le cas de la présentation.

Depuis le règne de Louis XVI, le roi s'est réservé de donner son agrément et de prononcer en dernier ressort, dans ces questions d'étiquette, suivant son bon plaisir. Chérin, c'est-à-dire le cabinet des ordres du roi, est seulement chargé de vérifier les preuves et de donner son opinion. On est alors *agréé*, *refusé* ou *différé*, selon la décision de Sa Majesté.

Tout cela est en dehors de l'action des tribunaux et n'invalide en rien l'autorité des arrêts du conseil du roi, des cours supérieures et des jugements en maintenue de noblesse des différents commissaires royaux chargés des diverses recherches et réformations de la noblesse.

Ces choses sont très susceptibles de faveur, et il ne faut rien en inférer contre les familles qui ont négligé de faire leurs preuves au cabinet du Saint-Esprit et qui les ont faites ailleurs.

Les honneurs de la cour permettent d'être admis aux bals de la reine, aux cercles, aux chasses du roi. Il faut, pour y être reçu, être d'une famille chevaleresque, c'est-à-dire qui n'a jamais été anoblie, et en prouver la filiation suivie jusqu'à l'an 1400, date antérieure, ainsi qu'on l'a vu, à tout anoblissement. Cependant on n'applique pas ce règlement aux descendants des grands officiers de la couronne, des ministres secrétaires d'État, des maréchaux de France, des chevaliers du Saint-Esprit ou des ambassadeurs. Ils jouissent souvent des honneurs de la cour sans être tenus de faire des preuves. Quelques autres exceptions ont encore lieu ; c'est ce qu'on appelle être présenté *par ordre* ou *par grâce*. C'est *par ordre* que j'avais été admise en 1782, n'ayant pas eu le temps de faire mes preuves ; mais je tenais à jouir des honneurs par suite des preuves, et non par grâce.

N'avoir aucune origine connue doit être la première condition de toute noblesse ; c'est ce qu'on appelle remonter à la nuit des temps. Tous ceux qui peuvent faire remonter leur filiation jusqu'avant 1400 sont, comme je viens de le dire, considérés comme tels. On peut alors monter *dans les carrosses* du roi. Chérin, qu'on a surnommé l'incorruptible, est inflexible à cet égard.

Il ne faut pas confondre les honneurs de la cour avec les honneurs *tout court* ou *les honneurs du Louvre*. J'ai dit ce qu'étaient les *honneurs*. Les honneurs du Louvre n'appartiennent qu'aux femmes titrées, c'est-à-dire aux duchesses, aux femmes de grands d'Espagne, et de ce qu'on appelle les *cousins du roi*, ou enfin à quelques autres femmes qualifiées d'un titre quelconque, et dont la famille possède les honneurs *héréditaires* du Louvre.

Ces dames ont droit *au tabouret* ; elles portent sur leurs carrosses une impériale en velours rouge avec une galerie dorée, elles ont chez elles le dais et la salle du dais, elles entrent à quatre chevaux dans les cours des châteaux royaux ; enfin, lorsque le roi *drape*, elles ont le droit de draper aussi. Quand elles sont présentées le roi les embrasse, ce qui ennuie, dit-on, beaucoup S. M. Louis XVI. (On appelle draper, couvrir les carrosses d'étoffes noires quand la cour est en grand deuil.)

Les princes étrangers ou les Français qui ont obtenu ce titre n'ont pas les honneurs du Louvre ; ils ont le pas après les ducs. N'est-il pas singulier de voir le duc Louis de Wurtemberg, frère d'un duc régnant et son héritier présomptif, ne pas avoir de rang à la cour de France ? On a toujours tenu excessivement à ces prérogatives, et je ne saurais tout à fait les blâmer. Ainsi les princes de la maison de Bourbon, même les cadets, passent partout à l'étranger avant les princes régnants du second ordre. Ils marchent les égaux de tous les rois, et ne donnent à personne la main chez eux. Louis XIV l'a voulu ainsi, et sa volonté, passée en usage, est encore respectée.

Je vis le maréchal de Castries avant de souper chez le baron de Breteuil[255]. Le marquis de Castries, ancien ministre de la guerre, maréchal de France depuis un an seulement, était ministre secrétaire d'État au département de la marine [Il vit à Paris, rue de Varenne]. Son fils, le duc de Castries, maréchal de camp, avait été appelé longtemps le comte de Charlus ; on l'a fait duc en 1784.

M. de Breteuil me reçut fort bien, malgré son ton tranchant. Il a de l'esprit et passe pour fort adroit. Il était ministre de la maison du roi et de Paris. Ses soupers étaient fort recherchés. On y voyait très-bonne et très-amusante compagnie. C'était l'endroit où se racontaient le plus d'anecdotes et d'histoires de toute espèce. Il voyait assez volontiers les poètes, les gens d'esprit, même les artistes. Je me retirai de bonne heure, ayant à me préparer pour le lendemain.

13 juin. — Je me fis coiffer tout de suite après dîner, de la façon la plus élevée possible, suivant la mode, avec mes diamants et un bouquet de plumes. [Je portais mes girandoles aux oreilles.]

Madame la duchesse de La Vallière ayant bien voulu se charger de me présenter à Leurs Majestés, je me rendis chez elle, accompagnée de la baronne de Mackau, à quatre heures et demie, et nous allâmes ensemble au château. Je fus d'abord présentée au roi ; ce moment est très-solennel, tant de personnes vous regardent ! on a si peur d'être gauche ! Il faut se rappeler les leçons qu'on a prises pour marcher à reculons, pour donner un coup de pied dans sa queue, afin de ne point embarrasser ses mules et ne pas tomber, ce qui serait le comble de l'insolence et de la désolation.

Je fis les trois révérences, une à la porte, une seconde au milieu, une troisième près de la reine qui se leva pour saluer. J'ôtai mon gant droit et fis la démonstration de baiser le bas de la robe. La reine retira sa jupe avec beaucoup de grâce, par un coup d'éventail pour m'empêcher de la prendre.

— Je suis charmée de vous voir, madame la baronne, me dit-elle, mais cette présentation n'est qu'une formalité, il y a longtemps que nous nous connaissons.

Je m'inclinai respectueusement.

— Avez-vous des nouvelles de votre illustre amie ?

— Son Altesse impériale me fait l'honneur de m'écrire souvent.

— Ne nous a-t-elle point oubliés ?

— La mémoire de madame la grande-duchesse est aussi heureuse que celle de Votre Majesté ; il est impossible que vous ne vous souveniez pas l'une de l'autre.

La reine me sourit, puis elle me parla de l'Alsace, de Strasbourg et du Rhin qu'elle trouvait superbe.

— Je le préfère au Danube, ajouta-t-elle, mais la Seine me les a presque fait oublier tous les deux.

Après quelques mots encore, Sa Majesté fit une inclination, et nous nous retirâmes à reculons avec les trois révérences d'adieu. On nous avait présenté des tabourets, je n'eus garde de m'asseoir n'en ayant pas les *honneurs*. Madame la duchesse de La Vallière s'assit et eut la courtoisie de se relever aussitôt.

Je fus ensuite présentée à toute la famille royale avec le même cérémonial. Le roi ne m'a rien dit, mais il m'a fait un sourire gracieux. Sa Majesté parle peu aux présentés ; on assure qu'elle est d'une grande timidité avec les femmes. Le roi ne m'embrassa pas, comme de juste ; il n'embrasse que les duchesses et les femmes des cousins du roi, je l'ai dit.

De là je me rendis au jeu de la reine. Toutes les femmes présentées, sans distinction de titre, s'assirent sur des tabourets formant un cercle autour de la chambre, les hommes étaient tous debout. Les dames qui voulurent jouer se mirent à la grande table ronde du jeu, au moment où la reine s'y assit. Après le jeu, la reine fit le tour du salon, adressant quelques mots à chacune.

— J'espère que nous vous reverrons souvent, madame d'Oberkirch, me dit-elle, et que vous ne vous hâterez pas trop de retourner en Alsace.

Après une révérence, je sortis et allai chez madame la princesse de Lamballe, surintendante de la maison de la reine, et selon l'étiquette faire une seconde visite aux honneurs.

La présentation, entre autres droits, donne celui de souper dans les petits appartements. Je retournerai faire ma cour quelquefois le dimanche, ce qui se fait d'abord le matin après la messe et le soir au jeu. Je serai de droit sur la liste des bals de la reine.

La plus jolie femme du cercle, ce soir-là, était madame la duchesse de Guiche, fille de madame de Polignac. La reine reportait sur elle une partie de son affection pour sa mère ; elle n'avait pas alors seize ans et avait été mère à quatorze ans et un mois. Le duc de Guiche était le fils du comte de Gramont ; on l'appelait autrefois comte de Louvigny. Il était neveu du duc de Gramont et capitaine des gardes du corps en survivance. Son frère, appelé d'abord chevalier, puis comte de Gramont, avait épousé la comtesse Gabrielle de Boisgelin, chanoinesse de Remiremont.

Nous avions aussi la comtesse d'Ossun, sœur du duc de Guiche, dame d'atours de la reine et qui devint plus tard son amie, chez laquelle Sa Majesté allait chaque jour quand le salon des Polignac commença à lui déplaire. Sa fille est devenue marquise de Caumont-La Force.

Nous avions encore la vicomtesse de Polastron (mademoiselle d'Esparbès de Lussan), dame du palais de la reine ;

La comtesse de Juigné, aussi dame du palais ;

La comtesse de Châlons, sœur du comte d'Andlau et dont la mère est une Polastron. C'est une femme d'une beauté délicieuse et des plus remarquées à la cour ; elle y attire tous les hommages. Elle est également spirituelle et aimable.

Voici les noms des dames qui ont eu l'honneur d'être présentées cet hiver de 1784 :

| | |
|---|---|
| 11 janvier. | Vicomtesse de Labourdonnaye, |
| 18 — | Princesse de Saint-Mauris, |
| — — | Comtesse du Luc, |
| — — | Comtesse de Menou, |
| 25 janvier. | Comtesse Félix de Pardieu, |
| 1er février. | Duchesse de Castries (a pris le tabouret) ; |
| — — | Duchesse de Maillé (a pris le tabouret) ; |

| | | |
|---|---|---|
| — | — | Vicomtesse Louis de Vergennes, |
| 8 | — | Marquise de Fouquet, |
| — | — | Comtesse de Kercado, |
| — | — | Duchesse de Beuvron (a pris le tabouret) ; |
| 15 | — | Comtesse de Viella, |
| — | — | Baronne de Jumilhac, |
| 29 | — | Vicomtesse de Blangy, |
| 14 mars. | | Comtesse de Ruppière, |
| 20 | — | Vicomtesse de Podenas, |
| 18 avril. | | Comtesse Esterhazy, |
| 9 mai. | | Maréchale duchesse de Levis (a pris le tabouret) ; |
| — | — | Marquise de Laval, |
| — | — | Comtesse Joseph de La Ferronnays, |
| — | — | Comtesse de Suffren Saint-Tropez, |
| — | — | Comtesse de Valon d'Ambrugeac, |
| — | — | Vicomtesse de Vibraye, |
| 16 | — | Comtesse de Lons, |
| 23 | — | Duchesse de Caylus (a pris le tabouret) ; |
| 23 | — | Vicomtesse de Béthisy, |
| 13 juin. | | Baronne d'Oberkirch, |
| — | — | Vicomtesse de La Bédoyère, |
| — | — | Comtesse d'Estampes, grande d'Espagne (a pris le tabouret) ; |
| — | — | Comtesse Édouard de Marguerie, |
| 4 juillet. | | Marquise de Saint-Hérem, |
| — | — | Marquise de Raigecourt, |
| 11 | — | Vicomtesse de Castellane, |
| 18 | — | Duchesse de Cossé (a pris le tabouret) ; |
| — | — | Comtesse de Bruyères-Chalabre, |
| — | — | Marquise de Coëtlogon, |
| 1er août. | | Baronne de Damas, etc. |

Je ne sais plus le reste, après mon départ. La *Gazette de France* publie successivement ces présentations.

Pendant que j'étais chez madame la princesse de Lamballe, la reine y vint, ainsi que M. le comte d'Artois. On causa fort agréablement. M. le comte d'Artois plaisanta beaucoup sur un flatteur qui, pour lui faire sa cour, lui parlait du siège de Gibraltar, de ses dangers, de sa gloire.

— Ce n'est point là de la gloire, ajouta-t-il, et j'en fais bon marché. De toutes mes batteries, celle qui a fait le plus de mal dans le siège est ma batterie de cuisine.

Il donnait de tels dîners aux Espagnols, tous accoutumés à la sobriété, qu'ils en tombaient malades.

— Ce que c'est, disait-il, que de vivre d'oignons crus : un coulis d'écrevisses devient un poison mortel.

Il m'arriva une espèce de petite aventure à ce cercle chez madame de Lamballe, qui m'embrassa d'abord, et puis me fit honneur. Je portais au bras un très-beau bracelet venant de madame la comtesse du Nord, où se trouvait son portrait. La reine l'aperçut et me demanda à le voir de près. J'ouvris promptement mon éventail, afin de le lui présenter ainsi que cela est d'usage : c'est même la seule circonstance où il soit permis d'ouvrir son éventail devant la reine. Le bracelet trop lourd fit ployer l'ivoire travaillé comme une dentelle, le bracelet tomba ; chacun avait les yeux sur moi, la situation était difficile pour une provinciale. Je crois que je m'en tirai assez bien ; je ramassai le bracelet, en me baissant, ce qui était presque douloureux avec nos corps de jupes, je ne pouvais plus me servir de mon éventail brisé, je présentai directement le portrait à la reine, en lui disant :

— Je prie la reine de vouloir bien considérer que ce n'est pas moi, c'est madame la grande-duchesse de Russie.

La reine sourit en inclinant la tête, et tout le monde trouva l'à-propos heureux.

14 juin. — J'allai à l'opéra d'*Armide* que l'on donnait pour le roi de Suède au théâtre de la cour. Madame la duchesse de Bourbon me fit l'honneur de me mener avec elle dans sa loge. J'eus un plaisir extrême. Le spectacle était magnifique, les décorations admirables, et rien n'égale la perfection avec laquelle on représente l'incendie du palais de la magicienne. Cette pièce n'avait pas été jouée depuis quatre ans, et mademoiselle Levasseur a repris, pour cette fois seulement, le rôle d'Armide, dans lequel personne ne l'a égalée. Bien qu'elle soit retirée du théâtre, elle y est rentrée à cause de la circonstance du comte de Haga.

La salle resplendissait de pierreries, de fleurs, de femmes parées. La reine était belle à miracle ; elle avait beaucoup des diamants de la couronne ajoutés aux siens. Elle fut admirablement reçue, elle était fort aimée alors ; on ne la calomniait pas encore, du moins c'était tout bas. Madame la duchesse de Bourbon souffrait lorsque son rang l'appelait à ces cérémonies ; elle y rencontrait le prince son mari, et ce n'était point sans une vive émotion.

— Seule ! me disait-elle tout bas ; vous le voyez, ni père, ni frère, ni mari. Abandonnée de tous ! Ah ! c'est bien cruel.

Je comprenais cette douleur, la plus vive de toutes, selon moi, pour une femme, et cependant les femmes ont bien des douleurs.

15 juin. — Madame la duchesse de Bourbon m'avait ramenée la veille au soir après l'opéra. Nous étions revenues ensemble à Paris. Le 15 juin, j'allai me promener à Bagatelle, avec la princesse ; elle savait que M. le comte d'Artois n'y était point. Depuis le duel, elle n'aimait pas à se trouver avec lui ; cela se conçoit, il fallait qu'elle y fût forcée.

Bagatelle est un lieu enchanteur. Le joli pavillon qui sert de château est entouré de jardins à l'anglaise, parfaitement dessinés. Il s'y trouve une rivière alimentée par une pompe à feu. De celle-là, mademoiselle Arnould n'oserait pas dire :

— Cela ressemble à une rivière comme deux gouttes d'eau.

Elle vaut mieux que cela.

Ceci me rappelle un mot charmant du prince de Ligne à Catherine II. Elle avait aussi fait une rivière dans le genre de celle de mademoiselle Arnould. Le prince en plaisantait souvent, et répétait que cette rivière était une prétention de l'impératrice. Enfin, un jour, un ouvrier s'y noya. Catherine II, dès qu'elle aperçut le prince, lui annonça vite la nouvelle.

— Quoi, madame, dit le prince, un ouvrier s'est noyé dans votre rivière ?

— Oui, monsieur, qu'allez-vous dire à cela ?

— Le flatteur ! répondit le prince de Ligne.

J'en reviens à Bagatelle. Il s'y trouve beaucoup de ponts sur la rivière ; des gloriettes, des chaumières, enfin tout ce qu'il est possible de rêver en ce genre. Le parc est entretenu avec une recherche exquise. Les Parisiens et les étrangers en profitent plus que l'illustre propriétaire, il s'y promène rarement. Il y dîne et y soupe en compagnie, mais jamais, ostensiblement du moins, avec aucune femme de la cour.

Après avoir poussé jusqu'au pont de Neuilly, nous allâmes chez madame la duchesse de Chartres ; elle nous parla de ses voyages et des gens qu'elle y avait rencontrés, entre autres du baron de Zuckmantel que je connais et qui était alors ambassadeur de France près la république de Venise. Il avait fait tous ses efforts pour que la princesse s'amusât à Venise et y avait réussi.

— Je me souviens, ajouta-t-elle, qu'il me contait une assez drôle de chose. Le roi lui demanda un jour de combien de membres le conseil des Dix était composé.

— De quarante, sire, répondit-il sans hésiter.

Heureusement le roi pensait à autre chose et ne l'entendit point, mais d'autres l'entendirent, et cela se répéta dans tout Versailles. Le baron fut le premier à en rire. Il avait parlé sans réfléchir, et cela faisait presque une jeannoterie.

16 juin. — Après avoir fait une visite à la comtesse de Halwyll, j'allai chez madame de La Galaisière. Son mari avait été maître des requêtes, intendant de Lorraine, et était intendant d'Alsace et conseiller d'État. Il était fils de l'ancien chancelier de Lorraine qui possédait toute la confiance du roi Stanislas. C'est un homme d'une parfaite probité, et qui, sans être brillant, a l'esprit le plus juste et le plus conciliant. Rien n'égale la douceur et l'égalité de son caractère.

Il a eu un frère, aide de camp du maréchal de Saxe. Le plus jeune, l'abbé de La Galaisière, maintenant évêque de Saint-Dié, a eu pour précepteur l'abbé Morellet, fameux philosophe, et qui a été dans le temps à la Bastille pour avoir nommé, dans un pamphlet, madame la princesse de Robecque. L'abbé Morellet est depuis entré à l'Académie française. Voltaire l'aimait, et l'abbé le défendait de tout son pouvoir contre ses ennemis ; aussi l'appelait-il l'abbé *Mords-les*.

Cet abbé Morellet est oncle par alliance de M. Marmontel, qui a épousé sa nièce, et en a trois fils et trois filles. Les étranges paradoxes de cet économiste n'ont pas peu contribué à détruire notre compagnie des Indes au profit de celle des Indes anglaises[256].

Mesdemoiselles de La Galaisière ont épousé, l'aînée, le marquis d'Escayrac-Lauture ; la seconde, le comte de Buffevent ; la troisième, comme je l'ai dit, le vicomte d'Autichamp.

Je fus chez madame de Blair. Cette famille se dit d'origine écossaise. Le premier Blair qui vint en Alsace est M. de Blair de Boisemont, intendant de l'armée du maréchal de Broglie, marié à mademoiselle de Flesselles. Il a eu un parent dans le régiment d'Alsace. Je vis aussi madame Douet, belle-fille du fermier général de ce nom, mort il y a six ans, laissant à ses trois enfants vingt millions de bien.

En allant avec madame la duchesse de Bourbon prendre madame la duchesse de Chartres pour nous promener au Palais-Royal, je rencontrai chez Son Altesse sérénissime le cardinal de Rohan, toujours coiffé de Cagliostro et de tous les intrigants du monde. Il ne peut pas s'empêcher de parler d'eux, et cela lui fait un tort énorme, sans compter les sommes folles qu'il dépense ou qu'il perd. Ce pauvre prélat a bien la rage de gâter sa vie et de tourmenter son avenir.

## CHAPITRE XXVI

17 juin. — Il faisait si beau ce jour-là que nous nous décidâmes à aller à Saint-Cloud[257], d'autant plus que, devant souper le même soir à Monceau[258] avec madame la duchesse de Chartres, nous serions retenus fort tard, sans doute, et la matinée du lendemain se trouverait trop courte pour ce voyage. Saint-Cloud est un lieu enchanteur ; bien que je l'aie visité plusieurs fois, j'en reviens toujours de plus en plus charmée. Quoique plus grand et plus beau, ce jardin me rappelle Étupes, mon cher Étupes où j'ai passé de si bons moments, où j'ai tant causé avec ma chère princesse que je regrette chaque jour davantage. Je vois aussi avec plaisir le gouverneur M. le chevalier de Mornay. Ce bon et respectable vieillard a quatre-vingt-quatre ans ; il ne quitte plus guère son appartement que pour se promener au soleil, sur les pelouses. Attaché depuis son enfance à la maison d'Orléans, il a été page de M. le régent, sous Louis XIV ; il a connu le grand roi, la cour. Il raconte les anecdotes les plus curieuses sur tout ce monde ; seulement il les raconte avec le *palois* et le cynisme de la

régence, et une honnête femme en devrait rougir, si elle les écoutait autrement que devant son mari. Ce jour-là, nous le trouvâmes assis dans sa chaise à porteurs, au-dessus de la cascade, les glaces ouvertes et humant l'air. Il nous reçut avec sa grâce habituelle, cette grâce de vieillard si charmante et si triste, cet air qui dit :

— Supportez-moi, pardonnez-moi mes années, je tâcherai de vous les faire oublier en vous amusant.

Il m'improvisa cinq ou six madrigaux, et finit par me demander en quoi il pouvait m'être agréable.

— Beaucoup, lui répondis-je.

— Et comment, *mame* la baronne ? *Msieu* d'Oberkirch n'aura point peur de *c'te* déclaration-là.

— Dites-nous, monsieur le chevalier, à quoi vous pensiez lorsque nous sommes arrivés.

Son visage s'illumina de mélancolie et de souvenir.

— Ah ! répliqua-t-il lentement, vous n'êtes point malavisée. À quoi je pensais ? à ce que j'ai vu à cette même place, quand j'avais seize ans, un soir ; à ce que peu de personnes savent, à ce que l'histoire ne dira pas, bien que ce soit de son domaine.

Je fais grâce de sa façon de parler fatigante dont j'ai donné un échantillon.

— Vous nous le direz bien à nous, monsieur, ajoutai-je bien doucement ; vous me feriez tant de plaisir !

— Oui, je puis vous le conter à *vous* qui êtes des Allemands, et qui n'en rirez pas. J'en ai pourtant ri quand j'étais jeune, à vingt ans. À seize, lorsque j'y assistai, je n'en riais pas, je vous le jure. Je pris la chose très-au sérieux, presque aussi sérieusement que les acteurs eux-mêmes. Eh bien ! j'ai vu là, près de cette cascade, à l'endroit où je suis vieux et caduc, j'ai vu mademoiselle d'Orléans, la plus belle créature que Dieu ait faite, je l'ai vue là, agenouillée, par une brillante nuit d'août, à côté d'un de mes pauvres camarades, page comme moi, dont j'étais le confident ; bon gentilhomme d'Anjou,

M. de Saint-Maixent. Je les ai vus prononcer un serment qu'ils ont fidèlement tenu : la princesse d'entrer
au couvent, et lui de se faire tuer à l'armée. Elle est
devenue abbesse de Chelles, et il a reçu un boulet dans
la poitrine, un boulet espagnol. Il n'avait pas vingt ans !
s'il les eût atteints encore ! On ne fait de ces sublimes
extravagances-là que dans la première jeunesse.

— Quoi ! monsieur le chevalier, le page se fit tuer,
et la princesse entra en religion ! Ils s'aimaient donc ?

— Certainement, ils s'aimaient. Madame la duchesse
d'Orléans s'en doutait, et Madame[259], qui furetait partout,
comme une fouine, le découvrit. Ils voulaient s'épouser
et s'en aller ensemble. Heureusement il était un honnête homme, car la princesse était décidée et rien ne
l'en eût empêchée. Elles avaient toutes de si singulières
têtes, ces filles de M. le régent. Ils vinrent s'adresser les
derniers adieux dans cette allée ; je faisais le guet avec
une femme de chambre de la princesse. Ils discutèrent
longtemps. Mademoiselle voulait fuir, lui ne le voulait
pas ; il la suppliait de ne point détruire toute sa vie et
de se soumettre, puisque leur union était impossible.
Il se jeta à genoux et lui jura sur son honneur de n'appartenir à aucune autre et de se faire tuer à la première occasion, puisqu'il ne pouvait aspirer au seul
bonheur qu'il désirât sur la terre. Elle le regardait avec
des yeux de feu ; il me semble que j'y suis encore. La
lune laissait à travers les arbres une grande place claire.
Tout à coup elle aussi se mit à genoux près de lui et fit
serment de ne se marier jamais, de quitter la cour et de
prendre le voile. — Es-tu content ? lui demanda-t-elle
ensuite, nous ne serons pas séparés de la sorte. — Moi,
j'en pleurais d'attendrissement ; lui, baisait les mains
de Mademoiselle et pleurait plus fort que moi. La princesse tint parole ; elle résista à toute sa famille, aux
supplications, aux ordres ; elle s'enferma à Chelles. On
lui chercha mille motifs auxquels elle ne songeait
point ; jusqu'à Caucherau, son maître à danser, qu'on

l'accusa d'avoir choisi. La vérité, la voilà. Madame même se garda de l'écrire, ainsi qu'elle faisait du reste. Elle était en trop grande furie, et la peur de la mésalliance l'avait trop tourmentée. Pauvre Saint-Maixent ! il méritait bien qu'on l'aimât ; je n'ai plus retrouvé son pareil après lui.

M. de Mornay racontait ainsi mille choses curieuses ; j'ai retenu celle-ci, parce qu'elle tient à l'histoire, et qu'elle n'est point malhonnête. On ne pourrait dire autant de presque toutes les autres. Cette régence fut un temps si immonde !

Nous racontâmes au chevalier que nous avions l'honneur de souper à Monceau, avec madame la duchesse de Chartres ; il nous pria d'emporter pour elle un magnifique bouquet de fleurs rares, qu'il lui envoyait chaque jour. Elles les aimait beaucoup. Cette galanterie allait bien à cette belle tête dépouillée, à cet air d'autrefois qu'on ne rencontre plus chez les hommes du jour.

La princesse nous accueillit à merveille, nous et notre présent. Le cercle était, comme de coutume, aussi distingué qu'agréable. La comtesse de Clermont-Tonnerre, la baronne de Talleyrand, mesdames de Ségur, de Boufflers, de Beauvau, de Luxembourg, et quelques hommes. Madame la duchesse de Chartres tenait entièrement aux convenances ; bonne et indulgente pour les autres, elle ne se passait pas la plus petite légèreté. Elle aimait M. le duc de Chartres avec une de ces affections qui résistent à tout ; il lui a fait verser bien des larmes. Dans ce temps-là elle se montrait heureuse et gaie, elle faisait de bons rires d'enfant avec madame de Tonnerre, d'une vivacité si spirituelle, d'une originalité si piquante ; on ne pouvait rester sérieux en les écoutant.

Je me souviens qu'à ce souper-là madame la duchesse de Chartres nous raconta une anecdote assez drôle qui peint bien les mœurs de la cour et le caractère de M. le duc de Chartres dans sa jeunesse. J'aime à me rappeler tout cela, et je regarde les anecdotes comme le complément de l'histoire ; elles sont souvent plus véridiques et plus significatives que de longues pages.

Un jour (en 1774), madame la duchesse de Bourbon engagea madame la duchesse de Chartres et madame la princesse de Lamballe à passer la journée chez elle, à Vanves, dans une petite maison qu'elle y possédait, et qui a été habitée depuis par mademoiselle de Condé. M. le duc de Chartres désira en être. La princesse refusa, elle ne voulut accepter ni frère ni mari, et déclara qu'elle n'aurait que des femmes. M. le duc de Chartres fit semblant de se rendre à cette observation et de respecter la défense. Pendant que les dames dînaient, on vint leur annoncer une ménagerie de bêtes savantes qui demandaient à danser devant Leurs Altesses. Madame la duchesse de Bourbon donna ordre de les introduire dans la cour, et proposa de se mettre aux fenêtres pour mieux voir sans danger. La partie fut acceptée, et l'ours et le tigre commencèrent un menuet, sous la direction de leur conducteur, d'une manière si grotesque que les princesses s'en pâmèrent de rire. Tout alla bien pendant un quart d'heure ; tout à coup l'ours se démusèle, le tigre brise sa chaîne, ils renversent leur cornac et se précipitent dans la maison où la scène était changée. Les princesses poussaient des cris abominables, ordonnant qu'on fermât les portes et se jetant dans toutes les armoires. L'ours sut bien les y trouver : c'était M. le duc de Chartres, avec deux seigneurs de sa cour, qui avait imaginé cette manière de s'introduire. La terreur disparut, on se remit à table et l'on porta la santé des ours, qui devinrent les rois du festin.

— C'est égal, dit madame de Tonnerre, c'est un vilain déguisement que celui de bête féroce, et si mon mari s'avisait de le prendre, je le musellerais si bien qu'il n'aurait plus la force de rompre sa chaîne.

— Oh ! madame, répondit la maréchale de Luxembourg, les maris ont toutes les forces de par la loi qu'ils ont faite, et les chaînes que nous leur donnons sont si rouillées dès le lendemain qu'elles se rompent toutes seules.

— Madame, êtes-vous sûre de ne pas les aider un peu ? répondit finement madame la duchesse de Chartres.

Tout le monde savait le passé de madame de Luxembourg, autrefois madame de Boufflers, et la chose est si connue qu'il est inutile de la rapporter.

— C'est demain le bal donné en honneur de M. le comte de Haga, continua la princesse, se repentant déjà de sa plaisanterie et voulant en amortir l'effet. Lesquelles de vous, mesdames, comptent aller à Versailles ?

— Moi ! moi ! moi ! répondirent plusieurs voix.

— Et vous, madame la baronne ? me demanda-t-elle.

— Je n'ai point eu l'honneur d'être invitée, madame.

— Alors, que faites-vous ?

— Je ne sais, rien, au Petit-Dunkerque[260] peut-être, j'ai des laines à acheter.

— Moi, je vais à Chantilly, dit madame de Tonnerre ; vous devriez m'y accompagner, madame ! C'est un si beau lieu, et il fait un temps si agréable. M. le prince de Condé a bien voulu m'y faire préparer à dîner, et certainement vous ne serez pas de trop.

J'étais fort tentée d'accepter, ma première visite à Chantilly avec madame la comtesse du Nord m'ayant laissé un charmant souvenir. Madame de Tonnerre insista. Je consentis, et M. d'Oberkirch s'en montra charmé. Il fut convenu que nous partirions dans le carrosse de madame de Tonnerre, qui y mit toutes ses grâces, et que nous irions de là à Ermenonville, M. de Girardin nous y ayant conviés depuis longtemps. Nous n'y étions point allés en 1782 ; une circonstance, je ne sais laquelle, nous en ayant empêchés. Nous nous retirâmes fort tard de Monceau, le souper s'étant prolongé très-longtemps. On était si aimable à cette cour.

18 juin. — Notre voyage fut délicieux ; nous causâmes pendant toute la route, et madame de Tonnerre nous raconta la cour et la ville. Née de Rosières-Sorrans et chanoinesse de Remiremont, la comtesse Delphine de Sorrans, dame pour accompagner de Madame Élisabeth, avait épousé, deux ans auparavant, le comte de Clermont-Tonnerre. Elle savait les histoires de chacun, les aventures, les familles, les querelles, les raccommodements et tout ce qui en résultait. Une pointe de malice assaisonnait ses récits qu'il ne tiendrait qu'à moi de répéter. Mais, en vérité, malgré mes séjours à Paris et à Versailles, je ne pus jamais me défendre de ma pruderie provinciale, et l'on m'a quelquefois accusée d'être gourmée parce que je n'étais pas libre comme les autres.

M. le prince de Condé avait, en effet, ordonné le plus charmant dîner. Nous trouvâmes des relais de façon à arriver juste à l'heure. M. de Baschi du Cayla, premier écuyer du prince, nous fit les honneurs de Chantilly en son nom. Les calèches étaient attelées, nous commençâmes notre promenade par les écuries, que j'admirai de nouveau ; pas une place n'était vide, et les cent cinquante chevaux mangeaient à leurs râteliers. Le chenil, la ménagerie, l'Île d'amour, la belle forêt, les eaux magnifiques, nous enchantèrent de nouveau. Il ne faisait pas trop chaud, l'air était embaumé des mille parfums des fleurs, toute la nature souriait, et madame de Tonnerre me dit un peu étourdiment :

— Si je me promenais seule à pareille heure, en ce beau lieu, avec un joli garçon, qu'il fût pressant et pas trop maladroit, ma foi...

Elle vit que je ne souriais pas, elle se tut. Je ne puis me faire à ces manières *élégantes*, et je crois que je ne m'y ferai jamais. Le soir, nous jouâmes au reversis ; ce jeu devient plus amusant à Paris, par l'esprit que l'on met jusque dans les cartes. On nous conduisit ensuite dans des appartements très-commodes et très-bien meublés. Un nombreux domestique plein de soins et d'attentions ne nous laissa pas le temps de former un désir. Oh ! que c'est beau d'être prince et de savoir faire un pareil usage de son nom et de sa fortune !

Le 19, nous fûmes conduits, toujours en calèche, et par un temps commandé exprès, au charmant hameau ; le déjeuner nous y attendait dans la grande chaumière. Jamais je n'ai mangé d'aussi bonne crème, aussi appétissante et aussi bien apprêtée. Il y avait un certain plat de fruits conservés et de primeurs mêlés ensemble, enveloppés de mousse, de fleurettes des champs, avec des nids d'oiseaux aux quatre coins, qui formaient le plus joli coup d'œil possible. Je tâchai de retenir cet arrangement pour le reproduire à Montbéliard. Quand nous eûmes déjeuné, nous retrouvâmes les équipages de Son Altesse sérénissime ; ils nous menèrent fort galamment jusqu'à Ermenonville, où, comme on le pense, nous fûmes reçus à quatre battants quand on reconnut les livrées.

M. de Girardin, brigadier des armées du roi et propriétaire de ce beau logis, vint au-devant de nous et nous offrit la main. Il descend d'une famille d'origine italienne nommée *Girardini*, et est petit-fils, par sa mère, de M. Ath, riche fermier général. Les Girardin appartenaient eux-mêmes à la finance, et leur grande fortune venait de cette source et de leurs alliances. M. de Girardin était un homme de bonne compagnie, d'esprit et de monde. On avait fort parlé de lui, à cause de M. Rousseau à qui il donna asile dans un pavillon, les dernières années de sa vie. Il hantait beaucoup les philosophes ; sa maison était un de leurs principaux cénacles. Je les regarde comme ayant causé le malheur de la France, ce qui me fait les détester de toute ma raison. Nous vîmes le tombeau de Jean-Jacques, si fameux et si diversement jugé. Quant à moi, je n'entrerai pas dans cette discussion. M. Rousseau a professé des principes détestables de toutes les manières. Il avait le plus affreux caractère, et c'est certainement l'être le plus bizarre et le plus ingrat du monde. Ses livres sont affreux au point de vue de la morale ; ils sont d'autant plus dangereux que le style en est enchanteur. Le *tombeau* et l'*île des Saules*[261] me firent donc un plaisir médiocre, et je n'y donnai pas une attention bien empressée. Je crois que M. de Girardin s'en piqua. Madame de Tonnerre se confondit en admiration et en éloges, sur lesquels notre hôte renchérit ; cela avait l'air d'une gageure ; elle termina tout par un trait bien digne d'elle, et qui dut montrer à M. de Girardin combien elle riait de ses amplifications philosophiques.

— Tout cela est vrai, M. Rousseau était un bien grand homme, mais, pour le résumer en un mot qui le peint tout entier, c'était un cuistre.

Le Mécène ne répliqua rien.

Il y a à Ermenonville, comme dans tous les lieux célèbres, un livre sur lequel chacun écrit son nom et ses impressions, soit en vers, soit en prose ; nous remarquâmes ces vers du duc de Nivernais, parmi un fatras de sottises, qui ne devraient pas être écrites en français, tant elles sont indignes de notre nation :

> *Je ne traiterai plus de fables*
> *Ce qu'on nous dit de ces beaux lieux,*
> *Où les mortels, devenus presque dieux,*
> *Goûtent sans fin des douceurs ineffables.*
> *De l'Élysée où tout est volupté,*
> *Je regardais le favorable asile*
> *Comme un beau rêve, à plaisir inventé.*
> *Mais je l'ai vu, ce séjour enchanté,*
> *Oui, je l'ai vu, je viens d'Ermenonville.*

Nous rentrâmes le soir à Paris, assez tard. Madame de Clermont-Tonnerre vint souper chez nous ; elle fut du plus grand agrément pendant ces deux journées, et je remerciai le hasard qui me procurait cette bonne fortune.

20 juin. — Le landgrave de Hesse-Cassel, beau-frère de madame la princesse de Montbéliard dont il a épousé la sœur, est venu nous faire une visite et m'apporter de ses nouvelles. C'est la dernière fois que je vis ce prince, qui mourut l'année suivante, laissant pour successeur son fils, le prince George, âgé alors de quarante-deux ans et marié à une princesse de Danemark.

Je n'aime point en général ces visites du matin ; on n'a pas le temps de s'occuper chez soi ; mais celle-ci me fit grand plaisir. Je trouve cependant qu'il suffit de donner au monde l'après-dîner, sans lui consacrer même les heures de l'intimité. Mon séjour à Paris, très-agréable du reste, me déplaît à cause de cela. Je ne m'appartiens plus, j'ai à peine le temps de causer avec mon mari et de suivre mes correspondances. Je ne sais comment font les femmes dont c'est la vie habituelle. Elles n'ont donc ni enfants à élever, ni famille ni amis à entretenir. Je commençais à trouver mon absence longue, et à regretter mes montagnes, malgré les plaisirs qui m'entouraient. Nous devions faire une visite à Sceaux, à M. le duc de Penthièvre, cet excellent prince, dont nous étions accueillis avec une distinction toute particulière. Fils de M. le comte de Toulouse, dernier enfant de Louis XIV et de madame de Montespan, il eut pour mère Marie de Noailles, d'abord marquise de Gondrin, que M. le comte de Toulouse épousa par amour. Il réunit sur sa tête l'immense fortune de son père et celle de M. le duc du Maine, son oncle ; M. le comte d'Eu, son dernier fils, étant mort sans héritier. Cette branche bâtarde de la maison de France hérita, comme on sait, des biens de la grande Mademoiselle, fille de Gaston d'Orléans, frère de Louis XIII ; elle les donna aux enfants de madame de Montespan, pour racheter la liberté de Lauzun, qui la paya en ingratitude. M. le duc de Penthièvre n'a plus que madame la duchesse de Chartres, M. le prince de Lamballe son fils étant mort bien jeune et bien malheureusement. Il avait épousé une princesse de Savoie-Carignan, cette charmante princesse dont j'ai déjà parlé, qui fut longtemps l'amie de la reine.

M. le duc de Penthièvre, veuf depuis longtemps d'une princesse de Modène, petite-fille de M. le régent, est grand veneur et grand amiral de France. Il demeure en son hôtel, place des Victoires, et à son château de Sceaux, habituellement ; mais pourtant son existence est errante ; il a tant de terres qu'il visite l'une après l'autre, bien qu'il ait vendu Rambouillet[262] dix-huit millions au roi. Toutes ses maisons sont admirablement meublées et entretenues, ainsi que leurs dépendances. Chacun de ses voyages est une bénédiction pour les malheureux ; ce prince est bon et aumônier au possible. Il comble ses vassaux de ses charités ; il fait travailler les ouvriers de toutes sortes ; il ne veut pas qu'une pierre soit hors de sa place ; aussi dit-on de lui qu'il est dérangé à force d'arrangement.

Cette maison de M. le duc de Penthièvre est un modèle. Une intimité exemplaire, un accord jamais troublé règne entre le père et la fille ; ils s'aiment comme des *bourgeois*, et rien n'était plus simple que leurs habitudes, malgré leur grande fortune. Une placidité, une sérénité à toute épreuve brillaient sur la physionomie du prince. Il accueillait le pauvre comme le riche, le malheureux mieux que le fortuné. Aussi l'aimait-on partout, et son angélique fille autant que lui. Elle épousa, je l'ai dit, M. le duc de Chartres par amour ; ce fut la seule fois, peut-être, que le père et la fille ne furent pas parfaitement d'accord. M. le duc de Penthièvre répugnait à cette alliance, il craignait le caractère de son futur gendre ; il paraît qu'il avait bien raison de le craindre.

Le jour où nous allâmes lui faire notre visite, il était seul à Sceaux, avec M. de Florian, un de ses gentilshommes, bien connu par ses charmants ouvrages, et que nous voyions souvent. C'était un homme très-remarquable que M. de Florian, un des meilleurs esprits et des cœurs les plus parfaits que je connaisse. Il ressemblait à son prince par les vertus, et Sceaux, avec de pareils habitants, était un vrai paradis. M. de Florian avait, disait-on, *deux* passions malheureuses, ce qui est bien étonnant chez un homme de cette pureté-là, et toutes les deux à la fois encore. Il les combattait l'une et l'autre. La première était un amour fougueux et invincible pour la comtesse de Cussé, fille de la marquise de Boufflers ; celle-ci n'était pas exempte de reproches, car la belle comtesse vivait en puissance de mari. On ajoutait qu'elle n'eût point été cruelle, mais que le chevalier ne parlait pas, qu'il se condamnait au silence, se contentant de la regarder de loin, parce que, disait-il, il avait peur de la trop aimer et de ne plus être maître de sa vie.

L'autre passion, je la sais d'original, il me l'a confiée, était ce qu'il y a de plus chaste et de plus suave. Il y avait à Sceaux une jeune fille dont le père était architecte et sans fortune ; elle s'appelait mademoiselle Odrot ; son père avait perdu la vue, un jour, en assistant à la démolition d'une maison : une pierre tomba dans la chaux vive, la chaux ricocha jusqu'à son visage, et il fut affreusement défiguré, ses yeux ne se rouvrirent plus, ils étaient dévorés. Il lui restait pour tout bien une petite maisonnette et un jardin donnant sur le parc de Sceaux. Madame la duchesse du Maine en avait gratifié son aïeul, un de ses anciens domestiques. M. de Florian rencontra souvent dans ses promenades la jeune Antigone conduisant l'infirme ; il la rencontra seule avec son chien et sa corbeille pleine de fleurs qu'elle venait de cueillir. Elle était belle et simple à tourner une tête pastorale comme celle du chevalier. Il l'aima de tout son cœur si bon, si tendre ; il rêva de cette beauté et de cette simplicité angélique, il en fit *Estelle*,

il en fit *Galatée*, il en fit toutes les héroïnes de ses bergeries. C'était toujours elle qu'il peignait et sans la flatter, c'était impossible. Ses soins pour son père tenaient
du miracle, elle ne le quittait que pendant son sommeil, et encore lui laissait-elle pour garde une vieille
servante qui l'avait vue naître. Il va sans dire qu'elle
aima le chevalier de Florian, que ces tranquilles et tristes amours n'eurent point de dénoûment. Il avait bien
envie d'épouser mademoiselle Odrot, il ne l'osa pas. Ils
se voyaient sans espérance, pour se voir, pour s'aimer,
pour se le dire, et pour se consoler ensemble du destin
qui les séparait. À Paris, il adorait madame de Cussé ;
à Sceaux, son esprit, son cœur, tout son être appartenaient à mademoiselle Odrot. Il accordait fort bien cet
appareillage. M. d'Oberkirch donnait de tout cela une
explication que les hommes trouvaient positive et à
laquelle je n'ai rien compris [et que je préfère, par
conséquent, ne pas rapporter].

Nous revînmes de bonne heure de Sceaux, madame
la duchesse de Bourbon m'ayant fait promettre d'aller
voir son costume pour le bal de l'Opéra. Je ne pus pas
me décider à l'y suivre ; ces cohues ne me plaisent point.
Qu'irais-je y chercher ? La princesse était fort sévèrement vêtue, en couleur de capucin, avec une sorte de
coqueluchon large et pointu qui cachait sa coiffure. Elle
était méconnaissable ; la mode commençait à se répandre de cette mascarade. On appelait cela un *bahut*. La
façon venait de Venise, le pays des masques. Le jardin
du Palais-Royal devait être ouvert et illuminé toute la
nuit, ainsi que les boutiques ; les gens du bal seraient
invités à y descendre de par M. le duc de Chartres. Un
ordre du roi, arrivé le soir même, défendit cette innovation. Comme on doit parler sur toutes choses, on prétendit que la reine et le roi de Suède devaient y venir
ensemble ; on ajouta que cette liberté de courir ainsi les
jardins et les boutiques pouvait amener quelque rencontre, quelque reconnaissance, et qu'enfin le lieutenant

de police avait fait dire qu'il ne garantissait pas la sûreté de ces illustres personnages, si on lui donnait un aussi grand espace à garder. Quoi qu'il en soit, la fête extérieure n'eut pas lieu, et il fallut se renfermer dans la salle, où l'on dut avoir bien chaud, si j'en juge d'après ce que nous éprouvâmes en nous promenant seulement au Cours-la-Reine en calèche.

21 juin. — Nous étions engagés à dîner à Versailles chez madame de Mackau, sous-gouvernante des enfants de France. J'étais charmée de ces dîners ; nous y trouvions presque toujours l'occasion de voir M. le dauphin et Madame Royale, quelquefois tous les deux. Ces charmants enfants promettent tant de bonheur à notre patrie ! Madame Royale est si belle et si pleine d'instincts admirables ! Elle annonce tant de raison, tant d'intelligence et de caractère ! Ah ! quelle princesse cela fera ! M. le dauphin avait trois ans à cette époque, il parlait très-facilement. Nous eûmes l'honneur de lui faire notre cour. Il était d'une charmante figure, plein d'esprit ; il avait des mots charmants et une soumission aveugle aux ordres de la reine. Je n'ai pas connu d'enfant d'une humeur plus sereine et plus égale. On le reprenait quand il disait *je veux*.

— Le roi dit *nous voulons*, lui répétait sa berceuse.

— Eh bien ! oui, répondait-il, le roi et moi, nous voulons tous les deux ; vous voyez donc bien que j'ai raison. Mon papa ne dirait pas *nous* pour lui tout seul.

C'est à sept ans qu'il a répondu cela devant madame de Mackau, de qui je le tiens.

En 1784, il était vêtu en matelot, avec une ceinture ; c'était la grande mode pour les petits garçons. Il portait le cordon bleu et la croix de Saint-Louis. La duchesse de Polignac ne le quittait plus que son ombre ! Elle a été admirable pour lui ; la reine ne pouvait mieux confier son fils. Cette année-ci, avant les tristes événements qui se sont accomplis[263], il a eu encore une bien jolie réponse. Il avait tourmenté toute la

journée son valet de chambre pour qu'il lui prêtât de
l'argent, sa somme de menus plaisirs étant épuisée, et
la reine ayant défendu qu'on lui en donnât davantage,
afin de l'accoutumer à l'économie dont il ne voulait
pas entendre parler. On lui avait montré, le matin, un
superbe pantin mécanique qu'il désirait vivement acheter ; il y fallait bien renoncer, faute de pouvoir se satisfaire. Le soir, il priait Dieu comme de coutume ; le vieux
serviteur placé près de lui par le roi, dont il avait servi
le père, lui dictait ses prières, qu'il oubliait avec l'étourderie de son âge.

— Monseigneur, il faut demander à Dieu la sagesse
plutôt que la richesse.

— Mon cher Joseph, pendant que je suis en train, je
vas les lui demander toutes les deux, répliqua-t-il en le
regardant d'un air futé.

C'est digne d'un homme et d'un homme d'esprit.

Le soir, nous allâmes, dans la loge du maréchal de
Biron, voir *Atys* à l'Opéra. C'est un charmant spectacle,
les ballets en sont délicieux. Il y a surtout une certaine
entrée avec des guirlandes qui ravit. Nous y regrettâmes le fameux Vestris qui y paraît ordinairement ; il
est en Angleterre où il gagne beaucoup d'argent.


## CHAPITRE XXVII


23 juin. — Nous étions invités par madame de
Mackau à aller à Versailles, pour assister à l'ascension
d'une montgolfière[264]. On parlait beaucoup de cette
nouvelle invention, due à MM. Montgolfier, gens du
Vivarais, où ils avaient fait une première expérience
l'année précédente. Le *Mercure* en avait rendu compte,
et toute l'Académie s'en était émue. Cette découverte
prouve l'esprit d'observation, qui seul peut féconder le

génie. M. Montgolfier avait recouvert un vase, dans lequel il faisait bouillir un liquide, avec un papier plié de façon à en faire un cône ou une sphère. Ce papier s'éleva tout d'un coup. Montgolfier le replaça, et il s'éleva de nouveau. Ce petit événement du hasard ne fut pas perdu pour lui. Il se mit à rêver sur cet effet d'un air devenu plus léger que l'air atmosphérique, par la dilatation que produit la chaleur. En réfléchissant et essayant un perfectionnement, il arriva enfin à la pensée développée et appliquée dans son aérostat.

La première ascension d'un ballon supportant une chaloupe se fit à Paris, et les hommes qui les premiers osèrent hasarder leur vie dans une si périlleuse expérience furent MM. Charles et Robert.

Le comte de Ségur a composé sur cet événement, si bien fait pour impressionner l'imagination, les vers que voici :

*Quand Charles et Robert, pleins d'une noble audace,*
*Sur les ailes des vents s'élèvent dans les cieux,*
*Quels honneurs vont payer leurs efforts glorieux ?*
    *Eux-mêmes ont marqué leur place*
    *Entre les hommes et les dieux.*

Le ballon que l'on avait lancé au mois de novembre, à la Muette, avait quatre-vingts pieds de haut sur cinquante de large. Il fut enlevé sans hésitation, à la stupéfaction des spectateurs, et traversa Paris portant deux personnes. Madame la duchesse de Polignac était ce jour-là à la Muette avec M. le dauphin. Elle ne négligeait aucune occasion de l'instruire, et d'en faire un prince digne de sa race. Elle réussissait parfaitement. On remarquait surtout dans ce jeune enfant un caractère angélique, une bonté extrême jointe à une fermeté rigoureuse. Ainsi, un des petits garçons avec lesquels il jouait avait commis une faute dont on accusa M. le dauphin. Il s'agissait, je crois, d'une porcelaine cassée,

et la reine tenait beaucoup à ce brimborion. L'autre
enfant n'était plus là pour se dénoncer et sauver l'innocent, qui ne dit pas un mot et se laissa punir sans chercher à détourner le châtiment sur le coupable. La
punition fut cependant cruelle ; on le priva pendant
trois jours de sa promenade à Trianon, où il y avait des
jeux charmants ; il ne murmura point et se soumit. La
chose fut découverte lorsque l'ami de récréation revint.
Non moins généreux que le prince, il se dénonça et
reprit toute la faute, qui en effet lui appartenait. On
demanda alors à M. le dauphin pourquoi il ne se dis-
culpait pas.

— Est-ce que c'est à moi d'accuser quelqu'un ?
répondit-il.

Que Dieu (écrivais-je alors) nous conserve ce précieux
rejeton ; il poussera de belles branches au vieil arbre
de la monarchie... Hélas !

24 juin. — Nous étions conviés à déjeuner chez le
baron de Boden, ministre plénipotentiaire du landgrave
de Hesse-Cassel. Il demeurait grande rue Poissonnière,
sur le boulevard. Nous étions fort nombreux. On fit
venir un homme qui donnait la comédie à lui tout seul,
et qui était très-drôle. Il joua une douzaine de scènes
avec des costumes différents, toutes satiriques et pleines
de malice, personnifiant chaque pays par un type qu'il
rendait à merveille. Son visage, grimé à la perfection,
était toujours méconnaissable.

25 juin. — Je fis la visite la plus intéressante, celle
du magnifique établissement de l'abbé de l'Épée[265]. [Il se
consacre entièrement à de pauvres enfants deshérités
pour lesquels il a inventé un langage et auxquels il
enseigne à lire et à écrire.] Ce bienfaiteur de l'humanité
était né en 1712. Je restai plus de trois heures dans
cette maison. Je vis plusieurs de ces petits malheureux
sourds-muets, de la figure la plus intéressante. Leurs
yeux intelligents et tristes se fixaient sur nous avec une
*avidité* qui semblait vouloir deviner nos pensées.

On nous montra un jeune homme de dix-huit ans environ, d'une belle taille et d'une physionomie distinguée : son histoire est tout un roman. Il a été enlevé à l'âge de huit ans par une troupe d'Égyptiens bohêmes. Il se promenait avec son gouverneur sur la grande route ; cette troupe s'était arrêtée à quelque distance, et le gouverneur commit l'imprudence inouïe d'entrer dans leur camp seul avec son élève. Ces misérables attachèrent le pédagogue à un arbre, le bâillonnèrent fortement, et remontant dans leurs chariots ils emmenèrent l'enfant, dont la jolie figure les avait frappés, et dont l'infirmité leur était inconnue. Ils le cachèrent si bien et le firent si vite passer en Espagne, que les réclamations de la police et celles de la famille devinrent inutiles. Cela se passait dans le Midi. Cet enfant, fils unique, avait perdu son père d'un accident affreux avant que de naître. Pendant que sa mère le portait dans son sein, son mari, qu'elle aimait à l'adoration, fut tué devant elle en tombant de cheval ; elle en fut si saisie, qu'elle accoucha dans la nuit d'un enfant sourd-muet. Cet enfant séparait seul les collatéraux d'une immense fortune. On prétendit dans le pays qu'ils n'étaient pas étrangers à l'enlèvement de l'héritier, mais on n'en put jamais avoir de preuves. La pauvre mère mourut de chagrin.

Deux ans après, les cousins produisirent un extrait mortuaire en bonne forme, signé du curé, du notaire et des notables d'une bourgade de province, attestant la mort du pauvre petit, donnant exactement son signalement, son âge, et ne laissant aucun doute sur l'identité. À cet extrait mortuaire était jointe la déclaration des bohémiens qui l'avaient enlevé. Deux d'entre eux venaient d'être pendus, en attestant la vérité avant d'aller rendre compte au juge de toutes choses. Les papiers, sur lesquels on prit toutes les informations nécessaires, furent jugés authentiques ; la famille entra en jouissance.

Un seul être ne fut point convaincu par ces preuves, le bon précepteur. Désespéré de la faute qu'il avait commise, il consacra sa vie à la réparer, et le bâton de pèlerin à la main, il se mit à parcourir le midi de la France, l'Espagne, l'Italie, s'arrêtant à toutes les bandes nomades qu'il rencontrait, interrogeant les vieillards, examinant tout et ne découvrant rien néanmoins.

Un jour, aux environs de Rome, il rencontra un ramoneur conduisant deux petits garçons, dont l'un pleurait à chaudes larmes et recevait force coups de pieds, force horions, sans faire entendre ni réponse, ni murmures, et que son maître appelait à chaque coup :

— Maudit sourd ! maudit muet ! je te laisserai sur la grande route et tu y mourras de faim.

Aux mots de sourd et muet, le précepteur s'émut. Il s'avança bien vite vers cet homme et se mit à l'interroger d'une voix tremblante. Celui-ci lui répondit qu'il était Piémontais, qu'il parcourait le pays pour exercer son industrie avec ses deux élèves, deux enfants perdus. L'un trouvé sur les marches d'une église où on l'avait abandonné, l'autre acheté à des bohémiens qui n'en savaient que faire et pour qu'il était, au contraire, une charge : c'était l'infirme. Le gouverneur trembla de joie, il demanda à voir ce petit malheureux, et offrit de rembourser ce qu'il avait coûté, avec un grand bénéfice encore.

— Je le veux bien, répliqua la ramoneur, il ne me sert à rien du tout, et il me coûte à nourrir ; ce sera le premier gain que je retirerai de lui.

Le fidèle ami de l'orphelin s'approcha alors, prit le vagabond par le bras et essaya de retrouver, sous la couche de suie dont ils étaient couverts, les traits intéressants de son jeune élève, si blanc, si rose, si frais autrefois. Hélas ! excepté de grands yeux tristes et doux, il n'y restait rien des beaux jours. Des joues creuses, des lèvres décolorées, une maigreur effrayante, voilà tout ce qui se présenta à ses regards. Impossible de se faire entendre, ni d'avoir un renseignement. En vain le brave homme répétait-il :

— Mon cher enfant, mon cher élève, monsieur le comte, me reconnaissez-vous ?

L'enfant regardait bien, il levait ses belles paupières pleines de larmes, mais ne donnait aucun signe d'intelligent souvenir. Alors le précepteur, frappé d'une idée, essaya un des signes familiers avec lesquels il se faisait comprendre autrefois. Le petit garçon jeta un cri inarticulé, se frappa le front et répondit à sa manière, après un peu d'hésitation toutefois.

— Ah ! s'écria le brave homme, c'est lui ! mon Dieu, soyez béni !

Et sans songer à autre chose, pleurant de joie et de reconnaissance, il prit l'enfant dans ses bras, le couvrit de baisers ; et laissant là le ramoneur stupéfait, il se mit à courir vers la ville la plus voisine, où il nettoya son élève, le fit habiller et commença à le reconnaître tout à fait, malgré le changement que les mauvais traitements et la maladie avaient produits en lui.

Sa déclaration fut bientôt faite aux magistrats et à notre ambassadeur. Il prit ensuite une voiture publique, et ramena en France l'orphelin qu'il s'agissait de faire rentrer dans sa fortune et dans son nom. Ce n'était pas une mince entreprise, la famille était riche et puissante, et le précepteur était seul. Il ne se découragea pas. Possesseur d'une petite fortune léguée par un frère et de quelques économies, il consacra le tout à la bonne œuvre. Soins, démarches, requêtes, rien ne fut épargné, tout fut inutile. L'enfant ne pouvant s'expliquer, ne pouvait être entendu ni donner aucun éclaircissement ; d'ailleurs l'extrait mortuaire était là.

Au moment de perdre courage, son défenseur eut une idée venue d'en haut, il songea à l'abbé de l'Épée, à sa méthode, il amena son élève, le mit entièrement en pension à l'établissement, se privant même de le voir, afin que l'on ne pût pas supposer qu'il influençait ses souvenirs. Les maîtres, aidés par une intelligence supérieure, lui enseignèrent en fort peu de temps ce qu'il pouvait apprendre ; il dépassa toutes les prévisions et devint bientôt capable d'enseigner lui-même. Quand le gouverneur le vit au point où il désirait, il demanda qu'on le lui rendît pendant deux mois, et qu'on le fît accompagner d'un professeur qui pût le comprendre et traduire ce qu'il entendrait. Tous les trois partirent pour le Midi, pour le château où l'enfant était né, et là on abandonna le sourd-muet à lui-même. L'épreuve fut décisive ; il reconnut tout, expliqua tout. Il alla ouvrir toutes les portes, entra droit dans la chambre de sa mère, montra son lit, chercha sa chambre à lui, celle de son précepteur ; désigna plusieurs vieux domestiques, des tableaux, des meubles, les passages même dérobés, le village, l'église, et la servante du curé qui le gâtait fort. Il n'y eut plus un doute dans le pays. On poussa la clameur de haro, on intenta le procès ; quand nous vîmes ce jeune homme, le procès était en litige.

J'ai appris depuis que la famille, convaincue d'une substitution et d'un enlèvement d'héritier, avait tout rendu sans bruit, afin d'éviter un scandale et une punition méritée. Le jeune homme est maintenant possesseur de sa fortune, il habite sa terre avec son vieux gouverneur, et il est marié. Une jeune fille très-riche s'est éprise de son malheur et l'a épousé. Puisse la reconnaissance de cet infortuné assurer son bonheur !

Après les sourds-muets, nous allâmes au Singe-Vert, tabletier[266] en vogue de la rue des Arcis, et chez mademoiselle Rivoire, fabricante de tapisserie, pour y faire nos provisions. Nous comptions quitter Paris fort incessamment, et je voulais me munir de laines et de métiers, tant pour moi que pour madame la princesse de Montbéliard à qui j'en devais rapporter.

Nous allâmes le soir aux Français, à la *Folle Journée* avec le maréchal de Biron. M. le comte de Haga assistait à cette représentation, il voyait pour la seconde fois l'œuvre de M. de Beaumarchais. La salle était comble. Le roi de Suède fut fort applaudi. Dugazon, qui jouait Brid'oison avec la perfection qu'on lui connaît, s'avança sur le devant du théâtre et dit en bégayant un couplet, composé pour la circonstance. [Le roi de Suède exprima sa reconnaissance pour cette politesse, bien qu'il eût, on me l'a affirmé, trouvé les vers exécrables. M. de Biron doutait de leur auteur et les attribuait au marquis de Saint-Marc qui s'en défendit vivement. J'aurais fait de même à sa place.]

Le maréchal de Biron, tout vieux qu'il était, se tenait droit, et avait l'air le plus noble et le plus imposant. Il avait, pour ainsi dire, la folie de la royauté. Le roi, quel qu'il fût, était son idole, parce qu'il était le roi. Son dévouement était si chaleureux, si véritable, qu'on ne pouvait s'empêcher d'en être attendri. Il eût remué les cœurs les plus rebelles. On comptait devant lui, un jour, les maréchaux de France, du nom de Biron.

— Effacez celui qui fut infidèle à son roi ; il a, par là, renoncé à notre maison, et nous devons le renier ; ce que je fais de toute ma puissance.

Il avait conservé les traditions du grand siècle ; il en savait les usages, les étiquettes, les inflexibles devoirs d'honneur.

— Vous avez bien démérité de vos pères, nous disait-il, et vous êtes une société bien déchue. Que deviendront vos enfants, avec de tels exemples[267] ? [Je vis le plus souvent possible cet auguste vieillard ; je trouvais intérêt et plaisir à sa conversation et si ma fille avait été un fils, je le lui aurais volontiers proposé comme exemple.]

26 juin. — Autres emplettes. Quand on quitte Paris il faudrait des fourgons. Nous fîmes ensuite des visites d'adieu. [On parlait beaucoup du duc de Bouillon qui avait été nommé chambellan l'année précédente, en remplacement du duc de Rohan.] La grande nouvelle du jour était le duel du comte de La Marck et de M. Duperron, chambellan du roi de Suède. On ne

parlait que de cela dans tous les cercles et au théâtre. Madame la duchesse de Bourbon avait vu M. le comte de Haga, et tenait de lui les détails les plus positifs, que voici :

Le comte de La Marck est un d'Aremberg[268]. Il avait alors une trentaine d'années. Élevé à Paris, plein d'esprit, d'une élégance citée, il était fort aimé des femmes, de celles de la cour comme de celles du théâtre, et il fut la cause de plusieurs rivalités fort invraisemblables. On lui reproche, aujourd'hui, d'être l'ami du comte de Mirabeau, cet homme si libertin et si pervers en toutes choses.

M. Duperron, chambellan du roi de Suède, était Français et avait servi autrefois dans le régiment de La Marck, Mais ce n'était pas là ce que le comte avait à cœur, bien que cette circonstance fût le prétexte de la querelle. Il aimait alors une comédienne, il en était fou, et ne supportait pas même qu'on la regardât. Cette comédienne avait eu longtemps des relations avec Duperron. Elle lui plut de nouveau, et il pensa que pendant son séjour en France il n'avait rien de mieux à faire que de la revoir. Celle-ci, tout au comte de La Marck, qui était un bien autre personnage, le repoussa poliment d'abord, brusquement ensuite, et ne pouvant s'en débarrasser, elle le menaça de son amant. Ces sortes de femmes, au lieu de craindre l'éclat, le cherchent ; elles sont de celles qui disent :

*Qu'un amant mort pour nous nous mettrait en crédit !*

Elle se plaignit en effet. Le comte de La Marck, furieux, s'exprima partout avec mépris sur le compte du chambellan, espérant, disait-il, que cela lui reviendrait aux oreilles, ce qui ne manqua pas. Ils se rencontrèrent un soir à l'Opéra, face à face, et l'orage éclata sur-le-champ.

— Est-il vrai, monsieur le comte, demanda le chambellan, que vous m'ayez accusé de lâcheté, et que vous ayez prétendu hier que j'avais refusé de m'embarquer avec le régiment lors de la dernière guerre ?

— Cela est parfaitement vrai, monsieur, je l'ai dit, et je le répète : c'est complètement mon opinion.

— Alors, monsieur le comte, vous me ferez bien l'honneur de me rencontrer demain ?

— Comment donc, monsieur ! tout à vos ordres, ne fût-ce que pour apprendre que vous vous montrez quelquefois.

La rencontre eut en effet lieu le lendemain, ils se battirent. Le pauvre chambellan fut tué sur place, et le comte de La Marck fut blessé grièvement. Tout cela pour une créature semblable. Les hommes ne se lasseront-ils pas de se compromettre et de se faire mettre au cercueil pour de semblables causes ? Il faut convenir qu'ils ont mieux à employer leur sang et leur adresse.

Le roi de Suède était fort affecté de cette perte ; il en fut vivement impressionné, et s'en plaignit doucement au roi. On n'y donna point de suite, on trouva le comte de La Marck assez puni. Il resta plusieurs mois au lit pour cette gentillesse, et pendant ce temps son infante, ayant gagné en célébrité, trouva mieux que lui et le planta là.

27 juin. — J'allai faire ma cour au roi et à la reine, et prendre congé de Leurs Majestés. Nous arrivâmes de bonne heure, et la journée se passa à l'ordinaire. La reine fut pleine de bontés ; elle me recommanda de ne pas rester longtemps en Alsace, et de revenir bientôt.

J'allai à la messe du roi, à la promenade dans les carrosses, j'y recueillis mille compliments, non pour moi, mon Dieu ! je le savais de reste ; mais on connaissait l'amitié de madame la comtesse du Nord ; la prédilection de madame la duchesse de Bourbon n'échappait à personne, on me fêta.

Madame la princesse de Lamballe m'avait conviée à souper, par ordre de la reine. Cela arrivait souvent ainsi après les révérences, et c'était une marque de distinction. Personne ne soupe *officiellement* avec le roi et la reine que la famille royale et les princes du sang, les jours de grand couvert. Mais la reine fait inviter par ses dames, et surtout par sa surintendante, les personnes qu'elle désire favoriser. Madame la princesse de Lamballe est fort jolie, sans avoir les traits réguliers pourtant. Elle est d'un caractère gai et naïf, et n'a pas beaucoup d'esprit peut-être. Elle fuit les discussions, et donne raison tout de suite plutôt que de disputer. C'est une douce, bonne et obligeante femme, incapable d'une pensée mauvaise. C'est la bienveillance et la vertu même, jamais l'ombre d'une calomnie n'a même osé essayer de l'atteindre. On assure que le prince de Lamballe avait un autre amour dans le cœur lorsqu'il l'épousa. On parla, dans ce temps-là, d'une jeune fille, d'un roman, de je ne sais quelle mièvrerie. M. le duc de Penthièvre assura que ce n'était pas vrai. Quoi qu'il en fût, madame la princesse de Lamballe gagna la tendresse et la confiance de son mari ; elle lui pardonna ses infidélités ; sa douceur et sa soumission le ramenèrent à elle. Restée veuve à dix-neuf ans, au lieu de retourner dans son pays, elle se consacra à son beau-père, à la reine[269], dont elle est surintendante depuis 1774. Elle donne immensément, plus qu'elle ne peut, au point de se gêner, aussi l'appelle-t-on le bon ange dans les terres de la maison de Penthièvre. La marquise de Las Cases est sa dame d'honneur ; la comtesse de Volude de Lage, sa dame pour accompagner. Le chevalier de Florian, connu par ses jolis ouvrages, est l'écuyer de la princesse.

À propos du chevalier de Florian, il me revient un mot que j'écris de suite pour ne pas l'oublier. Je ne sais qui dit, en parlant de ses pastorales :

— Je les trouve charmantes, seulement il n'y a jamais de loups parmi ses moutons.

— Ah ! répondit le chevalier, je n'ai pas besoin d'en mettre, ils y viendront bien tout seuls ; je les vois déjà paraître à l'horizon,

Le chevalier de Florian est un des hommes les plus éminents de ce temps-ci. Je ne sais qui a inventé de lui faire épouser la fille de Moreau le graveur[270], petite créature fort insignifiante et qu'il a refusée. Il lui faut mieux que cela.

28 juin. — Je fis beaucoup de visites, entre autres chez la marquise de Pierrecourt. Les Nonant de Pierrecourt sont de la même famille que les Nonant de Raray. Une madame de Raray a été autrefois gouvernante des enfants de Gaston d'Orléans. La marquise de Pierrecourt actuelle est mademoiselle de Rothe. Elle n'avait pas encore été présentée, et en mourait d'envie ; elle le fut plus tard. Son mari servait dans les carabiniers. Cette famille est de Normandie ; elle écartelle des comtes de Dreux et prétend en descendre par les femmes.

Mademoiselle de Nonant de Pierrecourt à épousé le comte Raymond de Narbonne-Pelet de Fritzlar, capitaine de dragons, et sa sœur cadette est madame de Nonant-Raray, mariée à son cousin issu de germain, depuis 1785.

Nous avions, le soir, des places dans une petite loge de ma princesse, pour la première représentation, à la ville, du *Dormeur éveillé*, musique de Piccini, paroles de M. de Marmontel. Cette pièce, déjà jouée à la cour, est fort brillante. Tirée d'un conte des *Mille et une Nuits*, elle prête aux développements féeriques. Le calife est le personnage principal, et il passe par toutes sortes de situations. On applaudit beaucoup la pièce et les acteurs. Madame la duchesse de Bourbon nous parla encore de M. le duc de Chartres dont elle était péniblement occupée. M. le duc de Penthièvre aime peu son gendre, et sans la crainte d'affliger sa fille, il donnerait son immense fortune à ses petits-enfants. La famille royale continue à s'affliger de ces dissensions.

En rentrant chez nous, nous trouvâmes une lettre qui nous rappelait impérieusement et de suite en Alsace. [Mon père et ma fille étaient tous les deux malades et ma belle-mère s'affaiblissait chaque jour davantage.] Nous nous résolûmes à partir le lendemain même : tout était prêt. En avançant de deux jours nous nous évitions l'ennui des visites et des explications. Quelques compliments nous libéraient de tout, nous nous décidâmes. Le 29 juin donc, nous montâmes en voiture, après avoir salué seulement madame la duchesse de Bourbon. La princesse me fit promettre que je reviendrais le plus tôt possible ; mon mari s'engagea avec moi. Nous nous mîmes en route, le cœur un peu gros. J'aimais tant Paris ! Heureusement je voyais là-bas les objets de mon affection. Et puis, j'aime aussi mon pays natal, mes chères montagnes, mon cœur bat quand je les aperçois à l'horizon.

*La patrie est aux lieux où l'âme est attachée !*

## CHAPITRE XXVIII

En arrivant à Strasbourg, je trouvai toute la ville en émoi à cause de l'essai malheureux d'un nouveau ballon construit par un sieur Adorn, opticien de cette ville. L'inventeur était dans la nacelle avec un de ses parents. L'aérostat s'éleva pendant quelques secondes, puis il retomba sur un toit où il mit le feu. Les nouveaux Icares se blessèrent tous les deux. Cette catastrophe fit grand bruit et occupa surtout la bourgeoisie et le commerce. On frémit en pensant que ces malheureux pouvaient retomber sur la flèche de la cathédrale et à l'horrible mort qui les y attendait.

Presqu'en même temps une autre histoire de ballon occupait tout Paris. M. le duc de Chartres fit faire à Saint-Cloud l'essai de la machine aérienne ; il y voulut monter, mais à peine s'éleva-t-elle à une centaine de toises, qu'il exigea d'être remis à terre ; on n'osa pas le lui refuser, et la descente s'exécuta aux huées de tous les spectateurs. Cette aventure et le combat d'Ouessant firent justement douter du courage du prince. On ne manqua pas de vers en cette occasion ; en voici quelques-uns :

> *Chartres ne se voulait élever qu'un instant ;*
> *Loin du prudent Genlis il espérait le faire,*
> *Mais par malheur pour lui la grêle et le tonnerre*
> *Retracent à ses yeux le combat d'Ouessant.*
> *Le prince effrayé dit : Qu'on me remette à terre,*
> *J'aime mieux n'être rien sur aucun élément.*

Madame la duchesse de Bourbon était navrée de ces propos, et madame la duchesse de Chartres tout autant qu'elle. Quant à M. le duc de Penthièvre, c'était pour lui une affliction de toutes les minutes ; il n'en parlait jamais qu'à son confesseur ; mais lorsqu'il voyait ses petits-fils, il leur prêchait sans cesse le respect de leur nom et de leur race, l'exemple de leurs ancêtres et leurs devoirs de princes du sang. Madame de Genlis, dit-on, détruit tout cela et ne les élève point en princes.

Après avoir vu nos parents, nous nous hâtâmes d'aller faire notre cour à Montbéliard ; nous y trouvâmes plusieurs visites, dont la première et la meilleure était celle du prince Henri de Prusse[271]. Il voyageait en Suisse et ne voulut point passer si près d'une partie de sa famille sans la voir. Je fus charmée de connaître cet homme si célèbre. Il est petit de taille, il est laid, il louche d'une manière désagréable, mais il est plein d'esprit, mais il a la plus charmante conversation. Je n'ai jamais connu un homme d'un esprit plus sûr et plus délicat ; c'est un vrai héros en toutes choses. Le souvenir de ses exploits comme soldat, de son génie comme général, de ses talents comme homme politique, pénètre d'admiration. On peut bien dire que chez lui l'âme ennoblit le corps.

Le prince Henri, qui est très-lié avec la famille de la comtesse de Wartensleben, lui apporta des nouvelles du comte Alexandre de Wartensleben, officier aux gardes avec lequel le prince de Prusse a été élevé et pour lequel il a beaucoup d'affection. C'est un noble caractère, franc et véridique. Frédéric II l'a cajolé pour savoir les secrets du jeune prince, mais Wartensleben lui a répondu fièrement qu'il était l'ami dévoué du prince, et que le rôle d'espion ne lui convenait pas. Il a payé cette réponse par trois mois de prison à Spandau. Le prince héréditaire[272], pour le consoler, lui envoya une pension de cent louis, et depuis qu'il est monté sur le trône, il y a ajouté une belle prébende en lui donnant le commandement du régiment de Rœmer. Le baron de Rathsamhausen, capitaine commandant de grenadiers au régiment de Nassau, en garnison à Genève, était à Montbéliard en même temps que le prince, ainsi que le baron de Glaubitz, officier dans Royal-Deux-Ponts, venu de Landau avec le baron Christian de Hoën, sous-lieutenant au même corps.

Puis le baron de Dettlingen, lieutenant dans Alsace.

Cette cour de Montbéliard était toujours le centre des provinces environnantes ; on y affluait de partout. L'extrême bonté, l'affabilité des princes, la façon dont ils recevaient, exempte de morgue et d'étiquette, rendaient ce séjour le plus agréable du monde.

Je fus obligée de le quitter plus tôt que je n'en avais l'intention, à cause de deuils de famille que nous eûmes à porter coup sur coup. [La comtesse de Waldner, ma tante par mariage, mourut au château d'Ollwiller dont la possession lui avait été assurée et qui est maintenant revenu à mon frère Godefroy. C'est mon seul frère survivant ; les autres sont morts très jeunes, comme je l'ai déjà dit. Madame de Waldner était l'aînée d'un an de son mari ; ils moururent presque au même moment ; nous avions perdu un oncle à la fin de l'année précédente. Autre deuil : celui] de la douairière d'Oberkich, morte à l'âge de soixante-dix-sept ans. Elle était née de Buch. On la regretta malheureusement peu à cause de son caractère difficile. Nous n'en prîmes pas moins le deuil pour deux ans, selon l'usage d'Alsace. Je dois dire néanmoins qu'à mon voyage à Paris je repris la couleur ; l'étiquette n'étant que d'une année pour les pères et mères, partout ailleurs que dans notre province. [Mon amie, la comtesse de Halwill perdit son mari cette année aussi. Que de départs nous devons accepter avant de disparaître à notre tour !]

On regretta fort à Montbéliard le sous-gouverneur des jeunes princes de Wurtemberg, M. Holland, mort à l'âge de quarante-deux ans. C'était un homme très-supérieur, surtout en philosophie. Il avait publié à l'âge de trente ans un ouvrage remarquable pour réfuter le dangereux livre du baron d'Holbach intitulé *Réflexions philosophiques*. Certainement la réponse était plus puissante que les questions posées. M. Holland avait accompagné les jeunes princes, ses élèves, dans leurs voyages en Russie et en Prusse, et ceux-ci l'aimaient beaucoup.

Ma chère princesse Marie mit au monde, au mois de décembre, la grande-duchesse Hélène de Russie ; auparavant elle m'avait adressé la lettre suivante, contenant des craintes chimériques, bien que très-permises, et dont nous fûmes grandement heureux de la voir délivrée.

Saint-Pétersbourg, $\dfrac{30 \text{ octobre}}{10 \text{ novembre}}$ 1784.

« Ma bien chère Lanele, mon amitié pour toi est toujours la même, et ce sentiment va, au contraire, journellement en augmentant. Je vois que par là il se distingue de tout autre. Tes lettres me font constamment le plus grand plaisir, et plus souvent tu m'écriras, plus tu obligeras ta tendre amie. Quand vous recevrez celle-ci, ma bonne Lanele, je serai bien près de mon terme. J'avoue que je suis d'une poltronnerie horrible cette fois ; les souffrances de mes dernières couches m'inspirent cette terreur. Quant à Tille, je crois que la bombe crèvera dans huit ou dix jours ; elle est extrêmement épaisse. Mille baisers à la chère petite Marie. Ton fidèle et chaste amant te présente ses tendres hommages. Adieu, ma chère Lanele, je t'aime comme mes yeux. Ta fidèle amie,

« MARIE. »

Les plaisanteries sur M. de La Fermière continuaient, on le voit. Nous en riions souvent dans notre correspondance ; il est si doux de se rappeler des souvenirs heureux, et notre voyage, pendant lequel cet enfantillage avait pris naissance, avait été si gai !

Je comptais passer mon hiver tranquillement à Strasbourg, lorsqu'une autre lettre de la grande-duchesse m'obligea à me déplacer encore ; mais, pour faire comprendre ce nouvel incident, il est nécessaire de reprendre les choses de plus loin.

Le prince Louis, second fils du prince de Montbéliard, voyageait alors pour son agrément et son instruction. Il rencontra le prince Adam-Casimir Czartorisky[273], palatin de Russie, staroste de Podolie, issu de la maison royale des Jagellons. La mère du roi de Pologne, Stanislas-Auguste Poniatowski, était une Czartoriska, sœur de ce même palatin. La famille était donc grande et illustre. Le prince Adam était distingué, spirituel, charmant ; il accueillit à merveille le prince Louis, et celui-ci devint éperdument amoureux de sa fille, la princesse Marianne, alors âgée de seize ans. Elle avait deux frères plus jeunes qu'elle : le prince Adam, âgé de quatorze ans, et le prince Constantin qui en a onze.

L'embarras fut grand alors. Les princes Czartorisky, de trop haut lignage pour consentir à un mariage morganatique, ne sont point pourtant de maison souveraine. Bien que descendant des Jagellons, et quoique la princesse Marianne fût cousine germaine du dernier roi de Pologne, on n'accorde pas que la royauté élective place les familles, qui y parviennent, au même rang que les maisons régnantes par héritage.

Ces considérations firent hésiter le prince et la princesse de Wurtemberg-Montbéliard ; ils engagèrent leur fils à différer, si ce n'est à rompre. Celui-ci, un peu léger de caractère, et entraîné par sa passion, passa outre, et se maria avant d'avoir obtenu le consentement de ses parents auxquels il avait donné déjà plus d'un sujet de mécontentement. Peut-être le prince Czartorisky a-t-il eu tort de se prêter à cette conclusion, sans l'autorisation de la maison de Wurtemberg ; mais il a eu pour cela des raisons faciles à comprendre. D'abord cette alliance le flattait ; ensuite il fut offensé, avec assez de justice, de la manière dont on le repoussait ; le sang royal qui coulait dans ses veines lui semblait digne de se mêler à celui de tous les princes de l'Europe ; enfin, et par-dessus tout, sa fille aimait passionnément le prince Louis. Cette jeune princesse dépérissait sous ses yeux, et le cœur d'un père ne résiste guère à cela.

Lorsque le mariage fut célébré, on songea aux moyens de calmer la famille de Montbéliard. Le prince s'adressa d'abord à son auguste sœur, et celle-ci me le renvoya ainsi qu'on va le voir.

Ce $\frac{17}{28}$ décembre 1784.

« Ma chère Lanele, ces lignes te seront remises par mon frère Louis, qui vient se jeter aux pieds de nos adorables parents pour demander grâce, de même que sa charmante épouse. Au nom de Dieu, ma chère et tendre Lanele, accompagne ma belle-sœur, qui restera à La Chapelle ou à Belfort jusqu'à ce que le premier moment de vivacité soit passé, et qui après quelques jours ira tout de même se jeter aux pieds de nos chers parents. Sois son Dieu tutélaire ; conseille-la, dis-lui comment s'y prendre pour gagner les cœurs et la tendresse de papa et de maman. J'ose te demander cette marque de ton amitié, persuadée que tu ne me refuseras pas. Mais je te conjure en même temps de ne pas me compromettre et de dire à Montbéliard que tu accompagnes ma belle-sœur, parce que mon frère t'en avait conjurée. Que d'obligations ne t'aurai-je pas, ma chère et bonne Lane ! Nous te devrons la bonne intelligence d'une famille qui jadis donnait l'exemple de l'union. Lorsque tu sauras toute l'histoire de mon frère, tu verras qu'il n'est pas à blâmer et que tout autre à sa place aurait fait de même. Adieu, ma chère et bonne Lane. Que ne puis-je à mon tour te prouver aussi évidemment que je le désirerais la vraie et sincère amitié avec laquelle je suis ta tendre et fidèle amie.

« MARIE ».

Je vis entrer chez moi, un soir, au moment où je m'y attendais le moins, le prince et la princesse, mis fort simplement, tout à fait incognito et sans se faire annoncer. Je fus grandement surprise, on le conçoit, surtout après avoir lu la lettre de la grande-duchesse et compris ce que l'on désirait de moi.

— Vous viendrez avec nous, n'est-ce pas, chère baronne ? Nous partons demain. Vous remplacerez ma sœur dont vous êtes la meilleure amie, et que l'éloignement où elle est empêche de remplir cet office conciliant.

— Monseigneur, je ferai de mon mieux ; mais je ne suis pas madame la grande-duchesse, malheureusement.

— Ma mère est si bonne. Elle nous pardonnera ; nous serons si heureux !

Ils étaient bien heureux, en effet ; malheureusement ce bonheur des mariages d'inclination ne dure point, car ce serait le paradis sur la terre.

Il fut convenu qu'on suivrait le plan de madame la grande-duchesse ; que madame la duchesse Marianne et moi nous irions à Belfort ou à La Chapelle, attendre le prince qui essuierait seul la première bordée de la colère paternelle. M. d'Oberkirch me permit de me mêler de cette affaire en me recommandant la plus grande prudence, afin de ne blesser en rien madame la princesse de Montbéliard, qui m'avait toujours comblée de bontés.

Nous partîmes le lendemain de bonne heure. Je fis ce voyage dans le carrosse du prince, seule avec ces jeunes tourtereaux qui s'aimaient à faire plaisir. La princesse avait grand'peur, son mari la rassurait.

— Ma mère est si bonne ! répétait-il.

— Appuyez bien sur les Jagellons, mon prince, lui disais-je, c'est votre branche de salut.

— Ils ont plusieurs fois sauvé leurs sujets et la chrétienté, répondait fièrement la jeune femme.

Nous arrivâmes le soir. Je voulais envoyer aussitôt le prince Louis à Montbéliard ; il me demanda en grâce jusqu'au lendemain matin.

— Il me faut bien la nuit pour me préparer, madame, et ce premier moment me fait peur.

Il partit donc le lendemain. La jeune femme pleura beaucoup. J'eus beau essayer de la distraire, je ne pus y réussir. Elle ne quitta pas la fenêtre, et ne put parler d'autre chose que de son mari et de ce qu'il était allé faire.

— S'il revient de suite, c'est mauvais signe, madame, et pourtant je voudrais qu'il revînt.

Il ne revint point ce jour-là. Le lendemain il écrivit par un de ses gens que la scène avait été rude, mais

que pourtant il était loin de désespérer. Il avait arrêté
un plan avec ses sœurs, ajoutait-il.

Cette seconde journée fut comme l'autre ; mêmes
inquiétudes, mêmes regrets, mêmes espérances. Le soir,
vers cinq heures, nous entendîmes rouler un carrosse.
La princesse se précipita sur l'escalier ; son mari était
dans ses bras.

— Vous allez me suivre toutes deux, dit-il. On vous
cachera, ma chère Marianne, dans la chambre de la
comtesse de Wartensleben, et pendant ce temps, l'excellente Lane m'aidera, au nom de ma sœur, à fléchir nos
parents déjà à moitié ébranlés. Vous paraîtrez quand il
en sera temps.

Nous nous mîmes en route, *on dissimula la princesse*,
et j'entrai dans le salon où madame la princesse de
Montbéliard causait avant le souper. En m'apercevant
elle releva la tête.

— Ah ! vous voilà, me dit-elle, avec plus de froideur
qu'à l'ordinaire. Je me doute de ce qui vous amène.
Vous prenez donc le parti de la rébellion ?

Je voulus répondre.

— Pas un mot maintenant, interrompit-elle ; ce soir,
chez moi. Le prince est déjà assez triste de cette folie ;
ne lui en parlez pas.

Je trouvai en effet le prince triste, et par conséquent
le salon l'était. La conversation se fit à bâtons rompus.
Madame de Wartensleben s'était fait excuser de descendre sous prétexte de migraine. Le prince Louis sortait à chaque instant ; il ne pouvait tenir en place. Ses
parents n'avaient pas l'air de s'en apercevoir. Madame
la princesse leva le siège de bonne heure et me fit signe
de la suivre. Dès que nous fûmes seules dans son appartement :

— Eh bien, me dit-elle, de quoi ces malheureux
enfants vous ont-ils chargée ? Où est cette jeune femme ?

J'hésitai à répondre.

— Où est-elle ? Ne craignez pas de me fâcher.

— Elle est ici, madame.

La princesse fit un mouvement.

— Ici, chez moi ! sans que je l'aie permis ! Qui donc a eu l'audace de la recevoir ?

— Moi, madame.

— Vous, Lane ! Et vous n'avez pas craint de m'irriter, de m'affliger ?

— Madame, le duc Louis est votre fils, la princesse Marianne est sa femme maintenant ; vous avez un trop bon esprit, un trop grand cœur pour ne pas reconnaître un fait accompli. À quoi servirait la résistance ? au malheur de vos enfants, et vous ne voulez pas le malheur de vos enfants.

La princesse ne répondit pas.

— Croyez-vous que le duc régnant, croyez-vous que le roi de Prusse approuveront cette escapade ; le croyez-vous, baronne ?

— *Approuveront*, je ne le crois pas ; *accepteront*, j'en suis sûre.

*Marianne a du nom et sort du sang des dieux.*

La princesse sourit imperceptiblement. Elle aimait les vers et les citations faites à propos.

— Les Czartorisky descendent des Jagellons, madame, et les Jagellons sont une race souveraine. Le roi de Pologne, Poniatowski, est le cousin germain de la princesse ; ce sont là de nobles alliances, madame, on ne peut le nier.

— Oui, on ne peut le nier ; mais les Czartorisky sont des particuliers cependant...

— Quels particuliers ! les plus grands seigneurs de la Pologne !

— Cela est vrai, pourtant...

— La princesse est charmante.

— Sans doute, je le sais.

— Eh bien, madame, que voulez-vous de plus ? Ils sont heureux, ils s'aiment. Cela fait plaisir à voir !

La princesse commençait à s'émouvoir beaucoup.

— Elle est bien jeune !

— Le duc Louis est fort jeune aussi.

— Voilà où est le mal, deux enfants ensemble ! Vous savez combien Louis est peu raisonnable. Et puis, mon oncle, le grand Frédéric, n'est pas disposé à la tendresse ; les amours le touchent peu. Il veut avant toutes choses du respect, de la déférence. Il ne pardonnera pas.

— Il pardonnera, si vous pardonnez.

— Le prince, mon mari, est bien irrité.

— Madame !...

— Eh bien ?

— Parlez-lui beaucoup des Jagellons, des charmes de la princesse Marianne, de l'amour de vos jeunes années, de sa tendresse pour ses enfants ; il cédera.

— Lanele, vous êtes un bon avocat.

— Et puis, madame, c'est une chose faite. Votre Altesse royale ne peut désunir ce que Dieu a uni ; ce ne serait ni chrétien ni paternel.

— Il ne fallait pas amener cette jeune femme ici ; c'est trop oser, madame, et vous mériteriez tous que je la fisse partir.

— La femme de votre fils, de votre fils que vous chérissez ! Quoi ! une famille si unie, si heureuse, se séparerait ainsi d'un de ses membres, parce qu'il a cherché le bonheur tout seul. Songez-y, madame, est-ce possible ?

— Que dit la grande-duchesse ? sait-elle tout cela ?

— Madame la grande-duchesse dit que vous êtes la meilleure des mères, madame.

Une larme roula sous la paupière de Son Altesse royale.

— Lanele, je parlerai ce soir au prince ; demain matin, de très-bonne heure, revenez ici ; je vous dirai ce que j'aurai obtenu.

Je m'estimai heureuse d'avoir *obtenu* cela, moi ; je me retirai, et j'allai rendre compte au jeune couple de ma conversation. J'étais pleine d'espérance, je l'avoue. Je ne dormis guère, et le lendemain, avant le jour, j'étais dans l'antichambre de la princesse. Celle-ci me fit entrer avant de sortir de son lit, et je lus sur son visage un attendrissement de bon augure.

— Lanele, me dit-elle, asseyez-vous là, et écoutez-moi ; vous redirez ensuite mes paroles avec votre prudence ordinaire. J'ai parlé au prince ; la nuit presque entière s'est écoulée dans cette conversation. Nous sommes profondément affligés, mais cependant vous l'avez dit, c'est une chose faite, nous ne fermerons pas nos bras à nos enfants ; c'est à eux, par leur conduite, par leur affection, par leur bonheur surtout, à mériter, à justifier notre indulgence. Ce qui m'effraye le plus, je ne vous le cache pas, c'est leur jeunesse extrême, c'est leur amour même. Presque jamais ces mariages-là, faits en dépit de tout, ne réussissent. On a un bandeau épais sur les yeux et sur le cœur, on ne se connaît pas, et quand le temps arrive, on se voit tout autrement qu'on n'était, on se refroidit, on se querelle, on se déteste, on se sépare. Dieu veuille épargner ces malheurs aux enfants de ma tendresse ! Mes bénédictions ne leur manqueront pas pour les écarter.

J'étais aussi émue que la princesse ; je lui baisai la main, elle pleurait, j'avais grande envie d'en faire autant.

— Aussitôt que je serai habillée je me rendrai chez mon mari, poursuivit la princesse, vous pourrez alors aller chercher vos protégés, et les conduire aux pieds de leur père ; il leur ouvrira ses bras. Tâchez qu'ils ne soient pas trop effrayés, car ils n'ont rien à craindre. Ils assisteront après au déjeuner de famille, et notre nouvelle enfant sera pour nous comme si nous l'avions choisie.

Bonne, excellente mère ! quel cœur ! quelle indulgence !

Je n'ai pas besoin de raconter la scène qui suivit, on la devine de reste. Le père et la mère se montrèrent ce qu'ils étaient, les meilleurs, les plus parfaits du monde. Nous pleurions tous. Le duc Louis étouffait, la duchesse Marianne faillit s'évanouir ; l'attendrissement était à son comble. La jeune femme fut charmante, pleine de gentillesse, d'abandon, de grâce ; il était impossible de ne pas la chérir.

— Voilà votre meilleure excuse, disait le prince de Montbéliard à son fils, en la montrant ; je conçois tout, maintenant.

Je restai trois jours à Montbéliard, pour jouir du bonheur de cette famille chérie, et je retournai chez moi où ma fille et M. d'Oberkirch me réclamaient. J'étais enchantée de ce dénoûment, que nous avions tous écrit à la grande-duchesse. M. d'Oberkirch m'en félicita. Quant à moi, je n'en avais pas douté.

Le lendemain de mon arrivée je menai ma fille au Jardin des Plantes, dont j'ai déjà parlé, et qui venait de s'enrichir encore. M. Gérard, le préteur royal, a rapporté de l'Amérique septentrionale des plantes rares, et les a offertes à la ville de Strasbourg.

Le fils de M. Gérard, nommé Gérard de Rayneval, avait signé le traité de Londres pour la paix, en 1783, en qualité de secrétaire, près la mission du jeune comte de Vergennes, plénipotentiaire pour Sa Majesté.

Au Jardin des Plantes, nous apprîmes que le roi venait d'acheter Saint-Cloud. La faculté déclarait ce château le plus sain de tous pour la santé de M. le Dauphin. La reine demanda à M. le duc d'Orléans de le lui céder, et le prince lui en fit le sacrifice avec beaucoup de grâce. M. le duc de Chartres dit tout haut qu'il n'aurait pas été aussi accommodant.

Les lettres de Paris ne parlaient aussi que du prince Henri de Prusse, qui, en quittant Montbéliard, s'y était rendu sous le nom de comte d'Oels. Il y faisait fureur ; ainsi que de raison, les vers lui pleuvaient de toutes parts, et les métaphores n'y manquaient pas. Son séjour fut une sorte de triomphe ; sa modestie, son amabilité lui gagnèrent tous les cœurs et excitèrent l'enthousiasme. Au moment de son départ, il dit au duc de Nivernais, qui l'accompagnait de la part du roi :

— J'ai passé la moitié de ma vie à désirer voir la France ; je vais passer l'autre moitié à la regretter.

En quittant Paris, il repassa nécessairement par Strasbourg, qu'il a traversé seulement, pour s'arrêter à Kehl. À cette même époque, M. de Beaumarchais s'y trouvait. Ayant acheté du sieur Panckoucke les œuvres complètes de M. de Voltaire[274], à condition qu'il les ferait imprimer hors de France, il avait établi une imprimerie à Kehl pour y publier cet ouvrage. M. de Beaumarchais pria le prince Henri de la visiter, ce dernier consentit, selon l'habitude, à imprimer lui-même une feuille de l'ouvrage dont on s'occupait. À sa grande surprise, il vit sur cette feuille les vers suivants :

*Auguste ami des arts, arbitre des guerriers*
*Que Mars et les Neuf Sœurs couvrent de leurs lauriers,*
*Au chantre de Henri quel honneur tu viens faire,*
*Héros ! qui méritas un chantre tel que lui.*
*Toi, l'honorable ami de notre grand Voltaire,*
*    En visitant son sanctuaire,*
*Henri, tu mets le comble à sa gloire aujourd'hui.*
*C'est quand l'aigle divin sur son autel se pose*
*Qu'il ne manque plus rien à son apothéose.*
*Mais son autel, Henri, n'est-il donc pas le tien ?*
*Vois comme au temps futur avec nous on arrive ?*
*De l'immortalité nous composons l'archive ;*
*De Frédéric le Grand, frère, émule et soutien,*
*Tes hauts faits, tes vertus, leçon de tous les âges,*
*Rempliront à leur tour nos plus brillantes pages...*

Ce furent des occupations générales à Strasbourg pour ce passage du prince de Prusse. Gardant le plus

strict incognito, il ne se montra point. Il y eut une foule
de méprises ; des voyageurs fort ordinaires passèrent
pour lui, et un ministre du culte évangélique, parfaitement louche, eut toutes les peines du monde à éviter
une ovation. Le prince en a beaucoup ri. Il voulait
repasser par Montbéliard, et se fit excuser, le temps
pressait ; le roi de Prusse le rappelait depuis longtemps. À Montbéliard où on avait fait des préparatifs,
et où on l'attendait, il y eut précisément un tremble-
ment de terre dont on fut très-épouvanté. Vers les dix
heures du soir, beaucoup de gens étaient déjà couchés,
lorsqu'on entendit gronder le tonnerre, et presque aussitôt on sentit les maisons trembler, les portes s'ouvri-
rent, les lits remuèrent, et les porcelaines dansèrent
sur les buffets ; à grand'peine pouvait-on se tenir
debout. Les habitants eurent une frayeur horrible ; on
se rappela avoir entendu dire aux vieillards, que cent
douze ans auparavant pareille chose était arrivée.
Madame Hendel faillit en mourir de peur ; elle en resta
quinze jours au lit.

À dater de ce moment les lettrés de la principauté
s'attendirent au sort de Pompéi et d'Herculanum. Il y
eut bien des testaments et des confessions décidés cette
nuit-là.

## CHAPITRE XXIX

1785. — Nous passâmes l'hiver à Strasbourg, et à
l'époque de Noël nous allâmes, comme de coutume, au
*Christkindelsmarckt*[275]. Cette foire, qui est destinée aux
enfants, se tient pendant la semaine qui précède Noël
et dure jusqu'à minuit ; elle a lieu près de la cathédrale,
du côté du palais épiscopal, sur une place qu'on nomme
le *Frohnhof*. Le grand jour arrive, on prépare dans

chaque maison le *Tannenbaum*, le sapin couvert de bougies et de bonbons, avec une grande illumination ; on attend la visite du *Christkindel* (le petit Jésus), qui doit récompenser les bons petits enfants ; mais on craint aussi le *Hanstrapp*, qui doit chercher et punir les enfants désobéissants et méchants.

Le *Christkindel* paraît toujours et les cadeaux aussi ; souvent on entend la voix rude et sévère de *Hanstrapp*, qui paraît même quelquefois armé d'un martinet, et vêtu de rouge et de noir comme Satan.

Cet hiver, nous vivions assez retirés à cause de notre deuil ; cependant nos amis intimes venaient chez nous, ainsi que plusieurs officiers du régiment d'Alsace dont le prince Max de Deux-Ponts était colonel propriétaire. [M. d'Oberkirch et moi-même avions toujours eu une prédilection pour la société des militaires.] Depuis deux ans le baron de Flachsland, neveu de la douairière de Berckheim, et devenu maréchal de camp, était remplacé comme colonel-commandant par le baron de Coëhorn. Le comte de Lœvenhaupt était colonel en second[275]. Un jeune de Coëhorn[277] était sous-lieutenant de remplacement. [On jouait au tric-trac dont raffolait M. d'Oberkirch.] Je me souviens que pour fêter la naissance de M. le duc de Normandie[278], il y eut une grande fête, et qu'ils la quittèrent pour souper chez nous où l'on but de bon cœur à la santé du jeune prince baptisé par le cardinal de Rohan, en sa qualité de grand aumônier. Le parrain fut Monsieur frère du roi, et Madame Élisabeth marraine pour la reine de Naples. On parla beaucoup de cette naissance, ainsi que cela se conçoit ; chacun dit son mot, j'ai retenu celui-ci que madame la duchesse m'écrivit.

Lorsque la reine était grosse du premier dauphin, Sa Majesté dit à M. le comte d'Artois :

— Votre neveu est bien remuant ; il me donne de grands coups de pied, il me pousse et me repousse furieusement.

— Il me semble, madame, répondit le prince gaiement, qu'il me repousse aussi beaucoup.

La naissance du second fils de la reine repousse encore plus loin du trône cet aimable prince. La Providence ne le destine pas sans doute à régner sur nous (et que Dieu nous en préserve, car il faudrait acheter ce règne par bien des morts et bien des malheurs). Si M. le comte d'Artois ne porte pas la couronne, il sera toujours adoré de tous, à cause de sa chevaleresque loyauté et de son caractère ouvert et franc. Il est généralement plus aimé que Monsieur, malgré le mérite incontestable de celui-ci.

Nous avions résolu de passer l'été avec madame la princesse de Montbéliard, sans cependant nous établir tout à fait au château, ce qui pouvait devenir indiscret. Mon oncle, le commandeur de Waldner, était des nôtres ; et nous louâmes à Exincourt, près d'Étupes, la maison de M. Duvernoy, qui donnait des leçons à ma fille. Exincourt est un tout petit village à un quart de lieue d'Étupes, du côté de Montbéliard. [M. Duvernoy venait tous les jours donner des leçons de latin et d'arithmétique à ma fille. Elle avait un autre professeur à Strasbourg, M. Werling, vieillard très cultivé qui aimait beaucoup Marie et lui écrivait très souvent. Elle a soigneusement conservé toutes ses lettres ; je l'ai encouragée à agir ainsi : les souvenirs sont sacrés et l'ingratitude est un vice dégradant. J'espère que ma fille saura toujours être reconnaissante ; cela est d'ailleurs dans sa nature et je m'en réjouis.

[M. Duvernoy avait un fils de onze ans qui l'accompagnait souvent et recevait des bonbons de M. d'Oberkirch pendant les leçons de Marie. Celle-ci était alors une belle et intéressante enfant ; bien prise dans son petit corset à baleines, inconsciente de son charme, elle était extrêmement gracieuse et intelligente. La princesse de Montbéliard la gardait des journées entières « pour bavarder ». C'est une erreur de condamner les corsets qui ne sont dangereux que trop serrés ; j'y veillais pour ma fille. Ils ont l'avantage inappréciable de maintenir les épaules en arrière et de développer la poitrine. Quant au petit Duvernoy, je le vois encore mangeant ses bonbons et contemplant avec admiration M. d'Oberkirch dont le valet de chambre poudrait les cheveux en vue de notre visite quotidienne à Étupes. L'étonnement du jeune garçon ne faiblissait pas devant ces préparatifs d'élégance qui pourtant se répétaient chaque jour.]

Comme on le pense, la plus grande partie de notre temps se passait à Étupes.

Cette cour n'en était pas une ; on y jouissait d'une liberté entière. Pendant la matinée on s'associait à sa fantaisie, on restait au château ou l'on se promenait dans le parc, aux environs ; personne ne vous en demandait compte. Chevaux, voitures, domestiques, étaient à la disposition des hôtes ; on allait où on voulait. Après le dîner encore un peu de promenade, et ensuite jusqu'au souper le fameux loto dont on raffolait à Montbéliard. On y perdait quelquefois jusqu'à dix livres dans la soirée, alors Son Altesse grondait ; c'était un jeu exaspéré. Les mêmes personnes dont j'ai parlé déjà étaient encore là, avec les mêmes dispositions et le même caractère, bien entendu. Madame la princesse de Montbéliard ayant appris que j'écrivais un journal voulut absolument le voir. Elle rit beaucoup de ma description du loto de l'année dernière, et la lut tout haut un soir autour de la table. M. de Wargemont était alors au château, fort amoureux de mademoiselle de Domsdorff, qu'il a épousée depuis. Il tournait assez spirituellement les vers ; elle lui demanda de rimer cette petite scène, il le lui promit et le fit en effet l'année suivante, en 1786. Ce poème (si poème il y a) est intitulé *Le Loto d'Étupes*. Il vaut mieux que beaucoup de morceaux de poésie que j'ai déjà transcrits ; j'en vais donc

donner quelques fragments, il fera connaître les com-
mensaux de la cour de Montbéliard.

*Je chante cet enfant de la monotonie,*
*Sans doute au rang des jeux placé par ironie ;*
*Son nom est le loto, son effet le sommeil.*
*On est autour de lui comme on est au conseil,*
*Faisant beaucoup de bruit et fort peu de besogne.*
*Telles étaient jadis les diètes en Pologne.*
*Muse aimable d'Étupe, apprête mes pinceaux,*
*Et toi daigne, Momus, égayer mes tableaux,*
*La nuit couvre les cieux et la table est dressée ;*
*Alors vient à la file une troupe empressée.*
*Comme on était la veille on s'arrange soudain,*
*Et c'est encore ainsi que l'on sera demain.*
*Vous, héros bienfaisant, adorable princesse,*
*De ce jeu vous savez écarter la tristesse.*

. . . . . . . . . . . . . . . . . . . . . .

*Plus loin est un trio[279] qui reçut en partage*
*Tout ce qui des humains doit mériter l'hommage.*
*L'amour lui prodigua grâces, esprit, beauté,*
*Mais l'amitié l'enlève à la société,*
*Ensuite est un marquis, pour plaire à ses voisines,*
*Faisant à tour de bras de l'esprit et des quines ;*
*Sans être toujours neuf, toujours aimable et gai.*

. . . . . . . . . . . . . . . . . .

Suivent plusieurs autres portraits que j'ai déjà tracés
en prose : celui du vicomte de Wargemont lui-même,
du comte de Baleuze, de madame de Damitz, de mademoiselle de Schack, enfin du capitaine Parrot. Voici
celui du conseiller Rossel, qui amena une réponse
assez piquante et assez piquée :

*Plus loin est gravement le père de Louise ;*
*C'est un grand Grec, savant, profond dans l'analyse.*

. . . . . . . . . . . . . . . . . .

*Plus que personne il a le compliment facile ;*
*Il faut, pour s'en tirer d'une manière habile,*
*Être avec lui ferré sur la civilité.*
*Ce n'est pas le seul point où sa dextérité*
*Dans son malin plaisir souvent nous embarrasse,*
*C'est le Fréron en titre et chéri du Parnasse,*
*Il juge sans pitié ses nombreux nourrissons ;*
*De français, aux Français il donne des leçons.*
*Hélas ! il faut pourtant, comme dit La Fontaine,*
*Toujours payer tribut à la faiblesse humaine.*
*Amis, convenons-en, Rossel n'est pas parfait,*
*Je ne peux vous cacher que Rossel est distrait.*

Voici la réponse de M. Rossel :

*Pour peindre avec tant d'art et d'ingénuité*
*Un jeu dont vos seuls vers font la célébrité,*
*Il ne fallait pas moins, ingénieux vicomte,*
*Que ces rares talents dont vous êtes doué,*
*Talents dont aujourd'hui l'on est fort engoué,*
*Et qui de vos rivaux feront toujours la honte.*

. . . . . . . . . . . . . . . . . . . . . . . .
   *Mais permettez qu'ici je vous observe,*
      *Peut-être en dépit de Minerve,*
*Que du pauvre Rossel votre esprit a manqué*
      *Le portrait et le caractère.*
*Il n'est, comme chacun peut l'avoir observé,*
*Pas plus Grec ni Fréron, que vous n'êtes Voltaire.*

Comme on le voit, on se lardait assez joliment dans notre petit cercle. Ce qui fit un peu taire les muses du cru, ce furent les vers suivants adressés par M. de Ségur à madame de Luxembourg et qu'on nous envoya :

*Le loto, quoi que l'on en dise,*
*Sera fort longtemps en crédit ;*

*C'est l'excuse de la bêtise*
*Et le repos des gens d'esprit.*
*Ce jeu vraiment philosophique*
*Met tout le monde de niveau ;*
*L'amour-propre si despotique*
*Dépose son sceptre au loto.*
*Esprit, bon goût, grâce et saillie,*
*Seront nuls tant qu'on y jouera.*
*Luxembourg, quelle modestie,*
*Quoi ! vous jouez à ce jeu-là !*

On n'en joua pas moins au loto à Étupes et avec rage. On n'en finissait point le soir. Madame la princesse allait se coucher de guerre lasse quelquefois, et laissait les amateurs de quine se le disputer. Ainsi qu'on l'a vu, madame la duchesse Louis de Wurtemberg, née Czartoriska, n'y prenait pas grande part. Elle était restée fort intime avec la comtesse de Wartensleben, sans doute à cause de l'hospitalité reçue. Cette jeune femme intéressait tout le monde par sa jeunesse et son désir général de plaire. Elle méritait d'être heureuse, le sera-t-elle ? Je l'espère.

Parmi les originaux que nous eûmes en passant, un des plus drôles et des plus ridicules était certainement un M. Hangardt, fils d'un ancien homme d'affaires du prince, admirateur frénétique de Jean-Jacques Rousseau, élevé d'après ses principes, et se nommant Émile, comme le héros du philosophe genevois. Le prince, auquel le père avait rendu des services, le reçut avec bonté et l'engagea à rester quelques jours. On ne se figure pas le chef-d'œuvre de bêtise et de nullité produit par cette éducation ; le sujet y prêtait, j'en conviens. Pendant que J.-J. Rousseau était à Strasbourg, où il s'était réfugié lors de son expulsion du territoire de Berne, il reçut la visite de M. Hangardt père. Celui-ci lui parla de son *Émile* avec un enthousiasme plein de feu, ajoutant qu'il élevait son fils suivant ses principes.

— Ma foi ! tant pis pour vous, monsieur, répondit l'auteur, et plus tant pis encore pour votre fils.

Il ne se trompait guère, ce fils devint un paltoquet et un imbécile, nous parlant *de la nature* à chaque instant, et se servant de termes à faire rougir, sous prétexte de ne rien dissimuler. On le mit au pas là-dessus, mais on ne le corrigea pas de ses bévues et de ses maladresses.

On portait encore deux montres, quoique cette mode datât de plusieurs années, et les petits-maîtres chargeaient les cordons et les chaînes de colifichets qui étaient souvent d'un grand prix, et qu'on appelait breloques. M. de Vernouillet se conformait à cette élégance. Un soir qu'il était au jeu et que madame de Wartensleben parlait de ces bijoux à la princesse Louise, celle-ci demanda à les voir, et le marquis remit ses deux montres à Émile Hangardt, qui passait auprès de lui, pour les porter à la princesse. Émile Hangardt maladroit, comme je l'ai dit, et voyant pour la première fois de si belles choses, craignant d'en laisser tomber une, retint l'autre et finit par les laisser tomber toutes deux à terre. Le duc Frédéric se leva fort mécontent, en exprimant ses regrets à M. de Vernouillet.

— Ce n'est rien, mon prince, répondit celui-ci, voilà la première fois que mes montres *tombent d'accord*.

M. Hangardt trouva ce jeu de mots magnifique ; il vit qu'on en riait et se promit de l'effacer par un autre à la première occasion. Son esprit se mit à la torture ; nous en étions à nous demander ce qu'il méditait : un beau jour il éclata. Les domestiques entre eux se moquaient de lui. Son Altesse royale l'ayant gardé à dîner, celui qui le servait s'appliqua à lui enlever son assiette presque aussitôt qu'on l'avait servi, de manière à ne lui rien laisser manger entièrement ; à peine lui permettait-il de goûter chaque chose. Impatient de ce manège, l'Émile saisit le moment de lui donner un coup sur la main avec le manche de son couteau. On

se récria sur cette hardiesse à la table de Son Altesse
royale.

— *Ce n'est rien*, madame, répondit-il en employant
le même ton que le marquis, c'est pour lui donner une
leçon de lecture, et lui apprendre à distinguer les *L* des
*O* (les ailes des os).

On partit d'un éclat de rire homérique. L'enfant de
la nature en fut si fier et si content qu'il se mit à nous
assassiner de calembours, de pointes, et devint enfin si
insupportable qu'on fut obligé de le congédier.

[La princesse Czartoriska, dans une lettre à sa fille,
lui donna une description des aménagements de son
parc. Cette princesse avait des goûts littéraires et, en
hommage aux grands hommes dont le génie avait
contribué à son bonheur, elle avait fait édifier un obélisque en marbre. Sur l'une des faces de celui-ci étaient
gravés les noms de Virgile, Gresset et l'abbé Delisle avec
l'inscription : Hommage des divinités rurales aux dieux
protecteurs des arts. Sur la seconde face se trouvaient
les noms de Sapho, de mesdames de La Fayette, Sévigné, Deshoulières, Riccoboni, entourés de roses, de
myosotis, de violettes. Sur la troisième face, les noms
puissants de Shakespeare, Milton, Young, Pope, Sterne,
Racine et Rousseau, encadrés de cyprès, d'ifs et de saules. Sur la quatrième face, les noms d'Anacréon, Plutarque, Métastase, Le Tasse et La Fontaine, décorés de
myrtes et de lauriers. La princesse Czartoriska peint
fort bien et est excellente musicienne. Elle lit beaucoup sans être le moins du monde pédante ; ses manières sont pleines de grâce et de simplicité. Sa fille, qui
lui est tendrement attachée, me fit cette description de
l'obélisque et me parla de sa mère avec une affection
enthousiaste. Mon oncle, le Commandeur, qui connaît
cette femme remarquable, demanda si l'empereur n'a
pas accordé aux Czartoriski le rang de princes de l'Empire en leur donnant le titre d'Altesse. La jeune dame
répondit affirmativement et la conversation continua.

La princesse qui est sensible était si émue par ces évocations de son enfance qu'elle fut obligée de quitter la pièce. C'était, vu son âge, bien naturel et touchant et chacun le sentit, sauf M. Hangardt qui fit des remarques très déplacées et ironiques sur les dames cultivées et les cœurs sensibles. C'était de très mauvais goût et ce fut mal pris : c'est alors que le disciple de Rousseau reçut le congé auquel j'ai fait allusion. Il partit le lendemain matin, sous le prétexte d'assister à Strasbourg à une ascension de ballon.

C'était un curieux ballon, construit par le sieur Ensten ; il représentait Bellérophon sur son cheval Pégase, était fait de peaux très fines provenant de petits animaux et mesurait environ douze pieds de haut.]

Il nous arriva à Étupes, sous les auspices de M. Tronchin, un jeune homme doué d'un grand talent pour les découpures. Il était élève du fameux Huber[280] de Genève, et a fait de charmants portraits qui ont tous le mérite d'une ressemblance extraordinaire. Chacun a voulu poser, et tout le monde a été satisfait.

Madame la princesse de Montbéliard donna à ce jeune homme une lettre pour madame la grande-duchesse Marie ; il se rendait en Russie, et il gagna beaucoup d'argent à la cour.

Nous avons parlé avec cet artiste de son maître Huber et de sa famille. M. Huber, doué d'une facilité extraordinaire, a appris la peinture tout seul. Il avait surtout le talent de découper des portraits, et faisant ainsi des tableaux d'une exécution étonnante. Sa réputation s'étendit dans toute l'Europe. Protégé par Voltaire, il avait découpé son portrait si souvent, qu'il le faisait avec les mains derrière le dos, sans ciseaux, et avec une carte qu'il déchirait seulement. Les vingt dernières années de sa vie se passèrent chez M. de Voltaire à faire des tableaux à l'huile assez mauvais, dit-on.

Son fils, qui avait alors environ trente-cinq ans, est aveugle, ce qui l'a empêché de faire comme son père, mais ce qui ne l'empêche pas d'être un naturaliste distingué. Il a composé un traité sur les abeilles, véritable chef-d'œuvre[281].

Pour en revenir à 1786 et à Étupes, nous y recevions souvent des nouvelles de madame la grande-duchesse. L'impératrice Catherine, dont elle nous parlait beaucoup, rendit à cette époque un ukase fort extraordinaire. Il divise en six classes l'ordre de la noblesse, et les deux premières renferment les nobles par diplômes, c'est-à-dire les nouveaux, tandis que la noblesse ancienne se trouve reléguée dans la sixième. Quelque peu illustre que soit l'ancienne noblesse de Russie, c'est renverser toutes les idées reçues, et recommencer l'histoire de l'empire sur nouveaux frais. Il n'en est pas ainsi en France, où dans l'opinion un vieux nom vaut mieux que le titre le plus élevé, s'il est nouveau.

Catherine dirige elle-même l'éducation de ses petits-fils ; elle a même composé divers essais de morale et abrégés d'histoire à leur usage. Le prince Constantin a auprès de lui, depuis son enfance, une femme grecque et un valet de chambre grec, afin d'apprendre cette langue, qu'il possède maintenant parfaitement, dit-on, et qu'il parle avec une grande facilité. Son nom, son éducation et les projets de son aïeule semblent le destiner à l'empire d'Orient. Quant aux princesses, c'est madame de Lieven qui est chargée de leur éducation. Il était difficile de choisir une personne de plus de mérite et d'esprit.

Le grand-duc et la grande-duchesse doivent passer l'automne à Gatschina, campagne située à vingt werstes de Czarskozelo. Cette résidence a été bâtie par Grégoire Orloff.

Quant à Peterhoff (la cour de Pierre), c'est un château situé sur une colline qui borde la Néva, entre Pétersbourg et Oranienbaum, château bâti par Menzikoff et qu'affectionnait Pierre III. Le palais, qui est superbe, est entouré de bois et de charmantes maisons de campagne appartenant aux seigneurs russes.

Le comte de Ségur était notre ambassadeur près de la czarine, à la grande joie de madame la comtesse du Nord. Son esprit, son amabilité, ses charmantes et grandes manières, étaient l'objet de l'admiration générale. La princesse les appréciait infiniment et recherchait sa conversation. Quant à la czarine, on sait combien elle aimait tous les plaisirs de l'intelligence, et on connaît la vivacité de la sienne. Elle causait mieux que personne et elle attirait les causeurs ; il suffit de nommer le prince de Ligne pour donner une idée des charmes de cette cour, où se trouvaient des grands seigneurs d'un grand mérite. Si Catherine a des défauts, si elle a commis des fautes, on ne peut méconnaître sa grandeur ; elle est bien véritablement la Sémiramis du Nord.

Un grand scandale venait d'avoir lieu à Versailles. L'affaire du Collier[282] éclatait avec toutes ses conséquences. Le malheureux cardinal de Rohan, entraîné par les intrigues qui l'entouraient, par son Cagliostro, une madame de la Mothe-Valois, et d'autres encore, avait compromis le nom sacré de la reine, et le sien encore davantage, si c'est possible. Je n'entrerai ici dans aucun des détails d'une procédure que j'ignore ; ce qui est seulement évident pour moi c'est que la reine est innocente, c'est qu'elle n'a jamais prêté en rien aux calomnies qui l'ont accablée. Je le tiens des personnes qui la connaissent le mieux. Elle fut toujours victime de ses bonnes intentions et des apparences ; il en est encore de même aujourd'hui, il en sera toujours ainsi, je le crains. C'est une de ces étoiles dont l'éclat, toujours voilé pour la terre, n'est visible que pour Dieu.

L'intendant d'Alsace reçut l'ordre de mettre les scellés sur les papiers du cardinal. On fit la visite de son palais sans y rien trouver. Un heiducque[283] dévoué à Son Excellence corps et âme était arrivé trois heures

avant l'estafette de la cour, et il a brûlé, dit-on, beaucoup de papiers. Il fut arrêté, interrogé inutilement,
relâché ensuite, et il repassa immédiatement le Rhin.

Le lendemain de la visite au palais épiscopal de
Strasbourg, on alla à Saverne en faire autant ; on obtint
le même résultat, c'est-à-dire qu'on ne trouva rien. Le
pauvre cardinal dut se rappeler, lorsque le masque de
ses vils amis leur fut arraché, ce que je lui avais dit et
prédit. Il n'est pourtant pas désabusé entièrement à ce
qu'on assure. Ce Cagliostro l'a ensorcelé. On s'occupa
fort en Alsace de toute cette histoire. Le cardinal y était
assez aimé, bien qu'on ne le respectât pas autant que
sa dignité l'aurait voulu. L'abbé Georgel, son grand
vicaire et son confident, avait bien plus de tenue, et
imposait infiniment plus que lui.

Il y a des existences marquées par la Providence au
coin de la bizarrerie et de l'extraordinaire ; des existences qui semblent devoir couler sans trouble ni obstacle,
et qui se dérangent un beau jour de leur voie toute tra-
cée sans que rien puisse les y ramener jamais. Le cardinal en est un exemple, et nous reçûmes à Montbéliard
la visite d'une femme qui en est un autre tout aussi
frappant. Lady Craven[284] nous arriva avec une lettre de
recommandation du margrave d'Anspach, cousin germain de la princesse et fils d'une sœur du grand Frédéric, comme Son Altesse royale. Cette visite nous plut et
nous préoccupa fort. Le margrave de Bayreuth et d'Anspach était un homme très-original ; l'Europe entière
retentit de ses folies et des impossibilités dont sa vie fut
pleine. Il ne connaissait pas de frein dans ses caprices,
et établit à sa cour mademoiselle Clairon, qui y resta
dix-sept ans comme amie, comme maîtresse, je ne sais,
mais assurément comme première puissance.

Lady Craven est fille du comte de Berkeley ; elle était
séparée de lord Craven qu'elle épousa à l'âge de dix-
sept ans ; elle en avait à peu près trente-cinq lorsque je
la vis. Divorcée après quatorze ans de mariage et avec

sept enfants, elle n'en tenait pas moins son rang dans le monde à force de hardiesse, d'aplomb et d'esprit. Sans être précisément jolie, c'était une femme piquante et agréable. Ses cheveux châtain foncé étaient superbes, ses yeux magnifiques, sa peau blanche et fine était seulement marquée de taches de rousseur et se colorait à la moindre impression. C'est une personne du commerce le plus doux et le plus agréable, gaie, insouciante, sans le moindre pédantisme ; son intimité est délicieuse.

Sa passion dominante est la comédie, qu'elle joue admirablement ; elle a fini par communiquer cette passion au margrave, et maintenant un théâtre est installé dans son palais. Lady Craven nous donna un échantillon de son talent par quelques scènes qu'elle récita les soirs. Nous en fûmes enchantés. Madame la princesse Louis lut quelquefois les répliques, et s'en acquitta de manière à satisfaire les juges les plus difficiles.

La conversation de lady Craven était aussi amusante que ses talents. Elle racontait comme M. de Voltaire. Les originalités de lord Craven lui fournirent plusieurs chapitres fort drôles. Une des manies de celui-ci, et la plus singulière, était de ne pouvoir rester trois jours de suite au même endroit sans y tomber malade, croyait-il, et le changement d'air était perpétuellement nécessaire à sa santé. [Il y avait une histoire de femme qu'il adorait dont nous avons ri bien longtemps. Il voulait la voir mais ne voulait pas rester là où ils se trouvaient ; il la suppliait de le suivre ; elle refusait ; il partait en colère puis il revenait après les trois jours, jaloux comme un tigre d'Hyrcanie, menaçant de tout mettre en poudre. La dame ne s'en tourmentait point et lui disait seulement : « Dépêchez-vous ou vous n'en aurez pas le temps ; il vous faudra repartir sans cela. — Quoi, vous ne voulez pas venir seulement jusqu'à Paris ? — Pas même jusqu'à Douvres. — Je m'embarque pour Calcutta. — Je vous en défie. — Vous m'en défiez ?

Pourquoi m'en défiez-vous ? Croyez-vous que je n'aurai pas le courage de vous quitter ? — Je ne dis pas cela. — Croyez-vous que je suis un homme sans résolution ? — Vous en avez mille de rechange. — Eh bien alors ?... — Vous ne pourriez jamais rester trois mois sur le même bâtiment ; vous y péririez de fièvre, de spleen et autres maladies. Allons donc ! Y a-t-il des relais et des auberges en pleine mer ? » Le pauvre lord baissait la tête, tout contrit, tout humilié, il reconnaissait toute la justesse du raisonnement et il acceptait les conditions de sa belle amie.]

Un créancier le poursuivit deux ans durant, sans pouvoir mettre la main sur lui. Ce créancier mangea trois fois sa créance en voyages, et comme Sa Seigneurie ne disait jamais où elle allait, le pauvre homme arrivait toujours un mois après son départ, obligé de se remettre en course pour le chercher de nouveau. Les Anglais ont des manies bien étranges et qu'il est impossible d'expliquer.

Mais ce que lady Craven racontait de la manière la plus triomphante, c'était son arrivée chez le margrave, ses rapports avec mademoiselle Clairon, les jalousies et les extravagances de celle-ci, lorsqu'elle se vit supplantée. D'abord lady Craven, débarquant en simple voyageuse, sans projets, sans idée de se fixer à cette cour, trouva chez la princesse de théâtre une bienveillance complète, et d'autant plus facile à concevoir qu'elle voyait en elle une admiratrice de son talent. Elle s'engoua de lady Craven, lui fit ses confidences, lui parla de l'insuffisance du margrave qui, disait-elle, avait plus d'originalité que d'esprit. La belle Anglaise prit part à ses peines, chapitra le prince, qui s'excusa fort et se prétendit avec raison le meilleur de tous les amis possibles. Il donnait tout ce qu'on peut donner, et nulle part on n'eût trouvé aussi extravagante obligeance.

La vie de mademoiselle Clairon chez son ami ne ressemblait à aucune autre. Ni l'impératrice de Russie ni celle d'Allemagne n'avaient autant de caprices. C'était sans cesse à recommencer ; à peine un d'eux était-il satisfait, qu'il s'en présentait six autres et toujours tragiquement, toujours avec un étalage et des gestes à remplir un théâtre.

— Je crois que le bonnet de nuit de mademoiselle Clairon est une couronne de papier doré, disait lady Craven.

La confidente commença par remplir son rôle en conscience, puis elle se permit de rire des alexandrins qu'elle devait reporter, puis elle essaya d'en faire rire le margrave, et dès que celui-ci eut ri une seule fois, et découvert que la chose était comique, il se mit à en rire toujours. Lady Craven lui devint indispensable. Sa simplicité de grande dame contrastait tellement avec les airs impériaux de la comédienne ! Celle-ci s'en aperçut, et essaya les scènes les plus touchantes de son répertoire.

Un jour même elle parla de se tuer. Le bon margrave s'en émut.

— Allons donc, monseigneur, lui dit milady, oubliez-vous que ses poignards rentrent tous dans le manche.

L'effet manqua ; mademoiselle Clairon n'était point accoutumée à ces déconvenues, elle essaya d'une autre manière. Elle voulait jouer *Ariane*[285] sur le théâtre de la cour, on ne le lui refusa point. Tout alla bien jusqu'au moment où l'infidèle Thésée se retire sans répondre une parole et où l'actrice prononce ces mots couronnés, pour elle, par tant d'applaudissements :

*Il sort, Nérine !*

Elle tomba, à ce moment, dans les bras de Nérine en jetant un cri et en murmurant :

— Je souffre trop, je ne puis continuer.

Il fallut l'emporter, on baissa la toile, il n'y eut pas moyen de finir la tragédie. Ariane la jouait dans son appartement au pauvre margrave, qui pleurait presque ; lady Craven s'en aperçut, et répondit ainsi par un vers tragique :

*Vous êtes empereur, seigneur, et vous pleurez !*

À dater de ce moment ce fut une guerre ouverte et sourde ; ce furent des ruses et des fureurs, des cris ou des sanglots étouffés. Lady Craven n'en fit que rire ; elle amusa le prince, ce qui est toujours le meilleur secret pour réussir ; elle joua la comédie sur le théâtre et dans le salon. Ses joues roses, son sourire de perles, sa bonne humeur, rendaient insupportables les prétentions et les serpents de Cléopâtre. Après trois ans de lutte, mademoiselle Clairon quitta la place. Elle ne partit point naturellement comme une autre ; elle lâcha les imprécations de Camille contre sa rivale, à quoi celle-ci répondit en se drapant à son tour :

*Elle fuit, mais en Parthe, en me perçant le cœur.*

Lady Craven racontait et mimait tout cela à mourir de rire. La princesse la retint le plus longtemps possible, et quand elle nous quitta ce fut un concert de regrets qui l'accompagna bien loin. L'esprit est un don si charmant de la nature, il fait pardonner tant de choses ! Rien n'est plus vrai que ce proverbe : Il y a manière de tout dire et de tout faire.

— Ah ! nous disait lady Craven la veille de son départ, quand nous nous étonnions qu'elle sût ainsi tenir tête à une reine tragique, j'avais appris Corneille, Racine, Voltaire par cœur ; elle n'eût jamais pu me faire rester court ; j'avais toujours une réplique toute prête, et je connaissais les plus fortes.

On assure que le margrave finira par l'épouser. Ils n'attendent tous deux, l'un que la mort de sa femme, qui est toujours mourante, l'autre celle de son mari, qui ne vaut guère mieux.

Lady Craven nous quitta pour aller à Francfort où une foule de princes allemands étaient alors réunis, M. Blanchard s'y était rendu et y effectua avec bonheur son quinzième voyage aérien. Il fut ensuite conduit en triomphe chez l'ambassadeur de Russie, le comte de Romanzoff, où il devait souper. Le peuple dételà ses chevaux, et mena son carrosse ; on couronna son buste au spectacle ; enfin il reçut les honneurs les plus extra-ordinaires.

Il avait échoué dans un essai fait le 5 octobre, où le prince de Hesse-Darmstadt devait l'accompagner avec un officier de sa suite.

Au mois de novembre, j'allais retourner à Strasbourg lorsque j'en fus empêchée par une bien triste raison. Un grand malheur frappa la famille de Wurtemberg : la princesse de Holstein, femme du coadjuteur de l'évêque de Lubeck, fille du prince et de la princesse de Mont-béliard, mourut à Oldenbourg ; elle avait vingt ans.

C'était une charmante femme, bonne, douce, spiri-tuelle, jolie. Quelle douleur pour sa mère, si heureuse jusque-là dans ses enfants ! Mariée depuis quatre ans seulement, elle jouissait d'un bonheur parfait. Son mari resta inconsolable ; il vécut néanmoins pour ses deux fils, l'un, Paul, âgé de deux ans, et l'autre, Pierre, âgé d'un an à peine. Ce fut un deuil général. Quant à moi, j'aimais extrêmement cette pauvre chère princesse Frédérique : je restai près de sa mère pour mêler mes larmes aux siennes, et tâcher d'adoucir l'amertume de sa douleur.

Madame la princesse de Montbéliard connaissant mon dévouement pour cette jeune princesse, et l'amitié qu'elle me témoignait, me donna pour souvenir un des tableaux en découpure faits par l'artiste de Genève. Il représente la princesse assise devant une table et jouant avec son chien. Elle occupe la droite du tableau et a

derrière elle son mari, le duc de Holstein ; à la gauche
se trouve assise madame la princesse de Montbéliard sa
mère, et, au milieu, le prince Ferdinand, son cinquième
fils, âgé de vingt et un ans. Tout cela est d'une ressemblance parfaite et sera gardé précieusement toute ma
vie. [La princesse me donna aussi le petit chien Bijou
que sa fille avait laissé à Étupes et dont la présence
faisait souffrir cette mère affligée. Nous nous atta-
châmes beaucoup, Marie et moi, à ce petit chien que
j'amenais partout avec moi.]

Après un mois passé près de la pauvre mère, il fallut
pourtant revenir à Strasbourg. L'année commença mal
par la mort de Casimir de Rathsamhausen, prince
abbé des chapitres nobles réunis de Murbach et de
Lure. Il mourut juste le 1er janvier à Guebwiller, en
odeur de sainteté parmi les catholiques ; il le méritait
par ses vertus et sa bonté. Ce fut encore un chagrin
pour le prince de Montbéliard qui l'aimait beaucoup,
M. d'Andlau, abbé commendataire de Lure, était aussi
fort malade. Ce bénéfice de dix mille livres de rentes
éveillait bien des ambitions.

Je reçus une lettre de madame la grande-duchesse
au commencement de l'année, toute pleine de plaintes
et de chagrin. Elle regrettait d'abord excessivement sa
sœur, puis elle avait des ennuis et des désagréments de
famille très-graves et très-pénibles. J'ai dit que Catherine II voulait diriger elle-même l'éducation des deux
jeunes grands-ducs Alexandre et Constantin. Elle se mit
même à écrire pour leur instruction. Jusque-là les
parents n'eurent que de la reconnaissance à lui témoigner. Une femme grand homme peut former un souverain ; mais elle avait résolu d'emmener ses petits-fils
dans le voyage qu'elle fit en Crimée. Le grand-duc Paul
résista tant qu'il put, ce qui a fort mécontenté l'impératrice, et a donné lieu à de vives discussions auxquelles la grande-duchesse Marie fut forcée de prendre
part, à son très-vif regret. Enfin ses enfants prirent la

petite vérole volante, et Catherine fut obligée par là de les laisser à leur mère.

Un autre chagrin qu'eut ma princesse vint mettre le comble à mes tourments. Elle aimait tendrement son frère aîné, le prince Frédéric de Wurtemberg. Il quitta le service de Prusse, et vint s'établir en Russie avec sa femme, la princesse Auguste de Brunswick. Il était lieutenant-général au service de la czarine et demeurait avec la grande-duchesse sa sœur. Celle-ci, bonne, parfaite, comme on le sait, témoigna une vive affection à sa belle-sœur, dont, malgré cela, elle n'a jamais pu acquérir la confiance. Elle le lui prouva d'une manière affligeante, et dont la grande-duchesse fut à bon droit très-blessée.

La princesse Auguste, qui était fort belle et joignait à des traits remarquables une physionomie spirituelle, avait quelquefois un peu de coquetterie et d'inconséquence, chose assez excusable à son âge. Le duc fut souvent dans le cas de lui donner des conseils et des avertissements, devoir et droit d'un mari qui tient à l'honneur de sa femme. Elle les prit fort mal, lui en fit des reproches, et finit par le pousser à bout. Le prince se fâche pourtant difficilement, mais une fois qu'il est en colère, c'est avec une grande violence. À la suite d'une scène, un jour que la cour était réunie à l'Ermitage, à un spectacle que donnait l'impératrice, au moment où tout le monde allait se retirer, la duchesse de Wurtemberg se jeta aux pieds de Sa Majesté en implorant sa protection contre les violences de son mari, déclarant qu'il lui était impossible de supporter plus longtemps ses traitements affreux qui dégénéreraient certainement en tyrannie positive dès qu'il ne serait plus contenu par la présence de l'impératrice.

On peut juger de l'effet que produisit une pareille scène sur les spectateurs, et en particulier sur le grand-duc et la grande-duchesse, aussi étonnés, aussi stupéfaits que blessés d'avoir ignoré un pareil éclat, qu'ils auraient tâché de prévenir par tous les moyens possibles.

Ce qu'il y eut plus fâcheux, c'est que Catherine fut si bien circonvenue par la duchesse et ses adhérents, qu'elle lui donna à peu près raison et la fit rester près d'elle à l'Ermitage. La duchesse Auguste a de l'esprit, de l'adresse, tout ce qu'il faut pour réussir près d'une souveraine dont la volonté est une loi, mais qui se laisse parfaitement séduire lorsqu'on lui plaît. Madame la princesse de Montbéliard sentit vivement l'inquiétude et la blessure de ses enfants, et sa douleur ne se calma pas par ce redoublement. Elle m'en écrivit des lettres fort affligées.

## CHAPITRE XXX

Nous avions décidé d'aller cet hiver à Paris [mais fûmes obligés de reporter ce plaisir car ma fille tomba malade en pleins préparatifs de départ. Pendant sa maladie, nous eûmes souvent la visite du baron de Klinglin qui avait succédé l'année précédente au baron de Lort comme lieutenant royal. Il l'avait bien connu à Neuf-Brisach quand il commandait le premier régiment de chasseurs à cheval. C'était le plus aimable des hommes, si attentionné pour ma fille malade ; il lui racontait des histoires si amusantes que leur souvenir la fait encore rire aujourd'hui]. Nous allâmes d'abord à Montbéliard passer deux jours avec la princesse, et de là nous nous acheminâmes vers la capitale par Vesoul, Langres, Bar-sur-Aube, Brienne, Arcis-sur-Aube et Provins. Nous arrivâmes à Paris le 29 janvier 1786, qui était un dimanche. Nous descendîmes à l'hôtel de la Chine, rue de Richelieu. M. d'Oberkirch était avec moi ainsi que Marie, ma fille, âgée de neuf ans, sa gouvernante et ma fidèle Schneider, bien entendu [et mon petit chien Bijou qui avait beaucoup de succès dans le monde]. Je vais reprendre, pour mon récit, la forme de journal, elle m'est plus commode et aide mieux mes souvenirs.

Le 30 janvier. — Visite à madame la duchesse de Bourbon, qui voulut bien être enchantée de mon retour, et me retint à dîner avec sa grâce ordinaire. Je la trouvai en deuil de son père, M. le duc d'Orléans, mort en novembre dernier à Sainte-Assise[286], où il était tombé malade. Quoique brouillé avec son beau-père, M. le duc de Bourbon, sur l'ordre du roi, a été le voir à son lit de mort.

— Monsieur, lui dit ce bon prince, je suis reconnaissant de votre visite, mais je le serais bien davantage si vous me la faisiez avec ma fille.

Il est mort dans les sentiments de la plus grande piété. On l'a regretté dans sa maison ; il faisait du bien. Les abbés de Saint-Albin et de Saint-Phar, ses enfants naturels, l'ont veillé pendant sa maladie, ainsi que madame de Lambert, leur nièce. Ils sont fils d'une actrice, Mademoiselle Marquise, célèbre par sa beauté, devenue depuis marquise de Villemomble. Il leur a laissé une belle existence. Madame la duchesse de Chartres et madame la duchesse de Bourbon ont ramené madame de Montesson à Paris, ainsi que l'avait demandé leur père. Madame de Montesson eût bien voulu rester au Palais-Royal, porter la coiffe et tout ce qui s'ensuit, mais je crois l'avoir déjà dit quelque part, le roi le lui fit défendre. Elle s'alla donc jeter au couvent à l'Assomption, où elle prit, dans l'intérieur du cloître, le deuil de princesse. Elle ne sortit jamais, ne pouvant avoir des carrosses drapés, et se contenta des respects des religieuses. Tout cela fit un peu sourire. Pour d'autres personnes, il ne lui en vint guère du moment où son crédit était à bas. On ne l'aimait que bien juste assez pour ne pas la détester.

M. le duc de Chartres prit le nom de duc d'Orléans, mais il ne remplaça son père, ni près des gens de lettres, que celui-ci protégeait, ni surtout pour les pauvres, auxquels il donnait jusqu'à deux cent cinquante mille francs par an.

Madame la duchesse de Bourbon fut vivement affectée de la mort de son père.

— Il m'aimait, lui, me disait-elle, et qui m'aimera à présent ?

Après le dîner nous allâmes chez Sickes, et de là aux Français voir *Alzire*[287] ; il y avait un monde considérable ; nous nous y amusâmes beaucoup.

Le 31 janvier. — Nous allâmes le matin chez madame de Bernhold et chez les dames de madame la duchesse de Bourbon. Cette princesse avait eu l'extrême bonté de me demander à dîner chez moi ce jour-là ; elle y vint de très-bonne heure, pour causer plus longtemps. Elle amenait avec elle MM. de Puységur. L'aîné, le marquis, était alors major d'artillerie avec rang de colonel. Ils sont petits-fils du maréchal ; leur père, lieutenant général, est mort en 1783 d'une goutte remontante.

Le marquis a deux frères : l'un, le comte Maxime, qui jouait la comédie chez madame de Montesson (le marquis jouait également et fort bien, et avait fait représenter quelques années auparavant un opéra comique intitulé *Le Trébuchet*).

L'autre, le second des frères, le comte de Chastenay-Puységur, était officier de marine. MM. de Puységur sont très-liés avec madame la duchesse de Bourbon, et vont sans cesse chez elle.

Il y a encore un Puységur ancien colonel de Normandie, depuis maréchal de camp, parent de ces messieurs, et de la branche du Puységur qui est aujourd'hui, au moment où je parle, en 1789, ministre de la guerre.

Notre dîner fut charmant. On causa et on rit beaucoup. La princesse eut un joli mot ; on parlait d'une dame chez laquelle on disait un mal affreux de tout le monde.

— Mon Dieu ! que voulez-vous, disait madame la duchesse de Bourbon, on y dîne si mal ! on y mourrait de faim si on n'y mangeait pas un peu son prochain.

Nous allâmes ensuite faire une visite à madame de La Vallière, et de chez elle à l'Opéra, où on donnait *Didon*. J'étais avec M. et madame de Bose ; je les ramenai souper chez moi. Nous nous remîmes à causer longuement, et madame de Bose, qui fait admirablement bien les cartes, me dit ma bonne aventure. Elle fut véritablement étonnante, me racontant des choses qu'il était impossible qu'elle sût. Elle m'annonça pour l'avenir des choses qui se sont réalisées, et d'autres qui ne le sont pas encore et que j'ai la faiblesse de craindre. J'ai un peu de tendance au merveilleux, et les phénomènes du magnétisme confirment encore quelquefois ces idées, blâmables cependant. [Madame de Bose m'affirma que lorsqu'elle bat et dispose ses cartes et se prépare à dire ce qu'elle déchiffre, il lui semble que ce n'est pas elle qui parle mais une autre personne.

M. d'Oberkirch rit beaucoup de tout cela. Je n'ai pas besoin de préciser que ces conversations n'avaient pas lieu en présence de ma fille.]

1er février. — À onze heures il y avait une séance de magnétisme chez madame la duchesse de Bourbon. MM. de Puységur devaient y amener plusieurs somnambules et les endormir. De l'aveu même du docteur Mesmer, le marquis de Puységur est plus habile que lui. Après avoir endormi les malades et les avoir jetés dans un somnambulisme complet, il les fait obéir à sa volonté, à ses gestes et au mouvement de la baguette. M. de Chastenay-Puységur, son frère, qui, comme je l'ai dit, sert dans la marine, a le même succès, tellement qu'on le regarde comme un personnage surnaturel. Ces messieurs obtiennent, des sujets qu'ils endorment, non-seulement la connaissance du présent dans des lieux éloignés, mais encore la prescience de l'avenir. D'autres fois ils mettent, en le magnétisant, un homme en rapport avec une fille en état de somnambulisme. Alors celle-ci exécute ses pensées et le suit partout. Cela ne dure que pendant le sommeil magnétique, et la somnambule ne se souvient de rien. Une fois éveillée, elle reste parfaitement indifférente pour celui avec lequel elle a été mise en rapport.

Ce fut ce qui arriva ce matin-là. M. de Puységur mit en rapport une de ses somnambules avec un jeune secrétaire de l'ambassade d'Espagne ; ils ne s'étaient jamais vus. À peine cette fille, assez laide du reste, lui eut-elle touché la main, qu'elle s'illumina spontanément ; son visage changea du tout au tout et prit une expression véritablement extraordinaire. Elle se leva avec une grâce pleine à la fois de modestie et de passion, et s'approcha du jeune homme auquel elle dit en baissant la tête :

— Je vois votre pensée. Vous avez accepté d'être mis en rapport avec moi, pour obéir à Son Altesse, mais vous n'en aviez aucun désir ; vous craigniez que ce contact passager de nos deux âmes ne laissât une trace dans la vôtre ou dans la mienne. Je ne suis point jolie, et c'est désagréable l'amour d'une laide. Soyez tranquille, je ne vous plairai jamais et vous ne me plairez plus à mon réveil.

Le jeune homme rit en nous regardant.

— C'est là ma pensée, dit-il. En souffrez-vous ?

— Oui, en ce moment.

— Et qu'est-ce que je pense encore ?

— Oh ! vous pensez à une femme que je vois bien loin d'ici ; elle est dans une chambre peinte et ornée à jour, elle porte un costume que je n'ai jamais vu à personne. Oui, de larges pantalons, les jambes nues, avec des mules brodées en or, une robe de gaze, un long voile sur un bonnet très-haut, en argent découpé, qui fait comme la coiffe des femmes du pays de Caux. Tout cela est bien riche et cette femme est bien belle.

Le secrétaire d'ambassade, un comte d'Aranda, autant que je puis me souvenir, était pâle et tremblant ; il ne trouvait pas une parole.

— Est-ce vrai ? demanda M. de Puységur.

— Oh ! comment peut-elle savoir cela ? murmura-t-il.

— Voulez-vous qu'elle se taise ou qu'elle continue ?

— Qu'elle continue, répliqua-t-il vivement. Pouvez-vous lire dans la pensée de cette femme ?

— Oui.

— Qu'y voyez-vous ? m'aime-t-elle ?

— Non, dit la jeune fille, en secouant tristement la tête.

— Elle ne m'aime pas ! En aime-t-elle un autre ? Est-elle seule ?

— Elle est seule, pas depuis longtemps, pas pour longtemps. Écoutez ce que je vais vous dire, retenez-le et faites-en votre profit, monsieur le comte. Il est fort heureux que vous m'ayez interrogée ; vous étiez perdu sans cela. Vous avez écrit à cette femme.

— Oui.

— La lettre est dans un petit sac brodé qu'elle porte à sa ceinture ; elle l'a reçue ce matin.

— Pouvez-vous la lire ?

— C'est difficile ; cela me fatiguera bien.

— Lisez-la, je le veux, interrompit M. de Puységur en la chargeant de fluide.

— Oh ! que vous me faites mal ! vous me brisez la tête et le cœur.

— Lisez.

— Je vois, je vois. Vous êtes bien fou, monsieur le comte, vous promettez à cette femme d'aller l'épouser, de l'enlever dans six mois, dès que vous aurez atteint vos vingt-cinq ans. Oh ! mon Dieu, oh ! mon Dieu, cette femme est une juive !

Ce mot produisit un effet que je ne puis rendre sur les assistants ; nous étions à peu près une demi-douzaine. Le diplomate devenait de plus en plus pâle, et son émotion était visible.

— Monsieur le comte, demanda encore M. de Puységur d'un ton sérieux, doit-elle continuer ?

— Oui, oui, je préfère tout savoir. Si cette femme ne m'aime pas, qui aime-t-elle ?

— Un homme de sa nation, un misérable, un voleur.

La sueur froide nous prit à tous.

— Oui, on compte vous attirer lorsque vous reviendrez, vous faire signer je ne sais quels papiers, pour vous laisser libre, et si vous refusez... prenez garde.

Le son de voix de cette somnambule avait, je vous assure, quelque chose de surnaturel en ce moment ; évidemment elle était inspirée.

— Mais cette femme... cette malheureuse... je l'ai fait instruire, baptiser, elle est chrétienne.

— En cela, comme en tout, elle vous a trompé, monsieur. Pure cérémonie, pour vous mieux abuser ; elle est juive de cœur et de pratique.

— Elle ne m'aime pas ! répétait ce jeune insensé tout bas.

Cette idée seule le frappait. Ni son danger ni les autres trahisons dont on le menaçait n'arrivaient jusqu'à lui. Il ne pensait qu'à son amour ! Pauvre jeune homme ! épouser une juive ! un gentilhomme des vieux Castillans !

— Ah ! mon Dieu, madame, me dit-il après très-simplement, ma mère en serait morte de chagrin, et vous voyez !

Il nous raconta alors ce que personne au monde ne savait que lui, et ce qui par conséquent lui semblait plus étrange encore dans la bouche de la somnambule. Envoyé à Ceuta l'année dernière, il marchait dans les rues de la ville, le lendemain de son arrivée, par une chaleur africaine, et sans songer aux précautions exigées ; mourant de soif, il s'arrêta près d'une fontaine pour boire en ôtant le bonnet qu'il avait sur la tête. Le soleil le frappa, une congestion au cerveau s'ensuivit, il tomba comme mort sur la place. Des femmes juives lavaient leur linge à cette fontaine, une d'elles demeurait tout près de là ; la richesse des vêtements de l'étranger leur fit espérer un bon salaire. Elles étaient seules à cette heure, où personne dans ces pays n'ose affronter les rayons du soleil. Elles l'emportèrent chez leur compagne, employèrent leur science en médecine, et elles en ont beaucoup, à le soigner, à le faire revenir ; il reprit connaissance. La belle juive lui versa un certain breuvage dont la fraîcheur et le goût lui parurent délicieux, et il s'endormit. À son réveil il se sentit tout à fait remis, mais il se sentit aussi un nouveau sentiment dans le cœur, un amour fou, extravagant, pour son hôtesse, une de ces passions qui n'ont ni frein ni bornes. Dès lors il ne la quitta plus que le temps nécessaire aux devoirs de sa mission, il devint son esclave, elle lui résista, se fit vertueuse ; il lui promit de lui donner son nom si elle acceptait le baptême. Elle consentit, et lorsqu'il fut rappelé, lorsqu'il fallut se séparer d'elle, ce fut en lui jurant qu'aussitôt ses vingt-cinq ans accomplis, il reviendrait et l'emmènerait triomphante dans ses terres, dans ses ambassades, qu'il en ferait une grande dame enfin. On sait le reste.

La somnambule le sauva à ce qu'il paraît réellement ; il fit prendre des informations ; tout était vrai. Il est venu remercier M. de Puységur qui me le dit à Strasbourg lorsque j'y retrouvai. Cette histoire me frappa beaucoup, mais elle n'est pas la seule extraordinaire que j'aurai occasion de raconter pendant le cours de magnétisme que nous suivîmes pour ainsi dire, cet hiver-là, avec madame la duchesse de Bourbon.

Je voulus faire une visite dans son appartement à madame de Longuejoue, une des dames de madame la duchesse de Bourbon, fort bonne et fort spirituelle.

Elle ne croyait point au magnétisme, et lorsque nous revînmes dîner chez la princesse, nous nous disputions encore. Il y avait à ce dîner M. le duc d'Orléans et madame la princesse, sa femme, avec deux de ses dames. M. le duc d'Orléans essaya de nier le somnambulisme, la princesse sa sœur lui demanda d'assister à une séance ; il le promit, et nous en prîmes note. Le prince est peu agréable ; il a quelque chose de brusque et de décidé qui déplaît. Il ne fait point l'effet d'un prince du sang, d'un petit-fils de Louis XIV, je ne sais pourquoi[288]. On parla beaucoup des nouvelles modes, et de la manière vraiment indécente dont les femmes se décolletaient.

— Ah ! bah, dit M. le duc d'Orléans, je trouve cela fort joli ; il n'y a que le nu qui habille.

— Mon frère, demanda la princesse, avez-vous entendu dire que la vieille duchesse de M*** soit assez folle pour chercher des amants dans la bourgeoisie ? Elle n'en trouvera point, et en sera pour sa courte honte.

— Vous vous trompez, madame, une duchesse a toujours trente ans pour un bourgeois.

Madame la duchesse de Bourbon parla ensuite longuement du prince son père ; elle l'aimait et le regrettait fort. M. le duc de Chartres se montra beaucoup moins expansif. Cependant feu M. le duc d'Orléans avait d'excellentes qualités ; il était lourd, gourmand, timide, mais il était bon. Les femmes eurent trop d'empire sur lui, surtout madame de Montesson qui le conduisait, on le sait, jusqu'à la domination. Le prince son fils fit, sur sa *belle-mère*, qu'il ne pouvait souffrir, des plaisanteries qui me parurent de mauvais goût. Les deux princesses se turent et nous imitâmes leur silence. [Après le dîner, je m'échappai tandis que la compagnie allait admirer des tableaux. J'avais de nombreuses visites à faire et j'avais promis de présenter Bijou dans plusieurs maisons où il devait rencontrer des amis de son espèce. La duchesse de Bourbon admira beaucoup mon favori ;

un aussi joli jouet lui faisait envie et je le lui aurais
offert avec grand plaisir si ce n'était pas le cadeau de
ma plus chère amie. La princesse comprit mon sentiment.]

Le 2 février, madame la duchesse de Bourbon nous
fit l'honneur de dîner à notre *auberge*, et de nous permettre de la suivre au concert spirituel. Je n'en fus pas
très-charmée. L'orchestre de ces concerts entendait
bien la symphonie, mais il était impossible de distinguer les paroles. Il semblait que les voix fussent l'acces-
soire et les instruments le principal. Cette musique
était trop bruyante, trop confuse, et les chanteurs ne
savaient pas filer les sons.

Ces concerts spirituels remplacent l'Opéra, qu'on
ferme le vendredi saint, à Pâques, à Noël et à la Pente-
côte. Ce sont les mêmes virtuoses et le même orchestre,
seulement ils sont en habit de ville, et non de théâtre.
Les motets ont un grand succès et sont fort applaudis.
On chante le *De profundis* et le *Miserere* à grands
chœurs ; cela me déplaît. Nos oreilles protestantes ne
se font point à entendre psalmodier des histrions. Les
catholiques y sont si bien habitués que les abbés mêmes
s'y rendent en foule et ostensiblement. Parmi les morceaux les plus remarquables se trouvait un duo, chanté
avec beaucoup d'ensemble par deux actrices de la
Comédie italienne, mesdemoiselles Renaud. Les honneurs de la soirée ont été pour mademoiselle Candeille,
magnifique personne, aussi agréable à voir qu'à entendre. Ma princesse eut l'amabilité de me faire reconduire
chez moi, où M. d'Oberkirch m'attendait pour souper.

3 février. — Nous fîmes un charmant dîner chez Son
Altesse royale avec Mademoiselle, fille de M. le duc
d'Orléans. Cette enfant n'est pas jolie ; elle le deviendra
à ce que prédisent les courtisans ; je crois, au contraire,
qu'elle le sera moins en grandissant. Elle a un air
décidé et masculin qui ne me plaît pas dans une jeune
fille. Sa gouvernante, ou plutôt son gouverneur,

madame de Genlis, en fait un éloge sans bornes. Cette
jeune princesse est en effet fort intelligente et fait espérer de grands talents. Son caractère est peu facile,
dominant et sans grâces ; c'est du moins ce que me dit
son auguste tante, car je n'ai guère eu l'occasion de la
juger par moi-même[289].

L'événement du jour était la déclaration faite par la
reine de grandes réformes dans sa toilette. Sa Majesté
a mis bien des amours-propres en émoi. Voilà les femmes de trente ans obligées d'abdiquer, comme elle, les
plumes, les fleurs et la couleur rose, la reine ayant
signifié qu'elle n'en porterait plus, que c'était ridicule
à son âge. On aurait volontiers supprimé tous les
actes de naissance. Madame la duchesse de Bourbon
se moqua avec beaucoup de finesse des prétentions et
des prétentieuses, et, comme on parlait de madame de
Blot qui donne les modes et les exagère toutes :

— Les femmes d'ordinaire s'habillent comme la veille,
dit la princesse, mais madame de Blot s'habille toujours
comme le lendemain.

Il est impossible d'avoir l'esprit plus fin que madame la duchesse de Bourbon ; elle a un tact d'observation très-rare, mais elle se garde de montrer tout ce
qu'elle voit, ailleurs que dans son intimité. On la craint
assez cependant à la cour. J'avais eu l'honneur de lui
présenter chez moi madame d'Aumont, femme de
M. d'Aumont qui commande le génie à Strasbourg.
Après une entrevue de cinq minutes, la princesse avait
déjà deviné une femme d'un charmant esprit et d'une
instruction étendue.

Ces d'Aumont prétendent être d'une branche cadette
et déjà éloignée des ducs d'Aumont. Ils ne portent pas
de titre, et on assure qu'ils pourraient bien en venir
du côté gauche. En tout cas, ils sont de parfaite compagnie.

La princesse m'emmena le soir à l'Opéra ; on y
donnait *Dardanus*, opéra de Rameau retouché par

Sacchini, mis en quatre actes, puis en trois, et sous cette nouvelle forme soutenu aussi par des ballets. La pièce a une recrudescence. La soirée de ce jour-là fut orageuse. Le sieur Moreau, que le public n'aimait pas et qui remplaçait un autre chanteur, a été tellement troublé des murmures et des marques de mécontentement qu'il a reçues, qu'il s'est avancé vers le parterre et lui a fait quelques reproches honnêtes, arrachés par le chagrin, et qui n'avaient cependant rien que de très-respectueux. Il a terminé par ces mots :

— J'irai en prison, mais vous m'arrachez ces paroles.

J'ai été émue jusqu'aux larmes de la douleur de ce pauvre homme. Madame la duchesse de Bourbon, qui éprouvait le même sentiment et entraînée par son extrême bonté, s'est écriée tout haut :

— Non, non, pas de prison.

Ces mots ont rappelé le public à la justice. On a applaudi la princesse d'abord, puis Moreau, qui, électrisé par ces encouragements tardifs, a chanté comme un ange. Madame la duchesse de Bourbon lui envoya le lendemain une fort belle bague[290].

4 février. — M. de Puységur disait que je suis très-apte à magnétiser et voulut m'en donner une leçon ; en conséquence j'allai chez la princesse, où il vint aussi avec une jeune fille. Nous commençâmes, et presque tout de suite j'obtins des effets. J'endormis cette enfant, mais sans pouvoir la faire parler. J'avoue que cette séance me fatigua beaucoup, et tellement que je n'eus pas envie de recommencer. [D'ailleurs, M. d'Oberkirch s'opposait à tout ce qui attire l'attention et comme le magnétisme était alors une vraie rage, on aurait vite appris que j'étais une active disciple de Mesmer et il aurait été très désagréable d'être ainsi l'objet de la curiosité publique.] Après la séance, nous revînmes tous dîner chez moi. Madame la duchesse de Bourbon aime ces parties et cette liberté. À ce dîner fort gai, on rit un peu, je l'avoue, et plus que je ne l'aurais voulu,

aux dépens d'un officier au régiment d'Alsace que mon
mari m'avait présenté, lequel était sourd comme une
planche. Nous allâmes à la Comédie italienne voir
*Richard Cœur-de-lion*[291], opéra de M. Sedaine, musique
de Grétry. Cette musique est délicieuse ; quant aux
paroles, c'est autre chose. La fable est d'une invraisemblance, d'une naïveté inouïe. Les détails ont été si peu
soignés par l'auteur qu'aux premières représentations,
Richard paraissait avec l'ordre de la Jarretière, qui n'a
été créé que bien plus tard. Sedaine, qui était maçon,
n'est pas, il est vrai, obligé de savoir cela. Le jour de la
première représentation, l'année précédente, M. de La
Croix a adressé à M. Grétry les vers que voici :

> *Ceux-ci font bien, ceux-là font vite,*
> *Le plus grand nombre ne fait rien ;*
> *Mais Grétry seul a le mérite*
> *De faire beaucoup, vite et bien.*

Il y a dans cet opéra, une ariette qui fait venir la chair
de poule, en vérité : *Une fièvre brûlante !* Les deux premiers actes sont remplis de motifs et de mélodies délicieuses.

Madame la duchesse de Bourbon me permit, après
le spectacle, de faire quelques visites pour nous retrouver ensuite. Je voyais toujours beaucoup les d'Autichamp, les Bose ; ce jour-là j'allai chez la comtesse de
Saulx-Tavannes, dame du palais de la reine ; son mari
était chevalier d'honneur de Sa Majesté, et fut créé duc
peu de temps après. Madame de Saulx était mademoiselle de Levis de Châteaumorand. Monsieur son fils
était sous-lieutenant au régiment de la Reine Infanterie,
et marié à mademoiselle de Choiseul-Gouffier.

Nous soupions chez madame la duchesse de Bourbon avec la même compagnie, sauf le pauvre sourd,
dont on parla beaucoup. M. d'Oberkirch nous en conta
un trait assez drôle. Il l'avait vu à la Comédie française

écoutant *Rodogune* et riant aux éclats aux morceaux les plus sérieux. Le parterre le prit pour un fou et voulut le faire sortir. Il n'était pas endurant et n'en cria que de plus belle qu'il avait payé sa place, qu'il s'amusait, qu'il voulait rester, qu'il ne voyait pas pourquoi on voulait l'emmener ; il tira son épée et menaça de s'en servir contre le premier qui l'approcherait ; le guet et la garde intervinrent, on s'expliqua, et un plaisant lui écrivit ces mots :

« Monsieur, si vous aimez les bonnes comédies, lisez Molière et restez chez vous. Celle que vous nous donnez ne vaudra jamais *M. de Pourceaugnac*. »

Un autre jour, il dînait en ville. Placé à côté de la maîtresse du logis et croyant parler bas à son voisin, il lui *criait* :

— Je ne sais quelle rage a madame de... de donner à manger ; tout est exécrable chez elle.

Chacun riait ; il se retourna vers la dame et lui fit les compliments les plus fleuris sur l'ordonnance de son dîner, sur son cuisinier et ses gens d'office. On en rit de plus belle, bien entendu.

— Il en est des sourds comme des maris trompés, dit la princesse, ils sont toujours les derniers à s'en apercevoir.

5 février. — Nous fîmes des visites après avoir entendu le service à l'église de la légation danoise[292]. Madame la duchesse de Bourbon nous avait fait l'honneur de nous engager à dîner avec M. le duc d'Enghien. Quel charmant prince ! comme il est beau ! comme il est aimable ! comme il annonce l'héroïsme de sa grande race ! Madame sa mère en est folle. Elle ne le voit point aussi souvent qu'elle le voudrait et qu'il le voudrait lui-même. Elle le fit beaucoup causer. Il eut pour elle des mots charmants pleins de cœur, et lui montra la tendresse la plus vraie. Parlant du prince son père avec une mesure juste, sans donner de tort à personne, il sut les faire valoir tous les deux. Il avait alors quatorze

ans ; c'est un tact bien rare à son âge. Son gouverneur nous conta de lui une foule de traits excellents. Il donne tout ce qu'il a aux pauvres ; il se prive pour faire des aumônes, surtout aux vieux soldats et aux familles des anciens serviteurs de sa maison.

Ayant appris que les descendants du valet de chambre favori du grand Condé étaient tombés dans la misère par suite de pertes successives, il les fit chercher et demanda la permission de leur faire une pension sur sa cassette particulière.

— C'est une dette de mon aïeul, dit-il, c'est à moi de l'acquitter envers les enfants de celui qui consacra sa vie aux Condé.

Madame la duchesse de Bourbon ne put retenir ses larmes quand il la quitta après dîner.

— Mon cher enfant, lui dit-elle, aimez bien votre mère quoique vous la voyiez si peu.

— Madame, mon cœur la voit toujours, répondit-il.

J'allai chez des dames russes, entre autres la princesse Galitzin et la comtesse Golowkine. Celle-ci était de la famille de Michel Golowkine, grand chancelier et ministre sous l'impératrice Anne, et qui, sous Élisabeth, fut envoyé en Sibérie où il mourut. La comtesse Golowkine raconta fort agréablement une anecdote sur le prince Potemkin qui a remplacé le prince Orlov dans la faveur de Catherine II. Un jour il montait l'escalier du palais impérial et rencontra Orlov qui le descendait, et, pour lui dire quelque chose et ne pas rester dans un silence embarrassant, il lui demanda :

— Quelle nouvelle y a-t-il à la cour ?

— Aucune, répondit froidement Orlov, excepté que vous montez et que je descends.

Ma princesse me fit demander à ma porte pour aller chez Astley, fameux écuyer anglais. On s'y presse à s'y étouffer. L'anglomanie fait des progrès immenses. On veut être Anglais à tout prix, et cette prétention efface chez nous l'esprit national. J'entendais, quelques jours avant celui-ci, le maréchal de Biron, et quelques autres vieux débris de l'ancienne cour et de la gloire française s'en plaindre amèrement. Ils ont raison. On cherche à oublier le passé pour fonder un avenir nouveau ; on cherche à effacer nos modes, nos usages pour devenir semblables à nos voisins que nous haïssons. C'est bien peu conséquent. M. le duc d'Orléans est le premier à introduire ces nouvelles idées, et malheureusement surtout M. le comte d'Artois y est enclin. Le roi lui en a fait plusieurs fois des reproches affectueux. Son Altesse royale est jeune ; elle se laisse entraîner : c'est assez pardonnable à son âge ; mais dans la position qu'elle occupe tout a de graves conséquences.

Nous faisions ces réflexions chez la duchesse de La Vallière, où j'allai en quittant le cirque. Je la trouvai très-occupée d'un perroquet que lui avait légué une de ses amies et qui refusait obstinément de manger. Il se contentait de débiter les injures les plus inouïes, ce qui n'est guère séant pour un perroquet de duchesse. Je n'ai jamais vu bête plus mal élevée, et cela dans toutes les langues. Il était impossible de n'en pas rire, quelque grand air que l'on voulût prendre. Madame de La Vallière ne parlait de rien moins que de l'envoyer au corps de garde, chez les Suisses, où, disait-elle, il trouverait des élèves dignes de lui.

— Mais, madame, l'amie qui vous l'a légué n'était cependant pas un pandour[293].

— Non, madame, c'était la femme la plus délicate du monde, toutefois sa maison était un peu cavalière ; elle protégeait la maison militaire du roi.

L'explication nous parut concluante et justifiait le nouveau *Vert-Vert*[294].

6 février. — C'était la fête de la princesse, nous allâmes au Palais-Royal, acheter une babiole quelconque pour la lui offrir. C'était, je me le rappelle, une écritoire avec des compartiments et des secrets qu'on venait d'inventer. On a achevé de construire, depuis mon dernier

voyage, des boutiques en bois formant galerie à la place
où l'on doit élever un corps de bâtiment à l'entrée du
jardin. M. le duc d'Orléans en a suspendu la construction, toujours sans dire pourquoi, ou avec de mauvaises raisons, comme à l'ordinaire. Ce prince aime
l'argent pour le garder ou le mal dépenser ; c'est du
moins ce que disent tous ceux qui le connaissent.

Madame la duchesse de Bourbon reçut fort bien mon
petit présent et lui donna la place d'honneur parmi tous
ceux, beaucoup plus beaux, qui lui furent offerts. Nous
ne dînâmes point avec elle, ayant invité le baron de
Goltz, envoyé de Prusse, et madame de Blair. Nous
allâmes voir ensemble *Jérôme Pointu* aux Variétés
amusantes[295]. Je ne m'en lasse pas, j'y ai ri cette fois
autant que les autres.

7 février. — Nous eûmes la duchesse de La Vallière,
la landgrave de Hesse et les dames russes à déjeuner.
Je hais cette mode ; les déjeuners sont stupides, on n'a
rien à dire et on court après l'esprit.

— Je parie pour l'esprit, disait M. de Rivarol, devant
lequel on s'exprimait ainsi, sur le compte de je ne sais
quel seigneur.

Madame la landgrave de Hesse-Cassel est sœur de
madame la princesse de Montbéliard, et l'une des marraines de ma fille, qu'elle comble de bontés et à laquelle
elle apporta de charmants livres. Elle causa beaucoup
avec madame de La Vallière de son illustre grand'tante[296]
pour laquelle elle a une *dévotion*, c'est son mot.
Madame de La Vallière nous en raconta beaucoup de
choses que le public ignore et qu'a conservées la tradition de famille. Cette conversation resta gravée dans
ma mémoire par mille incidents. Madame de La Vallière nous dit, entre autres, que sœur Louise de la
Miséricorde avait porté un cilice plus de trois ans avant
d'entrer en religion. La famille possède une lettre d'elle
où elle parle à son confesseur de ce cilice que celui-ci
reprochait comme contraire à sa santé. Elle nous cita

ce fragment qu'elle me montra plus tard et qu'elle me permit de copier. Le voici textuellement :

« Ah ! mon père, ne me grondez pas de ce cilice ; c'est bien peu de chose. Il ne mortifie que ma chair, parce qu'elle a péché, mais il n'atteint pas mon âme qui a plus péché encore. Ce n'est pas lui qui me tue, ce n'est pas lui qui m'ôte tout sommeil, tout repos : ce sont mes remords. C'est surtout le lâche désir d'en ajouter d'autres à ceux que j'ai déjà. Et puis ne *les* vois-je pas chaque jour ? Mes yeux ne suivent-ils pas *leurs* yeux ? Ne suis-je pas assise à côté de ma rivale, tandis que *lui* est à côté d'elle aussi, mais loin de moi ? N'ai-je pas vu ? N'ai-je pas entendu ? Ah ! mon père, que Dieu me punisse si je blasphème. Je ne sais ce qu'est l'enfer, mais je ne saurais en imaginer un plus terrible que celui où est mon cœur, où il reste néanmoins, où il se complaît, car ne plus *le* voir serait un autre enfer auquel il ne s'accoutumerait point. »

Une femme est bien à plaindre quand elle aime ainsi.

Madame la duchesse de Bourbon nous avait conviés à dîner, et, contre l'étiquette, elle voulut que j'y conduisisse ma fille, qui partit tout de suite après dîner. Son Altesse sérénissime vint entendre à l'Opéra *Colinette à la cour*[297]. Les paroles sont du même auteur que le *Savetier et le Financier* ; la musique est de Grétry. Il y a de jolis ballets, pleins de variété et de mouvement. Cette pièce rappelle un peu *Ninette à la cour*, de Favart, que j'avais vu jouer en 1782.

Madame la duchesse de Bourbon est, de toutes les princesses, celle qui se montre le plus en public ; aussi est-elle fort aimée. Elle vit en simple particulière, mettant l'étiquette de côté, autant qu'elle le peut. Elle aime à sortir le matin, incognito, à pied ou en carrosse de place, accompagnée d'une de ses dames ; d'ordinaire elle fait des aumônes dans ses courses matinales. Elle va chercher les pauvres dans leurs greniers ; elle s'adresse aux curés des paroisses et même à ses gens

pour les découvrir. Il y a dans son cœur une immense
place vide par sa séparation si prompte d'avec son
mari ; elle remplit cette place en faisant du bien.

— J'ai besoin d'être aimée, me disait-elle souvent.

On l'a beaucoup calomniée, et je la respecte trop pour
relever ces calomnies. Elle vivait loin de la cour, parce
qu'elle y souffrait, parce qu'elle y trouvait des souvenirs pénibles et des réalités plus pénibles encore. Mais
son intérieur était calme, sans reproches, semé de bonnes œuvres. Il est si facile d'accuser les femmes ! On
prend si peu la peine de les défendre lorsqu'on n'attend
rien d'elles ; et cette princesse ne jouissait d'aucun crédit. Je lui rendrai toujours hautement justice. Je suis
heureuse et fière de l'intimité dont elle me fit la grâce
de m'honorer et je la reconnais pour la digne héritière
des vertus, des grandeurs de la race de saint Louis, de
celle de nos rois bien-aimés.

## CHAPITRE XXXI

1786. 8 février. — Nous avions promis depuis longtemps à ma fille de la conduire à Versailles, où d'ailleurs
la baronne de Mackau nous avait invités nombre de
fois. Nous nous mîmes en chemin par une belle journée, quoique froide ; le baron d'Andlau nous accompagnait. Après dîner, madame de Mackau nous mena
chez les enfants de France. M. le dauphin et M. le duc
de Normandie seuls étaient visibles. Je trouvai le premier grandi, mais un peu fort ; c'était un joli enfant. Il
s'occupait beaucoup d'un nouveau carrosse, qu'il avait
essayé le matin même, et dont l'invention est charmante et commode ; c'est le premier qu'on voit ainsi.
Les panneaux et les peintures, sur les côtés, et devant,
sont remplacés par des glaces, et ces glaces sont rete-

nues dans des encadrements de vermeil ornés de saphirs, de rubis et autres pierres précieuses. C'est magnifique et élégant. La reine a fait présent à M. le dauphin de cette voiture ; elle lui donne beaucoup, et, quand on lui en fait l'observation, elle répond en riant :

— Le roi, à sa naissance, n'a-t-il pas augmenté ma cassette de deux cent mille livres ? Ce n'est pas pour que je les garde.

M. le duc de Normandie est un gros enfant, bien fort à dix mois. Ses yeux sont moins grands que ceux de M. le dauphin ; pourtant il sera au moins aussi joli. Il était entre les mains de ses berceuses, quoiqu'il ne dormît pas. Sa nourrice nous assura qu'il se portait à merveille.

Malgré les instances de madame de Mackau, nous voulûmes retourner souper chez nous, à Paris, les Bose et le vicomte de Wargemont nous y attendaient. M. de Wargemont était toujours en garnison à Belfort ; il désirait vivement la fin de ses affaires, à Paris, pour retourner à Montbéliard ; son amour pour mademoiselle de Domsdorff était toujours le même ; on pouvait prévoir le dénoûment, et qu'ils ne tarderaient pas à recevoir la bénédiction. Le vicomte de Wargemont demeurait à la Chaussée-d'Antin ; il était fort lié avec M. le prince de Lamballe, et allait souvent à l'hôtel de Penthièvre. Son père et son oncle, le marquis et le comte de Wargemont, ont servi tous les deux, ce dernier dans la légion de Soubise.

9 février. — J'allai dîner avec ma fille chez madame de Zuckmantel, et après le dîner chez madame la duchesse de Bourbon ; nous allâmes voir *Iphigénie en Tauride*, de Gluck, avec les princesses. Les Bose soupent chez moi tous les soirs, et très-souvent aussi madame de Persan qui, comme on se le rappelle, est mademoiselle de Wargemont.

10 février. — J'allai le matin voir madame la duchesse de Bourbon qui voulait me montrer une nouvelle

parure. Elle avait inventé une sorte de chapeau qui la coiffait admirablement et qu'elle voulait mettre à la mode. Elle me pria d'en accepter un pareil, et j'en fus ravie ; il était charmant. C'était un rond de paille doublé de taffetas rose avec une guirlande de roses autour. Un grand nœud tombait derrière jusque sur les épaules, et les brides s'attachaient ou plutôt flottaient sur la poitrine, retenues par un parfait contentement, qu'assujettissait une épingle à tête de pierreries. Elle avait pris l'idée de ce chapeau à M. de Florian et à ses bergeries ravissantes. On le posait au sommet de la tête, pardessus le crêpé. Je fis observer à Son Altesse sérénissime que la paille n'était pas d'hiver.

— Aussi, me répondit-elle, nous ne les porterons qu'à Longchamp[298]. Cette grande affaire réglée, j'allai prendre madame de Bernhold pour faire une visite au baron de Wurmser, alors fort souffrant. Nous le trouvâmes fort agréablement occupé à donner une quittance du quartier de la pension affectée depuis l'année précédente à la dignité de grand-croix du Mérite militaire[299], qui est de quatre mille livres. Celle de commandeur est de trois mille.

Je ne l'avais pas vu depuis une chute qu'il a faite l'année dernière à Fontainebleau, sur le théâtre de la cour, en papillonnant parmi les actrices. La reine avait été y passer l'automne, et avait fait ce voyage par eau, sur un bateau d'une élégance rare et appelé yacht. C'était au mois d'octobre, on jouait *Pénélope*, de M. de Marmontel et de Piccini. M. de Wurmser n'est plus jeune ; les planches de théâtre sont glissantes et peu solides, il se prit le pied dans le trou d'une décoration. Mademoiselle Aurore, qui était près de lui, le retint et l'empêcha de tomber tout à fait. Cette jeune chanteuse a beaucoup d'esprit, et fait des vers, dit-on, presque aussi bien que M. de Marmontel. On ne m'accusera

pas de la flatter ! Voici ceux qu'elle envoya au général,
sur sa chute :

> *Ce monde est un sentier glissant*
> *Où chacun tant soit peu chancelle ;*
> *Le sage au sens rassis, l'étourdi sans cervelle,*
> *De faux pas en faux pas tous vont diversement.*
> *Souvent même à plus d'un amant*
> *Le pied glissa près de sa belle.*
> *De toutes ces chutes pourtant*
> *Cette dernière est la moins dangereuse ;*
> *Qui la répare promptement*
> *Peut même la trouver heureuse.*
> *De celle dont je fus témoin,*
> *Vous m'accusez d'être la cause.*
> *Voyez à quel reproche un tel soupçon m'expose !*
> *Tant d'autres volontiers prendraient un autre soin.*
> *Mes camarades sont si bonnes,*
> *Que nulle assurément ne me démentira ;*
> *Et nos auteurs sont les seules personnes*
> *Que nous ne parons pas de ces accidents-là.*
> *Les aider à tomber est tout ce qu'on peut faire ;*
> *Les relèvera qui pourra.*
> *Le public en fait son affaire.*
> *Pour vous, depuis longtemps instruit dans l'art de plaire,*
> *Sans craindre de faux pas, marchez dans la carrière.*
> *Croyez, si par hasard vous bronchiez en chemin,*
> *Que vous rencontrerez quelque âme généreuse*
> *Qui pour vous relever vous offrira la main ;*
> *Jamais chute pour vous ne sera dangereuse.*

Voici l'impromptu en réponse à ces vers, fait par le
comte d'Albaret, au nom du baron de Wurmser :

> *Vous avez bien raison, ma chute était heureuse*
> *Lorsque de vous j'ai reçu des secours,*
> *Et que l'empressement, les grâces, les amours*

*M'offraient par vous une main généreuse,*
*En vous voyant j'éprouvais cette ardeur*
*Que ne connaît plus la vieillesse,*
*Et je doutais encor d'une telle faveur,*
*Même aux yeux de l'enchanteresse.*
*De l'aurore j'appris que vous êtes la sœur ;*
*Je ne fus plus alors surpris de mon bonheur,*
*Vous m'aviez rendu ma jeunesse.*

M. de Wurmser avait reçu des lettres de Stuttgart qui lui annonçaient le mariage du duc régnant, Charles de Wurtemberg, avec la comtesse Francisca de Hohenheim. Il s'était fait le 2 février, et j'en reçus en effet la notification le lendemain. Madame de Hohenheim méritait ce bonheur par les excellentes qualités de son âme et la hauteur de son esprit. Le duc n'avait eu de la princesse sa femme qu'une fille morte en bas âge. Il n'en a point de la comtesse de Hohenheim, sa seconde femme, mais en revanche il est pourvu de nombreux bâtards, enfants de ses maîtresses ou de ses liaisons passagères. Le duc Charles était si aimable (disait, il y a quelque temps, une de ces maîtresses, en se rappelant le passé) qu'on l'épousait même sans prêtre. Il fait baptiser tous ces enfants-là sous le nom de *Franquemont*[300]. Il avait le projet de former un régiment et d'en donner la propriété et les grades supérieurs à tous les jeunes gens issus de son sang.

Parmi ses filles, j'en ai vu une, nommée Laure, fort liée avec mademoiselle de Cramm, mon amie. Cette charmante jeune femme, élevée à merveille et ayant les meilleurs sentiments, était fille du duc Charles et d'une danseuse italienne d'une grande beauté, d'un grand talent, et du nom de Lanfranco. Je désire bien qu'elle fasse un bon mariage ; elle le mérite sous tous les rapports. Il est impossible d'être plus intéressante.

Il y avait le soir un cercle chez madame de La Vallière ; madame la duchesse de Bourbon vint me prendre après le spectacle pour m'y conduire. Nous y trouvâmes un monde énorme en hommes et en femmes. On n'y parlait que d'une aventure de la duchesse de..., qui faisait scandale à la cour. Cette dame avait chez elle, à Versailles, M. Archambault de Talleyrand-Périgord, lorsque l'arrivée inopinée de son mari la força à faire descendre son amant par la fenêtre. On le vit, on l'arrêta, mais on le reconnut et on le mit en liberté. L'histoire a fait du bruit, elle a couru le monde ; le roi l'a apprise et a dit sévèrement à la jolie duchesse :

— Madame, vous serez donc comme madame votre mère ?

Le duc en a été instruit après les autres, bien entendu, et s'est plaint à sa belle-mère. Celle-ci lui a répondu avec le plus grand sang-froid :

— Eh ! monsieur, vous faites bien du bruit pour peu de chose ; votre père était de bien meilleure compagnie.

Ces sortes de choses me paraissent toujours difficiles à croire, et je ne les répète qu'en tremblant ; il me semble que ce sont des calomnies, bien que racontées par des personnes dignes de foi. Ce qu'il y a de sûr, c'est que la cour et la ville en ont retenti, qu'on l'a lu dans les nouvelles à la main[301], et que ce serait s'avouer ignorante que de les passer sous silence.

M. de Talleyrand était ce soir-là chez madame de La Vallière. Il s'est apparemment blessé en tombant, car il boitait malgré des efforts très-visibles pour s'en empêcher.

11 février. — Le matin, les somnambules vinrent chez ma princesse, et je n'eus garde d'y manquer. C'est pour moi un intérêt véritable. M. de Puységur nous montra toutes sortes d'expériences, surtout une de ces jeunes filles qu'il empêche de remuer le bras pendant plus d'une heure en le rendant complètement insensible ; on y enfonçait des épingles comme dans une pelote ; le sang n'y venait point et elle ne sentait absolument rien : cela confondait le raisonnement. Je me sentis un peu

souffrante et incommodée de tout ce fluide, et rentrai
chez moi jusqu'à l'heure du souper, où je fis quelques
visites, et me rendis après chez madame de La Galaisière. Nous y soupâmes avec la comtesse Julie de
Sérent et la marquise de Fleury[302]. Cette dernière était
une des plus gaies, des plus charmantes, des plus spirituelles femmes de la cour. Il était impossible d'éprouver
auprès d'elle un moment d'ennui, tant elle savait varier
la conversation, la disposer, et tirer tout le parti possible de l'esprit des autres. Elle était mademoiselle de
Coigny. Son mari hérita de la duchépairie de son aïeul,
lequel était neveu du fameux cardinal. C'étaient, avant
ce ministre, tout au plus des gens de condition. La marquise de La Rivière dont j'ai parlé, née de Rosset de
Rocozel, était tante du duc de Fleury et prisait beaucoup son aimable femme. Elle nous amusa excessivement ce soir-là avec les mille histoires qu'elle nous dit
et celles qu'elle inventa peut-être.

La comtesse Julie de Sérent était fort digne de lui
donner le mot. C'est une personne du plus haut mérite
et des plus amusantes. Madame la duchesse de Bourbon l'aime infiniment ; elle est auprès d'elle depuis
1781, et a été présentée à cette époque à la cour, où elle
a fait grande sensation. Sa belle-sœur, la baronne de
Sérent, a été aussi dame de madame la duchesse de
Bourbon, et n'a pas moins d'esprit.

On avait beaucoup joué la comédie à Petit-Bourg ;
ces dames la jouaient admirablement, et M. de Vaudreuil était l'un des meilleurs acteurs. Madame la
duchesse de Bourbon aimait beaucoup ce divertissement, dont elle s'acquittait très-bien. Je ne l'ai jamais
vue sur la scène.

12 février. — Journée nulle pour les souvenirs, sauf
une représentation d'*Annette et Lubin* à la Comédie italienne. C'est un charmant opéra-comique dont Noverre
a fait un charmant ballet. Le sujet en est historique[303] :
le conte de Marmontel, dont il est tiré, n'est qu'une

anecdote relative à M. de Saint-Florentin, ministre du roi, seigneur de Bezons, dont la bonté et la bienfaisance étaient grandes.

13 février. — [J'allai avec le syndic Hoffet voir un avocat, M. de La Rassière, et un procureur pour un procès que mon père avait engagé contre M. Munch ; il est inutile de donner des détails sur cette affaire qui est sans intérêt pour ces mémoires.] Nous allâmes à l'Académie avec ma princesse pour la réception de M. de Guibert. Il y avait foule. Les maréchaux de Castries et de Ségur, tous les deux ministres[304], étaient dans une tribune avec madame de Staël (mademoiselle Necker), ambassadrice de Suède et nouvellement mariée, mesdames de Crillon, de Beauvau, et M. le comte de Beauvau, officier des gardes-du-corps. M. de Guibert a glissé dans son discours l'éloge de madame et de mademoiselle Necker. On fit à la suite de cette réception l'impromptu suivant auquel je n'ai jamais compris grand'chose, mais que je cite parce qu'il était partout :

> *Je suis un brave soldat*
> *Qui chante toujours victoire*
> *Sans avoir vu de combat.*
> *Mon nom de guerre est la gloire,*
> *Vive la gloire !*

Cette critique est d'autant plus niaise qu'elle est injuste : M. de Guibert[305] a servi avec distinction dans la guerre de Sept ans. Son père est gouverneur des Invalides. Fait prisonnier à Rosbach, il resta dix-huit mois en Prusse, d'où il rapporta des notions sur la tactique de Frédéric le Grand, qui depuis ont été développées avec talent par M. de Guibert son fils. M. de Guibert, le récipiendaire, avait environ quarante-deux ans. C'était un fort bel homme, très à la mode et très-gâté dans la société ; auteur de la tragédie du *Connétable de Bourbon*, il a eu des succès en tout genre, surtout en amour. C'est un des vainqueurs les plus vantés. Madame Necker disait de lui :

— C'est Turenne, Bossuet et Corneille réunis.

Madame Necker est plus poète que je ne pensais.

Tout le monde, même les femmes, discutait sur l'*ordre mince* et l'*ordre profond*, lors de ses prises avec M. de Mesnil-Durand ; on était Guibertiste ou Mesnil-Durandiste, comme auparavant Gluckiste ou Picciniste.

Le discours de réception de M. de Guibert fut superbe. M. de Saint-Lambert[306] y répondit. M. de Saint-Lambert est assez connu par ses amours avec madame du Châtelet, qui lui sacrifia M. de Voltaire et qui trouva moyen de donner ainsi deux scandales pour un. Il s'attacha après sa mort à une autre personne, ce qui continua les propos, car ils ne se cachèrent pas plus que la première fois. On parle extrêmement de toute cette société savante et galante, même à l'âge où la galanterie devient ridicule. Ce sont de singulières mœurs et de singulières façons de vivre pour des gens d'esprit et pour des gens d'esprit et pour des chrétiens !

M. Ducis[307] lut un poème sur l'amitié qui me fit grand plaisir. Il avait à peu près cinquante ans. Sa réputation s'est faite par des traductions et des imitations en vers des pièces de Shakespeare. Il a peu inventé de lui-même ; ses longues périodes et ses épithètes accumulées me semblent fatigantes.

Cette journée fut toute de littérature. Nous vîmes jouer *Médée*[308] par mademoiselle Raucourt ; elle y fut sublime et applaudie à tout rompre. Il y eut tant d'enthousiasme qu'on la redemanda à la fin. Son jeu était plein d'énergie, de vérité et de noblesse. Elle était admirablement costumée. Ses progrès sont immenses, et elle devient une grande actrice. Elle a débuté à seize ans ; elle en a maintenant (en 1789) un peu plus de trente. Le genre de sa beauté prête à son talent. Dans les rôles de reine elle est magnifique de toute manière. Madame la duchesse de Bourbon la protège, et la reine encore davantage. Sa Majesté assiste à presque toutes ses représentations et l'encourage par les éloges les plus flatteurs. Mademoiselle Raucourt est fort grande et s'habille beaucoup en homme, ce qui fait parler d'elle fort sévèrement.

14 février. — Il fit un temps horrible, je restai chez moi matin et soir, excepté pour une visite à madame la marquise de Lacroix. C'est une personne honorée et estimée par tout le monde : elle est pieuse et bienfaisante ; elle a des idées religieuses exaltées, bien que loin de toute intolérance. Remplie de l'esprit de Dieu, elle ne songe qu'à convertir et à soulager. Elle obtient même des riches et sans importunité, en faisant le bien plus qu'eux. Elle n'existe vraiment que pour les pauvres. Ce n'est pas ce qu'on appelle une dévote de profession. Quoiqu'elle ne soit plus très-jeune, elle est cependant gaie ; elle aime le monde et parle de tout avec grâce et enjouement. Elle a été fort belle, d'une beauté noble et imposante. Son regard exprime une franchise et une loyauté à toute épreuve. Ses opinions religieuses ont une forme toute particulière ; elle n'est cependant ni Martiniste, ni Lavatériste, ni Mesmériste.

15 février. — Nous eûmes chez nous un dîner des plus agréables, M. le margrave d'Anspach, MM. de Diodati, de Boden, de Florian, Marmontel et de La Harpe.

On sait que le margrave d'Anspach et de Bayreuth était cousin germain de madame la duchesse de Wurtemberg ; il était donc tout naturel que j'eusse l'honneur de le voir. Je lui étais fort recommandée, et aussi par lady Craven, avec laquelle j'avais passé de si bons moments à Montbéliard. Le margrave avait alors environ cinquante ans ; il était bizarre en toutes choses, et la fréquentation des gens de théâtre lui avait donné de singulières façons. Il parlait avec un amour un peu affecté peut-être, de son oncle le grand Frédéric. Celui-ci lui portait beaucoup d'intérêt et d'affection, tout en se

rendant très-bien compte de ses travers, et même en
en riant dans l'intimité.

Il était à la fois margrave d'Anspach et de Bayreuth.
Le dernier margrave de ce nom a eu pour femmes,
d'abord une autre sœur du roi de Prusse[309], et ensuite
une princesse de Brunswick, mère de la première
femme du duc actuellement régnant de Wurtemberg.

Le margrave actuel est neveu de la reine Caroline,
femme de George II, sa mère étant sœur de Sa Majesté.
La reine Caroline a donné chaque année sept mille
livres sterling pour l'éducation de ce neveu, qu'elle
aimait beaucoup.

La margrave d'Anspach, princesse de Saxe-Cobourg,
était d'une santé déplorable. Elle naquit mourante et
vécut toujours mourante depuis ce temps jusqu'à ce
jour ; on croyait à chaque instant qu'elle allait passer.
Elle avait évidemment un vice de conformation et ne
put jamais prendre part à rien. Ce n'est pas vivre, mais
végéter. Le margrave est, par là, plus excusable d'avoir
cherché ailleurs des distractions, et les politiques qui
l'ont si mal marié sont bien plus à blâmer que lui. Il
avait du reste de l'esprit, de la bonté, et le désir le plus
vrai d'être aimable pour tous.

[Le comte Diodati, ministre du duc de Mecklembourg-
Schwerin, avait la résidence la plus raffinée rue de la
Michodière ; c'était une des curiosités du jour.]

Le baron de Boden, ministre plénipotentiaire du
landgrave de Hesse-Cassel, [se contentait d'une résidence plus modeste, et] s'était logé grande rue Poissonnière, sur le boulevard. Ces boulevards deviennent
de plus en plus charmants, de plus en plus peuplés ; ce
sera le plus beau quartier de Paris, je n'en doute pas.

M. de Boden a de l'esprit, gâté par un peu de vanité ;
il a été longtemps en correspondance avec le grand
Frédéric, et aussi avec le prince héréditaire. Quelque
temps avant la mort du premier, Frédéric-Guillaume,
son héritier, écrivit au baron de Boden pour lui deman-

der quelle opinion on avait de lui à Paris. Celui-ci ne lui cacha pas qu'on craignait qu'il ne fût faible et ne se laissât conduire et gouverner. Cette lettre piqua le prince, qui écrivit à M. de Boden une nouvelle lettre fort vive, où il disait : « J'ai souffert seul, mais je régnerai seul. » Cependant Frédéric-Guillaume l'a fait chambellan cette même année 1786, pour le dédommager de la fonction de 8,000 écus d'Allemagne que la mort du landgrave de Hesse-Cassel lui a fait perdre.

M. le chevalier de Florian est bien connu ; j'en ai parlé déjà, mais je ne résiste pas au désir d'en parler encore ; tous ceux qui le voient me comprendront. Il est capitaine de dragons au régiment du duc de Penthièvre, dont il fut page à quinze ans ; il est devenu son gentilhomme ordinaire et son favori. Il a envoyé dans le temps à ce bon prince une églogue biblique intitulée *Ruth et Booz* ; l'épilogue se termine par un vers charmant en l'honneur de madame la duchesse de Chartres :

*Vous n'épousez pas Ruth, mais vous l'avez pour fille.*

J'ai suffisamment peint M. de La Harpe lors du voyage de madame la comtesse du Nord. Il ne me plaisait pas plus alors que précédemment ; mais il fallait ne point se brouiller avec ce méchant esprit. M. de Marmontel en avait quelque chose, avec moins de méchanceté et d'envie peut-être ; il était même assez bonhomme dans tout ce qui n'était pas ses relations littéraires. On l'attaquait beaucoup, ce qui le mettait hors des gonds ; il mordait où il pouvait, toujours pour se défendre, non point pour commencer. Son talent était généralement ennuyeux ; il manquait de grâce, sa conversation était lourde et un peu prétentieuse[310]. M. de La Harpe avait certainement plus d'esprit que lui.

Ce jour-là, notre dîner fut charmant néanmoins ; le margrave nous conta beaucoup de choses, et trouva moyen de nous parler sans cesse de lady Craven. Il en était uniquement occupé.

— Ce bon margrave, disait tout bas M. de La Harpe, il lui faut toujours une comédienne dans la tête.

La nouvelle du jour était une perte faite au jeu par un jeune de Castellane, qui venait de laisser plus d'un million au brelan ou au lansquenet.

— Savez-vous, disait M. de Boden, qu'il est marié et père de famille ?

— Alors cela n'a plus d'excuse, dit M. de Florian ; il ne lui reste que l'expiation, car ce sera bien terrible pour lui d'avoir ruiné sa femme et ses enfants ! Il va payer sa faute !

— Bah ! il les jouera, s'il ne lui reste rien à hasarder, reprit M. de La Harpe, les joueurs n'ont dans la poitrine qu'un as de cœur à la place de ce viscère, qui nous gêne tant nous autres.

— Vrai, monsieur de La Harpe, il vous gêne ? demanda en souriant le margrave.

— Monseigneur, je trouve sa place beaucoup trop large, il y remue.

— Je le comprends, il est si petit !

— Monseigneur, c'est qu'il n'a pas pu être plus grand ; voilà ce qui le rapetisse !

Cette définition nous toucha presque ; M. de La Harpe est un enfant trouvé, sans famille, qui n'a guère à aimer que lui-même et le peu de protecteurs que son mérite lui a faits.

— Pour en revenir à M. de Castellane, poursuivit M. Diodati, on assure qu'il a le cerveau faible ; son adversaire en a profité, ce qui n'est ni d'un beau joueur ni d'un honnête homme.

— Ah ! pour cela je le crois bien, ajouta M. de Marmontel ; il devrait y avoir pour cela des lois fort sévères.

— Il y a celles de l'honneur, monsieur, répliqua M. de Florian ; entre gentilshommes surtout, il me semble que cela suffit de reste.

— Monsieur de Florian, interrompit brusquement M. de La Harpe, est-il vrai que vous vous occupiez toujours de vos arlequins[311] ?

Cette manière subite de changer la conversation me parut cacher quelque malice, et M. de La Harpe mit dans le mot arlequin une expression qui semblait répondre au mot de gentilhomme, sur lequel M. de Florian avait appuyé. Soit que celui-ci n'eût pas la même idée, soit qu'il ne la montrât point, il répondit avec sa douceur ordinaire :

— Sans doute, monsieur, je m'occupe de mes arlequins, et j'espère avoir l'honneur de vous en faire part.

Le critique se tut après ; il ne put rien trouver à reprendre dans ce ton et dans ces paroles.

Nous eûmes une quantité de visites dans l'après-dînée, et nos convives s'éclipsèrent, sauf M. de Florian qui vint avec nous à la Comédie française rire à *Pourceaugnac* et souper chez madame la duchesse de Bourbon. L'histoire de M. de Castellane fut remise sur le tapis ; la princesse assura qu'elle n'était pas vraie.

— Cependant, madame, on la répète partout, les nouvelles à la main en retentissent, ce ne peut être une invention.

— N'invente-t-on pas tout aujourd'hui ?

Ce qu'il y a de *certain*, c'est que la chose me demeura *incertaine*, pour moi et pour bien d'autres. Je désire qu'il n'en soit pas de même pour le héros de l'aventure et que ses écus soient restés dans sa poche.

## CHAPITRE XXXII

16 février. — J'eus l'honneur de recevoir chez moi mademoiselle de Condé[312]. Cette princesse est d'une bonté dont rien ne peut donner l'idée. Son esprit est

orné et plein de saillies. Elle ne veut absolument pas se
marier. Madame la duchesse de Bourbon assure qu'elle
aime quelqu'un, que ce quelqu'un n'est pas de naissance
royale, et qu'elle se mettra au couvent, pure et sainte
comme elle est, plutôt que de donner sa main sans son
cœur. Je ne sais ce qu'il y a de vrai, mais le visage de
Son Altesse sérénissime montre une tristesse habituelle,
ou plutôt une mélancolie invincible. Elle aime passionnément son neveu, M. le duc d'Enghien, s'en occupe
sans cesse, et lui fait des présents continuels. Il a pour
elle un respect et une affection sans bornes.

17 février. — J'eus l'honneur de dîner chez madame
la duchesse de Bourbon. J'allai ensuite chez la comtesse
de Gondrecourt d'Aurigny, chanoinesse et dame du
chapitre de Poulangy.

La vicomtesse de Gondrecourt, qui était là, est une
Lénoncourt et a épousé son cousin. J'ai été, il y a
quelques années, très-bien reçue par elle à la campagne
de son mari, qui s'appelle Saint-Jean-sur-Moselle. Le
comte de Gondrecourt, son frère aîné, était colonel. Le
vicomte servait dans les gardes polonaises.

J'allai voir aussi la marquise d'Ecquevilly. Puis
madame de Longuejoue m'emmena au Singe-Vert, où
il y a toujours foule de beau monde.

18 février. — Une mode qui se répand à Paris est celle
du thé dans l'après-midi. Quelques étrangères l'ont
apportée, et chacun les imite. La princesse Galitzin
nous en donna un ce jour-là, où se trouvaient toutes les
dames russes. Je cherchais les occasions de les rencontrer pour parler de ma chère princesse. Elles avaient
des nouvelles de leur pays, et m'en donnaient souvent.
Nous en causâmes fort, comme à l'ordinaire.

J'eus l'honneur de rendre mes devoirs à mademoiselle
de Condé et à madame la duchesse de Bourbon, après
avoir été chez la duchesse de La Vallière, où je rencontrai madame de Genlis avec une fluxion invisible.

Je ne connaissais pas ce genre de maladie, mais la *dame-gouverneur* l'a positivement découverte.

— Voyez-vous, madame la duchesse, ces maux-là sont comme ceux du cœur, on en souffre bien plus lorsqu'ils paraissent moins.

La comparaison du cœur à une fluxion nous amusa beaucoup quand elle fut partie ; on dit là-dessus une foule de choses plus ou moins folles, mais tout à fait divertissantes. Les personnes à prétentions sont au moins certaines d'amuser à leurs dépens ; c'est toujours un succès. Madame de Genlis a infiniment d'esprit, de talents, de beauté même, mais elle gâte ces qualités en voulant en avoir encore davantage et ordonner l'admiration. Si elle l'attendait, elle serait plus sûre de l'obtenir.

19 février. — Je partis à huit heures du matin pour aller faire ma cour à Versailles. Je descendis chez madame de Mackau, où je fis une toilette. Elle me l'avait fait promettre et je m'y étais engagée. Son amitié et ses soins pour moi ne se sont jamais démentis. J'allai chez Leurs Majestés ; le roi, contre son habitude, me fit l'honneur de me parler. Il me demanda si madame la princesse de Montbéliard était un peu consolée de la mort de sa fille, et me témoigna un intérêt véritable pour toute cette auguste famille ; puis il ajouta :

— Je sais, madame, qu'on ne peut vous faire plus de plaisir qu'en vous fournissant l'occasion de dire du bien de vos amis.

La reine m'attaqua par un sourire et une menace de l'éventail.

— Ah ! madame d'Oberkirch, ce n'est pas bien ! vous êtes à Paris depuis longtemps et je ne vous vois point. Madame la duchesse de Bourbon vous absorbe ; je lui en ferai des reproches.

Les princes et princesses furent aussi fort aimables.

On présentait ce jour-là la comtesse de Marconnay, jolie comme un ange et semblable à une fée, tant elle semblait aérienne. La moitié des hommes de la cour tomba amoureux d'elle, et l'autre moitié se prépara à l'être à son tour. Elle avait d'ailleurs une de ces toilettes avec lesquelles on ne peut s'empêcher d'être charmante, à moins de le faire exprès. Je vis le duc de Villequier. Il était d'année, comme premier gentilhomme de la chambre ; il avait perdu l'année précédente sa seconde femme, mademoiselle de Saint-Brisson. La première était mademoiselle de Courtanvaux.

Le duc de Piennes, son fils, passe pour un des grands libertins de la cour. Il a vingt-quatre ans, et ne manque pas d'un certain air.

J'ai trouvé madame la princesse de Lamballe bien changée ; elle avait été empoisonnée l'année précédente par un ragoût qu'on avait laissé refroidir dans une casserole de cuivre. Madame de Pardaillan, qui avait également manqué en mourir, paraissait au contraire ne plus s'en ressentir.

J'avais fait ma cour avec madame de Bombelles, chez laquelle je dînai. J'allai ensuite me faire écrire chez la duchesse de Polignac, puis, en personne, chez madame de Matignon et chez madame de Soucy. Madame de Matignon est toute gracieuse et toute charmante. Mariée à quatorze ans, elle fut mère à quinze. Elle est d'une élégance achevée. Elle a fait un marché de vingt-quatre mille livres avec Baulard, moyennant quoi il lui fournit tous les jours une coiffure nouvelle.

Je trouvai chez elle madame la maréchale de Mailly, femme du vieux maréchal. Elle est vive, coquette, piquante, et attire tous les hommages. Son humeur folâtre lui a valu la faveur de la reine, et lui fait pardonner le plaisir qu'elle prend à agacer et désespérer nos seigneurs.

Voici la liste des femmes présentées à la cour en l'année 1786, avec la date de leur présentation :

| | |
|---|---|
| 2 janvier. | Princesse de Tarente (dame du palais). |
| 18 — | Comtesse de Marmier. |
| — — | Vicomtesse de Caraman. |
| 29 janvier. | Comtesse Charles de Lameth. |
| 31 — | Baronne de Staël-Holstein, ambassadrice de Suède (mademoiselle Necker). |
| 5 février. | Comtesse Hippolyte de Chabrillant. |
| — — | Comtesse de Tourdonnet. |
| — — | Marquise de Chastenay. |
| 19 — | Baronne de Béthune. |
| — — | Comtesse de Marconnay. |
| 13 mars. | Comtesse de Villefort. |
| 24 — | Vicomtesse de Mory. |
| — — | Comtesse d'Ourches. |
| 2 avril. | Comtesse de Pluviers. |
| — — | Baronne de Saint-Marsault. |
| 23 — | Duchesse de Saulx-Tavannes. |
| — — | Vicomtesse de Lort. |
| 14 mai. | Marquise de La Bourdonnaye. |
| — — | Comtesse de Beuil. |
| 21 — | Vicomtesse de Gand. |
| 28 — | Vicomtesse de Lévis. |
| — — | Marquise de Pimodan. |
| 4 juin. | Comtesse de Montléart. |
| 21 — | Marquise de Beaumont de la Bonninière. |
| — — | Vicomtesse Louis de Ségur. |

On ne m'en a pas donné davantage ; d'ailleurs les présentations n'ont guère lieu en automne pendant les chasses et les voyages de la cour.

Je revins à Paris le soir. J'avais pour chevalier le comte de Bose, qui fut parfaitement obligeant tout le temps du voyage.

20 février. — Nous allâmes chercher madame la
duchesse de Bourbon pour visiter la manufacture de
porcelaine de M. le duc d'Angoulême. Nous y vîmes des
vases et des services magnifiques. La princesse était
un peu incommodée, et me rendit la liberté d'aller de
bonne heure chez madame de Dietrich où je dînais,
ainsi que madame de Bernhold, et où le baron d'Andlau nous fit rire aux larmes en nous contant sa visite
à madame Helvétius. Il y fut conduit par son cousin,
et son entrée a vraiment quelque chose d'extraordinaire. Madame Helvétius est mademoiselle de Ligneville, je l'ai dit. Elle est nièce de madame de Graffigny,
l'auteur des *Lettres péruviennes*. Madame Helvétius
habite une superbe maison à Auteuil, elle y vit entourée des plus beaux chats angoras du monde. M. d'Andlau arrive avec son introducteur ; il est d'abord ébloui
d'une grande magnificence ; il salue, on le nomme ; la
maîtresse de la maison le reçoit à merveille, le laquais
cherche à lui avancer un siège. Voici la conversation
textuelle :

— Monsieur, j'ai l'honneur de vous saluer... Que
faites-vous donc, Comtois ? vous dérangez *Marquise*.
Laissez ce fauteuil... Charmée, monsieur, de faire
connaissance avec vous... C'est encore pis cette fois,
*Aza* est malade ; il a pris ce matin un remède...

— Mais madame, c'est que...

— Vous êtres un imbécile, cherchez mieux. Messieurs, vous voici par un temps superbe... Pas par ici,
misérable ! c'est la niche de *Musette* ; elle y est avec ses
petits, et va vous sauter aux yeux.

Pendant ce temps le baron d'Andlau et son cousin
sont debout, au milieu du salon, ne sachant où prendre
un siège, et se trouvant entourés de *vingt* angoras énor-
mes de toutes couleurs, habillés de longues robes four-
rées, sans doute pour conserver la leur, et les garantir
du froid, en les empêchant de courir. Ces étranges figures sautèrent à bas de leurs bergères, et alors les visi-

teurs virent traîner des queues de brocart, de dauphine, de satin, doublées des fourrures les plus précieuses. Les chats allèrent ainsi par la chambre, semblables à des conseillers au parlement, avec la même gravité, la même sûreté de leur mérite. Madame Helvétius les appela tous par leurs noms, en offrant ses excuses de son mieux. M. d'Andlau se mourait de rire, et n'osait le laisser voir, mais tout à coup la porte s'ouvrit, et on apporta le dîner de ces messieurs dans de la vaisselle plate, qui leur fut servie tout autour de la chambre. C'étaient des blancs de volaille ou de perdrix, avec quelques petits os à ronger. Il y eut alors mêlée, coups de griffes, grognements, cris, jusqu'à ce que chacun fût pourvu et s'établit en pompe sur les sièges de lampas qu'ils graissèrent à qui mieux mieux.

— Je ne savais plus où me mettre, ajouta M. d'Andlau, et je craignais de me lever avec un aileron à mon habit ; ces chats ne respectaient rien, la robe de leur maîtresse encore moins que le reste.

Cette histoire des chats nous amusa beaucoup, et M. d'Andlau la raconta dans tout Paris.

Le soir, j'allai avec madame la duchesse de Bourbon entendre de nouveau *Richard Cœur-de-lion*, qui m'avait enchantée. Le rôle d'Antonio était assez mal joué ; on en vint alors aux regrets sur mademoiselle Rosalie, qui s'est retirée il y a deux ans, et qui était si charmante dans ce conducteur de l'aveugle. Un jour, qu'elle voulut jouer pièce à Clairval, qui remplissait le personnage de Blondel, elle mit des épingles à sa manche. Celui-ci se piqua outrageusement en s'appuyant sur elle, ce qui valut à l'espiègle quelques jours de prison.

— Pourquoi s'appuyait-il si fort ? donnait-elle pour raison au commissaire qui l'interrogea. Une autre fois il y fera attention, je n'aurai plus besoin de le porter.

21 février. — Madame de Longuejoue nous avait conviés à déjeuner avec quelques personnes de notre intimité ordinaire, et la comtesse de Buffevent, chanoi-

nesse du chapitre de Neuville en Bresse, un des plus nobles de France, sinon des plus riches.

Elle avait trois frères : le comte de Buffevent, qui était lieutenant-colonel de Lorraine-Infanterie ; le vicomte qui a épousé mademoiselle de Chaumont de La Galaisière, fille de l'intendant d'Alsace, dont la sœur a épousé le vicomte de Beaumont d'Autichamp ; enfin le chevalier de Buffevent, de l'ordre de Malte, qui était maréchal de camp.

J'emmenai quelques personnes dîner chez moi, et le soir, à la Comédie française, voir *Zaïre* et *Dupuis et Desronais* ; assez sotte journée à raconter.

22 février. — Nous déjeunâmes chez la margrave de Hesse-Rothembourg. Elle était une princesse de Lichtenstein, belle-sœur de madame la duchesse de Bouillon et de ma chère princesse Antoinette de Hesse, qui sont les sœurs du landgrave son mari. Elle avait alors à peu près trente-deux ans.

Nous causâmes longtemps de son beau-frère, le prince de Hesse, tué à Tiflis, deux ans auparavant, en combattant les Perses[313], et elle nous donna sur lui les détails les plus intéressants. Il avait une passion dans le cœur, et écrivit à sa maîtresse du champ de bataille. Cette lettre était un chef-d'œuvre d'éloquence, de résignation et d'héroïsme. Il se jeta à travers les combattants avec un courage de demi-dieu. On le regretta beaucoup dans sa famille et à l'armée.

En sortant de dîner chez madame la duchesse de Bourbon, nous allâmes avec elle à la Comédie italienne, où nous eûmes la *Fausse Magie*, ce délicieux opéra de Grétry, et le *Sylvain*, de lui également. Le rôle de Pauline fut parfaitement joué ; il y avait aussi l'*Incendie du Havre*, opéra-comique mêlé de couplets, de M. Desfontaines. C'était la seconde représentation ; on avait donné la première la veille. L'incendie est fort bien représenté. C'est presque une pièce de circonstance, car le sujet est la conduite des soldats du régiment de

Poitou et de Picardie qui ont éteint ce terrible incendie, et ont refusé la récompense que leur offraient les
magistrats municipaux de la ville du Havre. De pareils
traits n'étonnent jamais de la part de soldats français.

23 février. — Madame la duchesse de Bourbon voulut faire une galanterie à ma fille ; elle la comblait de
bontés et ne cessait de chercher le moyen de lui faire
plaisir. [Ayant entendu Marie me dire : « Oh ! maman,
que vous êtes heureuse de pouvoir aller danser au bal !
la princesse lui demanda : « Aimeriez-vous aussi, ma
chère enfant ? Je ne crois pas qu'il soit nécessaire
d'attendre davantage pour vous donner ce plaisir. Je
vous promets que vous irez à un bal, comme votre
mère. » Elle tint parole.]

Elle invita pour elle, ce matin-là, une quantité d'enfants pour un petit bal. Parmi eux se trouvaient Mademoiselle, ses jeunes frères et M. le duc d'Enghien, plus
âgé que les autres et qui néanmoins n'a pris aucun air
d'importance ; il fut charmant. Les autres conviés
étaient les fils et les filles des seigneurs les plus connus
et les plus attachés à la cour particulière de Son Altesse
sérénissime et de sa famille.

Ce mignon petit peuple était délicieux. On les avait
vêtus avec la dernière élégance ; il fallait voir leurs
coquetteries, leurs manières, leurs prétentions et leurs
rivalités. Le monde était déjà là, dans leurs petites têtes
et leurs petits cœurs. Ils se regardaient danser et s'ob-
servaient les uns les autres. Un petit enfant de six ans
attira bien vite l'attention de tous, l'envie d'un côté, les
moqueries de l'autre. Il portait en effet le costume le
plus étrange et le plus grotesque. L'anglomanie commençait à poindre, on le sait : ses parents l'affublèrent
d'un frac anglais de drap bleu, de bottes à retroussis et
d'une perruque de cocher. Il se promenait ainsi raide
et compassé d'un angle du salon à l'angle opposé, et
n'avait point d'épée, ce qui était une innovation

prodigieuse, et le fit critiquer par ses petits amis qui lui demandèrent s'il n'était pas gentilhomme.

Ils mangèrent, dansèrent, chantèrent de midi à neuf heures du soir. Marie revint la plus heureuse de la terre : la fête était pour elle ; elle avait dansé avec M. le duc d'Enghien et M. le duc de Valois[314] ; elle en paraissait fort satisfaite. La princesse avait mis à tout cela une bonne grâce charmante, et parut s'en amuser elle-même beaucoup. Cette fête d'enfants était d'ailleurs une nouveauté que madame de Genlis avait seule *essayée*. Madame la duchesse de Bourbon, qui veut aussi essayer de tout, et qui malheureusement ne trouve jamais de satisfaction aussi complète que ses désirs, s'en lasserait bientôt pour courir à autre chose. Elle passe vite du plaisir aux idées sérieuses. Dieu seul pourra un jour calmer cette imagination et satisfaire ce cœur. Son caractère et l'insouciante gaieté de M. le duc de Bourbon ne pouvaient sympathiser longtemps, on le devine.

24 février. — J'eus le matin chez moi le comte de Montbéliard (je dirai plus tard qui c'est) et beaucoup de gens pour affaires ou pour visites. Nous vîmes ou plutôt revîmes le soir *Alceste*, de Gluck, qui est la plus belle chose du monde, bien que la musique ne soit, dit-on, ni assez variée, ni assez soutenue. L'attention se portait sur mademoiselle Guimard[315], qui dansait son fameux pas de bacchante intercalé dans cet opéra assez maladroitement.

Cette célèbre personne, malgré l'argent immense qu'elle a coûté à tant de gens de la cour et de la ville, se trouvait *gênée* ; elle avait des dettes et voulait mettre sa maison en loterie. Elle est estimée cinq cent mille livres, et c'est bien autre chose que celle de mademoiselle Dervieux. On parlait d'un cabinet chinois qui valait des sommes folles, mais elle l'emporta. C'était, assure-t-on, une chose unique en Europe ; en Hollande même, il n'en est pas un semblable ; on le visitait par curiosité comme une merveille.

Mademoiselle Guimard trouva ce jour-là, à la scène, des grâces nouvelles ; ces grâces-là sont la cause de bien des sottises.

25 février. — J'eus encore beaucoup de visites : le baron de Sponn, premier président du conseil souverain d'Alsace, qui a épousé mademoiselle Quatresous de La Mothe, MM. de Buffevent, de Gondrecourt, de Longuejoue, d'Aumont et de Saint-Prest déjeunèrent chez moi. Ce dernier est maître des requêtes et conseiller d'honneur à la cour des comptes. Ce pauvre homme est fort malheureux. Sa femme a eu une aventure telle, que le roi, à la demande de sa famille, l'a fait arrêter pour la conduire au couvent de Saint-Michel. M. de Saint-Prest (Brochet de Saint-Prest) a un autre frère qui s'appelle Brochet de Vérigny. Ils sont parents de la famille de Gondrecourt, qui sont, comme on le sait, de qualité, et dont une branche est établie en Poitou, l'autre à Versailles. Je vis enfin le comte de Hornbourg, dont je parlerai, ainsi que du comte de Montbéliard, dans le chapitre suivant.

# CHAPITRE XXXIII

Je parlais tout à l'heure de la visite des comtes de Montbéliard et de Hornbourg, et j'ai promis d'expliquer quels étaient ces seigneurs, et quelles étaient mes relations avec eux. C'est une histoire d'une grande exactitude : elle est essentielle à savoir pour ceux qui veulent connaître les origines et les raisons des événements historiques qui touchent les petits États, et elle offre assez d'intérêt pour amuser presque autant qu'un sujet d'imagination. Je la tiens de la bonne source. Mon aïeul, M. de Waldner, fut mêlé aux négociations diplomatiques qui en résultèrent ; il a laissé des notes détaillées, et ses souvenirs oraux se sont transmis facilement jusqu'à moi, grâce aux nombreuses conversations que j'ai entendues chez mon père, et à Montbéliard, où les folies du duc Léopold-Eberhard sont encore vivantes.

Ainsi que je l'ai dit, la principauté de Montbéliard, gouvernée depuis 1699 par Léopold-Eberhard de Wurtemberg, duc de Montbéliard, issu d'une branche cadette de la maison ducale de Wurtemberg, retourna à la branche aînée de cette maison à sa mort, en 1723, ce prince n'ayant pas eu d'héritiers habiles à succéder. Cette riche succession donna lieu à de nombreuses difficultés et occupa beaucoup les cours de l'Europe. Ce n'est pas ma faute si cette histoire ressemble beaucoup plus à un roman, d'une invraisemblance et d'une extravagance achevée, qu'à une chose sérieuse. Je raconterai les faits et leurs conséquences, dont la principauté s'est longtemps ressentie.

Léopold-Eberhard était fils de Georges de Wurtemberg-Montbéliard et d'Anne de Coligny. Sa mère descendait de l'illustre maison de Coligny et (m'a-t-on assuré, mais de ceci je ne puis répondre, et je n'ai jamais eu la possibilité de vérifier le fait avec certitude) de la fille du comte de Bussy-Rabutin, devenue en secondes noces madame de La Rivière, qui hérita de l'esprit de son père et qui eut un procès si scandaleux. Je ne sais jusqu'à quel point cette assertion est fondée ; il me semble avoir lu quelque part que son fils, ce jeune Coligny, était mort sans postérité. Quoi qu'il en soit, et certainement, la mère de Léopold-Eberhard était de la même maison que l'amiral et avait de ce brave sang huguenot dans les veines[316].

Elle adorait son fils ; elle en fit son idole, et, comme il n'avait pas l'amour du travail, elle défendit qu'on l'obligeât à quelque occupation que ce fût. À douze ans, il ne savait encore ni lire ni écrire. C'était le plus bel enfant du monde : d'une santé et d'une vigueur extra-ordinaires, il avait les traits les plus admirables et une perfection de formes commune à toute la maison de Wurtemberg, dont la beauté est héréditaire et prover-biale.

Le duc Georges s'ingéra, on ne sait pourquoi, de faire apprendre l'arabe à son fils, au lieu du français et de l'allemand qu'il ne posséda jamais autrement que par l'usage. L'imagination de feu du jeune prince s'alluma à ces fictions orientales ; il prit le Coran au sérieux. Sans en adopter toutes les doctrines, il en est une du moins sur laquelle il faussa tout à fait son jugement, c'est celle du mariage. Il trouva dans ce livre imposteur une justification et une excuse de son penchant à la débauche et de son besoin d'un changement perpétuel de femmes et de maîtresses, le scandale des gens de bien, la honte de son règne et son propre malheur, comme on va le voir. Le duc Georges son père avait vu ses États envahis par les Français. Obligé de fuir, il emmena son fils en Silésie où il resta jusqu'en 1681. Voulant à cette époque rentrer dans le Montbéliard, il traversait le Wurtemberg lorsqu'il fut arrêté par ordre du duc Frédéric-Charles, qui ne le mit en liberté que pour obéir à l'ordre de l'Empereur et après trois man-dements impériaux successifs.

Lorsque Léopold-Eberhard eut atteint l'âge de dix-huit ans, il entra au service de l'Empire, y devint colo-nel et se distingua contre les Turcs en 1693 à la bataille de Tockay ; il les força à la retraite et à repasser la Save, puis il voyagea quelques années. Il connut à Rejowitz, près de Posen, Anne-Sabine de Hedwiger, fille noble de Silésie, d'une rare beauté et d'un caractère aussi noble que désintéressé. Ces jeunes gens ne tardèrent pas à s'aimer ; ils se l'avouèrent, ainsi que cela n'arrive que trop souvent à une jeunesse imprudente ; mais Sabine était vertueuse, et, malgré la différence de rang, le prince

se décida à l'épouser. Ce mariage morganatique se
conclut sans l'autorisation de son père (sa mère était
morte dès 1680). Le jeune prince resta plusieurs années
à l'étranger avec sa femme, dont il eut quatre enfants ;
deux survécurent, une fille nommée Léopoldine-
Éberhardine, et un fils appelé Georges-Léopold.

Anne-Sabine de Hedwiger avait trois frères : l'aîné,
officier très-distingué et très-brave, était devenu par son
mérite lieutenant général des armées du roi de Danemark ; le second était capitaine au service d'Autriche ;
enfin le troisième présida la régence de Montbéliard.
Le prince sollicita fortement l'Empereur de leur donner un rang proportionné à l'honneur qu'ils avaient de
son alliance. Lorsqu'il eut succédé à son père, il en
obtint pour eux et pour leur sœur le titre de comtes et
de comtesse de Sponeck, nom d'un château dépendant
de Montbéliard et situé sur les bords du Rhin, dans le
Brisgau.

Le prince Georges avait fini par accepter le mariage
de Léopold, surtout après la naissance d'un fils, et par
lui permettre d'amener sa famille à Montbéliard, où il
arriva en 1698. Cette arrivée fut marquée, pour Sabine
de Hedwiger, par un malheur véritable, et fut le commencement de tous ceux qui la devaient accabler par
la suite. Léopold-Eberhard avait retrouvé au service
d'Autriche le fils d'un nommé Curie, dit l'Espérance,
vieux soldat retiré à Montbéliard. Ce fils, soldat lui-
même, alla tenter la fortune dans l'armée de l'Empereur, laissa de côté le *Curie*, se fit appeler de l'Espérance, devint officier, se maria, et mit au monde un fils,
plus quatre filles belles comme le jour, et aussi spirituelles et adroites qu'elles étaient belles. M. de L'Espérance retrouva à Posen l'héritier de son souverain, lui
présenta ses devoirs, et le prince connut par là ces merveilleuses beautés, pour lesquelles son inconstance
délaissa bientôt l'excellente Sabine.

Son cœur, encore incertain, hésitait d'abord entre les quatre ; mais, résolu à ne pas se séparer d'elles, il en chercha le moyen. Ce n'était point facile ; la bassesse de leur naissance, parfaitement connue à Montbéliard, les éloignait de tout, et ne permettait pas leur admission au palais. Le prince ne se rebuta pas ; il avait une grande séduction de parole et de manières ; il excellait dans l'art de tourner les difficultés et de montrer les choses sous leur plus beau jour. Il avait succédé au duc Georges, son père, en 1699, dans la principauté de Montbéliard. Il demanda à l'Empereur le titre de baron pour l'Espérance, officier méritant, distingué, et jusque-là méconnu, disait-il, et qui n'ambitionnait pas d'autre récompense. L'Empereur ne lui refusa point cette faveur pour un militaire né sujet de Montbéliard, et auquel il était tout simple qu'il s'intéressât. Il ne fut, dans cette négociation, nullement question de ses quatre filles, qui se trouvèrent naturellement baronnes, et prirent un rang par la grâce de Sa Majesté.

Ce pas difficile franchi, le prince présenta ces dames à Sabine de Hedwiger, sa femme. Elles lui plurent d'abord beaucoup. Bien élevées, elles avaient des talents, de la grâce, de la douceur, de charmants caractères, et étaient remplies pour elle de respect et d'attentions délicates. La voyant dans de si bonnes dispositions, le prince en profita pour lui représenter que c'était pour elle une société toute trouvée, et qu'elle devrait les emmener avec elle à Montbéliard et les fixer près de sa personne. La jeune femme réfléchit, sans se douter encore de la vérité, c'est-à-dire de la passion de son mari : elle éprouva bientôt comme un pressentiment et refusa cette offre. Le prince insista : elle obéit avec sa douceur ordinaire, mais aussi avec une répugnance que l'avenir ne justifia que trop. Les baronnes de l'Espérance furent installées près d'elle, et se conduisirent pendant quelque temps de façon à laisser les soupçons incertains, sinon à les détruire. La pauvre Sabine, se voyant cependant négligée et devenant malheureuse, prit confiance en elles, se reprocha l'injustice de ses soupçons, et leur laissa voir une douleur dont elle ne pouvait pas deviner la véritable cause.

Ces quatre sœurs s'appelaient : Sébastienne, Henriette-Edwige, Polixène, et Élisabeth-Charlotte.

La seconde, Henriette-Edwige, était mariée depuis 1697 à un gentilhomme de Silésie nommé Sandersleben ; sa sœur Sébastienne était veuve d'un homme de bas étage dont elle avait eu deux enfants : c'est à celle-ci que Léopold-Eberhard offrit d'abord ses vœux, et il prit pour elle une passion que rien ne peut rendre.

Sa femme, de plus en plus aveuglée, crut aux protestations de dévouement de Sébastienne de L'Espérance et à celles de ses sœurs, et les choisit souvent pour intermédiaires entre elle et son mari. Dieu sait ce qu'elles répétèrent, et comment elles arrangèrent les affaires de l'infortunée Sabine. Ce qu'il y a de sûr, c'est que le prince et sa femme firent leur entrée triomphante à Montbéliard escortés des quatre baronnes de L'Espérance, ces oiseaux de malheur, ces sirènes traîtresses qui ont si fort avili et dégradé cet indigne prince Léopold-Eberhard, triste héritier d'une grande et noble race.

À peine la comtesse de Sponeck fut-elle à Montbéliard que les intrigues, les indiscrétions calculées, les méchancetés aussi, lui révélèrent ce qu'elle avait ignoré jusque-là, ou du moins ce qu'elle s'était refusée à croire ; elle sentit son cœur d'autant plus fortement blessé qu'elle avait eu plus de confiance.

Les quatre sœurs avaient des beautés différentes et toutes remarquables. L'aînée, Sébastienne, était grande, blonde, d'une taille imposante, mais gracieuse ; elle semblait la plus douce et la meilleure des créatures ; ses yeux bleus s'alanguissaient et cherchaient une flamme qu'ils allumaient comme à leur insu. Henriette-Edwige, brune, ardente, passionnée, souvent sombre et jalouse,

allant jusqu'à la menace, était d'autant plus dangereuse qu'elle était au fond maîtresse d'elle-même, très-
soigneuse de ses intérêts, et très-prompte à deviner ce
qui pouvait la servir.

Élisabeth-Charlotte, petite femme toute mignonne,
toute charmante, gaie, folle, insouciante, ne vivait que
pour le plaisir ; elle chantait et dansait du matin au
soir, et n'avait pas dans la tête un grain de bon sens.

Polixène était certainement le chef-d'œuvre physique
de la création ; elle réunissait en elle seule les beautés,
les charmes, les séductions de ses trois sœurs. Elle avait
la dignité de l'une, la fierté de l'autre, la gaieté, la
grâce ; elle avait tout : elle possédait de plus un esprit
ravissant, une instruction variée et des talents enchanteurs. Elle plaisait toujours, à chaque moment, et à
chaque personne à qui il fallait plaire. J'ai vu un portrait d'elle qu'on gardait à Montbéliard comme une
merveille ; la tradition disait qu'il n'approchait pas de
sa magnifique et incomparable beauté.

Quant à la comtesse de Sponeck, à la vertueuse
épouse, à celle qui méritait l'amour et le respect d'un
prince ingrat, c'était un visage modeste, distingué, de
beaux yeux, des cheveux superbes, un grand air, un
caractère aimable, doux et résigné, un dévouement à
toute épreuve, une bonté extrême, joints à un esprit
plus juste que brillant. Elle devait succomber dans cette
lutte contre des êtres pervers et dangereux.

Quelque mystère que le prince cherchât à apporter
dans ses relations avec la belle Sébastienne de L'Espérance, la comtesse en fut instruite avec des détails si
précis, qu'il ne lui fut plus possible de douter de l'infidélité de son mari et de l'insulte qu'il lui faisait en ayant
une maîtresse sous son propre toit. Elle exprima cependant d'abord seulement de douces plaintes, cherchant,
comme on doit le faire, à ramener son époux dans le
sentier du devoir par son affection, sa douceur, et par le
souvenir de leur ancien amour. Puis elle crut le toucher

par sa résignation et la poussa jusqu'à la faiblesse, en n'exigeant pas le renvoi de celle qui lui enlevait son bonheur. Mais rien ne put arrêter cette passion coupable, qui se manifesta au grand jour par le don que Léopold-Eberhard fit à Sébastienne de L'Espérance du château de Seloncourt, et du titre qu'il lui donna de maîtresse d'hôtel de la cour, place occupée d'ordinaire par des dames de haute qualité.

Cependant, pour enlever à sa femme ses raisons de jalousie, il fit semblant de s'occuper de sa sœur Polixène, et si bien qu'en jouant cette comédie, il en tomba véritablement amoureux. Celle-ci le conduisit aux plus grandes folies, aux plus grands sacrifices, mais bientôt elle mourut (en 1708) à la fleur de son âge, presque au milieu d'une fête. Cette mort était un avertissement de Dieu peut-être ; Léopold-Eberhard n'en profita pas, une fois entré dans une pareille voie, on ne s'arrête plus.

Déjà, le malheureux duc avait tourné les yeux vers madame de Sandersleben (la seconde des sœurs, Henriette-Edwige). Cette liaison excita la jalousie du mari de celle-ci. M. de Sandersleben, ayant eu quelques doutes sur la naissance d'un fils qui lui advint en 1700, fit un éclat, quitta le service du prince et se sépara de sa femme au commencement de l'année 1701.

La patience de la comtesse de Sponeck finit par l'abandonner. Après avoir supporté pendant de longues années ce supplice, après avoir essayé des reproches, qui ne firent qu'irriter et aigrir son mari, elle se retira dans son appartement et ne voulut plus avoir rien de commun avec ce prince dépourvu de tout principe, et dont les idées fausses, puisées dans le Coran, avaient sûrement troublé le cerveau. Elle ne vit plus que des âmes bonnes et charitables qui la plaignirent, la consolèrent, qui trouvèrent le moyen de lui rendre supportable cette existence infernale à laquelle bien peu de femmes eussent pu résister. À la fin cependant, bravée avec une insolence sans pareille, elle reprit toute sa dignité, chassa de sa présence, dans une occasion qui se présenta, ces femmes méprisables, artisans de ses malheurs, et dès le soir même demanda à quitter la cour, à emmener ses enfants, à vivre désormais loin de ceux qui l'avaient outragée. Léopold-Eberhard y consentit, et ils se séparèrent par consentement mutuel en 1709.

Il lui donna pour sa vie la jouissance du château d'Héricourt et des terres qui en dépendaient, ainsi que des droits et revenus. Elle s'y retira pour y finir sa vie, et mourut en 1735, après avoir vu son mariage cassé, comme je le dirai. Elle était fort aimée ; la cour tout entière la conduisit à cet asile, où elle fut escortée par quarante jeunes gens à cheval des plus honorables familles de Montbéliard. Le prince de Wurtemberg-Oels, le propre beau-frère de Léopold-Eberhard, voulut se joindre à ce cortège. Ce fut un grand sujet de fureur pour ses ennemis ; Henriette-Edwige faillit en étouffer de colère.

Cette séparation porta malheur au duc, car cette même année 1709 mourut madame de Sandersleben, dont il avait eu cinq enfants depuis qu'elle était séparée de son mari. Cette seconde mort parut le frapper, et il songea à assurer non-seulement le sort de ces enfants, dont deux survécurent, mais aussi le sort de ceux qu'elle avait eus de M. de Sandersleben. Il adopta ceux-ci comme les autres, leur donna le comté de Coligny, qui provenait de sa mère Anne de Coligny, et plusieurs fiefs et domaines allodiaux tant dans les seigneuries que dans le comté de Montbéliard, et leur fit prendre le nom et les armes de Coligny avec le titre de comtes[317]. Les uns s'appelèrent de Sandersleben-Coligny, les autres de L'Espérance-Coligny.

Cependant les charmes de la quatrième sœur parlèrent bientôt à leur tour à l'imagination de ce prince immoral. On voit que cette triste et curieuse histoire ressemble, à quelques nuances près, à celle de Louis XV et de mesdemoiselles de Nesle qui furent également, on le sait à la honte de leur nom, vieux comme la monarchie, l'une après l'autre, peut-être ensemble, les maîtresses d'un roi faible et corrompu par les mœurs de la Régence. Mais Élisabeth-Charlotte de L'Espérance finit, après plusieurs années de liaison, par décider le duc à l'épouser. Le mariage de celui-ci avec la comtesse de Sponeck, dont il était séparé de fait depuis cinq ans, fut cassé le 6 octobre 1714, et le 15 août 1718 il épousa morganatiquement, en secondes noces, Élisabeth-Charlotte de L'Espérance dont il avait eu cinq enfants, et dont il en eut deux autres après ce mariage.

L'indignation publique allait toujours en augmentant. On agita même à la Diète la question de sa déchéance, on préférait le regarder comme fou que d'accepter de semblables scandales ; d'autres motifs prévalurent, et on laissa aller les choses.

Cependant on ne savait où s'arrêterait sa démence. Il maria l'année suivante Léopoldine-Eberhardine, la fille qu'il avait eue de son mariage avec la comtesse de Sponeck, avec Charles de Sandersleben-Coligny ; puis il maria Georges-Léopold, comte de Sponeck, son fils, désigné prince héréditaire, à Éléonore-Charlotte de Sandersleben-Coligny, c'est-à-dire ses enfants du premier lit avec ses enfants adoptifs. On comprend que la comtesse de Sponeck s'y opposa de tout son pouvoir, qu'elle refusa son consentement, mais on passa outre.

Le lecteur comprend qu'il avait ainsi marié ses enfants avec ceux de M. de Sandersleben, mais cela n'en fit pas moins un scandale et un bruit dont rien ne peut donner l'idée. On dit mille choses plus affreuses les unes que les autres, on prononça même le mot d'inceste, les relations que le prince avait eues avec madame de Sandersleben, même pendant qu'elle vivait avec son mari, firent supposer, ce qui n'était certainement pas vrai, qu'il avait marié le frère avec la sœur. Quelque affreuse et immorale que soit la conduite de Léopold-Eberhard, le contraire paraît certain, et la date de ses relations avec madame de Sandersleben devait le prouver suffisamment. Comment croire d'ailleurs, sans frémir, à un pareil crime ?

Mais tout le reste était déjà si affligeant, que le mécontentement devint général. La honteuse conduite de Léopold-Eberhard révolta toute la population ; et, cédant aux sollicitations réitérées de bon nombre de bourgeois et d'habitants de la campagne, le magistrat de Montbéliard déclara qu'après la mort du prince, on ne reconnaîtrait pour successeurs que ses enfants nés en légitime mariage.

Cette déclaration excluait éventuellement, non-seulement tous les Coligny, enfants adoptifs ou naturels, mais encore les enfants de la seconde femme nés avant le mariage, messieurs de L'Espérance. On juge du mécontentement, des cris que poussèrent les personnes intéressées, et des démarches qu'elles firent, ainsi que Léopold-Eberhard, pour triompher de cette résistance.

Un second coup de foudre vint encore frapper le coupable prince ; un coup plus violent que ceux auxquels il s'attendait, et contre lequel il n'y avait ni rémission ni recours. La déclaration du magistrat de Montbéliard était juste, de toute justice ; celle qui survint et qui émana de l'Empereur peut être taxée de rigueur et d'inflexibilité. Un mandement de Charles VI, du 8 novembre 1721, fit défense aux bourgeois de Montbéliard et aux habitants du comté, de reconnaître pour prince aucun des enfants de Léopold-Eberhard, et déclara la branche de Wurtemberg-Stuttgart habile à succéder après sa mort. Il est vrai que les pactes domestiques de la maison de Wurtemberg, aussi bien que les lois de l'Empire, rendaient Georges-Léopold de Sponeck inhabile à succéder aux fiefs de Montbéliard qui se trouvaient dans la directe ou immédiateté de l'Empire. Le duc de Montbéliard avait lui-même fait à Wildbade, en

1715, un traité relativement à la succession éventuelle
de Montbéliard, par lequel il reconnaissait qu'elle
devait passer après lui au rameau de Wurtemberg-
Stuttgart. Il l'avait fait en haine de la pauvre comtesse
de Sponeck, que ses nouvelles maîtresses lui rendaient
odieuse et qu'il voulait frapper dans ce qu'elle avait de
plus cher, dans ses enfants[318].

Plus tard, la soumission du jeune comte de Sponeck
aux volontés de son père et son mariage, lui rendirent
d'autres sentiments ; d'ailleurs cette cause était devenue
aussi celle des L'Espérance ; ils se réunirent tous pour
tâcher de faire déchirer le traité ; leur père ne s'y refusa
point. Un bruit courut à cette époque, bruit qui se
confirma plus tard et que je retrouve avec toutes les
explications dans une lettre que je vais transcrire. Cette
lettre, qui n'a point de signature, est adressée à mon
grand-père. Elle est écrite dans certaines parties avec
un langage de convention, soit allemand, soit français ;
cependant j'ai lieu de penser qu'elle émane d'un des
Sponeck, frère de la malheureuse Sabine, celui qui a
présidé la régence de Montbéliard et avec lequel M. de
Waldner eut de fréquents rapports dans la négociation
de cette difficile affaire. Voici cette lettre :

« Monsieur le baron,

D'après votre désir, je viens vous rendre compte, le
plus succinctement possible, de ce qui s'est passé dans
nos deux visites et des résultats que j'en ai obtenus. Il
ne m'est plus permis de conserver de doutes sur ce que
nous avons dit ensemble la dernière fois que j'ai eu
l'honneur de vous voir ; et, lorsque vous aurez lu ces
lignes, vous le penserez comme moi. J'ai commencé par
le château d'Héricourt. Je trouvai la chère personne qui
l'habite triste et dolente comme de coutume, mais
exempte de toute inquiétude. Elle se reposait au
contraire avec une sorte de douceur, sur l'idée de voir

son fils en possession des droits de sa naissance, non qu'elle eût pour elle-même aucune pensée d'ambition, mais dans l'espoir qu'il serait plus heureux qu'elle dans l'avenir, en faisant aussi le bonheur de ses sujets. Elle me communiqua des projets, des certitudes, croyait-elle ; elle ne doutait pas que son cher fils ne parvînt à occuper une place brillante dans l'histoire, et à se faire un nom illustre qui puisse racheter les fautes de son père.

Je lui demandai des nouvelles de ce cher Georges.

— Il est allé voir son père, me répondit-elle tranquillement ; il devait le remercier de ce qu'il vient de faire, et tâcher de s'en rendre plus digne encore par l'attachement qu'il lui témoigne.

Je ne pus m'empêcher de trembler, en songeant à l'avis que j'ai reçu, mais je ne voulus point montrer des craintes qui pouvaient être chimériques, et je continuai mon interrogatoire.

— Où est le duc en ce moment ? il n'est point à Montbéliard.

Je le savais parfaitement, mais je voulais avoir l'air de l'ignorer pour donner plus de poids à mes conseils.

— Il est à Seloncourt, chez la baronne Sébastienne de L'Espérance, dit en pâlissant un peu la victime de ces abominables femmes.

— Georges de Sponeck y est aussi ?

— Certainement, et je dois ajouter qu'il y est entouré de soins et comblé de caresses.

— Ne le rappelez-vous point ?

— Pourquoi faire ?

Et aussitôt l'inquiétude brilla dans le regard maternel.

— À votre place, continuai-je sans avoir l'air de l'entendre, je le rappellerais ici.

— Vous savez quelque chose ? interrompit-elle, parlez de suite. Qu'y a-t-il ? quel malheur me menace encore ?

— Aucun autre que celui de revoir votre fils si vous me chargez de l'aller chercher à Seloncourt.

— Vous ne me parleriez point ainsi sans une raison majeure, expliquez-vous tout à fait, je le veux, je l'exige.

— Ma chère amie, je n'ai aucune explication à vous donner. Vous savez quelle vie on mène à Seloncourt, vous savez quels exemples il y peut prendre, ce qu'il y peut entendre, il me semble que près de vous...

Elle me regarda un instant comme pour chercher jusqu'au fond de mon âme, puis elle me dit en me regardant toujours :

— Vous avez raison, il faut que Georges revienne.

Elle se mit à écrire et se montra plus impatiente que moi de revoir son fils. Pour la satisfaire, il fallut partir le lendemain avec le jour ; je ne me fis pas prier.

Je tombai à Seloncourt comme une bombe, et mon arrivée atterra les deux femmes à ce point qu'elles trouvaient à peine une parole à m'adresser. Le prince était absent, mais le comte Georges était là, avec ses jeunes frères. Je n'oublierai jamais mon entrée dans cette salle où une grande table était dressée, couverte de mets de toutes sortes, de vins divers, de fruits merveilleux ; ces deux femmes étaient parées, et quelques-unes de leurs compagnes de plaisir les entouraient. Les enfants couraient par la chambre. L'embarras fut extrême, je dirai plus, l'anxiété était visible. La baronne Sébastienne s'avança vers moi, et me demanda d'une voix émue qu'elle s'efforçait de rendre arrogante :

— Qui vous amène ici, monsieur le comte ?

— Son Altesse est-elle à Seloncourt, madame la baronne ?

— Non, monsieur, mais, vous le voyez, on l'attend à chaque minute.

— Son Altesse vient souper ce soir ici ?

— Elle va venir ; j'ai l'honneur de vous le répéter.

— Je l'attendrai alors.

Cette décision parut achever la contrariété des L'Espérance ; elles causèrent quelques instants tout bas, puis la baronne Charlotte revint à la charge.

— Peut-être le duc tardera-t-il, monsieur.

— Je ne vous gêne point, j'espère, madame la baronne, lui demandai-je avec un demi-sourire.

— Non certes... monsieur... mais si l'on pouvait savoir...

— Ce que je désire de Son Altesse ? Oh ! rien n'est plus facile : je viens chercher le comte Georges de la part de la comtesse sa mère.

Les deux serpents se regardèrent interdites en pâlissant, à faire pitié si on ne les avait pas connues. Je suivais tous leurs mouvements ; elles s'en aperçurent, et leur gêne en redoubla.

— Cependant... monsieur... le comte Georges... on nous l'avait promis... il devait rester... Son Altesse... ne voudra pas... ne pourra pas...

— Son Altesse ne le refusera point à sa mère, je suppose, madame.

Le ton sévère avec lequel je prononçai ces paroles leur imposa sans doute ; elles ne me répliquèrent rien. Il y eut alors des allées, des venues, des changements de couverts, de bouteilles, je ne sais quelle gêne générale apportée par ma présence, enfin un abattement chez les deux sœurs très-remarquable à observer ; rien ne m'échappait, je vous le jure. Les chuchotements ne cessaient point. Je voyais, avec une sorte de malin plaisir, le désappointement qu'elles éprouvaient, l'ennui que leur donnait la nécessité de m'engager à ce repas, et qu'elles n'osaient avoir l'impertinence de ne pas le faire. Elles risquèrent une demi-invitation :

— Si monsieur le comte voulait...

Et du geste elle me montra un domestique me présentant un plateau. Je remerciai également du geste, sans ajouter une parole ; l'embarras resta donc le même. Je ne prononçais pas un mot, ou je causais avec le comte Georges à voix basse. On eût dit qu'un manteau de glace s'étendait sur cette société auparavant si rieuse. Les deux sœurs s'étaient retirées dans la vaste embrasure d'une croisée. Elles causaient vivement et à demi-voix en polonais, ne croyant être comprises de personne. Heureusement je m'en rappelais quelques mots et je pus saisir à peu près le sens de leur discours dont la conclusion fut ceci :

— Il faut y renoncer, disait Sébastienne, on a des soupçons.

— Cela vous est facile à dire ; quant à moi, je l'ai résolu et ce sera.

Je ne saurais vous rendre l'expression pour ainsi dire féroce de ce visage d'ordinaire si riant ; j'en fus épouvanté. La baronne s'avança vers moi :

— Puisque vous refusez notre hospitalité, monsieur le comte, il est, je crois, malséant de vous faire attendre Son Altesse, qui peut-être tardera beaucoup ; vous pouvez emmener dès à présent le comte Georges, je prends sur moi de prévenir le duc ; il le trouvera bon. Je suis d'ailleurs fort empressée d'être agréable à madame de Sponeck en lui renvoyant son fils. On m'a faite à ses yeux méchante et noire, je tiens à lui prouver que je vaux mieux que ce portrait. Veuillez le lui dire de ma part.

— Personne ne vous a calomniée près de la comtesse, madame, répondis-je ; ce qu'elle sait de vous, c'est par vous-même qu'elle l'a appris.

J'appelai le jeune comte, je fis une révérence tronquée et je m'en allai coucher, avec cet héritier du prince, dans une auberge de village, sur la route, avec plus de confiance que sous le toit de Seloncourt, où, j'en suis convaincu, un danger certain l'attendait. Ces femmes perverses sont capables de tout pour frayer un chemin aux enfants de Charlotte, et le comte Georges est le seul obstacle entre l'héritage paternel et eux.

Voilà, monsieur le baron, les détails que je vous ai promis. Ils confirment le bruit public, nos avertissements particuliers. Plaise au ciel que nous parvenions à écarter ce danger ! »

Ce bruit d'empoisonnement se répandit partout ; il devint assez fort pour préoccuper l'opinion, et qui sait si le mandement de l'Empereur n'a pas sauvé la vie au comte de Sponeck en le déshéritant ? M. de Waldner, on le voit, prenait grand intérêt à la comtesse de Sponeck, et par conséquent à son fils. Ses talents diplomatiques et ses qualités d'homme d'État lui donnaient un grand crédit sur l'esprit de Léopold-Eberhard. Il en profita souvent dans l'intérêt de la pauvre délaissée et de ses enfants.

Ainsi que je l'ai dit, Charles VI, en faisant son mandement, ratifiait le traité de Léopold-Eberhard lui-même. Il défendit aux enfants du duc de Montbéliard de prendre le nom et les armes de Wurtemberg. Mais outre la principauté de Montbéliard, proprement dite, le prince possédait des fiefs et des terres allodiales qui relevaient de la France. C'étaient les seigneuries de Blamont, Passavant, Clerval, Granges, Héricourt, Châtelot et Clémont, en Franche-Comté[319] ; puis, en Alsace, la seigneurie de Riquewihr et le comté de Horbourg. Comme les lois françaises ne font pas de distinction entre les mariages égaux et inégaux, le comte de Sponeck se trouvait en droit de réclamer l'héritage de ces fiefs, qui ne dépendent pas de la mouvance wurtembergeoise, et sont soumis à la jurisprudence française.

Le duc Léopold-Eberhard partit pour Paris (le 28 avril 1720) avec MM. de Coligny et le baron de Waldner, alors grand chambellan du prince de Birckenfeld, pour assurer l'état et la fortune de ces jeunes gens, en assurant d'abord ceux du comte de Sponeck auquel mon aïeul s'intéressait avant tout. Dans ce but, M. de Waldner fit encore après un voyage à Vienne en 1722,

afin de solliciter la révocation du mandement impérial ; ses efforts furent infructueux[320]. Le futur prétendant
était avec lui. Ils restèrent huit mois en démarches,
en prières, sans rien obtenir, et revinrent fort tristes à
Montbéliard.

Très-peu de temps après, au commencement de l'année suivante, Léopold-Eberhard était au château,
entouré de sa cour ordinaire, de ses enfants légitimes,
naturels et adoptifs, lorsqu'il fut frappé, au milieu d'un
festin, d'une attaque d'apoplexie foudroyante. Il ne
reprit point entièrement connaissance, ne put faire
aucune nouvelle disposition, et mourut trois semaines
après, d'une seconde attaque, le 25 mars 1723, avant
que cette affaire de succession fût terminée. Il avait
cinquante-trois ans. La comtesse de Sponeck était
accourue près de lui au premier danger ; elle le soigna
avec une affection et une miséricorde qui donnèrent la
mesure de sa vertu et apportèrent un lustre nouveau à
son caractère déjà si estimable et si estimé ! Les autres
lui cédèrent la place et commencèrent à s'occuper d'intrigues pour leur position à venir.

Le prince fut inhumé sans aucune pompe, presque
mystérieusement : on craignait les insultes du peuple
dont il était abhorré ; on le porta de nuit à l'église,
assure-t-on ; ce furent ensuite de grands embarras
pour les bourgeois et les paysans.

Déjà, sur la nouvelle de sa maladie, le duc de Wurtemberg Stuttgart avait adressé des lettres patentes à
tous ses vassaux et sujets de la principauté de Montbéliard, leur enjoignant de le reconnaître pour leur
légitime souverain à la mort de Léopold-Eberhard. À
la réception de ces lettres patentes, les trois corps représentant la bourgeoisie de Montbéliard s'étaient réunis,
et, malgré l'insistance de quelques conseillers qui voulaient faire admettre les droits du comte de Sponeck,
né en légitime mariage, quoique morganatique ou

inégal, la majorité refusa de le reconnaître en qualité de prince héréditaire.

Le lendemain de la mort du duc, le comte de Sponeck se rendit à l'hôtel de ville, et somma le magistrat, c'est-à-dire le corps dont j'ai parlé, de lui prêter serment. Cette démarche lui avait été conseillée par le baron de Waldner, bien qu'il n'en espérât pas grand'chose ; mais il fallait faire acte de ses droits. La comtesse Sabine, plus morte que vive, attendait son retour avec une anxiété que l'on conçoit sans peine. Elle lui répétait dans son désespoir :

— Hélas ! mon cher enfant, c'est moi qui vous ruine ; si vous aviez une autre mère, vous seriez aujourd'hui puissant et honoré.

L'excellente femme se trompait, c'était plutôt le duc Eberhard que l'on poursuivait dans son fils, que l'insuffisance de sa naissance. Il s'était rendu tellement odieux que les trois conseils, tout en témoignant honnêtement leurs regrets au comte de Sponeck, maintinrent leur décision. Le comte de Sponeck n'en publia pas moins un mandement à l'effet d'exhorter ses sujets de Montbéliard à lui rester fidèles.

Le lendemain même de ce jour le comte de Grœvenitz, envoyé par le duc de Wurtemberg-Stuttgart, fit prêter serment de fidélité à son maître.

Le comte de Sponeck résista par un nouveau mandement défendant à ses sujets d'obtempérer aux ordres du duc et de ses agents. Le comte de Grœvenitz et MM. de Negendanck et Georgii, les deux autres plénipotentiaires du duc de Wurtemberg-Stuttgart, s'entendirent avec le général de Montigny. Celui-ci se mit à la tête des paysans du comté de Montbéliard, entra dans la ville, s'empara de tous les postes, et bloqua le château de Montbéliard, où se trouvait la famille du feu duc. Les plénipotentiaires se rendirent en même temps à l'hôtel de ville et sommèrent le magistrat de reconnaître leur maître, le duc de Wurtemberg, comme souverain de Montbéliard.

La comtesse de Sponeck n'avait point perdu son temps ; elle avait vu, un à un, tous les conseillers, leur avait promis monts et merveilles, les avait si bien séduits, enfin, je dirai même touchés par son dévouement à son fils et par ses malheurs, qu'elle avait obtenu d'eux de refuser les plénipotentiaires et de s'en rapporter à la décision de l'Empereur. Ils répondirent au comte de Grœvenitz qu'ils restaient neutres et attendraient pour régler leur conduite.

C'était beaucoup sans doute, ce n'était pas tout encore ; la tendre mère se trouva partagée entre les dangers que courait son fils, assiégé dans le château, et le désir d'aller elle-même à Vienne faire valoir ses droits. La crainte l'emporta, elle resta, mais elle écrivit, et envoya un messager fidèle avec une lettre des plus pressantes.

« Je me jette aux pieds de Votre Majesté impériale, je la supplie de considérer le peu que je suis et d'avoir pitié du fils de Léopold-Eberhard. Il est bien du sang de Wurtemberg, il a droit à l'héritage de son père, et César est trop juste pour le déshériter. Si c'est moi qui suis un obstacle, je disparaîtrai, je ne reverrai jamais mon fils, j'en prends l'engagement sacré et solennel. Mais qu'il ne soit pas traité comme les fruits de l'adultère, qu'il obtienne de l'Empereur la justice due à un innocent ; en dussé-je mourir de chagrin loin de lui, je ne m'en plaindrai pas. »

La demande arriva trop tard, ou elle ne fut pas écoutée. L'Empereur déclara les enfants de Léopold-Eberhard « inhabiles à toute succession allodiale, ainsi qu'à celle des fiefs dépendant de l'Empire ».

Pendant ce temps le général de Montigny avait sommé le comte de Sponeck de quitter le château de Montbéliard qu'il avait fait entourer de corps de troupes. Le jeune homme résolut de se défendre, de tenir ferme, dans ce qu'il regardait comme son héritage, et de ne céder qu'à la dernière extrémité. Sa mère, tremblante, lui fit parvenir plusieurs avis, pour l'engager à temporiser et surtout à ne point exposer sa vie. Les Coligny faisaient bonne contenance, leur cause dépendait de la sienne, quoique plus qu'éventuelle. Aussi, lorsqu'ils le virent résolu à ne rendre le château qu'avec la vie, ils trouvèrent la chose grave, et parlèrent de capituler. Ils furent écoutés par ce qui les entourait ; le comte Georges se trouva subitement abandonné, bientôt trahi ; il fut obligé de se rendre, de livrer le château et de l'évacuer. Il le quitta honorablement, et partit avec le plus jeune des deux comtes de Coligny (Ferdinand-Eberhard) pour l'Alsace, escorté jusqu'à la frontière du comté par un détachement de cavalerie.

La seconde femme légitime de Léopold-Eberhard, Élisabeth-Charlotte de L'Espérance, se rendit à Clerval avec ses enfants. Défense fut faite aux fermiers des domaines provenant de la succession du duc de payer leurs baux. Pour dernier coup, un mandement de l'Empereur enjoignit à tous les bourgeois et autres sujets du comté de Montbéliard de prêter serment de fidélité à Eberhardt-Louis, duc de Wurtemberg-Stuttgart, comme à leur seul et légitime souverain.

Ainsi passa cette souveraineté du rameau de Wurtemberg-Montbéliard dans la branche aînée de Wurtemberg-Stuttgart. Le prétendant de Montbéliard, appelé en Allemagne le comte de Sponeck, se retira en France, où il porta le titre de comte de Montbéliard, ainsi que les armes de Wurtemberg écartelées de celles de Montbéliard qui sont de gueules à deux bars adossés d'or[321]. Sur ses nouvelles réclamations, le roi Louis XV se détermina, la même année 1723, à mettre sous séquestre les seigneuries en litige, et ne les rendit qu'en 1748, en vertu d'un traité par lequel la maison de Wurtemberg reconnut sa suzeraineté sur les seigneuries disputées.

La comtesse de Montbéliard devint dame d'honneur de la reine de Pologne, femme du roi Stanislas. Tous les deux se firent catholiques en 1731[322]. Le comte de Montbéliard, né en 1697, mourut en 1749 à la suite d'une chute de voiture, en allant de Paris à Versailles. Sa femme ne lui survécut que trois ans. Il en avait eu deux filles et un fils, Georges, comte de Montbéliard : c'est celui qui était venu me voir et qui a amené cette longue digression.

Le comte de Coligny (Sanderseleben), fils adoptif du prince Léopold-Eberhardt, et son gendre, mari de la sœur du prétendant, fut obligé de faire enfermer cette jeune femme qui perdit la raison peu d'années après son mariage. Il avait eu d'elle cinq enfants, dont trois fils, savoir : Léopold-Ulric, Charles-Ferdinand, et Frédéric-Eugène, qui perpétueront probablement le nom de Coligny.

Élisabeth-Charlotte de L'Espérance, la dernière des quatre sœurs et seconde femme du duc, mourut à l'âge de cinquante et un ans, à Ostheim, longtemps avant ma naissance. MM. de L'Espérance, ses fils, moyennant une pension annuelle de quatorze mille florins qui leur fut payée par le duc de Wurtemberg, et en conservant les domaines situés en France, octroyés par Léopold-Eberhard, renoncèrent formellement à toutes préten-tions aux armes et titre de Montbéliard, ce qui fut l'ob-jet d'un traité conclu sous la médiation de l'empereur François I$^{er}$, en 1758, et ratifié par lui en 1761.

Après cette convention, l'aîné, Léopold, prit le nom de comte de Hornbourg. C'était encore un de mes visi-teurs cités ; il avait soixante-quatorze ans. Son neveu, le comte de Montbéliard, a onze ans de moins.

Son frère, Charles de L'Espérance, est devenu fou et est mort, en 1760, à Gratz, en Styrie.

Le troisième, Georges, baron de L'Espérance, est bri-gadier des armées du roi depuis plusieurs années.

Ainsi qu'on l'a vu, j'étais restée en bonnes relations avec toute cette famille en souvenir de mon grand-père, ce qui ne nuisit jamais aux bontés dont la branche actuellement régnante me combla constamment, moi et tous les miens. C'est une étrange histoire que celle de ce duc Léopold-Eberhard ; il me semble que j'en ferais bien un roman si je savais les faire. J'ai eu souvent envie d'en parler à madame de Genlis. Madame la duchesse de Bourbon disait que cette femme était trop vertueuse pour traiter ce sujet-là.

## CHAPITRE XXXIV

[26 février. — Le baron de Waldner de Sierentz, chef de la branche cadette de notre famille, vint me voir ce matin. Sa visite m'a remis en mémoire une amusante anecdote sur son fils Clovis de Waldner, que je ne puis me rappeler sans rire. Ce jeune homme est entré dans la marine, goût assez singulier pour un habitant de cette Alsace si éloignée de la mer ; toujours est-il qu'il rêvait de rivaliser avec Jean Bart et Suffren. C'est un grand garçon, bon et vigoureux, élevé à la campagne dans les meilleurs principes et ayant gardé son accent alsacien qui, j'en conviens humblement, n'a rien de bien agréable. J'ai le bonheur de l'avoir évité moi-même et j'ai pris bien soin que ma fille y échappe ; j'ai fort heureusement réussi car elle parle le français et l'allemand avec une égale pureté !

Pour en revenir à mon cousin, c'était ce qu'on appelle un brave garçon mais il avait la fâcheuse habitude de jurer ; au grand amusement de ses camarades qui, par leurs constantes farces, provoquaient des salves de jurons que l'accent alsacien — prononçant P comme B et V comme F — rendait à peine intelligibles. Son

bateau fut un jour envoyé à Newfoundland où la discipline était très sévère et la chaleur insupportable. Un
petit bateau devait constamment être en état d'alerte,
commandé à tour de rôle par un officier. C'était le
tour de mon cousin de prendre le commandement de
nuit et ses camarades saisissant l'occasion de le tourmenter, mirent des œufs cassés dans sa casquette qui
se trouvait dans sa cabine. Quand il entendit le commandant, il sortit en courant, prit sa casquette et la mit
en hâte sans s'apercevoir de son contenu. Au bout d'un
moment, les œufs commencèrent à couler sur son front
et ses joues ; le pauvre garçon crut qu'il transpirait à
cause de la grande chaleur et se mit à lancer juron sur
juron. Quand le jour parut, les marins aperçurent avec
étonnement leur officier couvert de colle jaune mais
— crainte ou respect — ne firent aucune remarque. Sa
mission terminée, le bateau regagna le bâtiment et
notre héros fut acclamé joyeusement par ses compa-
gnons qui lui présentèrent un miroir où il put voir son
visage et sa chevelure ridicules. Le pauvre garçon avait
bon caractère et une fois la première colère passée,
partagea la gaieté de ses facétieux amis.]

Madame la duchesse de Bourbon nous fit l'honneur
de nous donner à dîner et de nous conduire ensuite à
l'Opéra, dans la loge de madame la comtesse de La
Massais. On donnait *Panurge dans l'île des Lanternes*,
opéra du sieur Morel, musique de Grétry, joué depuis
un an avec succès. Spectacle singulier par les costumes
chinois et les décorations riches et multipliées. Gardel
et Vestris se surpassèrent dans le divertissement du
troisième acte. Les danses étaient charmantes ; en un
mot le succès était plutôt dû aux accessoires qu'à la
pièce elle-même. On dit, bien entendu, toute espèce
de *lanterneries* sur ce spectacle. À propos de lanternes
de papier, on assurait qu'elles étaient ainsi, parce que
le sieur Morel ne savait pas faire de verres (de vers).
On fit aussi une caricature où Panurge était jeté par

la fenêtre et soutenu par des balais (ballets), par Vestris et Gardel. Enfin arriva l'inévitable quatrain :

> *Voyez à quoi tient un succès !*
> *Un rien peut élever comme un rien peut abattre.*
> *Blanchard était perdu sans le pas de Calais,*
> *Et Morel sans le pas de quatre.*

Ceci avait été fait l'année d'auparavant après l'arrivée de l'aéronaute Blanchard, poussé par bonheur vers les côtes de France.

Nous allâmes, après souper, encore au bal de l'Opéra avec la princesse. Elle s'y amusa fort, mais je m'y ennuyai beaucoup. Elle avait entrepris d'intriguer son frère, et y réussit à un tel point qu'il ne la voulait plus quitter. Elle se réfugia près de moi ; je ne savais que dire, n'étant pas au courant des premiers discours. [Elle le railla avec sévérité sur ses habitudes et ses particularités, allant si loin que je m'étonnai de son courage, et de la patience de l'autre.] Elle ne le ménagea point, et lui parla longtemps en ma présence, de telle façon que je ne comprends pas qu'il l'ait souffert. Nous eûmes une peine infinie à nous en débarrasser au moment du départ.

— Vous aurez beau fuir, je vous retrouverai, répétait-il.

— Oh ! pour cela, je vous en réponds, répliqua la princesse de sa voix naturelle.

Il se frappa le front, comme un homme dont les yeux s'ouvraient à une vérité facile, et se retira.

Je m'aperçois d'un oubli en relisant mes notes. J'ai négligé de parler, à la date du 25, du reste de ma journée. Cependant je dînai chez moi avec M. de Florian, et c'est un charmant souvenir ; il nous lut son *Bon Fils*, pièce pleine d'intérêt et de charme. Nous pleurâmes tous. M. de Florian a un esprit qui pénètre, car il est rempli de cœur. Chacun de ses mots porte ; il sent

vivement ; il est bon, il est dévoué comme une femme.
Je contai le soir cette bonne fortune à la princesse, qui
m'en voulut de ne pas la lui avoir ménagée et qui
réclama une seconde lecture. Madame la duchesse
d'Orléans en voulut être aussi ; cette lecture n'eut lieu
que plus tard.

28 février. — Il y avait bal chez la reine. Ma présentation, on le sait, m'y invitait de droit. Je partis à cinq
heures pour Versailles, avec le baron d'Andlau et la
Schneider, emportant ma toilette. Je m'étais faite aussi
belle que possible, cette fête devant être magnifique.
Madame de Bombelles m'attendait pour m'y conduire.
Le coup d'œil était en effet admirable. La reine avait un
éclat merveilleux ; on ne tarissait pas sur sa beauté. Elle
portait une aigrette de pierreries d'un prix inestimable.
Je vis à la cour quantité de jeunes et jolies femmes ; il y
en avait beaucoup cette année-là, entre autres une princesse allemande, parente de Sa Majesté, qui lui ressemblait avec un grain de jeunesse de plus, ce qui ne gâte
rien. Nous restâmes jusqu'à onze heures et demie à
voir danser, à nous promener dans la salle à manger et
dans la salle de jeu. Ce qui s'y perdit d'argent me serra
le cœur. Quelle horrible et funeste passion ! Nous
revînmes à Paris à trois heures et demie du matin.
C'était, sur la route, une file de carrosses comme à la
promenade de Longchamp ; il y avait tant de torches
devant et derrière, qu'on ne savait de loin ce que ce
pouvait être, quelque procession de fantômes pour le
moins sortis de leurs tombes.

28 février. — Après avoir dîné chez nous, *en Chine*,
selon l'expression de la princesse, qui souvent nous
appelait plaisamment les Chinois, du nom de notre
hôtel, nous allâmes avec elle à la *Caravane*, opéra en
trois actes, encore du sieur Morel et de Grétry. On en
peut dire autant que de *Panurge* : paroles et musique
sont faibles, mais le spectacle, la danse, les habits suf-
fisaient pour attirer toute la France.

— C'est ennuyeux, mais cela m'amuse ! disait madame la duchesse de Bourbon. On ne peut mieux définir cette sorte de procession dont on ne manqua pas la parodie sous le titre du *Marchand d'esclaves*.

Nous allâmes ensuite chez mesdames les duchesses d'Orléans et de La Vallière. Nous trouvâmes au Palais-Royal madame de Fleury qui me sembla plus jolie, plus gaie, plus spirituelle que jamais. Elle lutinait madame de Blot, dont la prétention était de ne vivre que d'ambroisie, et qu'on avait surprise dans son arrière-cabinet dévorant des côtelettes. Celle-ci s'en pâmait de colère et niait avec aigreur.

— C'étaient des côtelettes de porc, répétait madame de Fleury, on en a vu les os, madame.

— Ah ! madame, ne prononcez pas ce mot, c'est à s'évanouir !

— Le mot vous blesse, madame, mais ces bonnes côtelettes. Oh ! comme vous les mangiez !

Et chacun de rire ! madame de Blot ne s'en consolait pas. Elle voulait absolument n'être qu'une essence éthérée, quelque chose d'aérien, de transparent, une ombre. C'est un des ridicules les plus corsés que j'aie vus ; mais c'était bien un des plus charmants visages qui eût existé.

1ᵉʳ mars. — J'allai voir madame de Hornbourg avant d'aller dîner chez madame la duchesse de Bourbon. Une personne que j'aimais beaucoup m'attendait chez moi au retour, mademoiselle de Domsdorf. Avec quel plaisir je la revis, et comme nous parlâmes ensemble de notre cher Montbéliard ! Je la trouvai plus jolie que jamais, avec un air plein de grâce. Elle avait une parure très-coquette, un chapeau charmant très-bien posé, et le plus beau crêpé du monde. Elle ne me parla que très-peu de M. de Wargemont ; je savais par mes correspondances l'amour romanesque qui existait entre eux. Rien ne s'opposait à leur union, à laquelle aucune convenance ne manquait ; ils sophistiquaient à qui mieux

mieux, ils se créaient des difficultés pour avoir le plaisir de les vaincre : c'étaient des amants délicats, mais non passionnés. Il y avait dans l'extérieur noble, élégant de mademoiselle de Domsdorf, toute l'étoffe nécessaire à une héroïne en six volumes. Nous fîmes des courses ensemble avec ma fille ; nous allâmes chez Sickes qui continue à être le rendez-vous du bel air, et chez mademoiselle Martin, au Temple, pour acheter du rouge. Madame la princesse de Montbéliard en faisait prendre de quoi farder toute sa cour. Mademoiselle Martin avait le bout du pavé pour le rouge ; brevetée de la reine et de toutes les royautés féminines de l'Europe, c'était une vraie puissance. Son rouge a du reste une supériorité incontestable sur tous les autres, on le paye en conséquence. Le moindre pot coûte un louis, et pour en avoir un qui sorte de l'ordinaire, il faut y mettre soixante à quatre-vingts livres. Elle a la permission d'en faire faire à Sèvres exprès pour elle. Ceux-là, elle les envoie aux reines ; à peine une duchesse en obtient-elle un par hasard. Nous nous amusâmes fort de son importance.

2 mars. — Je fis un charmant dîner avec ma fille chez le général de Wurmser, les convives en étaient bien intéressants. Il suffit de les nommer pour donner le désir de les connaître davantage : c'étaient le bailli de Suffren, le duc de Crillon, milord Hampden, puis mesdames de Dietrich et de Bernhold.

Le bailli de Suffren, cet illustre guerrier que la victoire a toujours couronné, est une des gloires de la France. Il était alors âgé de soixante ans. Né à Saint-Tropez, il avait l'accent provençal d'une façon outrageante. Il se reposait depuis la paix de Versailles en 1783, et certes ses succès avaient eu assez d'éclat, avaient apporté assez de fruit, pour qu'il eût le droit de le faire. Chef d'escadre (bien qu'un des dignitaires de l'ordre de Malte, il était au service de France), il se distingua dans les mers des Indes, battit les Anglais sur terre et sur mer, prit Negapatam et Trincomali, et plus tard, sauva sa flotte et la ville de Gondelour. Ses exploits lui ont valu une grande fortune, car il a non-seulement plus de trois cent mille livres de ses prises et des cadeaux des sultans des Indes, mais plus de quatre-vingt-dix mille livres de rente, par sa place de vice-amiral, ses pensions et ses commanderies.

Ils lui ont valu un bien plus grand avantage, c'est la gloire, puis la réception que lui fit la cour à son retour des Indes. La reine le conduisit elle-même à M. le dauphin, en lui recommandant de graver dans sa jeune mémoire le nom de ce héros, la gloire de la France. Monsieur le serra dans ses bras ; la comtesse d'Artois voulut le recevoir, quoique malade, et M. Le duc d'Angoulême se leva à son aspect, tenant à la main un livre qu'il lui présenta.

— Je lisais Plutarque, monsieur, lui dit-il, et ses hommes illustres, vous ne pouviez pas arriver plus à propos.

Il avait un neveu appelé le comte de Saint-Tropez qui a épousé mademoiselle de Choiseul-Meuse.

Le duc de Crillon-Mahon est né en 1717 ; il est capitaine général et grand d'Espagne depuis 1782. Il a eu trois femmes ; la dernière, épousée en 1770, est une Spinola, dont il a un fils de onze ans.

Son fils du premier lit est le marquis de Crillon, maréchal de camp, chevalier de la Toison d'or en 1784, par démission de son père ; il est veuf depuis 1774.

Son fils du second lit porta d'abord le titre de comte de Crillon, puis celui de duc ; il est aussi maréchal de camp. Marié à mademoiselle Carbon de Trudaine, créole de Saint-Domingue, il s'est distingué au siège de Mahon et de Gibraltar ; on a érigé pour lui en duché de Crillon la terre de Boufflers.

Milord Hampden est arrière-petit-fils du célèbre John Hampden, le cousin, l'ami, le soutien de Cromwell. Sa femme était mademoiselle Graham, fille du général de ce nom.

La conversation fut infiniment variée. Je parlai beaucoup avec M. de Crillon du comte de Falkenhayn, mon parent, qui commandait les troupes françaises en 1782, à la glorieuse expédition de Minorque, et auquel la prise du fort Saint-Philippe valut, par promotion particulière, le grade de lieutenant général. En même temps, le duc de Crillon-Mahon, commandant les forces espagnoles, obtenait de Sa Majesté Catholique le grade de capitaine général.

J'ai dit déjà, je crois, que le prince de Broglie de Revel, aide de camp de M. de Falkenhayn, avait rapporté les drapeaux pris sur les Anglais.

Le bailli de Suffren nous raconta une foule de choses des plus intéressantes. J'en ai noté deux ou trois qui m'ont frappée davantage ; entre autres une reconnaissance qu'il fit dans les Indes, il me semble, et où il courut un danger des plus affreux. Il voulait savoir au juste où se trouvait l'armée ennemie, car il soupçonnait une embuscade, et, bien que ce ne fût l'affaire ni d'un général en chef ni d'un marin, il se mit en tête de s'informer positivement de ce qui se tramait contre ses soldats. Il se déguisa d'une façon méconnaissable, s'arma jusqu'aux dents et se fit accompagner d'un seul officier en qui il avait la même confiance qu'en lui-même. Tous les deux débarquèrent à la nuit sur une plage déserte, accompagnés d'un chien auquel le bailli de Suffren tenait excessivement. Cette espèce se conserve à Malte dans le palais des grands-maîtres. La tradition prétend qu'ils descendent des deux illustres dogues avec lesquels Dieudonné de Gozon tua à Rhodes le fameux serpent. Ce qui est certain, c'est qu'ils ont des qualités extraordinaires et une intelligence des plus inouïes. Il marchait devant son maître éclairant la route, sentant, flairant, prévenant du danger, tout en restant muet, par certaines façons connues de lui et du général. Ces sauvages

Indiens sont les plus rusés et les plus méchants du monde ; ils épiaient de leur côté, et il n'était pas facile de les mettre en défaut ni de les surprendre. M. de Suffren tourna cependant tout autour de leur armée, et comme il revenait au point du jour se dirigeant vers le canot qu'il avait laissé, il vit tout à coup le chien accourir vers lui, donnant quelques signes de frayeur, mais d'une frayeur contrainte, étonnée, en cherchant à le conduire vers une sorte de rocher entouré d'un petit bois. Il s'y rendit en effet et aperçoit, à l'entrée d'une grotte, un formidable tigre debout, lançant des éclairs par les yeux. Le premier mouvement du bailli fut de se reculer et d'apprêter son arme ; mais l'attitude de son chien lui semblait si extraordinaire qu'il hésita pourtant, réglant tous ses pas sur ceux de l'intelligent animal. Il le vit s'arrêter, rester immobile, puis tout à coup s'élancer sur le tigre et lutter corps à corps avec lui. C'était si étrange, si en dehors des habitudes des chiens, que M. de Suffren le laissa faire, en attendant l'issue. Le plus singulier était l'attitude du tigre faisant des mouvements désordonnés, mais ne se servant ni de ses griffes, ni de sa gueule ; enfin une morsure plus vive que les autres emporta un morceau de sa peau tigrée et mit à découvert un sauvage, caché, blotti, cousu dans cette peau, afin d'y observer à son aise en inspirant la terreur. Une fois découvert, il se débarrassa complètement et recommença avec plus d'avantage son combat un poignard à la main en faisant au dogue de dangereuses blessures. Le général tremblait pour son fidèle gardien, il tenait son fusil tout prêt, afin de tirer dès qu'il trouverait la possibilité de le faire ; mais le chien et l'homme ne faisaient qu'un, leur sang à tous les deux rougissait la terre ; enfin le dogue tomba épuisé ; au moment même où son adversaire s'apprêtait à l'achever, une balle l'atteignit en pleine poitrine. M. de Suffren venait de venger *Gozon*, ainsi s'appelait le chien en mémoire de son origine. Non content de cette réussite, il courut au champ de bataille, releva le chien, le prit dans ses bras, tout sanglant qu'il était, et le transporta à son canot, d'où l'on rejoignit bientôt le bâtiment. Les soins les plus empressés furent prodigués à ce blessé courageux ; il guérit et vécut de longues années encore, courant les mêmes hasards que son maître, ne le quittant jamais, et portant fièrement la cicatrice reçue pour la défense de sa cause.

Cette histoire du chien m'a intéressée et j'en ai pris note. [Elle intéressa tellement ma fille que celle-ci voulut la raconter à Bijou pour lui apprendre à être brave ! Elle se conformait ainsi au principe d'éducation qui lui imposait la lecture de la vie des enfants célèbres.]

En sortant de table, nous fûmes prendre madame la duchesse de Bourbon pour aller à la Comédie italienne. On y donnait le *Préjugé vaincu* et la première représentation de la *Piété filiale*. Nous y avons ri aux larmes ; jamais on ne vit un pareil vacarme, ce furent des cris, des lazzis, des sifflets à rendre sourd. Les bons mots se croisèrent d'un bout du parterre à l'autre. Les paroles sont de M. Durozoi et la musique de M. Ragué : ils ont eu le courage de se faire nommer au milieu de cette tempête. M. Ragué est un officier suisse.

— Mon Dieu ! disait la princesse, ces messieurs n'ont-ils point de confesseur pour lui avouer ce péché-là, au lieu de le faire crier ainsi à tout le monde ?

— Ah ! madame, il eût bien mieux valu ne le pas commettre ; il n'y a rien de si facile pour un officier suisse que de ne pas faire un opéra.

3 mars. — Nous dînâmes chez madame la duchesse de Bourbon, pour nous rendre ensuite au Théâtre-Français où on donnait *Don Juan* avec Jodelet[323]. De là nous fîmes une visite à la marquise de Sérent, dame d'atours de Madame Élisabeth, qui était une Montmorency-Luxembourg et à qui madame de Bombelles m'avait présentée.

Madame Élisabeth avait pour dame d'honneur la comtesse Diane de Polignac, et, parmi ses dames pour accompagner, je connaissais encore, outre madame de Clermont-Tonnerre, dont j'ai déjà parlé, la comtesse des Deux-Ponts, née de Polastron, et la marquise de Rosières de Sorans, née de Maillé.

Il ne faut pas confondre Sérent et Sorans, non plus que Soran en Normandie, noms qui se ressemblent beaucoup. Tout cela était fort différent néanmoins. La marquise de Sorans, dame pour accompagner Madame Élisabeth, était femme du marquis de Sorans, maréchal de camp, autrefois colonel de *Bresse* et d'*Artois* et des *grenadiers royaux :* il prenait soin de raconter tout cela. La comtesse de Sérent était une jeune femme présentée à la cour l'année précédente ; j'ai parlé de la comtesse Delphine de Sorans, dame de Remiremont, devenue madame de Clermont-Tonnerre. Tout cela faisait un *embrouillement* fort détestable souvent, pour les visites, les invitations et les lettres surtout ; il arrivait sans cesse des quiproquos.

4, 5 et 6 mars. — Journées fort insignifiantes.

7 mars. — Naissait à Saint-Pétersbourg la grande-duchesse Marie Paulowna, à laquelle on donna le nom de sa mère[324].

8 mars. — Madame la duchesse de Bourbon était fort souffrante, et m'envoya chercher, je passai la journée chez elle ; il vint une quantité de visites, on causa de tout ce qui se passait dans le monde et à la cour ; comme on le pense, le prochain ne fut pas épargné. Une des choses dont on s'occupa le plus, ce fut la présentation de la baronne de Staël, l'ambassadrice de Suède, mademoiselle Necker, dont j'ai déjà parlé. Elle avait eu peu de succès, chacun la trouvait laide, gauche, empruntée surtout. Elle ne savait que faire d'elle-même, et se trouvait très-déplacée, on le voyait, au milieu de l'élégance de Versailles. M. de Staël est, au contraire, parfaitement beau et de la meilleure compagnie ; il a

de fort bonnes manières, et semblait peu flatté de madame sa femme. Depuis son mariage, madame de Staël s'est rendue ridicule par sa pruderie ; elle prend les airs pincés et prétentieux de Genève, et les airs impertinents des parvenus pour des façons de grande dame. Madame Necker est, je l'ai dit, la plus détestable pédante du monde, elle a été d'une affreuse ingratitude pour madame Thélusson. C'est cependant chez M. Thélusson que le mari de madame Necker a débuté comme caissier ; il lui doit tout ce qu'il a été depuis, mais ils l'ont parfaitement oublié. M. Necker est détesté ; il a fait tant de mal avec ses systèmes ! Ce souvenir rend peut-être injuste envers madame de Staël, femme d'un incontestable talent, mais dont les idées et le génie se portent dans une direction fausse et erronée. La Genevoise se voit à travers la femme supérieure, à travers l'ambassadrice surtout.

9 mars. — Je ne suis sortie que sur le soir pour aller avec le syndic Hofer au Marais, chez M. le premier président[325], pour lui parler d'un procès que j'avais contre madame Munck. M. Hofer[326], syndic de la république de Mulhouse et plusieurs fois son ambassadeur auprès de la diète helvétique, est le chef et l'âme de ce gouvernement ; c'est un homme fort remarquable à beaucoup d'égards. Excellent administrateur, habile politique, il a par ses efforts fait rentrer Mulhouse dans l'alliance des cantons catholiques, et effacé les divisions qui ont existé si longtemps. Il est en outre aimable et obligeant, et m'en donnait la preuve en cette occurrence.

11 mars. — Je vis le *Premier Navigateur*, ballet pantomime de Gardel, en trois actes, tiré de Gessner[327], ou plutôt imité, dit l'affiche ; c'est de la modestie. Le ballet est bien conduit et intéressant, les décorations sont charmantes ; c'était une nouveauté de l'année. Vestris, depuis son retour de Londres, avait repris son rôle, il y était charmant et faisait le principal succès de la pièce.

12 mars. — J'allai déjeuner, ainsi que ma fille, chez madame de Longuejoue, avec M. de Saint-Priest. M. de Saint-Priest a été il y a quelques années ambassadeur à Constantinople. Son frère aîné est premier tranchant de Sa Majesté. Le plus jeune a pour nom de baptême *Languedoc* ayant été tenu sur les fonts par les états de cette province, dont M. Guignard de Saint-Priest, leur père, a été intendant. Le soir, aux Italiens, nous vîmes *Alexis et Justine*, paroles du sieur Monvel, musique de Desède. Madame Dugazon jouait Babet avec un talent, une grâce, une naïveté, une gentillesse dont rien ne peut donner l'idée. Elle est en même temps pathétique et spirituelle. Quelle charmante actrice !

Cette nuit, il arriva chez moi un événement fort désagréable, mais fort drôle, que je ne puis m'empêcher de raconter, en dépit de ma contrariété et en dépit de mademoiselle Schneider, qui m'en voudrait beaucoup si elle le savait. Nous avions quelques personnes ; on apporta du thé à la russe, et je ne sais encore quelles autres friandises ; ma femme de chambre présida à l'arrangement de tout cela, et n'entra pas de la soirée dans sa chambre, située au bout d'un petit corridor, derrière la mienne. Un instant avant qu'on nous eût quittés, elle alla y chercher quelque chose, et s'aperçut, à son grand effroi, qu'elle avait laissé la porte ouverte. Elle la referma avec grand soin et revint me déshabiller. Nous nous couchâmes, elle rentra chez elle, commença les préparatifs de sa toilette de nuit, et laissa tomber un petit bouton en vermeil que je lui avais donné, auquel elle tenait beaucoup. Il roula sous son lit, elle se baissa pour le ramasser ; quelle fut sa frayeur en apercevant deux pieds d'homme et deux yeux bien ouverts qui la regardaient ! Elle se releva, ne pouvant crier, tant elle était épouvantée, en étendant les bras, par un geste naturel, comme pour éloigner cette vision. Elle prononçait des mots sans suite, des prières, des exclamations, des malédictions, sans doute, tout cela en allemand,

bien entendu, car elle n'a jamais pu apprendre un mot
de français, on l'a déjà vu. L'homme, se voyant découvert, se doutant que, revenue de son premier effroi, elle
allait crier, se trouva debout en une seconde, et, prenant son parti, il s'élança vers la Schneider, la fit rasseoir presque de force sur un escabeau, et commença
la déclaration la plus brûlante et la plus passionnée,
en se jetant à ses genoux, de façon à l'empêcher de se
lever, et à la forcer à l'entendre. La pauvre Schneider ne
savait plus où elle était, elle ne comprenait qu'à moitié
les paroles de son adorateur, dont les gestes brûlants,
les essais impertinents lui firent craindre une autre
espèce de danger auquel elle n'était point accoutumée,
la pauvre Schneider étant la plus honnête personne du
monde et la moins faite pour séduire, un Parisien
surtout.

La tête lui tournait de peur ; elle essayait de se lever ;
à chaque fois la main hardie de l'aventurier se posait
sur elle et la clouait à sa place. La conversation devait
être une cacophonie de la tour de Babel, et j'aurais
voulu pour tout au monde y assister.

— Mademoiselle Schneider, oui, je vous aime à l'adoration. (Mettez ici une phrase allemande en exclamation de Schneider.)

— Voilà pourquoi j'ai été assez audacieux pour m'enfermer dans votre chambre.

— (*Item.*)

— Si vous me repoussez, je suis bien décidé à me
donner la mort.

— (*Item.*)

— Un mot, je vous en conjure !

— (*Item.*)

— Croyez que mon respect...

— (*Item.*)

— Vous m'écoutez, vous m'exaucez, chère mademoiselle Schneider, je suis le plus heureux des hommes ; je ne veux pas abuser de votre bonté, ce soir, mais

je reviendrai demain, comptez sur moi. Adorable Schneider ! à demain.

Et, se levant pour tout de bon, cette fois, il se jeta sur elle comme pour l'embrasser, renversa adroitement la lumière, se précipita vers la porte, l'ouvrit, et disparut pendant que la Schneider murmurait en allemand :

— Que le diable t'emporte !

Elle se coucha à tâtons, brisée de la lutte qu'elle avait subie, émue et priant le bon Dieu, après avoir mis son verrou et fermé sa porte à triple tour. Elle n'en dormit pas la nuit, et prit la fièvre. Le lendemain elle se leva néanmoins pour son service, vint à ma chambre, se garda de parler de son aventure, et commença ma toilette. Lorsque je fus au moment de sortir, je lui demandai ma montre. Elle la chercha dans sa boîte, puis se rappela qu'elle l'avait portée la veille dans sa chambre. Elle alla la chercher, et revint un instant après, le visage bouleversé, pouvant à peine parler, levant les bras au ciel et jetant des cris étouffés.

— Le monstre ! le misérable ! Madame la baronne, est-il possible ?

Elle cria de la sorte un quart d'heure, avant que je pusse comprendre ce qu'elle voulait dire. Nous découvrîmes enfin que ma montre, la chaîne de diamants, un couvert et une petite marmite d'argent avaient disparu. L'amoureux de Schneider était un voleur. L'amour-propre de ma femme de chambre et ma bourse se trouvaient également froissés. Je regrettai fort la montre, qui venait de ma mère. C'était sans doute le premier adorateur de ma femme de chambre, et à coup sûr le dernier, j'en réponds. Ce garçon était, à ce qu'il paraît, fort adroit, et sa présence d'esprit ne lui fit point défaut. Enfermé, par mégarde, dans la chambre de la Schneider, il n'avait pas trouvé de meilleur moyen pour en sortir que de jouer cette comédie de passion qui réussit presque toujours. On n'est pas pendu pour être amoureux, et il est peu d'honnêtes femmes qui se soucient

d'ébruiter semblable chose. Ce coquin court encore, et
on ne le revit jamais.

13 mars. — J'ai été aux Français. Je n'ai rien à dire de
*Cinna* que chacun connaît, mais je ne veux pas oublier
le *Mariage secret*, tout nouveau alors. Rien de charmant
et d'agréable comme cette pièce jouée par Molé et
mademoiselle Contat. Ces deux excellents acteurs
feraient le succès d'une comédie bien plus médiocre.
Mademoiselle Contat relevait de maladie, elle ne jouait
que depuis quelques jours. Le parterre la fêtait et la
couvrait de bravos et d'éloges. Molé et elle sont les
meilleurs modèles de façons de bonne compagnie qu'on
puisse donner à des jeunes gens. C'est une véritable
école de goût que la Comédie française, sous ce rapport ; le foyer même est, dit-on, comme le meilleur
salon de Paris.

[Les actrices sont parfaitement élevées et vraiment
la bonne éducation fait pardonner bien des erreurs.
Mademoiselle Arnould ne se départait jamais de ces
manières raffinées qui masquent chez certaines femmes
une moralité imparfaite, tels ces voleurs espagnols qui
vous réclament votre bourse, le chapeau à la main et
disant : « La charité, s'il vous plaît. »]

14 mars. — Je dînai chez madame la duchesse de
Bourbon avec la famille de Puységur. Notre fureur de
magnétisme était un peu passée jusqu'à nouvel ordre.

15 mars. — Nous passâmes une délicieuse soirée
chez la comtesse de La Massais, où l'on fit de la musique. C'est une femme pleine d'esprit, d'une amabilité
remarquable, dont la maison était citée parmi les
plus agréables de Paris. Elle recevait énormément de
monde ; on la pressait à chaque instant pour élargir
son cercle, et elle y consentait de bonne grâce. Ce soir-
là je vis chez elle madame de La Reynière, madame de
Melfort, la marquise de Livry, si gaie et si originale, qui
se prit très-drôlement de bec avec madame de Genlis au
sujet de sa harpe. Il est inutile d'ajouter que madame de

Genlis l'avait fait apporter, et sans qu'on le lui demandât encore. Madame de La Massais n'y comptait point,
elle avait même des musiciens arrêtés, qu'elle payait
fort cher. Madame de Genlis s'établit au milieu de tout
cela, régenta, parla, chanta, pérora, administra à chacun sa remontrance et, finalement, eût fait marcher le
concert tout à rebours, si madame de Livry ne l'eût
point tant lutinée, et ne l'eût rappelée à son rôle positif. Décidément ces jeunes princes d'Orléans ont un
*gouverneur* un peu singulier. Il tient trop de la *gouvernante*, et il n'oublie ses jupons que lorsqu'il devrait
s'en souvenir.

## CHAPITRE XXXV

17 mars. — Nous passâmes la journée chez madame
de Bourbon, et nous fûmes le soir à la Comédie Française, où l'on donnait le *Mariage de Figaro*. Ce n'était
point une nouveauté pour moi, on le sait, mais j'y vis
M. de Beaumarchais, qui fit demander à Son Altesse
sérénissime la permission de venir me parler dans sa
loge. La princesse aime beaucoup les gens de talent ;
elle fut particulièrement aise de le connaître et le reçut
à merveille. Sa conversation est une des plus agréables
choses de ce monde ; il y met autant d'esprit que dans
ses pièces et dans ses mémoires. Il nous raconta une
foule d'événements de ses voyages et de sa vie, que
madame la duchesse de Bourbon lui demanda. C'est
un véritable roman ; l'activité de cet homme, son intelligence, sont miraculeuses.

— Quand je veux une chose, madame, disait-il, j'y
arrive toujours. C'est mon unique pensée ; je ne fais pas
un pas qui ne s'y rapporte. C'est pour moi une question de temps ; je finis par réussir, et alors je suis deux

fois satisfait, et par la réussite de mon désir et par la difficulté vaincue.

Madame la duchesse de Bourbon l'engagea à venir la voir ; il n'eut garde d'y manquer, et elle me remercia de le lui avoir fait connaître. Il va beaucoup chez Mesdames, et a même eu l'honneur de faire de la musique avec la reine.

18 mars. — Je vis *Mirza*, ballet du sieur Gardel : c'était un grand succès. Mademoiselle Guimard était délicieuse en créole. Cette charmante danseuse est la coqueluche de tous les petits-maîtres, et M. le prince de Soubise a fait pour elle des folies sans nom. Il y avait, dans ce ballet de *Mirza*, un combat entre deux guerriers ; l'illusion était si complète que quelques personnes criaient : Séparez-les ! séparez-les ! Gardel le jeune mettait, dans le rôle de Lindor, une expression et une noblesse qui le faisaient justement applaudir. Ce pauvre homme s'était cassé la jambe et en resta quelques années sans danser. Il venait de reparaître. Nivellon était aussi un artiste de talent. Ce ballet de *Mirza* datait de l'année précédente ; il avait d'abord peu réussi, et tout à coup le public s'y rattacha. On disait que c'était une cabale de petits chiens, car la mode vint de les appeler tous Mirza. On n'entendait que ce nom aux Tuileries et dans les promenades. On ne s'y reconnaissait point, ils tournaient tous la tête en même temps.

19 mars. — J'apprends une nouvelle qui me fait grand plaisir : le duc Frédéric-Eugène, prince de Montbéliard, vient d'être nommé par son frère, le duc régnant, stathouder *à vie* du comté de Montbéliard. Il a dû présider le 16 mars, pour la première fois, m'écrit-on, le conseil de régence. L'ordre des avocats est venu le complimenter. J'ai écrit sur-le-champ à madame la princesse et à tout le monde, même à madame la grande-duchesse, qui sera sûrement charmée de ce qui arrive au prince son père. Elle aime tant sa famille ! Sa brillante destinée ne lui fait oublier personne ; c'est

une des âmes les plus tendres et les plus reconnaissantes que j'aie rencontrées : elle se souvient des plus petites circonstances.

20 mars. — Son Altesse sérénissime vint me chercher pour courir les marchands. Nous allâmes jusqu'au faubourg Saint-Jacques, chez un nommé Méré, éventailliste merveilleux. Il loge dans un taudis ; il peint des sujets à la gouache de telle façon que certainement ni Boucher ni Watteau n'ont rien fait de semblable. Sa manie est de n'y jamais mettre son nom. La princesse en commanda deux pour elle et voulut bien m'en faire accepter un troisième, dont le sujet me plut fort. C'est une fête allégorique au château de Petit-Bourg, au temps de Louis XIV. Presque toutes les figures sont des portraits, et vêtues suivant la mode du temps, en dieux de la Fable ; le roi, comme de raison, en Apollon, avec ses rayons autour de la tête : c'est magnifique. La monture est en nacre de perle et écaille incrustée d'or. Son Altesse sérénissime y a fait placer son chiffre et le mien. Ce cadeau m'a rendue très-heureuse.

Nous vîmes aussi mademoiselle Bertin, qui *daigna* nous recevoir elle-même. Elle *consentit* à faire pour madame la duchesse de Bourbon un bonnet d'une façon nouvelle, à condition qu'elle ne le prêterait à personne. Après le dîner, nous allâmes au *Beaujolais*[328]. C'est une petite troupe qui joue des pantomimes mêlées de chant. Ce théâtre est placé au coin nord du Palais-Royal, sur la rue de Beaujolais.

Pour faire une tournée complète comme à la foire, nous allâmes jusqu'au boulevard. Audinot[329] y a succédé à Nicolet[330] et aux frères Maltères. Le premier s'est enrichi par le talent de Taconnet et a gagné avec lui, sur ces tréteaux, cinquante mille livres de rentes. Volange avait fait la fortune des seconds. Ce théâtre, qui a pour devise : *De plus fort en plus fort*, est ouvert toute la nuit, ce qui produit bien des scandales. [Nous nous amusâmes beaucoup ce soir-là de certains gardes ivres qui, prenant une jeune fille pour une bouteille, insistaient pour lui enlever son bonnet.] La princesse se divertissait beaucoup de ces parties ; elle me tourmentait pour aller aux Porcherons[331], mais elle y renonça, dans la crainte d'être reconnue et de mécontenter la maison de Condé.

21 mars. — Nous passâmes la journée à Petit-Bourg. Madame la duchesse de Bourbon avait emmené avec elle la duchesse de Kingston, dont tout le monde parlait, sur laquelle chacun faisait son histoire, et la princesse désirait vivement savoir la vérité de tout cela. Elle la demanda un jour à cette célèbre Anglaise, et celle-ci lui répondit :

— Si Son Altesse sérénissime le désire, je lui lirai quelques pages qui contiennent tous ces événements. C'est fort succinct, mais cela dit tout.

— Voulez-vous me donner une journée à Petit-Bourg dans cette intention ?

— De tout mon cœur, madame ; à une condition c'est que vous n'y mènerez pas toute la terre.

— Seulement mes dames et madame d'Oberkirch ; pas un homme, je vous le promets.

Le jour fut pris, la partie convenue ; j'étais toute fière d'y être admise, mais j'avais une autre ambition, celle d'obtenir une copie de cette histoire. La duchesse de Kingston fut si charmée de l'intérêt que j'y portais qu'elle me laissa le manuscrit et me permit de le copier. L'auteur y parle d'elle comme d'une étrangère, avec impartialité et à la troisième personne. Son existence est assurément une des plus romanesques que je sache. Je n'ai connu madame la duchesse de Kingston que vieille (elle avait soixante-six ans), mais les traces de sa beauté étaient visibles. Je n'ai jamais vu un plus grand air ; elle avait le port de tête presque aussi majestueux que la reine ; elle marchait comme une déesse, et je ne connais pas de salut plus noble et plus gracieux que le sien. Il y avait probablement beaucoup à reprendre sur la sévérité de ses principes et la force de sa raison, je ne dis pas le contraire ; peut-être que les personnes douées de facultés supérieures doivent malheureusement payer ces avantages par un autre côté. Quoi qu'il en soit, voici le récit de cette histoire que je copiai sur le moment :

### HISTOIRE DE LA DUCHESSE DE KINGSTON[332].

La duchesse de Kingston, dont le nom a retenti partout en Europe depuis nombre d'années, a été victime de faux jugements et de calomnies. Sans avoir ni la prétention ni l'envie de se justifier, elle a résolu pourtant de dire la vérité le plus succinctement possible, afin de laisser un témoignage de cette vérité pour ceux qui l'ont aimée et qui tiennent à ce que justice lui soit rendue. La Providence l'a fort éprouvée, mais elle lui a fait de grandes grâces ; elle lui a donné, surtout pendant ses derniers jours, le bonheur de ne pas regretter sa jeunesse, de tout apprécier d'un œil philosophique, de ne pas accorder aux hommes et aux choses plus d'importance qu'ils n'en ont réellement. C'est une fortune de gagnée.

Élisabeth Chudleigh naquit, dans le Devonshire, en 1720, d'une très-ancienne famille. Un de ses ancêtres avait un commandement dans la marine sous la reine Élisabeth, et il se distingua dans la mémorable affaire de l'Armada.

Élevée à la campagne, dans le château de son père, son enfance y fut heureuse et aimée ; c'est le temps le plus doux, le plus cher de sa vie. Elle était entourée de bonnes et précieuses créatures, qui ne la trompaient point, qui lui disaient naïvement leur pensée, et sur lesquelles elle exerçait un empire dont sa fierté enfantine s'applaudissait déjà. La personne qui écrit cette notice a mieux connu que qui que ce soit Élisabeth Chudleigh ; elle la peindra donc sans prévention,

impartialement, dira le bon comme le mauvais, quoi
qu'en puissent penser ceux qui liront ceci. Un fait bien
certain, c'est que dès ses premières années Élisabeth
fut remarquée par son esprit de repartie, son élégance
et la fascination de ses manières. Les paysans prétendaient qu'elle était une *charmeuse*, que les bêtes la
suivaient sans qu'elle les appelât, et que personne ne
pouvait s'empêcher de l'aimer.

On ne lui donna point une grande instruction, ou
plutôt elle ne la prit point, car on fit ce qu'on put pour
qu'elle devînt une savante, mais la vivacité de son
caractère s'opposa à ce que sa mémoire sût rien retenir ; elle n'en fut pas moins citée toute sa vie pour une
personne d'esprit. Sa maxime en toute chose était qu'il
faut être court, clair et saisissant ; toute longueur lui
déplaisait. — Je me prendrais moi-même en aversion,
disait-elle, si je restais plus d'une heure dans la même
disposition d'esprit.

Avec une telle mobilité d'impressions, on comprend
de reste qu'elle fût inconstante dans ses goûts, peut-être
même dans ses sentiments. Sa famille la fit nommer
fille d'honneur de la princesse de Galles, et lorsqu'elle
parut à la cour, elle y fit sensation. Elle eut sur-le-
champ une grande quantité de prétendants et d'admirateurs, parmi lesquels était le duc de Hamilton, pour
lequel elle prit un amour véritable, aussi passionné, ou
plutôt aussi profond que le lui permettait sa nature,
et peu de mois après leur nouvelle connaissance le
mariage fut décidé entre eux. Le duc de Hamilton était
un grand parti. On soupçonna qu'ils étaient d'accord :
aussitôt les jaloux et les envieux s'en mêlèrent ; on
essaya tout pour les désunir. Les calomnies ne manquèrent ni d'un côté ni de l'autre. Le duc, soit qu'il fût
plus amoureux, soit qu'il fût plus difficile à convaincre,
resta incrédule. Élisabeth n'eut pas la même force ; elle
se laissa persuader par sa tante, mistress Hanmer, et
crut à une infidélité de cet homme qui ne respirait que

pour elle ; même dans ce cas elle eût mieux fait de pardonner. Dans un accès de dépit, elle écrivit au duc que tout était fini entre eux, et qu'elle ne le reverrait plus. Pour mettre une barrière éternelle entre elle et lui, elle donna sa main au capitaine Hervey, frère du comte de Bristol, et, pour ne pas perdre sa place de fille d'honneur, elle voulut tenir son mariage secret.

Le jour de ce mariage fut le commencement de son malheur. Dès la première nuit de ses noces, lorsque pour la première fois elle se vit seule avec un être qui ne la méritait point, indigne de l'apprécier et de comprendre sa valeur, elle le prit en aversion. L'amour qu'elle portait au duc revint avec plus de force que jamais, et elle s'estima la plus à plaindre de toutes les créatures. Aussi, après six mois de douleurs, de querelles, de reproches, les époux se séparèrent volontairement. Élisabeth sentit trop tard la faute qu'elle avait commise, combien son avenir était compromis, et combien aussi le duc de Hamilton était digne de ses secrets.

Le séjour de l'Angleterre lui devint odieux. Elle avait besoin d'une distraction puissante ; elle se décida à voyager ; seulement elle conserva son nom de fille (Élisabeth Chudleigh) pour effacer toute trace de son funeste mariage, et tâcher de se persuader qu'il n'existait pas. Elle partit pour l'Allemagne. Elle visita successivement Berlin et Dresde. À Berlin, elle eut l'honneur d'être présentée au grand Frédéric et le bonheur de lui plaire. Il la reçut très-souvent dans l'intimité, ils se virent beaucoup, ils causèrent ensemble de toutes les grandes questions dont l'Europe était agitée, des discussions littéraires, enfin de tout ce qui pouvait occuper des esprits sérieux. Le roi de Prusse la traita véritablement en amie, et, lorsqu'elle quitta Berlin, il s'établit entre eux une correspondance qui dura de longues années.

À Dresde, l'électrice de Saxe, princesse d'une piété exemplaire et d'un grand sens, se lia avec elle d'une amitié intime, qu'elle lui a toujours conservée. Miss Chudleigh était heureuse alors ; elle jouissait de tout ce que sa position lui apportait d'agréments sans avoir les craintes, les ennuis, les persécutions auxquels elle fut en butte par la suite ; mais il lui fallut retourner à son poste, madame la princesse de Galles, devenue reine, l'appelant auprès d'elle.

Elle arriva à Londres plus belle, plus digne d'hommages que jamais. La reine la prit en amitié et lui accorda une faveur brillante ; elle ne pouvait s'en passer et la gardait sans cesse à ses côtés, ne se trouvant amusée que par elle. Sans la déclarer absolument favorite, elle la plaça de manière à éveiller l'envie de tous, à lui accorder le plus de pouvoir possible et à lui donner le premier rôle à la cour. La duchesse dictait la mode ; ses caprices les plus extravagants faisaient loi, et Dieu sait que ni les caprices ni l'extravagance ne lui manquaient. Arbitre des choses de goût, tantôt elle jouait au whist avec lord Chesterfield, tantôt elle courait au galop avec lady Harrington et miss Ash, deux femmes dont la beauté et l'élégance eussent été au-dessus de tout si Élisabeth n'eût point été là. J'ai prévenu que je parlerais sans modestie ni indulgence, selon la vérité. On a pu voir et on verra davantage que je ne ménage point la duchesse ; il m'est donc permis aussi de lui rendre justice quand il y a lieu. Les avantages *futiles* en apparence de la beauté, de la séduction, n'en ont pas moins fait presque toujours la fortune *sérieuse* des femmes qui les possèdent, lorsqu'elles savent les utiliser.

Ce fut au comble de cette gloire de cour qu'elle fit la conquête du duc de Kingston, un des hommes les plus aimables de son temps. Il devint passionnément amoureux d'elle, en même temps qu'il devint son ami. Ce fut un de ces attachements profonds et complets qui résistent à tout, une de ces chaînes que l'on porte quelquefois en en maudissant le poids, mais que l'on ne peut rompre, même par l'effort de sa volonté. Leurs caractères étaient entièrement opposés : le duc, simple, doux, modeste ; elle, vaniteuse et violente, violente même jusqu'à la fureur. Malgré cela, ou peut-être à cause de cela, elle prit sur son esprit un immense ascendant, qu'elle conserva en dépit de lui-même.

Le capitaine Hervey, devenu comte de Bristol par la mort de son frère, la détestait avec autant d'ardeur qu'il l'avait aimée. Il se serait volontiers séparé d'elle juridiquement comme elle le désirait, mais il craignait de la rendre libre, et refusa d'y consentir afin d'empêcher le duc de Kingston de placer sur la tête d'Élisabeth la couronne de duchesse. Il eût volontiers repris sa liberté sans rendre la sienne à sa femme. Cependant à force de prières on le décida. Un auxiliaire puissant vint d'ailleurs en aide à Élisabeth Chudleigh : lord Bristol se prit d'une grande passion pour une autre femme. L'amour fit taire la haine et la vengeance ; il laissa rompre son mariage par une cour ecclésiastique qui le déclara nul. Élisabeth épousa alors, en présence du roi, de la reine, de toute la cour, le 8 mars 1769, Évelin Pierrepont, duc de Kingston. Sa fortune n'était pas substituée, et elle était immense ; la position de la duchesse fut donc la plus brillante et la plus élevée. Son caractère ne se modifia point ; il conserva ses irrégularités et ses bizarreries.

Tour à tour dépensière ou avare suivant ses caprices ou son amour de briller, elle jetait l'argent par poignées ou refusait les choses les plus minimes. Elle adorait son écrin de diamants, ses pierreries, ses perles, elle les aurait défendus au péril de sa vie, et portait toujours en voyage des pistolets dans sa poche en cas d'attaque. Courageuse, téméraire même, elle ne redoutait aucun danger ; elle trouvait du charme dans le péril. Une fois, en Russie, entourée par des voleurs, elle lutta contre eux avec ses domestiques, et les mit en fuite. On en parla beaucoup, et on la cita comme une héroïne.

Elle ne bravait pas seulement le danger, elle méprisait tout autant l'opinion publique, ne se souciant pas de ce que l'on pourrait penser d'elle, et ne ménageant rien pour satisfaire sa fantaisie, à plus forte raison ses passions. Le duc de Kingston, lorsque son premier feu fut éteint, s'aperçut de tous ces défauts et commença à beaucoup en souffrir. Il fit des observations qui ne furent point écoutées ; il se plaignit, on ne l'écouta pas davantage. Élisabeth était impérieuse, on le sait, elle se roidit contre une autorité qu'elle dénia, et continua de vivre à sa guise. Le duc sentit quel maître il s'était donné ; il regretta sa liberté sans doute, et pourtant ne trouva point la force de secouer un joug qui lui était cher ; il se soumit.

Elle ne le contrariait d'ailleurs en rien ; mais d'une constitution délicate, il devint irascible, sa santé en souffrit encore, il tomba dans la consomption, dans le marasme, et finit par mourir en 1773, laissant sa femme héritière de toute sa fortune, à condition qu'elle ne se remarierait point. Elle le promit de grand cœur, car elle n'en avait aucune envie. La duchesse resta veuve à cinquante-quatre ans. Elle ne fut pas insensible à cette mort : son cœur vaut mieux que son caractère.

Devenue libre, elle partit pour Rome, où le pape Clément XIV, Ganganelli, portait la tiare. Elle fit ce long voyage dans un yacht à elle qu'elle fit entrer jusque dans le Tibre, à l'admiration des Romains qui la comparèrent à Cléopâtre. Le pape la reçut à merveille ; elle devint la reine de la Ville éternelle, y acheta un palais qu'elle fit meubler d'une façon si luxueuse, que jamais de mémoire d'homme ni par tradition on n'avait rien vu de semblable. Elle dépensa des trésors en fêtes, en équipages, en domestiques ; elle illumina une nuit le Colisée. Elle fit venir à grands frais des danseurs et des chanteurs pour son théâtre, enfin elle dépensa en extravagances ce qui eût fait la fortune d'un petit État.

Pendant qu'elle était ainsi à tenir cour plénière, les parents de son mari, furieux d'avoir perdu son héritage, se regardant comme frustrés, ce qui par le fait était véritable, lui intentèrent un procès pour attaquer le testament de leur oncle. Ils soutinrent que le premier mariage de la duchesse avait été bien légal, bien réel et valable, que par conséquent elle était bigame, et que son second mariage devait être regardé comme nul, la cour ecclésiastique qui avait cassé le premier n'ayant pas eu le droit de le faire.

La duchesse, en apprenant ces nouvelles, resta frappée de stupeur. Elle se hâta de revenir en Angleterre, et partit précipitamment en laissant à Rome son palais en désarroi, abandonnant ses richesses, ses collections, ses tableaux, sans même songer à les préserver. Pendant son voyage la fièvre la prit ; il lui vint un abcès au côté ; elle continua nonobstant, ne s'arrêtant même pas pour les soins les plus urgents, tant elle avait hâte d'arriver. Son médecin la fit porter dans une litière, où elle était étendue, vaincue par la souffrance, mais forte encore par l'âme et la volonté. Cependant, en arrivant à Calais, la nature vainquit son âme ; le délire la prit, elle se croyait en prison, déchue, abandonnée, et fut contrainte de rester quelques semaines à l'hôtel Dessein. Elle y rencontra le comte de Mansfield, qui prit part de tout son cœur à ses chagrins et à ses inquiétudes. Elle fut reçue et soignée par Dessein comme la maîtresse d'une immense fortune, ne regardant à aucune dépense. Les soins empressés qu'on lui prodigua la mirent en état de traverser la Manche. Elle partit dès qu'il lui fut possible de se tenir debout, et se rendit à Kingstonhouse, où ses amis les plus particuliers l'attendaient : le vicomte Barington, les ducs de Newcastle, d'Ancaster et de Portland. Tous essayèrent de lui donner du courage en l'assurant de la sympathie générale. Ils lui représentèrent qu'elle devait à elle-même, au feu duc de Kingston, à tout ce qu'elle aimait, de se montrer supérieure à ces épreuves, de prouver combien elle était loin de les mériter, et combien elle savait dominer toutes les positions possibles.

Il y avait du vrai et du faux dans ces rapports ; la sympathie était loin de lui être acquise. Ses originalités, ses bizarreries lui avaient nui dans l'opinion publique, et cette opinion devait nécessairement influer sur l'issue d'un procès où tout était plus en équité qu'en droit. Elle choquait les préjugés anglais, ces préjugés orgueilleux et stupides, et il n'en fallait pas davantage pour qu'on fût mal disposé à son égard. Par exemple, elle ne croyait point faire mal en n'observant point toujours le dimanche avec le scrupule exagéré de ses compatriotes. Elle avait encore les épaules, la poitrine et les bras fort beaux, elle aimait tout naturellement à les montrer ; on lui en fit un crime irrémissible.

Elle en fut instruite ; il lui eût été facile de fermer la bouche à ses ennemis par des concessions de peu d'importance pour elle et très-graves pour ces petits esprits, mais jamais elle ne s'était laissé faire la loi par qui que ce fût, et, pour sauver sa vie, elle n'eût point renoncé à une seule de ses habitudes ou de ses idées. Accoutumée à dominer toujours et partout, à faire accepter ses désirs comme des lois, elle ne voulut point céder sur des mièvreries, ce qui l'eût rabaissée devant cette foule ordinairement courbée sous son regard.

Elle rassembla son courage et parut à l'audience en grande toilette, la tête haute, l'air assuré. Forte de son droit et de sa conscience, elle eut, tout le temps de la discussion, une contenance noble et ferme qui étonna ses ennemis : on eût dit, avouèrent-ils, une reine répondant à ses sujets. Mais que ne souffrit-elle pas ! c'est au-dessus de tout ce qu'on peut exprimer. Chaque fois qu'elle quittait ses juges, elle se faisait tirer une palette de sang ; elle reprenait ou conservait ainsi la lucidité de son esprit. Elle n'avait pris un défenseur que pour la forme, et parla elle-même avec autant de clarté et d'aplomb qu'un avocat eût pu le faire, tout en conservant sa dignité de femme et de duchesse. On l'écouta sans l'interrompre ; elle ne reçut ni blâme ni louange : c'était être condamnée d'avance, car elle devait être portée en triomphe ou succomber devant d'innombrables préventions.

Elle perdit son procès et le droit de porter le titre de duchesse. Déclarée bigame, elle eût été marquée d'un fer rouge sur la main gauche, si sa qualité de pairesse ne l'eût fait échapper à cette flétrissure. C'en était trop ; lorsqu'elle entendit cet arrêt terrible qui lui faisait perdre l'honneur, sa fermeté l'abandonna, elle s'évanouit. Mais Dieu et sa conscience lui rendirent bientôt le courage, elle releva la tête sans faiblesse comme sans ostentation, et cette foule mobile, dont la basse envie avait trouvé une satisfaction et qui en avait déjà honte, changea tout d'un coup et lui devint favorable. De la pitié on passa à l'admiration ; on ne parla plus que de son courage, de son attitude digne et ferme, on s'intéressa à ses infortunes. Tombée, on la plaignait, on ne la jalousait plus. Mais la pitié humilie, Élisabeth ne l'accepta pas. Pour ne pas rester plus longtemps en butte à cette blessante consolation, et pour éviter les conséquences de sa condamnation, elle s'échappa de Douvres dans un bateau couvert, seule avec quelques matelots et un fidèle valet de chambre. Il faisait une nuit horrible, la pluie et le vent ne cessèrent pas ; elle resta tout le temps dans cette coquille de noix, abritée seulement par un manteau et un chapeau grossier dont son serviteur l'avait couverte pour qu'elle ne fût pas reconnue.

Les matelots bien payés ne se doutèrent pas qu'ils eussent conduit une femme. L'homme le plus intrépide, il faut le dire parce que c'est vrai, n'eût pas montré plus de tranquillité et de sang-froid dans cette terrible nuit. Qu'était la vie après un tel affront ! Lorsqu'en arrivant à Calais ils apprirent qu'ils avaient sauvé la duchesse

de Kingston, ils firent retentir l'air de cris et de hour-
ras dont la ville entière fut émue. Ce moment fut doux
pour elle. Tout le monde au moins ne la condamnait
pas.

Cependant la fugitive ne fut pas reçue à l'hôtel
Dessein comme l'avait été la grande dame. Dessein ne
se souciait pas d'une pensionnaire embarrassante,
accoutumée à ne rien ménager et à laquelle il fallait
faire crédit. Il haussa légèrement les épaules.

— Je suis très-honoré, milady, certainement, mais
combien je suis malheureux, ma maison est pleine. Si
j'avais été prévenu des intentions de milady, je lui
aurais conservé son appartement ordinaire ; mais, en
ce moment, j'ose à peine l'avouer à sa seigneurie, une
seule chambre, à un sixième, est tout ce que je puis lui
offrir.

La duchesse harassée de fatigue accepta pour ne pas
avoir la peine de chercher ailleurs. Elle fut récompensée de sa patience, car le lendemain, Dessein ayant
appris qu'elle avait seulement perdu son titre, mais
que sa fortune lui restait, monta en toute hâte *à sa tour*,
lui dit, le bonnet à la main et la contenance humble,
qu'il ne pouvait laisser Sa Grâce dans un logement
aussi indigne d'elle, qu'il avait renvoyé le locataire de
son appartement ordinaire, et qu'il la suppliait d'y descendre, si elle ne voulait pas le réduire au désespoir.

— Ah ! ah ! maître Dessein, aujourd'hui c'est *Ma
Grâce*, hier c'était *Sa Seigneurie* ; je m'attendais à recevoir aujourd'hui de l'*honneur* et demain rien du tout. Il
paraît que le vent change. Je ne vous réduirai point
au désespoir, je descendrai dans cette belle chambre,
et vous serez tout aussi fier, tout aussi heureux que par
le passé de recevoir la duchesse de Kingston.

— Madame la duchesse, tout le logis est à la disposition de Votre Grâce.

Voilà le monde représenté dans le sieur Dessein,
aubergiste de Calais, et voilà Élisabeth Chudleigh

peinte dans un seul trait : malgré cette impertinence qu'elle avait parfaitement sentie, elle prêta à ce Dessein pendant son séjour à Calais vingt-cinq mille francs qu'il ne lui a jamais rendus. C'est là une bonté stupide ; pourtant il faut être juste, c'est surtout la bonté de l'insouciance.

En quittant Calais, elle se rendit à Munich, pour retourner à Vienne et de là à Rome. Elle trouva à Munich l'électrice douairière de Saxe, son amie, en visite chez son frère l'électeur de Bavière. Cette princesse et le prince Ratziwil la comblèrent de soins et d'affection, pour lui faire oublier ses chagrins. L'arrêt qui la frappait était si étrangement rendu que, tout en cassant le mariage, il maintint le testament fondé sur ce seul mariage, et laissa à la duchesse l'immense fortune de son mari. Les neveux en furent donc pour leur peine, ils ne touchèrent pas un liard.

L'électeur de Bavière la nomma comtesse de Warth. Elle n'en conserva pas moins le titre de duchesse, excepté en Angleterre, où on la traitait de comtesse de Bristol ; excepté aussi à Vienne, cependant. Elle arriva dans cette ville en octobre 1776, mais elle ne put jamais obtenir de l'impératrice Marie-Thérèse, ni de son fils Joseph II, d'être reçue comme telle à la cour.

Avant le procès qui lui fut intenté, elle avait fait un voyage en Russie, et la czarine l'avait reçue avec distinction. Elle y était arrivée dans un superbe vaisseau qu'elle avait fait construire exprès, et où se trouvaient toutes les commodités possibles. Elle y était aussi bien que dans son hôtel. Elle avait apporté avec elle des tableaux magnifiques provenant de la galerie du duc, et dont elle fit présent à Catherine II. Elle avait acheté une terre en Russie, près de Narwa, dans l'espoir d'être « dame à portrait », mais on n'accorde cet ordre qu'aux Russes exclusivement. Ce fut une déception, car elle enviait beaucoup cette distinction.

Le changement qui se fit alors dans la manière de
Catherine à son égard, et la froideur qu'elle lui témoigna, la décidèrent à partir pour l'Italie, confiant ses
intérêts et sa terre à un seigneur russe nommé Gar-
noffsky, avec lequel elle s'était intimement liée.

Le prince Ratziwil, qu'elle avait connu à Munich, s'y
était réfugié pour s'être révolté contre le roi de Pologne,
qui avait mis sa tête à prix. Plus tard il fit sa soumission
et obtint de rentrer dans ses terres. La duchesse avait
promis de l'y aller voir, ce qu'elle fit en effet. Ce fut
encore un beau temps pour elle ; bien qu'elle eût depuis
longtemps passé l'âge de la jeunesse, le prince en devint
éperdument amoureux. Il l'aima comme à vingt ans,
passant sa vie à ses genoux, attendant la vie ou la mort
de son sourire. Il lui offrit sa main et son immense
fortune, la suppliant de les accepter. Elle refusa. Le
prince était certainement un très-grand seigneur, mais
elle ne se souciait point de ce pays sauvage ; on lui eût
offert le trône de Pologne qu'elle l'eût refusé de même.

Le prince donna des fêtes à son idole ; elles durèrent
quatorze jours et coûtèrent deux cent cinquante mille
livres. Il fit construire exprès des maisons de bois que
l'on meubla magnifiquement à la mode champêtre et
que l'on couvrit de feuillages. Il y eut autour de cette
ville factice un combat simulé, on en fit le siège, on la
défendit, les bombes et les boulets étaient des pièces
d'artifice. Le soir, la ville fut prise et brûlée en entier
selon les règles, ce qui produisit un magnifique spectacle et coûta seul cent vingt mille livres. On dansa au
milieu de tout cela ; le bal fut splendide. Les raretés du
souper venaient de plusieurs centaines de lieues par des
estafettes.

Une autre fois il y eut chasse aux flambeaux et à
l'ours. Les chasseurs étaient entourés d'un régiment de
hussards portant des torches. Ils formaient un grand
cercle dans la forêt ; on n'a jamais vu un spectacle plus

magique et plus saisissant. L'ours effrayé fut forcé en très-peu de temps sans danger pour personne.

Le pauvre prince Ratziwil en fut pour ses frais et pour ses soupirs ; elle ne consentit point à l'accepter pour mari. Les grandeurs ne plaisaient à son imagination blasée que quelques instants ; elle ne pouvait se résoudre à passer sa vie loin des arts, loin de la conversation, dans ces forêts, parmi les Sarmates vêtus de peaux de bêtes. Il eût fallu aimer passionnément un homme pour lui faire ce sacrifice, et, disait la duchesse, cet homme fût-il roi, fût-il jeune, fût-il beau et spirituel à miracle, devrait remercier à genoux la femme la plus ordinaire qui quitterait Paris et Londres pour le suivre dans un semblable pays.

D'ailleurs la duchesse avait passé la saison de la tendresse, son cœur était mort, avait souffert deux fois, et cette souffrance l'en avait guérie. Elle aima sincèrement et fortement le duc de Hamilton ; elle eût donné tout au monde, excepté ses succès peut-être, pour lui appartenir à jamais. On sait comment elle en fut séparée. Cette blessure ne fut pas la plus forte cependant ; il en est une autre qu'il lui faut avouer, et qui devint le chagrin le plus réel de sa vie. Je la raconterai avec quelque détail, parce que ce fait, mal connu dans le monde, lui a attiré le seul blâme dont elle se soucie, celui de s'être abaissée et d'être descendue de son rang par un amour indigne d'elle, ce dont elle est parfaitement incapable, bien que ce ne soit malheureusement que trop vrai.

Dans son premier voyage d'Italie, lorsqu'elle était à Rome la véritable souveraine du pape et des Romains, on lui annonça, un jour, un seigneur nommé Warta, prince d'Albanie, dont la ville entière raffolait, et qui était certainement la plus belle créature que Dieu eût jamais faite. Il portait un costume resplendissant d'or et de pierreries, il était toujours armé jusqu'aux dents et des plus belles armes du monde, dont il se servait très-adroitement. La duchesse, à quinze ans, avait été

sans aucun doute la plus belle femme de l'Angleterre,
où il y en a tant de belles, mais il lui restait, malgré son
âge, assez de charmes pour qu'elle pût se croire aimée
sans s'abuser. Le prince Warta avait un esprit aussi
fin que brillant, une conversation piquante et variée. Il
montrait des sentiments généreux et nobles, un amour
de sa patrie, une haine de l'oppression, enfin tout ce
qui pouvait plaire à une femme. Élisabeth l'aima, elle
l'aima plus qu'elle n'avait aimé le duc de Hamilton,
dans son bel âge. Elle l'aima de toute la tendresse d'un
cœur sur son déclin, elle l'aima follement, au point de
se décider à faire pour lui ce qu'elle avait refusé au
prince Ratziwil. Leur mariage fut convenu, elle consentit à s'expatrier, à courir les chances d'une guerre, à
laquelle elle consacrait sa fortune comme une extravagante. Le prince d'Albanie voulait conquérir de la
gloire, secouer le joug de l'étranger et devenir un
héros.

Il quitta la duchesse pour aller en Hollande trouver
messieurs des États généraux et leur offrir vingt mille
Monténégrins, les hommes les plus braves du monde
entier, pour les aider dans leur guerre contre l'Empire.
Il devait les commander ; il devait devenir l'homme le
plus célèbre du siècle et ajouter l'auréole du triomphe
à celle de sa jeunesse. La duchesse avait la tête trop
folle pour ne pas accepter ces chimères et les adopter
toutes. Cet homme possédait un tel don de persuasion,
il était si séduisant, ses paroles étaient si dorées et si
entraînantes qu'il convainquit jusqu'aux États généraux
de Hollande, ces personnes sages, positives, parcimo-
nieuses, ces esprits étroits et justes. Ils prirent des renseignements, et ces renseignements confirmèrent les
assurances, il fut accepté. Comment la duchesse de
Kingston aurait-elle mis en doute ce que les États de
Hollande reconnaissaient ? Elle reçut des lettres brû-
lantes de celui qu'elle aimait, lui jurant qu'il deviendrait
digne d'elle, ou qu'elle ne le reverrait jamais.

Cependant l'ambassadeur de Turquie en France avait aussi pris des renseignements sur le prince Warta, et s'étant adressé apparemment à des sources plus certaines, il apprit que cet homme, si remarquable sous tous les rapports, pour lequel la nature avait été si prodigue, n'était qu'un misérable aventurier grec, échappé de Constantinople où il avait subi une condamnation pour vol. Il était de plus renégat, et à deux reprises différentes. L'ambassadeur prévint de suite messieurs des États ; le soi-disant prince fut arrêté, au moment où il s'y attendait le moins, et conduit en prison. Son désespoir fut horrible, mais concentré. Il ne répondit pas un mot à ceux qui l'interrogeaient, ne nia rien, n'avoua rien, et se laissa enfermer dans son cachot, sans opposer la moindre résistance. Le lendemain matin on le trouva mort, empoisonné par une bague, qu'il portait toujours sur lui, pour cet usage. Dès longtemps il s'y attendait. Près de lui il y avait une lettre adressée à la duchesse de Kingston. Cette lettre fut envoyée sans avoir été ouverte ; on respecta le secret d'une femme. Je vais la transcrire ici, elle fera mieux connaître cet homme singulier par lequel la duchesse fut trompée et qui trompa avec elle tous ceux qui l'approchèrent. Il est donc faux qu'elle ait jamais eu la bassesse de se donner à un homme au-dessous d'elle, ou du moins cet homme était un tel fourbe qu'il fit autant de dupes qu'il eut de relations, quelles qu'elles fussent. Voici la lettre :

« On va vous ouvrir les yeux, Élisabeth, on va vous dire ce qu'est l'homme auquel vous aviez promis votre main, et ce que l'on vous dira est la vérité. Je ne viens donc point me justifier près de vous ; je ne me présente point à vos yeux comme une victime du sort, ou de l'injustice des hommes, mais au contraire comme un coupable, mais non pas un coupable ordinaire. J'ai joué une partie avec le sort, j'ai gagné les premiers points, il a pris sa revanche, je suis vaincu, il faut me soumettre ; je me soumets. Cependant, vis-à-vis de vous, je veux paraître sous mon véritable jour ; l'opinion des autres ne m'importe pas ; qu'ils pensent de Warta ce qu'ils voudront, je n'en donnerais pas un fétu de paille. Vous, c'est autre chose, je vous aime, j'ai été aimé de vous, il se peut que vous me méprisiez ; mais au fond de votre cœur vous direz que vous n'aimiez point un homme vulgaire, et que celui qui a conçu, arrangé, réussi le plan d'une vie telle que la mienne, n'était pas tout à fait indigne de votre attention.

« Oui, je suis un aventurier, oui, je suis né dans la plus basse classe, oui, j'ai mérité la punition que j'ai subie à Constantinople, et je suis indigne de l'amour que vous m'aviez accordé, si vous me regardez au point de vue du monde, au point de vue des esprits étroits dont la société se compose. Eh bien, avec les seules ressources de mon génie, par la force de ma volonté, je suis parvenu à en imposer à l'Europe entière ; je me suis donné l'éducation qui me manquait, je me suis donné les sentiments que je n'avais pas ; je me suis formé aux manières que j'ignorais, je suis devenu un véritable prince ; et pourtant mon père était un ânier de Trébizonde. J'ai trouvé du goût, j'ai trouvé la connaissance de tout ce que je n'avais jamais ni vu, ni entendu, ni soupçonné. Beaucoup de vos poupées, poudrées, chargées d'oripeaux et de titres, auraient-elles pu en faire autant ?

« Je suis tombé, je suis vaincu, mais je ne suis point humilié : au contraire. Ma tête se relève plus haut que jamais, j'ai la conscience de ce que je vaux, de ce que je suis, et je regarde toute l'espèce humaine avec un dédain profond ; elle ne vaut pas un regret ; hors vous, madame, vous la seule et vraie affection de ma vie, vous que j'ai aimée de toute la passion de mon cœur. Je ne vous supplie pas à mes derniers moments ; pourtant il me serait bien doux d'emporter avec moi l'espérance de ne point être haï, l'espérance d'une pensée. Vous me la refuserez peut-être, au moins je ne le saurai pas.

« Adieu, Élisabeth, dans une demi-heure, j'aurai terminé mon rôle. Je ne daigne pas donner une explication à ces États qui m'avaient accueilli lorsque j'étais un faux prince, et qui me repoussent maintenant qu'ils me savent un homme de génie. À vous seule je parle en cet instant suprême, et c'est pour vous dire mon adieu, mais au revoir ! Nous nous retrouverons dans le séjour où les grandes âmes se retrouvent sous l'œil du Créateur. Nous y serons dépouillés des illusions, des préjugés de ce monde, et l'on nous y jugera pour nous-mêmes et pour ce que nous valons. Au revoir donc encore, Élisabeth ! »

Lorsque la duchesse apprit cette déconvenue, son cœur faillit se briser, et sa fierté fut tellement blessée qu'elle en crut mourir. Cette même fierté lui donna le courage de cacher cette impression ; elle ne cessa pas un instant de recevoir et de voir du monde ; elle ne permit pas à son visage d'exprimer la moindre souffrance, et sortit victorieuse encore de cette épreuve. Mais combien elle fut malheureuse ! combien elle eut à refouler de larmes !

À dater de ce moment, elle ne voulut pas rester à Rome ; c'est alors qu'elle se rendit en Russie. Depuis lors, elle n'a plus aimé.

J'espère qu'on ne trouvera pas ce récit trop long ; quant à moi, il m'a vivement intéressée. J'ai voulu le transcrire en entier dans ces Mémoires, où je le laisserai, à moins qu'il ne soit publié ailleurs, car on a dû le retrouver dans les papiers de la duchesse de Kingston.

22 mars. — Je dînai chez Son Altesse sérénissime avec madame la duchesse d'Aremberg, femme d'un fort grand seigneur flamand, de la branche cadette des princes de Ligne ; ils sont souverains de leur principauté et colonels-propriétaires du régiment de La Marck. La duchesse était une Brancas-Lauraguais, fille du comte de ce nom. Le duc d'Aremberg avait pour frères : le comte de La Marck, marié à la marquise de

Cernay, et le prince Louis d'Aremberg, colonel en second au régiment de La Marck, marié depuis à mademoiselle de Mailly de Nesle. Les trois sœurs du duc d'Aremberg étaient mariées au comte de Windischgraetz, au duc d'Ursel et au prince de Stahremberg. J'ai vu cette dernière en Flandre.

Le soir, après la Comédie italienne, où l'on donnait la *Mélomanie* et le *Déserteur*, nous soupâmes chez le général de Wurmser. Il y avait le duc de Crillon, le duc de Brancas-Céreste et le comte d'Estaing.

C'est encore un grand homme de guerre que le comte d'Estaing ; il est lieutenant général des armées navales et a battu les Anglais près de l'île de la Grenade, détruit l'escadre de l'amiral Byron et fait la conquête de cette île. C'est un homme du plus grand mérite, d'un mérite indulgent et modeste, ce qui, pour moi, double la valeur. Il parle sans cesse du bailli de Suffren, de sa gloire, et ne veut point qu'on le vante lui-même à côté de celui qu'il proclame un héros. On a fait sur le comte d'Estaing les vers que voici :

> *Albion redouta son bras et son génie.*
> *Vengeur du nom français, général et soldat,*
> *Il sut combattre avec éclat*
> *Les Anglais et la calomnie.*

Il est brouillé avec M. de Vergennes, et celui-ci a rayé de sa main un article qui rendait compte d'un succès de cet amiral. Cela prouve, dit M. de Maurepas, que « la trompette vaut mieux que la plume. »

23 mars. — Déjeuner chez madame la landgrave de Hesse. Madame la duchesse de Bourbon a soupé chez nous. Rien d'extraordinaire d'ailleurs. — Le 24 nous allâmes à Versailles pour quelques heures ; je voulais parler à madame de Mackau. En revenant, je fis des visites à madame la duchesse de Bourbon, à madame la duchesse d'Orléans, à la duchesse d'Aremberg et à la

duchesse de Kingston, chez qui nous avons soupé. Sa
table est des plus renommées ; elle était fort gour-
mande, et on faisait chez elle une chère exquise. C'était
réellement une femme extraordinaire ; elle savait peu,
mais un peu de tout. Ayant vécu avec tous les beaux
esprits, tous les savants, tous les illustres de l'Europe,
elle avait glané sur tout, et elle s'était fait une conversation qui trompait la première fois. Son grand usage
du monde, son esprit infini, lui donnaient un éclat et
un brillant indicibles. Elle racontait de la façon la plus
pittoresque, la plus vive, la plus inattendue. Son imagination était un prisme où tout se reflétait, et qui étincelait par toutes les facettes.

N'écoutant que sa seule volonté, elle se moquait des
idées reçues. Altière et opiniâtre, sa mobilité passait
toute idée ; on ne la retrouvait pas la même à une heure
de distance. Ses passions se mobilisaient comme ses
idées.

Et cependant elle avait l'âme noble. En 1785 elle
apprit que le neveu du duc de Kingston (celui-là même
qui voulait lui enlever son immense fortune en lui
intentant ce procès), elle apprit donc qu'il se trouvait à
Metz dans la misère, et couvert de dettes qu'il ne pouvait payer. Celui qui lui apprit cette nouvelle crut lui
être agréable ; mais son visage changea sur-le-champ ;
elle s'inquiéta de son adresse positive, et lui fit dire
qu'elle avait oublié le mal qu'il lui avait fait, les injures
qu'elle avait reçues, qu'il pouvait la regarder comme
une amie, et qu'elle le sortirait de son horrible situation.

En effet, elle partit pour Versailles, elle vit le roi, elle
obtint de lui la cessation des poursuites, arrangea pour
cet ennemi une maison dans les environs de Paris, et
lui fit une pension pour qu'il pût vivre dans l'aisance.
Ce trait fut beaucoup loué ; il devait l'être.

Elle était bienfaisante. Tant qu'elle vécut, il n'y eut
point de pauvres à Calais ; elle les comblait de toutes
les manières.

Nous la fîmes causer à ce souper chez elle. Elle regrettait par moments l'Angleterre, et parlait d'y retourner. Le souvenir des injustices dont elle avait été victime l'en empêchait. Puis ses amis étaient morts.

— Ce n'est pas la peine, ajouta-t-elle, de chercher des tombeaux, on en porte assez dans son cœur.

Elle aimait Paris, parce que c'est le lieu du monde où les absents reviennent le plus. Elle se plaisait dans ce bel hôtel de la rue Coq-Héron, qui s'appelait autrefois l'hôtel du Parlement d'Angleterre, qu'elle a loué pour sa vie, où elle recevait la société la plus brillante et la plus curieuse, en grands seigneurs, en artistes et gens d'esprit de toutes nations.

— Je ne retournerai pas en Angleterre décidément, disait-elle quelquefois ; les Anglais cherchent le plaisir sans le trouver, les Français le trouvent toujours sans lui courir après.

Elle faisait grand cas de Gluck, qui est mort à Vienne, en 1787, et qui était son ami. Elle lui dit adieu d'une manière touchante, et avec le pressentiment de ne plus le revoir. Le départ et la mort de Gluck laissèrent un moment le champ libre à Piccini, mais celui-ci trouva bientôt un nouveau rival dans Sacchini ; toutefois, Gluck les effaçait tous les deux, de l'avis presque général.

À la tête des gluckistes étaient la reine, l'abbé Arnaud et Suard.

À la tête des piccinistes, Marmontel, La Harpe, Ginguené.

Piccini était la mélodie et la suavité ;

Gluck, l'harmonie et la puissance.

Pour en revenir à la duchesse de Kingston, elle nous montra après souper tous ses bijoux, ce qui était une véritable curiosité ; le trésor de Sainte-Marie, à Venise, n'est pas plus riche. Nous vîmes un gros diamant, d'une eau superbe, qu'elle compte laisser au pape.

Un collier de chatons magnifiques destiné au duc de Newcastle.

Une garniture de pierreries variées, d'un prix inestimable, léguée à la czarine.

Enfin, la chose la plus curieuse et la plus rare : de superbes boucles d'oreilles et un collier de perles, ayant appartenu à la célèbre comtesse de Salisbury. Elle les voulait rendre à la comtesse de ce nom.

Les yeux étaient éblouis de ces trésors, rangés avec un soin tout particulier dans des écrins étiquetés et numérotés, tant ils étaient nombreux ; tout le chagrin et le galuchat[333] de la terre étaient dans ses armoires.

Pour finir ce qui la concerne, j'ajouterai qu'elle acheta Sainte-Assise, ou Seine-Port, après la mort de M. le duc d'Orléans, et qu'elle y fixa sa résidence d'été. Ce fut un état de maison princier. Elle paya cette terre un million quatre cent mille livres ; mais dès la première semaine de son arrivée, elle fit tuer et vendre des lapins pour sept mille francs.

Elle y mourut le 28 août 1785, l'année dernière, à soixante-huit ans révolus, d'un vaisseau rompu dans la poitrine. Son testament fut aussi bizarre que sa vie, ses héritiers cherchèrent à le faire casser ; je ne sais s'ils y ont réussi.

26 mars. — Je partis pour Versailles, avec madame la duchesse de Bourbon, qui voulait faire une visite à la reine. Je quittai la princesse en arrivant au château, et je me rendis chez madame de Mackau, où je passai la journée. J'ai parlé ailleurs de madame de Mackau, avec laquelle je suis liée d'amitié, c'est une femme de cœur et d'un esprit supérieur.

J'ai eu l'honneur de voir les enfants de France, chez lesquels elle m'a conduite. Madame Royale avait sept ans et demi. Elle était fort grande pour son âge ; elle a l'air noble et distingué. Madame de Mackau, qui était sous-gouvernante, l'élevait à merveille, elle s'en occupait bien plus que la gouvernante en titre. J'en eus la preuve dans cette visite, et cette circonstance ne manque pas d'intérêt.

En voyant cette princesse si grandie et si embellie, je l'ai trouvée charmante, et, accoutumée que je suis à la liberté des cours d'Allemagne, je n'ai pas pu m'empêcher de le dire. Cette liberté déplut à Madame Royale, et je le vis à l'instant sur son visage. Son regard si fier s'anima, ses traits se contractèrent, et elle me répliqua sans hésitation :

— Je suis charmée, madame la baronne, que vous me trouviez ainsi ; mais je suis étonnée de vous l'entendre dire.

Je restai tout interdite, et j'allais me confondre en excuses, lorsque madame de Mackau m'arrêta, et reprit avec un grand sang-froid :

— Ne vous excusez pas, madame, Madame Royale est fille de France, et elle ne fera jamais passer le bonheur d'être aimée après les exigences de l'étiquette.

Aussitôt, Madame Royale se tourna vers moi, et de l'air le plus digne, en même temps que le meilleur, elle me tendit sa petite main, que je baisai. Ensuite, elle me fit une révérence profonde et sérieuse, et se retira de la manière la plus gracieuse et la plus polie. C'était bien la petite-fille de Marie-Thérèse ; ce sera un beau et noble caractère. Comment pourrait-il en être autrement avec une mère comme la reine ?

Marie-Antoinette s'occupe elle-même de l'éducation de sa fille ; elle assiste tous les matins aux leçons de ses maîtres, et est très-sévère pour ses petits défauts. Elle fit, vers cette époque-là, une réforme dans la maison de sa fille, dans la crainte de lui donner le goût du faste par le trop grand appareil qui l'entourait. Peut-on voir une meilleure mère et une affection plus éclairée ?

En rentrant à Paris, nous soupâmes chez la duchesse de La Vallière.

27 mars. — Nous allâmes aux Italiens avec madame Tronchin. À son sujet, je dirai ces deux mots : Ce n'était

point la veuve du célèbre médecin, petite-fille du fameux pensionnaire Jean de Witt.

Ce n'était pas la femme de M. Tronchin, riche fermier général, qui a, rue d'Antin, un hôtel superbe.

C'était la femme d'un envoyé de Genève, à Paris, pleine d'esprit, fort bonne, mais cousue de ridicules. Elle avait peur de tout, surtout du tonnerre, des araignées et des lapins. Pourquoi les lapins ? je l'ignore ; ce que je sais, c'est qu'elle ne les supportait pas, même en peinture ; à peine en écoutait-elle le nom sans pâlir. Elle nous amusait beaucoup, et ne s'en tourmentait guère.

Nous eûmes *La Belle Arsène*, et *Fanfan et Colas*. Une vraie pièce de jeunes filles par sa moralité. Le sujet en est simple et naïf, il arrache des larmes. Les rôles de Fanfan et de Colas étaient joués : le premier, avec beaucoup de finesse, par madame Raymond ; le second, par mademoiselle Caroline, qui y mettait infiniment de grâce et d'esprit.

Le lendemain 28, nous allâmes encore, avec madame Tronchin, à la Comédie-Française ; on jouait *Crispin médecin*. À propos de cette pièce on répétait un mot de Préville assez drôle, au sujet d'un événement peu édifiant et qu'explique le lieu où il se passa.

Une actrice de la Comédie avait mis au monde un enfant, attribué, suivant les uns, au sieur *Dazincourt* (le fameux Crispin), et, selon d'autres, au *médecin* de cette actrice. Un soir, que l'on se disputait beaucoup au foyer pour savoir à qui cet enfant appartenait, en réalité, et quel nom lui donner par conséquent :

— Vous voilà bien embarrassés, dit Préville, appelez-le Crispin-Médecin.

Le Théâtre-Français fit sa clôture le 1ᵉʳ avril, au moment de mon départ. Ce fut donc la dernière fois que j'y vins de ce voyage, et je ne reverrai plus ni Brizard, ni madame Fanier, ni M. et madame Préville qui se retiraient. Ce furent des pertes irréparables pour le théâtre.

Les jours suivants je fis des visites ; je vis beaucoup de monde, soit chez moi, soit chez madame la duchesse de Bourbon. J'allai rue d'Anjou, chez le bon maréchal de Contades, gouverneur d'Alsace, qui, malgré ses quatre-vingts ans, est encore aimable. Je vis les avocats des procès, je vis madame de Talaru, née de Bec-de-Lièvre, dame pour accompagner madame Adélaïde[334]. Le marquis de Talaru est lieutenant général, grand-croix de Saint-Louis, premier maître d'hôtel de la reine, en survivance, gouverneur de Phalsbourg.

Le vicomte de Talaru est maître d'hôtel de la reine *en pied* ; c'est le fils du vicomte de Talaru, cordon bleu, mort en 1782.

Je vis encore la comtesse de Beaujeu, chanoinesse du chapitre royal de Saint-Louis de Metz. Elles portent une croix d'or à huit pointes, attachée à un ruban blanc, liséré de bleu. Il faut, pour être admis dans ce chapitre, prouver sa noblesse d'extraction, et une filiation non interrompue jusqu'à 1400.

Madame de Beaujeu est parente du chevalier de Beaujeu, qui a été sous-gouverneur. C'est une femme d'esprit, maligne et mordante à l'excès. Nous sortions ensemble de chez madame de Persan, chez laquelle il se trouvait quantité de noblesse.

— Ce que c'est pourtant que ces Doublet ! me dit-elle. Ils sont vains de père en fils. Je tiens d'un de mes grands-oncles, qui se trouvait chez M. le premier président un jour de réception, qu'on y annonça M. de Persan, le grand-père de ceux-ci, et un de ses frères s'appelant aussi M. de quelque chose[335]. Vous savez l'horreur du Parlement pour les noms usurpés, par un de ses membres surtout. Le premier président, debout au milieu du cercle, leur fit la révérence, les regarda un instant sous le nez, et se sauva dans sa chambre en criant : *Masque, je vous connais !*

Je fis ensuite tous mes adieux, à madame la duchesse de Bourbon surtout, qui me combla de bontés, et je quittai Paris le 1ᵉʳ avril pour arriver à Strasbourg le 6 du même mois. J'y trouvai une lettre de madame la grande-duchesse ; après des couches pénibles elle venait de mettre au monde une fille, la grande-duchesse Paulowna, et me rassurait en m'annonçant elle-même sa convalescence.

## CHAPITRE XXXVI

À peine arrivés à Strasbourg, nous apprîmes que M. de Saulx-Tavannes venait de recevoir le titre de duc héréditaire. Madame la duchesse de Bourbon me l'écrivit. À ce sujet, je retrouve dans mes papiers une liste des ducs et pairs héréditaires ou à brevet. J'ai envie de les mettre ici. Ces choses-là seront curieuses pour nos descendants. D'après l'esprit de destruction qui court, elles deviennent des documents.

#### DUCS ET PAIRS ECCLÉSIASTIQUES :

Messeigneurs : de Talleyrand-Périgord, archevêque-duc de Reims ;

— de Sabran, évêque-duc de Laon ;

— de la Luzerne, évêque-duc de Langres ;

— de la Rochefoucauld, évêque-comte de Beauvais ;

— de Clermont-Tonnerre, évêque-comte de Châlons ;

— de Grimaldi, évêque-comte de Noyon ;

— de Juigné, archevêque de Paris, duc de Saint-Cloud.

### DUCS ET PAIRS LAÏQUES HÉRÉDITAIRES :

| Date de création. | Duché. | Famille. |
|---|---|---|
| 1572 | Uzès, | Crussol. |
| 1594 | Montbazon, | Rohan-Guéménée. |
| 1595 | Thouars, | La Trémouille. |
| 1619 | Luynes, | d'Albert. |
| 1631 | Richelieu, | Vignerot-Duplessis. |
| 1637 | Larochefoucauld, | Larochefoucauld. |
| 1652 | Rohan, | Chabot. |
| 1662 | Luxembourg, | Montmorency. |
| 1663 | Gramont, | Gramont. |
| 1665 | Mortemart, | Rochechouart. |
| 1663 | Noailles, | Noailles. |
| 1665 | D'Aumont, | d'Aumont. |
| 1709 | D'Harcourt, | d'Harcourt. |
| 1710 | Fitz-James, | Fitz-James. |
| 1716 | Brancas, | Brancas. |
| 1716 | Valentinois, | Grimaldi de Monaco. |
| 1762 | Praslin, | Choiseul. |
| 1775 | Clermont-Tonnerre, | Clermont. |
| 1786 | Saulx-Tavannes, | Saulx. |

### DUCS NON PAIRS, MAIS HÉRÉDITAIRES[336] :

| | | |
|---|---|---|
| 1742 | Broglie, | Broglie. |
| 1758 | D'Estissac, | Larochefoucauld. |
| 1758 | Montmorency, | Montmorency |
| 1758 | Ayen, | Noailles. |

| 1759 | Villequier, | d'Aumont. |
|------|------------|-----------|
| 1768 | Beaumont, | Montmorency-Luxembourg. |
| 1768 | Croy, | Croy. |
| 1775 | Lorges, | Durfort. |

| Date de création. | Duché. | Famille. |
|------|------------|-----------|
| 1780 | Polignac, | Chalençon. |
| 1783 | Laval, | Montmorency. |
| 1784 | Lévis, | Lévis. |
| 1784 | Maillé, | Maillé. |

DUCS À BREVET NON HÉRÉDITAIRES :

| 1765 | Liancourt, | Larochefoucauld. |
|------|------------|-----------|
| 1777 | Mailly, | Mailly-d'Haucourt. |
| 1782 | Doudeauville, | Larochefoucauld. |
| 1783 | Caylus, | Robert de Lignerac. |
| 1784 | Castries, | Lacroix. |
| 1784 | Cossé, | Brissac. |
| 1784 | Céreste, | Brancas. |
| 1787 | D'Esclignac, | Fimarcon. |

ÉTRANGERS DUCS FRANÇAIS :

| 1548 | Châtellerault, | Hamilton. |
|------|------------|-----------|
| 1672 | D'Aubigny, | Lennox. |

DUCS CRÉÉS PAR JACQUES II ET ADMIS PAR LOUIS XIV AUX HONNEURS DU LOUVRE :

| 1687 | Berwick, | Fitz-James. |
|------|------------|-----------|
| 1689 | Mountcashel, | Mac-Carthy. |

| 1692 | Albemarle, | Fitz-James. |
|------|-----------|-------------|
| 1692 | Melfort, | Drummond. |

### DUCS PAR DIPLÔME PAPAL :

1665   Caderousse, d'Ancézune *(bref d'Alexandre VIII)*.
1725   Crillon *(bref de Benoit XIII)*.

Les princes étrangers qui ont eu les honneurs du Louvre, ainsi que les ducs et duchesses, sont :

Les princes de la maison de *Lorraine-Elbœuf ;*

Ceux de la maison de *La Tour-Bouillon*, héritiers de la maison de La Marck, rang de princes en France en 1651.

### GRANDS D'ESPAGNE :

*Rohan-Guéménée*, érigé en principauté en 1570 ;

*La Trémouille* (à cause de leurs prétentions sur le royaume de Naples), rang accordé en France en 1651 ;

| | |
|---|---|
| D'Egmont (Pignatelli), création, | 1520 |
| Salm-Kirbourg, 1520, renouvelé, | 1773 |
| Havré (Croy), 1528, | 1761 |
| Nassau-Seigen, 1520, | 1783 |
| Buzançois (Beauvilliers), | 1765 |
| Doudeauville, | 1703 |
| Tessé (Froulay), | 1704 |
| Croy-Solre, 1706, succession, | 1784 |
| Chimay (d'Alsace d'Hénin-Lietard), | 1708 |
|          par succession, | 1740 |
| Nivernois (Mancini-Mazarini), | 1738 |
| Ghistelle (Melun), | 1758 |
| Mouchy (Noailles), | 1750 |
| Robecque (Montmorency), | 1745 |
| Périgord (Talleyrand), | 1757 |
| Valentinois (Grimaldi, pr. de Monaco), | 1754 |

| | |
|---|---|
| Rouault (Gamaches), | 1777 |
| Hautefort, | 1761 |
| Saint-Simon (Rouvray), | 1774 |
| Beauvau, | 1727 |
| Brancas-Céreste, | 1700 |
| Lamarck (Ligne), | 1740 |
| Caylus (Robert de Lignerac), | 1774 |
| Ossun, | 1765 |
| Montbarrey (Saint-Maurice), | 1774 |
| Crillon-Mahon, | 1782 |
| D'Estaing (Saillans), | 1782 |
| Gand, | 1785 |
| D'Esclignac, | |

Je crois que cette liste et ces noms sont à leur place dans ces Mémoires ; ils serviront de mémorandum pour ceux qui oublieront les anciens rangs. Je les trace avec un plaisir mélancolique. Sait-on ce qui arrivera dans l'avenir ?

À notre retour de Paris, nous passâmes l'été chez nous à Quatzenheim, et nous n'allâmes pas cette année à Montbéliard, à mon grand regret. La mort du grand Frédéric, arrivée en août, mit cette cour en deuil. Madame la princesse fut particulièrement désolée. Elle aimait beaucoup son illustre oncle, et c'était d'ailleurs un grand appui pour ses enfants. Il s'occupait d'eux avec une sollicitude très-vive, et s'était chargé de leur avenir.

J'avais sans cesse des nouvelles d'Étupes. La correspondance était très-active ; mademoiselle de Domsdorf y était retournée, et M. de Wargemont y passait sa vie. Il profitait du voisinage de Belfort, où il est en garnison, et ne quittait pour ainsi dire pas sa bien-aimée. Ce fut alors qu'il fit les vers dont j'ai parlé sur le loto, d'après la page de mon journal, dont il avait pris note. On me les envoya, et nous en rîmes beaucoup.

Cet amour intéressait tout le monde ; les sentiments bons sont si faciles à comprendre ! Pourtant on demandait le mariage, qu'ils retardaient toujours, pour avoir le plaisir de se faire malheureux et de soupirer au clair de la lune. C'était absolument le berger *Quinchottis* et la nymphe Dulcinée (au ridicule près, bien entendu), car ce couple était charmant.

Vers cette époque, on reçut à Montbéliard la visite de l'archiduc François d'Autriche, grand-duc de Toscane. Il ne resta que quelques heures chez son futur beau-père. Ce mariage-là n'est point retardé par les beaux sentiments filés, mais par la politique. L'archiduc est jusqu'ici héritier de l'Empire ; c'est un parti aussi brillant que celui de Paul Petrowitz l'était pour la princesse Dorothée. En vérité, Dieu protège les familles nombreuses, quand elles observent sa sainte loi ; c'est encore prouvé une fois de plus par la famille de Wurtemberg. Ils ont fait des pertes sensibles, c'est vrai, mais il faut payer le tribut à l'humanité, et ceux qui restent sont heureux ici-bas.

Nous trouvâmes Strasbourg fort occupé du cardinal de Rohan et de l'affaire du Collier[337]. Tout le monde s'élevait contre lui ; ce n'était qu'une voix ; l'indignation était générale. On assurait qu'à la suite d'un mémoire envoyé à Sa Sainteté par le chapitre de la cathédrale, le pape l'avait suspendu pour six mois de ses fonctions sacerdotales. Cette affaire était le sujet de toutes les conversations ; on vendait les portraits des acteurs de ce procès.

Les bons mots ne manquèrent pas non plus. On disait :

— C'est le dernier coup de *collier* que donne la maison de Rohan.

On disait encore :

— Le cardinal n'est pas *franc du collier*.

Le chapitre profita de sa disgrâce pour soulever et faire valoir ses griefs contre lui. Il ne lui pardonnait pas surtout d'avoir employé à des choses d'agrément personnel les fonds destinés à la reconstruction du château de Saverne. Il fit reprendre les travaux de cette résidence et cesser ceux ordonnés par le cardinal, qui étaient seulement de luxe et pour les plaisirs de la chasse. Les enfants chantaient dans les rues les couplets d'une chanson qu'on n'avait pas manqué de faire sur le prélat et tout ce qui le concernait :

> *Et l'innocente candeur*
> *Du prélat de Saverne*
> *Va briller comme un docteur*
> *Dans une lanterne, etc.*

On frappa à la monnaie de Strasbourg, lors du procès du collier, des louis [porteurs de cornes, infâme et insultante altération[338].] Il va sans dire que cela ne se renouvela pas, et que les auteurs en furent sévèrement recherchés, quoiqu'ils protestassent que c'était un hasard de la gravure.

Lors de l'arrestation du cardinal, M. le prince de Condé, qui a épousé une Rohan, le maréchal de Soubise, la princesse de Marsan, s'indignèrent et réclamèrent. Le fait est que la maison de Rohan éprouva coup sur coup deux grands désastres, la banqueroute du prince de Guéménée et le déshonneur du cardinal grand-aumônier de France. Ce sont de ces choses qui tuent. À propos de cette ressemblance de la reine avec cette horrible fille d'Oliva, qui était tout le nœud de l'histoire, madame la duchesse d'Orléans m'a raconté une chose bien touchante et bien peu connue, une autre ressemblance de Sa Majesté, très-explicable cette fois et très-douce à son cœur. C'était presque un secret à la cour : ce qu'il y a de certain, c'est que personne n'en parle. Madame la duchesse d'Orléans l'a su par

644                     *Baronne d'Oberkirch*

madame la princesse de Lamballe, qui lui recommanda de ne point l'ébruiter, et c'est un soir après souper, chez madame la duchesse de Bourbon, qu'elle se laissa entraîner par la conversation à nous le dire. Nous n'étions que quatre, et nous nous engageâmes au silence. Il a été gardé, j'en réponds. Les secrets de cour ne se divulguent guère, chacun en craint les conséquences, et la discrétion est une des premières vertus d'un courtisan adroit. Voici donc le fait :

L'empereur Joseph II avait dix-sept ans lorsqu'il connut à Vienne, par hasard, une jeune chanoinesse presque de son âge, dont le père était retiré au château de Schœnbrunn, où il avait des fonctions, et où sa fille demeurait avec lui. Le prince, on le sait, aimait la solitude ; dès cet âge si tendre, il se promenait de longues heures sous les grandes allées du parc, rêvant à son avenir, au fardeau si pesant de cet empire auquel la Providence le condamnait. Un soir, il était tard, tout le monde dormait au château, il entendit au fond d'un bosquet des gémissements et des plaintes ; il lui sembla reconnaître une voix de femme ; il y courut. L'obscurité était complète ; cependant il aperçut comme un paquet blanc jeté sur l'herbe ; il s'en approcha : c'était une jeune fille. Elle ne le reconnut point ; mais, en le voyant, elle l'appela avec des sanglots, en le suppliant d'avoir pitié d'elle et de venir à son secours. Le prince lui demanda qui elle était, ce qu'elle faisait si tard en ce lieu, et si elle n'était pas blessée.

Elle se nomma : c'était la comtesse Wilhelmine de B... En se promenant au milieu des bois, ainsi qu'elle en avait l'habitude, elle avait voulu dénicher un nid d'oiseau placé sur une branche un peu haute ; elle était tombée et s'était foulé le pied. Depuis lors il lui avait été impossible de se lever, et sa souffrance était telle que, sans le secours d'un bras, elle ne pouvait rejoindre le logis de son père.

Joseph resta frappé de cette douce voix ; bon et simple comme il l'était d'ailleurs, sûr de ne pas être reconnu, il aida la jeune fille à se relever, et lui offrit son appui pour retourner au château. Wilhelmine l'accepta, en se plaignant beaucoup ; elle souffrait excessivement, et chacun de ses pas était une douleur. Le trajet fut long ; pendant la route, le prince essaya de l'interroger. Elle lui raconta naïvement qu'elle était en congé de son chapitre, qu'elle n'habitait Schœnbrunn que depuis trois semaines ; que sa famille, d'une noblesse des plus anciennes, était pauvre, et que son père, vieux soldat des guerres de Hongrie, bien connu de l'impératrice, avait eu pour retraite un poste de confiance dans cette résidence impériale. Elle n'avait plus de mère, elle était fille unique ; on lui avait obtenu une prébende, puisqu'elle n'avait point de dot. Elle se trouvait contente de son sort, et ne demandait rien à Dieu que la continuation de ce bonheur.

Enfin ils arrivèrent. Le vieillard était couché selon son habitude ; une servante veillait ; elle était inquiète, mais elle resta stupéfaite en reconnaissant Joseph, qui mit un doigt sur ses lèvres et lui glissa deux ducats dans la main pour la faire taire.

— Soignez bien la comtesse, dit-il, je reviendrai savoir de ses nouvelles.

La jeune fille fut plusieurs jours couchée, elle souffrit beaucoup, et, selon sa promesse, le prince envoya chaque matin s'informer de sa santé. On ne dit point à la comtesse Wilhelmine le nom du jeune seigneur qui l'avait secourue ; son père ne le soupçonna pas plus qu'elle. Au bout de trois semaines elle fut s'asseoir au bord du jardin et prendre l'air ; elle s'y oublia un soir, et je ne voudrais pas jurer que sa pensée ne chercha pas son protecteur. La cour n'était plus au château, le silence régnait partout, la comtesse se croyait bien seule, lorsque tout à coup elle vit paraître le jeune seigneur au détour d'une allée. Elle devint rouge comme une cerise et essaya de se lever ; il la prévint.

— Restez, restez, je vous en prie, madame la comtesse, je ne veux pas que vous vous dérangiez ; je serai charmé de causer un peu avec vous et de jouir de la vue du rétablissement de votre santé.

Wilhelmine resta tout interdite. Elle se rappelait les circonstances de leur première rencontre, elle songeait à tout ce qu'il avait fait pour elle, à ses soins, à l'intérêt qu'il lui avait montré, et elle songeait en même temps qu'il lui avait paru aimable, qu'il était jeune, qu'il avait un noble visage, enfin tout ce qu'il faut pour plaire : il plaisait déjà. Il resta plus de deux heures avec elle ; il ne dit pas :

— Je reviendrai demain.

Pourtant le lendemain elle attendit, et le lendemain il revint ; et il revint ainsi chaque soir, quand tout dormait autour d'eux. Lorsque la comtesse put marcher, ils se promenaient ensemble sous ces beaux ombrages. L'amour y était en tiers avec eux. Joseph aimait pour la première, pour la seule fois de sa vie peut-être ; la jeune fille ignorait son cœur, et ne se rendait même pas compte du sentiment qui l'entraînait. Son père, âgé, infirme, confiant en elle, ne veillait point sur ses démarches ; il la voyait avec bonheur s'établir près de lui, il voyait leur avenir à tous les deux fixé, et ne songeait pas qu'il y eût au monde pour une fille de dix-huit ans des tentateurs ou des tentations.

Cette liaison dura ainsi à l'insu des courtisans, ce qui serait impossible en France et ce qui est naturel à Vienne, où les princes jouissent de la même liberté que les particuliers. Cette liaison devint bientôt aussi intime que possible, et cela devait être ; Wilhelmine était trop innocente pour calculer les suites de l'entraî- nement de son cœur. Le prince était au comble du bonheur ; il oubliait, près de cette âme naïve et dévouée, les intrigues de la cour et les soucis de la grandeur. Il s'était donné pour un officier des gardes wallonnes, et il expliquait par la sévérité de ses supérieurs la nécessité du silence le plus absolu qu'il avait exigé d'elle. Wilhelmine marchait à sa perte, et un moment suffit pour la perdre. Comment maintenant cacher sa faute et le remords qu'elle en ressentait ?

— Marions-nous, répétait-elle incessamment, et nous n'aurons rien à cacher.

Il était trop tard. Le prince, d'ailleurs, trouvait des excuses, des remises ; elle le croyait, elle l'aimait tant ! Enfin, un soir qu'il était près d'elle dans leur petit jardin particulier, le vieillard se présenta tout à coup devant eux. L'habitude de la sécurité leur avait fait négliger les précautions ; ils furent surpris au moment où ils s'y attendaient le moins. L'officier connaissait le prince, lui. En l'apercevant, en entendant sa conversation avec sa fille, il ne lui resta pas un doute sur son malheur ; furieux, hors de lui, il veut arracher son enfant des bras de son séducteur en s'écriant :

— Est-ce là la récompense de mon sang répandu pour vous, Altesse ?

À ce mot d'Altesse, la jeune fille jeta un cri et se précipita vers son amant.

— Que signifie ce titre ? Qui êtes-vous ? Vous m'avez trompée.

L'explication ne pouvait tarder ; elle eut lieu, et Wilhelmine, frappée de stupeur, tomba sans connaissance aux pieds de son père. On la crut morte ; on la transporta sur son lit : elle fut plusieurs heures sans revenir à elle. Le prince, malgré les prières, malgré les ordres, malgré les cris de M. de B..., ne voulut pas la quitter d'une minute jusqu'à ce que ses yeux fussent ouverts. Lorsqu'elle eut enfin repris ses sens, il porta sa main à ses lèvres en lui disant :

— Wilhelmine, je suis forcé de partir maintenant, mais je reviendrai ce soir, et je vous prouverai, ainsi qu'à votre père, que je ne suis pas un ingrat. S'il a versé

son sang pour Marie-Thérèse, Joseph reconnaîtra ce
dévouement par tout ce qu'il peut donner de plus précieux. Vivez pour notre enfant, pour moi, pour votre
père, et ayez toute confiance ; je ne vous tromperai
jamais.

La journée se passa dans l'anxiété la plus vive. Le
vieux soldat tremblait qu'il ne voulût mettre un prix au
déshonneur de sa fille, et il eût préféré la voir morte ;
il désirait l'arracher à ses séductions, et la pauvre
enfant était encore dans le danger le plus grand. Ce
furent des heures cruelles. Enfin le soir arriva, et, ainsi
qu'il l'avait promis, le prince revint, mais il ne revint
pas seul. Il avait avec lui son chapelain et un officier
de sa maison.

— Monsieur de B..., dit-il, voulez-vous bien m'accorder la main de votre fille ? Wilhelmine, voulez-vous
être ma femme ?

La surprise, la joie, ôtèrent au vieux soldat la faculté
de répondre. Ensuite il trouva des objections, des
impossibilités, dans la haute position du prince. La
raison d'État, la politique, il fit tout valoir ; à tout
Joseph répondait :

— Je le veux, cela sera.

Cela fut en effet. Le mariage morganatique fut célébré dans la chapelle du château, Wilhelmine presque
mourante y fut transportée.

— Maintenant tu vivras, ma bien-aimée, lui disait-il.

Mais le coup était porté, la pauvre femme accoucha,
dans la nuit d'une petite fille qui reçut son nom de
Wilhelmine, et qui reçut aussi son dernier soupir dans
un baiser. Le prince fut inconsolable ; il faillit en perdre la tête, et ne pouvait s'arracher d'auprès du cada-
vre. L'enfant lui fut odieux les premiers jours, ensuite il
la demanda, il voulut la voir toujours, et voulut qu'elle
fût élevée aussi près de lui que possible, et tous ses
soins se concentrèrent sur elle. Par un hasard assez
explicable, cette petite fille était le portrait frappant et

calqué de Marie-Antoinette. Sa mère, lorsqu'elle la portait dans son sein, regardait sans cesse un tableau qu'elle avait dans sa chambre et qui représentait cette princesse : c'est dire combien cette jeune fille est belle. Plus tard, quand les soucis du gouvernement eurent un peu détourné Joseph de la jeune comtesse Wilhelmine, la reine la fit venir à Versailles, elle y est encore. Elle habite, dans le parc même, une petite maison, donnée autrefois à la duchesse de Gramont. Elle y est seule avec sa gouvernante et ses domestiques. La reine et Madame Royale la voient souvent ; du reste, elle ne sort point et ne reçoit absolument personne. On dit que Sa Majesté veut la doter et la marier richement.

Si le cardinal de Rohan eût pris cette nièce chérie pour la reine, cela eût pu se comprendre ; mais une créature telle que cette d'Oliva ! Il fallait avoir perdu le sens et tout souvenir de sa qualité de grand seigneur pour se tromper de la sorte.

Cette année, on signa le traité concernant les négociations entamées depuis si longtemps entre le roi et le duc de Wurtemberg en qualité de comte de Montbéliard, pour régler des limites de ce comté. C'est le baron de Rieger et M. Gérard, prêteur royal de Strasbourg, qui ont terminé cette affaire signée le 21 mai.

On apprit presque en même temps la naissance de madame Sophie, fille du roi, morte depuis à Versailles le 20 juin 1787. On fut pourtant bien heureux lorsqu'elle vint au monde, le roi ne saurait avoir trop d'enfants.

Mademoiselle de Condé a été élevée à la dignité d'abbesse du chapitre de Remiremont en remplacement de la princesse Charlotte de Lorraine-Brionne, sœur du prince de Lambesc, qui n'a été abbesse que bien peu d'années. Celle-ci avait succédé à la princesse Christine de Saxe, dont j'ai déjà parlé. Mademoiselle de Condé, née en 1757, avait vingt-neuf ans. Elle a été élue à l'unanimité des suffrages. Elle envoya sa procuration à madame de Montuejouls et fut appréhendée dans sa personne, le 21 août. Madame de Messey fit la présentation. M. de La Porte, intendant de Lorraine, avait été désigné par le roi pour assister à l'élection. Il est frère de madame de Melfort. Il possède un marquisat en Normandie. On sait qu'on peut acheter un marquisat, sans pourtant devenir marquis. On est seulement seigneur de la terre, à moins que le roi ne confère le titre, ce qu'il ne fait pas toujours. C'est justement le cas de M. de La Porte.

Le palais abbatial de Remiremont, que va habiter la princesse, est d'une magnificence toute royale. Il a été commencé en 1722 par ordre de la princesse Anne-Charlotte de Lorraine, qui en a été abbesse jusqu'en 1773. Nous voulions aller voir mademoiselle de Condé, qui avait eu l'extrême amabilité de nous y engager, M. d'Oberkirch et moi, mais cela nous fut impossible. Voilà déjà trois fois que je manque le voyage de Remiremont. J'aurais pourtant grand plaisir à le faire.

Je reçus de madame la princesse de Montbéliard des détails sur la mort du grand Frédéric. Peu de temps avant, il avait adressé une requête au Conseil souverain d'Alsace pour un de ses sujets, ce fut presque sa dernière action. Il avait dû, bien malgré lui, se soumettre au protocole sans lequel nulle requête n'était admise. On considérait si bien ce conseil comme pouvoir de premier ordre, que, lorsque les souverains d'Allemagne traitaient avec lui, ils se conformaient aux formules consacrées, c'est-à-dire : nosseigneurs, et *supplie* le roi ou prince, etc. Leur orgueil en souffre beaucoup, mais il n'y a pas moyen de faire autrement[339].

Le roi de Prusse, Frédéric II, est mort le 17 août 1786. Malgré la maladie douloureuse qui l'accablait, il a gouverné jusqu'à la fin avec la même sûreté de vues et la même application. Il lisait lui-même les dépêches de tous les ministres à l'étranger, et chaque matin, depuis quatre heures jusqu'à sept, il dictait les réponses

et sa correspondance, tant avec les ministres des affaires étrangères, qu'avec son ministre du cabinet. Quelques jours avant sa mort, il dictait encore à ses aides
de camp les manœuvres qu'il voulait faire exécuter au
camp de Silésie. Il est resté, jusqu'à la fin, en uniforme
et botté, hors celle de ses jambes qui s'était trop enflée.
Il ne voulait jamais accepter de robe de chambre :
c'était, disait-il, une *gâterie*, une mollesse indigne d'un
soldat.

Il est mort à son château de Sans-Souci, où il s'était
fait transporter, après avoir horriblement souffert cinq
semaines sans pouvoir se coucher, tant son hydropisie
l'avait enflé et l'incommodait cruellement. Il ne laissa
jamais échapper ni une plainte ni le moindre signe de
ce qu'il éprouvait. Ce fut un héros jusqu'à la fin[340]. Un
des premiers actes de Frédéric-Guillaume a été de nommer lieutenant-général M. de Borck, son ancien gouverneur, âgé de quatre-vingt-deux ans.

Madame la princesse de Montbéliard m'envoya en
même temps un tableau de découpure, envoyé pour
moi par madame la grande-duchesse de Russie.

Il représente la grande-duchesse Marie, donnant le
bras à son mari le grand-duc Paul Pétrowitz, et, sur la
gauche, ses fils, les grands-ducs Alexandre et Constantin. Ce dernier, appuyé sur une bêche, creuse un trou
pour planter un jeune arbre ; son frère aîné tient l'arbre
et le montre à ses parents.

Tout à fait à gauche, se trouve une statue de Pierre le
Grand, en costume grec, tenant d'une main une épée et
de l'autre une flèche.

Ce souvenir de mon auguste amie m'a fait le plus
grand plaisir, on le conçoit facilement. Sa bonté daigne
me conserver une affection vraie dont elle multiplie les
témoignages. Je regrettai vivement de ne pouvoir aller
à Montbéliard remercier madame la princesse, mais
cela me fut tout à fait impossible ; après une absence
aussi longue il me fallut rester chez moi jusqu'au mois

d'octobre. À cette époque on joua la comédie à Étupes,
on m'assura que j'étais nécessaire, on me destinait un
rôle sérieux et m'écrivait-on en plaisantant, « c'était le
cas ou jamais de prendre *mon grand air de gravité* ».
La princesse Élisabeth, qui avait alors dix-neuf ans, se
faisait grande fête d'y jouer un rôle ; ma santé s'était
beaucoup fortifiée, je n'avais pas de bonne excuse à
alléguer ; aussi, quoique je ne me trouvasse pas très-
brave, j'osai affronter la scène. La princesse Élisabeth
y fut charmante ainsi que la princesse Marianne.
M. de Maucler, qui dirigeait *la troupe*, voulut bien
prétendre que je ne m'en étais pas trop mal tirée non
plus.

Nous perdîmes bientôt après le baron de Rathsamhausen, commandant de grenadiers au régiment
de Nassau que nous avons vu, en 1784, lorsqu'il nous
vint de Genève où il était en garnison. On le regretta
beaucoup. Hélas ! combien déjà sont disparus autour
de nous !

## CHAPITRE XXXVII

1787. — Bien qu'en province, nous étions fort au courant des modes et des nouvelles de Paris. Plusieurs de
nos amis nous envoyaient des bulletins suivis et de
véritables gazettes. Les femmes n'avaient rien de très-
nouveau pour cet hiver de 1787. Les belles étoffes et
les diamants continuaient à primer, c'est-à-dire le luxe
et la richesse ; mais les hommes imaginaient des singularités. D'abord il fut du bel air absolument d'avoir
des gilets à la douzaine, à la centaine même, si l'on
tenait à donner le ton. On les brodait magnifiquement
avec des sujets de chasse et des combats de cavalerie,
même des combats sur mer. C'était extravagant de

cherté. Les boutons d'habits étaient non moins bizar-
res ; ils représentaient tantôt des portraits, tels que les
rois de France, les douze Césars, quelquefois des minia-
tures de famille ; deux ou trois hardis petits-maîtres y
mirent les portraits de leurs maîtresses. Les portraits
étaient presque larges comme un écu de six livres. Vous
jugez à quoi ressemblait un homme ainsi plastronné ;
mais *c'était la mode !* que répondre à cela ?

Cet empire des modes subit un grand cataclysme.
Mademoiselle Bertin, si fière, si haute, si insolente
même, qui *travaillait* avec Sa Majesté, mademoiselle
Bertin étalant sur ses mémoires en grandes lettres :
*Marchande de modes de la reine* ; mademoiselle Bertin
vient de faire banqueroute. Il est vrai que sa banqueroute n'est point plébéienne, c'est une banqueroute de
grande dame, deux millions ! c'est quelque chose pour
une marchande de chiffons. Les petites-maîtresses
sont aux abois ; à qui s'adresser désormais ? qui tournera un pouf ? qui arrondira un toquet ? qui posera des
plumes ? qui inventera un nouveau *juste* ? On assure
que mademoiselle Bertin cédera à toutes les larmes et
continuera son commerce. On dit aussi qu'elle a été
ingrate pour la reine, et que sans cela Sa Majesté ne
l'eût point abandonnée dans son malheur, bien qu'elle
fût occupée de tristes choses et d'intérêts plus graves.

Les banqueroutes étaient partout ; nous avons eu la
nôtre à Strasbourg, celle du directeur de la monnaie.
Une plainte fut portée contre lui pour malversation.
On l'accuse d'avoir fait un bénéfice sur les louis. Il les
reçut pour les refondre au taux de ceux qui ont été alté-
rés ou écornés autrefois par ordre de l'abbé Terray[341].
On sait que ce ministre peu consciencieux avait osé
ordonner cette falsification. Dieu sait les cris et les
lamentations que cette mesure amena. L'abbé Terray
devint la bête noire de la France ; il n'y compta plus un
ami. D'ailleurs il était méchant, vindicatif et désagréable.

Il avait sur son escalier un gros perroquet qui criait sans cesse :

— Au voleur !

— Ah ! dit un plaisant, cet animal, on le voit bien, a l'habitude d'annoncer son maître.

On brûla l'abbé en effigie, on le pendit au coin des rues, on le chansonna de toutes les manières, il n'en continua pas moins son chemin et acquit une fortune immense. Cet abbé, de mœurs aussi dissolues que de conscience facile, a été accusé de toutes les infamies. Voici des vers que l'on fit sur lui :

> *Le seul aspect d'un tel ministre*
> *De sa vie offre le tableau ;*
> *À cette figure sinistre,*
> *France, reconnais ton bourreau.*

Le fait est qu'il était très-laid. Ces vers ont été inspirés sans doute par une réponse du président Hocquart, devant qui ce contrôleur général disait qu'il fallait *saigner la France*.

— C'est possible, répondit M. Hocquart, mais la malédiction sera pour le bourreau.

Je me rappelle aussi un mot de Voltaire auquel on annonçait à Ferney la visite de madame Paulze, femme d'un fermier général qui possédait une terre dans son voisinage. Pour obtenir un meilleur accueil, elle fit dire au philosophe qu'elle était nièce de l'abbé Terray.

— Répondez à madame Paulze, répondit Voltaire en furie, qu'il ne me reste plus qu'une seule dent et que je la garde contre son oncle.

Une autre banqueroute (hélas ! les temps sont à cela, et il est à craindre que ce ne soit que le prélude), une autre banqueroute fait encore beaucoup de bruit dans le monde. Elle touche de près le marquis de Puységur, colonel du régiment d'artillerie en garnison à Strasbourg. C'était celle de son beau-père, M. de Sainte-

James[342], trésorier général de la marine, qui a fait tant de folies pour son parc de Neuilly, et que le roi appelait l'*Homme au rocher*, pour avoir rencontré un rocher énorme traîné par quarante chevaux et destiné au jardin anglais de ce financier, que le peuple baptisa la *Folie Sainte-James*, à bien juste raison. C'est, du reste, un endroit ravissant, un lieu de promenade enchanteur. Je me souviens d'y avoir rencontré et dérangé beaucoup un couple amoureux : c'était M. le duc d'Orléans et madame de Genlis. Ils étaient censés brouillés par respect pour madame la duchesse d'Orléans, qui l'avait obtenu à force de larmes, et ils furent bien contrariés de nous voir là. Son Altesse sérénissime avait demandé le *huis clos* du jardin, M. de Sainte-James le lui avait promis, mais le concierge comprit mal, il nous laissait toujours entrer avec le laisser-passer de M. de Puységur et ne nous crut pas enclavés dans l'exclusion. Le prince nous salua assez platement, la dame prit un air sombre et releva la tête en nous regardant fixement comme une impératrice. Je la revis le soir, je ne sais plus où, avec son éternelle harpe qu'elle traînait partout à sa suite ; elle ne sembla pas me reconnaître, et sa hauteur ne s'abaissa pas devant ce souvenir.

La folie Sainte-James était placée près de Bagatelle, de l'autre côté de la route. M. le comte d'Artois en faisait des plaisanteries intimes et ne pouvait se taire d'être écrasé par le luxe de ce traitant.

— Je voudrais bien, disait-il un jour, faire passer chez moi un bras du ruisseau d'or qui sort du rocher de mon voisin.

Quoi qu'il en soit le pauvre M. de Sainte-James fut conduit à la Bastille à la suite de mauvaises affaires. M. de Puységur s'en montra très-affligé ; il venait nous voir souvent. Une de ses somnambules le lui avait prédit, assurait-il.

Après avoir inspiré tant d'envie, M. de Sainte-James vient de mourir pauvre. Ces financiers si fameux et si

prodigues ont presque tous eu le même sort. Voyez
M. Bouret[343]. M. Beaujon me paraît le type d'un malheur incomparable. Qu'y a-t-il de plus terrible que cet
homme comblé des dons de la fortune, ne pouvant
jouir d'aucun, ne trouvant pas une minute de sommeil
sous des lambris dorés, sous des courtines de damas
des Indes, ne pouvant marcher dans les jardins les plus
enchanteurs, ne pouvant supporter même ses carrosses doublés de satin et moelleusement ballottés sur des
ressorts anglais, réduit à manger du gruau à l'eau pendant que sa table était couverte des mets et des vins les
plus recherchés, enfin, entouré des plus jolies femmes
de la cour, qu'on appelait ses berceuses, auxquelles il
ne pouvait adresser que quelques mots de galanterie
insignifiante ? Il me fait absolument l'effet de ce personnage de la fable pour lequel tout ce qu'il touchait
se changeait en or. Je l'ai plaint bien davantage qu'un
malheureux manquant de tout.

[Mon beau-frère, M. d'Oberkirch et sa femme née
Rathsamhausen, vinrent passer quelque temps à Strasbourg ; nous étions très intimes. Un autre intime était
M. d'Aumont, directeur du génie, qui venait d'être
nommé maréchal de camp. C'est un homme excellent
et qui goûte les plaisirs de l'esprit. Nous allions chez lui
deux fois par semaine et y rencontrions des personnes
remarquables, entre autres M. Schweighauser, savant
philologue et professeur à Strasbourg, très aimable et
préservé des manies germaniques ; ses opinions sont
solides et saines en ces temps si riches en fausses doctrines. Je l'entendis un jour avec M. d'Oberkirch, faire
un cours sur un sujet très difficile, avec le plus grand
talent.

M. Koch, autre professeur à l'université de Strasbourg, est aussi très intelligent mais bien moins aimable que M. Schweighauser. Il a gardé beaucoup de la
gaucherie et de la timidité d'un étudiant. Il commet
l'erreur de croire que la noblesse méprise le peuple et

croit que personne ne peut nous plaire sans arbre généalogique authentique, erreur qui l'a conduit à nous faire passer ensemble une soirée très désagréable. Voici dans quelles circonstances : madame Saint-Huberti devait chanter à Strasbourg. M. d'Aumont nous invita à partager sa loge, ce que nous acceptâmes avec plaisir. Il avait aussi invité M. Koch. M. d'Aumont s'assit en avant de la loge (madame d'Aumont n'avait pu venir) avec moi ; mon mari prit place directement derrière lui, pensant être poli avec M. Koch auquel il laissait la meilleure vue sur la scène, celle de M. d'Oberkirch étant complètement cachée par une colonne. M. Koch prit très mal la chose, s'imaginant que cet arrangement avait été choisi pour l'empêcher de m'approcher. Il faut plaindre les gens d'une vanité aussi susceptible.]

Un bel esprit a fait sur cette représentation des vers intitulés : *Épître aux Romains*, C'est, dit-on, un officier d'artillerie qui se pique de poésie et qui s'enthousiasma de l'illustre virtuose. Les voici ; ils sont peu connus, je crois :

> *Romains, qui vous vantez d'une illustre origine,*
> *Voyez d'où dépendit votre empire naissant.*
> *Didon ne put trouver d'attrait assez puissant*
> *Pour retarder la fuite où son amant s'obstine ;*
> *Mais si l'autre Didon, l'ornement de ces lieux,*
> > *Eût été reine de Carthage,*
> *Il eût pour la servir abandonné ces lieux,*
> *Et votre beau pays serait encor sauvage.*

Je ne trouve pas ces vers excellents, il s'en faut ; mais ils firent du bruit. Madame Saint-Huberti s'en montra charmée. Elle était venue à Strasbourg pour quelques semaines, et comptait donner plusieurs représentations, lorsque, sur la réclamation de l'Opéra, elle a reçu l'ordre de retourner immédiatement à ses rôles. Nous avons été fort contrariés et fort penauds. Les loges étaient louées, les arrangements faits, et nous en sommes pour nos frais et nos espérances. Madame Saint-Huberti est liée depuis plusieurs années avec M. le comte d'Entraigues ; on assure même qu'elle l'a épousé secrètement. Ce qu'il y a de sûr, c'est qu'on ne parle point d'elle et qu'on ne lui donne aucun amant. Elle est dix fois sage.

[Après cette contrariété, je partis avec ma fille passer quelques semaines à Montbéliard. Marie est très aimée des princes, sans doute à cause de sa marraine et elle est reçue à cette cour sans tenir compte des règles de l'étiquette qui ont fixé à seize ans au moins l'âge de la présentation. Je trouvai la famille tranquille et heureuse. La duchesse cependant était contrariée par la passion pour la chasse du duc qui le rendait impitoyable pour les braconniers, qu'il faisait punir très durement. La duchesse essayait souvent de calmer sa colère contre eux et lui montrait le tort que sa sévérité pouvait lui faire ainsi qu'à sa famille. Il ne pensait jamais au mal qu'il causait lui-même en parcourant à cheval les prairies et les champs de blé de ses sujets, accompagné de chiens, de chevaux et de serviteurs. Les amusements des princes font souvent des torts graves à leur peuple et l'injuste condamnation d'un braconnier excite encore le mécontentement. Le duc de Montbéliard est aimé cependant ; du moins, il l'était alors, mais je crains fort que l'esprit de la révolution ne pénètre bientôt dans ces paisibles montagnes et ne trouble des régions restées tranquilles jusqu'à ce jour.]

Tout Strasbourg était en mouvement pour le procès de M. et de madame Kornmann. C'était une guerre véritable. On s'arrachait les yeux, on prenait parti pour ou contre les plaidants. Chacun racontait son histoire. Chacun assurait l'avoir *vue* ou avoir reçu une lettre positive. Les uns criaient de leur grosse voix, les autres prenaient leur fausset. On s'égosillait sur tout cela, parce que M. Kornmann, originaire d'Alsace, a longtemps habité Strasbourg. Cet ancien magistrat devint banquier à Paris et caissier des Quinze-Vingts. Il n'avait rien de séduisant, aussi madame sa femme, de complexion amoureuse apparemment, chercha à s'en dédommager avec un galant : elle choisit M. Daudet de Jossan[344]. Ces amours se tinrent secrètes pendant quelque temps, enfin elles se découvrirent comme tout se découvre. M. de Beaumarchais se mêla à *tout cela* d'une manière fâcheuse pour son honneur, mais triomphante pour son esprit et son talent. Il a publié, sur cette affaire et sur une autre avec le comte de la Blache, des *Mémoires*[345] plus amusants et plus piquants, si c'est possible, que le *Mariage de Figaro*. Mon peu de sympathie pour les idées et pour les sentiments de M. de Beaumarchais ne m'empêche pas de rendre justice à son talent et à son esprit ; l'esprit a de grandes séductions, et je dois avouer que sa *Folle Journée* m'a plu en dépit de ma raison. Je n'ai point lu les Mémoires pour ne point m'embarrasser la tête de choses inutiles et malséantes, puis aussi pour rester neutre tout à mon aise et ne blesser aucun parti. Je les écoutais tous. [Même ma belle-sœur qui est plutôt stricte a pris chaudement parti pour M. Kornmann parce qu'il est citoyen de Strasbourg.]

— Quoi ! vous ne savez pas, monsieur, que ce pauvre M. Kornmann a manqué d'être assassiné deux fois, et que c'est certainement votre Beaumarchais, ce coupe-jarret, d'accord avec le Jossan...

— Ce n'est point *mon* Beaumarchais d'abord, madame, aucun de ces gens-là n'est mien, grâce à Dieu.

— Enfin, madame Kornmann est la honte de son sexe, on rougit d'entendre prononcer son nom. Si son mari obtient de la faire enfermer, comme il le demande dans sa plainte en adultère, ce sera la plus grande justice possible. Du reste, la consultation des avocats au Conseil souverain d'Alsace est tout à fait pour lui.

— Je vous demande pardon, reprenait le premier, on vous a induite en erreur, les avocats ont posé la supposition où l'adultère et surtout la tentative d'assassinat seraient prouvés, mais rien n'est plus douteux.

— Monsieur, on l'a vu.

— C'est-à-dire, on prétend avoir vu, ce qui est bien différent. On ne cherche point de témoin ordinairement pour ces sortes de choses.

— Non, ce sont les témoins qui vous cherchent.

— Vous êtes donc coiffé de ce pauvre sot de M. Kornmann ?

— Non, c'est lui au contraire qui...

Nous étions tous à voir une ascension de M. Blanchard ; on l'oubliait pour ce malheureux procès, j'y ramenai l'attention. L'aéronaute s'était enlevé avec le plus grand succès et il déployait en ce moment son parachute, invention nouvelle et tout à fait curieuse. C'est pour la vingt-sixième fois que M. Blanchard se perd dans les nues. Le cœur me bat lorsque je vois couper cette dernière corde et le hardi navigateur de l'air s'élancer sur cette route inconnue. Que de courage et de présence d'esprit il faut pour s'aventurer ainsi ! La tête me tourne rien que d'y penser. M. Blanchard s'est montré tous ces jours-ci, quelques extravagants ont demandé à le suivre. Des gens pourtant bien raisonnables disent que cette expédition les tenterait si elle était faisable. On ne peut se faire l'idée du monde vu ainsi à vol d'oiseau, cela doit être magnifique.

Au milieu de toutes ces futilités dont la vie se compose en France, il est pourtant une chose sérieuse dont nous nous préoccupâmes constamment à cette époque. On présenta un édit pour fixer l'état des protestants, et quelques personnes, dont la ferveur n'était cependant pas toujours exemplaire, firent tout au monde pour s'y opposer. Madame Louise de France, du fond de son couvent, supplia vivement le roi de laisser subsister les us et coutumes passés. Cette sainte princesse ne pèche que par trop de zèle. Mais la maréchale de Noailles, mais madame de Sillery-Genlis que j'ai rencontrée, vous le savez, à la folie Sainte-James ! On m'envoya à ce sujet les vers suivants :

> *Noaille et Sillery, ces mères de l'Église,*
> *Voudraient gagner le parlement ;*
> *Soit qu'on les voie ou qu'on les lise,*
> *Par malheur on devient aussitôt protestant.*

Ces rimes ne prouvent qu'une chose (elles sont trop mauvaises pour produire un autre effet), c'est que les femmes ont grand tort de se mêler de ce qui ne les regarde pas, et qu'elles autorisent ainsi les autres à se mêler de ce qui les regarde trop.

Il était temps, il nous semble, de détruire les abus dont l'effet déplorable se renouvelle sans cesse. Peut-on oublier que, dernièrement encore, madame d'Anglure, fille d'un protestant et d'une catholique, a été déclarée bâtarde, parce qu'il n'existait pas d'acte de célébration du mariage de ses parents ? N'était-ce pas une tyrannie déplorable que d'imposer ainsi la ruine et le déshonneur à une famille, parce qu'elle ne pense pas comme vous ? Oh ! Dieu souverainement bon, souverainement juste, ne peut vouloir cela. L'édit du roi Louis XVI, qui prouve une fois de plus la justice et la bonté du cœur de Sa Majesté, est venu satisfaire à des vœux si légitimes. C'est le 29 novembre que le roi a fait enregistrer au parlement de Paris cet édit par lequel la validité des actes de naissance, de mariage et de décès de ses sujets non catholiques est reconnue.

## CHAPITRE XXXVIII

Cette année 1787 finit mal pour moi ; je tombai gravement malade ; ce fut une nouvelle occasion pour

madame la grande-duchesse Marie de me prouver toute
sa tendre bonté.

Ce $\dfrac{22 \text{ décembre } 1787.}{2 \text{ janvier } 1788.}$

« Ma chère et bonne Lanele, notre chère maman vient
de me marquer qu'elle vous a trouvée mieux, et que sa
présence vous avait donné une bonne nuit. Elle en ressent un plaisir qu'elle peint avec les couleurs les plus
vives de l'amitié, et c'est ainsi qu'elle a fait passer dans
mon cœur le plaisir le plus pur et le plus vif de vous
savoir en bon train de convalescence. Que n'ai-je pu
partager ta satisfaction, chère Lanele, de revoir notre
chère maman, et te prodiguer mes plus tendres soins !
Je t'aurais convaincue alors que je t'aime bien sincèrement, et toujours avec la même vivacité. J'attends avec
impatience de tes lettres, chère Lanele, pour que je voie
écrit de ta main que tu te sens mieux, et ce ne sera
qu'alors que je bannirai toute inquiétude de mon âme.
Tu sauras, sans doute, chère Lanele, par notre bonne
et adorable maman, toutes les peines qui m'accablent,
et toutes celles qui m'attendent. Je t'avoue que c'est un
poids qui m'accable. Tous mes efforts pour les soutenir
sont au-dessous de ceux qu'il me faudrait pour les supporter. La réflexion aigrit ma douleur ; elle ronge mon
cœur ; que ne sera-ce pas dans ce terrible mois de
février ! Juge, chère Lanele, que l'absence qui me
menace sera de neuf mois, car, avant le commencement
de novembre, je n'ose pas espérer de revoir mon cher
mari. J'en serai éloignée à des milliers de verstes ; il
sera exposé à tous les dangers de la guerre contre des
barbares, à ceux de l'affreuse maladie[346] qui en est la
suite, et à ceux de ce climat malsain qui n'épargne guère
personne. Juge, après cette esquisse, des sentiments que
mon âme doit éprouver. J'avoue que je crois qu'un malheureux aux galères jouit de plus de calme que je n'en
éprouve dans ce moment, car il souffre seul, il ne sait

aucun des siens dans le danger ; au lieu que moi je tremble pour les jours de celui pour la conservation duquel je sacrifierais volontiers les miens. Plains-moi, chère Lanele, donne quelques larmes à mes peines ; ta compassion en adoucira l'amertume. J'embrasse ta jolie petite, que l'on dit devenir bien jolie et aimable. Dieu veuille qu'elle soit aussi bonne que toi, c'est le meilleur souhait que je puisse former pour elle. Adieu, ma chère et bien-aimée Lanele, je t'embrasse tendrement, et suis de cœur et d'âme ta bonne et sincère amie,

« MARIE.

« *P.-S.* Mes amitiés à la bonne Deutsch ; le cher grand-duc te fait ses compliments. Je te souhaite de tout mon cœur la bonne année. »

On ne lira pas sans intérêt l'expression des peines et des inquiétudes de cette charmante princesse. Dès l'année précédente, lorsque Catherine sollicitait les princes chrétiens, et surtout le roi de France, de se joindre à elle pour s'armer contre les Turcs, et démembrer l'empire ottoman, le grand-duc avait vivement sollicité la czarine de lui permettre de rejoindre les armées russes. Toujours tendre et dévouée, madame la grande-duchesse, quoique grosse, voulait accompagner son auguste époux ; mais Catherine, ayant découvert cette position de santé, s'en fit une arme pour empêcher le prince d'exécuter un dessein qui ne convenait peut-être pas à sa politique. Soupçonneuse, elle voulait retenir son héritier auprès d'elle ; elle refusa. Mais, peu de temps après, lorsque Gustave, ayant inopinément déclaré la guerre à la Russie, eut marché sur Frideriksham, que l'épouvante se fut répandue dans Pétersbourg, et qu'on forma en Finlande une armée de quinze mille hommes, la czarine ne put refuser plus longtemps au grand-duc cette occasion de montrer son courage.

Le prince était plein d'ardeur, et son esprit chevaleresque lui faisait désirer l'occasion de se signaler. Les inquiétudes de la princesse, lors du départ de son auguste époux, laissaient encore place dans son cœur à sa tendre sollicitude pour moi. Cette sollicitude était partagée par son adorable mère, qui eut la bonté de quitter Montbéliard au milieu du froid de décembre pour venir à Strasbourg me soigner et me consoler pendant ma maladie. Pourrai-je jamais oublier tant de marques de bonté et de véritable attachement ! En me quittant, elle alla en Allemagne. J'avais écrit de mon lit à mon auguste amie pour lui souhaiter la bonne année ; elle me répondit :

$$Ce \frac{1}{13} \text{ janvier 1788.}$$

« La vue de ta chère écriture, ma bonne Lanele, m'a fait éprouver un bonheur bien sensible, puisqu'elle m'assure de ta convalescence, qui m'a donné bien des inquiétudes, t'aimant de toutes les facultés de mon âme. Je te suis tendrement obligée, chère Lanele, des vœux que tu fais pour mon bonheur à l'occasion de la nouvelle année, qui commence sous de si tristes auspices pour moi. Je t'avoue que mon pauvre cœur est navré, et que je souffre l'impossible. L'idée de cette cruelle et longue séparation, de tous les dangers, tant de la guerre que des maladies de ces climats, qui environneront mon mari, présente à mon imagination un tableau bien fait pour m'attrister. D'un autre côté, le désir extrême de mon mari de se trouver à l'armée, auquel il ajoute une idée de devoir et de gloire, m'impose le pénible devoir de faire taire tous les sentiments de mon âme et de renfermer ma peine en moi-même. Voilà le tableau de ma situation, chère Lanele. Vous avouerez qu'il est triste, et que chaque cœur sensible compatira à ma peine. Prie Dieu pour moi, demande-lui qu'il me soutienne et me fortifie ; j'ai si grand besoin de son secours, et je le lui demande à mains jointes.

« Je sens, chère Lanele, tout le plaisir que la visite de notre bonne maman a dû te faire. J'ai eu de ses nouvelles de Francfort. Il semble que cette petite excursion a fait grand bien à sa santé et qu'elle est contente. Je désirerais beaucoup te savoir à Montbéliard, chère et bonne amie. Je suis bien sûre que l'air t'en ferait du bien, et que tu y serais vue avec le plaisir le plus sensible. J'embrasse ta chère petite, qui doit se faire bien jolie et aimable. Tous mes enfants se portent bien, ainsi que leur cher et bon père. Ma santé est aussi remise, grâce à Dieu, et mes forces reviennent. Tille se porte à charme ; elle t'embrasse tendrement, et l'ami La Fermière se met à tes pieds. Adieu, chère Lanele, je t'aime bien tendrement, et suis de cœur et d'âme ta fidèle et sincère amie.

« MARIE.

« *P.-S.* Mon mari te baise les mains. »

Cet hiver de 1788 fut horriblement rigoureux. Les communications furent souvent interrompues par les neiges. La fin de décembre surtout a été affreuse, aussi la misère a été grande. Les pauvres manquaient de bois et de feu. La noblesse, en Alsace, répandit de grandes aumônes. On fit tout le bien possible, et la ville de Strasbourg surtout fit les plus grands sacrifices. À Paris, il en fut de même ; le roi et la reine firent répandre des aumônes en quantité ; les princes et les princesses, les grands seigneurs les imitèrent. Devant chaque hôtel des familles connues, brûlait nuit et jour un vaste bûcher où les pauvres se chauffaient. Le Parlement même, pour la première fois, adopta cet exemple, et les présidents à mortier avaient leurs bûchers comme la noblesse d'épée. On remarqua celui du président de Chavannes sur le boulevard du Temple.

Madame la duchesse de Bourbon, en me faisant l'honneur de m'écrire ces nouvelles, me raconta en même temps le mariage du marquis de Chastellux. Il avait publié, quelques années auparavant, le récit de son voyage en Amérique. Il attache une grande importance à ce qu'il mange, car ce livre contient surtout la description détaillée des mets qu'on lui servait chaque jour. Il faut croire qu'il a moins de goût que de gourmandise, car autrement on ne comprendrait pas le charme qu'il peut trouver à la cuisine américaine, qui n'est pas en réputation ; il parle de plats incroyables, et raconte cela avec une complaisance presque risible.

Il n'en est pas moins fier de sa production littéraire, qui est la cause du mariage de madame de Chastellux. Cette jeune femme est Irlandaise et mademoiselle Plunckett. Elle s'est trouvée à Spa en même temps que madame la duchesse d'Orléans, et, comme elle est jolie, elle fut distinguée par la princesse qui la combla de bontés. Elle rencontra plusieurs fois le marquis de Chastellux. Il lui parut un parti excellent, à elle qui était sans fortune, mais il fallait lui plaire, et cela n'était pas facile, lorsqu'on n'avait à lui offrir qu'une jolie figure.

Elle connaissait son excessif amour-propre ; elle s'arrangea de façon à être surprise par lui, absorbée dans la lecture de son livre. Il fut si enchanté de cette louange muette, qu'il se décida. Madame la duchesse d'Orléans, que ce dévouement littéraire enchanta, prit la jeune madame de Chastellux auprès d'elle. On en rit beaucoup dans le monde ; on prétendit qu'elle avait un exemplaire relié de ce livre qui ne la quittait jamais, et que les deux époux en faisaient la lecture en commun, la recommençant toujours lorsqu'elle était finie.

Le 6 janvier 1788 la princesse Élisabeth de Wurtemberg-Montbéliard fut mariée à l'archiduc François, auquel elle était fiancée depuis 1782. Elle avait, à cette époque, abjuré à Vienne la religion protestante. Ce grand mariage fut célébré à Montbéliard par des fêtes.

La jeune archiduchesse m'envoya en souvenir une magnifique bague[347]. Peu de temps après la grande-duchesse Marie mit au monde une fille, la grande-duchesse Catherine[348]. Cette quantité d'enfants affaiblissait considérablement sa santé si forte autrefois. Elle souffrait de plus en plus à chacune de ses grossesses. Nous en faisions des gémissements avec la princesse sa mère qui m'écrivait souvent.

[À propos de correspondance, je tiens à signaler que je possède des lettres très curieuses de personnes célèbres que M. d'Oberkirch m'a conseillé de garder précieusement pour ma fille. Cet avis m'est venu un peu tard ; j'ai perdu quelques-unes de ces lettres ; j'en ai donné d'autres.]

Je passai l'hiver de 1788 à Strasbourg [entièrement occupée par l'éducation de Marie. Elle avait alors onze ans et avait pris de l'importance. Mes amis Berckheim de Schoppenwihr étaient pour moi d'excellentes relations. J'espère que leurs trois filles Henriette, Amélie et Octavie hériteront des vertus de leurs parents. Le fils Sigismond, n'est encore qu'un bébé. Les filles sont les amies préférées de Marie, ce qui me fait grand plaisir et je souhaite vivement que cette intimité ne disparaisse pas avec les années comme cela arrive si souvent pour des attachements formés à un âge où l'on est incapable de juger correctement et de choisir ses amis. M. de Berckheim de Lœrrach a deux fils, Christian et François ; j'ai une affection particulière pour l'aîné dont le cœur est noble et généreux]. Nous voyions souvent madame de Müllenheim[349], belle, bonne et douce personne, qui sait convaincre que l'esprit du cœur est toujours le meilleur. Le prince Max des Deux-Ponts vint au printemps inspecter les régiments de la Marck et des Deux-Ponts en garnison à Wissembourg et à Phalsbourg. Le baron de Flachsland vit le régiment d'Alsace et celui de Hesse-Darmstadt. Ces deux régiments étaient en garnison à Strasbourg, et le prince Frédéric de Hesse-Darmstadt commandait, comme colonel en second, le régiment de son père.

Les inquiétudes de madame la grande-duchesse Marie, au sujet des dangers qu'allait courir son mari, se renouvelaient ; elle m'écrivait :

Ce $\frac{6}{17}$ juin 1788.

« Ma chère Lancle, malgré les peines de mon cœur, je vous écris ce peu de lignes pour vous dire que je vous aime tendrement. Maman vous dira que mon cher mari va me quitter dans peu ; ainsi jugez de ce que je souffre. Dieu me soutiendra et veillera sur ses précieux jours. Adieu, chère Lanele, je n'en puis plus ; mais mon cœur, dans le bonheur comme dans le malheur, est toujours le même pour mes amies.

« MARIE.

« *P.-S.* J'embrasse votre chère petite ; le cher grand-duc vous dit mille choses. »

Le grand-duc assista à plusieurs petits combats, y montra beaucoup de décision et d'ardeur. Mais la czarine, tout en le laissant partir, ne lui avait donné aucun commandement, ayant placé l'armée sous les ordres du général Mouschin-Pouskin, officier peu capable d'ailleurs. Le grand-duc, qui avait le sentiment de sa propre valeur, en éprouva un vif chagrin, et ne put accepter plus longtemps la position que lui faisait l'impératrice ; il revint donc à Pétersbourg, regrettant ses rêves de gloire qu'il n'avait pu réaliser. La bataille navale de Helgoland, où les Russes et l'amiral Greig battirent le duc de Sudermanie et les Suédois, le 22 juillet 1788, mit d'ailleurs bientôt fin à cette guerre.

On parlait beaucoup alors d'une jeune femme à l'imagination brillante et exaltée qui voulait créer une secte et réformer les croyances philosophiques, suivant les rêveries de Swedenborg et autres utopistes. Cette jeune femme était la baronne de Krudener (Valérie[350]), fille du comte de Wittinghoff, gouverneur de Riga, et petite-fille du célèbre maréchal Munich. Son mari suivait la carrière diplomatique ; il est devenu, en 1768, ambassadeur à Berlin. Madame de Krudener alors ne faisait qu'essayer ses forces ; elle débitait ses doctrines dans les salons, et faisait beaucoup de prosélytes, à l'aide de deux beaux yeux et d'un esprit fascinateur. Je ne puis m'empêcher de voir en elle une sorte de madame Guyon ; j'ai idée qu'elle finira, comme elle, par faire école et par la persécution. C'est une âme ardente et honnête, entraînée par un faux système ; elle est sortie de sa voie, et ne sait où elle marche, mais elle va toujours et se figure qu'elle monte. Les esprits exagérés, lorsqu'ils ne sont pas soutenus par des principes sûrs, ne peuvent pas finir autrement.

J'eus à la fin de cette année 1788, le 24 novembre, un des plus grands chagrins de ma vie : je perdis mon père à l'âge de soixante-dix-huit ans. Rien ne peut rendre ma douleur ni celle de ma fille, qui aimait son grand-père à l'adoration. Nous reçûmes son dernier soupir, et, depuis ce moment, ni elle ni moi n'avons repris notre gaieté habituelle. Mon père laisse la réputation la plus honorable ; il est généralement regretté et estimé dans toute l'Alsace. Je reçus de partout des témoignages de sympathie et d'affection. Mes illustres amis de tous les pays ne me les épargnèrent pas. Je fus instamment priée, entre autres, d'aller passer le temps de mon deuil à Montbéliard, où la retraite la plus douce me serait ménagée, *entourée d'amis qui pleureraient comme moi*, ce sont les expressions de la princesse.

Parmi toutes ces lettres, une, adressée à ma fille, me toucha beaucoup. Elle était datée de Stuttgart, et venait de madame de Mackau, née Alissan de Chazet. M. de Mackau était ministre plénipotentiaire près le duc de Wurtemberg, et de plus ministre près le cercle de

Souabe. Ils avaient loué leur joli petit château de Fegersheim en Alsace, et s'étaient rendus à leur nouvelle résidence.

Madame de Benckendorf ne fut pas la dernière à me témoigner son amitié à cette occasion. Elle était heureuse et fort aimée de son mari ; puisse-t-elle l'être toujours.

Après avoir perdu mon père, je revins à Strasbourg. Je m'enfermai chez moi, uniquement occupée de l'éducation de ma fille, dont les heureuses dispositions ne demandaient qu'à être cultivées. Elle travaillait beaucoup, et, si la tranquillité publique me le permet, j'espère, Dieu aidant, en faire une personne remarquable.

## CHAPITRE XXXIX

Malgré ma retraite, j'étais bien informée de ce qui se passait dans la ville et dans la société. La grande nouvelle, la grande préoccupation de tous étaient les querelles et les discussions des autorités militaires. Le maréchal de Stainville a remplacé en Alsace, l'année dernière, comme commandant en chef, le maréchal de Contades, nommé gouverneur général de Lorraine. Il était aux couteaux tirés avec le baron de Flachsland, commandant en second, à la place du marquis de la Salle. C'étaient de vraies batailles de langues. La ville était partagée en guelfes et en gibelins, en montaigus et en capulets. On se serait tué dans les salons à coups de médisance et de calomnie si l'on en mourait. Le chef de la cabale Flachsland était la baronne. Jamais on ne vit une irritation semblable ; elle se permit de parler du maréchal dans des termes fort peu mesurés, ce à quoi celui-ci répondait :

— Madame de Flachsland mettrait volontiers son pied dans les ruisseaux pour m'éclabousser.

Le mot était cinglant, mais mérité. Je restais neutre, bien entendu.

Je retrouvai avec grand plaisir M. de Puységur à Strasbourg ; nous recommençâmes le magnétisme comme dans les beaux jours de Paris. Il rencontrait, disait-il, des sujets excellents parmi les jeunes filles des montagnes, celles de l'autre côté du Rhin surtout. Nous nous réunissions presque chaque jour pour des séances ; j'y crois fortement et je désire voir cette croyance se propager le plus possible. Je suis convaincue qu'elle rendrait les hommes meilleurs en leur donnant foi dans l'autre vie. Je ne puis donc m'empêcher de raconter encore ce que j'ai vu et entendu au commencement de cette année chez M. de Puységur, dans une séance à laquelle assistaient le maréchal de Stainville, M. d'Oberkirch, mon frère et moi. La baronne de Boecklin nous avait fait faux bond.

La somnambule était une jeune paysanne de la Forêt Noire, assez maladive, assez frêle contre l'usage de ce peuple montagnard. Elle était d'un naturel mélancolique, contemplatif, très-propre à la catalepsie, et en effet elle y tombait souvent avec une grande facilité. Elle nous avait montré ce jour-là plusieurs phénomènes très-curieux, et on allait la réveiller lorsque le maréchal de Stainville lui demanda s'il ne pourrait pas lui adresser des questions. M. de Puységur lui répondit qu'il en était parfaitement libre, mais après qu'elle se serait reposée un peu, il craignait de l'avoir fatiguée par ses exercices. Elle dormit environ un quart d'heure, puis elle dit d'elle-même qu'elle désirait parler au maréchal.

— Je sais ce qu'il va me demander, et j'ai des choses tristes à lui apprendre.

M. de Stainville la pria de dire tout haut quelle était sa pensée.

— Vous vous préoccupez des affaires du temps, vous voulez savoir quel sera l'avenir de la France et surtout celui de la reine.

— C'est vrai, répondit le maréchal fort étonné.

Il courait alors en France et à l'étranger plusieurs prophéties de différentes personnes. Ces prophéties trouvaient assez de créance : celles de M. Cazotte[351], surtout. Bien des gens les lui avaient entendu prononcer, et il était impossible d'en nier l'existence. Mais elles annonçaient des choses si extraordinaires, on disait alors si impossibles, que la raison devait les repousser dans la classe des rêves et des exagérations. M. de Stainville, comme beaucoup d'autres, désirait un éclaircissement sur cette prophétie. Cette enfant d'outre-Rhin n'en avait certainement jamais entendu parler, il était curieux de savoir si ses paroles se rapporteraient à celles du visionnaire. C'était déjà un fait bien étrange que de voir sa pensée divulguée avant qu'il eût parlé.

En ce moment entra le marquis de Peschery, lieutenant du roi à Strasbourg ; on lui expliqua en peu de mots de quoi il s'agissait, et il prit place. Ce n'était ni un homme convaincu, ni même un homme bienveillant pour le magnétisme. Le maréchal répéta sa question.

— J'ai besoin de penser quelques minutes avant de vous répondre positivement, monsieur ; ce sont des choses si graves et si singulièrement embrouillées encore.

— Dites-moi d'abord si les prédictions dont j'ai connaissance, celles que j'ai entendu faire, sont véritables, s'il faut y ajouter foi.

— En tout point, répondit-elle sans hésiter.

Nous nous regardâmes tous ; quant à moi, je vous assure que le frisson me prit. J'avais justement lu la veille la fameuse prophétie de M. Cazotte, envoyée en Russie par M. de La Harpe, et que la grande-duchesse m'avait fait passer.

— Quoi ! dit le maréchal, tout arrivera ainsi qu'il est dit ?

— Tout et d'autres choses encore.

— Quand cela sera-t-il ?

— D'ici à fort peu d'années.

— Mais encore, ne pouvez-vous préciser le temps ?

Elle réfléchit un instant, puis elle ajouta :

— Cela commencera d'éclater cette année même, et cela durera peut-être au moins un siècle.

— Nous n'en verrons donc pas la fin ?

— Beaucoup d'entre vous n'en verront pas même le début.

Le maréchal continua :

— Que se passe-t-il à Paris en ce moment ?

— On conspire. Celui qui conspire sera victime de sa méchanceté. Il triomphera d'abord, mais après son sort sera horrible ; il sera le même que celui de ses victimes[352]. Oh ! mon Dieu, mon Dieu ! que de sang ! que de sang ! C'est affreux.

Elle cacha ses yeux avec ses mains, comme pour ne pas voir ces objets effroyables.

— Et vous êtes sûre que la destinée promise à de nobles personnages s'accomplira ?

— Oui.

— Quoi ! la mort ? Quoi ! le supplice ?

— Oui, oui, la mort et le supplice.

— Et moi, continua-t-il, dois-je partager ce désastre annoncé à ma famille ?

— Non, monsieur.

— Ah ! je me sauverai de cette débâcle, c'est singulier. Un vieux soldat tel que moi n'a guère cette habitude.

La somnambule garda le silence.

— Quelle sera donc ma fin, alors ?

Elle se tut obstinément.

— Vous craignez de me le dire ? Ah çà ! puisque mes parents seront décapités, et qu'il m'arrivera pis, ce me semble, est-ce donc par hasard que je serai pendu ? Ceci est indigne d'un gentilhomme, et je ne m'en consolerais pas. Voyons, parlez ; ne craignez rien. Je n'ai pas peur. La mort et moi nous nous connaissons ; nous nous sommes vus plus d'une fois et de près.

La jeune fille refusa encore de répondre ; elle refusa longtemps. Enfin M. de Puységur, sur les instances du maréchal, l'y contraignit.

— Pauvre monsieur ! dit-elle lentement et les larmes aux yeux, pourquoi me demander ce que vous saurez vous-même d'ici à bien peu de mois ?

— D'ici à peu de mois ! je mourrai d'ici à peu de mois ! je ne verrai donc pas tout cela ? Ah ! tant mieux ! vous me soulagez d'un grand poids ; je n'assisterai pas au déshonneur, à la perte de la France. J'en remercie le ciel. Je mourrai dans mon lit.

— Oui, répliqua-t-elle d'une voix si basse qu'on l'entendit à peine.

— Monsieur le maréchal, dis-je très-émue, les paroles des somnambules ne sont pas des articles de foi.

— J'espère bien que si, madame la baronne, car ce qu'elle m'annonce m'est fort précieux. Du reste, nous n'avons pas longtemps à attendre pour savoir à quoi nous en tenir.

Ce sang-froid du guerrier nous frappa tous fortement. M. de Puységur en était contrarié ; il craignait beaucoup qu'on ne l'accusât de mal user du magnétisme qui devrait servir surtout à la médecine et au soulagement de l'humanité.

— Je vous en prie, monsieur le maréchal, laissez-moi la réveiller.

— Pas avant que je lui aie demandé une seule chose, Monsieur, interrompis-je. Qu'arrivera-t-il ? où est ma pensée ?

— Ah ! Madame, j'y vais. Il s'y passe en ce moment de tristes événements. Je vois cet endroit, je le vois, il est en ce moment au milieu de l'eau, oui, elle monte, elle monte. Ah ! c'est effrayant une inondation... oui... une inondation... Il y aura bien des pertes... heureusement personne ne périt. Madame, vous verrez que je ne vous trompe pas, vous le saurez bien, vous le saurez bientôt.

Nous nous regardâmes, j'avais pensé à Montbéliard, à mes chers princes. Ce jour-là, 18 janvier 1789, il y eut, en effet, une grande inondation, et il se fit des pertes considérables en bestiaux, en bâtiments, mais il n'y eut point mort d'homme. Quand j'appris cette nouvelle, je fus atterrée ; tout était donc vrai. Il fallait donc croire en ces illuminations de l'avenir, à ces révélations de l'âme qui en prouvent l'essence divine et qui donneraient de la foi aux plus incrédules. Je n'ai pas vu depuis le pauvre maréchal de Stainville, sans penser que nous allions le perdre, puisque ces arrêts étaient irrévocables et qu'ils devaient toujours s'exécuter.

La fin de ce siècle si incrédule est marquée de ce caractère incroyable d'amour du merveilleux, je dirais de superstition si je n'en étais moi-même imbue, quoique malgré moi, ce qui dénote, assure-t-on, une société en décadence. Il est certain que jamais les rose-croix, les adeptes, les prophètes et tout ce qui s'y rapporte, ne furent aussi nombreux, aussi écoutés. La conversation roule presque uniquement sur ces matières ; elles occupent toutes les têtes ; elles frappent toutes les imaginations, même les plus sérieuses, et si ces Mémoires en offrent de nombreuses traces, c'est qu'ils sont la représentation fidèle de cette époque. Nos successeurs hésiteront à le croire ; ils ne comprendront pas comment des gens qui doutent de tout, même de Dieu, peuvent ajouter une foi complète à des présages. L'espèce humaine est ainsi faite. Mon cousin M. de Wurmser, auquel je disais cela l'autre jour, me répondit dans une de ses boutades : — Oui, le genre humain est fait : ainsi, quand il est *fait :* mais aujourd'hui il se défait et ne se fait plus d'aucune manière.

Le temps ne diminuait pas les bontés de madame la grande-duchesse. J'en reçus cette lettre.

$$\frac{9}{20} \text{ mars 1789.}$$

« Ma très-chère Lane,

« Tes lettres me font toujours un plaisir sensible, plus elles sont tendres et plus elles me charment ; car j'avoue que je fais consister mon bonheur à inspirer de l'amitié aux personnes que j'aime de si bonne foi, comme toi. Je suis charmée, ma chère Lane, quand il y a des Russes à Strasbourg de ce que tu leur parles de moi ; c'est une marque de souvenir, et elles sont toutes précieuses à la vraie amitié. Je suis toujours sans lettres de maman, je n'y comprends rien, et, quoique j'accuse les neiges de ces retards continuels, ils m'affligent cependant. L'idée d'être moins aimée de cette adorable maman peut me désoler. Parle-lui souvent de moi, et dis-lui qu'elle est ma meilleure amie, ma *Mütterchen*, et chaque jour, quand tu as le bonheur de la voir, donne-lui un baiser en disant que c'est de la part de son enfant.

« Ma petite marmaille réussit au mieux. La petite devient ravissante par ses gentillesses, je l'aime à la passion. Mes fils sont si grands que dans quelques années ils auront dépassé mon mari. Tout cela nous rend bien vieilles, ma chère amie, mais les causes m'en sont si chères que je n'en suis pas fâchée. Ton cher *amant* est à tes pieds, c'est un excellent homme, et tes faveurs sont très-bien placées. Tille est dans la joie de son cœur, son mari ayant reçu un régiment tout près d'ici, de manière qu'ils ne sont point obligés de se déplacer, ce qui me rend très-heureuse. Nous nous aimons toujours tendrement, ce qui contribue beaucoup à l'agrément naturel de notre situation. Le bon et cher grand-duc te dit mille choses ; chaque jour augmente mon bonheur de ce côté, et c'est avec la plus vive reconnaissance vis-à-vis de l'Être suprême que je puis me nommer la plus heureuse des femmes. J'embrasse ta chère petite et sa bonne maman et suis à jamais,

« Ta bonne amie,
« MARIE.

« Mes compliments à la bonne Deutsch. Tille te baise mille fois. »

Je vois souvent à Strasbourg mesdames de Klinglin. Elles sont deux sœurs, filles du comte de Lutzelbourg (on prononce habituellement Luzbourg). L'une a épousé le général de Klinglin, son oncle, qui est lieutenant du roi, et l'autre le neveu de celui-ci, le baron de Klinglin-d'Esser, qu'on appelle ordinairement de ce dernier nom.

La baronne de Klinglin est fort gracieuse et fort bonne ; on l'aime beaucoup dans la société. Quant à madame de Klinglin-d'Esser, elle est très-vive, très-pétulante, et passablement impertinente. Elle aime le jeu et se fait beaucoup craindre par le mauvais usage qu'elle fait de son esprit. Elle passe sa vie à se moquer des gens, à les tourner en ridicule, et même à en dire du mal.

J'ai dit quelque part que madame la princesse de Montbéliard a un œil malade. Ce malheureux œil est très-saillant, et il a un mouvement très-bizarre. Elle me fit l'honneur de venir me voir à Strasbourg au moment où je m'y attendais le moins. J'engageai quelques femmes pour lui faire compagnie, entre autres madame d'Esser. La soirée entière se passa, de sa part, avec une autre jeune femme à se moquer de la princesse et de son œil. Cela fut si fort que je m'en aperçus, et je le lui dis très-sérieusement, mon respect et mon affection pour la princesse ne pouvant supporter une conduite semblable. On eût pu facilement lui rendre la pareille à cette moqueuse, une personne qui ne lui est pas étrangère, le comte de \*\*\*, prêtant singulièrement au ridicule et à mieux que cela, par une infirmité qu'il possède. Il a passé toute sa vie pour le plus galant homme du monde ; mais à la suite d'une maladie, dont il faillit périr, il a conservé une *manie* étrange.

Lorsqu'il va dans un salon, il prend régulièrement tout ce qui lui plaît ou lui convient, sur la cheminée, ou sur les tables. La première fois que cette idée lui prit, ce fut chez M. de Peschery, où il y avait beaucoup de monde. Cela amena un grand esclandre. On se le dit à l'oreille, dans toute la ville, et le bruit courait que M. de \*\*\* était devenu voleur. Mais, le lendemain, il avait rapporté ce qu'il avait pris, de l'air le plus agréable du monde, en en faisant une plaisanterie ; alors, dès qu'on sut cela, on cessa d'en parler.

Il a pris goût à cette vertu lacédémonienne, et, fier de ce qu'il croit son adresse, il continue son manège. Son valet de chambre a l'ordre de madame de \*\*\* de visiter, chaque matin, ses poches, et de renvoyer ce qu'il y trouve, dans la maison où M. de \*\*\* a passé la soirée. Cela se fait ainsi avec l'approbation tacite de M. de \*\*\* qui ne peut renoncer à son passe-temps. Le plus plaisant est qu'il croit tromper l'assemblée, et pense qu'on ne s'aperçoit de rien dans le moment. Pour détourner l'attention, il fait précéder ses exploits d'un petit air qu'il fredonne entre ses dents. C'est, au contraire, le signal qui le fait observer. Chacun part d'un immense éclat de rire, qu'on attribue à la première chose venue ; pendant ce temps-là, il s'empare de l'objet convoité, le met dans sa poche, en montrant ses gencives pour se faire plus agréable ; et il reste triomphant.

Il y eut quelque temps après un charmant spectacle chez madame de Wangen[353], dans sa maison, sur le Broglie ; cette branche est fort riche ; ils résident l'été dans leur belle terre de Wiwersheim. Madame de Wangen a quatre enfants, et une de ses filles a épousé récemment M. de Saint-Sauveur. Sa belle-mère est joueuse comme les cartes ; on n'en peut rien tirer que pour la dame de pique ou le valet de carreau. Elle assistait pourtant à la comédie, et ne tenait pas en place, dans l'idée de son reversis.

On a donné *Andromaque* et *Céphise ou l'Erreur de l'esprit*, pièce nouvelle, de Marsollier.

Madame de Saint-Sauveur (Christine de Wangen) a joué à merveille. Elle est habituellement fort maniérée, et pourtant elle a joué avec beaucoup de naturel. Son frère a été un excellent Pyrrhus ; et M. Godin a rempli admirablement (pour un amateur s'entend) le rôle d'Oreste. Louise de Dietrich a été charmante dans *Céphise*. La chanoinesse de Wangen jouait aussi. [Madame de Saint-Sauveur, belle-mère de Christine de Wangen, a une telle passion pour le jeu qu'elle a pu à peine assister jusqu'au bout à la représentation, pressée qu'elle était de retourner à ses piques et ses carreaux.]

Le plaisir de la comédie est fort à la mode en province, après l'avoir été beaucoup à la cour et à Paris. La reine en avait donné l'exemple, on s'en souvient, à Trianon. Il fallut renoncer à ce divertissement, qui donnait lieu, contre cette auguste princesse, à des calomnies que nous voyons reparaître maintenant sous une forme nouvelle. Elles sont parties des entourages envieux et jaloux ; elles se répandent dans tous les coins de la France et déconsidèrent la majesté royale.

[En avril, je fus obligée de me rendre à Bruschwickersheim où j'ai des biens. Je fus extrêmement bien reçue par M. de Weitersheim qui est un peu notre parent. Il a un fils et deux filles dont l'aînée est d'une grande beauté.

Cette année, nous avons aussi fait un séjour à Oberkirch et il me faut faire ici une description de ce château. Il ne reste des anciennes constructions que le double fossé escarpe et contre-escarpe et trois des quatre tours qui les défendaient. Les bâtiments sont de construction moderne. L'Ehn qui passe au pied du château, traverse des jardins et des prairies, et fait aller des moulins entre Oberkirch et la manufacture d'armes du Klingenthal qui se trouve en remontant.

À quelque distance du château et près du grand chemin qui mène aux Vosges, se trouve une grande chapelle consacrée à saint Jean, ancienne fondation de la famille d'Oberkirch et dans laquelle ils étaient enterrés, ainsi qu'en témoignent les pierres tumulaires qui la pavent. Le dernier qui y fut inhumé est le bisaïeul de mon mari, qui, dans sa vieillesse, en 1741, renonça au protestantisme pour la religion catholique. Son exemple ne fut suivi que par un de ses fils.

D'Oberkirch, on a devant soi, la ligne des Vosges et les châteaux forts en ruines qui le couronnent. À la droite se trouve Guirbaden, séparé par le vallon du Klingenthal des châteaux de Rathsamhausen et Lutzelbourg. Puis vient Sainte-Odile dont je parlerai avec détail, le monastère de Truttenhausen et le château de Landsberg, qui domine la vallée d'Andlau.

Pendant mon séjour à Oberkirch, je fis plusieurs visites à ces ruines magnifiques, dignes de l'attention du touriste ou du crayon d'un artiste. Un jour, de nombreux amis se réunirent à Oberkirch pour entreprendre de là en voiture, avec nous, la visite du monastère de Sainte-Odile. Nous dirigeant vers le village d'Ottrott, nous avions à notre droite de l'autre côté de l'Ehn, Saint-Léonard, autrefois abbaye de bénédictins, maintenant collégiale composée de huit chanoines dont un doyen.

À Ottrott, nous descendîmes de nos voitures, les dames pour monter à cheval ou à âne, les messieurs pour faire à pied l'ascension de la montagne. Nous étions précédés de paysans qui portaient des paniers remplis de provisions.

Après avoir traversé le village d'Ottrott qui est à cheval sur le chemin et à une demi-lieue de longueur, on

arrive, toujours en montant, sur la colline qui précède
la montagne et peu de temps après on en touche le
pied et on entre dans la forêt de sapins qui en fait l'ornement.

On se trouve alors au-dessous de la montagne que
couronnent les châteaux de Lutzelbourg et de Rathsamhausen, tandis qu'en prenant à gauche on monte à
Sainte-Odile par un chemin qui tourne dans la montagne, laquelle affecte en cet endroit la forme d'une cour-
tine placée entre deux bastions. À moitié chemin de
Sainte-Odile, on parvient à une voie ferrée de grosses
pierres qu'on appelle le chemin des Romains, puis on
arrive à son sommet après avoir passé par une des brè-
ches du Mur des païens. Partout on rencontre d'énor-
mes blocs de rochers, masses qui prouvent les grands
bouleversements naturels dont ces montagnes ont été
le théâtre. Ce sont ces gros blocs, taillés et liés par des
morceaux de bois façonnés en queue d'aronde qui
forment le Mur des païens, muraille qui environne la
montagne de Sainte-Odile et les deux cimes qui l'avoi-
sinent. Elle a de trois à quatre lieues de tour ; on suppose que c'était un camp établi, comme refuge, contre
les irruptions des barbares.

Arrivé en haut du mont, on respire l'air le plus pur.
Mais rien n'est comparable à la beauté de la vue dont
on jouit dans ce site enchanteur. À droite se voient le
Jura, les Alpes de la Suisse, et devant soi toute l'Alsace
et l'autre côté de la vallée du Rhin jusqu'aux montagnes de la Forêt-Noire...]

Dans une lettre de madame la grande-duchesse que
je trouvai à mon retour à Strasbourg, elle me parlait
du baron de Nicolay notre compatriote, secrétaire du
cabinet du grand-duc, attaché autrefois à son éducation, et auteur de charmantes fables en allemand et
d'autres poésies. Il n'est point de la maison parle-
mentaire des Nicolaï, mais bien d'origine suédoise.
Madame la princesse de Montbéliard appréciait beau-

coup ses talents et son caractère, et était remplie de bontés pour son vieux père. M. de Nicolay devait partir pour la Finlande où il possède près de Vybourg une campagne à laquelle il a donné le nom de *Monrepos* ; M. de La Fermière devait l'y accompagner[354].

On me prévint un matin que le maréchal de Stainville était souffrant ; le souvenir de la prédiction me vint en mémoire.

— Ah ! dis-je, il ne s'en relèvera pas.

Le même soir, il se trouva plus mal ; trois jours après il était mort. Cet événement me frappa à un point que je ne puis dire. Le pauvre maréchal a fait dire à M. de Puységur qu'il était son très-humble serviteur, ainsi que de sa somnambule, à laquelle il a envoyé un cadeau. Il est mort courageusement, en soldat. On lui fit des obsèques magnifiques. Toutes les maisons étaient tendues de noir, et il y eut grande affluence sur le passage du convoi. La pompe militaire fut superbe et digne en tout de l'illustre défunt. Les femmes les plus distinguées garnissaient les fenêtres et les balcons.

J'ai été peinée de la conduite de madame de Flachsland, en cette circonstance ; au passage même du convoi, elle était de la gaieté la plus inconvenante. La mort devrait faire taire toutes les haines.

Je n'ai plus que quelques mots à dire. Les événements de cette année[355], ceux que l'on prévoit dans l'avenir m'arrachent la plume des mains. Le 14 juillet, jour de la prise de la Bastille, a vu tomber l'ancienne monarchie. La nouvelle que l'on veut fonder n'a point de racines et ne prendra jamais en France. À la suite de cet événement déplorable des désordres ont eu lieu partout ; et ce contre-coup a porté jusqu'à la baronnie de Granges, qui dépend du comté de Montbéliard. Les habitants des villages ont dévasté la saline de Saunot ; ils ont tout brûlé, tout pillé, tout dévasté. L'effroi se répand dans le pays ; chacun se renferme chez soi ; chacun tremble. Nous en verrons bien d'autres.

Le 25 juillet, à la demande du prince stathouder, le lieutenant du roi de Belfort envoya quarante dragons et trente fantassins à Montbéliard ; cent paysans vinrent faire la garde au château. Madame la princesse de Montbéliard, que je m'efforçais de rassurer, me donna un dessin fait par elle dans ces tristes jours. Sur un monument placé au milieu d'un paysage se trouvaient ces vers :

> *Toujours par la douleur l'âme serait flétrie,*
> *Si l'amitié, venant consoler notre vie,*
> *Ne semait quelques fleurs sur ce triste chemin.*

Le 25 juillet de l'année malheureuse 1789.

Le duc régnant avait refusé d'envoyer des soldats wurtembergeois, il craignait les fâcheuses conséquences qui auraient pu en résulter. Après bien des efforts infructueux, on parvint enfin à former un corps de garde bourgeoise à Montbéliard, afin d'assurer la tranquillité publique. On rencontra beaucoup d'obstacles, surtout par la mauvaise volonté des avocats, qui refusaient de faire partie de cette milice ; mais enfin le duc finit par organiser cinquante dragons et deux cents miliciens à pied. Ils sont casernés aux châteaux d'Étupes et de Montbéliard.

Madame la grande-duchesse sentait vivement nos tourments ; elle m'écrivit ces lignes que je retrace avec tristesse :

$$\frac{20}{31} \text{ août 1789.}$$

« Ma bien chère et bonne Lanele,

« Mon cœur partage toutes vos peines, toutes vos inquiétudes, celles de votre famille ; il est navré de l'état de mes bien-aimés parents, de leurs alarmes ; enfin, ma chère Lanele, j'éprouve bien, dans cette occasion, qu'un cœur sensible vit plus pour les autres que pour soi, car depuis ces tristes nouvelles je n'ai pas un instant de tranquillité. Écrivez-moi donc bientôt, ma chère Lanele, et dites-moi de grâce l'état dans lequel se trouvent le bon commandeur, votre frère, votre mari ; enfin parlez-moi des vôtres et dites-vous bien que la plus tendre amitié partage toutes vos souffrances. Adieu, ma bien chère Lanele, j'ai écrit des épîtres aujourd'hui à toute ma famille, je n'en puis plus, ainsi je finis en vous embrassant mille et mille fois, étant pour la vie,

> « Votre fidèle et sincère amie,
> « MARIE. »

Maintenant ma tâche est finie. Je n'en veux, je n'en puis dire davantage. J'ai la douleur dans l'âme et la mort dans le cœur. Tout ce que je vénère succombe ; ce que j'aime est menacé ; il ne me reste plus de force que pour souffrir, et pour rien dans le monde je ne voudrais éterniser le souvenir de ces affreux jours. Adieu donc à ce passe-temps si doux ! Adieu donc à ces heures écoulées à faire revivre le passé. Il faut songer au présent. Quant à l'avenir, que Dieu le garde ! qu'il éloigne le mal et qu'il nous sauve ! Qu'il ait pitié de l'humanité et qu'il lui pardonne ; c'est mon vœu le plus cher. Nos enfants sont venus au monde dans un triste moment !

NOTES

1. La baronne d'Oberkirch écrit Schweighausen ; ailleurs, elle adopte l'orthographe française. Nous avons d'une manière générale, pour tous les noms de lieux, choisi l'orthographe française actuelle.

2. Mulhouse, restée neutre pendant la guerre de Trente Ans, demeura la seule ville d'Alsace indépendante après les traités de Westphalie qui l'avaient rangée parmi les États faisant partie de la Confédération helvétique. C'est en 1798 seulement que la république de Mulhouse se donna librement à la France, par un vote de sa bourgeoisie.

3. L'ordre du Mérite militaire a été institué en 1759 par Louis XV pour récompenser les officiers protestants qui ne pouvaient être admis dans l'ordre de Saint-Louis, fondé par Louis XIV pour les seuls officiers catholiques.

Le Mérite militaire comportait trois degrés : grand-croix, commandeur et Chevalier ; la croix était à huit pointes perlées, anglée de fleurs de lys d'or, chargée au centre d'un écusson portant une épée et la devise « Pro virtute bellica ». Les chevaliers la portaient attachée par un ruban bleu foncé à la boutonnière de l'habit ; les commandeurs et les grand-croix à un ruban plus large placé en écharpe.

Le ruban de l'ordre de Saint-Louis était couleur de feu. Les deux ordres fusionnèrent en 1791.

4. L'ordre évangélique de Saint-Jean de Jérusalem est la branche allemande protestante de l'ordre de Malte qui s'était scindé en deux au moment de la Réforme. L'ordre de Saint-Jean conserve des relations de dépendance avec le grand maître de l'ordre et avec le grand prieur de Malte.

5. La noblesse immédiate dépendait de l'empereur directement ; le corps de la noblesse immédiate allemande était divisé en quatre provinces formant quinze cantons :

le Souabe avec cinq cantons dont l'Ortenau,

la Franconie avec six cantons,

la province du Rhin avec trois cantons,

l'Alsace qui ne formait qu'un canton.

L'immédiateté de la noblesse d'Alsace date de 1268 ; mais la noblesse de Haute-Alsace avait peu à peu reconnu comme suzerains les archiducs d'Autriche et c'est ainsi que, lors du traité de Munster qui cédait au roi de France les droits des archiducs, les nobles de la Haute-Alsace passèrent automatiquement sous la suzeraineté du roi de France.

Ailleurs l'immédiateté subsistait ; elle allait de soi pour l'Ortenau, capitale Offenbourg, qui dépendait du cercle de Souabe. Par leurs différentes possessions, les Waldner relevaient donc à la fois du roi de France et de l'empereur, situation nullement exceptionnelle au XVIII$^e$ siècle.

6. En 1524-1525, la révolte des paysans fut presque générale en Allemagne ; ils se réclamaient de Luther mais leurs revendications étaient d'ordre social et agraire autant que religieux. Ils s'en prenaient aux nobles et aux prêtres, attaquant et détruisant plusieurs châteaux féodaux dont celui de Freundstein en Alsace, situé près de Soultz. Ce berceau de la famille de Waldner qui avait été dévasté une première fois en 1490 par les habitants de Soultz, fut abandonné après la révolte des paysans. Ceux-ci, lâchés par Luther effrayé, qui excita même les princes contre eux, furent exterminés un peu partout : en Alsace ils subirent une sanglante défaite à Scherwiller, le 2 mai 1525, et à Saverne où ils furent massacrés par milliers.

7. Jean-Daniel Schoepflin (1694-1771) est un des maîtres les plus célèbres de l'université protestante de Strasbourg. Alsacien d'adoption, sinon de naissance, il enseigna l'histoire constitutionnelle pendant de longues années et écrivit deux importants ouvrages sur l'histoire de l'Alsace qui font encore autorité : l'*Alsace diplomatique* et l'*Alsace illustrée* rédigés en latin.

8. C'est en 1397 que le comte de Wurtemberg avait pu joindre à ses possessions alsaciennes le comté de Montbéliard que sa femme Henriette lui avait apporté en dot. Il comprenait à peine une vingtaine de paroisses mais Montbéliard devint bientôt la résidence des princes de Wurtemberg. La conquête de la Franche-Comté par Louis XIV avait menacé Montbéliard, et en 1681 sous le prétexte que ce territoire avait dépendu autrefois de la comté de Bourgogne, la Chambre de Réunion de Besançon avait déclaré qu'il serait dorénavant soumis au roi de France. Cette confiscation fut annulée par le traité de Ryswick en 1697 et Montbéliard rendu à la maison de Wurtemberg. Ce n'est qu'en 1793 que Montbéliard rentra définitivement dans la nation française ; il forma alors une partie du département du Mont-Terrible.

9. Les habitants de Montbéliard, de langue française, étaient de religion luthérienne comme leurs princes, et non réformée.

10. Il s'agit des preuves de noblesse qui étaient exigées pour être présenté à la cour.

11. Personne ne s'étonnait au XVIII$^e$ siècle de voir le même officier, ici le baron de Waldner, servir d'abord le roi de France, puis se rattacher comme colonel à un régiment de Wurtemberg pour revenir ensuite au commandement du régiment français de Bouillon.

Ces appartenances successives ne choquaient pas en un temps où les nations étaient beaucoup moins séparées qu'aujourd'hui.

12. C'est le 12 mars 1758 que la jeune Henriette-Louise de Waldner de Freundstein avait été reçue chanoinesse de son chapitre noble ; elle n'avait pas quatre ans. Elle fut confirmée par lettres de la princesse abbesse Frédérique de Prusse le 2 mai 1766, obtint l'année suivante une prébende et en jouit le jour de la Saint-Michel.

Les chapitres nobles protestants avaient les mêmes droits et usages que les catholiques ; leurs abbesses étaient princesses d'Empire et siégeaient à la Diète impériale. Ils étaient au nombre de trois : Quedlimbourg, Gandersheim et Herforden.

13. Le gros de Tours, très à la mode au XVIIIᵉ siècle, est une étoffe de soie à gros grain.

14. Le pékin, une étoffe de soie rayée, soit par des effets de couleurs, soit par des oppositions dans l'armure du tissu.

15. Le gourgouran, originaire des Indes, est également une étoffe de soie.

16. Le plan d'Étupes et de ses jardins est gravé dans l'ouvrage intitulé : *Plans des plus beaux jardins pittoresques d'Angleterre et de France* par J. Ch. Kraft, Paris, Levrault, 1809 (note du premier éditeur).

17. Il s'agit de l'Édit de Tolérance, préparé par Turgot, accordé par Louis XVI aux protestants et qui leur rendait l'état civil et le droit de remplir des fonctions publiques. La baronne d'Oberkirch en parle à nouveau, à sa place chronologique, au chapitre XXXVII.

18. C'est le 7 mai 1770, que la fille préférée de Marie-Thérèse, l'archiduchesse Marie-Antoinette, promise au dauphin de France, passa à Strasbourg, dans la grâce de ses quinze ans, avant de gagner Versailles.

19. L'entrée triomphale de Louis XV à Strasbourg en 1744 avait laissé un souvenir inoubliable. Organisées par le préteur Klinglin, les fêtes durèrent six jours ; ces splendeurs achevèrent d'ailleurs de ruiner les finances de la ville. Nous pouvons les évoquer avec précision grâce aux belles gravures de J.-M. Weis.

20. La Constitution de Strasbourg, consignée dans une charte à laquelle on prêtait serment de fidélité tous les ans, était assez compliquée. Le pouvoir, en fait, était entre les mains de quelques familles patriciennes qui seules avaient le droit d'élection. Ainsi la noblesse choisissait chaque année les sénateurs, les quatre Stettmeister ou présidents du Sénat et l'Ammeister ou chef du corps de métiers (tribus). La Chambre des Treize était chargée des relations extérieures et des fortifications. La Chambre des Quinze s'occupait de l'administration municipale. Il y avait une troisième Chambre dite des Vingt et Un, sans fonction spéciale mais qui remplaçait en cas de vacance ou d'empêchement, les membres des autres Chambres.

Le préteur était le représentant du roi dont il défendait les intérêts.

21. Quatre cardinaux de Rohan se sont succédé au XVIIIᵉ siècle sur le siège épiscopal de Strasbourg.

Le premier des cardinaux de Rohan, Armand-Gaston, devint évêque de Strasbourg en 1704. C'est lui qui fit construire le palais épiscopal de Strasbourg où descendit Marie-Antoinette, future dauphine. Le même prélat fit édifier à Paris l'hôtel de Rohan que l'on appelait communément au XVIIIe siècle, l'hôtel de Strasbourg, à côté de l'hôtel de Soubise, construit par son père. C'est toujours le même Armand-Gaston qui termina le magnifique château de Saverne commencé par son prédécesseur et qui devait d'ailleurs être détruit par un incendie en 1779. Les autres cardinaux-évêques de Strasbourg furent François-Armand de Rohan-Soubise (1749-1756), Louis-Constantin de Rohan-Guéménée (1756-1779) et Louis-Édouard de Rohan-Guéménée (1779-1790), mort en 1809.

Le vieux cardinal de Rohan qui reçut Marie-Antoinette est donc le troisième : Louis-Constantin, auquel succéda en 1779 son neveu Louis-Édouard, le cardinal de l'affaire du Collier qui fit bâtir un nouveau château à Saverne, celui qui subsiste aujourd'hui, pour remplacer celui qui avait brûlé.

Que ce soit à Strasbourg dans le beau palais construit sur les plans de Robert de Cotte, ou à Saverne surtout, les cardinaux de Rohan ont ébloui l'Alsace par leur élégance et leur magnificence, plus que par leur piété. Leur passion de bâtir en a fait les premiers initiateurs du goût français en Alsace. Le luxe de leurs fêtes et de leurs chasses était inouï ; le souvenir en est resté vivace puisque l'expression « fastueux comme un Rohan » a survécu dans le dialecte alsacien d'aujourd'hui.

22. L'ordonnance dont parle l'auteur est du 23 août 1771 ; elle lève la plupart des entraves qui s'opposaient aux progrès de l'agriculture, notamment le système de cultures.

23. Mademoiselle Bertin, modiste à Paris, avait donné ce nom à un bonnet de plumes dit « Panache à la Quesaco ». Le mot et la chose firent encore fureur quelques années plus tard quand l'expression Qu'es aco ? employée par Beaumarchais dans son mémoire contre Marin fut reprise souvent dans la conversation par la dauphine Marie-Antoinette qui s'en amusait.

24. Belfort avait été offert par Louis XIV à Mazarin après les traités de Westphalie. Le cardinal avait reçu d'autres possessions autrichiennes entre autres Altkirch et Ferrette. Ces terres passèrent au duc de la Meilleraye qui avait épousé Hortense Mancini, nièce de Mazarin. Après les Mazarin, ces possessions passèrent aux Valentinois puis aux Grimaldi et aujourd'hui le prince de Monaco qui a recueilli les titres des Mazarin porte celui de « comte de Belfort ».

25. Le château d'Ollwiller, comme celui de Schweighouse, a été détruit pendant la guerre de 1914-1918 ; c'était un des plus beaux et des plus vastes châteaux d'Alsace. Construit en 1752 à la place d'un précédent — détruit la même année — sur l'ordre de Christian-Frédéric-Dagobert de Waldner qui obtint de Louis XV la permission d'y placer quatre canons pris à l'ennemi, il fut le cadre de fêtes magnifiques ; l'hospitalité était royale, les hôtes de marque. Il semble toutefois que

seule une tradition orale qu'aucun texte connu ne vient confirmer ait pu faire état d'une visite de Louis XV à Ollwiller.

26. Il s'agit du premier partage de la Pologne opéré en 1772 par la Prusse et la Russie suivies à regret par l'Autriche qui reçut la Galicie. Le traité de partage donnait la Lituanie à Catherine II et la Prusse polonaise à Frédéric II.

27. Actuellement, le lycée Fustel de Coulanges.

28. Le margrave d'Anspach-Bayreuth, neveu par sa mère du grand Frédéric, marié à une princesse de Saxe-Cobourg dont il eut plusieurs enfants, garda dix-sept ans auprès de lui la célèbre tragédienne mademoiselle Clairon qui, après un court passage à l'Opéra, était devenue une des actrices les plus en vue de la Comédie-Française. Elle avait obtenu les plus grands succès dans le rôle de Phèdre et surtout celui de Roxane dans *Bajazet* où elle s'habilla pour la première fois « sans panier » pour être « dans la vérité du costume oriental ». Elle fut l'interprète régulière de toutes les tragédies de Voltaire.

À la mort de sa femme, le margrave épousa Lady Craven, et alla finir ses jours en Angleterre après avoir cédé ses principautés à la Prusse en 1791 (voir chapitre XXIX).

29. Le duc d'Aiguillon a été ministre de la guerre sous Louis XV ; le maréchal du Muy le fut sous Louis XVI.

30. Le chapitre de Schacken est un chapitre de filles nobles luthériennes, situé dans la province du Rhin.

31. Louis-Joseph, né en 1736, était le chef des Bourbon-Condé ; le duc de Bourbon, Henri-Joseph, né en 1756, est son fils ; il deviendra le mari de Marie-Mathilde d'Orléans, née en 1750, et future amie de la baronne d'Oberkirch.

32. Parmi les beaux hôtels qui furent construits à Strasbourg au XVIIIᵉ siècle, l'hôtel Klinglin (aujourd'hui la préfecture du Bas-Rhin) avait été bâti par le préteur royal F. J. Klinglin qui le vendit à la ville. L'hôtel devint en 1755 celui de l'intendant de la province.

33. Elle l'a encore exercé au couronnement de l'actuelle reine d'Angleterre.

34. Le Conseil souverain d'Alsace qui siégea à Ensisheim et à Brisach avant d'être transféré à Colmar, possédait tous les droits, honneurs et prérogatives des parlements, sans en porter le nom. C'était l'instance judiciaire suprême de la province (voir n. 339, p. 650).

35. *La Gazette de France*, le plus ancien des journaux français, fondée par Théophraste Renaudot en 1631. En 1762, *la Gazette* qui avait toujours été un organe officieux du gouvernement en devient l'organe officiel et met en frontispice les armes royales. En 1787, l'exercice du privilège de *La Gazette* est donné à bail au célèbre Panckoucke, déjà propriétaire du *Mercure* et futur fondateur du *Moniteur*.

Le journal, longtemps hebdomadaire, était bi-hebdomadaire depuis 1762.

36. Le maréchal de Contades, gouverneur de la province d'Alsace pendant près de trente années, tint un salon des plus fréquentés et des plus élégants à Strasbourg ; la ville lui doit plusieurs embellissements.

37. On appelait gymnase un établissement d'instruction classique où l'enseignement se donnait surtout en latin. On envoyait les jeunes Alsaciens au gymnase de Montbéliard pour y perfectionner leur connaissance du français.

38. Après Masevaux, Ottmarsheim était le chapitre de dames nobles le plus célèbre de la Haute-Alsace. Pour être chanoinesse, il fallait avoir seize quartiers de noblesse, tant du côté paternel que du côté maternel. Henriette de Waldner était donc en bonne compagnie.

39. Le pasteur de Zurich était déjà connu par ses écrits théologiques et ses œuvres poétiques quand il entreprit le célèbre ouvrage dont la rédaction allait prendre quatre années (1775-1778) et connaître un succès extraordinaire. Dans ses *Fragments physiognomoniques pour répandre la connaissance des hommes et la philanthropie*, Lavater a la prétention de révéler une nouvelle science avec ses principes et ses vérifications expérimentales ; sans peur du ridicule, il propose de déterminer le degré d'intelligence et de moralité d'après l'angle facial et de décider des aptitudes de chacun d'après les indications du visage. Il porte la crédulité aux dernières limites mais il défend son système avec tant de chaleur et de talent qu'il eut de nombreux et enthousiastes adeptes qui tenaient pour honneur de voir leur portrait ou leur silhouette figurer dans les *Fragments*. Madame d'Oberkirch ne pouvait donc qu'être flattée de la demande de Lavater et son portrait occupe la planche 93 du tome III de l'ouvrage de Lavater (Leipzig, 1777) ; le commentaire du pasteur est spécialement admiratif : « Quel front ! quel nez, fait pour renverser et gouverner un royaume ! Quels yeux ! quelle bouche ! » Propos un peu excessifs de la part d'un austère ministre qui, il est vrai, a commencé par regretter les complications de la coiffure à la mode. Henriette de Waldner porte en effet un incroyable monument capillaire sur ce portrait, peint à Strasbourg par Balay et gravé par Holzhalb.

40. Lavater a donné lui-même dans *ses Fragments* la meilleure méthode pour faire des silhouettes car l'étude du profil, selon lui, est décisive dans une analyse physiognomonique. Il recommande, quand il ne peut opérer lui-même, de faire ces dessins avec beaucoup de soin ; pour cela il faut « se servir d'un siège expressément adapté pour cette opération et fait de manière qu'on puisse y appuyer la tête et le corps. L'ombre provoquée par la lumière d'une bougie vient se réfléchir sur une glace polie derrière laquelle on fixe un papier fin, bien huilé et bien séché. Le dessinateur qui est assis derrière la glace peut tracer la silhouette sur le papier ; après avoir détaché celui-ci, il repasse le trait. Puis on réduit la silhouette en petit en évitant avec soin d'émousser les pointes et les angles. On noircit les copies réduites et on en conserve une en blanc. La glace qui est enchâssée dans un cadre mobile peut être haussée et baissée à volonté ; l'une et l'autre sont échancrées par le bas et cette partie du cadre doit reposer fortement sur l'épaule de la personne dont on veut tirer la silhouette… ».

41. Le séjour de Goethe en Alsace est bien connu, et il en a parlé lui-même longuement dans *Poésie et Vérité* qui s'appelle aussi *Mémoires*

*de ma vie.* Il était courant que de jeunes Allemands de Francfort, ville qui était en rapports commerciaux étroits avec Strasbourg, vinssent dans la capitale de l'Alsace dont le gymnase devenu université était réputé, pour y faire des études. Pour beaucoup d'Allemands d'ailleurs et aussi de nombreux étrangers, Strasbourg était l'étape naturelle avant Paris et la ville cosmopolite, à la frontière de deux cultures et de deux langues qui s'y mêlaient, connaissait au XVIII⁰ siècle un éclat qui approchait celui de son apogée du XVI⁰ siècle.

Le plus illustre de ces étudiants, Jean-Wolfgang Goethe, passa deux années (1770-1771) à Strasbourg, s'inscrivit à la faculté de droit, s'intéressa à l'histoire naturelle et à la littérature française et allemande ; il se lia étroitement avec Herder qui fut proprement son maître et son initiateur ; il fréquenta les cercles littéraires mais aussi certains salons de la bourgeoisie alsacienne. Et c'est sans doute dans celui de Louise König, amie d'Henriette de Waldner, que cette dernière rencontra le jeune Goethe, au moment du passage de Marie-Antoinette à Strasbourg. Elle l'avait vu une première fois chez les princes de Montbéliard et avait été remarquée par lui.

Rentré à Francfort puis installé à Weimar, Gœthe avait, en 1776, donné déjà ses premières grandes œuvres : *Goetz de Berlichingen* qu'Henriette de Waldner avait lu « au moins vingt fois », et *Werther* dont l'effet fut aussi immédiat que prodigieux dans toute l'Europe. C'est donc un écrivain célèbre qui écrit le 12 mai 1776, en termes si flatteurs, la lettre d'envoi que transcrit la baronne d'Oberkirch. Quant à la *Claudine* de Goethe, c'est une œuvre mineure, une comédie-vaudeville que l'auteur devait remanier plus tard.

42. Voici les armes des deux familles alliées : Oberkirch porte de sable à un lion d'argent couronné d'or, lampassé et armé de gueules. Waldner porte d'argent à trois pointes de sable sur lesquelles sont perchés trois oiseaux de gueules.

43. Il le fut lui-même plus tard, en 1789.

44. Sorte de berline qui n'a qu'une place dans chaque fond, ce qui met nécessairement en vis-à-vis les deux personnes qui l'occupent.

45. Le 1ᵉʳ avril 1776.

46. L'hôtel d'Oberkirch, rue de la Nuée-Bleue à Strasbourg, a disparu.

47. Le grand-duc Paul, fils unique de Catherine II, né en 1754, n'était peut-être pas le fils de l'infortuné Pierre III mais celui du favori Soltykoff. Veuf en 1776 de la princesse de Darmstadt, il se remariait quelques mois plus tard avec la nièce de Frédéric II, Dorothée de Wurtemberg-Montbéliard dont la vie fut un exemple de bonté et de dignité. Devenu empereur à la mort de Catherine qui l'avait tenu à l'écart, il donna des signes d'aberration mentale dès le début de son règne. D'abord hostile à la Révolution française, il accueillit les émigrés dont le comte de Provence. Mais fantasque et instable, il devint bientôt l'ami de Bonaparte et rêva contre l'Angleterre d'une invasion des Indes avec les cosaques du Don. C'est alors qu'il fut assassiné par son entourage — notamment les comtes Panine et Pahlen — qui

craignait les conséquences de son despotisme et aussi des troubles mentaux aggravés. Cette révolution de palais eut lieu dans la nuit du 11 mars 1801. Madame d'Oberkirch, amie aussi fidèle que discrète, ne rapporte dans ses mémoires aucune des confidences qu'a dû lui faire son impériale correspondante sur le caractère despotique et bizarre de son époux. Les lettres de l'impératrice et peut-être certains documents ont été remis par les descendants de la baronne à la cour de Saint-Pétersbourg en 1913 (voir l'introduction).

48. La lettre de Cassel du 5 juillet 1776 et plus loin la lettre de Catherine II ne figurent pas dans l'édition anglaise des *Mémoires*.

49. Seconde fille des princes de Wurtemberg, âgée alors de onze ans. Traduction :... et toute la compagnie.

50. La baronne d'Oberkirch passe sous silence une particularité de la famille de Wurtemberg-Montbéliard. Le prince était catholique et la princesse luthérienne ; les fils étaient élevés dans la religion luthérienne qui avait été celle de leurs ancêtres et était toujours celle des habitants de Montbéliard, mais les filles étaient simplement baptisées et ce n'était que lorsque leur mariage était décidé qu'elles terminaient leur instruction religieuse dans le sens de la religion de leur futur époux. Tout cela n'empêche pas sans doute que la princesse Dorothée eût reçu, de par la direction générale de son éducation, une formation protestante, plus orientée sur la morale que sur le dogme.

51. Les protestants ont continué longtemps à se servir du calendrier julien ; il s'est maintenu à Strasbourg après même sa réunion à la France et fut abrogé par ordre du roi du 12 février 1682 qui généralisa en Alsace le calendrier grégorien. Quand la baronne d'Oberkirch parle de son amie la grande-duchesse de Russie, elle donne toujours la date selon les deux calendriers, le calendrier julien étant resté celui de la Russie.

52. Par sa mère Anna, fille de Pierre le Grand.

53. Wieland est un des très grands noms de la littérature allemande, un des plus originaux par la variété et la souplesse du talent, la pénétration des meilleurs écrivains de l'Antiquité et des langues modernes qui en a fait, par exemple, l'excellent traducteur de Shakespeare. Wieland est surtout un poète dont *Obéron* est le chef-d'œuvre, et aussi un romancier-philosophe dont *Agathon* révèle toute l'érudition et l'imagination. Ses contemporains l'avaient surnommé le Voltaire allemand. Cet esprit vif a ajouté à son activité le *Mercure allemand*, l'écrit périodique littéraire le plus important de l'Allemagne pendant quarante années, et auquel collaborèrent Goethe et Schiller.

Au moment de sa correspondance avec la baronne d'Oberkirch, Wieland était en effet à Weimar où il s'occupait de l'éducation des jeunes princes et où se trouvaient les meilleurs esprits littéraires de l'Allemagne : Goethe, Herder, Schiller, Lenz et d'autres encore.

54. L'ami dont il s'agit ici est Lenz, ce jeune Livonien qui avait accompagné, comme précepteur, deux jeunes gentilshommes russes à Strasbourg où il s'était lié avec Goethe et Herder et où, probablement chez Louise König, il avait fait la connaissance d'Henriette de Waldner.

Nous avons des lettres de Lenz à Louise König, à Röderer resté à Strasbourg, et leurs réponses, qui toutes parlent soit ouvertement, soit allusivement de la jeune Henriette. C'est l'époque des fiançailles de celle-ci avec le baron d'Oberkirch : les amis d'Henriette ne sont guère conquis par le fiancé. « Dites à Lenz, écrit Louise König à Frédéric de Hesse à Darmstadt le 25 mars 1776, que Mademoiselle de W. va se marier à un homme qui n'a pas sa valeur... » Lenz lui-même écrit à Mademoiselle de Waldner, quelques jours avant son mariage, la lettre suivante : « Qu'allez-vous faire trop aimable et charmante comtesse, épouser un homme qui n'est pas à portée de vous, qui n'est pas en état de vous apprécier, sacrifier jeunesse, beauté, grâce, talents, richesse, tout, tout à une âme qui peut-être ne sait estimer que le dernier et le plus vil de ces rares avantages. Dieu, où en êtes-vous, vous si spiritelle et si pénétrante de vous laisser aller de la sorte à un sort cruel et injuste, un sort qui tôt ou tard coûtera la vie à vos véritables amis, parce qu'ils vous voient perdue sans ressource, oui perdue, adorable que vous êtes, d'être tombée entre les mains d'un homme ordinaire et conséquemment froid et inconséquent, vous femme extraordinaire en tout point. Écoutez-moi, écoutez-moi, ne vous abandonnez pas si légèrement, attendez au moins, éprouvez-le. Qu'avez-vous à risquer ? Voyez par mille expériences s'il peut un jour mériter votre main. Pensez que c'est un pas pour la vie, un pas qu'on ne peut plus rétracter. Croyez-moi, tout amour de la vertu commence par soi-même ; on ne peut plus se plaindre du sort après s'être rendu malheureux soi-même. Et quel malheur, quel crime plus grand que de Vous donner Vous-même à des intentions douteuses, frivoles au moins, à un cœur qui ne sait pas mourir de joie d'avoir remporté un triomphe sans pareil, un cœur qui ne mette pas toute sa félicité à vous adorer... »

Les termes de cette lettre permettent assurément de croire à l'existence d'un sentiment profond chez le jeune poète et révèlent le désespoir d'un amoureux peut-être éconduit qui s'était vu préférer un officier frivole dont le mode de vie contrastait si fort avec la pauvreté du pédagogue. Cette lettre est à rapprocher de deux œuvres de Lenz, écrites à Strasbourg à la même époque et inspirées pour une part certaine par sa passion sans espoir pour Mademoiselle de Waldner. *Les Soldats* sont une peinture inexorable de la caste des officiers. L'action se passe à Lille dont les habitants, curieusement, parlent un patois germanique et sont luthériens ! Nul doute que l'auteur n'ait été inspiré par la ville de Strasbourg qui comptait alors — chiffre énorme pour une population de quarante-cinq mille âmes — une garnison de dix à douze mille hommes et de nombreux officiers qui fréquentaient les salons les plus élégants. Lenz a pu ainsi trouver sans effort des modèles qu'il a noircis à plaisir en pensant avec amertume au goût d'Henriette de Waldner pour l'uniforme. Il a écrit, d'autre part, dans le genre werthérien un roman, demeuré inachevé, *Die Waldbrüder*, dans lequel un critique allemand n'a pas hésité à reconnaître un véritable roman à clés dont tous les personnages seraient des transpositions à peine voilées du baron de Waldner, de sa fille, du baron d'Oberkirch, de Louise König, de Goethe et de Lenz lui-même. De toute façon Lenz qui devait donner les premiers signes de démence en Alsace chez le célèbre pasteur Oberlin et finir en Russie sa misérable existence, a été, comme Goethe et Wieland cités par la baronne d'Oberkirch, un représentant remarquable et typique de cette période dite de « Sturm und Drang » que l'auteur des Mémoires a certainement suivie avec un intérêt passionné.

55. En 1681, Louis XIV rendit la cathédrale de Strasbourg aux catholiques et donna l'église des Dominicains aux protestants ; celle-ci prit alors le nom de Temple-Neuf. Il devait brûler en 1870 avec la bibliothèque de la ville qui se trouvait dans le chœur de cette église.

56. L'époux de Catherine II (depuis 1745) fut renversé par une révolution de palais en 1762 ; il abdiqua, fut conduit à Peterhof où il mourut ou plutôt fut mis à mort par des conjurés.

57. Sorte d'instrument en fer, en forme de poire et muni d'un ressort, qui servait à bâillonner.

Malgré la précision de la date donnée par Madame d'Oberkirch au commencement de ce récit, et ses références, il a été impossible de trouver un texte ou un document quelconque pour authentifier cette incroyable histoire qu'un juriste éminent, Krug-Basse, dans son *Alsace avant 1789*, accepte sans sourciller.

58. Le futur tsar Alexandre Ier.

59. On peut s'étonner du laconisme de Madame d'Oberkirch sur cet événement strasbourgeois qu'elle ne fait même pas figurer dans ses Mémoires à sa place chronologique (mais elle en parle à nouveau dans le chapitre XIX). Maurice de Saxe, fils naturel de l'électeur de Saxe et de la comtesse Aurore de Koenigsmark, général français vainqueur à Fontenoy, avait reçu, à la fin d'une brillante carrière militaire, avec le titre de maréchal général des armées françaises, le gouvernement de l'Alsace et le domaine de Chambord. Protestant, c'est dans une église protestante de Strasbourg qu'il devait trouver à sa mort, en 1750, une sépulture. Le corps inhumé provisoirement au Temple-Neuf, fut transféré en grande pompe à Saint-Thomas en 1777 dans un mausolée que le sculpteur Pigalle avait mis plus de vingt ans à terminer et qui est une des œuvres maîtresses de la sculpture monumentale du XVIIIe siècle. La cérémonie de Saint-Thomas en 1777 marque aussi une étape importante dans le ralliement à la France de la population strasbourgeoise, et plus spécialement protestante.

60. Traduction :... et que j'aime Lanele de tout mon cœur.

61. Les Choiseul sont d'origine champenoise. Mais le ministre qui était le fils d'un grand chambellan du dernier duc de Lorraine avait porté d'abord le nom de leur terre de Lorraine : Stainville. On sait que c'est sous son ministère que se fit la réunion de la Lorraine à la France. Les Waldner semblent être restés toujours fidèles à Choiseul et à sa famille ; la duchesse de Gramont et M. de Stainville sont la sœur et frère du ministre.

62. Le dernier colonel de Royal Alsace (charge qui était dans la famille depuis Louis XIV) fut le prince Maximilien-Joseph de Deux-

Ponts (1756-1825), un des principaux princes possessionnés en Alsace et une des figures les plus populaires de cette province avant la Révolution, par son esprit et ses folies. Il devait devenir en 1806, par la grâce de Napoléon, roi de Bavière.

Son père avait fait construire à Strasbourg en 1754 un très bel hôtel, l'actuel siège du gouvernement militaire.

63. Le mot d'ordre de Louis XIV avait été : « Ne pas toucher aux choses d'Alsace » et il s'appliquait autant à la langue, aux coutumes et aux privilèges particuliers, qu'à la situation religieuse de la nouvelle province. La Réforme avait au XVIᵉ siècle fait de nombreux adeptes en Alsace et Strasbourg notamment était une république protestante, plus libérale que Genève. Dans les campagnes, tout dépendait, selon le fameux principe « Cujus regio, ejus religio », de la confession du seigneur. Ce régime, dans l'ensemble, fut respecté : si le roi de France rendit la cathédrale de Strasbourg aux catholiques, les protestants reçurent en compensation une église supplémentaire, le Temple-Neuf et le pouvoir ne s'attaqua jamais à l'université protestante. Toutefois, il y eut quelques entorses après la révocation de l'édit de Nantes : les conversions au catholicisme furent encouragées et récompensées ; à Strasbourg, une année sur deux, les charges municipales devaient être exercées par un catholique sans tenir compte du rapport numérique des deux confessions. Le protestantisme dans les campagnes fut même interdit quand il ne représentait pas plus du tiers de la population mais là où existaient sept foyers catholiques ils avaient le droit de célébrer leur culte dans le chœur de l'église protestante ; c'est le *simultaneum* qui a survécu aujourd'hui dans certaines églises d'Alsace — à Saint-Pierre-le-Vieux à Strasbourg, à la Petite-Pierre et à Wihr-en-Plaine par exemple — où la nef est laissée aux protestants et le chœur occupé par les catholiques.

Au XVIIIᵉ siècle, en Alsace, les catholiques devenus plus nombreux et les protestants prospéraient côte à côte dans la tolérance et la liberté. Choiseul y veillait. Madame d'Oberkirch a tout à fait raison de s'apitoyer sur la situation des autres protestants français qui était bien différente puisqu'ils n'étaient pas encore vraiment sortis de la clandestinité.

64. Sigismond de Wurmser, oncle à la mode de Bretagne de madame d'Oberkirch, né à Strasbourg en 1724 est un parfait exemple de ces officiers aux appartenances successives (v. p. 35, n. 1). C'est aussi le cas du baron de Hahn comme on le verra plus loin et celui du comte de Saint-Germain.

65. Voir n. 21, p. 58.

66. Le comte de Montbarrey, né à Besançon en 1732, fut colonel, puis maréchal avant de devenir directeur à la Guerre et secrétaire d'État adjoint au comte de Saint-Germain puis secrétaire d'État à la Guerre. En 1788, il reçut la grande préfecture de Haguenau. On a de lui des mémoires intéressants.

67. Le comte de Saint-Germain, après avoir porté l'habit de novice, s'était fait militaire. Mais, trop pauvre pour acheter un régiment, il

commença par servir l'électeur palatin, Marie-Thérèse et l'électeur de Bavière avant d'entrer dans l'armée française puis de servir de nouveau un étranger : le roi du Danemark. À la mort de ce dernier, il se retira à Lutterbach, en Alsace, où il avait un domaine et où il rédigea ses mémoires. C'est là que Turgot le chercha pour le présenter à Louis XVI qui en fit son ministre de la Guerre en 1776. Il se montra très sévère pour la discipline tout en supprimant la peine de mort pour désertion. Il introduisit les châtiments corporels et les méthodes prussiennes, contre l'avis du comte de Montbarrey. Devenu impopulaire, il dut quitter le ministère en 1777.

68. Reichshoffen est encore une de ces belles demeures construites au XVIIIe siècle en Alsace ; l'architecte du château est celui qui devait reconstruire Saverne pour le cardinal de Rohan : Salins de Montfort ; le propriétaire Jean de Dietrich, le riche maître de forges de Niederbronn, anobli par Louis XV, fit, grâce à son immense fortune, une résidence princière de ce château. Le fils de Jean de Dietrich, Frédéric, sera élu maire de Strasbourg à l'époque de la Révolution et c'est chez lui que Rouget de Lisle chantera pour la première fois *La Marseillaise*. Il sera guillotiné en 1793. Il est intéressant de noter aussi que l'ancêtre, Dominique Dietrich, fut un des signataires de l'acte de capitulation de Strasbourg, en 1681, à Illkirch.

69. On renonce pour quelque temps aux vêtements de soie en signe de deuil.

70. Originaire du Rouergue, élève des Jésuites de Pézenas, l'abbé Raynal avait bien reçu la prêtrise, mais un « assent dé tous les diables », comme il dit lui-même, nuisit au succès de ses prédications ; il préféra devenir rédacteur au *Mercure* et vivre de sa plume. Dans son grand ouvrage *Histoire philosophique et politique des deux Indes*, il fait bien l'histoire des établissements de commerce fondés par les Européens dans les Deux-Mondes, mais il s'insurge surtout contre les atrocités de la traite des Noirs et introduit des digressions sans fin contre le despotisme et la religion, digressions qui sont très souvent des emprunts à d'autres auteurs ou à des amis. Grimm prétend que les meilleurs passages sont de Diderot. Une première édition de cet ouvrage avait paru à Nantes sans nom d'auteur. Celle de Genève de 1780 porte son nom ; elle est plus hardie encore. Le Parlement prononça un arrêt : le livre fut brûlé le 29 mai 1781 et l'auteur forcé de quitter la France. Il s'enfuit auprès de Frédéric II et de Catherine II. Réhabilité par l'Assemblée nationale en 1791, il surprit tout le monde par ses déclarations monarchiques.

71. Cagliostro, Sicilien né à Palerme, de son vrai nom Joseph Balsamo, avait traversé l'Orient et l'Europe avant d'arriver à Strasbourg où il évoque les esprits et expose sa doctrine de la régénération du monde ; sans succès y est énorme ; on lui attribue des guérisons miraculeuses. Il a des adeptes nombreux parmi les personnalités de la ville et exerce une véritable fascination sur le crédule et fastueux cardinal de Rohan auquel il fait croire qu'il peut fabriquer or et pierres précieuses. Il a un laboratoire au château de Saverne, un autre installé en

l'hôtel de Rohan dit hôtel de Strasbourg, rue Vieille-du-Temple à Paris. Il voit aussi bien dans le passé que dans l'avenir et pour cela se fait aider d'une voyante qui doit posséder certaines caractéristiques : « Être née sous la constellation du capricorne, avoir les yeux bleus, les nerfs délicats, une pureté angélique. » Il arrive à Paris en 1785 et son succès n'est pas moins prodigieux dans la haute société et dans les milieux maçonniques. Impliqué avec le cardinal de Rohan dans l'affaire du Collier (1786), il fut emprisonné à la Bastille, relâché, porté en triomphe, banni. Il crut pouvoir se réfugier à Rome mais y fut arrêté ; condamné à mort par l'Inquisition, il termina cependant ses jours en prison, échappant à l'exécution de la sentence.

72. La mort de Turenne, le 27 juillet 1675, fut un deuil national. Un obélisque a bien été érigé à la place où il tomba à Salzbach. Le roi avait voulu qu'il fût enterré à Saint-Denis mais Bonaparte fit transporter le corps de Turenne aux Invalides, en 1800.

73. Le landgrave de Hesse-Darmstadt avait recueilli la succession du dernier comte de Hanau-Lichtenberg dont il avait épousé la fille. Les princes de Hesse-Darmstadt restèrent possessionnés en Basse-Alsace jusqu'à la Révolution.

À Strasbourg, l'hôtel de Hanau ou de Darmstadt, achevé en 1737, est devenu l'hôtel de ville.

74. L'évêque d'Osnabruck est alternativement catholique ou protestant ; lorsqu'il est protestant il est placé, au collège des électeurs, avec l'évêque de Lubeck sur un banc particulier placé de travers (note du premier éditeur).

75. Ses principaux adeptes à Strasbourg étaient le baron de Dampierre, M. de Klinglin d'Esser, le comte de Lutzelbourg, le professeur Ehrmann et la baronne de Reich (note du premier éditeur).

76. Madame de La Mothe est l'intrigante qui a joué un rôle capital dans l'affaire du Collier. Elle trompa le cardinal de Rohan en lui faisant croire que la reine Marie-Antoinette désirait un collier de 1 600 000 livres que lui refusait le roi puis en le persuadant de remettre le collier à son amant qu'elle présenta comme l'envoyé de la reine. (Sur l'affaire du Collier, cf. Frantz Funck-Brentano : *Marie-Antoinette et l'énigme du collier*.)

77. Le piquet à écrire ne diffère du piquet ordinaire que par le décompte des points.

78. Madame d'Oberkirch commet, semble-t-il, une erreur au sujet de Ferrette qui, faisant partie du Sundgau et des possessions autrichiennes, passa sous la suzeraineté du roi de France aux traités de Westphalie. Seule la ville libre impériale de Strasbourg fut réunie à la France en 1681. Il est évident cependant que, même après les traités, certains seigneurs étrangers continuèrent à jouir de quelques droits dans leurs possessions alsaciennes. Ce fut notamment le cas pour les Wurtemberg à Horbourg et à Riquewihr.

79. Longtemps même après la paix de Nimègue et l'occupation de Metz et de Brisach, devenues d'importantes juridictions destinées à réunir à la couronne de France les anciennes dépendances de l'Alsace,

Strasbourg, cette ville grande et riche, maîtresse du Rhin, formait seule une république dont l'arsenal, renfermant neuf cents pièces d'artillerie, n'était pas le moindre mérite. C'en était assez pour que Louvois n'épargnât rien pour le donner au roi. Un jour Louvois parut avec vingt mille Français ; les forts du Rhin furent pris en un instant ; le traité de reddition proposé par les magistrats fut signé, et le même jour Louvois prit possession de la place.

Cette ville dont Vauban a fait depuis une redoutable forteresse, voulait évidemment être française. Aussi pourrait-on dire qu'elle résista à Louvois, non pas même pour l'acquit de sa conscience, mais pour la forme, ainsi qu'une coquette (note de l'auteur).

80. Voir n. 20, p. 57.

81. Le gouverneur de la province d'Alsace réside à Strasbourg comme l'intendant du roi alors que le conseil souverain siège à Colmar. Le maréchal de Contades fut gouverneur de la province d'Alsace pendant près de trente années (voir n. 36, p. 88).

82. Argentoratum est le nom latin de Strasbourg.

83. Marie-Christine de Saxe était tante de Louis XVI par sa sœur Marie-Josèphe, mère du roi ; elles étaient les filles d'Auguste de Saxe, donc demi-sœurs du maréchal Maurice de Saxe. C'est à ce titre que Marie-Christine représentait la famille de Saxe lors de la translation du corps du maréchal à Saint-Thomas (voir n. 59, p. 137).

Elle menait une vie fort mondaine, tant à l'abbaye de Remiremont dont elle était abbesse, qu'à Strasbourg où elle possédait un très bel hôtel et à Brumath où elle mourut en 1781. Le château de Brumath qui avait été sa résidence fut vendu comme bien national en 1794 et acheté plus tard par la fabrique du culte protestant qui y établit un temple en 1809.

84. Le procès et l'affaire des Dames de Remiremont ont fait beaucoup de bruit. La grande querelle s'était levée à propos d'une sacristine qui avait obtenu le même nombre de voix que sa concurrente ; les « nièces » ne voulurent pas s'incliner devant les « tantes ».

85. L'acteur Carlin, né à Turin, joua longtemps à Paris, au Théâtre italien, les rôles d'Arlequin.

Sur le comte de Saint-Germain, voir n. 67, p. 148.

86. La prison de l'Abbaye, construite entre 1631 et 1635 pour servir de prison abbatiale du monastère de Saint-Germain-des-Prés, avait été convertie en prison militaire.

87. La passion des nouvelles, le goût des potins, la curiosité des petits et des grands scandales étaient insuffisamment satisfaits par les journaux imprimés et officiels. Très tôt des gazetiers clandestins avaient organisé des points de rencontre où venaient aboutir toutes les anecdotes et tous les détails capables d'intéresser ou d'amuser un vaste public d'oisifs. Le jardin du Palais-Royal, celui des Tuileries, la salle du Palais étaient les meilleurs endroits où pouvaient se ramasser les potins qui circulaient ensuite sous forme de gazettes manuscrites. Mais certains salons littéraires étaient aussi des officines de bulletins. Le plus « sérieux » fut celui de Madame Doublet de Persan qui était

au couvent des Filles de Saint-Thomas. Cette dame ne sortait jamais de chez elle mais réunissait dans son salon ses « paroissiens », esprits plus ou moins distingués, qui apportaient les nouvelles du dehors et dont le président était Bachaumont, appartenant, comme Madame Doublet, par leurs alliances avec la famille Croizat, au clan Choiseul. Les « paroissiens » arrivaient tous à la même heure, s'asseyaient toujours chacun dans le même fauteuil, au-dessous de son portrait. Deux grands registres étaient ouverts sur une table : l'un pour les nouvelles sûres, l'autre pour les douteuses. Il en sortait deux fois par semaine un bulletin, servi à des abonnés. Après la mort de Bachaumont, un avocat sans scrupules devait présenter de supposés Mémoires secrets de Bachaumont qui ont parfois joui d'un crédit immérité.

88. La survivance est la faveur, que le roi accorde au titulaire d'une charge non vénale et non transmissible, de désigner la personne de son choix comme successeur de la charge.

89. Titulaire de l'ordre de Saint-Louis.

90. Helvétius avait obtenu de Marie Leczinska une charge de fermier-général dont les gros revenus devaient lui permettre de se livrer tranquillement à sa recherche philosophique. Il fut d'ailleurs un excellent administrateur et très probe. Sa femme, née de Ligneville, qu'il avait épousée en 1751, lui survécut de longues années et tint dans sa maison d'Auteuil un salon que fréquentèrent les plus grands esprits du temps. Spirituelle et bienfaisante, elle n'avait certainement pas épousé Helvétius seulement « pour sa grande fortune ».

91. À l'époque du mariage de Marie-Antoinette, l'Autriche avait fait don à la France de trois régiments de hussards : Berchini, Esterhazy et Chamborant (note du premier éditeur).

92. Charlotte Schilling — Lill ou Tille pour les intimes — avait été une des demoiselles d'honneur, amenées en Russie par la princesse Dorothée de Wurtemberg, devenue l'épouse du grand-duc Paul. Celle-ci maria bientôt son amie à Christophe de Benckendorf, de souche prussienne, mais général de l'armée russe et gouverneur militaire de Riga.

Les époux eurent quatre enfants dont une fille Dorothée devait devenir par son mariage avec l'ambassadeur russe comte de Lieven, la fameuse princesse de Lieven qui joua un grand rôle politique dans la première moitié du XIXe siècle et qui est célèbre par ses liaisons avec Metternich... et le ministre Guizot.

La princesse de Lieven a noté dans ses mémoires les souvenirs personnels et précis qu'elle avait gardés du complot contre Paul Ier et de son assassinat.

93. La marquise de Bombelles qui devait échapper miraculeusement aux massacres de Septembre eut entre autres enfants Charles-René qui épousa secrètement en 1834, l'ex-impératrice Marie-Louise, duchesse de Parme, après la mort de Neipperg.

94. Le prince Kourakin avait alors vingt-quatre ans. Ministre des Affaires étrangères sous Paul Ier et Alexandre Ier, négociateur du traité

de Tilsitt conclu avec Napoléon en 1807, il deviendra ambassadeur à Paris en 1808.

95. La famille Skzrawonsky descend d'un frère de Catherine, première femme de Pierre-le-Grand (note du premier éditeur).

96. Sept mètres environ.

97. Vergennes est le dernier grand ministre de l'ancienne monarchie. Appelé aux Affaires étrangères en 1774, il sut à la fois prendre la revanche contre l'Angleterre en intervenant dans la guerre d'Amérique qui devait se terminer victorieusement par le traité de Versailles en 1789, et maintenir la paix et l'équilibre en Europe : il réussit à mettre en échec les ambitions de Joseph II, soutenu pourtant à Versailles par sa sœur, Marie-Antoinette. Il mourut en 1787.

98. Les deux frères de Louis XVI, Louis, comte de Provence, et Charles, comte d'Artois, avaient épousé les deux sœurs : Marie de Savoie et Marie-Thérèse de Savoie.

99. Anfossi, élève de Piccini, a écrit plus de quarante opéras.

100. Le chevalier de Boufflers dont les mérites littéraires ont été jugés très minces par Rousseau et d'autres contemporains, a écrit quelques contes agréables dont *Aline, reine de Golconde* qui a inspiré plusieurs musiciens : Monsigny, puis Berton, Boieldieu et Donizetti. C'est l'histoire d'un homme qui éprouve à tous les âges de sa vie, un amour renouvelé pour la même femme qui se présente cependant sous des aspects bien différents : jeune bergère, marquise triomphante, souveraine puissante et enfin petite vieille effacée. Le chevalier de Boufflers avait lui-même épousé, à près de soixante ans, Madame de Sabran.

101. Les gimblettes peuvent être des pâtes de fruits ou de petites pâtisseries sèches ; les avelines sont des noisettes en bonbons.

102. Il y eut deux prisons de la Force, rue Pavée et rue du Roi de Sicile, sur l'emplacement de l'hôtel du duc de la Force, ancien hôtel de Charles d'Anjou (roi de Sicile). La Force qui remplaça en 1780 le Fort-l'Évêque et le Petit-Châtelet, servit aux prisonniers pour dettes. Sous la Révolution, la Petite Force fut réservée aux femmes ; la Grande Force aux hommes. Madame de Lamballe, Madame de Tourzel, Madame Du Barry d'une part ; les Girondins, le général Malet, plus tard Cavaignac et Barbès, d'autre part, en sont les prisonniers les plus illustres.

103. Voir n. 24, p. 69.

104. Madame d'Oberkirch n'aime pas le critique La Harpe qui eut d'ailleurs de nombreux ennemis qui l'appelaient le singe de Voltaire. La Harpe fut en effet l'élève et l'admirateur inconditionnel de Voltaire qu'il chercha à imiter, notamment dans ses nombreuses et ennuyeuses tragédies. Celles-ci n'eurent pas beaucoup de succès, pas même les *Barmécides* en 1778 qu'il s'était pourtant donné le ridicule de louer lui-même dans le *Mercure* où il rédigeait des articles de critique.

Le critique littéraire est moins méprisable ; il put faire ses preuves au Lycée, cet établissement libre fondé par Pilâtre de Rozier en 1787 pour l'enseignement des lettres et des sciences, et il donna un cours de littérature fort remarquable. Ce professeur salua avec enthousiasme la Révolution, mais, arrêté et emprisonné comme suspect, il fut brusquement illuminé par la grâce et sortit de prison, catholique fervent et réactionnaire. Pendant plusieurs années, il a été le correspondant littéraire du grand-duc de Russie. Cette correspondance, destinée au futur Paul I$^{er}$, écrite de 1774 à 1791, est pleine de jugements justes parfois mais toujours rigoureux et sévères pour ses contemporains que La Harpe sacrifie à son propre mérite.

Il est le véritable auteur de la prophétie de Cazotte (voir n. 351, p. 672).

105. Le roi de Pologne Jean Sobieski (1629-1696) est surtout célèbre par sa lutte contre les Turcs qu'il repoussa à plusieurs reprises, notamment en 1683 quand son armée sauva Vienne assiégée.

106. Le maréchal de Saxe eut des aventures retentissantes ; l'actrice Adrienne Lecouvreur éprouva pour lui une passion véritable que révèlent une correspondance remarquable et un dévouement qui alla jusqu'à la vente de ses diamants et de sa vaisselle pour aider son amant à conquérir le trône de Courlande. Elle n'en fut pas moins délaissée. Sa passion lui coûta la vie, soit qu'elle ait succombé au désespoir causé par les infidélités nombreuses de Maurice de Saxe, soit qu'elle ait été empoisonnée par une rivale. La baronne d'Oberkirch se refuse à croire dans cette circonstance à la culpabilité de la duchesse de Bouillon dont elle admet seulement la liaison avec Maurice de Saxe.

107. Le compositeur allemand Gluck avait déjà une belle carrière théâtrale, à Vienne et à Londres, derrière lui quand Marie-Antoinette qui avait été son élève, le fit venir à Paris, l'encouragea et le protégea contre toutes les cabales. Les premiers opéras étaient écrits dans la tradition italienne déclamatoire et mélodique à l'excès. Gluck réclame bientôt plus d'émotion, plus de simplicité. *Orphée* en 1764, *Alceste*, joué à Vienne en 1767 marquent ses nouvelles tendances ; puis c'est *Iphigénie en Aulide* en 1774. L'opéra devient un drame plein d'émotion et de puissance dramatique et *Iphigénie en Tauride* finit par imposer Gluck en 1779.

On lui avait opposé un pauvre diable d'Italien : Piccini qui fut soutenu par La Harpe et Marmontel ; ceux-ci déclaraient la musique de Gluck « escarpée et raboteuse ». « On croirait, dit l'un d'eux, entendre les cris effrayants des chats en leurs amours nocturnes. » « Les opéras de Gluck ne sont qu'une monotone et fatigante criaillerie. » Gluckistes et Piccinistes s'affrontèrent avec violence. La reine qui avait naturellement le goût bon avait pris le parti de Gluck ; elle écrivait à sa sœur Christine : « On se divise, on s'attaque comme s'il s'agissait d'une affaire de religion. »

108. Mademoiselle Duthé n'était guère qu'une courtisane qui eut de nombreux amants à la cour. Mademoiselle La Prairie était une actrice comme Mademoiselle La Guerre.

109. Mademoiselle Maillart allait devenir une grande chanteuse et dans les fêtes de la Révolution, jouer le rôle de Déesse de la liberté.

110. Un premier Opéra, l'ancienne salle de Molière, existait rue Saint-Honoré et avait été détruit par un incendie en 1763. Reconstruit au même endroit, c'est-à-dire attenant au Palais-Royal, en 1770, l'Opéra

fut de nouveau détruit par le feu le 8 juin 1782 et c'est cet incendie que Madame d'Oberkirch s'est fait raconter et nous raconte.

Une nouvelle salle de spectacle allait s'ouvrir, cette fois boulevard Saint-Martin. Sa construction ne prit pas plus de trois mois ; cet Opéra disparut aussi par incendie, sous la Commune.

111. *Le Mariage de Figaro* qui est la suite du *Barbier de Séville* fut entrepris dès 1775 ; achevé en 1778, il fut censuré pendant six ans. Beaumarchais en fit une lecture chez la comtesse de Lamballe, puis quinze jours plus tard chez le maréchal de Richelieu avant de réussir à le faire jouer, en cercle privé, chez le comte de Vaudreuil, à Gennevilliers, en septembre 1783. *Le Mariage* fut lu chez le comte et la comtesse du Nord en présence du baron de Grimm. Beaumarchais prit acte de son approbation et chercha surtout à exploiter les suffrages du comte et de la comtesse du Nord pour obtenir la représentation de sa pièce.

La première représentation publique n'eut lieu qu'en 1784 à la Comédie-Française. Ce fut un triomphe. On s'y pressa tellement que trois personnes périrent étouffées. La cour, la famille royale, les princes de sang écoutèrent avec avidité, la plupart avec enthousiasme, les paroles cinglantes et insolentes qui annonçaient la mort de l'Ancien Régime. Madame d'Oberkirch fut alors plus clairvoyante : « Je rentrai chez moi en sortant de la Comédie, le cœur serré de ce que je venais de voir et furieuse de m'être amusée » (voir chapitre XXIII).

112. Madame d'Oberkirch ne se départit jamais d'une vive sympathie pour l'auteur du *Mariage de Figaro*. Cette aristocrate moraliste est pleine d'indulgence et d'admiration pour ce fils d'horloger qui s'introduit à la cour comme maître de musique de Mesdames, filles de Louis XV, devient gentilhomme et même diplomate, malgré des entreprises plus ou moins louches et des procès plus ou moins scandaleux.

113. *Le Barbier de Séville* (1775) fut d'abord joué en cinq actes et sifflé. On le trouva trop long. Beaumarchais fondit les deux derniers actes et dit aux spectateurs : « Nous nous sommes mis en quatre pour vous plaire. » La pièce réussit alors brillamment.

114. Les bijoux de verroterie et de fantaisie étaient alors très à la mode.

115. D'Alembert qui était entré à l'Académie française après son *Discours préliminaire à l'Encyclopédie* en était le secrétaire perpétuel depuis 1772.

116. *Le Mercure galant* est de Boursault (1638-1701). C'est une comédie gaie, avec beaucoup de détails heureux et un personnage devenu populaire : le soldat La Rissole.

117. C'est l'actuel Odéon-Théâtre de France.

118. Voir n. 28, p. 75.

119. Les spectacles de marionnettes, acrobates, animaux savants, les vaudevilles, se firent d'abord aux foires de Saint-Germain et de Saint-Laurent. Ils rencontrèrent l'hostilité des grands théâtres ; en 1714 on permit à une troupe foraine de chanter : c'est l'origine de l'Opéra-Comique qui fut réuni à la Comédie italienne en 1762. Mais la foire

continua ses spectacles : elle eut bientôt son théâtre qui porta le nom de l'Écluse, son fondateur, avant celui des Variétés amusantes.

120. Le XVIII⁰ a été l'âge d'or de l'ébénisterie et de la marqueterie. Les grands ébénistes parisiens étaient nombreux et célèbres dans toute l'Europe : Sené, Riesener, Cressent, Jacob, etc. Plusieurs étaient d'ailleurs d'origine allemande. Ils étaient établis à l'est de Paris.

Les « quincailliers » vendaient les objets décoratifs les plus divers : tabatières, boîtes, métiers à broder, rouets, plateaux, etc.

121. Une des filles non mariées de Louis XV.

122. Mansart au XVII⁰ siècle puis Robert de Cotte au XVIII⁰ avaient condamné le jubé de Notre-Dame qui avait été détruit. Il ne restait de l'ancienne clôture que les deux chapelles de Saint-Denis et de la Vierge, à droite et à gauche du chœur, chacune ayant un petit jubé, où se plaçaient les musiciens lors des *Te Deum* ou les visiteurs de marque.

123. C'est chez le banquier Thélusson que M. Necker avait fait son apprentissage. Il travailla ensuite comme associé dans la Banque Thélusson, Necker et Cⁱᵉ.

124. Au 28. Cette maison était un des chefs-d'œuvre de l'architecte Bellanger, le fidèle ami de Sophie Arnould (note du premier éditeur). Voir aussi plus loin n. 127, p. 247.

125. Elle disait un jour en parlant d'une femme de ce temps : « Elle se conduit vis-à-vis de ses idées comme on doit faire à l'égard de ses amis ; comme elle en a peu, elle y tient beaucoup » (note du premier éditeur).

126. Le Collège des Quatre-Nations, devenu palais de l'Institut depuis 1805, comportait une chapelle, surmontée d'un dôme, destinée à abriter le tombeau de Mazarin par Coysevox, qui a été déplacé.

127. Sophie Arnould, célèbre cantatrice des opéras de Rameau et de Gluck, était belle et spirituelle. Ses « mots » se répétaient et on lui en prêtait beaucoup. Elle finit sa vie dans la solitude et la misère (1802). Greuze a fait d'elle un portrait charmant.

128. La Bibliothèque Royale, rue Richelieu, comportait déjà cinq départements : manuscrits, livres imprimés (200 000 volumes environ au moment de la visite de madame d'Oberkirch), médailles et pièces antiques, estampes, titres et généalogies. On comprend l'enthousiasme de l'auteur des Mémoires qui avait tant de curiosité historique.

129. Coronelli, géographe italien (1650-1718), avait construit à Paris pour le cardinal d'Estrées deux grands globes, l'un terrestre, l'autre céleste.

130. Le voyage de Pierre le Grand en 1721 avait laissé un souvenir très vif à Paris. Le programme de sa visite de la capitale avait été très complet ; celui du comte et de la comtesse du Nord en est en quelque sorte la répétition.

131. Après cette visite quasi-officielle du bal de l'Opéra, le 2 juin, en compagnie de la reine et du comte de Provence, la comtesse du Nord voulut revoir un bal de l'Opéra ; elle s'y rendit incognito avec madame d'Oberkirch une quinzaine de jours plus tard et elles s'y amusèrent davantage (voir chapitre suivant). « Trois fois la semaine, puis

seulement le dimanche, depuis la Saint-Martin jusqu'au premier dimanche de l'Avent, et depuis le jour des Rois jusqu'au Carême, l'Opéra se transforme en bal, par le moyen d'un plancher posé à hauteur de scène. Le bal a lieu aussi le lundi et le mardi gras. On y va masqué ou non masqué. On y danse, ou l'on se promène dans les couloirs, ou l'on se tient en spectateur dans une loge. La soirée commence à onze heures par un concert. On danse de minuit à six heures. » (Pierre Gaxotte : *Paris au XVIII^e siècle*).

132. Le fils du duc d'Orléans, le duc de Chartres, n'a pas la sympathie de la baronne d'Oberkirch. Il était mal vu à la cour et avait des idées libérales. Époux de la vertueuse mademoiselle de Penthièvre, arrière petite-fille de Louis XIV et de madame de Montespan, il était volage et cynique. Sa sœur madame de Bourbon, future grande amie de madame d'Oberkirch, s'en plaignait aussi. Mais il est évident que lorsque l'auteur rédige ses Mémoires, elle reproche surtout au duc de Chartres d'être devenu Philippe-Égalité et l'ennemi déclaré de la famille royale.

133. Celle de l'abbaye Sainte-Geneviève (l'actuel lycée Henri-IV) et celle qui était alors en construction ; commencée par Soufflot en 1764, elle n'était pas achevée à sa mort. C'est le Panthéon.

134. Rue Saint-Jacques.

135. Madame de Genlis avait été introduite au Palais-Royal par sa tante, madame de Montesson que le duc d'Orléans avait épousée secrètement. Elle devint successivement dame d'honneur de la duchesse de Chartres, gouvernante de ses filles puis « gouverneur » de ses fils. Elle inaugura pour eux un système d'éducation original et écrivit beaucoup. Elle a laissé des mémoires intéressants malgré leur partialité et l'insupportable vanité de leur auteur.

136. Il s'agit sans doute du séminaire qui avait été fondé par Olier en 1642. Olier qui porta le premier le nom de « curé de Saint-Sulpice », avait eu l'idée de grouper des prêtres en communauté pour se vouer à la formation des aspirants au sacerdoce.

137. Ils habitaient Chaussée-d'Antin à Paris.

138. Necker avait publié sous le titre de *Compte rendu au roi* (1781), pour gagner la confiance du public et justifier son administration, un tableau des recettes et des dépenses du royaume. Le succès en fut prodigieux mais les privilégiés dont les pensions étaient ainsi rendues publiques, s'acharnèrent contre Necker qui dut démissionner.

139. Plus exactement : Curchod.

140. Ce mathématicien philosophe n'avait pas encore écrit son ouvrage le plus célèbre : *Essai d'un tableau historique du progrès de l'esprit humain* (1793).

141. Ledru, surnommé Comus, était réputé pour ses expériences de physique amusante. Ledru-Rollin est son petit-fils.

142. Il avait aussi celle de la comédie. C'est à Bagnolet où il avait un domaine qu'il fit jouer pour la première fois en 1766 *la Partie de chasse de Henri IV* dans laquelle il créa avec un grand succès le rôle du meunier Michau (note du premier éditeur). Il avait un autre domaine

près de Seine-Port, le château de Sainte-Assise où il mourut en 1785. L'église de Seine-Port renferme ainsi le tombeau de Louis-Philippe d'Orléans.

143. Madame de Montesson avait une belle maison rue Grange-Batelière, la livrée et les armes d'Orléans (note du premier éditeur).

144. Après bien des vicissitudes, les comédiens italiens s'étaient réunis à une troupe française qui représentait l'opéra-comique. Abandonnés peu à peu, ils se retirèrent en 1780. Le titre de comédiens italiens fut conservé par les acteurs français chantants qui s'établirent dans une salle bâtie pour eux : l'Opéra-Comique.

145. Brunoy appartient au comte de Provence (voir chapitre XXIV) qui, à Paris, était installé au Luxembourg.

146. Le Jardin du Roi est devenu le Jardin des Plantes. Le célèbre naturaliste Daubenton qui y travaillait avait collaboré à l'*Histoire naturelle* de Buffon, comme lui né à Montbard.

Les expériences sur les gaz dont parle madame d'Oberkirch annoncent celles de Lavoisier.

147. Les calcédoines, sortes de quartz rouges ou vertes, s'appellent agates quand elles sont irisées, jaspes quand elles sont opaques.

148. M. le comte du Nord montait à cette revue un fort beau cheval que M. le maréchal de Biron lui avait prêté pour la circonstance. Il le mania avec grâce et facilité et assura le maréchal qu'il n'en avait jamais monté qui lui plût davantage. Plus tard, à son retour à Saint-Pétersbourg, le grand-duc de Russie vit arriver ce même cheval richement caparaçonné et conduit par trois piqueurs. L'un tenait la bride, l'autre l'étrier et le troisième remit au prince de la part de M. le maréchal de Biron une respectueuse lettre d'hommage (note du premier éditeur).

149. L'actuel musée Rodin.

150. Chantilly avait été rendu aux Condés (qui le tenaient des Montmorency) après la victoire de Rocroi. Le prince de Condé dont il est question ici est Louis-Joseph né en 1736 qui embellit beaucoup Chantilly et fit construire à Paris le Palais-Bourbon. Il fut plus tard le chef de l'émigration, revint à Paris à la Restauration et mourut en 1818.

Son fils, qu'on appelle le dernier des Condés, est le duc de Bourbon, le père du duc d'Enghien, fusillé dans les fossés du château de Vincennes en 1804, par ordre de Bonaparte. Le dernier des Condés mourut à Saint-Leu en 1830 seulement ; on le trouva pendu à l'espagnolette d'une fenêtre du château.

Sa femme, la duchesse de Bourbon, était morte à Paris en 1822. Ils vivaient séparés depuis plus de quarante ans.

151. La sœur du dernier des Condés, Louise-Adélaïde, était née à Chantilly en 1757. Elle était belle et vertueuse ; on l'appelait Hébé parce que Nattier l'avait peinte en déesse de la jeunesse. Elle offre la plus pure histoire d'amour du siècle. À vingt-sept ans, elle rencontra aux eaux de Bourbon, le marquis de Gervaisais qui en avait vingt et un. Une correspondance s'engagea ; une grande passion naquit. Mais le mariage n'étant pas possible, elle fut nommée en 1786 abbesse de

Remiremont. Elle émigra, vécut dans divers couvents, prit enfin le voile en Pologne. Revenue en France, elle fonda l'institution de l'Adoration perpétuelle.

**152.** Le hameau de Chantilly est antérieur à celui de Trianon. Ce groupe de maisonnettes rustiques construit en 1776 fut le théâtre de fêtes champêtres nombreuses. À proximité s'étendait un superbe jardin anglais, près du Grand Canal et le « port aux pirogues » où l'on s'embarquait pour les promenades sur les pièces d'eau.

153. Le système de Law.

154. Les Grandes Écuries de Chantilly, bâties de 1719 à 1740, sont un des plus beaux monuments de l'architecture du XVIIIᵉ siècle. Elles pouvaient contenir 240 chevaux.

155. La duchesse de Boufflers s'était remariée à quarante-trois ans avec le maréchal de Luxembourg. Elle se fixa à Montmorency dont Jean-Jacques Rousseau, qui habitait alors l'Ermitage, devint l'hôte assidu. Redevenue veuve en 1764, elle ouvrit son salon à toutes les célébrités du temps.

156. Autrefois de nombreux marchands de chansons se tenaient sur le Pont-Neuf, d'où le nom de ponts-neufs donné à ces chansons elles-mêmes. Ainsi furent lancées : *J'ai du bon tabac*, *La Mère Michel*, etc. mais aussi des couplets satiriques sur des personnages en vue.

157. L'ancien hôtel d'Évreux avait appartenu à madame de Pompadour ; on en avait fait ensuite l'hôtel des Ambassadeurs extraordinaires, puis le garde-meubles de la Couronne, avant de le vendre au banquier Beaujon qui le revendit en 1786 à la duchesse de Bourbon. C'est le palais de l'Élysée.

Dès 1784, le banquier de la cour qui avait accumulé marbres, porcelaines, tableaux et livres précieux à l'hôtel d'Évreux, se fit construire une maison beaucoup plus modeste mais qu'il préféra bientôt : la Folie Beaujon qu'il appelait sa chartreuse. Il y adjoignit une fondation charitable de l'autre côté de la rue du Roule, hospice et maison d'éducation qu'il combla de largesses.

Par ses vastes jardins, la Folie Beaujon touchait à la Folie de Chartres (l'actuel parc Monceau) et son jardin anglais dessiné par Carmontelle, sur les ordres du duc de Chartres dont l'anglomanie est bien connue.

158. On désigne sous le nom de vernis-Martin tous les vernis et laques employés pour la décoration du mobilier, de la carrosserie, des lambris, parce que les frères Martin, établis faubourg Saint-Denis, sans être les inventeurs de ces vernis à la résine ont porté à la perfection cet art de la laque.

L'atelier du « vernisseur du roi » devint manufacture royale en 1748 et Robert Martin fut le décorateur recherché pour les beaux meubles laqués, les chaises à porteur et les objets les plus divers dans le goût chinois si à la mode.

159. La place Louis-XV est devenue place de la Concorde ; Perronnet entreprend le pont de la Concorde en 1786.

160. Fille d'un valet de chambre de la dauphine, madame Geoffrin n'était qu'une simple bourgeoise qui avait pu ouvrir un salon grâce à la fortune de son mari ; ambitieuse et intelligente plus que cultivée, elle donna dans son hôtel de la rue Saint-Honoré des dîners d'hommes pour les artistes — Soufflot, Pigalle, Vernet, Falconet, etc., le lundi ; pour les écrivains — Marmontel, Marivaux, Helvétius, d'Alembert, etc. le mercredi. Elle accueillit aussi des personnalités étrangères ; le vieux roi Stanislas s'était pris d'affection pour la fille de la maîtresse de maison, celle dont parle madame d'Oberkirch, madame de La Ferté-Imbault qu'il appelait sa chère fille. Quant au futur roi de Pologne, Stanislas Poniatowski, il appelait « Maman » celle qui l'avait reçu et aidé quand il était un pauvre gentilhomme à Paris. Invitée par le roi à Varsovie, madame Geoffrin fit un voyage triomphal à travers l'Europe. Sa renommée était en effet européenne. Favorable aux idées nouvelles, elle encouragea et subventionna l'Encyclopédie. Elle mourut en 1777.

161. Le merveilleux château royal de Marly avec les douze pavillons satellites reliés par des portiques de verdure, déjà délaissé par Louis XV et peu fréquenté sous Louis XVI, a été totalement dépouillé et détruit pendant la Révolution et le Consulat.

162. Louis-François de Paule Lefèvre d'Ormesson, neveu du chancelier d'Aguesseau, président à mortier du Parlement de Paris, devient premier président en 1788... remplacé comme président à mortier par son fils (note du premier éditeur).

163. Le prince Henri-Louis de Guéménée Rohan avait emprunté des sommes fantastiques ; quand il fut déclaré en faillite en 1782, le passif était de trente-trois millions. Ses oncles l'évêque Louis de Rohan à Strasbourg et Ferdinand, archevêque de Bordeaux, payèrent une partie de ses dettes mais le scandale fut énorme (voir aussi le chapitre XX).

164. Autre demeure royale qu'a beaucoup habitée Louis XV.

165. L'ordre du Saint-Esprit est une création de Henri III, en 1578. Il fallait pour y entrer être de religion catholique et justifier de plusieurs degrés de noblesse.

166. Depuis 1770, le port de Lorient qui avait été une fondation de la Compagnie des Indes, était passé à l'État. Brest, au contraire, avait été équipé dès Richelieu qui créa vraiment le port et les arsenaux.

Ces ports militaires étaient en pleine activité car la guerre d'Amérique n'était pas encore terminée ; le traité de Versailles qui y met fin est de 1783.

167. Dans leur lutte contre l'Angleterre, les flottes française et espagnole ne réussirent pas à débarquer en Angleterre ni à reprendre Gibraltar, mais elles enlevèrent l'île de Minorque que les Anglais occupaient depuis 1708, sauf deux courtes périodes d'occupation française.

168. En 1568, à Bruxelles, dans la lutte des Pays-Bas contre l'Espagne.

169. Jeu qui consiste à trouver un mot présenté sous forme d'énigme dans un vers, et à partir de ce mot pour en composer d'autres.

170. Faire paroli c'est renchérir sur ce qu'a dit ou fait une personne. On sait que la Corse, achetée par la France en 1768, ne se soumit pas sans résister et que le patriote Paoli soutint la lutte pendant plus d'une année. Il essaya à plusieurs reprises de demander du secours à l'Angleterre, notamment encore en 1793.

171. La baronne d'Oberkirch a su apprécier à sa juste valeur ce prince de l'esprit qu'a été le prince de Ligne. Né à Bruxelles en 1735, il avait grandi dans le magnifique domaine de Belœil dont Lenôtre a dessiné les jardins. Sujet autrichien, il fut d'abord un brillant officier et bientôt un voyageur curieux de tout et le favori de toutes les célébrités de son siècle : souverains, gens du monde et gens de lettres. Aimable, spirituel, observateur amusé et indulgent, il a beaucoup écrit lui-même. Au moment où la baronne raconte leurs rencontres, il avait déjà publié une partie de ses *Mélanges militaires, littéraires, sentimentaires*. Plus tard, en 1809, madame de Staël elle-même devait donner des extraits de sa correspondance dans un recueil de lettres et de pensées, qui eut un grand succès.

Très à la mode à Versailles, familier de Marie-Antoinette, il aimait aussi beaucoup Paris où les classes se mêlaient et où, disait-il, on pouvait connaître des gens dont on ne parlerait pas dans un autre pays. Il avait le même goût que Madame d'Oberkirch pour l'occultisme et s'était fait à Paris le « garçon sorcier » de Mesmer.

Cet esprit fin et cosmopolite ne comprit cependant rien à la Révolution française ; il mourut à Vienne en 1814.

172. Voir le chapitre suivant.

173. La statue équestre de Pierre le Grand à Saint-Pétersbourg est l'œuvre de Falconet que Catherine II avait fait venir en Russie (voir chapitre XIX).

174. Voir n. 94, p. 204.

175. Voir n. 62, p. 140.

176. Voir n. 83, p. 178.

177. Voir n. 63, p. 141.

178. Ce général français qui s'était déjà distingué en Bavière, à Fontenoy et pendant la guerre de Sept Ans, fut fait duc de Mahon après la prise de Minorque (1782) sur les Anglais.

179. Opéra-comique de Favart.

180. La musique qui n'est pas sans mérite est de Poli, maître de musique du duc Charles.

181. Louisbourg est la seconde capitale du Wurtemberg et une création du duc Louis Eberhard en 1724. Une manufacture de porcelaines fut fondée en 1758 pour la fabrication d'objets en style rococo. Le château de la Solitude, construit à Gerlingen de 1763 à 1767 par le duc Charles dans le style rococo, est une des plus fameuses « retraites » qui portèrent le nom de solitude.

Aux environs de Louisbourg s'élèvent aussi les châteaux de Mon Repos et de La Favorite.

182. *Le Derviche*.

183. Opéra de Scarlatti d'après Métastase.

184. Cette princesse mourut en 1790 ; son mari devint l'empereur François II en 1792.

185. Elle épousera Jérôme Bonaparte, roi de Westphalie.

186. Résidence d'été.

187. Frédéric, l'aîné des frères de la grande-duchesse.

188. Traduction : écartée.

189. Tronchin était l'inoculateur le plus renommé de l'Europe ; le duc d'Orléans le fit venir de Genève pour être son premier médecin en 1766. Mais il appartenait à l'Anglais Jenner, quelques années plus tard, de substituer l'inoculation du *cow-pox* (variole de la vache) à celle de la petite vérole, pratiquée par Tronchin pour combattre cette maladie si redoutée.

190. Deux numéros sortis et placés sur la même ligne horizontale.

191. Le bonheur du petit prince Charles était de lui faire des camouflets : c'est porter légèrement un papier allumé sous le nez d'un dormeur, ou d'un distrait, pour le réveiller. Le comte de Baleuze était si bon qu'il se prêtait à cette plaisanterie dont on ne manquait pas de réprimer le jeune prince (note de l'auteur).

192. Voir n. 132, p. 250, et n. 150, p. 273.

193. Le célèbre docteur en médecine de l'Université de Vienne, Mesmer, qui prétendait guérir toutes les maladies par le magnétisme avait séjourné à Strasbourg deux ans avant Cagliostro. Il provoquait des extases par le fameux baquet dont, disait le prince de Ligne « il n'est gamin à Paris qui n'en ait entendu parler ».

Mesmer opérait par attouchements des guérisons miraculeuses : autour du baquet, les malades, placés en rond, tenaient les fils conducteurs, alternativement avec la main droite et avec la main gauche. Le silence était absolu ; les malades et les spectateurs nombreux : comtes, princes, hommes célèbres participaient à ces séances ; les domestiques y assistaient de l'antichambre. Saint-Martin, André Chénier, Restif de la Bretonne se passionnèrent pour le magnétisme et suivirent les cours du docteur, et La Fayette passa un contrat avec Mesmer. L'avocat Bergasse de Lyon donna au mesmérisme un caractère religieux et propagea la doctrine ; plus tard il « évangélisera » Madame de Krüdener.

C'est certainement sous l'influence de ce Bergasse que les « idées mystiques » de la duchesse de Bourbon allaient se développer et s'exprimer dans un curieux ouvrage intitulé : *Correspondance de M^me de B... et M. R... sur leurs opinions religieuses*. Tout en se remettant aux mains de l'Église, elle reconnaît avoir sur certaines questions, notamment le baptême des enfants et la consubstantialité, des idées un peu hérétiques. La vérité est partout, écrit-elle, l'unité de l'Église romaine n'est qu'apparente et certaines sectes sont admirables. Celle qu'on a appelée, non sans raison, semble-t-il, malgré les dénégations de la baronne d'Oberkirch, « la plus aimable catin du siècle », plongea dans son âge mûr dans le plus profond mysticisme.

194. L'abbaye de Panthémont, ancienne abbaye bénédictine fondée à Pantémont dans l'Oise et réfugiée au XVIII^e siècle au faubourg Saint-

Germain, servait de maison d'éducation à de nombreuses filles nobles. L'église de l'abbaye, rebâtie en 1755 au n° 106 de la rue de Grenelle, est devenue un temple protestant.

195. La liaison de la princesse de Monaco avec le prince de Condé était publique ; elle régnait à Chantilly mais les enfants de Condé et sa belle-fille, madame de Bourbon, supportaient mal la favorite qui fut peut-être responsable de la brouille qui sépara le duc de la duchesse de Bourbon. C'est alors que la princesse de Monaco se retira à Betz « ni trop loin, ni trop près » de Chantilly. Le grand bâtisseur qu'était Condé s'intéressa au domaine de la princesse de Monaco et contribua beaucoup aux embellissements de Betz et de ses magnifiques jardins, typique parc anglais selon le goût nouveau.

196. Weckenthal avait été bâti en 1481 par Hermann de Waldner, conseiller de Charles le Téméraire, duc de Bourgogne et son gouverneur pour les Pays-Bas autrichiens... (note du premier éditeur). Rosen est un de ces officiers de Bernard de Saxe-Weimar qui, à la mort de celui-ci, passèrent au service du roi de France et furent plus tard naturalisés français.

197. Voir n. 6, p. 37.

198. La guerre de Trente Ans a été pour l'Alsace la plus terrible épreuve de son histoire. De nombreux villages furent brûlés et beaucoup d'entre eux détruits définitivement. Les populations déjà décimées par la guerre virent les épidémies et la famine s'ajouter aux malheurs du pays.

Mansfeld, le chef de guerre des princes protestants allemands, saccagea la Basse-Alsace ; mais les Suédois surtout ont laissé un souvenir atroce : appelés par Richelieu qu'effrayait la puissance impériale, ils accumulèrent les horreurs et les ruines, surtout dans le Sundgau.

199. MM. Schweighauser et de Golbéry ont reproduit dans les *Antiquités d'Alsace* cette tradition populaire à peu près telle que la voici. Je ne sais s'ils l'ont prise dans quelque ouvrage ancien, ou seulement dans la croyance établie ; la ballade allemande a été imprimée dans l'Elsaessicher Sagenbuch (note du premier éditeur).

200. Le cadogan est un ruban qui retient les cheveux en queue derrière la tête tandis que la cadenette est une tresse de cheveux entortillée d'un ruban qui pend des deux côtés de la tête.

201. Le futur vainqueur de Valmy.

202. Cette princesse fut promise à Gustave-Adolphe IV de Suède par Catherine II ; mais le mariage ne se fit pas, l'impératrice ayant refusé de laisser sa petite-fille changer de religion. Elle épousa l'archiduc Joseph Palatin en 1799 et mourut en 1801 (note du premier éditeur).

203. Le mariage eut lieu à la légation de Suède à Paris, le 14 janvier 1786.

204. Le Jardin botanique de Strasbourg, fondé en 1619 par le Sénat de la ville, est donc antérieur au Jardin des Plantes de Paris, fondé en 1626 sous le nom de Jardin du Roi.

205. Voir n. 84, p. 179, et n. 151, p. 277.

206. Il y a dans l'Ordre teutonique neuf bailliages dont cinq catholiques et quatre protestants. Ces derniers sont ceux de Hesse, de Thuringe, de Saxe et d'Utrecht. Ils sont sous la juridiction du maître particulier d'Allemagne (note du premier éditeur).

207. Voir n. 68, p. 149.

208. M. Ochs, né à Bâle en 1749, fit en 1798, de concert avec Brune et le colonel Laharpe, la révolution helvétique (note du premier éditeur).

209. Voir n. 111, p. 227.

210. Un quinquet est une lampe dont le réservoir d'huile est placé plus haut que la mèche à imbiber.

211. Le mode de perception qui consiste à affermer les impôts était général dans toute l'Europe. Le roi vendait à des financiers, pour une somme fixe et payée d'avance, le droit de lever les impôts à sa place. Ce système qui procurait à l'État des avances considérables avait l'inconvénient de laisser certains fermiers généraux pressurer les contribuables et réaliser pour eux-mêmes de scandaleuses fortunes.

212. Voici quelle était la distribution des autres rôles : le comte Almaviva : Molé. — Chérubin, mademoiselle Olivier. — Figaro, Dazincourt. — Brid'oison, Dugazon. — Bartolo, Desessarts. — Bazile, Vanhove ? — Antonio, Bellemont. — Grippe-Soleil, Larive (note de l'auteur).

213. Du Belloy ou plus exactement De Belloy est un acteur et poète tragique français (1727-1775) médiocre mais qui connut un grand succès « national » avec *le Siège de Calais* qui exaltait le patriotisme d'Eustache de Saint-Pierre à un moment où la France était battue par les Anglais. La pièce fut même jouée dans les casernes. *Pierre le Cruel* dont le sujet appartient à l'histoire d'Espagne, est l'une des plus mauvaises des six pièces de l'auteur.

214. Voir n. 123, p. 242. L'hôtel Thélusson se trouvait dans l'actuelle rue Laffitte.

215. L'architecte Ledoux, né à Dormans où les Thélusson avaient une terre, fut l'architecte de Louis XVI. Il bâtit le théâtre de Besançon, les pavillons des entrées de Paris et les fameuses salines d'Arc-et-Senans qui devaient être le centre de la cité moderne dont il rêvait.

216. Femme de l'ambassadeur de son nom, remarquable par sa beauté et son esprit (note du premier éditeur).

217. Voir n. 105, p. 221.

218. Il faudrait dire l'ancien Prétendant, celui qu'on désigne le plus souvent sous le nom du chevalier de Saint-Georges, mort en effet en 1765.

Au moment du voyage de la baronne d'Oberkirch, le prétendant au trône des Stuart était son fils Charles-Édouard, dit le comte d'Albany, dont l'aventureuse tentative pour reprendre la couronne de ses pères en Écosse et en Angleterre avait fait de lui un héros de légende. Ayant repris après l'échec son existence errante, il tomba peu à peu dans le désespoir et l'ivrognerie. Un mariage tardif — à plus de cinquante ans — avec la très jeune Louise de Stolberg ne put arrêter cette déchéance. Sa femme se sépara de lui et la comtesse d'Albany imposa à l'Europe une liaison passionnée avec le poète Alfieri. Elle s'était établie dans un joli petit château des environs de Colmar.

219. Voir Chapitre XV sur les Polignac, la comtesse Diane de Polignac ne devant pas être confondue avec Yolande, la comtesse Jules de Polignac qui devint l'amie intime de Marie-Antoinette, supplantant momentanément la première amie d'élection, la princesse de Lamballe.

C'est l'amant de madame de Polignac, le comte de Vaudreuil, réputé le meilleur acteur de la société parisienne, qui fit faire à la reine imprudente ses débuts de comédienne. Le même Vaudreuil avait, on l'a vu, fait jouer chez lui à Gennevilliers *Le Mariage de Figaro*, alors interdit.

Quand fut connue la banqueroute fabuleuse des Guéménée et que madame de Guéménée dut quitter la cour et renoncer à la fonction de gouvernante des Enfants de France, la coterie des Polignac fit attribuer ce poste à madame de Polignac, déjà devenue duchesse en 1780 sur la demande de la reine. Marie-Antoinette devait cependant se reprendre peu à peu et durant les dernières années de la monarchie, la reine et la gouvernante des Enfants de France ne se parlaient guère qu'en public.

220. La maison de Montreuil qu'habitait madame de Mackau lui fut donnée par Madame Élisabeth. Elle avoisinait celle dont Louis XVI avait fait cadeau à sa sœur en 1781 et qu'il avait achetée de madame de Guéménée (note du premier éditeur).

221. Seules des personnes déterminées ont le droit de s'asseoir sur ces sièges en présence du roi et de la reine ; recevoir le tabouret, c'est être faite duchesse ou être nommée surintendante de la maison de la reine.

222. À côté des Orléans et des Condés, les Contis forment la troisième branche de la maison de Bourbon. La tige de la branche de Conti est Armand de Bourbon-Conti, frère puîné du Grand Condé. Le dernier du nom dont il est question ici est né à Paris en 1734 ; il se distingua pendant la guerre de Sept Ans, émigra, rentra en France en 1790 et prêta le serment civique. Suspect néanmoins, il fut emprisonné puis sommé de sortir de France par ordre du Directoire. Il mourut à Barcelone en 1819.

223. La bataille navale d'Ouessant eut lieu le 27 juillet 1778. La flotte française était commandée par l'amiral d'Orvilliers assisté du duc de Chartres, lui-même dirigé par La Motte-Picquet.

Orvilliers par d'habiles évolutions réussit à obtenir l'avantage du vent et les Anglais durent abandonner le lieu de l'action. Cette bataille indécise passa pour une victoire française.

224. Le duc du Maine, fils de Louis XIV et de madame de Montespan, avait épousé la petite-fille du Grand Condé qui le domina toute sa vie. Ils tinrent à Sceaux une véritable petite cour.

225. Voir n. 135, p. 256, et n. 143, p. 261.

226. Le château de Petit-Bourg a été détruit en 1944. Le parc subsiste.

227. Louise-Henriette de Bourbon-Conti, épouse de Louis-Philippe d'Orléans et mère de la duchesse de Bourbon et du duc de Chartres, avait scandalisé la cour par sa conduite.

228. En alchimie, le grand œuvre est la transmutation des métaux en or.

229. La prédiction est troublante. Car madame d'Oberkirch qui écrit en 1789 ses Mémoires et meurt en 1803 ne pouvait pas prévoir la Restauration.

230. Le marquis d'Autichamp passa au service de l'Autriche et de la Russie ; le comte Antoine, son frère, servit sous La Fayette aux États-Unis puis dans l'armée de Condé. Charles, fils d'Antoine fut un des chefs de l'insurrection vendéenne et contribua à sauver les prisonniers républicains après la bataille de Cholet.

231. Les Anisson sont une ancienne famille du Dauphiné qui a fourni beaucoup d'hommes distingués à l'imprimerie. Plusieurs Anisson ont été directeurs de l'Imprimerie royale. Le dernier, Anisson-Duperron, fut traduit devant le tribunal révolutionnaire et mourut sur l'échafaud.

232. Il était le fils de M. de Montmartel, banquier de la cour ; le plus opulent des quatre frères Pâris lesquels avaient acquis d'immenses richesses. Leur père était aubergiste en Dauphiné (note du premier éditeur).

233. Les actuels Palais-Bourbon et Hôtel de Lassay.

234. Voir n. 51, p. 277.

235. Jusqu'à la Révolution, le Grand Châtelet, siège de la justice royale de Paris, servit de prison pour les criminels de droit commun. Il fut détruit en 1802.

236. Voir n. 87, p. 183.

237. Voir n. 144, p. 262.

238. Champein, compositeur français, écrivit à partir de 1770 de nombreuses comédies lyriques.

239. Quinault, poète dramatique français (1635-1688) débuta dans le genre qui devait l'illustrer par les intermèdes de *Psyché*. Il fut dès lors le collaborateur de Lulli dans l'opéra. *Atys* (1676) est celui de ses opéras que préférait madame de Maintenon ; c'est en effet celui qui dépeint le mieux l'amour et dont le dénouement est le plus tragique. Ici il s'agit d'une nouvelle musique, de Piccini, le rival de Gluck (voir n. 107, p. 224).

240. La comtesse de Balbi avait fait interdire son mari, le comte de Balbi, noble génois. Elle est célèbre par sa liaison avec le comte de Provence qu'elle suivit à Coblence en émigration. Puis elle passa en Angleterre et finit sa vie en France, dans l'oubli (1753-1832).

241. Commandant le régiment des gardes suisses, il fut en 1789 mis par Louis XVI à la tête des troupes réunies autour de Paris pour contenir les mouvements populaires. Arrêté, le tribunal du Châtelet le

déclara innocent. Malgré son inculture dont nous entretient la baronne d'Oberkirch, il a écrit d'intéressants Mémoires.

242. Philippe-Égalité, trouvant cette origine encore trop noble a prétendu, dit-on, qu'il y avait confusion et qu'il était fils de Montfort, son cocher (note du premier éditeur).

243. Gustave III qui avait été couronné en 1772 roi de Suède passa d'abord pour un despote éclairé. Il parlait admirablement le français, pensait et écrivait en français et se déclarait avec la noblesse et le « parti des chapeaux », soucieux d'une alliance avec la France, par opposition au « parti des bonnets » qui regardait plutôt vers la Russie.

Comme beaucoup d'esprits parfaitement normaux et équilibrés dans la vie quotidienne, Gustave III ne reculait devant aucune extravagance en matière occulte et il se prêtait à des cérémonies de sombre magie, parfois en compagnie de son ami, le baron de Staël, qui était alors candidat à l'ambassade de France et à la main de mademoiselle Necker.

Il est curieux de remarquer que la prédiction de la « devineresse » qui lui annonçait une mort précoce et violente s'accomplit puisque Gustave III fut assassiné dans un bal masqué par un de ses officiers en 1792.

244. Madame d'Houdetot appartient à l'histoire littéraire par sa longue liaison avec le poète Saint-Lambert et l'ardente passion qu'elle inspira à Jean-Jacques Rousseau. Les vers sur madame de La Vallière cités par madame d'Oberkirch sont également rapportés par Grimm dans la *Correspondance littéraire*.

245. Fanchon la Vielleuse, d'origine savoyarde, est une physionomie foraine populaire du Paris du XVIIIᵉ siècle.

246. Voir n. 193, p. 392.

247. Philippe-Égalité vota la mort du roi, son cousin et mourut guillotiné en 1793.

248. Le juif portugais Martinez Pasqualis (1715-1779) avait institué un rite cabalistique qu'il introduisit dans certaines loges maçonniques dont il fut le grand maître. Il rêve de réconcilier l'homme avec Dieu et prétend trouver toute science dans la cabale juive.

249. Claude de Saint-Martin (1743-1803) est le principal disciple de Martinez Pasqualis tout en n'adoptant pas tout son système. « Le philosophe inconnu » qui refuse les pratiques de la magie est un mystique tourné vers la prière et son livre *L'Homme de désir*, publié en 1790, est une œuvre toute de spiritualité. Ce philosophe illuminé reçut un accueil chaleureux dans les cercles de la noblesse et de la haute bourgeoisie de Strasbourg.

250. Siècle.

251. Je l'avais vu à son passage à Strasbourg en 1778 lors de son voyage de Vienne à Paris. Les extases produites par son baquet magnétique avaient profondément excité mon étonnement (note de l'auteur).

252. Madame Saint-Huberti a été assassinée à Londres en 1812, en même temps que le comte d'Entraigues, qu'elle avait suivi en émigration et dont elle était devenue la femme en 1791 (note du premier éditeur).

253. Il y a ordinairement deux voyages de la Cour tous les ans. Le premier à Compiègne se fait durant l'été et devient moins régulier ; le second à Fontainebleau dure le double du premier. On y donne régulièrement des spectacles, en outre des chasses. C'est là que la Cour célèbre la Saint-Hubert (note du premier éditeur).

254. 27 mètres.

255. Le baron de Breteuil (1730-1807) débuta dans l'armée et dans la diplomatie. Secrétaire d'État de la maison du roi en 1783 il conserva ce poste jusqu'en 1788 ; c'est par sa circulaire aux intendants en 1785 que prit virtuellement fin le régime des lettres de cachet. Il fit aussi fermer le donjon de Vincennes et fut hostile à Calonne. Il n'en fut pas moins le centre de la résistance absolutiste que soutenait Marie-Antoinette. Son retour au ministère en 1789 fut une des raisons du mouvement populaire qui amena la prise de la Bastille. Il émigra.

256. Il servit beaucoup à répandre les doctrines des philosophes et les idées économiques de Turgot. Il eut l'estime de Franklin et contribua à faire la paix avec l'Angleterre.

257. Mazarin avait acheté Saint-Cloud pour le compte de Monsieur, Philippe d'Orléans, frère de Louis XIV. C'est là que mourut sa première femme Henriette d'Angleterre le 26 juin 1670.

Pour sa seconde femme, la Palatine, Monsieur fit jeter bas le premier château et entreprit la construction d'un véritable palais sur les plans de Mansart.

À la mort de Monsieur, Saint-Cloud passa au Régent qui y reçut Pierre le Grand. En 1785, les Orléans vendirent ce château à Marie-Antoinette qui y fit des embellissements.

258. Le duc de Chartres s'était fait construire en 1778 sur le territoire de Monceau, dépendant de Clichy, une maison de plaisance qu'on nommait la Folie de Chartres (voir n. 157, p. 286).

259. La princesse Palatine qui avait vu avec grande colère son fils épouser une « bâtarde », mademoiselle de Blois, fille de Louis XIV et de madame de Montespan, redoutait de nouvelles mésalliances pour ses petites-filles. Le Régent, on le sait, eut six filles dont la duchesse de Berry fut la plus scandaleusement célèbre.

260. Tout le beau monde se donnait rendez-vous à la descente du Pont-Neuf dans la boutique à la mode portant l'enseigne Au Petit-Dunkerque qui vendait toutes espèces de bibelots, colifichets, tapisseries, etc.

261. C'est dans l'île des Peupliers (et non des Saules), si souvent célébrée, que M. de Girardin fit enterrer Jean-Jacques Rousseau. Ermenonville devint ainsi un lieu de pèlerinage pour les admirateurs de Rousseau, même quand, sous la Convention, les restes du philosophe eurent été transférés au Panthéon.

262. Louis XVI acheta Rambouillet au duc de Penthièvre en 1783 ; tenté par le domaine et ses chasses, il voulut aussi y encourager l'élevage ovin. Le jardin anglais fut embelli par Hubert Robert.

263. Le premier dauphin est mort à Meudon le 4 juin 1789.

264. La première ascension d'un aérostat fut réalisée par les frères Montgolfier le 5 juin 1783 à Annonay. L'air chaud était le produit de la combustion de paille humide et de laine hachée.

Le 27 août 1783, Charles lança un ballon de Paris qui vint s'abattre à vingt kilomètres de la capitale, semant la terreur chez les paysans qui le mirent en pièces. Ce ballon, parti du Champ-de-Mars, avait utilisé l'hydrogène. C'est en septembre 1783 que fut lancée la première Montgolfière avec une cage d'osier contenant un mouton, un coq et un canard. L'expérience ayant réussi, Pilâtre de Rozier et le marquis d'Arlandes tentèrent la première ascension. On accrocha à la montgolfière un balcon circulaire où se tinrent les deux aéronautes avec une provision de paille qui devait leur servir à activer le feu d'un énorme réchaud placé sous l'orifice du ballon, globe de toile et de papier. Parti de la Muette, il alla se poser sur la butte aux Cailles. On essaya ensuite le premier vrai ballon sphérique avec enveloppe caoutchoutée, nacelle et lest et ce fut l'ascension réussie de Charles et de Robert ; le départ se fit aux Tuileries devant d'innombrables et silencieux spectateurs, le 1er décembre 1783. Robert et Charles allèrent descendre à Nesle près de l'Isle-Adam où un procès-verbal fut dressé en présence du duc de Chartres, du curé et du syndic du lieu.

Désormais, l'ascension d'une montgolfière devient un spectacle assez fréquent et toujours populaire. Madame d'Oberkirch raconte le lancer d'un ballon à Strasbourg aux chapitres XVIII et XIX et également l'essai assez piteux du duc de Chartres à Saint-Cloud.

265. L'abbé de l'Épée fonda une véritable école de sourds-muets qu'il entretint généreusement à ses frais. Le duc de Penthièvre et le roi Louis XVI l'aidèrent de leurs dons. Il était parti du principe que « l'éducation des sourds-muets consiste à faire entrer par les yeux dans leur esprit ce qui est entré dans le nôtre par les oreilles ».

266. Les tabletiers fabriquent ou vendent des tables à jeux : échiquiers, tric-trac, jeux de dames, et tous objets d'ivoire ou de bois. Ils font partie de la corporation des maîtres-peigniers, tabletiers, tourneurs et tailleurs d'images.

267. Au moment où éclatait la guerre d'Amérique, l'amiral Rodney était retenu à Paris prisonnier pour dettes. Il parut alors dans un journal anglais un article dans lequel on accusait la France de retenir ce marin célèbre dans une inaction forcée de crainte que ses talents et sa bravoure ne luttassent avec avantage contre le bailli de Suffren. Indigné de cette injure à son pays, le maréchal de Biron paya à l'instant même la dette de Rodney et le rendit à la liberté, pour prouver une fois de plus aux Anglais que nos marins ne le craignaient pas (note du premier éditeur).

268. Auguste-Marie Raymond d'Aremberg comte de La Marck du chef de sa mère descendait en droite ligne du fameux Guillaume de La Marck, surnommé le Sanglier des Ardennes. Il était propriétaire d'un régiment au service de France mais reprit en 1790 le nom de prince d'Aremberg.

Sa femme entretint avec le roi Gustave III de Suède une correspondance très intéressante.

Le comte de La Marck faisait partie du cercle de grands seigneurs étrangers intimes de Marie-Antoinette parmi lesquels il faut citer l'ambassadeur d'Autriche de Mercy et quelques brillants Suédois comme le comte Axel Fersen.

° Il faut noter que le comte de La Marck qui avait combattu pour l'indépendance des États-Unis (comme Fersen d'ailleurs) devint député de la noblesse aux États généraux, fut l'ami de Mirabeau et son exécuteur testamentaire. Lamarck joua un rôle important dans les négociations qui se nouèrent entre la reine et le grand tribun pour tenter de sauver la monarchie.

269. On sait que la princesse de Lamballe fut massacrée à La Force le 2 septembre 1792 ; sa tête, portée au bout d'une pique, fut présentée sous les fenêtres du Temple où était enfermée Marie-Antoinette.

270. Moreau le jeune a été le graveur officiel de la reine et de Paris. Ses planches et ses dessins sont les meilleurs témoins des belles années du règne de Louis XVI.

271. Henri de Prusse, frère cadet de Frédéric II, s'était distingué pendant la guerre de Sept Ans puis dans des missions diplomatiques à Saint-Pétersbourg en 1770 et à Paris en 1784. Il était cultivé et spirituel.

272. Le successeur de Frédéric II est son neveu, Frédéric-Guillaume II qui devint roi de Prusse en 1786.

273. La famille Czartoriski est une famille princière de Pologne qui descend des grands ducs de Lithuanie. Adam Casimir dont il est question ici fut président de la Diète polonaise à la mort d'Auguste III (1763). Il accepta l'ingérence de la Russie dans les affaires de Pologne.

Sa femme, la princesse Czartoriska, dont madame d'Oberkirch parle avec abondance au chapitre suivant, se fit connaître par son goût pour les lettres et pour les arts et a laissé un ouvrage intitulé *Diverses idées sur la manière de disposer les jardins*. Leur fille, épouse du prince Louis de Wurtemberg, a écrit un roman : *Malvina ou l'Instinct du cœur*. Elle ne fut pas heureuse avec son mari et ils divorcèrent en 1792.

La famille Czartoriski se fixa plus tard à Paris ; un prince Czartoriski épousa une fille du duc de Nemours.

274. Une partie des ouvrages de Voltaire était prohibée en France ; une édition complète ne pouvait donc s'y imprimer. M. de Maurepas, dont on connaît la légèreté d'esprit, accorda à cette opération son patronage secret, et M. d'Ogny, directeur général des postes qui était de connivence, favorisa l'introduction en France de l'édition de Kehl. Malgré le peu d'obstacles qu'elle rencontrait, la spéculation ne fut pas heureuse ; tirée à 15 000 exemplaires, cette édition eut à peine 2 000 inscripteurs. Les premiers de ces 162 volumes commencèrent à paraître en 1783 ; il fallut sept ans pour en terminer l'impression. Beaumarchais, pour plaire à Catherine II, consentit à cartonner la correspondance de cette souveraine avec Voltaire, en supprimant les passages indiqués par elle (note du premier éditeur).

275. La foire de Noël a toujours lieu en décembre à Strasbourg, mais se tient maintenant place de Broglie. C'est là que les parents achètent les jouets qui doivent orner l'arbre de Noël. C'est la veille de Noël qu'a lieu la fête du sapin où le petit Jésus (*Christkindel*) apparaît aux enfants sous la forme d'une jeune fille déguisée et habillée de blanc.

276. Les Loevenhaupt sont suédois.

277. Le futur général Coëhorn qui, capitaine en 1793, servit comme simple soldat puis reprit son grade et participa à toutes les batailles de l'Empire, jusqu'à celle de Leipzig où un boulet lui emporta la cuisse.

278. Le futur Louis XVII ne devint dauphin qu'en 1789, à la mort de son frère aîné.

279. S.A.S. Madame la princesse de Montbéliard, la comtesse de Wartensleben et Mademoiselle de Domsdorff (note de l'auteur).

Le marquis auquel il est fait allusion plus loin est le marquis de Vernouillet.

280. Le peintre suisse Huber qui mourut en 1786 vécut vingt ans dans l'intimité de Voltaire ; il en fit de nombreux portraits qui furent achetés par Catherine II.

281. *Nouvelles Observations sur les abeilles* (1792).

282. Voir n. 76, p. 169.

283. Valet de pied, vêtu à la hongroise.

284. Voir n. 28, p. 75.

285. Le chef-d'œuvre de Thomas Corneille, 1672.

286. Voir n. 142, p. 261.

287. Une des meilleures tragédies de Voltaire.

288. Voir n. 242, p. 451.

289. Philippe Égalité eut trois fils et deux filles de son mariage avec Mademoiselle de Penthièvre. Madame Louise-Adélaïde d'Orléans, née en 1777 et morte en 1848, était intelligente et sensée : Louis-Philippe consultait souvent sa sœur et suivait ses avis.

290. Le dimanche suivant, sur les dix heures du matin, M. Moreau fut conduit en prison où il resta jusqu'à une heure de l'après-midi et reparut le soir dans le rôle de Nissus de Pénélope où il fut reçu avec transport. Il lui fut donné cent cinquante livres de gratification en sortant de prison (note du premier éditeur).

291. *Richard Cœur de Lion* est le plus célèbre des livrets d'opéras écrits par Sedaine. La musique de Grétry a fait son long succès depuis sa création en 1784. Certains airs pleins de noblesse sont fameux : Ô Richard, ô mon roi ! — » Une fièvre brûlante... » — le beau chœur final.

292. Comme il n'y avait pas encore de culte protestant public autorisé à Paris, les protestants de qualité se rendaient aux services des différentes ambassades des pays protestants, notamment l'ambassade de Suède et la légation danoise.

293. Les Pandours sont des soldats irréguliers hongrois ou slaves. Des Pandours de Charles de Lorraine envahirent la Basse-Alsace en

1744 où ils laissèrent un très mauvais souvenir. Le mot s'appliqua par extension à tout homme brutal et grossier.

294. *Vert-Vert* est le titre d'un poème bien connu de Gresset. C'est l'histoire d'un perroquet qui fait divers séjours dans plusieurs couvents où il introduit un vocabulaire scandaleux. Jugé par le Conseil de l'Ordre, il se repent ; on le récompense et il meurt d'une indigestion.

295. Voir n. 119, p. 234.

296. Mademoiselle de la Vallière, devenue sœur Louise de la Miséricorde, après avoir été supplantée par madame de Montespan dans les faveurs de Louis XIV.

297. *Colinette à la Cour* dont les paroles sont de Lourdet de Santerre est une sorte de comédie lyrique, introduction nouvelle à l'Opéra.

298. Après la plaine des Sablons, c'est à Longchamp, puis à Vincennes que furent organisées les premières courses de chevaux à l'imitation de l'Angleterre, et sur l'initiative du comte d'Artois.

299. Voir n. 3, p. 34.

300. Nom d'une seigneurie dépendante de la principauté de Montbéliard et située en Suisse, cédée en 1658 à l'évêque de Bâle quant à la souveraineté. Cette terre, à toutes les époques, a formé l'apanage de plusieurs familles de bâtards des comtes de Montbéliard. Il est assez bizarre que le duc Charles ait eu l'idée de suivre cette tradition qui remontait à cinq siècles au moins (note du premier éditeur).

301. Voir n. 87, p. 183.

302. Anne-Françoise de Coigny épousa à quinze ans le duc de Fleury. Elle est surtout célèbre pour avoir inspiré à André Chénier qu'elle connut en prison l'élégie de *La Jeune Captive*.

303. Il s'agit de deux amoureux qui ne pouvaient se marier parce que la jeune paysanne attendait un enfant. M. de Saint-Florentin fit venir une dispense de Rome et unit les jeunes gens.

Marmontel fit un conte puis une pastorale de ce fait divers que les Favart mirent en musique. Les deux héros furent invités à la première représentation et devinrent populaires.

304. De la Marine et de la Guerre.

305. Le comte de Guibert fut fort jeune employé en Corse lors de l'invasion de la France dans cette île ; il s'y distingua, ce qui lui valut le grade de colonel en second de la légion corse et la croix de Saint-Louis (note du premier éditeur).

En tactique militaire, l'ordre mince dont Gustave Adolphe se servit le premier, consiste à étirer considérablement la ligne de feu tandis que l'ordre profond, préconisé par les « Anciens », disposait les troupes en carré.

306. Au service du roi Stanislas, Saint-Lambert fit à Lunéville la connaissance de Voltaire et de madame du Châtelet dont la terre de Cirey était voisine de Lunéville. « La belle Émilie » se prit de passion pour Saint-Lambert, plus jeune qu'elle de dix ans. Après sa mort, Saint-Lambert se lia à Paris avec madame d'Houdetot. Il était entré à l'Académie en 1770.

307. Les imitations des pièces de Shakespeare par le poète Ducis
sont d'une liberté incroyable. En fait, leur auteur qui, avouait-il,
« n'entendait pas l'anglais », accommodait simplement au goût du jour
les traductions plus ou moins fidèles d'un La Place ou d'un Le Tour-
neur. Il n'hésitait pas, à l'occasion, à faire des emprunts à d'autres
auteurs et, par exemple, à introduire dans *Roméo et Juliette*, l'épisode
d'Ugolin, tiré de Dante ! Il connut néanmoins les plus grands succès
et a quand même contribué à faire connaître Shakespeare au grand
public français.

308. De Corneille.

309. La première femme du margrave de Bayreuth est Wilhelmine
Frédérique Sophie, sœur de Frédéric II et son aînée de deux ans. Elle
a écrit des Mémoires très vivants mais parfois assez crus.

310. Voici une épigramme sur Marmontel composée vers cette
époque :

> *Ce Marmontel si lent, si lourd,*
> *Qui ne parle pas mais qui beugle,*
> *Juge la peinture en aveugle,*
> *Et la musique comme un sourd.*
> *Ce pédant à si sotte mine*
> *Et de ridicules bardé*
> *Dit qu'il a le secret des beaux vers de Racine :*
> *Jamais secret ne fut si bien gardé.*

(Note du premier éditeur.)

311. Dans certaines de ses comédies, Florian donne à son héros
Arlequin, l'ancien sacripant de la comédie italienne, les plus édifiantes
vertus domestiques, par exemple dans *Le Bon père*, *La Bonne mère*, *Le
Bon fils*, *Le Bon ménage*.

312. Voir n. 151, p. 277.

313. Au XVIIIe siècle, la Perse avait étendu son influence sur la Géorgie mais la Russie, depuis Pierre le Grand, n'avait cessé de manifester
ses ambitions de ce côté. C'est dans les dernières années du siècle
qu'elle devait obtenir la cession de la Géorgie.

314. Tous deux fils de la duchesse de Bourbon.

315. La célèbre danseuse dont raffolaient la cour et la ville n'était
pas farouche ; elle eut de nombreux amants ; parmi les plus connus, le
maréchal de Soubise et le banquier La Borde. Elle se fit construire par
Ledoux un magnifique hôtel qui comportait un théâtre de 500 places.
La propriétaire fut cependant obligée de le mettre en loterie pour se
faire de l'argent ; on lança 2 500 billets de 120 livres.

Quant à mademoiselle Dervieux, autre danseuse à la mode, c'est à
Brongniart qu'elle s'était adressée pour se faire construire sa maison
de la rue Chante-Reine que Bellanger agrandit et embellit.

316. Anne de Coligny, mère de Léopold-Eberhard, était l'arrière
petite-fille de l'amiral et sœur de la comtesse de La Juze connue par
ses poèmes et par ses galanteries (note du premier éditeur).

317. Comme une partie de ses biens était sous la domination de la
France, le prince, pour mettre ses enfants à couvert du droit d'aubaine,

obtint pour eux de Louis XV des lettres de naturalité, de confirmation de l'adoption des Sandersleben, de la légitimation des deux damoiselles de l'Espérance-Coligny ainsi que de la donation qu'il leur avait faite. L'aîné eut le comté de Coligny sis en Bourgogne, le second eut Baldenheim et les autres fiefs alsaciens qui sont devenus vacants en 1719 par l'extinction des Chamlay (note du premier éditeur).

318. On a voulu jeter un doute sur la validité ou même sur la réalité du mariage morganatique de la comtesse de Sponeck ; ce qui est certain, c'est que le duc Léopold fit dresser un acte de divorce le 6 octobre 1714 (note de l'auteur).

319. Les princes de Montbéliard ne reconnaissaient pas les prétentions de souveraineté de la France sur les terres de Blamont, Héricourt, Châtelot, etc., dans lesquelles elle succédait aux comtes de Bourgogne depuis la conquête de la Franche-Comté. On verra plus loin que l'indépendance de ces seigneuries fut maintenue jusqu'en 1748 (note du premier éditeur). Voir aussi n. 8, p. 42.

320. Il était alors ministre du duc de Montbéliard (note du premier éditeur).

321. Le titre de prince héréditaire de Montbéliard est donné au comte de Sponeck dans les lettres patentes de naturalité obtenues du roi au mois d'août 1719. Il y est qualifié de prince et de cousin de Sa Majesté (note du premier éditeur).

322. Le comte de Sponeck qui continuait à porter le titre de prince de Montbéliard eut à cette cérémonie pour parrain et marraine le duc de Luynes et la princesse de Carignan.

323. *Jodelet* ou *Le Maître-valet* (1645) est une comédie en cinq actes de Scarron, qui lui valut une partie de sa popularité. Le valet Jodelet intervient dans les affaires de cœur de son maître, à la manière de Marivaux dans *Le Jeu de l'amour et du hasard*.

324. Mariée en 1804 au duc Charles-Frédéric de Saxe-Weimar.

325. Au Parlement de Paris. Il s'agit d'Étienne-François d'Aligre, premier président de 1768 à 1788.

326. Josué Hofer, né en 1721, syndic depuis 1748, vit avec désespoir la république de Mulhouse déjà enclavée dans le territoire français en 1795, lui être décidément incorporée en 1798. Il en mourut de chagrin l'année suivante.

327. *Le Premier Navigateur*, en deux chants, est un des meilleurs ouvrages du poète de Zurich, surnommé le « Théocrite allemand » (1730-1787). La poésie de l'auteur des *Idylles*, douce jusqu'à la fadeur, fut très goûtée au XVIII$^e$ siècle et particulièrement en France.

328. Construit sur ordre du duc de Chartres en 1783, c'est aujourd'hui le Théâtre du Palais-Royal. Destiné à l'amusement du jeune comte de Beaujolais (fils du duc de Chartres), il donnait des spectacles de marionnettes, ou de jeunes enfants qui mimaient des scènes.

329. Audinot est le fondateur de l'Ambigu-Comique, boulevard du Temple. Il présenta successivement des marionnettes, une troupe de jeunes enfants et finalement des acteurs adultes qui se spécialisèrent dans le grand mélodrame. Ce fut le théâtre de Frédérick Lemaître.

Détruit par un incendie en 1827, l'Ambigu fut reconstruit boulevard Saint-Martin.

330. Nicolet, qui avait eu un théâtre de marionnettes aux foires Saint-Germain et Saint-Laurent, fit construire en 1784 un théâtre sur le boulevard du Temple : le théâtre Nicolet. Il offrait sans cesse de nouveaux spectacles et des plus variés d'où le proverbe : « de plus en plus fort, comme chez Nicolet ». Il obtint l'autorisation d'y jouer des pantomines et le talent de Taconnet, son associé, lui attira la foule. Cette salle prit le nom de Théâtre de la Gaîté en 1792, fut détruite et reconstruite plusieurs fois avant de devenir la Gaieté-Lyrique.

331. Les Porcherons situés au nord-ouest de Paris étaient un quartier populaire aux nombreuses guinguettes dont le cabaret fameux du Tambour royal, appartenant à Ramponneau. Ce cabaret, fréquenté par les militaires et les grisettes, devint à la mode ; gens de la ville et de la cour s'y encanaillaient volontiers.

332. La célèbre aventurière anglaise (1720-1782), orpheline de bonne heure, spirituelle et belle, fut poussée à la cour par le comte de Bath et fit partie de la maison de la princesse de Galles. Elle abandonna un premier mari pour accepter les faveurs de George II puis celles du duc de Kingston qu'elle épousa.

À la mort de celui-ci, ses héritiers la firent condamner pour bigamie. Entre-temps, elle avait aussi fait la conquête de Frédéric II.

333. La peau de raie est employée dans la gainerie.

334. La fille aînée de Louis XV qui vécut jusqu'en 1800.

335. Des lettres patentes de 1764 ont régularisé le titre de marquis de Persan porté par la famille Doublet. La terre de Persan, ancienne baronnie, appartient à cette famille depuis plus de deux cents ans (note du premier éditeur).

336. Cette liste est incomplète, il faut y ajouter : Aiguillon (Richelieu). — Albret (La Tour d'Auvergne). — Charost (Béthune). — Biron (Gontaut). — Sully (Béthune). — Duras (Durfort). — Lavauguyon (Quélen). — Gesvres (Potier). — Villeroy (Neufville) (note du premier éditeur).

337. Voir n. 76, p. 169. Le crédule prélat, après son arrestation, fut enfermé à la Bastille et, quoique déchargé de toute accusation, privé de ses dignités et exilé dans une abbaye. Il rentre en grâce en 1789 et retrouve son évêché, sur les instances du Conseil souverain d'Alsace. Adversaire farouche de la Révolution et de la Constitution civile du Clergé, il s'exile en Allemagne et c'est d'Ettenheim, dans le pays de Bade, qu'il prêche la résistance à ses ouailles alsaciennes, jusqu'à sa mort en 1802.

338. Cette « insultante altération » semble être une vengeance des partisans du cardinal de Rohan. La tête nue du roi, aux cheveux longs, porte une corne sur le front. C'est le louis d'or à la corne de 1786, extrêmement rare. (La Monnaie de Paris n'en possède pas dans ses collections.) Malgré le retrait immédiat de ces pièces dénommées « les monnaies scandaleuses de Strasbourg de 1786 », une dizaine d'entre elles ne purent être retrouvées.

339. Voir n. 34, p. 82. Le Conseil d'Alsace était ainsi composé : un premier président, un second président, deux conseillers d'honneur d'église, quatre conseillers chevaliers d'honneur d'épée ; une première chambre de dix conseillers, une seconde chambre de neuf conseillers et les gens du roi (note du premier éditeur).

340. Frédéric le Grand a laissé à madame la duchesse de Wurtemberg 20 000 écus une fois payés et une bague au duc, son mari (note du premier éditeur).

341. L'abbé Terray avait été contrôleur général des Finances en 1769. Il réduisit les arrérages des rentes, ajourna les remboursements de capitaux, augmenta la gabelle.

342. Le marquis de Puységur était, on l'a vu, un adepte fervent de Cagliostro et de Mesmer et un des intimes de la duchesse de Bourbon et des Oberkirch à Paris et à Strasbourg. Il avait épousé la fille du financier, Baudard de Saint-James, qui s'appelait plus exactement de son lieu d'origine, Baudart de Sainte-Gemme, dont l'anglomanie avait fait Saint-James, bâtisseur de la Folie Saint-James.

« Saint-James avait pris une part considérable dans la Compagnie française du Commerce du Nord dont l'objet était de transporter les bois de construction de Hambourg, etc. En février 1789, cette fortune laborieusement acquise s'échappait des mains de M. de Saint-James. Le ministère de la Marine lui déclarait qu'il renonçait au traité par lequel il commissionnait cette compagnie. M. de Saint-James avait fait des avances considérables à l'État et n'en était pas remboursé ; il ne put donc pas parer au sinistre qui fut le résultat de la résolution du traité. » (note du premier éditeur).

343. Fermier général en 1743 et administrateur des Postes, M. Bouret acheta un terrain qui avait plu au roi Louis XV dans la forêt de Sénart, y fit bâtir un château (Croix-Fontaine) et y reçut magnifiquement le roi qui accepta une pêche. À la vérité, ses créanciers faisaient au même moment saisir ses meubles. Après avoir possédé plus de quarante millions, il mourut insolvable et, très probablement, se suicida pour éviter la banqueroute.

344. Ce Daudet de Jossan était petit-fils d'Adrienne Lecouvreur et du maréchal de Saxe (note du premier éditeur).

345. Beaumarchais s'est signalé par une série de procès scandaleux à l'occasion desquels il composa de vigoureux pamphlets : ce sont les *Mémoires* de Beaumarchais contre le comte de La Blache qui l'accusait de faux et le conseiller Gœzman, un de ses juges, qui le dénonça pour tentative de corruption ; contre Kornmann enfin. Beaumarchais fut blâmé et ses *Mémoires* condamnés au feu. Leur succès n'en fut pas moins étourdissant : 6 000 exemplaires furent vendus en trois jours. Succès qui s'explique par la verve étincelante d'esprit de l'auteur et sa langue vivante et audacieuse.

346. Le choléra.

347. La princesse Élisabeth mourut en couches le 18 février 1790, quelques jours avant l'empereur Joseph II auquel son mari succéda (note du premier éditeur).

348. Mariée en 1816 au roi Guillaume de Wurtemberg.

349. Le baron de Müllenheim, son mari, était grand-veneur de l'évêché de Strasbourg. La famille de Müllenheim, une des plus illustres de Strasbourg, avait aux XIVe et XVe siècles disputé la prépondérance dans cette ville à la famille des Zorn. Une querelle entre les deux maisons rivales fut le point de départ de troubles qui allaient durer un siècle et demi et aboutir à l'élaboration de la constitution de la ville qui devait se maintenir jusqu'à la Révolution.

350. Cette allusion à *Valérie*, le roman de madame de Krüdener, ne peut être qu'une intercalation apocryphe. En effet, si la baronne d'Oberkirch a pu compléter après 1789 tel ou tel paragraphe de ses mémoires, elle a pu difficilement connaître *Valérie*, roman paru l'année même de sa mort (juin 1803). Quant à Swedenborg, mort en 1772, traduit et lu dans l'Europe entière, et qui prétendait accéder à la cité céleste et au monde invisible, il avait de nombreux disciples en Alsace dont le moindre n'était pas Oberlin, le fameux pasteur et philanthrope du Ban de la Roche.

351. L'auteur du *Diable amoureux* (1772) était porté vers l'illuminisme et s'était fait initier à la secte des Martinistes (voir n. 338, p. 724, et n. 339, p. 726). Il n'est cependant pas l'auteur de la fameuse prophétie de Cazotte sur la Révolution, fabriquée de toutes pièces par La Harpe et adressée au grand-duc de Russie dont il était le correspondant. Il la suppose faite en 1788 dans une réunion de gens de cour, de robe et de lettres où le martiniste annonce la Révolution et ses conséquences fatales pour un grand nombre d'auditeurs. Madame d'Oberkirch semble avoir eu connaissance de cette prophétie dès sa rédaction par La Harpe et avoir fait partie des esprits crédules qui se laissèrent prendre à cette fiction.

352. Il s'agit évidemment du duc d'Orléans (voir n. 132, p. 184).

353. Née baronne de Ferrette, femme du lieutenant général dont j'ai déjà parlé (note de l'auteur). Wiwersheim est situé près de Truchtersheim, arrondissement de Strasbourg.

354. Le baron de Nicolay (Louis-Henri) né à Strasbourg en 1737, mort en 1820, fut en 1796 maître de la cour de l'empereur Paul Ier et conseiller d'État, en 1748 directeur de l'Académie des Sciences de Saint-Pétersbourg (note du premier éditeur).

355. Le 21 juillet, quelques centaines d'ouvriers et d'hommes de la populace, après avoir pillé les caisses de l'hôtel de ville de Strasbourg, déchiré les archives, brisé les meubles, brûlé les tableaux et les voitures de gala ainsi que la grande bannière strasbourgeoise, détruit en un mot tout ce qui s'offrait à leur fureur sauvage, se livrèrent à la plus effroyable orgie. Et cependant, on laissait sur place et l'arme au bras, sans leur donner d'ordre, les détachements des régiments d'Alsace et de Darmstadt. Ils ne se retirèrent que lorsque la dévastation fut accomplie et l'impunité constatée (note du premier éditeur).

Le gouverneur de l'Alsace était alors Rochambeau qui, soucieux de sa réputation libérale et « américaine », n'avait pas voulu intervenir avec sa troupe contre les déprédateurs.

## ADDITIF

Deuxième alinéa : *La cathédrale de Strasbourg...* Une des rares erreurs historiques de Madame d'Oberkirch. En effet, ce n'est pas le traité de Westphalie, en 1648, qui a rendu la cathédrale de Strasbourg au culte catholique, mais Louis XIV, en 1681, après la capitulation de la ville. Voir aussi n. 55, p. 118.

# INDEX

# A

## CHAPITRE PREMIER

Ma naissance. – Mes grands-parents. – Mulhouse. – Mon
père. – Ma mère morte jeune. – Mes oncles. – Le régiment de
Bouillon. – Le roi Dagobert. – Le château où j'ai été élevée. –
Mon éducation. – Les Waldner. – Les Berckheim. – Les
Glaubitz. – Montbéliard. – Le duc Frédéric-Eugène de Wur-
temberg vient s'y établir.

## CHAPITRE II

M. de Waldner à Paris. – Présentation à Versailles. – Le prince
de Montbéliard et sa famille. – Portrait de sa mère, princesse
de la Tour et Taxis. – Première visite. – Le château de
Montbéliard. – La princesse Dorothée de Wurtemberg. –
Mademoiselle Schneider, ma femme de chambre. – Madame
Hendel, femme de charge à Montbéliard. – Le baron de Maucler. – Naissance d'un prince. – Construction du château
d'Étupes. – Visite du duc régnant de Wurtemberg. – Détails
sur ce prince. – Négociation de son mariage. – Folles dépenses. – Remontrances des États. – Fiançailles du duc. – La comtesse de Hohenheim. – Le prince Louis-Eugène. – Pourquoi
les trois frères se nomment Eugène.

## CHAPITRE III

1770-1775. Marie-Antoinette à Strasbourg. – Étiquette vis-à-
vis des princes étrangers. – Entrée de la dauphine. – Fêtes et
présentations. – Portrait de Marie-Antoinette. – Pavillon de
l'île du Rhin. – Fâcheux pronostic. – Détails et mots de la

## CHAPITRE IV

*Table* 769

*Table* 771

*Table* 773

CHAPITRE XVIII

CHAPITRE XIX

CHAPITRE XX

*Table*    775

### CHAPITRE XXI

### CHAPITRE XXII

### CHAPITRE XXIII

### CHAPITRE XXIX

### CHAPITRE XXX

### CHAPITRE XXXI

*Table* 779

## CHAPITRE XXXII

## CHAPITRE XXXIII

## CHAPITRE XXXIV

## CHAPITRE XXXV

## CHAPITRE XXXVI